AF234565

# Ley General de la Seguridad Social

## (Texto Refundido de la Ley General de la Seguridad Social, aprobado por Real Decreto Legislativo 8/2015, de 30 de octubre)

Concordada con la jurisprudencia de los
Tribunales Constitucional y Supremo

**_ACCESO GRATIS_** _a la Lectura en la Nube + Actualizaciones_

Para visualizar el libro electrónico en la nube de lectura envíe junto a su nombre y apellidos una fotografía del código de barras situado en la contraportada del libro y otra del ticket de compra a la dirección:

**ebooktirant@tirant.com**

En un máximo de 72 horas laborables le enviaremos el código de acceso con sus instrucciones.

# Ley General de la Seguridad Social

20ª Edición

**(Texto Refundido de la Ley General de la Seguridad Social, aprobado por Real Decreto Legislativo 8/2015, de 30 de octubre)**

Concordada con la jurisprudencia de los Tribunales Constitucional y Supremo

**JOSÉ FRANCISCO BLASCO LAHOZ**
*Profesor Titular de Derecho del Trabajo y de la Seguridad Social*
*Universitat de València*

**tirant lo blanch**
Valencia, marzo de 2026

© José Francisco Blasco Lahoz

© TIRANT LO BLANCH
EDITA: TIRANT LO BLANCH
C/ Artes Gráficas, 14 - 46010 - Valencia
TELFS.: 96/361 00 48 - 50
FAX: 96/369 41 51
Email: tlb@tirant.com
www.tirant.com
Librería virtual: www.tirant.es
DEPÓSITO LEGAL: V-1091-2026
ISBN: 979-13-7040-356-0

Si tiene alguna queja o sugerencia, envíenos un mail a: *atencioncliente@tirant.com*. En caso de no ser atendida su sugerencia, por favor, lea en *www.tirant.net/index.php/ empresa/politicas-de-empresa* nuestro procedimiento de quejas.

Responsabilidad Social Corporativa: http://www.tirant.net/Docs/RSCTirant.pdf

# ÍNDICE

**REAL DECRETO LEGISLATIVO 8/2015, DE 30 DE OCTUBRE, POR EL QUE SE APRUEBA EL TEXTO REFUNDIDO DE LA LEY GENERAL DE LA SEGURIDAD SOCIAL**

# REAL DECRETO LEGISLATIVO 8/2015, DE 30 DE OCTUBRE, POR EL QUE SE APRUEBA EL TEXTO REFUNDIDO DE LA LEY GENERAL DE LA SEGURIDAD SOCIAL

*(BOE núm. 261, 31 de octubre; correc. BOE núm. 36, 11 de febrero de 2016)*

El artículo uno.c) de la Ley 20/2014, de 29 de octubre, por la que se delega en el Gobierno la potestad de dictar diversos textos refundidos, en virtud de lo establecido en el artículo 82 y siguientes de la Constitución Española, autorizó al Gobierno para aprobar un texto refundido en el que se integrasen, debidamente regularizadas, aclaradas y armonizadas, el texto refundido de la Ley General de la Seguridad Social, aprobado por el Real Decreto Legislativo 1/1994, de 20 de junio, y todas las disposiciones legales relacionadas que se enumeran en ese apartado, así como las normas con rango de ley que las hubieren modificado. El plazo para la realización de dicho texto se fijó en doce meses a partir de la entrada en vigor de la citada Ley 20/2014, de 29 de octubre, que tuvo lugar el 31 de octubre de 2014.

Este real decreto legislativo ha sido sometido a consulta de las organizaciones sindicales y empresariales más representativas. Además, ha sido informado por el Consejo Económico y Social.

**Artículo único.** *Aprobación del texto refundido de la Ley General de la Seguridad Social.* Se aprueba el texto refundido de la Ley General de la Seguridad Social que se inserta a continuación.

**Disposición adicional única.** *Remisiones normativas.* Las referencias efectuadas en otras normas a las disposiciones que han sido integradas en el texto refundido que se aprueba, se entenderán realizadas a los preceptos correspondientes del texto refundido.

**Disposición derogatoria única.** *Derogación normativa.* Quedan derogadas cuantas disposiciones de igual o inferior rango se opongan a lo dispuesto en el texto refundido de la Ley General de la Seguridad Social, y en particular, las siguientes:

1. El texto refundido de la Ley General de la Seguridad Social, aprobado por el Real Decreto Legislativo 1/1994, de 20 de junio.

2. Los artículos 30 y 31 de la Ley 42/1994, de 30 de diciembre, de Medidas Fiscales, Administrativas y del Orden Social.

3. La disposición adicional decimoquinta de la Ley 30/1995, de 8 de noviembre, de ordenación y supervisión de los Seguros Privados.

4. Los artículos 69 y 77 de la Ley 13/1996, de 30 de diciembre, de Medidas Fiscales, Administrativas y del Orden Social.

5. La disposición adicional decimoquinta de la Ley 66/1997, de 30 de diciembre, de Medidas Fiscales, Administrativas y del Orden Social.

6. La Ley 47/1998, de 23 de diciembre, por la que se dictan reglas para el reconocimiento de la jubilación anticipada del Sistema de la Seguridad Social, en determinados casos especiales.

7. Los artículos 29 y 30 de la Ley 50/1998, de 30 de diciembre, de Medidas Fiscales, Administrativas y del Orden Social.

8. El artículo 26 de la Ley 55/1999, de 29 de diciembre, de Medidas Fiscales, Administrativas y del Orden Social.

9. La disposición adicional sexta de la Ley 12/2001, de 9 de julio, de Medidas urgentes de Reforma del Mercado de Trabajo para el Incremento del Empleo y la Mejora de su Calidad.

10. El artículo 4, la disposición adicional segunda y la disposición transitoria segunda de la Ley 45/2002, de 12 de diciembre, de medidas urgentes para la reforma del sistema de protección por desempleo y mejora de la ocupabilidad.

11. La Ley 28/2003, de 29 de septiembre, reguladora del Fondo de Reserva de la Seguridad Social.

12. La disposición adicional quincuagésima octava de la Ley 30/2005, de 29 de diciembre, de Presupuestos Generales del Estado para el año 2006.

13. La disposición adicional cuarta de la Ley 8/2006, de 24 de abril, de Tropa y Marinería.

14. El artículo 2 de la Ley 37/2006, de 7 de diciembre, relativa a la inclusión en el Régimen General de la Seguridad Social y a la extensión de la protección por desempleo a determinados cargos públicos y sindicales.

15. La Ley 18/2007, de 4 de julio, por la que se procede a la integración de los trabajadores por cuenta propia del Régimen Especial Agrario de la Segu-

ridad Social en el Régimen Especial de la Seguridad Social de los Trabajadores por Cuenta Propia o Autónomos, salvo la disposición transitoria primera.

16. Las disposiciones adicionales quinta, novena, decimocuarta y vigésima séptima de la Ley 40/2007, de 4 de diciembre, de medidas en materia de Seguridad Social.

17. La disposición adicional decimoquinta de la Ley 27/2009, de 30 de diciembre, de Medidas Urgentes para el Mantenimiento y el Fomento del Empleo y la Protección de las Personas Desempleadas.

18. La Ley 32/2010, de 5 de agosto, por la que se establece un sistema específico de protección por cese de actividad de los trabajadores autónomos, salvo las disposiciones adicionales décima y undécima.

19. La disposición adicional tercera de la Ley 35/2010, de 17 de septiembre, de medidas urgentes para la reforma del mercado de trabajo.

20. El artículo 20 del Real Decreto-Ley 13/2010, de 3 de diciembre, de actuaciones en el ámbito fiscal, laboral y liberalizadoras para fomentar la inversión y la creación de empleo.

21. El artículo 5 del Real Decreto-Ley 5/2011, de 29 de abril, de medidas para la regularización y control del empleo sumergido y fomento de la rehabilitación de viviendas.

22. Las disposiciones adicionales decimoquinta, trigésima tercera, trigésima novena, cuadragésima primera, cuadragésima sexta y quincuagésima segunda y el apartado 2 de la disposición final duodécima de la Ley 27/2011, de 1 de agosto, sobre actualización, adecuación y modernización del sistema de Seguridad Social.

23. La Ley 28/2011, de 22 de septiembre, por la que se procede a la integración del Régimen Especial Agrario de la Seguridad Social en el Régimen General de la Seguridad Social, salvo la disposición adicional séptima y la disposición final cuarta.

24. La disposición adicional octava del Real Decreto-Ley 20/2012, de 13 de julio, de Medidas para Garantizar la Estabilidad Presupuestaria y de Fomento de la Competitividad.

25. La disposición adicional segunda del Real Decreto-Ley 29/2012, de 28 de diciembre, de mejora de gestión y protección social en el Sistema Especial de Empleados de Hogar y otras medidas de carácter económico y social.

26. El capítulo I y la disposición adicional primera del Real Decreto-Ley 5/2013, de 15 de marzo, de medidas para favorecer la continuidad de la vida laboral de los trabajadores de mayor edad y promover el envejecimiento activo.

27. La disposición adicional segunda del Real Decreto-Ley 16/2013, de 20 de diciembre, de medidas para favorecer la contratación estable y mejorar la empleabilidad de los trabajadores.

28. El capítulo I, las disposiciones adicionales primera, segunda, tercera y cuarta y la disposición final quinta de la Ley 23/2013, de 23 de diciembre, reguladora del factor de sostenibilidad y del índice de revalorización del sistema de pensiones de la Seguridad Social.

**Disposición final única.** *Entrada en vigor.* El presente real decreto legislativo y el texto refundido que aprueba entrarán en vigor el 2 de enero de 2016.

Sin perjuicio de lo anterior, el complemento por maternidad por aportación demográfica a la Seguridad Social regulado en el artículo 60 del texto refundido será de aplicación, cuando concurran las circunstancias previstas en el mismo, a las pensiones contributivas que se causen a partir de 1 de enero de 2016.

> – No se reconoce el complemento por maternidad por aportación demográfica a la Seguridad Social en el supuesto de pensión por gran invalidez reconocida después del 1 de enero de 2016 por agravación de una incapacidad permanente total reconocida antes de que la Ley 48/2015, de 29 de octubre, instaurase dicho complemento (STS de 4 de octubre de 2022 [Tol 9251975]).

> – El complemento de maternidad por aportación demográfica al varón debe reconocerse a las pensiones causadas a partir de 1 de enero de 2016, incluyéndose en ese supuesto la pensión de jubilación de quien cesa en el Régimen Especial de la Seguridad Social de los Trabajadores por Cuenta Propia o Autónomos el 31 de diciembre de 2015 (SSTS 8 de febrero de 2023 [Rec. 1417/2020], 14 de febrero de 2024 [Rec. 3436/2022] y 29 de enero de 2025 [Rec. 4276/2023]).

La aplicación del factor de sostenibilidad regulado en el artículo 211 del Texto Refundido se llevará a cabo una vez que, en el seno de la Comisión de Seguimiento y Evaluación de los Acuerdos del Pacto de Toledo, se alcance un acuerdo acerca de la aplicación de las medidas necesarias para garantizar la sostenibilidad del sistema. No obstante y en todo caso, su entrada en vigor se producirá en una fecha no posterior al 1 de enero de 2023.

> Disposición final única redactada por la Ley 6/2018, de 3 de julio, de presupuestos generales del Estado para el año 2018 (BOE núm. 162, 4 de julio de 2018).

# TEXTO REFUNDIDO DE LA LEY GENERAL DE LA SEGURIDAD SOCIAL

## Título I. Normas generales del sistema de la Seguridad Social

### CAPÍTULO I. Normas preliminares

**Artículo 1.** *Derecho de los españoles a la Seguridad Social.* El derecho de los españoles a la Seguridad Social, establecido en el artículo 41 de la Constitución, se ajustará a lo dispuesto en la presente Ley.

**Artículo 2.** *Principios y fines de la Seguridad Social.* 1. El sistema de la Seguridad Social, configurado por la acción protectora en sus modalidades contributiva y no contributiva, se fundamenta en los principios de universalidad, unidad, solidaridad e igualdad.

2. El Estado, por medio de la Seguridad Social, garantiza a las personas comprendidas en el campo de aplicación de ésta, por cumplir los requisitos exigidos en las modalidades contributiva o no contributiva, así como a los familiares o asimilados que tuvieran a su cargo, la protección adecuada frente a las contingencias y en las situaciones que se contemplan en esta Ley.

**Artículo 3.** *Irrenunciabilidad de los derechos de la Seguridad Social.* Será nulo todo pacto, individual o colectivo, por el cual el trabajador renuncie a los derechos que le confiere la presente Ley.

**Artículo 4.** *Delimitación de funciones.* 1. Corresponde al Estado la ordenación, jurisdicción e inspección de la Seguridad Social.

2. Los trabajadores y empresarios colaborarán en la gestión de la Seguridad Social en los términos previstos en la presente Ley, sin perjuicio de otras formas de participación de los interesados establecidas por las Leyes, de acuerdo con el artículo 129.1 de la Constitución.

3. En ningún caso, la ordenación de la Seguridad Social podrá servir de fundamento a operaciones de lucro mercantil.

**Artículo 5.** *Competencias del Ministerio de Trabajo y Seguridad Social y de otros Departamentos ministeriales.* 1. Las funciones no jurisdiccionales del Estado en materia de Seguridad Social que no sean propias del Gobierno se ejercerán por el Ministerio de Empleo y Seguridad Social, sin perjuicio de las que puedan corresponder, en el ámbito específico de sus respectivas áreas, a otros departamentos ministeriales.

2. Dentro de las competencias del Estado, corresponden al Ministerio de Empleo y Seguridad Social, en relación con las materias reguladas en la presente ley, las siguientes facultades:

a) Proponer al Gobierno los reglamentos generales para su aplicación.

b) El ejercicio de la potestad reglamentaria no comprendida en la letra a).

c) El desarrollo de las funciones económico-financieras de la Seguridad Social, a excepción de las encomendadas en la Ley 47/2003, de 26 de noviembre, General Presupuestaria, y disposiciones concordantes al Ministerio de Hacienda y Administraciones Públicas o, en su caso, a otros órganos a los que dicha ley otorgue competencias específicas en la materia, y de dirección y tutela de las entidades gestoras y servicios comunes de la Seguridad Social, así como de las entidades que colaboren en la gestión de la misma, pudiendo suspender o modificar los poderes y facultades de los mismos en los casos y con las formalidades y requisitos que se determinen reglamentariamente.

d) La inspección de la Seguridad Social a través de la Inspección de Trabajo y Seguridad Social.

e) Establecer los supuestos y condiciones en que los sujetos responsables en el ámbito de la Seguridad Social quedan obligados a recibir las notificaciones por medios electrónicos de acuerdo con lo previsto en el artículo 27.6 de la Ley 11/2007, de 22 de junio, de acceso electrónico de los ciudadanos a los Servicios Públicos.

3. Por el Ministerio de Empleo y Seguridad Social se organizarán en forma adecuada los servicios e instituciones que hayan de llevar a cabo los oportunos estudios jurídicos, sociológicos, económicos y estadísticos de la Seguridad Social, así como los de simplificación y racionalización de las operaciones y trámites administrativos que exijan su desarrollo y aplicación.

4. El ejercicio de las competencias atribuidas al Ministerio de Empleo y Seguridad Social en relación con la Seguridad Social corresponderá a los órganos y servicios determinados en esta ley, en sus disposiciones de aplicación y desarrollo o en las orgánicas del Ministerio.

**Artículo 6. *Coordinación de funciones afines.*** Corresponde al Gobierno dictar las disposiciones necesarias para coordinar la acción de los Organismos, Servicios y Entidades gestoras del sistema de la Seguridad Social con la de los que cumplen funciones afines de previsión social, sanidad, educación y asistencia social.

CAPÍTULO II. Campo de aplicación y estructura del sistema de la Seguridad Social

*Sección 1.ª Disposiciones generales*

**Artículo 7. *Extensión del campo de aplicación.*** 1. Estarán comprendidos en el sistema de la Seguridad Social, a efectos de las prestaciones de modalidad contributiva, cualquiera que sea su sexo, estado civil y profesión, los españoles que residan en España y los extranjeros que residan o se encuentren legalmente en España, siempre que, en ambos supuestos, ejerzan su actividad en territorio nacional y estén incluidos en algunos de los apartados siguientes:

– *Los extranjeros, comunitarios y equiparados, tienen derecho igual que los españoles a las prestaciones, tanto contributivas como no contributivas, sin necesidad de convenios internacionales ni de reciprocidad, siempre que se encuentren legalmente en España o realicen una actividad en territorio nacional de las que dan lugar al encuadramiento en la Seguridad Social (STC 130/1995, de 11 de septiembre [Tol 82869] y STS de 30 de marzo de 1999 [Tol 209120]).*

– *Los extranjeros que se encuentren trabajando en España sin permiso de trabajo no permiso de residencia gozan de protección en principio en materia de accidentes de trabajo (SSTS de 9 de junio [Tol 477031] y 7 de octubre de 2003 [Tol 319153]).*

– *Es beneficiario de prestaciones por incapacidad permanente consecuencia de accidente de trabajo el extranjero latinoamericano sin permiso de residencia ni de trabajo (STS de 7 de octubre de 2003 [Tol 319153]).*

– *No es posible la protección consecuencia de accidente de trabajo al trabajador extranjero sin autorización para residir ni para trabajar, cuando el trabajador accidentado había suplantado la personalidad de otro, habiendo sido de alta y cotizado por el empleador con esa personalidad equívoca facilitada por el propio accidentado, al tratarse de una irregularidad en la contratación provocada por el propio trabajador que conduce a que no haya posibilidad de aceptar la existencia de un contrato de trabajo válido o susceptible de producir efectos en materia de Seguridad Social (STS de 21 de enero de 2010 [Tol 1792624]).*

– *No tiene derecho a prestación por desempleo al trabajador extranjero que no tenía autorización para trabajar ni se hallaba de alta en la Seguridad Social cuando desempeñó la actividad anterior a la que da origen, a su extinción, a su situación de desempleo, por no ser los computables los días trabajados en la anterior empresa como consecuencia de la ausencia de autorización de residencia y de trabajo, puesto que sólo es computable el período en que el trabajador tenía regularizada su situación y éste y la cotización subsiguiente no alcanzan el mínimo legal para causar el derecho (SSTS de 31 de enero [Rec. 1153/2015 y 3345/2015] y 7 de noviembre de 2017 [Tol 6436662]).*

– *Sí tiene derecho a prestación por desempleo el ciudadano extranjero que ha sido residente en un hospital para su formación de especialista en Ciencias de la Salud, para la que no es necesaria autorización de trabajo (SSTS de 24 de marzo de 2017 [Rec. 85/2016], 12 de junio de 2018 [Tol 6660554] y 13 de diciembre de 2018 [Tol 6998990]).*

a) Trabajadores por cuenta ajena que presten sus servicios en las condiciones establecidas por el artículo 1.1 del Estatuto de los Trabajadores en las distintas ramas de la actividad económica o asimilados a ellos, bien sean eventuales, de temporada o fijos, aun de trabajo discontinuo, e incluidos los trabajadores a distancia, y con independencia, en todos los casos, del grupo profesional del trabajador, de la forma y cuantía de la remuneración que perciba y de la naturaleza común o especial de su relación laboral.

b) Trabajadores por cuenta propia o autónomos, sean o no titulares de empresas individuales o familiares, mayores de dieciocho años, que reúnan los requisitos que de modo expreso se determinen en esta ley y en su normativa de desarrollo.

c) Socios trabajadores de cooperativas de trabajo asociado.

d) Estudiantes.

e) Funcionarios públicos, civiles y militares.

2. Asimismo, estarán comprendidos en el campo de aplicación del sistema de la Seguridad Social, a efectos de las prestaciones no contributivas, todos los españoles residentes en territorio español.

También estarán comprendidos en el campo de aplicación del sistema de la Seguridad Social, a efectos de las prestaciones no contributivas, los extranjeros que residan legalmente en territorio español, en los términos previstos en la Ley Orgánica 4/2000, de 11 de enero, sobre derechos y libertades de los extranjeros en España y su integración social y, en su caso, en los tratados, convenios, acuerdos o instrumentos internacionales aprobados, suscritos o ratificados al efecto.

> – *La exclusión de la protección no contributiva de los súbditos marroquíes se produce como consecuencia de que el Convenio hispano-marroquí no contempla tal posibilidad al excluir de su aplicación cualquier nueva rama jurídica de Seguridad Social que se establezca y porque la normativa internacional no es aplicable* (SSTS de 1 de abril 1998 [*Tol 45787 y 120858*) y 30 de marzo de 1999 [*Tol 209120*]).
>
> – *Es posible conceder prestaciones no contributivas a las personas de nacionalidad marroquí como consecuencia de la aplicación del artículo 41.1 del Reglamento CEE 2.211/1978, que aprueba el Acuerdo de Cooperación CEE-Marruecos, siempre y cuando hubieran trabajado en territorio español* (STS de 30 de marzo de 1999 [*Tol 209120*]).

3. El Gobierno, en el marco de los sistemas de protección social pública, podrá establecer medidas de protección social en favor de los españoles no residentes en España, de acuerdo con las características de los países de residencia.

4. El Gobierno, como medida para facilitar la plena integración social y profesional de los deportistas de alto nivel, podrá establecer la inclusión de los mismos en el sistema de la Seguridad Social.

5. No obstante lo dispuesto en los apartados anteriores del presente artículo, el Gobierno, a propuesta del Ministerio de Empleo y Seguridad Social y oídos las organizaciones sindicales más representativas o el colegio oficial competente, podrá, a instancia de los interesados, excluir del campo de aplicación del régimen de la Seguridad Social correspondiente, a las personas cuyo trabajo por cuenta ajena, en atención a su jornada o a su retribución, pueda considerarse marginal y no constitutivo de medio fundamental de vida.

**Artículo 8.** *Prohibición de inclusión múltiple obligatoria.* 1. Las personas comprendidas en el campo de aplicación del sistema de la Seguridad Social no podrán estar incluidas por el mismo trabajo, con carácter obligatorio, en otros regímenes de previsión distintos de los que integran dicho sistema.

2. Los sistemas de previsión obligatoria distintos de los regulados en esta Ley, que pudieran tener constituidos determinados grupos profesionales, se integrarán en el Régimen General o en los regímenes especiales, según proceda, siempre que resulte obligatoria la inclusión de los grupos mencionados en el campo de aplicación de dichos regímenes.

**Artículo 9.** *Estructura del sistema de la Seguridad Social.* 1. El sistema de la Seguridad Social viene integrado por los siguientes Regímenes:

    a) El Régimen General, que se regula en el Título II de la presente Ley.

    b) Los Regímenes Especiales a que se refiere el artículo siguiente.

2. Los regímenes especiales del sistema de la Seguridad Social se regularán de conformidad con lo previsto en el artículo 10, apartados 3 y 4. Reglamentariamente se establecerán el tiempo, alcance y condiciones para la conservación de los derechos en curso de adquisición de las personas que pasen de unos a otros regímenes, mediante la totalización de los períodos de permanencia en cada uno de dichos regímenes, siempre que no se superpongan. Dichas normas se ajustarán a lo dispuesto en el presente apartado, cualquiera que sea el régimen a que hayan de afectar, y tendrán en cuenta la extensión y contenido alcanzado por la acción protectora de cada uno de ellos.

    – *El cómputo recíproco de cotizaciones se aplica para las prestaciones por incapacidad temporal* (SSTS de 9 de junio [*Tol* 237668] y 24 de julio de 1997 [*Tol* 237981] y 10 de noviembre de 2011 [*Tol* 2298637]).

*– En el supuesto de un trabajador que a lo largo de su vida laboral ha cotizado al Régimen General de la Seguridad Social y al Régimen Especial de la Seguridad Social de los Trabajadores por Cuenta Propia o Autónomos en el momento de causar derecho a una prestación (jubilación e incapacidad permanente) deberán aplicarse las normas del régimen en el que acredite un mayor tiempo de cotización, tal y como establecen las disposiciones legales sobre el cómputo recíproco de cotizaciones (Real Decreto 691/1991) (SSTS de 12 de mayo de 1999 [Tol 46465], 30 de abril de 2002 [Tol 202047], 12 de mayo de 2003 [Tol 276338], 21 de septiembre de 2006 [Tol 998454], 21 de enero de 2009 [Tol 1490717], 21 de febrero de 2018 [Tol 6538599] y 10 de noviembre de 2021 [Tol 8649943]).*

*– El período de servicio militar prestado en los años 50 y 60 del pasado siglo al amparo de la Ley de 8 de agosto de 1940, antes incluso de la vigencia de la Ley 55/1968, de 27 de julio, general del servicio militar, tanto el calificado como "obligatorio" como el denominado "voluntario", no era período asimilado al cotizado, ni durante dichos períodos existía obligación de cotizar a cualquier sistema público de protección, y, por tanto, no es posible ninguna clase de cómputo recíproco que permita generar pensión por jubilación, adicionando los citados períodos a cotizaciones posteriores (STS de 3 de febrero de 2010 [Tol 1792637]).*

*– Para acreditar la carencia precisa para el reconocimiento del derecho a la pensión por jubilación parcial no cabe el cómputo recíproco de cotizaciones realizadas en el Régimen General de la Seguridad Social y en el Régimen de Clases Pasivas del Estado (SSTS de 31 de mayo de 2012 [Tol 2576040] y 11 de marzo de 2013 [Tol 3530670] y 15 de diciembre de 2014 [Tol 4698405].*

*– Al trabajador al que se le reconoce pensión de jubilación totalizando los períodos cotizados en el Régimen General de la Seguridad Social y en el Régimen Especial de la Seguridad Social de los Trabajadores por Cuenta Propia o Autónomos, al no reunir los requisitos necesarios para causar derecho en este último Régimen, su concesión debe efectuarse aplicando las normas del Régimen General de la Seguridad Social (SSTS de 13 de febrero de 2017 [Rec. 632/2016], y 21 de febrero de 2018 [Rec. 1713/2016] y 10 de noviembre de 2021 [Tol 8649943]).*

**Artículo 10. *Regímenes Especiales.*** 1. Se establecerán Regímenes Especiales en aquellas actividades profesionales en las que, por su naturaleza, sus peculiares condiciones de tiempo y lugar o por la índole de sus procesos productivos, se hiciere preciso tal establecimiento para la adecuada aplicación de los beneficios de la Seguridad Social.

2. Se considerarán regímenes especiales los que encuadren a los grupos siguientes:

a) Trabajadores por cuenta propia o autónomos.

b) Trabajadores del mar.

*– Lo determinante para la inclusión en el Régimen Especial de la Seguridad Social de los Trabajadores del Mar de los estibadores portuarios es el trabajo de estibador desempeñado y no la naturaleza, especial o común, de la relación laboral que les une con sus respectivas empresas (STS de 30 de junio de 2004 [Tol 515556]).*

*– Un trabajador que presta servicios por cuenta de una empresa incluida en el Censo de la Sociedad Estatal de Estiba y Desestiba, en la que ejerce funciones de control de mercancías*

*de forma continua en el puerto, controlando las cargas, destinos, extendiendo albaranes y realizando funciones de su categoría profesional de Oficial de Actividades Portuarias, no debe considerarse incluido en el Régimen Especial de la Seguridad Social de los Trabajadores del Mar; y ello porque no cabe incluir las actividades desempeñadas en el grupo definido como estibadores portuarios por la legislación aplicable (artículo 1 c) del Decreto 2.309/1970, de 23 de julio, disposición transitoria 2.ª del Real Decreto 2390/2004, de 30 de diciembre, y III Acuerdo para la regulación de las relaciones laborales en el sector portuario) (SSTS de 4 de mayo [Tol 675531], 27 de julio de 2005 [Tol 712126], 7 de julio de 2006 [Tol 986988] y 19 de junio de 2009 [Tol 1594387]).*

*– Un trabajador que ha prestado distintos servicios para diferentes empresas privadas dedicadas a la actividad de estiba y desestiba debe ser encuadrado en el Régimen Especial de la Seguridad Social de los Trabajadores del Mar, puesto que debe ser considerarse que tiene la condición de estibador portuario sometido a una misma actividad laboral que quienes la realizan para una Sociedad Estatal (STS de 25 de septiembre de 2007 [Tol 1161270]).*

*– No procede el encuadramiento en el Régimen Especial de la Seguridad Social de los Trabajadores del Mar de los trabajadores que realizan labores de dirección y coordinación de tareas de estiba y desestiba (STS de 7 de julio de 2014 [Tol 4443491]).*

*– Al igual que sucede con el personal de vuelo de trabajos aéreos, los trabajadores de alta en el Régimen Especial de la Seguridad Social de los Trabajadores del Mar que prestan sus servicios en condiciones de penosidad, toxicidad, peligrosidad o insalubridad o con el alejamiento del hogar, tienen derecho a reducir la edad mínima de jubilación mediante la aplicación de coeficientes reductores (STS de 20 de julio de 2021 [Tol 8539175]).*

*– De conformidad con el artículo 17 del Real Decreto-Ley 8/2020, de 17 de marzo, solo se tiene derecho a la prestación extraordinaria por cese de actividad si quien la solicita ha experimentado un descenso de ingresos superior al 75 por 100 (del promedio semestral previo), precisamente, durante el mes inmediatamente precedente de la fecha de tal petición, sin posible interpretación alternativa (SSTS de 23 de mayo [Rec. 4250/2021] y 24 de septiembre de 2024 [Rec. 4248/2021]).*

## c) Funcionarios públicos, civiles y militares.

*– El hecho causante de las pensiones en favor de los familiares es el fallecimiento del personal funcionario, tanto si se trata de varones como de mujeres (STS de 14 de octubre de 1991 [Rec. 3474/1990]).*

*– Son incompatibles la indemnización por lesiones sufridas en acto de servicio sin originar incapacidad permanente absoluta y la pensión por inutilidad física (STS de 11 de marzo de 2003 [Tol 1710530]).*

*– No existe derecho a pensión en favor de los padres cuando no exista dependencia económica en el momento del fallecimiento del hijo, y ésta no se produce cuando se perciben rentas que superan el doble del salario mínimo interprofesional (STS de 29 de septiembre de 2003 [Tol 317725]).*

*– No se declarará inutilidad física por acto de servicio cuando es consecuencia de un accidente de tráfico que tuvo lugar durante el disfrute de tiempo libre de servicio (STS de 29 de septiembre de 2003 [Tol 317728]).*

*– No es aplicable el cómputo recíproco de cuotas para el cálculo de las pensiones cuando el causante no hubiera ejercido la opción de totalizar los períodos cotizados en orden al cómputo del haber pasivo y hubiese elegido la vía de compatibilizar las pensiones (STS de 16 de marzo de 2004 [Rec. 10986/1998]).*

– *Cuando la pensión de orfandad hubiera sido causada antes del 24 de agosto de 1984 o del 1 de enero de 1985 se extinguirá definitivamente siempre que el huérfano sea mayor de 21 años de edad y no esté incapacitado para el trabajo, excepto cuando a 31 de diciembre de 1984 no existiera cónyuge supérstite del causante con derecho a pensión o cuando, en dicha fecha, el huérfano ostentara el estado civil de soltero, viudo, divorciado o estuviera separado legalmente* (STS de 8 de julio de 2004 [Tol 484236]).

– *Es procedente la concesión de una indemnización, por una sola vez, equivalente a una mensualidad del sueldo y trienios por cada año de servicios computables a efectos de trienios a los inutilizados o fallecidos en actos de servicio, sobre disposiciones contrarias establecidas en el Texto refundido de Ley de Clases Pasivas, al no haberse derogado la Ley 19/1974, de 27 de junio, sobre mejora de pensiones de Clases Pasivas, que la establecía* (STS de 21 de diciembre de 2004 [Rec. 38/2003]).

– *Está incluido en el Régimen Especial de Funcionarios Civiles del Estado el funcionario que por promoción interna pasa de la Administración Civil del Estado a la Escala técnica de gestión de organismos autónomos* (STS de 18 de mayo de 2005 [Tol 317450]).

– *Los efectos económicos de una pensión extraordinaria de retiro por incapacidad producida en acto de servicio de personal militar comienzan el primer día siguiente al de la fecha de la resolución administrativa que hubiera acordado el retiro; y en los casos singulares en que se acredite una indebida dilación causante de concretos perjuicios podrá permitirse que sea la propia resolución administrativa la que fije los efectos de la jubilación o retiro* (STS de 25 de mayo de 2005 [Rec. 89/2003]).

– *No se causa derecho a la pensión extraordinaria de clases pasivas derivada de inutilidad por accidente ocasionado en acto de servicio la lesión producida por caída fortuita por pérdida del equilibrio* (STS de 6 de julio de 2005 [Rec. 4460/2001]).

– *El huérfano carece de aptitud legal para ser beneficiario de la pensión de orfandad cuando hubiera contraído matrimonio* (STS de 14 de julio de 2005 [Tol 698093]).

– *Es posible el reconocimiento a una misma persona de una pensión de Clases Pasivas y de una prestación de la Seguridad Social consecuencia de enfermedad profesional porque para la prestación con cargo a la Seguridad Social no se precisó período alguno de cotización* (STS de 10 de mayo de 2006 [Tol 956273]).

– *El módulo temporal de referencia que debe utilizarse para determinar la cuantía de la pensión de viudedad por Clases Pasivas del ex cónyuge por divorcio o nulidad de matrimonio así como la del cónyuge actual de un funcionario, cuando el fallecimiento del causante de los derechos se haya producido con anterioridad al momento de alcanzar la edad de jubilación o retiro forzoso, debe tomarse desde la celebración del matrimonio hasta la fecha en que el causante hubiese alcanzado la edad de jubilación o retiro* (STS de 17 de julio de 2009 [Tol 1589466]).

– *Las retribuciones complementarias a las que se refiere el artículo 20.1 del Texto refundido de la Ley de la Seguridad Social del personal al servicio de la Administración de justicia son las establecidas en la normativa reguladora de las retribuciones del personal al servicio de la Administración de Justicia (artículos 515 y 516 de la Ley orgánica 6/1985, de 1 de julio) y recogidas, en su caso, en la correspondiente relación de puestos de trabajo, y que en tanto dichas relaciones de puestos de trabajo no hayan sido aprobadas, las indicadas retribuciones complementarias serán las reguladas en las normas citadas en la disposición transitoria 5.ª de la Ley orgánica 19/2003, de 23 de diciembre, de modificación de la Ley orgánica 6/1985, de 1 de julio* (STS de 10 de febrero de 2011 [BOE núm. 60, 22 de marzo de 2011]).

– *La legislación establece una mera facultad del personal estatutario para solicitar la permanencia en el servicio activo con el límite máximo de setenta años, condicionada al ejercicio de una potestad de la Administración; de forma que el legislador establece la posibilidad de que el funcionario solicite su permanencia en el servicio activo pero no impone a la Administración la correlativa obligación de autorizar la permanencia hasta que el interesado alcance los 70 años, sino de autorizarla en función de las necesidades de la organización articuladas en los planes de ordenación; y, por tanto, es el correspondiente plan el que, teniendo en cuenta la posibilidad genérica de la prórroga, deberá establecer el período de duración de esa permanencia, pero siempre respetando el límite o tope máximo de los 70 años* (SSTS de 22 de febrero [Tol 3266328], 11 de marzo [Tol 3411831], 4 de abril [Tol 3531558], 30 de mayo [Tol 3782119], 19 de junio [Tol 3844267], 17 de julio [Tol 3888024, 3888195 y 3888245], 18, 20, 23, 24 y 27 de septiembre [Tol 3963144, 3984928, 3963017, 3962924 y 3990130] y 10 y 18 de octubre de 2013 [Tol 4001031 y 4001052, y Tol 4001089] y 19 de mayo [Tol 4357768] y 6 y 24 de julio de 2014 [Tol 4438129 y 4468973]). *De forma que esa prolongación es un derecho individual del funcionario, excepcional, condicionado a las necesidades del servicio que no se entienden en un sentido estrictamente objetivo, pues, aunque concurran, no suponen como efecto automático la prolongación interesada, y se accede a la prolongación cuando concurren los dos intereses, el del funcionario, que quiere seguir trabajando, y el de la Administración, que no quiere perderlo* (STS de 15 de noviembre de 2021 [Tol 8650003].

– *Aunque el artículo 93.3 del Reglamento del Mutualismo Judicial no perfila, o concreta, aquella situación a la que se refiere el artículo 58 de la Ley de Igualdad ("cuando las condiciones del puesto de trabajo de una funcionaria incluida en el ámbito de aplicación del mutualismo administrativo pudieran influir negativamente en la salud de la mujer, de hijo o hija, podrá concederse licencia por riesgo durante el embarazo"), dicha omisión no justifica la nulidad de aquel precepto en la medida en que contempla situaciones diferentes o, al menos, no exactamente coincidentes, por lo que la norma reglamentaria no contradice precepto legal alguno, y ello sin perjuicio de que se invoque directamente la aplicación del art. 58 citado por quien se encuentre en la situación en él contemplada* (STS de 23 de enero de 2013 [Tol 3013554]).

– *Se considerará pareja de hecho la constituida, con análoga relación de afectividad a la conyugal, por quienes, no hallándose impedidos para contraer matrimonio, no tengan vínculo matrimonial con otra persona* (SAN de 30 de junio de 2014 [Tol 4429797]).

– *No serán computables los servicios posteriores a la fecha real de la jubilación* (SAN de 14 de julio de 2014 [Tol 4443603]).

– *Es preciso que la patología conformadora del cuadro residual en consideración para la jubilación por incapacidad permanente para el servicio tenga origen directo y exclusivo en el desempeño de las funciones del servicio que prestaba el funcionario* (SAN 29 de septiembre de 2014 [Tol 4521703]).

– *El tratamiento privilegiado que hace el Régimen de Clases Pasivas del Estado de los accidentes o enfermedades del servicio se manifiesta concediendo a los incapacitados por estas causas o a los familiares de los fallecidos por causa de aquellos una pensión vitalicia de cuantía superior (el doble) a la que se concede a los jubilados o familiares de los fallecidos por incapacidad derivada de enfermedad o accidente común, y al ser normas de privilegio, su aplicación debe hacerse de modo estricto limitando la concesión de pensiones extraordinarias a quienes padecen accidentes o enfermedades del servicio, interpretados en ambos casos de manera restrictiva por la exigencia de requisitos especiales como son que aquellos se produzcan en conexión directa con el servicio o como consecuencia directa de la naturaleza del servicio desempeñado; y se deduce la regla de que, en principio, la condición de accidente o enfermedad del servicio debe demostrarse pues, como regla general, todo personal que se incapacita o inutiliza, en principio, es declarado jubilado o retirado por el centro gestor de Clases Pasivas y la pensión que se declara es ordinaria salvo cuando, después de la tramitación correspondiente se demuestra que la causa es la enfermedad o el accidente de servicio, en cuyo caso se reconoce una pensión extraordinaria de doble cuantía que la ordinaria (SAN 29 de septiembre de 2014 [Tol 4521696]).*

*– La enfermedad determinante de la incapacidad permanente guarda íntima relación con el desempeño del servicio prestado, es decir, la actividad desarrollada por el interesado, al estar en acto de servicio, actividad que se configura como causante de la enfermedad, o que tal enfermedad es una consecuencia que se deriva de la propia naturaleza del servicio desempeñado; y mientras la primera tiene carácter extrínseco, exógeno, en relación con la actividad desempeñada, la segunda es intrínseca, al derivar de la naturaleza del servicio desempeñado por el funcionario, lo que significa que la primera tiene una aparición en un momento determinado, al producirse en un acto de servicio, o como consecuencia del mismo, en cumplimiento de su deber, mientras que la segunda, es insita a la naturaleza de la actividad o servicio desempeñado, de la naturaleza de su deber (SAN de 6 de octubre de 2014 [Tol 4521706].*

*– No es posible el reconocimiento del derecho a pensión de viudedad cuando queda demostrado que la convivencia de hecho no tiene la naturaleza de convivencia de hecho en sentido legal por la falta de inscripción en el Registro de uniones de hecho correspondiente, siendo la misma una decisión voluntaria y libremente aceptada por ambos interesados, o la inexistencia de documento público en el que conste la constitución de la pareja formalizado con la antelación legalmente establecida (SSAN de 3 de noviembre de 2014 [Tol 4543973] y 22 de diciembre de 2014 [Tol 4593303]).*

*– El derecho a pensión o prestación temporal de las personas divorciadas o separadas judicialmente quedará condicionado, en todo caso, a que, siendo acreedoras de la pensión compensatoria a que se refiere el art. 97 del Código Civil, ésta quedara extinguida por el fallecimiento del causante (SSAN de 23 de diciembre de 2014 [Tol 4635561] y 2 de febrero de 2015 [Tol 4727783]).*

*– Es necesario que exista la relación directa, inequívoca y excluyente de cualquier otra causa, entre la enfermedad o lesión padecida y el servicio prestado (SAN de 9 de febrero de 2015 [Tol 4727787]).*

*– En el supuesto en que la causa determinante de la incapacidad sea una enfermedad, la misma ha debido tener su origen en la actividad desarrollada por la persona de cuya jubilación se trate, o como consecuencia directa de la naturaleza del servicio desempeñado, debe ser causa determinante de la incapacidad, y debe existir relación de causa a efecto entre el hecho generador de la misma, y las consecuencias que se dicen derivadas de aquel (SAN de 9 de febrero de 2015 [Tol 4727788]).*

*– Además de acaecer por accidente o enfermedad, se requiere que éstos se produzcan en acto de servicio o como consecuencia del mismo, introduciendo de este modo la norma un requisito objetivo y alternativo, cual es que el mismo suceda inopinadamente según el previsible y normal curso de los actos específicos propios de una profesión (accidente); o que el hecho dañoso sea debido a un concreto riesgo característico y dominante que por sí y nada más que por ejercer aquella actividad, su práctica está abocada a sufrir el daño (consecuencia directa de la naturaleza del servicio desempeñado) (SSAN de 16 y 18 de febrero de 2015 [Tol 4756950 y 4740996]).*

– *La pensión de retiro por inutilidad no puede ser compatible con la realización de trabajos que dan lugar a la inclusión en el Régimen General de la Seguridad Social, dado que la Ley reguladora de ese Régimen en el art. 165 tiene establecida la incompatibilidad de la pensión de jubilación en su modalidad contributiva con el trabajo del pensionista (SAN de 9 de marzo de 2015 [Tol 4780565]).*

– *Cuando la causa de jubilación consiste en una psicosis delirante, se trata de una enfermedad común y no profesional, aunque en su desarrollo puedan estar implicados factores ambientales como el trabajo desempeñado (SAN de 9 de marzo de 2015 [Tol 4780563]).*

– *El documento de inscripción en el registro de parejas de hecho de la comunidad autónoma es el necesario para acreditar la pareja de hecho a efectos de pensión de Clases Pasivas del Estado y surte efectos desde la fecha de la inscripción (SAN de 9 de marzo de 2015 [Tol 4769094]).*

– *Los criterios para la concesión o no de la prórroga de la edad de jubilación, dentro de la amplia discrecionalidad del legislador para fijarlos, han de ser objetivos y aplicables a todos los funcionarios afectados, sin que pueda utilizarse para denegar la prorroga un criterio subjetivo, máxime si implica materialmente una sanción, lo que acercaría la actuación de la Administración a la desviación de poder (STS de 4 de noviembre de 2015 [Tol 5558049]).*

– *No se valorarán como servicios efectivos los prestados en una Fundación universitaria y no directamente en una Universidad pública (STS de 30 de noviembre de 2015 [Tol 5590074]).*

– *El 2.º párrafo del artículo 28.2.a) del Texto refundido de la Ley de Clases Pasivas del Estado (sobre la posibilidad, en determinados casos, de prorrogar la situación de activo con el fin de cubrir la carencia necesaria para causar la pensión de jubilación o retiro) debe aplicarse por igual a todos los funcionarios o personal que estén comprendidos dentro del ámbito de cobertura del Régimen de Clases Pasivas del Estado, y, como consecuencia de ello, la diferente edad de jubilación establecida para determinados funcionarios en el régimen jurídico estatutario originario que les haya sido aplicable no autoriza a privarles de ese específico mecanismo común de protección que significa el Régimen de Clases Pasivas del Estado (STS de 30 de diciembre de 2015 [Tol 5639475]).*

– *El requisito de la convivencia estable y notoria al menos en los cinco años previos al fallecimiento del causante, exigido por el artículo 38.4 del texto refundido de la Ley de Clases Pasivas del Estado, aprobado por el Real Decreto Legislativo 670/1987, puede ser acreditado, además de mediante el certificado de empadronamiento, por cualquier otro medio de prueba válido en Derecho que la demuestre de manera inequívoca (SSTS de 3 de diciembre de 2019 [Rec. 5178/2017], 10 de marzo [Tol 8893343] y 2 de noviembre de 2022 [Tol 9291690]).*

– *Para la determinación de los supuestos que en el Régimen Especial de la Seguridad Social de los Funcionarios Civiles del Estado tienen la consideración de accidente en acto de servicio o como consecuencia de él, y para las presunciones aplicables al respecto, se debe estar a lo dispuesto en el Régimen General de la Seguridad Social acerca del concepto de accidente de trabajo, sin perjuicio de las peculiaridades propias que resulten aplicables derivadas de la prestación de servicio público, siendo la más significativa la de los accidentes que sufra el trabajador al ir o al volver del lugar de trabajo (SSTS de 21 de junio de 2021 [Rec. 7791/2019] y 6 de julio de 2022 [Rec. 4100/2020]).*

– *El accidente in itinere producido en el trayecto desde el domicilio y el lugar de trabajo para incorporarse a éste o regresar a aquél se considera consecuencia del servicio (SSTS de*

21 y 24 de junio de 2021 [Rec. 7791/2019 y 8335/2019] y 3 y 16 de marzo de 2022 [Rec. 320/2020 y 3158/2020]).

– *El accidente in itinere debe considerarse consecuencia del servicio a efectos del artículo 47.2 de la Ley de Clases Pasivas del Estado, precisamente por la íntima relación de los desplazamientos requeridos para acudir al lugar de trabajo o regresar del mismo* (SSTS de 16 de marzo [Tol 8882433] y 4 de mayo de 2022 [Tol 8932641] y SAN de 27 de febrero de 2023 [Rec. 2265/2021]).

– *La prueba de la existencia de una pareja de hecho solamente puede acreditarse a los efectos del reconocimiento del derecho a la pensión de viudedad mediante los medios señalados en el párrafo cuarto del artículo 38.4 del Real Decreto Legislativo 670/1987, es decir, mediante la inscripción en un registro específico autonómico o municipal del lugar de residencia o mediante un documento público y que ambos deben ser anteriores, al menos, en dos años al fallecimiento del causante* (STS de 24 de marzo de 2022 [Tol 8905771]).

– *No es compatible la pensión por jubilación con la situación de segunda actividad sin destino en el Cuerpo nacional de policía* (STS de 4 de mayo de 2022 [Tol 8964795]).

– *La incapacidad permanente para el servicio derivada de accidente de tráfico sufrido por un funcionario público al realizar el desplazamiento para ir o al volver del centro de trabajo puede considerarse como incapacidad producida como consecuencia del servicio a los efectos de la obtención de pensión extraordinaria regulada en el artículo 47.2 del Texto Refundido de la Ley de Clases Pasivas del Estado, aprobado por Real Decreto Legislativo 780/1987, de 30 de abril, en conjunción con el artículo 59 del Real Decreto 375/2003, de 28 de marzo* (STS de 6 de julio de 2022 [Tol 9123927]).

– *La comunicación de una actividad ya iniciada, que luego la Administración declara compatible con la pensión de jubilación o retiro, no obliga al pensionista a la devolución de la totalidad de las cantidades recibidas durante el período anterior a la comunicación, sino tan sólo a la de la cuantía de obligada reducción* (STS de 29 de septiembre de 2022 [Tol 9230093]).

– *Para acreditar el periodo o tiempo como pareja de hecho para el supuesto del artículo 38.1, párrafo segundo del Texto refundido de Ley de Clases Pasivas del Estado, no son aplicables las exigencias de publicidad formal de tal convivencia conforme al artículo 38.4, párrafo cuarto del Texto refundido de Ley de Clases Pasivas del Estado, y sí es aplicable que la convivencia de hecho, estable y notoria inmediata al matrimonio, se pruebe mediante certificado de empadronamiento u otro medio de prueba admisible en Derecho, claro y concluyente, para que, esa convivencia sumada al tiempo de matrimonio, superen entre ambos dos años* (SSTS de 2 de noviembre de 2022 [Rec. 5589/2020], 17 de enero de 2023 [Rec. 508/2020] y 16 de noviembre de 2023 [Rec. 1446/2021]).

– *La existencia de unas propuestas o informes favorables previos no vinculan al órgano competente encargado de resolver sobre la concesión o denegación de la pensión extraordinaria por incapacidad permanente, puesto que la motivación del órgano decisor ha de tomar en consideración la enfermedad causante de la incapacidad y su vinculación con el servicio público que prestaba el afectado y valorar los informes y propuestas previas, pero sin que se precise un específico razonamiento que le obligue a explicitar por qué se aparta de las propuestas favorables anteriores* (STS de 13 de noviembre de 2023 [Rec. 3242/2021])

– *El reconocimiento en sentencia firme de que las patologías determinantes de la jubilación por incapacidad permanente son consecuencia directa del servicio vincula al órgano gestor de Clases Pasivas a efectos del reconocimiento de la pensión extraordinaria de jubilación* (STS de 18 de enero de 2024 [Rec. 8570/2021]).

*– En el caso de los jueces sustitutos, para el reconocimiento de los derechos de Seguridad Social es necesario el ejercicio efectivo de la función judicial, sin que sea suficiente el nombramiento hecho por el Consejo General de Poder Judicial* (STS de 22 de marzo de 2024 [Rec. 20/2023]).

d) Estudiantes.

e) Los demás grupos que determine el Ministerio de Empleo y Seguridad Social, por considerar necesario el establecimiento para ellos de un régimen especial, de acuerdo con lo previsto en el apartado 1.

3. Los regímenes especiales correspondientes a los grupos incluidos en las letras b) y c) del apartado anterior se regirán por las leyes específicas que se dicten al efecto, debiendo tenderse en su regulación a la homogeneidad con el Régimen General, en los términos que se señalan en el apartado siguiente.

4. Sin perjuicio de lo previsto en el título IV, en las normas reglamentarias de los regímenes especiales no comprendidos en el apartado anterior, se determinará para cada uno de ellos su campo de aplicación y se regularán las distintas materias relativas a los mismos, ateniéndose a las disposiciones del presente título y tendiendo a la máxima homogeneidad con el Régimen General que permitan las disponibilidades financieras del sistema y las características de los distintos grupos afectados por dichos regímenes.

5. De conformidad con la tendencia a la unidad que debe presidir la ordenación del sistema de la Seguridad Social, el Gobierno, a propuesta del Ministerio de Empleo y Seguridad Social, podrá disponer la integración en el Régimen General de cualquiera de los regímenes especiales correspondientes a los grupos que se relacionan en el apartado 2, a excepción de los que han de regirse por leyes específicas, siempre que ello sea posible teniendo en cuenta las peculiares características de los grupos afectados y el grado de homogeneidad con el Régimen General alcanzado en la regulación del régimen especial de que se trate.

De igual forma, podrá disponerse que la integración prevista en el párrafo anterior tenga lugar en otro régimen especial cuando así lo aconsejen las características de ambos regímenes y se logre con ello una mayor homogeneidad con el Régimen General.

**Artículo 11. *Sistemas especiales.*** Además de los sistemas especiales regulados en esta ley, en aquellos regímenes de la Seguridad Social en que así resulte necesario, podrán establecerse sistemas especiales exclusivamente en alguna o algunas de las siguientes materias: encuadramiento, afiliación, forma de cotización o recaudación. En la regulación de tales sistemas informará el ministerio competente por razón de la actividad o condición de las personas en ellos incluidos.

> *– En el Sistema especial para el manipulado y empaquetado del tomate fresco el cómputo de los períodos de cotización debe realizarse según las reglas ordinarias del Régimen General de la Seguridad Social, sin que quepa aplicar las específicas de los Sistema especiales de frutas y hortalizas y de la industria de conservas vegetales (STS de 21 de abril de 2016 [Rec. 3218/2014]).*

*Sección 2.ª Disposiciones aplicables a determinados colectivos*

**Artículo 12. Familiares.** 1. A efectos de lo dispuesto en el artículo 7.1, no tendrán la consideración de trabajadores por cuenta ajena, salvo prueba en contrario: el cónyuge, los descendientes, ascendientes y demás parientes del empresario, por consanguinidad o afinidad hasta el segundo grado inclusive y, en su caso, por adopción, ocupados en su centro o centros de trabajo, cuando convivan en su hogar y estén a su cargo.

> *– No se considera familiar a la hija de un conviviente more uxorio (SSTS de 2 de julio de 1996 [Rec. 7773/1991] y 30 de septiembre de 1997 [Rec. 6014/1991].*
>
> *– En el supuesto del cónyuge del titular de un tercio del capital social de la empresa para la que trabaja aquél, no cabe la aplicación de la exclusión de trabajadores familiares del Régimen General de la Seguridad Social prevista en el artículo 7. 2 de la Ley General de la Seguridad Social de 1994 pues existe la presunción (iuris tantum) de laboralidad (artículo 1. 3. e) del Estatuto de los Trabajadores), al tratarse de una empresa que es una persona jurídica y no cabe hablar de familiares de la misma, y ello aun cuando se levantase el velo de la sociedad y se tomase en consideración la realidad de las personas físicas que la integran tampoco cabría la exclusión porque el cónyuge no alcanza el 50 por 100 de su capital social (STS de 19 de abril de 2000 [Tol 22660]).*

2. Sin perjuicio de lo previsto en el apartado anterior, y de conformidad con lo establecido en la disposición adicional décima de la Ley 20/2007, de 11 de julio, del Estatuto del trabajo autónomo, los trabajadores autónomos podrán contratar, como trabajadores por cuenta ajena, a los hijos menores de 30 años, aunque convivan con ellos. En este caso, del ámbito de la acción protectora dispensada a los familiares contratados quedará excluida la cobertura por desempleo.

> *Tiene derecho a prestación por desempleo el trabajador menor de treinta años que presta servicios a su padre en virtud de contrato de trabajo y que no convive con el mismo (SSTS de 12 de noviembre de 2019 [Tol 7615670], 24 de marzo de 2021 [Tol 8397279], 11 de*

mayo [Rec. 499/2020], 1 de junio [*Tol 9097597*], 12 de julio [*Tol 9152523*] y 26 de octubre de 2022 [*Tol 9284338*]).

Se otorgará el mismo tratamiento a los hijos que, aun siendo mayores de 30 años, tengan especiales dificultades para su inserción laboral. A estos efectos, se considerará que existen dichas especiales dificultades cuando el trabajador esté incluido en alguno de los grupos siguientes:

a) Personas con parálisis cerebral, personas con enfermedad mental o personas con discapacidad intelectual, con un grado de discapacidad reconocido igual o superior al 33 por ciento.

b) Personas con discapacidad física o sensorial, con un grado de discapacidad reconocido igual o superior al 33 por ciento e inferior al 65 por ciento, siempre que causen alta por primera vez en el sistema de la Seguridad Social.

c) Personas con discapacidad física o sensorial, con un grado de discapacidad reconocido igual o superior al 65 por ciento.

<small>Apartado 2 redactado por la Ley 6/2017, de 24 de octubre, de reformas urgentes del trabajo autónomo (BOE núm. 257, 25 de octubre de 2017).</small>

**Artículo 13. *Trabajadores con discapacidad*.** 1. Los trabajadores con discapacidad empleados en los centros especiales de empleo quedarán incluidos como trabajadores por cuenta ajena en el régimen de la Seguridad Social que corresponda a su actividad.

2. Por el Gobierno se aprobarán normas específicas relativas a sus condiciones de trabajo y de Seguridad Social en atención a las peculiares características de su actividad laboral.

**Artículo 14. *Socios trabajadores y socios de trabajo de cooperativas*.** 1. Los socios trabajadores de las cooperativas de trabajo asociado disfrutarán de los beneficios de la Seguridad Social, pudiendo optar la cooperativa entre las modalidades siguientes:

a) Como asimilados a trabajadores por cuenta ajena. Dichas cooperativas quedarán integradas en el Régimen General o en alguno de los regímenes especiales de la Seguridad Social, según proceda, de acuerdo con su actividad.

b) Como trabajadores autónomos en el régimen especial correspondiente.

<small>– *Las Cooperativas de trabajo asociado puedan optar entre asimilar a sus socios a los trabajadores por cuenta ajena incorporándolos al Régimen General o régimen especial de la Seguridad Social que correspondiera a la actividad específica, o integrarlos como trabaja-*</small>

*dores por cuenta propia en el Régimen Especial de Trabajadores Autónomos* (STS de 20 de mayo de 1992 [Rec. 7669/1990]).

– *Una persona jurídica, como es la Cooperativa, no es sujeto incluido en el Régimen Especial de Trabajadores Autónomos, por lo que carece de sentido pretender que sea aquélla y no los socios los que deban cotizar al régimen especial* (STS de 14 de octubre de 1992 [Rec. 2824/1990]).

Las cooperativas ejercitarán la opción en sus estatutos, y solo podrán modificarla en los supuestos y condiciones que el Gobierno establezca.

2. Los socios trabajadores de las cooperativas de explotación comunitaria de la tierra y los socios de trabajo a los que se refiere el artículo 13.4 de la Ley 27/1999, de 16 de julio, de Cooperativas, serán asimilados a trabajadores por cuenta ajena a efectos de Seguridad Social.

3. En todo caso, no serán de aplicación a las cooperativas de trabajo asociado, ni a las cooperativas de explotación comunitaria de la tierra ni a los socios trabajadores que las integran, las normas sobre cotización y prestaciones del Fondo de Garantía Salarial.

4. Se autoriza al Gobierno para regular el alcance, términos y condiciones de la opción prevista en este artículo, así como para, en su caso, adaptar las normas de los regímenes de la Seguridad Social a las peculiaridades de la actividad cooperativa.

CAPÍTULO III. Afiliación, cotización y recaudación

*Sección 1.ª Afiliación al sistema y altas, bajas y variaciones de datos en los regímenes que lo integran*

**Artículo 15.** *Obligatoriedad y alcance de la afiliación.* La afiliación a la Seguridad Social es obligatoria para las personas a que se refiere el artículo 7.1 y única para toda su vida y para todo el sistema, sin perjuicio de las altas y bajas en los distintos regímenes que lo integran, así como de las demás variaciones que puedan producirse con posterioridad a la afiliación.

**Artículo 16.** *Afiliación, altas, bajas y variaciones de datos.* 1. La afiliación podrá practicarse a petición de las personas y entidades obligadas a dicho acto, a instancia de los interesados o de oficio por la Administración de la Seguridad Social.

2. Corresponderá a las personas y entidades que reglamentariamente se determinen, el cumplimiento de las obligaciones de solicitar la afiliación y de dar cuenta a los correspondientes organismos de la Administración de la Seguridad Social de los hechos determinantes de las altas, bajas y variaciones a que se refiere el artículo anterior.

3. Si las personas y entidades a quienes incumban tales obligaciones no las cumplieran, podrán los interesados instar directamente su afiliación, alta, baja o variación de datos, sin perjuicio de que se hagan efectivas las responsabilidades en que aquellas hubieran incurrido, incluido, en su caso, el pago a su cargo de las prestaciones, y de que se impongan las sanciones que resulten procedentes.

4. Tanto la afiliación como los trámites determinados por las altas, bajas y variaciones a que se refiere el artículo anterior podrán ser realizados de oficio por los correspondientes organismos de la Administración de la Seguridad Social cuando, a raíz de los datos de que dispongan, de las actuaciones de la Inspección de Trabajo y Seguridad Social o por cualquier otro procedimiento, se compruebe la inobservancia de dichas obligaciones.

5. Cuando, por cualquiera de los procedimientos a que se refiere el apartado anterior, se constate que la afiliación y las altas, bajas y variaciones de datos no son conformes con lo establecido en las leyes y sus disposiciones complementarias, los organismos correspondientes de la Administración de la Seguridad Social podrán revisar de oficio, en cualquier momento, sus actos dictados en las citadas materias, declarándolos indebidos por nulidad o anulabilidad, según proceda, conforme al procedimiento establecido en la normativa reglamentaria reguladora de las mismas, y dictando los actos administrativos necesarios para su adecuación a las citadas leyes y disposiciones complementarias.

Procederá, asimismo, en cualquier momento, la rectificación de los errores materiales o de hecho y aritméticos producidos en los actos dictados en materia de afiliación, altas, bajas y variaciones de datos.

Apartado 5 añadido por el Real Decreto-Ley 1/2023, de 10 de enero, de medidas urgentes en materia de incentivos a la contratación laboral y mejora de la protección social de las personas artistas (BOE núm. 9, 11 de enero de 2023).

*La Tesorería General de la Seguridad Social no precisa promover la vía judicial, sino que puede revisar de oficio sus actos dictados en materia de afiliación, altas, bajas y variaciones de datos, declarándolos indebidos por nulidad o anulabilidad, según proceda, por el procedimiento establecido en el Reglamento general sobre inscripción de empresas y afiliación, altas, bajas y variaciones de datos de trabajadores en la Seguridad Social* (SSTS de 16 de mayo [Rec. 1631/2021] y 17 y 20 de noviembre de 2023 [Rec. 6173/2020 y 7439/2020]).

6. Sin perjuicio de lo previsto en el artículo 42 del texto refundido de la Ley del Estatuto de los Trabajadores, los empresarios que contraten o subcontraten con otros la realización de obras o servicios correspondientes a la propia actividad de aquellos o que se presten de forma continuada en sus centros de trabajo deberán comprobar, con carácter previo al inicio de la prestación de la actividad contratada o subcontratada, la afiliación y alta en la Seguridad Social de cada uno de los trabajadores que estos ocupen en los mismos durante el periodo de ejecución de la contrata o subcontrata.

Apartado 6 renumerado por el Real Decreto-Ley 1/2023, de 10 de enero, de medidas urgentes en materia de incentivos a la contratación laboral y mejora de la protección social de las personas artistas (BOE núm. 9, 11 de enero de 2023).

7. El deber de comprobación establecido en el apartado anterior no será exigible cuando la actividad contratada se refiera exclusivamente a la construcción o reparación que pueda contratar el titular de un hogar respecto de su vivienda, así como cuando el propietario de la obra o industria no contrate su realización por razón de una actividad empresarial.

Apartado 7 renumerado por el Real Decreto-Ley 1/2023, de 10 de enero, de medidas urgentes en materia de incentivos a la contratación laboral y mejora de la protección social de las personas artistas (BOE núm. 9, 11 de enero de 2023).

**Artículo 17.** *Obligaciones de la Administración de la Seguridad Social y derecho a la información.* 1. Los organismos de la Administración de la Seguridad Social competentes en la materia mantendrán al día los datos relativos a las personas afiliadas, así como los de las personas y entidades a las que corresponde el cumplimiento de las obligaciones establecidas en esta sección.

2. Los empresarios y los trabajadores tendrán derecho a ser informados por los organismos de la Administración de la Seguridad Social acerca de los datos a ellos referentes que obren en los mismos. De igual derecho gozarán las personas que acrediten un interés personal y directo, de acuerdo con lo establecido en esta ley.

A estos efectos, la Administración de la Seguridad Social informará a cada trabajador sobre su futuro derecho a la jubilación ordinaria prevista en el artículo 205.1, a partir de la edad y con la periodicidad y contenido que reglamentariamente se determinen.

No obstante, esta comunicación sobre el derecho a la jubilación ordinaria que pudiera corresponder a cada trabajador se remitirá a efectos meramente informativos, sin que origine derechos ni expectativas de derechos a favor del trabajador o de terceros.

Esta obligación será exigible también con relación a los instrumentos de carácter complementario o alternativo que contemplen compromisos por jubilación tales como mutualidades de previsión social, mutualidades alternativas, planes de previsión social empresariales, planes de previsión asegurados, planes y fondos de pensiones y seguros individuales y colectivos de instrumentación de compromisos por pensiones de las empresas. La información deberá facilitarse con la misma periodicidad y en términos comparables y homogéneos con la suministrada por la Seguridad Social.

*Sección 2.ª Cotización a la Seguridad Social y por*
*conceptos de recaudación conjunta*

**Artículo 18. *Obligatoriedad*.** 1. La cotización a la Seguridad Social es obligatoria en todos los regímenes del sistema.

La cotización por la contingencia de desempleo, así como al Fondo de Garantía Salarial, por formación profesional y por cuantos otros conceptos se recauden conjuntamente con las cuotas de la Seguridad Social será obligatoria en los regímenes y supuestos y con el alcance establecidos en esta ley y en su normativa de desarrollo, así como en otras normas reguladoras de tales conceptos.

> – No *vulnera el derecho fundamental de igualdad ante la Ley la obligación de cotizar por la contingencia de asistencia sanitaria, de forma simultánea, en el Régimen General y el Régimen Especial de Trabajadores Autónomos* (STC 39/1992, de 30 de marzo [Tol 80653]).
>
> – *Los trabajadores incluidos en el Régimen Especial de Trabajadores del Mar retribuidos "a la parte" deben cotizar conforme a los criterios establecidos en el Régimen General* (STS de 3 de junio de 1997 [Rec. 11856/1990]).
>
> – *El trabajador autónomo que agota el plazo máximo de duración de una situación de incapacidad temporal se encuentra en situación asimilada a la de alta, sin que al trabajador le alcance la obligación de cotizar, salvo que voluntariamente la asuma el trabajador* (STS de 2 de febrero de 2005 (Tol 598560]).

2. La obligación de cotizar nacerá desde el momento de iniciación de la actividad correspondiente, determinándose en las normas reguladoras de cada Régimen las personas que hayan de cumplirla.

3. Son responsables del cumplimiento de la obligación de cotizar y del pago de los demás recursos de la Seguridad Social las personas físicas o jurídicas o entidades sin personalidad a las que las normas reguladoras de cada régimen y recurso impongan directamente la obligación de su ingreso y, además, los que resulten responsables solidarios, subsidiarios o sucesores mortis causa de aquellos, por concurrir hechos, omisiones, negocios o actos jurídicos que determinen esas responsabilidades, en aplicación de cualquier norma con rango de ley que se refiera o no excluya expresamente las obligaciones de Seguridad Social, o de pactos o convenios no contrarios a las leyes. Dicha responsabilidad solidaria, subsidiaria o mortis causa se declarará y exigirá mediante el procedimiento recaudatorio establecido en esta ley y en su normativa de desarrollo.

– *Existe responsabilidad solidaria por el impago de cotizaciones sociales durante el período de vigencia de una contrata entre entidades mercantiles* (STS de 27 de febrero de 2019 [Rec. 232/2016]).

4. En caso de que la responsabilidad por la obligación de cotizar corresponda al empresario, podrá dirigirse el procedimiento recaudatorio que se establece en esta ley y en su normativa de desarrollo contra quien efectivamente reciba la prestación de servicios de los trabajadores que emplee, aunque formalmente no figure como empresario en los contratos de trabajo, en los registros públicos o en los archivos de las entidades gestoras y servicios comunes.

**Artículo 19.** *Bases y tipos de cotización.* 1. Las bases y tipos de cotización a la Seguridad Social y por los conceptos que se recauden conjuntamente con las cuotas de la Seguridad Social serán los que establezca cada año la correspondiente Ley de Presupuestos Generales del Estado.

2. Las bases de cotización a la Seguridad Social, en cada uno de sus regímenes, tendrán como tope máximo las cuantías fijadas para cada año por la correspondiente Ley de Presupuestos Generales del Estado y como tope mínimo las cuantías del salario mínimo interprofesional vigente en cada momento, incrementadas en un sexto, salvo disposición expresa en contrario.

3. El tope máximo establecido para las bases de cotización de la Seguridad Social de cada uno de sus regímenes se actualizará anualmente en la Ley de Presupuestos Generales del Estado en un porcentaje igual al que se establezca para la revalorización de las pensiones contributivas de acuerdo con el artículo 58.2.

Apartado 3 redactado por el Real Decreto-Ley 2/2023, de 16 de marzo, de medidas urgentes para la ampliación de derechos de los pensionistas, la reducción de la brecha de género y el establecimiento de un nuevo marco de sostenibilidad del sistema público de pensiones (BOE núm. 65, 17 de marzo de 2023).

4. Sin perjuicio de lo indicado en el apartado 1, la cotización correspondiente a las contingencias de accidentes de trabajo y enfermedades profesionales se realizará mediante la aplicación de los tipos de cotización establecidos para cada actividad económica, ocupación o situación en la tarifa de primas establecidas legalmente. Las primas correspondientes tendrán a todos los efectos la condición de cuotas de la Seguridad Social.

La base de cotización para la contingencia de desempleo, en todos los regímenes de la Seguridad Social que tengan cubierta la misma, será la correspondiente a las contingencias de accidentes de trabajo y enfermedades profesionales.

De igual modo, la base de cotización para determinar las aportaciones al Fondo de Garantía Salarial y para formación profesional, en todos los regímenes de la Seguridad Social en los que exista la obligación de efectuarlas, será la correspondiente a las contingencias de accidentes de trabajo y enfermedades profesionales.

Apartado 4 renumerado por el Real Decreto-Ley 2/2023, de 16 de marzo, de medidas urgentes para la ampliación de derechos de los pensionistas, la reducción de la brecha de género y el establecimiento de un nuevo marco de sostenibilidad del sistema público de pensiones (BOE núm. 65, 17 de marzo de 2023).

**Artículo 19 bis.** *Cotización adicional de solidaridad.* El importe de las retribuciones a las que se refiere el artículo 147, que supere el importe de la base máxima de cotización establecida para las personas trabajadoras por cuenta ajena del sistema de la Seguridad Social a los que resulte de aplicación dicho artículo, quedará sujeto, en toda liquidación de cuotas, a una cotización adicional de solidaridad de acuerdo con los siguientes tramos:

La cuota de solidaridad será el resultado de aplicar un tipo del 5,5 por ciento a la parte de retribución comprendida entre la base máxima de cotización y la cantidad superior a la referida base máxima en un 10 por ciento; el tipo del 6 por ciento a la parte de retribución comprendida entre el 10 por ciento superior a la base máxima de cotización y el 50 por ciento; y el tipo del 7 por ciento a la parte de retribución que supere el anterior porcentaje.

La distribución del tipo de cotización por solidaridad entre empresario y trabajador mantendrá la misma proporción que la distribución del tipo de cotización por contingencias comunes.

Artículo 19 bis añadido por el Real Decreto-Ley 2/2023, de 16 de marzo, de medidas urgentes para la ampliación de derechos de los pensionistas, la reducción de la brecha de género y el establecimiento de un nuevo marco de sostenibilidad del sistema público de pensiones (BOE núm. 65, 17 de marzo de 2023).

**Artículo 20. *Adquisición, mantenimiento, pérdida y reintegro de beneficios en la cotización.*** 1. Únicamente podrán obtener reducciones, bonificaciones o cualquier otro beneficio en las bases, tipos y cuotas de la Seguridad Social y por conceptos de recaudación conjunta, las empresas y demás sujetos responsables que se encuentren al corriente en el cumplimiento de sus obligaciones con la Seguridad Social en relación al ingreso por cuotas y conceptos de recaudación conjunta, así como respecto de cualquier otro recurso de la Seguridad Social que sea objeto de la gestión recaudatoria de la Seguridad Social, en la fecha de su concesión.

Apartado 1 redactado por la Ley 22/2021, de 28 de diciembre, de presupuestos generales del Estado para el año 2022 (BOE núm. 312, 29 de diciembre de 2021).

2. La adquisición y mantenimiento de los beneficios en la cotización a que se refiere el apartado anterior requerirán, en todo caso, que las empresas y demás sujetos responsables del cumplimiento de la obligación de cotizar que hubieren solicitado u obtenido tales beneficios suministren por medios electrónicos los datos relativos a la inscripción de empresas, afiliación, altas y bajas de trabajadores, variaciones de datos de unas y otros, así como los referidos a cotización y recaudación en el ámbito de la Seguridad Social, en los términos y condiciones que se establezcan por el Ministerio de Empleo y Seguridad Social.

No obstante lo anterior, la Tesorería General de la Seguridad Social podrá autorizar, excepcionalmente y con carácter transitorio, la presentación de dicha documentación en soporte distinto al electrónico previa solicitud del interesado y en atención al número de trabajadores, su dispersión o la naturaleza pública del sujeto responsable.

3. La falta de ingreso en plazo reglamentario de las cuotas de la Seguridad Social y por conceptos de recaudación conjunta devengadas con posterioridad a la obtención de los beneficios en la cotización dará lugar únicamente a su

pérdida automática respecto de las cuotas correspondientes a períodos no ingresados en dicho plazo, salvo que sea debida a error de la Administración de la Seguridad Social.

4. Cuando, por causa no imputable a la Administración, los beneficios en la cotización no se hubieran deducido en los términos reglamentariamente establecidos, podrá solicitarse el reintegro de su importe dentro del plazo de tres meses, a contar desde la fecha de presentación de la liquidación en que el respectivo beneficio debió descontarse. De no efectuarse la solicitud en dicho plazo se extinguirá este derecho.

De proceder el reintegro en este supuesto, si el mismo no se efectuase dentro de los tres meses siguientes a la fecha de presentación de la respectiva solicitud, el importe a reintegrar se incrementará con el interés de demora previsto en el artículo 31.3, que se aplicará al del beneficio correspondiente por el tiempo transcurrido desde la fecha en que se presente la solicitud hasta la de la propuesta de pago.

*Sección 3.ª Liquidación y recaudación de las*
*cuotas y demás recursos del sistema*

Subsección 1.ª Disposiciones generales

**Artículo 21. Competencia.** 1. La Tesorería General de la Seguridad Social, como caja única del sistema de la Seguridad Social, llevará a efecto la gestión liquidatoria y recaudatoria de los recursos de esta, así como de los conceptos de recaudación conjunta con las cuotas de la Seguridad Social, tanto en período voluntario como en vía ejecutiva, bajo la dirección y tutela del Estado.

2. El ejercicio de la función liquidatoria se efectuará sin perjuicio de las competencias que tengan atribuidas sobre la materia la Inspección de Trabajo y Seguridad Social y, respecto a determinados recursos distintos a cuotas, otros organismos u órganos administrativos.

3. Para realizar la función recaudatoria, la Tesorería General de la Seguridad Social podrá concertar los servicios que considere convenientes con las distintas administraciones públicas o con entidades particulares habilitadas al efecto.

Las habilitaciones que se otorguen a las entidades particulares a que se refiere el párrafo anterior tendrán, en todo caso, carácter temporal. Los conciertos con tales entidades habrán de ser autorizados por el Consejo de Ministros.

**Artículo 22. *Liquidación e ingreso de las cuotas y demás recursos.*** 1. Las cuotas de la Seguridad Social, desempleo y por conceptos de recaudación conjunta se liquidarán, en los términos previstos en esta ley y en sus normas de aplicación y desarrollo, mediante alguno de los siguientes sistemas:

a) Sistema de autoliquidación por el sujeto responsable del ingreso de las cuotas de la Seguridad Social y por conceptos de recaudación conjunta.

b) Sistema de liquidación directa por la Tesorería General de la Seguridad Social, por cada trabajador, en función de los datos de que disponga sobre los sujetos obligados a cotizar y de aquellos otros que los sujetos responsables del cumplimiento de la obligación de cotizar deban aportar, en los términos previstos en el artículo 29.2.

Mediante este sistema, la Tesorería General de la Seguridad Social determinará la cotización correspondiente a cada trabajador, a solicitud del sujeto responsable de su ingreso y cuando los datos que este deba facilitar permitan realizar el cálculo de la liquidación.

No se procederá a la liquidación de cuotas por este sistema respecto de aquellos trabajadores que no figuren en alta en el régimen de la Seguridad Social que corresponda durante el período a liquidar, aunque el sujeto responsable del ingreso hubiera facilitado sus datos a tal efecto.

c) Sistema de liquidación simplificada, que se aplicará para la determinación de las cuotas de los trabajadores por cuenta propia incluidos en el Régimen Especial de la Seguridad Social de los Trabajadores por Cuenta Propia o Autónomos y en el Régimen Especial de la Seguridad Social de los Trabajadores del Mar, de las cuotas de los Sistemas Especiales del Régimen General para Empleados de Hogar y para Trabajadores por Cuenta Ajena Agrarios durante la situación de inactividad, así como de las cuotas fijas del Seguro Escolar, de convenios especiales y de cualquier otra cuota cuya liquidación pueda establecerse a través de este sistema.

2. Los recursos del sistema de la Seguridad Social distintos a cuotas se liquidarán en la forma y con los requisitos que en esta ley o en sus normas de aplicación y desarrollo se determinen respecto a cada uno de ellos.

3. El ingreso de las cuotas y demás recursos se realizará en el plazo y forma que se establezcan en esta ley, en sus normas de aplicación y desarrollo o en las disposiciones específicas aplicables a los distintos regímenes y a los sistemas especiales, bien directamente en la Tesorería General de la Seguridad Social o bien a través de las entidades concertadas conforme al artículo 21, así como, en su caso, en otras condiciones legalmente previstas.

También se podrán ingresar las cuotas y demás recursos en las entidades autorizadas al efecto por el Ministerio de Empleo y Seguridad Social, quien dictará las normas para el ejercicio de esta función y podrá revocar la autorización concedida, en caso de incumplimiento, previo expediente incoado al efecto.

El ingreso de las cuotas y demás recursos en las entidades concertadas o autorizadas surtirá, desde el momento en que se lleve a cabo, los mismos efectos que si se hubiera realizado en la propia Tesorería General de la Seguridad Social.

**Artículo 23.** *Aplazamiento de pago*. 1. La Tesorería General de la Seguridad Social, a solicitud del deudor y en los términos y con las condiciones que reglamentariamente se establezcan, podrá conceder aplazamiento del pago de las deudas con la Seguridad Social, que suspenderá el procedimiento recaudatorio que se establece en esta ley.

2. El aplazamiento no podrá comprender las cuotas correspondientes a la aportación de los trabajadores y a las contingencias de accidente de trabajo y enfermedad profesional. La eficacia de la resolución administrativa de concesión quedará supeditada al ingreso de las que pudieran adeudarse en el plazo máximo de un mes desde su notificación.

3. El aplazamiento comprenderá el principal de la deuda y, en su caso, los recargos, intereses y costas del procedimiento que fueran exigibles en la fecha de solicitud, sin que a partir de la concesión puedan considerarse exigibles otros, a salvo de lo que se dispone para el caso de incumplimiento.

4. El cumplimiento del aplazamiento deberá asegurarse mediante garantías suficientes para cubrir el principal de la deuda y los recargos, intereses y costas, considerándose incumplido si no se constituyesen los derechos personales o reales de garantía que establezca la resolución de concesión, en el plazo que esta determine.

No será exigible dicha obligación en los supuestos en que, en razón a la cuantía de la deuda aplazada o a la condición del beneficiario, se establezca reglamentariamente. Excepcionalmente, podrá eximirse total o parcialmente del requisito establecido en el párrafo anterior cuando concurran causas de carácter extraordinario que así lo aconsejen.

5. El principal de la deuda, los recargos sobre ella y las costas del procedimiento que fueran objeto de aplazamiento devengarán interés, que será exigible desde su concesión hasta la fecha de pago, conforme al interés de demora que se encuentre vigente en cada momento durante la duración del aplazamiento. Dicho interés se incrementará en dos puntos si el deudor fuera eximido de la obligación de constituir garantías por causas de carácter extraordinario.

6. En caso de incumplimiento de cualquiera de las condiciones o pagos del aplazamiento, se proseguirá, sin más trámite, el procedimiento de apremio que se hubiera iniciado antes de la concesión. Se dictará asimismo sin más trámite providencia de apremio por aquella deuda que no hubiera sido ya apremiada, a la que se aplicará el recargo del 20 por ciento del principal, de haberse cumplido dentro de plazo las obligaciones establecidas en los apartados 1 y 2 del artículo 29, o del 35 por ciento en caso contrario.

En todo caso, los intereses de demora que se exijan serán los devengados desde el vencimiento de los respectivos plazos reglamentarios de ingreso.

7. Se considerará incumplido el aplazamiento en el momento en que el beneficiario deje de mantenerse al corriente en el pago de sus obligaciones con la Seguridad Social, con posterioridad a su concesión.

**Artículo 24. *Prescripción*.** 1. Prescribirán a los cuatro años los siguientes derechos y acciones:

a) El derecho de la Administración de la Seguridad Social para determinar las deudas por cuotas y por conceptos de recaudación conjunta mediante las oportunas liquidaciones.

b) La acción para exigir el pago de las deudas por cuotas de la Seguridad Social y conceptos de recaudación conjunta.

c) La acción para imponer sanciones por incumplimiento de las normas de Seguridad Social.

2. Respecto de las obligaciones con la Seguridad Social cuyo objeto sean recursos distintos a cuotas, el plazo de prescripción será el establecido en las normas que resulten aplicables en razón de la naturaleza jurídica de aquellas.

3. La prescripción quedará interrumpida por las causas ordinarias y, en todo caso, por cualquier actuación administrativa realizada con conocimiento

formal del responsable del pago conducente a la liquidación o recaudación de la deuda y, especialmente, por su reclamación administrativa mediante reclamación de deuda o acta de liquidación. La prescripción quedará interrumpida, asimismo, por el inicio de las actuaciones a que se refiere el artículo 20.6 de la Ley 23/2015, de 21 de julio, Ordenadora del Sistema de Inspección de Trabajo y Seguridad Social.

**Artículo 25.** *Prelación de créditos.* Los créditos por cuotas de la Seguridad Social y conceptos de recaudación conjunta y, en su caso, los recargos o intereses que sobre aquellos procedan gozarán, en su totalidad, de igual orden de preferencia que los créditos a que se refiere el artículo 1924.1.º del Código Civil. Los demás créditos de la Seguridad Social gozarán del orden de preferencia establecido en el apartado 2.º E) del referido precepto.

En caso de concurso, los créditos por cuotas de la Seguridad Social y conceptos de recaudación conjunta y, en su caso, los recargos e intereses que sobre aquellos procedan, así como los demás créditos de la Seguridad Social, quedarán sometidos a lo establecido en la legislación concursal.

Sin perjuicio del orden de prelación para el cobro de los créditos establecido por la ley, cuando el procedimiento de apremio administrativo concurra con otros procedimientos de ejecución singular, de naturaleza administrativa o judicial, será preferente aquel en el que primero se hubiera efectuado el embargo.

**Artículo 26.** *Devolución de ingresos indebidos, reembolso de los costes de las garantías y pago de cantidades declaradas por sentencia.* 1. Las personas obligadas a cotizar o al pago de otras deudas con la Seguridad Social objeto de gestión recaudatoria por la Administración de la Seguridad Social tendrán derecho, en los términos y supuestos que reglamentariamente se establezcan, a la devolución total o parcial del importe de los ingresos que por error se hubiesen realizado.

El importe a devolver a consecuencia de un ingreso indebido estará constituido por:

a) El importe del ingreso indebidamente efectuado y reconocido como tal.

b) Los recargos, intereses, en su caso, y costas que se hubieran satisfecho cuando el ingreso indebido se hubiera realizado por vía de apremio.

c) El interés de demora previsto en el artículo 31.3, aplicado a las cantidades indebidamente ingresadas por el tiempo transcurrido desde la fecha de su ingreso en la Tesorería General de la Seguridad Social hasta la propuesta de pago.

En todo caso, el tipo de interés de demora aplicable será el vigente a lo largo del período en que dicho interés se devengue.

2. No procederá la devolución de cuotas u otros recursos ingresados maliciosamente, sin perjuicio de la responsabilidad de todo orden a que hubiera lugar.

3. El derecho a la devolución de ingresos indebidos prescribirá a los cuatro años, a contar desde el día siguiente al de su ingreso.

4. La Administración de la Seguridad Social reembolsará, previa acreditación de su importe, el coste de las garantías aportadas para suspender la ejecución de una deuda con la Seguridad Social, en cuanto esta sea declarada improcedente por sentencia o resolución administrativa y dicha declaración adquiera firmeza.

Cuando la deuda sea declarada parcialmente improcedente, el reembolso alcanzará a la parte correspondiente del coste de las referidas garantías.

Asimismo, en los supuestos de estimación parcial del recurso o la reclamación interpuestos, tendrá derecho el obligado a la reducción proporcional de la garantía aportada en los términos que se establezcan reglamentariamente.

5. Los ingresos que, en virtud de resolución judicial firme, resulten o se declaren objeto de devolución a los interesados, tendrán la consideración de ingresos indebidos y serán objeto de devolución en los términos fijados en dicha resolución, con aplicación de lo dispuesto, en su caso, en el artículo 24 de la Ley 47/2003, de 26 de noviembre, General Presupuestaria.

**Artículo 27. *Transacciones sobre los derechos de la Seguridad Social*.**
1. No se podrá transigir judicial ni extrajudicialmente sobre los derechos de la Seguridad Social ni someter a arbitraje las contiendas que se susciten respecto de los mismos, sino mediante real decreto acordado en Consejo de Ministros, previa audiencia del Consejo de Estado.

2. El carácter privilegiado de los créditos de la Seguridad Social otorga a la Tesorería General de la Seguridad Social el derecho de abstención en los procesos concursales. No obstante, la Tesorería General de la Seguridad Social podrá suscribir en el curso de estos procesos los acuerdos o convenios previstos en la

legislación concursal, así como acordar, de conformidad con el deudor y con las garantías que se estimen oportunas, unas condiciones singulares de pago, que no pueden ser más favorables para el deudor que las recogidas en el convenio o acuerdo que ponga fin al proceso judicial.

Subsección 2.ª Liquidación y recaudación en periodo voluntario

**Artículo 28. *Efectos de la falta de pago en plazo reglamentario*.** La falta de pago de la deuda dentro del plazo reglamentario de ingreso establecido determinará la aplicación del recargo y el devengo de los intereses de demora en los términos establecidos en esta ley.

El recargo y los intereses de demora, cuando sean exigibles, se ingresarán conjuntamente con las deudas sobre las que recaigan.

Cuando el ingreso fuera del plazo reglamentario sea imputable a error de la Administración, sin que la misma actúe en calidad de empresario, no se aplicará recargo ni se devengarán intereses.

**Artículo 29. *Cumplimiento de obligaciones en materia de liquidación de cuotas y compensación*.** 1. En el sistema de autoliquidación de cuotas a que se refiere la letra a) del artículo 22.1, los sujetos responsables del cumplimiento de la obligación de cotizar deberán transmitir por medios electrónicos a la Tesorería General de la Seguridad Social las liquidaciones de cuotas de la Seguridad Social y por conceptos de recaudación conjunta, salvo en aquellos supuestos en que dicha liquidación proceda mediante la presentación de los correspondientes documentos de cotización.

La transmisión o presentación a que se refiere el párrafo anterior podrá efectuarse hasta el último día natural del respectivo plazo reglamentario de ingreso.

2. En el sistema de liquidación directa de cuotas a que se refiere la letra b) del artículo 22.1, los sujetos responsables del cumplimiento de la obligación de cotizar deberán solicitar a la Tesorería General de la Seguridad Social el cálculo de la liquidación correspondiente a cada trabajador y transmitir por medios electrónicos los datos que permitan realizar dicho cálculo, hasta el penúltimo día natural del respectivo plazo reglamentario de ingreso.

El referido cálculo se efectuará en función de los datos de que disponga la Tesorería General de la Seguridad Social sobre los sujetos obligados a cotizar, constituidos tanto por los que ya hayan sido facilitados por los sujetos responsables en cumplimiento de las obligaciones establecidas en materia de inscripción de empresas y afiliación, altas, bajas y variaciones de datos de trabajadores, y por aquellos otros que obren en su poder y afecten a la cotización, como por los que deban aportar, en su caso, los citados sujetos responsables en cada período de liquidación.

Asimismo, la Tesorería General de la Seguridad Social aplicará las deducciones que correspondan a los trabajadores por los que se practique la liquidación dentro de plazo reglamentario así como, en su caso, la compensación del importe de las prestaciones abonadas a aquellos en régimen de pago delegado con el de las cuotas debidas correspondientes al mismo período de liquidación, en función de los datos recibidos de las entidades gestoras y colaboradoras de la Seguridad Social, conforme a lo previsto en el apartado 5 de este artículo.

Cuando, una vez practicada la liquidación, el sujeto responsable del ingreso de las cuotas solicite su rectificación aportando datos distintos a los inicialmente transmitidos, las obligaciones a que se refiere el párrafo primero de este apartado solo se considerarán cumplidas cuando resulte posible efectuar una nueva liquidación de cuotas dentro de plazo reglamentario, salvo que la imposibilidad de liquidar en plazo se deba a causas imputables exclusivamente a la Administración.

Tampoco se considerarán incumplidas las citadas obligaciones cuando, una vez practicada la liquidación y dentro del plazo reglamentario, el sujeto responsable del ingreso solicite la rectificación de errores materiales, aritméticos o de cálculo en la citada liquidación imputables exclusivamente a la Administración y ello comporte la práctica de una nueva liquidación corrigiendo tales errores fuera de dicho plazo.

3. El incumplimiento de las obligaciones a que se refieren los apartados anteriores o su cumplimiento dentro de los plazos reglamentariamente establecidos, aun cuando no se ingresen las cuotas correspondientes o se ingrese exclusivamente la aportación del trabajador, producirán los efectos señalados en esta ley y en sus disposiciones de aplicación y desarrollo.

4. En el sistema de liquidación simplificada de cuotas a que se refiere la letra c) del artículo 22.1 no será exigible el cumplimiento de las obligaciones establecidas en los apartados 1 y 2 de este artículo, siempre que el alta de los sujetos obligados a que se refieran dichas cuotas en el régimen de la Seguridad

Social que corresponda, en los supuestos en que ese alta proceda, se haya solicitado dentro del plazo reglamentariamente establecido.

De solicitarse el alta fuera del plazo reglamentario, el cumplimiento de las obligaciones establecidas en los apartados 1 y 2 de este artículo no será exigible respecto a la liquidación de las cuotas correspondientes a los periodos posteriores a la presentación de la solicitud, que se efectuará mediante este sistema.

En tales casos, será aplicable lo previsto en esta ley para los supuestos en que, existiendo dichas obligaciones, se hubieran cumplido dentro de plazo.

5. El cumplimiento de las obligaciones establecidas en los apartados 1 y 2 dentro de plazo permitirá a los sujetos responsables compensar su crédito por las prestaciones abonadas como consecuencia de su colaboración obligatoria con la Seguridad Social y su deuda por las cuotas debidas en el mismo período a que se refieren las respectivas liquidaciones, cualquiera que sea el momento del pago de tales cuotas.

Fuera del supuesto regulado en este apartado, los sujetos responsables del pago de cuotas no podrán compensar sus créditos frente a la Seguridad Social por prestaciones satisfechas en régimen de pago delegado o por cualquier otro concepto con el importe de aquellas cuotas, cualquiera que sea el momento del pago de las mismas y hayan sido o no reclamadas en período voluntario o en vía de apremio, sin perjuicio del derecho de los sujetos responsables para solicitar el pago de sus respectivos créditos frente a la Tesorería General de la Seguridad Social o a la entidad gestora o colaboradora correspondiente.

**Artículo 30. *Recargos por ingreso fuera de plazo*.** 1. Transcurrido el plazo reglamentario establecido para el pago de las cuotas a la Seguridad Social sin ingreso de las mismas y sin perjuicio de las especialidades previstas para los aplazamientos, se devengarán los siguientes recargos:

> – *El recargo por mora se trata, fundamentalmente, de unos intereses compensatorios de devengo automático por el retraso en el cumplimiento de la obligación, después de transcurrir el plazo reglamentario para el pago de cuotas, a tenor del artículo 27 de la Ley General de la Seguridad Social de 1994* (STS de 11 de noviembre de 2002 [Tol 1710288]).

> – *La constitucionalidad del recargo ha sido declarada porque el recargo por mora carece de naturaleza sancionadora, ya que responde más propiamente a la naturaleza de compensación financiera, cuya función es tanto reparadora o indemnizatoria para la Tesorería General de la Seguridad Social como preventiva o disuasoria del posible retraso en el pago por parte del responsable* (STC 121/2010, de 29 de noviembre [Tol 2007349]).

a) Cuando los sujetos responsables del pago hubieran cumplido dentro de plazo las obligaciones establecidas en los apartados 1 y 2 del artículo 29:

1.º Recargo del 10 por ciento de la deuda, si se abonasen las cuotas debidas dentro del primer mes natural siguiente al del vencimiento del plazo para su ingreso.

2.º Recargo del 20 por ciento de la deuda, si se abonasen las cuotas debidas a partir del segundo mes natural siguiente al del vencimiento del plazo para su ingreso.

b) Cuando los sujetos responsables del pago no hubieran cumplido dentro de plazo las obligaciones establecidas en los apartados 1 y 2 del artículo 29:

1.º Recargo del 20 por ciento de la deuda, si se abonasen las cuotas debidas antes de la terminación del plazo de ingreso establecido en la reclamación de deuda o acta de liquidación.

2.º Recargo del 35 por ciento de la deuda, si se abonasen las cuotas debidas a partir de la terminación de dicho plazo de ingreso.

2. Las deudas con la Seguridad Social que tengan carácter de ingresos de derecho público y cuyo objeto esté constituido por recursos distintos a cuotas, cuando no se abonen dentro del plazo reglamentario que tengan establecido se incrementarán con el recargo del 20 por ciento.

Artículo 30 redactado por la Ley 6/2017, de 24 de octubre, de reformas urgentes del trabajo autónomo (BOE núm. 257, 25 de octubre de 2017).

**Artículo 31.** *Interés de demora*. 1. Los intereses de demora por las deudas con la Seguridad Social serán exigibles, en todo caso, si no se hubiese abonado la deuda una vez transcurridos quince días desde la notificación de la providencia de apremio o desde la comunicación del inicio del procedimiento de deducción.

Asimismo serán exigibles dichos intereses cuando no se hubiese abonado el importe de la deuda en el plazo fijado en las resoluciones desestimatorias de los recursos presentados contra las reclamaciones de deuda o actas de liquidación, si la ejecución de dichas resoluciones fuese suspendida en los trámites del recurso contencioso-administrativo que contra ellas se hubiese interpuesto.

2. Los intereses de demora exigibles serán los que haya devengado el principal de la deuda desde el vencimiento del plazo reglamentario de ingreso y los que haya devengado, además, el recargo aplicable en el momento del pago, desde la fecha en que, según el apartado anterior, sean exigibles.

3. El tipo de interés de demora será el interés legal del dinero vigente en cada momento del período de devengo, incrementado en un 25 por ciento, salvo que la Ley de Presupuestos Generales del Estado establezca uno diferente.

**Artículo 32.** *Imputación de pagos.* Sin perjuicio de las especialidades previstas en esta ley para los aplazamientos y en el ordenamiento jurídico para el deudor incurso en procedimiento concursal, el cobro parcial de la deuda apremiada se imputará, en primer lugar, al pago de la que hubiera sido objeto del embargo o garantía cuya ejecución haya producido dicho cobro y, luego, al resto de la deuda. Tanto en un caso como en otro, el cobro se aplicará primero a las costas y luego a los títulos más antiguos, distribuyéndose proporcionalmente el importe entre principal, recargo e intereses.

**Artículo 33.** *Reclamaciones de deudas.* 1. Transcurrido el plazo reglamentario sin ingreso de las cuotas debidas, la Tesorería General de la Seguridad Social reclamará su importe al sujeto responsable incrementado con el recargo que proceda, conforme a lo dispuesto en el artículo 30, en los siguientes supuestos:

a) Falta de cotización respecto de trabajadores dados de alta, cuando no se hubiesen cumplido dentro de plazo las obligaciones establecidas en los apartados 1 y 2 del artículo 29 o cuando, habiéndose cumplido, las liquidaciones de cuotas o datos de cotización transmitidos o los documentos de cotización presentados contengan errores materiales, aritméticos o de cálculo que resulten directamente de los mismos.

Si estas circunstancias fuesen comprobadas por la Inspección de Trabajo y Seguridad Social, lo comunicará a la Tesorería General de la Seguridad Social con la propuesta de liquidación que proceda.

b) Falta de cotización en relación con trabajadores dados de alta que no consten en las liquidaciones de cuotas o datos de cotización transmitidos ni en los documentos de cotización presentados en plazo, respecto de los que se considerará que no se han cumplido las obligaciones establecidas en los apartados 1 y 2 del artículo 29.

c) Diferencias de importe entre las cuotas ingresadas y las que legalmente corresponda liquidar, que resulten directamente de las liquidaciones o datos de cotización transmitidos o de los documentos de cotización presentados, siempre que no proceda realizar una valoración jurídica por la Inspección de Trabajo y Seguridad Social sobre su carácter cotizable, en cuyo caso se procederá conforme a lo previsto en el apartado 1.b) del artículo siguiente.

d) Deudas por cuotas cuya liquidación no corresponda a la Inspección de Trabajo y Seguridad Social.

2. Procederá también reclamación de deuda cuando, en atención a los datos obrantes en la Tesorería General de la Seguridad Social o comunicados por la Inspección de Trabajo y Seguridad Social, y por aplicación de cualquier norma con rango de ley que no excluya la responsabilidad por deudas de Seguridad Social, deba exigirse el pago de dichas deudas:

a) A los responsables solidarios, en cuyo caso la reclamación comprenderá el principal de la deuda a que se extienda la responsabilidad solidaria, los recargos, intereses y costas devengados hasta el momento en que se emita dicha reclamación.

b) A los responsables subsidiarios, en cuyo caso y salvo que su responsabilidad se halle limitada por ley, la reclamación comprenderá el principal de la deuda exigible al deudor inicial en el momento de su emisión, excluidos recargos, intereses y costas.

c) A quien haya asumido la responsabilidad por causa de la muerte del deudor originario, en cuyo caso la reclamación comprenderá el principal de la deuda, los recargos, intereses y costas devengados hasta que se emita.

3. Los importes exigidos en las reclamaciones de deudas por cuotas, impugnadas o no, deberán hacerse efectivos dentro de los plazos siguientes:

a) Las notificadas entre los días 1 y 15 de cada mes, desde la fecha de la notificación hasta el día 5 del mes siguiente o el inmediato hábil posterior.

b) Las notificadas entre los días 16 y último de cada mes, desde la fecha de notificación hasta el día 20 del mes siguiente o el inmediato hábil posterior.

4. Las deudas con la Seguridad Social por recursos distintos a cuotas serán también objeto de reclamación de deuda, en la que se indicará el importe de la misma, así como los plazos reglamentarios de ingreso.

5. La interposición de recurso de alzada contra las reclamaciones de deuda solo suspenderá el procedimiento recaudatorio cuando se garantice con aval

suficiente o se consigne el importe de la deuda, incluido, en su caso, el recargo en que se hubiese incurrido.

En caso de resolución desestimatoria del recurso, transcurrido el plazo de quince días desde su notificación sin pago de la deuda se iniciará el procedimiento de apremio mediante la expedición de la providencia de apremio o el procedimiento de deducción, según proceda.

**Artículo 34.** *Actas de liquidación de cuotas.* 1. Procederá la formulación de actas de liquidación en las deudas por cuotas originadas por:

a) Falta de afiliación o de alta de trabajadores en cualquiera de los regímenes del sistema de la Seguridad Social.

b) Diferencias de cotización por trabajadores dados de alta, resulten o no directamente de las liquidaciones o datos de cotización transmitidos o de los documentos de cotización presentados, dentro o fuera de plazo.

c) Derivación de la responsabilidad del sujeto obligado al pago, cualquiera que sea su causa y régimen de la Seguridad Social aplicable, y con base en cualquier norma con rango de ley que no excluya la responsabilidad por deudas de Seguridad Social. En los casos de responsabilidad solidaria legalmente previstos, la Inspección de Trabajo y Seguridad Social podrá extender acta a todos los sujetos responsables o a alguno de ellos, en cuyo caso el acta de liquidación comprenderá el principal de la deuda a que se extienda la responsabilidad solidaria, los recargos, intereses y costas devengadas hasta la fecha en que se extienda el acta.

d) Aplicación indebida de las bonificaciones en las cotizaciones de la Seguridad Social, previstas reglamentariamente para la financiación de las acciones formativas del subsistema de formación profesional para el empleo.

En los casos a los que se refieren las letras a), b) y c), la Inspección de Trabajo y Seguridad Social podrá formular requerimientos a los sujetos obligados al pago de cuotas adeudadas por cualquier causa, previo reconocimiento de la deuda por aquellos ante el funcionario actuante. En este caso, el ingreso de la deuda por cuotas contenida en el requerimiento será hecho efectivo en el plazo que determine la Inspección de Trabajo y Seguridad Social, que no será inferior a un mes ni superior a cuatro meses. En caso de incumplimiento del requerimiento, se procederá a extender acta de liquidación y de infracción por impago de cuotas.

Las actas de liquidación de cuotas se extenderán por la Inspección de Trabajo y Seguridad Social, notificándose en todos los casos a través de los órganos de dicha Inspección que, asimismo, notificarán las actas de infracción practicadas por los mismos hechos, en la forma que reglamentariamente se establezca.

2. Las actas de liquidación extendidas con los requisitos reglamentariamente establecidos, una vez notificadas a los interesados, tendrán el carácter de liquidaciones provisionales y se elevarán a definitivas mediante acto administrativo de la Dirección General o de la respectiva Dirección Provincial de la Tesorería General de la Seguridad Social, a propuesta del órgano competente de la Inspección de Trabajo y Seguridad Social, preceptiva y no vinculante, tras el trámite de audiencia al interesado. Contra dichos actos liquidatorios definitivos cabrá recurso de alzada ante el órgano superior jerárquico del que los dictó. De las actas de liquidación se dará traslado a los trabajadores, pudiendo los que resulten afectados interponer reclamación respecto del período de tiempo o la base de cotización a que la liquidación se contrae.

3. Los importes de las deudas figurados en las actas de liquidación serán hechos efectivos hasta el último día del mes siguiente al de su notificación, una vez dictado el correspondiente acto administrativo definitivo de liquidación, iniciándose en otro caso el procedimiento de deducción o el procedimiento de apremio en los términos establecidos en esta ley y en sus normas de desarrollo.

4. Las actas de liquidación y las de infracción que se refieran a los mismos hechos se practicarán simultáneamente por la Inspección de Trabajo y Seguridad Social. La competencia y el procedimiento para su resolución son los señalados en el apartado 2.

Las sanciones por infracciones propuestas en dichas actas de infracción se reducirán automáticamente al 50 por ciento de su cuantía, si el infractor diese su conformidad a la liquidación practicada ingresando su importe en el plazo señalado en el apartado 3. Esta reducción automática solo podrá aplicarse en el supuesto de que la cuantía de la liquidación supere la de la sanción propuesta inicialmente.

**Artículo 35. *Determinación de las deudas por cuotas*.** 1. Las reclamaciones de deudas y las providencias de apremio por cuotas de la Seguridad Social, en los supuestos en que unas y otras procedan, se extenderán conforme a las siguientes reglas:

a) De cumplir el sujeto responsable del ingreso las obligaciones establecidas en los apartados 1 y 2 del artículo 29 dentro de plazo, se emitirán en función de las bases de cotización por las que se hubiera efectuado la liquidación de cuotas correspondiente.

b) De incumplir el sujeto responsable del ingreso las obligaciones establecidas en los apartados 1 y 2 del artículo 29 dentro de plazo, se emitirán tomando como base de cotización la media entre la base mínima y máxima correspondiente al último grupo de cotización conocido en que estuviese encuadrado el grupo o categoría profesional de los trabajadores a que se refiera la reclamación de deuda, salvo en aquellos supuestos en que resulten de aplicación bases únicas.

2. Las actas de liquidación se extenderán con base en la remuneración total que tenga derecho a percibir el trabajador o la que efectivamente perciba de ser esta superior en razón del trabajo que realice por cuenta ajena y que deba integrar la base de cotización en los términos establecidos en la ley o en las normas de desarrollo.

Cuando la Inspección de Trabajo y Seguridad Social se vea en la imposibilidad de conocer el importe de las remuneraciones percibidas por el trabajador, se estimará como base de cotización la media entre la base mínima y máxima correspondiente al último grupo de cotización conocido en que estuviese encuadrado el grupo o categoría profesional de los trabajadores a que se refiera el acta de liquidación, salvo en aquellos supuestos en que resulten de aplicación bases únicas.

**Artículo 36.** *Facultades de comprobación*. 1. Las liquidaciones de cuotas calculadas mediante los sistemas a que se refiere el artículo 22.1 podrán ser objeto de comprobación por la Tesorería General de la Seguridad Social, pudiendo requerir a tal efecto cuantos datos o documentos resulten precisos para ello. Las diferencias de cotización que pudieran resultar de dicha comprobación serán exigidas:

a) En el ámbito de los sistemas a que se refiere el artículo 22.1.a) y b), mediante reclamación de deuda o mediante acta de liquidación expedida por la Inspección de Trabajo y Seguridad Social, conforme a lo previsto, respectivamente, en los artículos 33.1 y 34.1.

b) En el ámbito del sistema a que se refiere el artículo 22.1.c), serán exigidas por la Tesorería General de la Seguridad Social mediante liquidación de cuotas complementaria, sin aplicación de recargos, a aquella que es objeto de comprobación y cobro a través del sistema de domiciliación en cuenta para la cotización a efectuar en el plazo reglamentario de ingreso, en aquellos supuestos en que dicho sistema resulte obligatorio, así como en aquellos casos de aplicación voluntaria del mismo. En caso de impago, se continuará con el procedimiento de recaudación de la Seguridad Social.

c) La Tesorería General de la Seguridad Social pondrá a disposición de los sujetos responsables del ingreso de las diferencias de cotización y, en su caso, de los autorizados al Sistema RED, mediante los correspondientes servicios telemáticos a través de la Sede Electrónica de la Seguridad Social y del Sistema de remisión electrónica de datos en el ámbito de la Seguridad Social (Sistema RED), la información relativa al cálculo, con los nuevos datos, de las liquidaciones de cuotas objeto de comprobación, siendo suficiente dicha puesta a disposición para el cumplimiento de lo establecido en el artículo 35 de la Ley 39/2015, de 1 de octubre, del Procedimiento Administrativo Común de las Administraciones Públicas.

2. Lo dispuesto en el apartado anterior se entenderá sin perjuicio de las facultades de comprobación que corresponden a la Inspección de Trabajo y Seguridad Social en ejercicio de las funciones que tiene atribuidas legalmente.

> Artículo 36 redactado por el Real Decreto-Ley 1/2023, de 10 de enero, de medidas urgentes en materia de incentivos a la contratación laboral y mejora de la protección social de las personas artistas (BOE núm. 9, 11 de enero de 2023).

### Subsección 3.ª Recaudación en vía ejecutiva

**Artículo 37. *Medidas cautelares*.** 1. Para asegurar el cobro de las deudas con la Seguridad Social, la Tesorería General de la Seguridad Social podrá adoptar medidas cautelares de carácter provisional cuando existan indicios racionales de que, en otro caso, dicho cobro se verá frustrado o gravemente dificultado.

Las medidas habrán de ser proporcionadas al daño que se pretenda evitar. En ningún caso se adoptarán aquellas que puedan producir un perjuicio de difícil o imposible reparación.

2. La medida cautelar podrá consistir en alguna de las siguientes:

a) Retención del pago de devoluciones de ingresos indebidos o de otros pagos que deba realizar la Tesorería General de la Seguridad Social, en la cuantía estrictamente necesaria para asegurar el cobro de la deuda.

La retención cautelar total o parcial de una devolución de ingresos indebidos deberá ser notificada al interesado juntamente con el acuerdo de devolución.

b) Embargo preventivo de bienes o derechos. Este embargo preventivo se asegurará mediante su anotación en los registros públicos correspondientes o mediante el depósito de los bienes muebles embargados.

c) Cualquiera otra legalmente prevista.

3. Cuando la deuda con la Seguridad Social no se encuentre liquidada pero se haya devengado y haya transcurrido el plazo reglamentario para su pago, y siempre que corresponda a cantidades determinables por la aplicación de las bases, tipos y otros datos objetivos previamente establecidos que permitan fijar una cifra máxima de responsabilidad, la Tesorería General de la Seguridad Social podrá adoptar medidas cautelares que aseguren su cobro, previa autorización, en su respectivo ámbito, de sus directores provinciales o, en su caso, de su Director General o autoridad en quien deleguen.

4. Las medidas cautelares así adoptadas se levantarán, aun cuando no haya sido pagada la deuda, si desaparecen las circunstancias que justificaron su adopción o si, a solicitud del interesado, se acuerda su sustitución por otra garantía que se estime suficiente.

Las medidas cautelares podrán convertirse en definitivas en el marco del procedimiento de apremio. En otro caso, se levantarán de oficio, sin que puedan prorrogarse más allá del plazo de seis meses desde su adopción.

5. Se podrá acordar el embargo preventivo de dinero y mercancías en cuantía suficiente para asegurar el pago de la deuda con la Seguridad Social que corresponda exigir por actividades y trabajos lucrativos ejercidos sin establecimiento cuando los trabajadores no hayan sido afiliados o, en su caso, no hayan sido dados de alta en el régimen de la Seguridad Social que corresponda.

Asimismo, podrán intervenirse los ingresos de los espectáculos públicos de las empresas cuyos trabajadores no hayan sido afiliados ni dados de alta o por los que no hubieran efectuado sus cotizaciones a la Seguridad Social.

**Artículo 38.** *Providencia de apremio, otros actos del procedimiento ejecutivo y procedimiento de deducción.* 1. Transcurrido el plazo reglamentario de ingreso y una vez adquiera firmeza en vía administrativa la reclamación de deuda o el acta de liquidación, en los casos en que estas procedan, sin que se haya satisfecho la deuda, se iniciará el procedimiento de apremio mediante la emisión de providencia de apremio, en la que se identificará la deuda pendiente de pago con el recargo correspondiente.

2. La providencia de apremio, emitida por el órgano competente, constituye el título ejecutivo suficiente para el inicio del procedimiento de apremio por la Tesorería General de la Seguridad Social y tiene la misma fuerza ejecutiva que las sentencias judiciales para proceder contra los bienes y derechos de los sujetos obligados al pago de la deuda.

En la notificación de la providencia de apremio se advertirá al sujeto responsable de que si la deuda exigida no se ingresa dentro de los quince días siguientes a su recepción o publicación serán exigibles los intereses de demora devengados y se procederá al embargo de sus bienes.

3. El recurso de alzada contra la providencia de apremio solo será admisible por los siguientes motivos, debidamente justificados:

a) Pago.

b) Prescripción.

c) Error material o aritmético en la determinación de la deuda.

d) Condonación, aplazamiento de la deuda o suspensión del procedimiento.

e) Falta de notificación de la reclamación de deuda, cuando esta proceda, del acta de liquidación o de las resoluciones que las mismas o las autoliquidaciones de cuotas originen.

La interposición del recurso suspenderá el procedimiento de apremio, sin necesidad de la presentación de la garantía, hasta la resolución de la impugnación.

4. Si los interesados formularan recurso de alzada o contencioso-administrativo contra actos dictados en el procedimiento ejecutivo distintos de la providencia de apremio, el procedimiento de apremio no se suspenderá si no se realiza el pago de la deuda perseguida, se garantiza con aval suficiente o se consigna su importe, incluidos el recargo, los intereses devengados y un 3 por ciento del principal como cantidad a cuenta de las costas reglamentariamente establecidas, a disposición de la Tesorería General de la Seguridad Social.

5. La ejecución contra el patrimonio del deudor se efectuará mediante el embargo y la realización del valor o, en su caso, la adjudicación de bienes del deudor a la Tesorería General de la Seguridad Social. El embargo se efectuará

en cuantía suficiente para cubrir el principal de la deuda, los recargos y los intereses y costas del procedimiento que se hayan causado y se prevea que se causen hasta la fecha de ingreso o de la adjudicación a favor de la Seguridad Social, con respeto siempre al principio de proporcionalidad.

Si el cumplimiento de la obligación con la Seguridad Social estuviera garantizado mediante aval, prenda, hipoteca o cualquiera otra garantía personal o real, se procederá en primer lugar a ejecutarla, lo que se realizará en todo caso por los órganos de recaudación de la Administración de la Seguridad Social, a través del procedimiento administrativo de apremio.

6. Si el deudor fuese una administración pública, organismo autónomo, entidad pública empresarial o, en general, cualquier entidad de derecho público, el órgano competente de la Tesorería General de la Seguridad Social, transcurridos los plazos a que se refiere el apartado 1, iniciará el procedimiento de deducción, acordando, previa audiencia de la entidad afectada, la retención a favor de la Seguridad Social en la cuantía que corresponda por principal, recargo e intereses, sobre el importe total que con cargo a los Presupuestos Generales del Estado deba transferirse a la entidad deudora, quedando extinguida total o parcialmente la deuda desde que la Tesorería General de la Seguridad Social aplique el importe retenido al pago de la misma.

Solo se iniciará la vía de apremio sobre el patrimonio de estas entidades, en los términos establecidos en el apartado 2, cuando la ley prevea que puedan ostentar la titularidad de bienes embargables. En este caso y una vez definitiva en vía administrativa la providencia de apremio, el órgano competente de la Tesorería General de la Seguridad Social acordará la retención prevista en el párrafo anterior, sin perjuicio de la continuación del procedimiento de apremio sobre los bienes embargables hasta completar el cobro de los débitos.

7. Las costas y gastos que origine la recaudación en vía ejecutiva serán siempre a cargo del sujeto responsable del pago.

8. El Gobierno, a propuesta del titular del Ministerio de Empleo y Seguridad Social, aprobará el procedimiento para el cobro de las deudas con la Seguridad Social en vía de apremio.

9. Lo dispuesto en los apartados anteriores se entiende sin perjuicio de lo especialmente previsto en el artículo 39 y en la normativa reguladora de la jurisdicción contencioso-administrativa.

**Artículo 39. *Tercerías*.** 1. Corresponde a la Tesorería General de la Seguridad Social la resolución de las tercerías que se susciten en el procedimiento de apremio. Su interposición ante dicho organismo será requisito previo para que puedan ejercitarse ante los tribunales de la jurisdicción ordinaria.

2. La tercería solo podrá fundarse en el dominio de los bienes embargados al deudor o en el derecho del tercerista a ser reintegrado de su crédito con preferencia al perseguido en el expediente de apremio.

3. Si la tercería fuese de dominio, se suspenderá el procedimiento de apremio hasta que aquella se resuelva y una vez se hayan tomado las medidas de aseguramiento subsiguientes al embargo, según la naturaleza de los bienes. Si fuese de mejor derecho, proseguirá el procedimiento hasta la realización de los bienes y el producto obtenido se consignará en depósito a resultas de la tercería. No será admitida la tercería de dominio después de otorgada la escritura pública, de consumada la venta de los bienes de que se trate o de su adjudicación en pago a la Seguridad Social. La tercería de mejor derecho no se admitirá después de haber recibido el recaudador el precio de la venta.

**Artículo 40. *Deber de información por parte de las personas y entidades sin personalidad, entidades financieras, funcionarios públicos, profesionales oficiales y autoridades*.** 1. Las personas físicas o jurídicas, públicas o privadas, así como las entidades sin personalidad, estarán obligadas a proporcionar a la Tesorería General de la Seguridad Social y al Instituto Social de la Marina, cuando así lo requieran, aquellos datos, informes, antecedentes y justificantes con incidencia en las competencias de la Administración de la Seguridad Social, especialmente en el ámbito de la liquidación, control de la cotización y de recaudación de los recursos de la Seguridad Social y demás conceptos de recaudación conjunta.

Especialmente, las personas o entidades depositarias de dinero en efectivo o en cuenta, valores u otros bienes de deudores a la Seguridad Social en situación de apremio, estarán obligadas a informar a la Tesorería General de la Seguridad Social y a cumplir los requerimientos que le sean hechos por la misma en el ejercicio de sus funciones legales.

2. Las obligaciones a que se refiere el apartado anterior deberán cumplirse bien con carácter general o bien a requerimiento individualizado de los órganos competentes de la Administración de la Seguridad Social, en la forma y plazos que reglamentariamente se determinen.

3. El incumplimiento de las obligaciones establecidas en los números anteriores de este artículo no podrá ampararse en el secreto bancario.

Los requerimientos relativos a los movimientos de cuentas corrientes, depósitos de ahorro y a plazo, cuentas de préstamos y créditos y demás operaciones activas o pasivas de los bancos, cajas de ahorro, cooperativas de crédito y cuantas personas físicas o jurídicas se dediquen al tráfico bancario o crediticio, se efectuarán previa autorización del titular de la Dirección General de la Tesorería General de la Seguridad Social o, en su caso, y en las condiciones que reglamentariamente se establezcan, el titular de la Dirección Provincial de la Tesorería General de la Seguridad Social competente, y deberán precisar las operaciones objeto de investigación, los sujetos pasivos afectados y el alcance de la misma en cuanto al período de tiempo a que se refieren.

4. Los funcionarios públicos, incluidos los profesionales oficiales, están obligados a colaborar con la Administración de la Seguridad Social suministrando toda clase de información de que dispongan, siempre que sea necesaria para el cumplimiento de las funciones de la Administración de la Seguridad Social, especialmente respecto de la liquidación, control de la cotización y la recaudación de recursos de la Seguridad Social y demás conceptos de recaudación conjunta, salvo que sea aplicable:

a) El secreto del contenido de la correspondencia.

b) El secreto de los datos que se hayan suministrado a la Administración pública para una finalidad exclusivamente estadística.

c) El secreto del protocolo notarial, que abarcará los instrumentos públicos a que se refieren los artículos 34 y 35 de la Ley de 28 de mayo de 1862, del Notariado, y los relativos a cuestiones matrimoniales, con excepción de los referentes al régimen económico de la sociedad conyugal.

5. La obligación de los profesionales de facilitar información de transcendencia recaudatoria a la Administración de la Seguridad Social no alcanzará a los datos privados no patrimoniales que conozcan por razón del ejercicio de su actividad, cuya revelación atente al honor o a la intimidad personal o familiar de las personas. Tampoco alcanzará a aquellos datos confidenciales de sus clientes de los que tengan conocimiento como consecuencia de la prestación de servicios profesionales de asesoramiento o defensa.

Los profesionales no podrán invocar el secreto profesional a efectos de impedir la comprobación de su propia cotización a la Seguridad Social.

A efectos del artículo octavo, apartado uno, de la Ley Orgánica 1/1982, de 5 de mayo, de protección civil del derecho al honor, a la intimidad personal y familiar y a la propia imagen, se considerará autoridad competente al titular del Ministerio de Inclusión, Seguridad Social y Migraciones, a los titulares de los órganos y centros directivos de la Secretaría de Estado de la Seguridad Social y Pensiones y del Organismo Estatal Inspección de Trabajo y Seguridad Social así como al titular de la Dirección General y a los titulares de las direcciones provinciales de la Tesorería General de la Seguridad Social.

6. La cesión de aquellos datos de carácter personal que se deba efectuar a la Administración de la Seguridad Social conforme a lo dispuesto en este artículo o, en general, en cumplimiento del deber de colaborar con la Administración de la Seguridad Social para el desempeño de cualquiera de sus funciones, especialmente respecto de la efectiva liquidación, control de la cotización, recaudación de los recursos de la Seguridad Social y de los conceptos de recaudación conjunta con las cuotas de la Seguridad Social, no requerirá el consentimiento del afectado.

A los efectos señalados en el párrafo anterior, así como respecto de la cesión de datos de carácter no personal, las autoridades, cualquiera que sea su naturaleza, los titulares de los órganos del Estado, de las comunidades autónomas y de las entidades locales; los organismos autónomos, las agencias y las entidades públicas empresariales; las autoridades laborales; las cámaras y corporaciones, colegios y asociaciones profesionales; las mutualidades de previsión social; las demás entidades públicas y quienes, en general, ejerzan o colaboren en el ejercicio de funciones públicas, estarán obligados a suministrar a la Administración de la Seguridad Social cuantos datos, informes y antecedentes precise esta para el adecuado ejercicio de cualquiera de las funciones de la Administración de la Seguridad Social, especialmente respecto de sus funciones liquidatorias, de control de la cotización y recaudatorias, mediante disposiciones de carácter general o a través de requerimientos concretos y a prestarle, a ella y a su personal, apoyo, concurso, auxilio y protección para el ejercicio de sus competencias.

La cesión de datos a que se refiere este artículo se instrumentará preferentemente por medios informáticos. A tal efecto la Administración de la Seguridad Social podrá recabar a través de sus redes corporativas o mediante consulta a las plataformas de intermediación de datos u otros sistemas habilitados al efecto, los datos o la información necesaria para la tramitación de los procedimientos que resulten de su competencia.

7. Los datos, informes y antecedentes suministrados conforme a lo dispuesto en este artículo únicamente serán tratados en el marco de las funciones de la Administración de la Seguridad Social, especialmente en el ámbito de control de la cotización y de recaudación de los recursos del sistema de Seguridad Social, así como de sus funciones estadísticas, sin necesidad del consentimiento de los afectados y sin perjuicio de lo dispuesto en el artículo 77 de esta ley.

> Artículo 40 redactado por el Real Decreto-Ley 2/2021, de 26 de enero, de refuerzo y consolidación de medidas sociales en defensa del empleo (BOE núm. 23, 27 de enero de 2021).

**Artículo 41. *Levantamiento de bienes embargables*.** Las personas o entidades depositarias de bienes embargables que, con conocimiento previo del embargo practicado por la Seguridad Social, conforme al procedimiento administrativo de apremio reglamentariamente establecido, colaboren o consientan en el incumplimiento de las órdenes de embargo o en el levantamiento de los bienes, serán responsables solidarios del pago de la deuda hasta el importe del valor de los bienes que se hubieran podido embargar o enajenar.

CAPÍTULO IV. Acción protectora

*Sección 1.ª Disposiciones generales*

**Artículo 42. *Acción protectora del sistema de la Seguridad Social*.** 1. La acción protectora del sistema de la Seguridad Social comprenderá:

a) La asistencia sanitaria en los casos de maternidad, de enfermedad común o profesional y de accidente, sea o no de trabajo.

> – *Existe derecho a prestación ortoprotésica consecuencia de accidente de trabajo, que pese a la derogación del Decreto 2766/1967, y mientras el ordenamiento no lo excluya de forma clara, sigue rigiendo el principio de reparación íntegra de las secuelas* (STS de 10 de octubre de 2019 [Tol 7536777]).

> – *La concesión de la residencia no supone la existencia automática del derecho a la asistencia sanitaria, cuya dinámica está sujeta al mantenimiento del requisito de su concesión relativo a que el reagrupante disponga de recursos suficientes para no convertirse en una carga para la asistencia social en España durante su periodo de residencia y de un seguro de enfermedad que cubra los riesgos del reagrupado en España* (SSTS de 13 de mayo de 2019 [Rec. 3626/2017, 4622/2017, 1058/2018 y 2022/2018], 10 y 15 de diciembre de 2020 [Rec. 1881/2018 y 3302/2018], 14 y 19 de enero [Rec. 401/2019 y 3912/2018], 3 de marzo [Rec. 1410/2019], 7 de abril [Tol 8416821] y 21 de septiembre de 2021 [Tol 8611104], 6

y 27 de abril [*Tol 8916189* y *8960872*], 11 de mayo [*Tol 8972245* y *8992250*], 7 de julio [*Tol 9142357*] y 2 de noviembre de 2022 [Rec. 2374/2019] y 14 de marzo de 2023 [*Tol 9487760*]).

b) La recuperación profesional, cuya procedencia se aprecie en cualquiera de los casos que se mencionan en la letra anterior.

c) Las prestaciones económicas en las situaciones de incapacidad temporal; nacimiento y cuidado de menor; riesgo durante el embarazo; riesgo durante la lactancia natural; ejercicio corresponsable del cuidado del lactante; cuidado de menores afectados por cáncer u otra enfermedad grave; incapacidad permanente contributiva e incapacidad no contributiva; jubilación, en sus modalidades contributiva y no contributiva; desempleo, en sus niveles contributivo y asistencial; protección por cese de actividad; pensión de viudedad; prestación temporal de viudedad; pensión de orfandad; prestación de orfandad; pensión en favor de familiares; subsidio en favor de familiares; auxilio por defunción; indemnización en caso de muerte por accidente de trabajo o enfermedad profesional; ingreso mínimo vital, así como las que se otorguen en las contingencias y situaciones especiales que reglamentariamente se determinen por real decreto, a propuesta del titular del Ministerio competente.

Letra c) redactada por la Ley 19/2021, de 20 de diciembre, por la que se establece el ingreso mínimo vital (BOE núm. 304, 21 de diciembre de 2021).

d) Las prestaciones familiares de la Seguridad Social, en sus modalidades contributiva y no contributiva.

e) Las prestaciones de servicios sociales que puedan establecerse en materia de formación y rehabilitación de personas con discapacidad y de asistencia a las personas mayores, así como en aquellas otras materias en que se considere conveniente.

2. Igualmente, y como complemento de las prestaciones comprendidas en el apartado anterior, podrán otorgarse los beneficios de la asistencia social.

3. La acción protectora comprendida en los apartados anteriores establece y limita el ámbito de extensión posible del Régimen General y de los especiales de la Seguridad Social, así como de las prestaciones no contributivas.

4. Cualquier prestación de carácter público que tenga como finalidad complementar, ampliar o modificar las prestaciones contributivas de la Seguridad Social, forma parte del sistema de la Seguridad Social y está sujeta a los principios recogidos en el artículo 2.

Lo previsto en el párrafo anterior se entiende sin perjuicio de las ayudas de otra naturaleza que, en el ejercicio de sus competencias, puedan establecer las comunidades autónomas en beneficio de los pensionistas residentes en ellas.

**Artículo 43. *Mejoras voluntarias*.** 1. La modalidad contributiva de la acción protectora que el sistema de la Seguridad Social otorga a las personas comprendidas en el artículo 7.1 podrá ser mejorada voluntariamente en la forma y condiciones que se establezcan en las normas reguladoras del Régimen General y de los regímenes especiales.

> *– La fecha del hecho causante a tener en cuenta a efectos de la atribución del derecho a la mejora voluntaria de Seguridad Social derivada de accidente de trabajo que se establece en el convenio colectivo de los jugadores de fútbol profesional es la del suceso que determinó el daño físico y no la de la declaración de incapacidad permanente por apreciarse secuelas invalidantes previsiblemente irreversibles o definitivas (STS de 26 de abril de 2001 [Tol 32200]).*

> *– Cuando se trata de una mejora voluntaria que contiene una regulación específica en orden a fijar el momento en que se tiene por establecida la cobertura o en el que ha de determinarse el régimen aplicable, tal regulación tiene que prevalecer en la medida en que no se oponga a una norma de superior rango (STS de 28 de abril de 2004 [Tol 421557]).*

2. Sin otra excepción que el establecimiento de mejoras voluntarias, conforme a lo previsto en el número anterior, la Seguridad Social no podrá ser objeto de contratación colectiva.

**Artículo 44. *Caracteres de las prestaciones*.** 1. Las prestaciones de la Seguridad Social, así como los beneficios de sus servicios sociales y de la asistencia social, no podrán ser objeto de retención, sin perjuicio de lo previsto en el apartado 2, cesión total o parcial, compensación o descuento, salvo en los dos casos siguientes:

a) En orden al cumplimiento de las obligaciones alimenticias a favor del cónyuge e hijos.

b) Cuando se trate de obligaciones contraídas por el beneficiario dentro de la Seguridad Social.

En materia de embargo se estará a lo establecido en la Ley de Enjuiciamiento Civil.

2. Las percepciones derivadas de la acción protectora de la Seguridad Social estarán sujetas a tributación en los términos establecidos en las normas reguladoras de cada impuesto.

3. No podrá ser exigida ninguna tasa fiscal, ni derecho de ninguna clase, en cuantas informaciones o certificaciones hayan de facilitar los correspondientes organismos de la Administración de la Seguridad Social, y los organismos administrativos, judiciales o de cualquier otra clase, en relación con las prestaciones y beneficios a que se refiere el apartado 1.

**Artículo 45. *Responsabilidad en orden a las prestaciones*.** 1. Las entidades gestoras de la Seguridad Social serán responsables de las prestaciones cuya gestión les esté atribuida, siempre que se hayan cumplido los requisitos generales y particulares exigidos para causar derecho a las mismas en las normas establecidas en esta ley y en las específicas que sean aplicables a los distintos regímenes especiales.

2. Para la imputación de responsabilidades en orden a las prestaciones contributivas, a entidades o personas distintas de las determinadas en el apartado anterior, se estará a lo dispuesto en la presente ley, en sus disposiciones de desarrollo y aplicación o en las normas reguladoras de los regímenes especiales.

**Artículo 46. *Pago de las pensiones contributivas derivadas de contingencias comunes y de las pensiones no contributivas*.** 1. Las pensiones contributivas derivadas de contingencias comunes de cualquiera de los regímenes que integran el sistema de la Seguridad Social serán satisfechas en catorce pagas, correspondientes a cada uno de los meses del año y dos pagas extraordinarias que se devengarán en los meses de junio y noviembre.

2. Asimismo, el pago de las pensiones no contributivas de incapacidad y jubilación se fraccionará en catorce pagas, correspondientes a cada uno de los meses del año y dos pagas extraordinarias que se devengarán en los meses de junio y noviembre.

*Sección 2.ª Reconocimiento, determinación y mantenimiento del derecho a las prestaciones*

**Artículo 47. *Requisito de estar al corriente en el pago de las cotizaciones*.** 1. En el caso de trabajadores que sean responsables del ingreso de cotizaciones, para el reconocimiento de las correspondientes prestaciones económicas de la Seguridad Social será necesario que el causante se encuentre al corriente en el pago de las cotizaciones de la Seguridad Social, aunque la correspondiente prestación sea reconocida, como consecuencia del cómputo recíproco de cotizaciones, en un régimen de trabajadores por cuenta ajena.

A tales efectos, será de aplicación el mecanismo de invitación al pago previsto en el artículo 28.2 del Decreto 2530/1970, de 20 de agosto, por el que se regula el Régimen Especial de la Seguridad Social de los Trabajadores por Cuenta Propia o Autónomos, cualquiera que sea el régimen de la Seguridad Social en que el interesado estuviese incorporado en el momento de acceder a la prestación o en el que se cause esta.

– *Para poder acceder a las prestaciones por muerte y supervivencia del Régimen Especial Agrario, el trabajador por cuenta propia debe encontrarse al corriente en el pago de las cuotas en la fecha del hecho causante* (SSTS de 22 de mayo de 1992 [*Tol 232589*] y 10 de junio de 2002 [*Tol 201871 y 257222*]).

– *Para poder acceder a las prestaciones por incapacidad permanente del Régimen Especial Agrario, el trabajador por cuenta propia debe encontrarse al corriente en el pago de las cuotas en la fecha del hecho causante* (SSTS de 14 de diciembre de 1992 [*Tol 232346 y 314562*] y 18 de diciembre de 1996 [*Tol 237019*]).

– *El armador-tripulante incluido en el Régimen Especial de Trabajadores del Mar que no se encuentra al corriente en el pago de sus cuotas no puede acceder a la prestación por jubilación de dicho régimen especial* (STS de 21 de febrero de 2002 [*Tol 246504*]).

– *No puede causar derecho a prestaciones por muerte y supervivencia el trabajador por cuenta ajena del Régimen Especial Agrario que no se encuentra al corriente en el pago de sus cuotas en la fecha del hecho causante y dicho período de descubierto excede del máximo de seis mensualidades que la norma permite sean abonados por los derechohabientes con posterioridad a su fallecimiento* (STS de 20 de mayo de 2002 [*Tol 246514*]).

– *No cabe atribuir eficacia al importe total de las cotizaciones realizadas en el Régimen Especial de Trabajadores Autónomos en el período anterior a la jubilación, en el específico caso de que las bases aceptadas por la Tesorería General de la Seguridad Social en el momento del alta y en elevaciones posteriores, fueron calculadas desde las bases del Régimen General en el que inmediatamente antes había estado incluido el beneficiario afectado, y estas han sido declaradas como inaceptables y artificialmente elevadas, apreciándose fraude de ley en su incremento* (STS de 11 de abril de 2003 [*Tol 276340*]).

– *No es posible causar derecho a las prestaciones por viudedad y orfandad del Régimen Especial de Trabajadores Autónomos al no estar el causante al corriente en el pago de sus cuotas, aun cuando hubieran prescrito con posterioridad al hecho causante* (SSTS de 25 de septiembre de 2003 [*Tol 327253*], 15 de noviembre de 2006 [*Tol 1018556*] y 20 de febrero de 2007 [*Tol 1044380*]).

– *El aplazamiento del pago de cuotas obtenido después de la fecha del hecho causante no equivale al cumplimiento del requisito de estar al corriente en el pago de las cuotas para acceder al cobro de una pensión por incapacidad permanente en el Régimen Especial de Trabajadores Autónomos, puesto que el artículo 28 del Decreto 2.530/1970, de 20 de agosto, cuando contempla los condicionantes para que proceda el abono de la pensión a quien no está al corriente en el pago de sus cuotas anteriores sólo entiende que ha cumplido tal requisito quien paga su deuda bien en los treinta días siguientes a la invitación o requeri-*

*miento, bien en cualquier otro momento posterior y no da opción a ninguna otra salida que no sea la del pago efectivo* (STS de 7 de mayo de 2004 [*Tol 479751*]).

– *Un trabajador del Régimen Especial de Trabajadores Autónomos no puede acceder a una prestación por incapacidad temporal cuando no se encuentra al corriente en el pago de las cuotas* (STS de 12 de abril de 2010 [*Tol 1851990*]).

– *Para causar derecho a las prestaciones del Régimen Especial de Trabajadores Autónomos son precisos dos requisitos, siendo el principal el de tener cubierto el período de carencia, que es el que realmente origina el derecho a la prestación, y el segundo requisito, hallarse al corriente en el pago de las cuotas restantes que fueran exigibles, es una especie de requisito complementario para hacer efectiva esa protección, que no se devengará, en el caso de las periódicas, hasta que tuvo lugar el ingreso de las cuotas adeudadas; de modo que este segundo requisito complementario sólo tiene sentido cuando aparece cumplido el primero, y por ello se regulan de diferente manera, produciendo su incumplimiento también diferentes consecuencias* (STS de 27 de octubre de 2015 [*Tol 5567229*]).

– *La deuda con el sistema de Seguridad Social derivada de obligaciones como empresario, y, por consiguiente, relativa a cotizaciones por el alta de trabajadores a su servicio, no incide en la propia relación prestacional del trabajador autónomo como afiliado al sistema* (STS de 16 de diciembre de 2020 [Rec. 2226/2018]).

– *En el supuesto de pago de cuotas del Régimen Especial de la Seguridad Social de Trabajadores por Cuenta Propia o Autónomos, en virtud de providencia de apremio, antes de solicitar el derecho a la pensión de jubilación, no procede imputar ese pago al de otras deudas que no estaban en fase de recaudación en vía ejecutiva, por lo que debe entenderse que el trabajador por cuenta propia está al corriente en el pago de las cuotas en el momento de solicitar la pensión* (STS de 6 de mayo de 2021 [*Tol 8446048*]).

– *La existencia de cuotas prescritas cuando se produce el hecho causante, no impide tener por cubierto el requisito de hallarse al corriente en el pago de las cotizaciones, al no existir entonces cuotas debidas; y, si ello es así, resulta irrelevante que el beneficiario hubiera rechazado la invitación al pago que le hizo la entidad gestora, porque ese mecanismo no era exigible en ese caso al estar ya al corriente en el pago de las cuotas* (STS de 15 de noviembre de 2022 [Rec. 1390/2019]).

2. Cuando al interesado se le haya considerado al corriente en el pago de las cotizaciones a efectos del reconocimiento de una prestación en virtud de un aplazamiento en el pago de las cuotas adeudadas, pero posteriormente incumpla los plazos o condiciones de dicho aplazamiento, perderá la consideración de hallarse al corriente en el pago y, en consecuencia, se procederá a la suspensión inmediata de la prestación reconocida que estuviere percibiendo, la cual solamente podrá ser rehabilitada una vez que haya saldado la deuda con la Seguridad Social en su totalidad. A tal fin, de conformidad con lo establecido en el artículo 44.1.b), la entidad gestora de la prestación podrá detraer de cada mensualidad devengada por el interesado la correspondiente cuota adeudada.

3. A efectos del reconocimiento del derecho a una pensión, las cotizaciones correspondientes al mes del hecho causante de la pensión y a los dos

meses previos a aquel, cuyo ingreso aún no conste como tal en los sistemas de información de la Seguridad Social, se presumirán ingresadas sin necesidad de que el interesado lo tenga que acreditar documentalmente. En estos supuestos, la entidad gestora revisará, con periodicidad anual, todas las pensiones reconocidas durante el ejercicio inmediato anterior bajo la presunción de situación de estar al corriente para verificar el ingreso puntual y efectivo de esas cotizaciones. De no haberse producido el mismo, se procederá inmediatamente a la suspensión del pago de la pensión, aplicándose las mensualidades retenidas a la amortización de las cuotas adeudadas hasta su total extinción, rehabilitándose el pago de la pensión a partir de ese momento.

Lo previsto en el párrafo anterior será de aplicación siempre que el trabajador acredite el periodo mínimo de cotización exigible, sin computar a estos efectos el periodo de tres meses referido en el mismo.

> Hay que reconocer el derecho a la pensión de jubilación con cargo al Régimen Especial de la Seguridad Social de los Trabajadores por Cuenta Propia o Autónomos a quien en el momento de acceder a ella cumple todos los requisitos (edad, periodo de carencia, situación de origen, etc.), debiendo considerarse al corriente en el pago de las cotizaciones si las que adeuda están prescritas (STS de 22 de noviembre de 2022 [Rec. 4497/2019]).

**Artículo 48. *Transformación de los plazos en días*.** Para el acceso a las pensiones de la Seguridad Social, así como para la determinación de su cuantía, los plazos señalados en la presente ley en años, semestres, trimestres o meses, serán objeto de adecuación a días mediante las correspondientes equivalencias.

**Artículo 49. *Efecto de las cotizaciones superpuestas en varios regímenes en orden a las pensiones de la Seguridad Social*.** Cuando se acrediten cotizaciones a varios regímenes y no se cause derecho a pensión en uno de ellos, las bases de cotización acreditadas en este último en régimen de pluriactividad podrán ser acumuladas a las del régimen en que se cause la pensión, exclusivamente para la determinación de la base reguladora de la misma, sin que la suma de las bases pueda exceder del límite máximo de cotización vigente en cada momento.

> La acumulación de bases solo procede cuando no se cause o pueda causarse pensión en un Régimen, pero no cuando tal circunstancia constituya una posibilidad futura al seguir el sujeto en alta y cotizando en el Régimen cuyas cotizaciones pretende acumular (STS de 13 de noviembre de 2019 [Tol 7600430]).

**Artículo 50.** *Cómputo de ingresos a efectos del reconocimiento o mantenimiento del derecho a prestaciones*. Cuando se exija, legal o reglamentariamente, la no superación de un determinado límite de ingresos para el acceso o el mantenimiento del derecho a prestaciones comprendidas en el ámbito de la acción protectora de esta ley, distintas de las pensiones no contributivas y de las prestaciones por desempleo, se considerarán como tales ingresos los rendimientos del trabajo, del capital y de actividades económicas y las ganancias patrimoniales, en los mismos términos en que son computados en el artículo 59.1 para el reconocimiento de los complementos por mínimos de pensiones.

**Artículo 50 bis.** *Resolución provisional de pensiones reconocidas al amparo de normas internacionales*. 1. Cuando durante la tramitación de una solicitud de pensión al amparo de una norma internacional se compruebe que el solicitante reúne todos los requisitos para acceder a la pensión computando únicamente las cotizaciones efectuadas en España, se reconocerá el derecho a dicha pensión sin necesidad de esperar a conocer los periodos de seguro certificados por los demás estados afectados. Este reconocimiento será provisional y puede verse afectado por los periodos de seguro certificados o por las resoluciones adoptadas por los estados afectados recibidas con posterioridad a esta resolución. Recibida la citada certificación, se dictará resolución definitiva confirmando la resolución provisional o modificándola, en caso de que la cuantía de la pensión resultante de totalizar dichos periodos varíe respecto de la de la pensión reconocida provisionalmente.

2. Lo establecido en el apartado anterior será igualmente aplicable a las pensiones que se reconozcan a prorrata temporis como consecuencia del cómputo de periodos que el otro Estado haya certificado expresamente como provisionales.

Artículo 50 bis añadido por el Real Decreto-Ley 2/2023, de 16 de marzo, de medidas urgentes para la ampliación de derechos de los pensionistas, la reducción de la brecha de género y el establecimiento de un nuevo marco de sostenibilidad del sistema público de pensiones (BOE núm. 65, 17 de marzo de 2023).

**Artículo 51.** *Residencia a efectos de prestaciones y de complementos por mínimos*. 1. Los beneficiarios de prestaciones económicas, o de complementos por mínimos, cuyo disfrute se encuentre condicionado a la residencia efectiva en España podrán ser citados a comparecencia en las oficinas de la entidad gestora competente con la periodicidad que esta determine.

2. A efectos del mantenimiento del derecho a las prestaciones económicas de la Seguridad Social, o a los complementos por mínimos, para cuya percepción se exija la residencia en territorio español, se entenderá que el beneficiario tiene su residencia habitual en España aun cuando haya tenido estancias en el extranjero, siempre que estas no superen los noventa días naturales a lo largo de cada año natural, o cuando la ausencia del territorio español esté motivada por causas de enfermedad debidamente justificadas.

No obstante lo dispuesto en el párrafo anterior, a efectos de las prestaciones y subsidios por desempleo, será de aplicación lo que determine su normativa específica.

3. Para el mantenimiento del derecho a las prestaciones sanitarias en las que se exija la residencia en territorio español, se entenderá que el beneficiario de dichas prestaciones tiene su residencia habitual en España aun cuando haya tenido estancias en el extranjero, siempre que estas no superen los noventa días naturales a lo largo de cada año natural.

**Artículo 52. *Adopción de medidas cautelares*.** 1. El incumplimiento por parte de los beneficiarios o causantes de las prestaciones económicas del sistema de la Seguridad Social de la obligación de presentar, en los plazos establecidos, declaraciones preceptivas, documentos, antecedentes, justificantes o datos que no obren en la entidad gestora, cuando a ello sean requeridos, siempre que los mismos puedan afectar a la conservación del derecho a las prestaciones, o al complemento por mínimos, podrá dar lugar a que por las entidades gestoras de la Seguridad Social se suspenda cautelarmente el abono de las citadas prestaciones o del complemento hasta que quede debidamente acreditado, por los citados beneficiarios o causantes, que se cumplen los requisitos legales imprescindibles para el mantenimiento del derecho a aquellos.

2. Asimismo, la incomparecencia de los beneficiarios de prestaciones económicas del sistema de la Seguridad Social, o del complemento por mínimos, cuyo disfrute se encuentre condicionado a la residencia efectiva en España, cuando sean citados por la entidad gestora competente de conformidad con lo previsto en el artículo 51.1, podrá dar lugar a la suspensión cautelar del abono de la prestación o del complemento.

3. Si se presenta la información solicitada o se comparece transcurrido el plazo fijado, se producirá la rehabilitación de la prestación o, en su caso, del

complemento por mínimos, cuando concurran los requisitos para el mantenimiento del derecho, con una retroactividad máxima de noventa días naturales.

4. Lo previsto en los apartados anteriores se entiende sin perjuicio de lo establecido en el artículo 47.1.d) del texto refundido de la Ley sobre Infracciones y Sanciones en el Orden Social, aprobado por el Real Decreto Legislativo 5/2000, de 4 de agosto.

*Sección 3.ª Prescripción, caducidad y reintegro de prestaciones indebidas*

**Artículo 53. *Prescripción*.** 1. El derecho al reconocimiento de las prestaciones prescribirá a los cinco años, contados desde el día siguiente a aquel en que tenga lugar el hecho causante de la prestación de que se trate, sin perjuicio de las excepciones que se determinen en la presente ley y de que los efectos de tal reconocimiento se produzcan a partir de los tres meses anteriores a la fecha en que se presente la correspondiente solicitud.

Si el contenido económico de las prestaciones ya reconocidas resultara afectado con ocasión de solicitudes de revisión de las mismas, los efectos económicos de la nueva cuantía tendrán una retroactividad máxima de tres meses desde la fecha de presentación de dicha solicitud. Esta regla de retroactividad máxima no operará en los supuestos de rectificación de errores materiales, de hecho o aritméticos ni cuando de la revisión derive la obligación de reintegro de prestaciones indebidas a la que se refiere el artículo 55.

> – *La Ley General de la Seguridad Social establece que los efectos económicos del reconocimiento de la pensión se retrotraen, en su caso, a un período máximo de tres meses a partir de la solicitud, y dicho reconocimiento debe extenderse al de aquellas otras solicitudes que se formulen con posterioridad con objeto de modificar la cuantía de la prestación ya reconocida, cualquiera que sea el tiempo en que las mismas se formulen* (SSTS de 25 de marzo [Tol 234281] y 7 de julio de 1993 [Tol 233461], 23 de enero [Tol 237064] y 14 de marzo de 1995 [Tol 237215], 22 de noviembre de 1996 [Tol 235622], 18 de octubre de 1999 [Tol 208961], 26 de marzo de 2001 [Tol 32194], 17 de noviembre [Tol 796187] y 26 de diciembre de 2005 [Tol 816763], 31 de enero [Tol 1038518 y 1038519] y 26 de febrero de 2007 [Tol 1059203] y 31 de marzo de 2010 [Tol 1862637]).

> – *La prestación económica por incapacidad temporal no está condicionada a la previa solicitud del beneficiario, sino que se hace efectiva de modo directo y automático conforme al principio de "oficialidad", una vez presentados los correspondientes partes de baja y confirmación, y dicha presentación hace innecesaria solicitud expresa para el reconocimiento del derecho, por lo cual, de ser ésta formulada con posterioridad a la recepción del parte de baja, no cabe oponer la retroacción que establece el artículo 43.1 de la Ley General de la Seguridad Social* (SSTS de 2 y 19 de noviembre de 1993 [Tol 234363 y 234203], 21 de enero [Tol 234218] y 17 de febrero de 1994 [Tol 266620], 20 de diciembre de 1999 [Tol 47071] y 4 de julio de 2000 [Tol 221268]).

– *En el supuesto de modificación de cuantía de una prestación por incapacidad permanente consecuencia de resolución judicial, sus efectos se retrotraerán a la fecha del reconocimiento, sin que opere la retroacción de tres meses* (STS de 11 de junio de 2003 [*Tol 327276*]).

– *Los efectos de la revisión de la cuantía (base reguladora) de una pensión por incapacidad permanente absoluta se retrotraen a la fecha inicial de la percepción de la misma, aunque el tiempo transcurrido entre el efecto inicial de la pensión propiamente dicha y la fecha en que la revisión de su cuantía se solicite desborde el plazo de tres meses* (SSTS de 7 de febrero de 2002 [*Tol 204758*], 11 de junio de 2003 [*Tol 327276*] y 14 de julio de 2004 [*Tol 510066*]).

– *En el supuesto de una reclamación de diferencias en la base reguladora de un subsidio por incapacidad temporal debe aplicarse el régimen jurídico de la prescripción y no de la caducidad porque para que se aplique esta última es esencial constatar la pasividad del beneficiario, al no exigir el pago de un derecho reconocido; y cuando lo que se discute es una diferencia en el importe de la prestación que no ha sido incluida en el acto inicial de reconocimiento, es evidente que se reclama contra una falta de reconocimiento de una parte del derecho y no contra la falta de pago de un derecho ya reconocido* (STS de 24 de octubre de 2005 [*Tol 781698*]).

– *Al no existir regulación específica sobre la prescripción del reintegro de un anticipo de prestaciones por una Mutua de Accidentes de Trabajo y Enfermedades Profesionales de la Seguridad Social, debe entenderse que el día inicial del cómputo del plazo de cinco años de prescripción no corresponderá a la fecha del abono parcial de cada una de las cantidades que periódicamente originaba la prestación consecuencia de baja médica por accidente de trabajo, sino que aquella fecha debe computarse, en cuanto a la fijación del día inicial, teniendo en cuenta la fecha del hecho causante de la prestación de que se trate* (STS de 31 de enero de 2006 ([*Tol 839675*]).

– *Los efectos económicos de una pensión de jubilación cuya cuantía ha sido revisada a instancias del interesado como consecuencia modificaciones del contenido económico de la pensión (producidos por errores en la entidad, revalorizaciones no solicitadas en plazo...) no se retrotraen a los tres meses anteriores a la petición deducida, sino que deben retrotraerse a la fecha del reconocimiento inicial del derecho, con el límite de cinco años* (SSTS de 20 de noviembre [*Tol 1222898*], 17 de diciembre de 2007 [*Tol 1288689*], 10 de febrero [*Tol 1460261*], 22 de septiembre [*Tol 1642386*] y 23 de noviembre de 2009 [*Tol 1761706*] y 20 de enero [*Tol 1790431*],15 de febrero [*Tol 1808382*] y 4 de octubre de 2010 [*Tol 1990323*]).

– *En los supuestos en que se hubiera solicitado una prestación por muerte y supervivencia que es inicialmente denegada sin impugnación del beneficiario y tras reiteradas peticiones y desestimaciones, expresas o presuntas, cuando finalmente se reconoce el derecho del beneficiario en los términos inicialmente solicitados con base a los mismos datos fácticos de los que disponía la entidad gestora y con fundamento en idéntica normativa que es aplicable en el momento de la inicial solicitud puede reconocerse eficacia retroactiva desde dicha fecha, teniendo en cuenta el carácter imprescriptible de dicha prestación y siempre que no se lesionaran derechos o intereses legítimos de terceras personas* (STS de 28 de noviembre de 2007 [*Tol 1292545*]).

– *La fecha que ha de tenerse en cuenta para determinar la entidad responsable de las secuelas del accidente de trabajo y de las correspondientes prestaciones es la fecha en que se produjo el accidente, y, en consecuencia, ha de estarse a esta fecha, y si en esa fecha existía infracotización por parte de la empresa, esta será proporcionalmente responsable, y no solo la correspondiente mutua, de la prestación de la Seguridad Social* (SSTS de 26 de febrero de 2008 [Rec. 2341/2006], 27 de octubre de 2022 [Rec. 3629/2019] y 28 de mayo de 2025 [Rec. 4319/2023]).

– *Debe aplicarse la retroacción de 3 meses en un supuesto de revisión del coeficiente reductor aplicable a una jubilación anticipada, por no tratarse de un error material sino de una divergencia jurídica en orden a la naturaleza de un período de prestación de servicios* (STS de 22 de noviembre de 2012 [*Tol 2724156*]).

– *El inicio de la prescripción para reclamar una indemnización de daños y perjuicios por incapacidad permanente total derivada de enfermedad profesional ha de situarse en la fecha de la firmeza de la resolución judicial que declara el grado incapacitante* (SSTS de 20 de abril de 2004 [*Tol 443713*] y 11 de diciembre de 2013 [*Tol 4074416*]).

– *El día inicial del cómputo para el plazo de prescripción de una indemnización de daños y perjuicios por fallecimiento por carcinoma generado por asbestosis se sitúa en la fecha de la calificación de la enfermedad como profesional y no en la fecha del fallecimiento* (STS de 16 de febrero de 2016 [Rec. 1756/2014]).

– *Resulta aplicable el plazo de prescripción de cinco años y la retroacción de tres meses respecto al recargo de prestaciones, cuyos efectos se producirán a partir de la fecha de inicio del expediente administrativo tendente a su reconocimiento* (SSTS de 13, 15, 16, 20 y 27 de septiembre [Rec. 3770/2015, 3272/2015, 1411/2015, 3346/2015 y 1671/2015] y 21 de diciembre de 2016 [Rec. 3373/2015 y 4225/2015]).

– *Los efectos económicos de una prestación por incapacidad temporal, cuando existan diferencias como consecuencia de infracotización, se retrotraerán a los tres meses de la solicitud* (STS de 21 de julio de 2022 [*Tol 9156188*]).

– *La fecha de efectos económicos derivados de un procedimiento judicial que reconoce que una IT es derivada de contingencia profesional y no común, es de 3 meses antes a la presentación de la solicitud* (STS de 26 febrero de 2024 [Rec. 1701/21]).

– *Las resoluciones de cambio de contingencia en procedimientos iniciados por el beneficiario de la prestación tienen efectos retroactivos, pero limitados a tres meses anteriores a la fecha de iniciación del procedimiento; de esta manera los efectos económicos del cambio de contingencia, en cuanto a la determinación del sujeto responsable del abono de la prestación y la cuantificación económica de esta, solamente se producen desde ese momento temporal y no desde el hecho causante inicial de la incapacidad temporal* (SSTS de 13 de enero de 2021 [Rec. 2245/2019], 10 de noviembre de 2022 [Rec. 856/2019], 26 de enero de 2024 [Rec. 1701/2021] y 28 de mayo [Rec. 2273/2023] y 3 de diciembre de 2025 [Rec. 1621/2024]).

– *En el ámbito de un procedimiento de reintegro de prestaciones indebidas del art. 53 de la Ley General de la Seguridad Social, el "dies a quo" de la prescripción puede operar no solo desde la fecha de su cobro sino también desde la otra (ulterior) a partir de la cual fuese posible ejercitar la acción para exigir su devolución* (STS de 26 de abril de 2024 [Rec. 4045/2022]).

2. La prescripción se interrumpirá por las causas ordinarias del artículo 1973 del Código Civil y, además, por la reclamación ante la Administración de la Seguridad Social o el Ministerio de Empleo y Seguridad Social, así como en virtud de expediente que tramite la Inspección de Trabajo y Seguridad Social en relación con el caso de que se trate.

3. En el supuesto de que se entable acción judicial contra un presunto culpable, criminal o civilmente, la prescripción quedará en suspenso mientras aquélla se tramite, volviendo a contarse el plazo desde la fecha en que se notifique el auto de sobreseimiento o desde que la sentencia adquiera firmeza.

> – *La prescripción en un supuesto de recargo de prestaciones se interrumpe en virtud de procedimiento penal o expediente que tramite la Inspección de Trabajo y Seguridad Social en relación con el caso de que se trate y, en concreto, durante la tramitación del expediente sancionador en que se dilucide la existencia o no de la infracción de las normas de prevención de riesgos laborales* (SSTS de 7 de julio [Tol 1584729] y 15 de septiembre de 2009 [Tol 1642395]).

> – *La prescripción de en un supuesto de recargo de prestaciones se interrumpe como consecuencia del ejercicio de acción de daños y perjuicios porque la acción de reclamación de daños y perjuicios guarda evidentes vinculaciones con la determinación de la responsabilidad empresarial que, en un grado y con alcance distinto, puede también constituir el objeto del procedimiento de recargo de prestaciones, hasta el punto de poder afirmarse que entre los dos tipos de litigios concurren nexo de conexión relevantes en aras a la determinación de los hechos* (SSTS de 14 de julio de 2015 [Tol 5438306], de 21 de noviembre de 2019 [Rec. 1834/2017] y 21 de noviembre de 2023 [Rec. 3459/2020]).

**Artículo 54.** *Caducidad.* 1. El derecho al percibo de las prestaciones a tanto alzado y por una sola vez caducará al año, a contar desde el día siguiente al de haber sido notificada en forma al interesado su concesión.

> – *Se producirá la caducidad anual a contar desde el día siguiente al haber sido notificada en forma al interesado la concesión de la prestación, cuando la decisión administrativa no haya sido recurrida por vía judicial, pues en este segundo caso habrá de considerarse dicho cómputo desde la fecha de firmeza de la resolución judicial que se dicte* (STS de 18 de enero de 2000 [Tol 46845]).

2. Cuando se trate de prestaciones periódicas, el derecho al percibo de cada mensualidad caducará al año de su respectivo vencimiento.

> – *Como regla general aplicable a las prestaciones, que tratándose del derecho a cobrar las ya reconocidas, las mensualidades de las periódicas caducan al año de su vencimiento, según resulta de lo dispuesto en el artículo 44.1 la Ley General de la Seguridad Social de 1994, que resuelve el supuesto del pago mensual de prestaciones ya concedidas o reconocidas, o que comenzaron ya a pagarse ("concesión" de las prestaciones, dice la Ley General de la Seguridad Social), mientras que el artículo 43.1 de la Ley General de la Seguridad Social de 1994 contempla el caso en que sea preciso decidir si se tiene o no derecho a la prestación, con la retroacción de los efectos del reconocimiento a los 3 meses, lo que permite sostener que la caducidad de la pensión periódica supone el previo reconocimiento de la prestación, pues sólo caducan las prestaciones reconocidas* (STS de 1 de febrero de 1999 [Tol 45771]).

> – *El artículo 44.2 de la Ley General de la Seguridad Social de 1994 es aplicable al cobro de las cantidades devengadas por las pensiones de jubilación de la Mutualidad Previsión Sanitaria Nacional, puesto que no tienen la condición de aseguramiento privado, no siendo aplicable el artículo 1.966 del Código Civil* (STS de 29 de abril de 2004 [Tol 515759]).

– *En el supuesto de que se aprecien diferencias en la cuantía de una prestación económica por incapacidad temporal ya reconocidas no es aplicable el plazo de caducidad, sino el plazo de prescripción, puesto que para se aplique el artículo 44 de la Ley General de la Seguridad Social de 1994 es esencial constatar la pasividad del beneficiario, al no exigir el pago de un derecho reconocido, y cuando lo que se discute es una diferencia en el importe de una prestación que no ha sido incluida en el acto inicial de reconocimiento, es evidente que se reclama contra una falta de reconocimiento de una parte del derecho y no contra la falta de pago de un derecho ya reconocido* (SSTS de 24 de octubre de 2005 [*Tol 781698*] y 4 de febrero de 2014 [*Tol 4119136*]).

**Artículo 55. *Reintegro de prestaciones indebidas.*** 1. Los trabajadores y las demás personas que hayan percibido indebidamente prestaciones de la Seguridad Social vendrán obligados a reintegrar su importe.

– *La revalorización de las pensiones queda excluida de la regla general que impide a las entidades gestoras revisar por sí mismas los actos que hubieran reconocido con anterioridad derecho a prestaciones, puesto que aquélla debe ser efectuada de oficio por la entidad gestora y la fijación de la cuantía de la pensión tiene carácter provisional hasta que se compruebe el contenido de la declaración correspondiente* (SSTS de 11 de junio de 1992 [*Tol 232432*] y 10 de mayo de 1995 [*Tol 266918*]).

– *Si la entidad gestora pretende modificar el acto inicial concediendo un derecho al beneficiario no puede, por sí misma, modificarlo, sino que ha de acudir a la vía jurisdiccional; pero cuando quien hace variar la relación es el administrado (afiliado o beneficiario), el acto ya no es de la entidad gestora, sino del que tiene un derecho subjetivo contra ella, y si como consecuencia de su actuación dicho derecho o titularidad resulta afectado, modificado o dando lugar a una causa extintiva, es consecuencia lógica que el acto que se produce ya no tenga origen en la entidad gestora, sino que el que ésta realice será consecuencia directa del que ha emanado del beneficiario o afiliado* (STS de 21 de marzo de 1995 [Rec. 2470/1994]).

– *El principio de imposibilidad de revisión administrativa de los actos declarativos de derechos de Seguridad Social no impide a las entidades gestoras la apreciación de situaciones o hechos nuevos, sobrevenidos después del acto de reconocimiento del derecho a prestaciones, que sean determinantes de la suspensión o extinción del mismo por ministerio de la ley* (STS de 28 de junio de 1995 [*Tol 266360*]).

– *Para lograr el reintegro de prestaciones indebidamente percibidas es preciso que se plantee la cuestión ante el órgano judicial competente por medio de demanda o reconvención, con la excepción de los supuestos de errores materiales, de hecho o aritméticos y las revisiones motivadas por omisiones e inexactitudes en las declaraciones del beneficiario* (STS de 6 de julio de 1998 [*Tol 72164*]).

– *El reintegro de prestaciones indebidamente percibidas puede producirse como consecuencia del incumplimiento por parte del beneficiario de una prestación que conlleva complemento por mínimos de sus obligaciones con la entidad gestora, puesto que las correspondientes leyes generales de presupuestos generales del Estado disponen que el incumplimiento de la obligación de los pensionistas de la Seguridad Social, en su modalidad contributiva, que tengan reconocido complemento por mínimos, de presentar declaración expresiva de la cuantía de rentas de capital o trabajo personal que excedan de determinadas cuantías, dará lugar al reintegro de las cantidades indebidamente percibidas por el pensionista con los efectos y en la forma que reglamentariamente se determinen* (SSTS de 28 de febrero [*Tol 47444*], 15 de marzo [*Tol 46635*], 19 de abril [*Tol 46950*] y 15 de junio de 2000 [*Tol 8104*]).

– *En los supuestos de reintegro de prestación indebida con cargo a la pensión del beneficiario (por haber percibido dos pensiones declaradas incompatibles), la retención que lleve a cabo el Instituto Nacional de la Seguridad Social no estará sujeta a la cuantía del salario mínimo interprofesional, porque aun siendo éste una referencia para el cálculo de prestaciones y cotizaciones a la Seguridad Social no desempeña el papel de tope o límite de pensiones, dado que buena parte de las prestaciones y pensiones de la Seguridad Social todavía tienen una cuantía inferior a dicho salario mínimo, y no sería lógico imponer al descuento compensatorio de pensiones un límite que se encuentre por encima de las cuantías mínimas de las correspondientes prestaciones; por tanto, el límite a tener en cuenta en el reintegro aplicable sobre una pensión será la cuantía mínima de la pensión en el sistema de Seguridad Social* (SSTS de 3 de febrero de 2005 [*Tol 582763*] y 11 de mayo de 2006 [*Tol 941563*]).

– *La indemnización a tanto alzado consecuencia de incapacidad permanente parcial percibida tras resolución administrativa revocada posteriormente a través de sentencia firme que reconoce el derecho a pensión de incapacidad permanente total debe considerarse como prestación indebidamente percibida, y objeto de reintegro, porque de mantenerse la prestación inicialmente reconocida se produciría una duplicidad de protección y un enriquecimiento sin causa, y no se trata de un supuesto de revisión de grado de incapacidad permanente que permitiría la compensación de la indemnización a tanto alzado por lo percibido como pensión* (STS de 18 de diciembre de 2007 [*Tol 1245224*]).

– *El procedimiento para la revisión o mera rectificación del derecho reconocido y, en su caso, para la declaración y el reintegro de las prestaciones indebidamente percibidas se iniciará, por acuerdo de la entidad gestora tan pronto tenga conocimiento de los hechos o circunstancias que evidencien la existencia de deudas de tal naturaleza, tramitándose en un solo expediente en los términos señalados en los apartados siguientes, y resolviéndose en el plazo máximo de 3 meses, contados a partir de la fecha del mencionado acuerdo* (STS de 14 de mayo de 2009 [*Tol 1554044*]).

– *Una resolución de la Dirección Provincial del Instituto Nacional de la Seguridad Social no puede, de oficio, dejar sin efecto una resolución dictada más de dos años antes, resolviendo un expediente de determinación de contingencia, en la que se declaró que el proceso de incapacidad temporal derivaba de accidente de trabajo, declarando la nueva resolución que dicho proceso deriva de enfermedad común* (STS de 9 de diciembre de 2009 [*Tol 1776161*]).

– *En el supuesto de una prestación por jubilación parcial que se sigue percibiendo después de la extinción del contrato a tiempo parcial, sin haber solicitado el derecho a la pensión ordinaria de jubilación, no tiene como consecuencia la obligación de reintegro de la prestación de jubilación parcial percibida, ya que durante el período de tiempo de referencia aunque se percibió indebidamente la prestación de jubilación parcial, habría tenido derecho a la percepción de la prestación de jubilación ordinaria, que no ha compatibilizado con ninguna otra y, además, la prestación de jubilación parcial percibida ha sido inferior a la prestación por jubilación a la que habría tenido derecho, tratándose, por tanto, de un cobro incorrecto, que no puede dar lugar a su reintegro ya que, de no haber mediado el error de la gestora, la prestación no se hubiera percibido* (STS de 10 de febrero de 2023 [*Tol 9416555*] y 7 de mayo de 2024 [Rec. 2142/2021 y 2724/2021]).

**2.** Quienes por acción u omisión, hayan contribuido a hacer posible la percepción indebida de una prestación responderán subsidiariamente con los perceptores, salvo buena fe probada, de la obligación de reintegrar que se establece en el apartado anterior.

3. La obligación de reintegro del importe de las prestaciones indebidamente percibidas prescribirá a los cuatro años, contados a partir de la fecha de su cobro, o desde que fue posible ejercitar la acción para exigir su devolución, con independencia de la causa que originó la percepción indebida, incluidos los supuestos de revisión de las prestaciones por error imputable a la entidad gestora.

– *El plazo de retroacción para el reintegro de las prestaciones indebidamente percibidas será de tres meses, y no el general de cinco años, cuando existen demora en la regularización de la situación y buena fe del beneficiario, siendo la demora un dato objetivo que urge por el transcurso del tiempo a partir del incremento en que la entidad gestora contaba con los datos necesarios para regularizar la situación (SSTS de 10 de febrero [Tol 237404, 237871 y 237578], 10 [Tol 238214, 237446, 237535 y 237329], 14 y 19 de marzo [Tol 237953 y 238101] y 23 de septiembre de 1997 [Rec. 3311/1995]).*

– *La excepción de la buena fe del beneficiario no puede aplicarse cuando se trate de una situación de pasividad del mismo, pues no es admisible el argumento de que la entidad gestora podría hacer conocido la verdadera situación económica de aquél, pues, en caso contrario, se excluiría la posibilidad revisora de los supuestos de error cuando la posibilidad de revisión reconocida en el artículo 145 de la Ley de Procedimiento Laboral, pues en ellos siempre habría tenido la entidad gestora la posibilidad de comprobar los datos del beneficiario al que se reclama el reintegro de prestación indebidamente percibida (SSTS de 6 de julio [Tol 72164] y 14 y 23 de octubre de 1998 [Tol 114919, 114920 y 114921, y 47298] y 19 y 26 de enero [Tol 46936 y 47372], 9 de marzo [Tol 209223], 16 de abril [Tol 46714], 16 de junio [Tol 22651 y 46735] y 10 de diciembre de 1999 [Tol 46386 y 209240]).*

– *Dado que la Ley 66/1997 carece de indicaciones intertemporales y que los actos jurídicos suelen regirse por la norma en que tiene lugar su producción, debe aplicarse la disposición final 3.ª del Reglamento general de recaudación, que determina la devolución inexcusable de todas las prestaciones indebidamente percibidas desde primeros de 1998, y mantenerse la subsistencia de la doctrina de equidad para las percepciones cobradas hasta diciembre de 1997 (SSTS de 11 de junio [Tol 129047] y 7 de noviembre de 2001 [Tol 129028] y 30 de junio [Rec. 1838/2002], 30 de septiembre [Rec. 3347/2002], y 6 de octubre de 2003 [Rec. 3589/2002], 30 de enero [Tol 347160], 25 de marzo [Tol 434666] y 8 de mayo [Tol 463082], 17 de septiembre de 2004 [Tol 510084], 7 de noviembre de 2005 [Tol 781754] y 22 de diciembre de 2008 [Tol 1448624]).*

– *Cuando sea la entidad gestora la que inste el reintegro del importe de las prestaciones indebidamente percibidas el derecho al reintegro de cada mensualidad prescribirá a los cuatro años de su respectivo abono indebido, por lo que si la reclamación se efectúa desde el mismo momento en que fue posible ejercitar la acción para exigir su devolución podrá reclamarse, en su caso, la devolución de las cantidades percibidas en los cuatro últimos años, pero si, por la causa que fuere, la entidad gestora, a pesar de que podía haber ejercitado el derecho al reintegro con anterioridad, dilata el ejercicio de la correspondiente acción, resulta que correrá la prescripción en su contra, y únicamente podrá reclamar retroactivamente las mensualidades abonadas indebidamente en los cuatro años anteriores al día en que al beneficiario se le notifique el inicio del expediente de reintegro; puesto que, si bien con ca-*

*rácter general (artículo 1969 del Código Civil), el tiempo para la prescripción de toda clase de acciones, cuando no haya disposición especial que otra cosa determine, se contará desde el día en que pudieron ejercitarse, resulta que si la acción no se ejercita por el legitimado cuando pudo ejercitarse, tratándose de reclamar el cumplimiento de obligaciones periódicas continuarán prescribiendo las sucesivas mensualidades, en su caso, no reclamadas, puesto que únicamente la prescripción de las acciones se interrumpe por su ejercicio ante los Tribunales, por reclamación extrajudicial del acreedor y por cualquier acto de reconocimiento de la deuda por el deudor (artículo 1973 del Código Civil) (STS de 16 de febrero de 2016 [Tol 5657026]).*

*– La acción revisora prevista en el artículo 146.1 LRJS es una acción que permite a la Seguridad Social obtener tutela judicial cuando pretenda revocar, extinguiendo o modificando en perjuicio de sus beneficiarios, sus actos firmes declarativos de derechos, habida cuenta de que la Ley le impide la revisión de oficio y le obliga a acudir a la vía judicial para conseguirlo; a tal efecto, es la propia Ley la que establece un período de tiempo para que pueda ejercitar dicha acción; período temporal que se establece en términos de prescripción y en un período lo suficientemente largo para que pueda dispensarse esa tutela a las entidades gestoras, pero que no es indefinido puesto que su limitación está al servicio de la seguridad jurídica (STS de 19 de enero de 2021 [Tol 8301861]).*

4. Lo dispuesto en este artículo se entiende sin perjuicio de la responsabilidad administrativa o penal que legalmente corresponda.

*Sección 4.ª Revalorización, importes máximos y mínimos de pensiones y complemento de maternidad por aportación demográfica a la Seguridad Social*

Subsección 1.ª Disposiciones comunes

**Artículo 56.** *Consideración como pensiones públicas.* Las pensiones abonadas por el Régimen General y los regímenes especiales, así como las no contributivas de la Seguridad Social, tendrán, a efectos de lo previsto en la presente sección, la consideración de pensiones públicas, a tenor de lo establecido en el artículo 37 de la Ley 4/1990, de 29 de junio, de Presupuestos Generales del Estado para 1990.

Subsección 2.ª Pensiones contributivas

**Artículo 57.** *Limitación de la cuantía inicial de las pensiones.* El importe inicial de las pensiones contributivas de la Seguridad Social no podrá superar la cuantía íntegra mensual que establezca anualmente la correspondiente Ley de Presupuestos Generales del Estado.

Cuando el importe inicial de la pensión quede limitado en el ejercicio en el que se cause en la cuantía máxima de las pensiones contributivas establecida en el párrafo anterior, dicho importe se revalorizará el año siguiente mediante la aplicación del porcentaje previsto en el artículo 58.2 y las sucesivas revalorizaciones anuales se efectuarán sobre el importe resultante de la revalorización del año anterior.

En el caso de pensiones concurrentes, la suma de todas ellas no podrá superar el importe de la cuantía máxima vigente en la fecha del hecho causante de la nueva pensión, sin perjuicio de las revalorizaciones ulteriores conforme al artículo 58.2.

Si se extinguiera una de las pensiones concurrentes, la suma de las restantes no podrá superar la cuantía máxima vigente en el ejercicio en el que se reconoció la última pensión en vigor, sin perjuicio de las revalorizaciones ulteriores.

Artículo 57 redactado por el Real Decreto-Ley 2/2023, de 16 de marzo, de medidas urgentes para la ampliación de derechos de los pensionistas, la reducción de la brecha de género y el establecimiento de un nuevo marco de sostenibilidad del sistema público de pensiones (BOE núm. 65, 17 de marzo de 2023).

– *La existencia de los topes máximos de pensiones se justifica con las circunstancias financieras, la política de redistribución y una valoración conjunta de todas las pensiones con el objeto de reducir el gasto público, y porque son pensiones públicas entran en los parámetros de discrecionalidad o de política del gasto público* (SSTC 134/1987, de 21 de julio [*Tol 79874*] y 96/1990, de 24 de mayo [*Tol 80389*]).

– *En la aplicación del límite máximo de pensión no se computa el incremento de la pensión por gran invalidez* (STS de 15 de marzo de 1990).

– *El tope máximo de pensiones es único y válido para todas las pensiones acumuladas públicas o incluso privadas financiadas con fondos públicos* (SSTS de 24 de enero [*Tol 237104*] y 9 de febrero de 1996 [*Tol 236951*]).

– *En los casos de concurrencia de pensiones pública y privada en la que se supera el tope máximo, la reducción debe practicarse de forma proporcional distribuida entre las distintas pensiones* (SSTS de 10 de febrero [*Tol 237404, 237578 y 237871*], 10, 14, 19 y 20 de marzo [*Tol 238199, 237446, 237953, 238101, 237699 y 237898*], 25 de abril [Rec. 1848/1996], 19 de mayo [*Tol 237864 y 238143*], 6 de octubre [*Tol 238283*] y 24 de diciembre de 1997 [*Tol 237545*] y 20 de febrero de 2002 [Rec. 3493/2000]).

– *El tope máximo de las pensiones se fija por la Ley de presupuestos generales del Estado sobre las pensiones una vez revalorizadas* (STS de 2 de febrero de 1999 [*Tol 209149*]).

**Artículo 58. *Revalorización y garantía de mantenimiento del poder adquisitivo de las pensiones*.** 1. Las pensiones contributivas de la Seguridad Social mantendrán su poder adquisitivo en los términos previstos en esta ley.

2. A estos efectos, todas las pensiones de Seguridad Social, en su modalidad contributiva, incluido el complemento de brecha de género, se revalo-

rizarán al comienzo de cada año en el porcentaje equivalente al valor medio de las tasas de variación interanual expresadas en tanto por ciento del Índice de Precios al Consumo de los doce meses previos a diciembre del año anterior.

En ese mismo porcentaje se actualizarán anualmente en la correspondiente Ley de Presupuestos Generales del Estado la cuantía máxima de las pensiones a que se refiere el artículo 57 y la cuantía mínima de las pensiones prevista en el artículo 59.

Apartado 2 redactado por el Real Decreto-Ley 2/2023, de 16 de marzo, de medidas urgentes para la ampliación de derechos de los pensionistas, la reducción de la brecha de género y el establecimiento de un nuevo marco de sostenibilidad del sistema público de pensiones (BOE núm. 65, 17 de marzo de 2023).

3. Si el valor medio al que se refiere el apartado anterior fuera negativo, el importe de las pensiones no variará al comienzo del año.

4. ...

Apartado 4 derogado por el Real Decreto-Ley 2/2023, de 16 de marzo, de medidas urgentes para la ampliación de derechos de los pensionistas, la reducción de la brecha de género y el establecimiento de un nuevo marco de sostenibilidad del sistema público de pensiones (BOE núm. 65, 17 de marzo de 2023).

5. La revalorización de pensiones reconocidas en virtud de normas internacionales de las que esté a cargo de la Seguridad Social española un tanto por ciento de su cuantía teórica se llevará a cabo aplicando dicho tanto por ciento al incremento que hubiera correspondido de hallarse a cargo de la Seguridad Social española el cien por cien de la citada pensión.

Apartado 5 añadido por el Real Decreto-Ley 2/2023, de 16 de marzo, de medidas urgentes para la ampliación de derechos de los pensionistas, la reducción de la brecha de género y el establecimiento de un nuevo marco de sostenibilidad del sistema público de pensiones (BOE núm. 65, 17 de marzo de 2023).

Artículo 58 redactado por la Ley 21/2021, de 28 de diciembre, de garantía del poder adquisitivo de las pensiones y de otras medidas de refuerzo de la sostenibilidad financiera y social del sistema público de pensiones (BOE núm. 312, de 29 de diciembre de 2021).

**Artículo 59. *Complementos para pensiones inferiores a la mínima.*** 1. Los beneficiarios de pensiones contributivas del sistema de la Seguridad Social que no perciban rendimientos del trabajo, del capital, de actividades económicas, de régimen de atribución de rentas y ganancias patrimoniales, de acuerdo con el concepto establecido para dichas rentas en el Impuesto sobre la Renta de las Personas Físicas, o que, percibiéndolos, no excedan de la cuantía que anualmente establezca la correspondiente Ley de Presupuestos Generales del

Estado, tendrán derecho a percibir los complementos necesarios para alcanzar la cuantía mínima de las pensiones, siempre que residan en territorio español en los términos que legal o reglamentariamente se determinen.

> – *Los complementos por mínimos ostentan clara autonomía con la pensión contributiva que suplementan, siquiera se encuentren estrechamente ligados a ella su génesis y funcionamiento, por las siguientes razones: el complemento a mínimos consiste en una cuantía que no responde al objetivo de la prestación mejorada de sustituir una renta, sino al asistencial de paliar una situación de necesidad; su reconocimiento no atiende a los requisitos de la pensión, sino exclusivamente a la falta de ingresos económicos; la propia denominación evidencia que no tienen sustantividad propia; tienen naturaleza no contributiva y se financian con cargo al presupuesto de la Seguridad Social; y la concurrencia de los requisitos no se exige en una exclusiva fecha, sino que han de acreditarse año tras año (STS de 22 de abril de 2010 [Rec. 1726/2009]).*

> – *Las prestaciones percibidas con cargo a una entidad extranjera tienen la consideración de ingresos o rendimientos de trabajo a computar para el cálculo del derecho al complemento por mínimos (STS de 23 de octubre de 2019 [Tol 7591781]).*

> – *No es exigible el requisito de residencia para causar derecho al complemento por mínimos porque así lo dispone el Convenio de Seguridad Social Hispano-Argentino, que no puede dejarse sin efecto mediante un real decreto, sino que debe procederse a su modificación (STS de 15 de febrero de 2021 [Rec. 2582/2018]).*

> – *En el reconocimiento de complemento por mínimos no se computa para el límite de ingresos una subvención pública obtenida por la beneficiaria de una pensión por jubilación del Régimen General de la Seguridad Social para la rehabilitación de la fachada del inmueble del que la misma es comunera (SSTS de 12 de diciembre de 2023 [Rec. 1073/2021] y 29 de enero [Rec. 1285/2022], 26 de febrero [Rec. 709/2021, 1059/2022 y 305/2023], 8 de mayo [Rec. 497/2022 y 932/2023] y 4 de junio de 2024 [Rec. 3463/2021]).*

Los complementos por mínimos serán incompatibles con la percepción por el pensionista de los rendimientos indicados en el párrafo anterior cuando la suma de todas las percepciones mencionadas, excluida la pensión que se vaya a complementar, exceda el límite fijado en la correspondiente Ley de Presupuestos Generales del Estado para cada ejercicio.

A efectos del reconocimiento de los complementos por mínimos de las pensiones contributivas de la Seguridad Social, de los rendimientos íntegros procedentes del trabajo, de capital y de actividades económicas percibidos por el pensionista y computados en los términos establecidos en la legislación fiscal, se excluirán los gastos deducibles de acuerdo con dicha legislación.

2. A las pensiones prorrateadas reconocidas en virtud de normas internacionales, una vez revalorizadas conforme a lo dispuesto en el artículo 58.5, se les añadirá, cuando proceda, el complemento por mínimos que corresponda. Dicho complemento consistirá en la diferencia entre la cuantía resultante de

aplicar el tanto por ciento a cargo de la Seguridad Social española a la cuantía mínima establecida en cada ejercicio para la pensión de que se trate y la suma de la pensión prorrateada española más el importe de las pensiones públicas extranjeras que tenga reconocidas el beneficiario en el caso de que sean concurrentes.

3. Si después de haber aplicado lo dispuesto en el apartado anterior la suma de los importes de las pensiones reconocidas al amparo de una norma internacional y, en su caso, del importe del complemento, calculado según lo previsto en el apartado anterior, fuese inferior al importe mínimo de la pensión de que se trate vigente en cada momento en España, se garantizará al beneficiario, en tanto resida en territorio español y reúna los requisitos exigidos al efecto, la diferencia entre la suma de las pensiones reconocidas, españolas y extranjeras, y el referido importe mínimo. A estos efectos, las cuantías fijas del extinguido Seguro Obligatorio de Vejez e Invalidez tendrán la consideración de importes mínimos.

4. El importe de los complementos en ningún caso podrá superar la cuantía establecida en cada ejercicio para las pensiones no contributivas de jubilación e incapacidad. Cuando exista cónyuge a cargo del pensionista, el importe de tales complementos no podrá rebasar la cuantía que correspondería a la pensión no contributiva por aplicación de lo establecido en el artículo 364.1.a) para las unidades económicas en las que concurran dos beneficiarios con derecho a pensión.

Cuando la pensión de orfandad se incremente en la cuantía de la pensión de viudedad, el límite del importe de los complementos por mínimos a que se refiere el párrafo anterior solo quedará referido al de la pensión de viudedad que genera el incremento de la pensión de orfandad.

Los pensionistas de gran incapacidad que tengan reconocido el complemento destinado a remunerar a la persona que les atiende no resultarán afectados por los límites establecidos en este apartado.

Artículo 59 redactado por el Real Decreto-Ley 2/2023, de 16 de marzo, de medidas urgentes para la ampliación de derechos de los pensionistas, la reducción de la brecha de género y el establecimiento de un nuevo marco de sostenibilidad del sistema público de pensiones (BOE núm. 65, 17 de marzo de 2023).

– *Las ayudas públicas concedidas por el Estado para resarcir los daños corporales causados por delitos de terrorismo se consideran rentas a efectos del reconocimiento de completos por mínimos* (STS de 21 de junio de 1999 [*Tol 23060 y 47118*]).

*– En los supuestos en que se hubiera solicitado un complemento por mínimos que es inicialmente denegado sin impugnación del beneficiario y tras reiteradas peticiones y desestimaciones, expresas o presuntas, cuando finalmente se reconoce el derecho del beneficiario en los términos inicialmente solicitados con base a los mismos datos fácticos de los que disponía la entidad gestora y con fundamento en idéntica normativa que es aplicable en el momento de la inicial solicitud puede reconocerse eficacia retroactiva desde dicha fecha, siempre que no se lesionaran derechos o intereses legítimos de terceras personas* (SSTS de 1 de febrero de 2000 [Tol 6552], 25 de enero de 2017 [Rec. 2729/2015], 3 de diciembre de 2020 [Rec. 1518/2018] y 22 de febrero [Tol 9460355], 12 de junio [Rec. 538/2021], 12 de julio [Rec. 2648/2020] y 28 de noviembre de 2023 [Rec. 3418/2022]).

*– En el reconocimiento de complemento por mínimos de pensiones se tendrá en cuenta el cómputo de ingresos del beneficiario obtenidos en el año a que se refiere el complemento y no en el anterior* (SSTS de 30 de mayo [Tol 47798], 10 y 18 de julio [Tol 8095 y 46367, y Rec. 4443/1999], 30 de septiembre [Tol 47809] y 3 y 29 de noviembre de 2000 [Tol 45928 y 104739]).

*– La cuantía del complemento por mínimos de una pensión de viudedad consecuencia separación o divorcio siendo uno el beneficiario será proporcional al tiempo de convivencia con el causante* (STS de 20 de mayo de 2002 [Tol 246513]).

*– El artículo 50 de la Ley General de la Seguridad Social de 1994 fija el límite de rentas para el complemento por mínimos no en función de todo tipo de renta, sino atendiendo exclusivamente a las rentas de trabajo y de capital, y la indemnización reconocida como consecuencia del síndrome tóxico no es ni rendimiento de trabajo ni de capital, sino reparación de los daños sufridos como consecuencia del mismo* (SSTS de 21 de enero [Tol 241057] y 14 de abril de 2003 [Tol 274087]).

*– En el cálculo del importe de un complemento por mínimos de una pensión por jubilación reconocida como consecuencia de la aplicación de un convenio bilateral (hispano-venezolano) no debe tomarse en consideración el importe de la prestación a cargo de la Seguridad Social extranjera porque en la suma de los importes reales de las pensiones reconocidas en virtud de la legislación española y extranjera para conceder el complemento por mínimos en ningún caso se autoriza a suspender el pago del citado complemento hasta que se señale la pensión por el organismo extranjero, porque equivaldría a abandonar el cumplimiento de las obligaciones legales a la decisión de otro Estado* (STS de 22 de noviembre de 2005 [Tol 796184]).

*– Existe el derecho a percibir el complemento por mínimos por cónyuge a cargo a un pensionista de jubilación separado legalmente de su cónyuge, con el que no convive y al que viene obligado a satisfacer una pensión compensatoria en virtud de la sentencia de separación que acredita la existencia de una dependencia económica del cónyuge; y ello por las siguientes razones: 1) los preceptos legales aplicables (correspondientes Leyes de Presupuestos Generales del Estado) disponen que todo pensionista de jubilación de carácter contributivo que tenga a su cargo a su cónyuge tiene derecho a cobrar una pensión con la cuantía mínima establecida, siempre que cumpla las demás exigencias que la ley impone a tal objeto; 2) el hecho de que el pensionista hubiera sido condenado por la sentencia que dispuso la separación a abonar al cónyuge la pensión compensatoria significa que es incuestionable que tiene a su cargo al mismo; 3) se cumplen los requisitos de dependencia económica y convivencia exigidos reglamentariamente (por los correspondiente decretos de revalorización de pensiones), en primer lugar, porque una persona tiene a su cargo a su cónyuge en tanto en cuanto éste depende económicamente de ella, y, en segundo lugar, porque la exigencia de convivencia no pueda tener un sentido absoluto, taxativo e incondicionado,*

*sino que su aplicación tiene que admitir alguna excepción o límite, aunque ello sólo pueda acontecer en supuestos muy contados y extremos, entre los que se encuentra la separación judicial con obligación de pago de pensión compensatoria (STS de 22 de diciembre de 2005 [Tol 821478]).*

*– En el específico supuesto de un beneficiario que percibe una pensión de la seguridad social andorrana reconocida en base exclusivamente a las cotizaciones ingresadas en la misma y en aplicación de la legislación de Andorra, sin que se computase cotización alguna española, y sin aplicación del Convenio bilateral hispano-andorrano de Seguridad Social, aquella pensión debe computarse como ingresos o rendimientos de trabajo, sin que su importe se sume al de la pensión nacional a efectos del reconocimiento del complemento (STS de 3 de noviembre de 2011 [Tol 2291557]).*

**Artículo 60. *Complemento de pensiones contributivas para la reducción de la brecha de género.*** 1. Las mujeres que hayan tenido uno o más hijos o hijas y que sean beneficiarias de una pensión contributiva de jubilación, de incapacidad permanente o de viudedad, tendrán derecho a un complemento por cada hijo o hija, debido a la incidencia que, con carácter general, tiene la brecha de género en el importe de las pensiones contributivas de la Seguridad Social de las mujeres. El derecho al complemento por cada hijo o hija se reconocerá o mantendrá a la mujer siempre que no medie solicitud y reconocimiento del complemento en favor del otro progenitor y si este otro es también mujer, se reconocerá a aquella que sea titular de pensiones públicas cuya suma sea de menor cuantía.

*Solo cuentan los hijos nacidos vivos para el reconocimiento del complemento porque a atención y cuidado de los hijos se convierte en el eje esencial sobre el que pivota aquel reconocimiento, hasta el punto de que se niega su reconocimiento a las madres (y padres) que se vean privados de la patria potestad por el incumplimiento de los deberes inherentes a la misma, o que haya sido condenadas por ejercer violencia contra los hijos o hijas; y, en consecuencia, si el hijo ha nacido muerto no se genera la situación jurídica causante del complemento, porque así lo dice expresamente el precepto legal aplicable, en razón al hecho de que no hay atención y cuidado posible que interfiera en el desarrollo de la vida laboral de sus progenitores (STS de 27 de febrero de 2023[Tol 9446968]).*

Para que los hombres puedan tener derecho al reconocimiento del complemento deberá concurrir alguno de los siguientes requisitos:

*– En aquéllos supuestos en los que un varón solicitó el complemento de maternidad regulado en el artículo 60 de la Ley General de la Seguridad Social, en su versión anterior a la entrada en vigor del Real Decreto-Ley 3/2021, de 2 de febrero, y le fue denegado por el Instituto Nacional de la Seguridad Social con posterioridad a la STJUE de 12 de diciembre de 2019 (C-450/2018), teniendo que acudir a los órganos judiciales para su obtención, el solicitante tiene derecho a que el órgano judicial le reconozca, además del complemento prestacional con efectos desde el nacimiento de la prestación correspondiente, una indemnización que cubra el perjuicio sufrido por el daño que el proceder de la*

*entidad gestora le ha provocado y ello sin necesidad de acreditar las bases o presupuestos del mismo* (SSTS de 15 de noviembre [Rec. 5547/2022] y 12 de diciembre de 2023 [Rec. 5571/2022], 24 de enero [Rec. 334/2022, 3557/2022, 252/2023, 768/2023 y 856/2023] y 26 de febrero [Rec. 3956/2022], 26 de abril [Rec. 593/2023 y 969/2023], 7 y 29 de mayo [Rec. 1858/2022 y 275/2023, y 4509/2022, 552/2023, 556/2023, 639/2023 y 741/2023], 4 y 25 de junio [Rec. 1714/2023 y 1277/2023], 11, 12 y 13 de septiembre [Rec. 2738/2023 y 3368/2023, 3234/2022, 731/2023 y 3181/2023, y 1619/2023] y 20 de noviembre de 2024 [Rec. 4875/2022, 2344/2023, 3632/2023, 3705/2023, 3933/2023, 3999/2023, 4441/2023, 4768/2023, 4875/2023 y 4881/2023], 25 de marzo [Rec. 283/2024], 7 de abril [Rec. 4716/2023], 8 de abril [Rec. 1818/2023], 27 y 28 de mayo [Rec. 5363/2023 y 3075/2023], 25 y 27 de junio [Rec. 4933/2022 y 3074/2023, y 4382/2023], 16 de julio [Rec. 5109/2023 y 3146/2024] y 16 de diciembre de 2025 [Rec. 82/2023] y 27 de enero de 2026 [Rec. 5436/2024]).

*– El reconocimiento a uno de los progenitores del derecho a percibir el complemento de maternidad por aportación demográfica no debe impedir que el otro progenitor también lo perciba siempre que se cumplan los restantes requisitos exigidos por la redacción aplicable del artículo 60 de la Ley General de la Seguridad Social* (SSTS de 17 de mayo de 2023 [Rec. 3821/2022] y 25 de enero de 2024 [Rec. 5492/2022 y 106/2023]).

a) Tener reconocida una pensión de viudedad por el fallecimiento del otro progenitor de los hijos o hijas en común, siempre que alguno de ellos tenga derecho a percibir una pensión de orfandad.

b) Causar una pensión contributiva de jubilación o incapacidad permanente y haber interrumpido o haber visto afectada su carrera profesional con ocasión del nacimiento o adopción, con arreglo a las siguientes condiciones:

1.ª En el supuesto de hijos o hijas nacidos o adoptados hasta el 31 de diciembre de 1994, tener más de ciento veinte días sin cotización entre los nueve meses anteriores al nacimiento y los tres años posteriores a dicha fecha o, en caso de adopción, entre la fecha de la resolución judicial por la que se constituya y los tres años siguientes, siempre que la suma de las cuantías de las pensiones reconocidas sea inferior a la suma de las pensiones que le corresponda a la mujer.

2.ª En el supuesto de hijos o hijas nacidos o adoptados desde el 1 de enero de 1995, que la suma de las bases de cotización de los veinticuatro meses siguientes al del nacimiento o al de la resolución judicial por la que se constituya la adopción sea inferior, en más de un 15 por ciento, a la de los veinticuatro meses inmediatamente anteriores, siempre que la cuantía de las sumas de las pensiones reconocidas sea inferior a la suma de las pensiones que le corresponda a la mujer.

3.ª En cualquiera de los supuestos a que se refieren las condiciones 1.ª y 2.ª para el cálculo de períodos cotizados y de bases de cotización no se tendrán en cuenta los beneficios en la cotización establecidos en el artículo 237.

4.ª Si los dos progenitores son hombres y se dan las condiciones anteriores en ambos, se reconocerá a aquel que sea titular de pensiones públicas cuya suma sea de menor cuantía.

5.ª El requisito, para causar derecho al complemento, de que la suma de las pensiones reconocidas sea inferior a la suma de las pensiones que le corresponda al otro progenitor se exigirá en el momento en que ambos progenitores causen derecho a una prestación contributiva en los términos previstos en la norma.

Apartado 1 redactado por el Real Decreto-Ley 2/2023, de 16 de marzo, de medidas urgentes para la ampliación de derechos de los pensionistas, la reducción de la brecha de género y el establecimiento de un nuevo marco de sostenibilidad del sistema público de pensiones (BOE núm. 65, 17 de marzo de 2023).

– *Cuando los hombres tengan derecho a percibir el complemento de maternidad por aportación demográfica a la Seguridad Social, dicho complemento producirá efectos desde la fecha del hecho causante de la pensión por jubilación, siempre que se cumplan los restantes requisitos legales* (SSTS de 17 de febrero [Rec. 2872/2021 y 3379/2021] y 30 de mayo de 2022 [*Tol* 8992391], 30 de noviembre [Rec. 1381/2022, 1391/2022, 1461/2022 y 1521/2022], 12 de diciembre [Rec. 4356/2021, 1145/2022, 1255/2022, 1582/2022, 1645/2022, 1988/2022, 1265/2022 y 875/2022] y 21 de diciembre de 2023 [Rec. 1519/2022] y 10 y 25 de enero [Rec. 2486/2021, y 3698/2021, 3764/2021, 1085/2022 y 1525/2022], 26 de abril [Rec. 936/2023], 7 y 29 de mayo [Rec. 3503/2021, y 966/2023, 1192/2023, 2156/2023, 2909/2023 y 2913/2023] y 4 de junio de 2024 [Rec. 1552/2023]).

2. El reconocimiento del complemento al segundo progenitor supondrá la extinción del complemento ya reconocido al primer progenitor y producirá efectos económicos el primer día del mes siguiente al de la resolución, siempre que la misma se dicte dentro de los seis meses siguientes a la solicitud o, en su caso, al reconocimiento de la pensión que la cause; pasado este plazo, los efectos se producirán desde el primer día del séptimo mes.

Antes de dictar la resolución reconociendo el derecho al segundo progenitor se dará audiencia al que viniera percibiendo el complemento.

3. Este complemento tendrá a todos los efectos naturaleza jurídica de pensión pública contributiva.

El importe del complemento por hijo o hija se fijará en la correspondiente Ley de Presupuestos Generales del Estado. La cuantía a percibir estará limitada a cuatro veces el importe mensual fijado por hijo o hija y será incrementada al comienzo de cada año en el mismo porcentaje previsto en la correspondiente Ley de Presupuestos Generales del Estado para las pensiones contributivas.

La percepción del complemento estará sujeta además a las siguientes reglas:

a) Cada hijo o hija dará derecho únicamente al reconocimiento de un complemento.

A efectos de determinar el derecho al complemento, así como su cuantía, únicamente se computarán los hijos o hijas que con anterioridad al hecho causante de la pensión correspondiente hubieran nacido con vida o hubieran sido adoptados.

b) No se reconocerá el derecho al complemento al padre o a la madre que haya sido privado de la patria potestad por sentencia fundada en el incumplimiento de los deberes inherentes a la misma o dictada en causa criminal o matrimonial.

Tampoco se reconocerá el derecho al complemento al padre que haya sido condenado por violencia contra la mujer, en los términos que se defina por la ley o por los instrumentos internacionales ratificados por España, ejercida sobre la madre, ni al padre o a la madre que haya sido condenado o condenada por ejercer violencia contra los hijos o hijas.

c) El complemento será satisfecho en catorce pagas, junto con la pensión que determine el derecho al mismo.

d) El importe del complemento no será tenido en cuenta en la aplicación del límite máximo de pensiones previsto en los artículos 57 y 58.7.

> – *El complemento de maternidad se ha de calcular sobre la cuantía inicial de la pensión contributiva, sin sumar a dicha cantidad el complemento de gran incapacidad* (SSTS de 7 de mayo de 2024 [Rec. 3113/2023] y 21 de octubre de 2025 [Rec. 3389/2024]).
>
> – *Para determinar la cuantía del complemento se debe tener en cuenta la cuantía legal máxima de la pensión de jubilación y no la superior base reguladora de la pensión* (STS de 3 de julio de 2025 [Rec. 3313/2024]).

e) El importe de este complemento no tendrá la consideración de ingreso o rendimiento de trabajo en orden a determinar si concurren los requisitos para tener derecho al complemento por mínimos previsto en el artículo 59. Cuando concurran dichos requisitos, se reconocerá la cuantía mínima de pensión según establezca anualmente la correspondiente Ley de Presupuestos Generales del Estado. A este importe se sumará el complemento para la reducción de la brecha de género.

f) Cuando la pensión contributiva que determina el derecho al complemento se cause por totalización de períodos de seguro a *prorrata temporis* en aplicación de normativa internacional, el importe real del complemento será el resultado de aplicar a la cuantía a la que se refiere el apartado anterior, que será considerada importe teórico, la prorrata aplicada a la pensión a la que acompaña.

4. No se tendrá derecho a este complemento en los casos de jubilación parcial, a la que se refiere el artículo 215 y el apartado sexto de la disposición transitoria cuarta.

> – *El complemento de maternidad por contribución demográfica no es aplicable a la pensión por jubilación anticipada* (SSTS de 31 de mayo [Rec. 2766/2022] y 12 de diciembre de 2023 [Rec. 4512/2022 y 4695/2022], 7 de mayo [Rec. 1041/2023] y 12 y 13 de septiembre de 2024 [Rec. 4614/2023, y 3916/2023 y 3927/2023] y 29 de enero de 2025 [Rec. 22/2023]).
>
> – *Procede reconocer el complemento de maternidad por aportación demográfica al trabajador jubilado a los sesenta y cuatro años de edad, al amparo del Real Decreto 1194/1985, al no estar excluida esta modalidad especial de jubilación anticipada en el artículo 60.4 de la Ley General de la Seguridad Social* (STS de 4 de junio [Rec. 1289/2023] y 16 de septiembre de 2024 [Rec. 2491/2023] y 11 de junio de 2025 [Rec. 3994/2023]).

No obstante, se reconocerá el complemento que proceda cuando desde la jubilación parcial se acceda a la jubilación plena, una vez cumplida la edad que en cada caso corresponda.

5. Sin perjuicio de lo dispuesto en el apartado 2, el complemento se abonará en tanto la persona beneficiaria perciba una de las pensiones citadas en el apartado 1. En consecuencia, su nacimiento, suspensión y extinción coincidirá con el de la pensión que haya determinado su reconocimiento. No obstante, cuando en el momento de la suspensión o extinción de dicha pensión la persona beneficiaria tuviera derecho a percibir otra distinta, de entre las previstas en el apartado 1, el abono del complemento se mantendrá, quedando vinculado al de esta última.

> *El hecho causante de la prestación de incapacidad permanente, cuando viene precedida de un proceso de incapacidad temporal, coincide con el día de la finalización de la incapacidad temporal, y, para determinar el derecho a lucrar y el régimen del complemento del artículo 60 de la Ley General de la Seguridad Social, ha de estarse al momento del hecho causante* (STS de 20 de enero de 2026 [Rec. 1712/2024].

6. Los complementos que pudieran ser reconocidos en cualquiera de los regímenes de Seguridad Social serán incompatibles entre sí, siendo abonado en el régimen en el que el causante de la pensión tenga más periodos de alta.

7. Para determinar qué pensiones o suma de pensiones de los progenitores tiene menor cuantía se computarán dichas pensiones teniendo en cuenta su importe inicial, una vez revalorizadas, sin computar los complementos que pudieran corresponder.

Cuando ambos progenitores sean del mismo sexo y coincida el importe de las pensiones computables de cada uno de ellos, el complemento se reconocerá a aquél que haya solicitado en primer lugar la pensión con derecho a complemento.

Apartado 7 añadido por el Real Decreto-Ley 2/2023, de 16 de marzo, de medidas urgentes para la ampliación de derechos de los pensionistas, la reducción de la brecha de género y el establecimiento de un nuevo marco de sostenibilidad del sistema público de pensiones (BOE núm. 65, 17 de marzo de 2023).

Artículo 60 redactado por el Real Decreto-Ley 3/2021, de 2 de febrero, por el que se adoptan medidas para la reducción de la brecha de género y otras materias en los ámbitos de la Seguridad Social y económico (BOE núm. 29, 3 de febrero de 2021).

– No debe reconocerse el complemento de maternidad por aportación demográfica en el supuesto de beneficiaria de pensión de gran invalidez reconocida después del 1 de enero de 2016 por agravación de una incapacidad permanente absoluta reconocida antes de la Ley 48/2015 instaurase aquel complemento (SSTS de 4 de octubre de 2022 [Rec. 222/2020], 9 de marzo de 2023 [Tol 9469429] y 25 de enero de 2024 [Rec. 4292/2022 y 4617/2022]); ni en el supuesto del reconocimiento de derecho a prestación por incapacidad permanente total para la profesión habitual tras el agotamiento de una prestación por incapacidad temporal previa antes del 1 de enero de 2016 (STS de 8 de febrero de 2023 [Tol 9415080]); ni en el supuesto de una revisión de incapacidad permanente total que tuvo su origen antes del 1 de enero de 2016 (STS de 29 de abril de 2024 [Rec. 778/2022]).

**Artículo 61. *Pensiones extraordinarias originadas por actos de terrorismo*.** 1. Las pensiones extraordinarias que se reconozcan por la Seguridad Social, originadas por actos de terrorismo, no estarán sujetas a los límites de reconocimiento inicial y de revalorización de pensiones previstos en esta ley.

2. El importe mínimo mensual de las pensiones extraordinarias por actos de terrorismo que se reconozcan y abonen por la Seguridad Social será el equivalente al triple del indicador público de renta de efectos múltiples vigente en cada momento.

Las diferencias existentes entre las cuantías de las pensiones que hubieran correspondido y las que realmente se abonen serán financiadas con cargo a los Presupuestos del Estado.

A los efectos previstos en este apartado, las pensiones por muerte y supervivencia causadas por un mismo hecho se computarán conjuntamente.

### Subsección 3.ª Pensiones no contributivas

**Artículo 62. *Revalorización*.** Las pensiones no contributivas de la Seguridad Social serán actualizadas en la correspondiente Ley de Presupuestos Generales del Estado, al menos, en el mismo porcentaje que dicha ley establezca como incremento general de las pensiones contributivas de la Seguridad Social.

### Sección 5.ª Servicios sociales

**Artículo 63. *Objeto*.** Como complemento de las prestaciones correspondientes a las situaciones específicamente protegidas por la Seguridad Social, esta, con sujeción a lo dispuesto por el departamento ministerial que corresponda y en conexión con sus respectivos órganos y servicios, extenderá su acción a las prestaciones de servicios sociales, establecidas legal o reglamentariamente, de conformidad con lo previsto en el artículo 42.1.e).

### Sección 6.ª Asistencia social

**Artículo 64. *Concepto*.** 1. La Seguridad Social, con cargo a los fondos que a tal efecto se determinen, podrá dispensar a las personas incluidas en su campo de aplicación y a los familiares o asimilados que de ellas dependan los servicios y auxilios económicos que, en atención a estados y situaciones de necesidad, se consideren precisos, previa demostración, salvo en casos de urgencia, de que el interesado carece de los recursos indispensables para hacer frente a tales estados o situaciones.

> – *La asistencia social externa aparece como mecanismo protector de situaciones de necesidad específicas, sentidas por grupos de población a los que alcanza el sistema de la Seguridad Social, en su modalidad contributiva, y que opera mediante técnicas distintas de las propias de Seguridad Social, tales como su sostenimiento al margen de toda obligación de cotización o previa colaboración económica de los destinatarios o beneficiarios* (STC 239/2002, de 11 de diciembre [Tol 224791]).

En las mismas condiciones, en los casos de separación judicial o divorcio, tendrán derecho a las prestaciones de asistencia social el cónyuge y los descendientes que hubieran sido beneficiarios por razón de matrimonio o filiación.

Reglamentariamente se determinarán las condiciones de la prestación de asistencia social al cónyuge e hijos, en los casos de separación de hecho, de las personas incluidas en el campo de aplicación de la Seguridad Social.

2. La asistencia social podrá ser concedida por las entidades gestoras con el límite de los recursos consignados a este fin en los Presupuestos correspondientes, sin que los servicios o auxilios económicos otorgados puedan comprometer recursos del ejercicio económico siguiente a aquel en que tenga lugar la concesión.

**Artículo 65. *Contenido de las ayudas asistenciales.*** Las ayudas asistenciales comprenderán, entre otras, las que se dispensen por tratamientos o intervenciones especiales, en casos de carácter excepcional, por un determinado facultativo o en determinada institución; por pérdida de ingresos como consecuencia de la rotura fortuita de aparatos de prótesis, y cualesquiera otras análogas cuya percepción no esté regulada en esta ley ni en las normas específicas aplicables a los regímenes especiales.

CAPÍTULO V. Gestión de la Seguridad Social

*Sección 1.ª Entidades gestoras*

**Artículo 66. *Enumeración.*** 1. La gestión y administración de la Seguridad Social se efectuará, bajo la dirección y tutela de los respectivos departamentos ministeriales, con sujeción a los principios de simplificación, racionalización, economía de costes, solidaridad financiera y unidad de caja, eficacia social y descentralización, por las siguientes entidades gestoras:

a) El Instituto Nacional de la Seguridad Social, para la gestión y administración de las prestaciones económicas del sistema de la Seguridad Social, con excepción de las que se mencionan en el apartado c) siguiente.

> – El Instituto Nacional de la Seguridad Social es la entidad gestora, dotada de personalidad jurídica, creada para llevar a cabo la gestión y administración de las prestaciones económicas del sistema de Seguridad Social, salvo las prestaciones por desempleo y pensiones no contributivas (SSTS de 4 de febrero de 1991, 26, 27 y 28 de enero [Tol 47367, 47672 y 47439] y 2 de febrero (Tol 45853), 6 de marzo [Tol 46065] y 28 de abril de 1998 [Tol 47727]).
>
> – Es competencia del Instituto Nacional de la Seguridad Social y no de las Mutuas de Accidentes de Trabajo y Enfermedades Profesionales la calificación del origen o hecho causante de la lesión generadora de incapacidad temporal, como consecuencia de la condición de entidad gestora de aquél y de entidad colaboradora de éstas, lo que comporta distintas facultades de uno y otro de acuerdo con la legislación vigente (SSTS de 26, 27 y 28 de enero [Tol 47637, 47672 y 47439] y 2 de febrero [Tol 45853], 6 de marzo [Tol 46065] y 28 de abril de 1998 [Tol 47727] y 19 de marzo [Tol 22659], 22 de noviembre de 1999 [Tol 209004], 15 de noviembre de 2006 [Tol 1025573 y 1025574] y 8 y 27 de febrero [Tol 1044374 y 1050885], 18 de abril [Tol 1073492], 30 de mayo [Tol 1107232], 6, 11, 12 y 29

de junio [*Tol 1107217, 1124283, 1116514 y 1124392*], 26 de septiembre [*Tol 1174913*] y 18 de diciembre de 2007 [*Tol 1288687*]).

– *En aplicación de la disposición transitoria 2.ª del Real Decreto-Ley 36/1978, de 16 de noviembre, y la Orden de 4 de abril de 1984, que regulan la adscripción e integración al Instituto Nacional de la Seguridad Social de las entidades gestoras de estructura mutualista, la integración de las Cajas de Previsión Laboral implica la asunción de los derechos y obligaciones de las mismas respetando las prestaciones vigentes en el momento de la integración* (STS de 10 de junio de 1998 (*Tol 15727*).

– *No puede reconocerse al Instituto Nacional de la Seguridad Social la potestad de ordenar con carácter imperativo y fuerza ejecutiva el reintegro de prestaciones indebidas, pues esa potestad corresponde únicamente a los Tribunales de justicia* (STS de 6 de julio de 1998 (*Tol 72164*).

– *La situación invalidante es ajena al cuadro de patología derivado de accidente de trabajo, aunque las secuelas de la incapacidad permanente parcial derivada de accidente de trabajo concurran con las lesiones derivadas de enfermedad común, de manera que una pensión por incapacidad permanente total derivada de enfermedad común debe ser pagada por el Instituto Nacional de la Seguridad Social porque las secuelas del accidente de trabajo ya fueron asumidas en su momento por la Mutua de Accidentes de Trabajo y Enfermedades Profesionales de la Seguridad Social mediante el pago de la indemnización a tanto alzado consecuencia de la incapacidad permanente parcial* (STS de 28 de octubre de 2002 [*Tol 228520*]).

– *La entidad responsable del pago de una pensión de viudedad consecuencia del fallecimiento de un trabajador incapacitado absoluto consecuencia de accidente de trabajo producido antes del 1 de enero de 1966 no puede ser el Instituto Nacional de la Seguridad Social, sino la entidad privada que en el momento del accidente lo aseguraba porque los contratos de seguro en vigor en la fecha de entrada en vigor de la Ley de Seguridad Social de 1966, pese a su extinción, siguen teniendo plenos efectos conforme a la legislación anterior a la misma; la supresión de la gestión a través de compañías aseguradoras privadas no puede significar la desaparición de la posible responsabilidad derivada del aseguramiento preexistente; en los supuestos de accidente de trabajo la responsabilidad corresponde a la entidad que lo aseguraba en el momento del mismo; y la responsabilidad del Instituto Nacional de la Seguridad Social y de la Tesorería General de la Seguridad Social (como herederos del Fondo de Garantía de Accidente de Trabajo) solo se produce cuando existe falta de aseguramiento o insolvencia de la compañía aseguradora* (STS de 14 de mayo de 2003 [*Tol 336622*]).

– *El Instituto Nacional de la Seguridad Social debe responder subsidiariamente de la cobertura de la incapacidad temporal consecuencia de contingencias comunes cuando se produce la insolvencia de la Mutua, pero no de la empresa* (SSTS de 26 de enero de 2004 [*Tol 449746*], 16 de febrero de 2005 [*Tol 623112*], 8 de junio [*Tol 962005*] y 8 y 20 de noviembre de 2006 [*Tol 1018583 y 1025569*] y 19 y 22 de enero [*Tol 1038124 y 1044363*] y 20 y 22 de febrero [*Tol 1050865 y 1038550*], 2 y 10 de julio de 2007 [*Tol 1116627, y 1138608 y 1143964*] y 22 de enero [*Tol 1453832*], 21 de mayo [*Tol 1577498*] y 15 de noviembre de 2009 [*Tol 1746500*]).

– *El hecho de que las normas aplicables hagan recaer la responsabilidad en el pago de las prestaciones por incapacidad temporal consecuencia de contingencias comunes en la Mutua de Accidentes de Trabajo y Enfermedades Profesionales de la Seguridad Social que ha convenido dicha cobertura no exime al Instituto Nacional de la Seguridad Social de responsabilidad, puesto que éste queda como último garante subsidiario del pago de aquellas prestaciones solo para el caso de incumplimiento de sus obligaciones por la Mutua asegura-*

*dora de la prestación por incapacidad temporal* (SSTS de 1 de junio de 2004 [*Tol 484377*] y 30 de enero de 2008 [*Tol 1292452*]).

– *El Instituto Nacional de la Seguridad Social puede suspender de oficio una prestación por incapacidad permanente total por el desempeño de trabajos considerados incompatibles* (STS de 3 de mayo de 2005 [Rec. 1113/2004]).

– *El Instituto Nacional de la Seguridad Social tiene competencia para fijar el plazo de revisión de una incapacidad permanente cuando ésta ha sido declarada por sentencia porque nada impide que sea el Instituto Nacional de la Seguridad Social quien fije el plazo de revisión, dado que lo decidido judicialmente en nada afecta a la competencia de la entidad gestora, tal y como recoge la legislación aplicable (Ley General de la Seguridad Social, Ley de Procedimiento Laboral, y normas de desarrollo); pues, en caso contrario, supondría establecer un régimen diferencial para las resoluciones administrativas y judiciales, sujetas unas a plazo y otras no* (SSTS de 17 de mayo [*Tol 1107158*], 6 de junio [*Tol 1124378*], 25 de octubre [*Tol 1174952*], 16 de noviembre [*Tol 1222901*] y 27 de diciembre de 2007 [*Tol 1324301*], 29 de febrero [*Tol 1330885*], 12 de mayo [*Tol 1343590*] y 3 de junio de 2008 [*Tol 1343637*], 25 de febrero de 2010 [*Tol 1808373*] y 26 de noviembre de 2014 [*Tol 4617571*]).

– *Los Directores provinciales del Instituto Nacional de la Seguridad Social deberán dictar resolución en los expedientes de revisión de grado de invalidez sin estar vinculados por las peticiones concretas de los interesados, de forma que podrán reconocer las prestaciones que correspondan a las lesiones existentes o a la situación de incapacidad parecida, ya sean superiores o inferiores a las que se deriven de las indicadas peticiones, siendo lógico que la resolución administrativa califique la situación del beneficiario aun contra sus intereses, cuando fue él quien instó la revisión, y no produciéndose situación formal de indefensión del interesado* (SSTS de 18 de febrero [*Tol 1369864*] y 9 de julio de 2008 [*Tol 1373072*]).

– *Ni el Instituto Nacional de la Seguridad Social en vía administrativa de reconocimiento de una prestación familiar de la Seguridad Social, en su modalidad no contributiva ni posteriormente el orden social en vía de conocimiento de un recurso contra la decisión de aquella entidad gestora pueden entrar a resolver sobre el mayor o menor grado de discapacidad ya declarado por el órgano administrativo competente con carácter definitivo y firme; y ello porque el Instituto Nacional de la Seguridad Social, que tiene atribuida la competencia para reconocer o no el derecho a la prestación familiar, en su modalidad no contributiva, y, en su caso, del complemento por ayuda de otra persona, no la tiene para declarar uno de los elementos constitutivos del derecho a tal prestación, cual es la determinación del grado de minusvalía, que corresponde a los órganos de las Comunidades Autónomas que hayan recibido la transferencia sobre dicha materia, y, en consecuencia, no puede ser objeto de impugnación por vía judicial en un recurso contra su decisión* (STS de 21 de febrero de 2008 [*Tol 1333219*]).

– *A partir de la nueva redacción del artículo 143.2 de la Ley General de la Seguridad Social de 1994 llevada a cabo por la Ley 52/2003, de 10 de diciembre, de disposiciones específicas en materia de Seguridad Social, el Instituto Nacional de la Seguridad Social tiene la obligación de fijar el plazo de espera vinculante para iniciar un procedimiento de revisión de grado por agravación o mejoría no sólo en la resolución reconocedora inicialmente del grado de invalidez, sino también en toda resolución de revisión de incapacidad permanente, tanto si se reconoce un grado como cuando se confirme el grado reconocido previamente* (SSTS de 14 de mayo de 2008 [*Tol 1343569*] y 28 de abril de 2016 [*Tol 5733405*]).

– *El empresario está legitimado para reclamar frente a la declaración administrativa de que la contingencia deriva de enfermedad profesional pese a no ser condenado al abono de la prestación consecuencia de dicha contingencia* (STS de 30 de enero de 2012 [*Tol 2460054*]).

– *Determinar si la empresa o el Instituto Nacional de la Seguridad Social debe cargar con el pago del subsidio de incapacidad temporal cuando el abono ha sido satisfecho inicialmente por la empresa bajo la modalidad de pago delegado (con la consecuente deducción de su importe de sus boletines de cotización, no es uno de los supuestos que conforme al artículo 3 f) de la Ley reguladora de la Jurisdicción Social tiene vedado el orden social, sino que, por el contrario, precisamente por tratarse de un acto administrativo en materia de seguridad social que afecta de lleno a la materia prestacional —la incapacidad temporal— es competencia exclusiva y excluyente de la jurisdicción social, por más que la compensación que ha efectuado la empresa por su abono a la trabajadora se haya instrumentado a través de los boletines de cotización que, en el caso, en absoluto comporta acto conexo alguno a la actividad recaudatoria* (STS de 20 de mayo de 2015 [*Tol 5199939*]).

– *El plazo establecido en la resolución del Instituto Nacional de la Seguridad Social para proceder a la revisión del grado de incapacidad permanente es vinculante y no permite entrar a valorar el estado del pensionista hasta que dicho plazo se haya cumplido* (SSTS de 28 de abril de 2016 [*Tol 5733405*] y 6 de febrero de 2024 [Rec. 997/2021]).

– *Es indiscutible la competencia del Instituto Nacional de la Seguridad Social en la determinación y calificación de la contingencia de la que deriva el hecho causante que puede dar lugar a la asistencia sanitaria* (SSTS de 20 de noviembre de 2019 [Rec. 3255/2018] y 26 de abril [*Tol 8932920*] y 25 de mayo de 2022 [*Tol 9001641*]).

– *Es el Instituto Nacional de la Seguridad Social el que ostenta la determinación y calificación de la contingencia de la que deriva el hecho causante que puede dar lugar a la asistencia sanitaria consecuencia de incapacidad temporal* (STS de 5 de diciembre de 2019 [*Tol 7673831*]).

b) El Instituto Nacional de Gestión Sanitaria, para la administración y gestión de servicios sanitarios.

c) El Instituto de Mayores y Servicios Sociales, para la gestión de las pensiones no contributivas de incapacidad y de jubilación, así como de los servicios complementarios de las prestaciones del sistema de la Seguridad Social.

– *No están legitimados pasivamente para soportar pretensión (y posible condena en caso de incumplimiento de sus obligaciones) otros órganos o entidades de la Seguridad Social diferentes al Instituto de Migraciones y Servicios Sociales* (SSTS de 3 de febrero [*Tol 237066*] y 23 de abril de 1996 [*Tol 235588*]).

– *La gestión de las pensiones no contributivas de jubilación e invalidez corresponde al Instituto de Migraciones y Servicios Sociales o a los órganos competentes de las Comunidades Autónomas a las que se hubieran transferido las funciones y servicios de aquél en su territorio o que tuvieran establecido un concierto con el Gobierno a estos efectos* (STS de 23 de abril de 1996 [*Tol 235588*]).

– *El Instituto de Mayores y Servicios Sociales es una entidad gestora de la Seguridad Social, por lo que del derecho a la asistencia jurídica gratuita* (STS de 17 de septiembre de 2013 [*Tol 3971971*]).

2. Las distintas entidades gestoras, a efectos de la debida homogeneización y racionalización de los servicios, coordinarán su actuación en orden a la

utilización de instalaciones sanitarias, mediante los conciertos o colaboraciones que al efecto se determinen entre las mismas.

**Artículo 67. *Estructura y competencias.*** 1. El Gobierno, a propuesta del departamento ministerial de tutela, reglamentará la estructura y competencias de las entidades a que se refiere el artículo anterior.

2. Las entidades gestoras desarrollarán su actividad en régimen descentralizado, en los diferentes ámbitos territoriales.

3. Los centros asistenciales de las entidades gestoras podrán ser gestionados y administrados por las entidades locales.

**Artículo 68. *Naturaleza jurídica.*** 1. Las entidades gestoras tienen la naturaleza de entidades de derecho público y capacidad jurídica para el cumplimiento de los fines que les están encomendados.

> – *Las entidades gestoras de la Seguridad Social gozan, al igual que los Servicios comunes, del beneficio de justicia gratuita* (SSTS de 29 de noviembre de 1999 [Rec. 804/1999], 27 de septiembre de 2000 [*Tol 220241*], 23 de octubre de 2001 [*Tol 226338*], 9 de febrero de 2009 [*Tol 1460259*], 17 de septiembre de 2013 [Rec. 12/2013], 30 de septiembre de 2020 [Rec. 1667/2018], 3 de junio de 2021 [Rec. 3581/2019], 11 de enero de 2022 [Rec. 1140/2021], 12 de diciembre de 2023 [Rec. 556/2022] y 25 y 26 de abril de 2024 [Rec. 1447/2023 y 4093/2021]).

2. El régimen jurídico de dichas entidades será el establecido en la disposición adicional sexta de la Ley 6/1997, de 14 de abril, de Organización y Funcionamiento de la Administración General del Estado.

**Artículo 69. *Participación en la gestión.*** Se faculta al Gobierno para regular la participación en el control y vigilancia de la gestión de las entidades gestoras, que se efectuará gradualmente, desde el nivel estatal al local, por órganos en los que figurarán, fundamentalmente, por partes iguales, representantes de los distintos sindicatos, de las organizaciones empresariales y de la Administración Pública.

**Artículo 70. *Relaciones y servicios internacionales.*** Las entidades gestoras, con la previa conformidad del departamento ministerial de tutela, podrán pertenecer a asociaciones y organismos internacionales, concertar operaciones, establecer reciprocidad de servicios con instituciones extranjeras de análogo carácter y participar, en la medida y con el alcance que se les atribuya, en la ejecución de los convenios internacionales de Seguridad Social.

**Artículo 71.** *Suministro de información a la Administración de la Seguridad Social.* **1.** Se establecen los siguientes supuestos de suministro de información a la Administración de la Seguridad Social:

Título redactado por el Real Decreto-Ley 2/2021, de 26 de enero, de refuerzo y consolidación de medidas sociales en defensa del empleo (BOE núm. 23, 27 de enero de 2021).

a) Por los organismos competentes dependientes del Ministerio de Hacienda o, en su caso, de las comunidades autónomas o de las diputaciones forales, se facilitarán, dentro de cada ejercicio anual, conforme al artículo 95 de la Ley 58/2003, de 17 de diciembre, General tributaria y normativa foral equivalente, a las entidades gestoras de la Seguridad Social responsables de la gestión de las prestaciones económicas y, a petición de las mismas, los datos relativos a los niveles de renta, patrimonio y demás ingresos o situaciones de los titulares de prestaciones en cuanto determinen el derecho a las mismas, así como de los beneficiarios, cónyuges y otros miembros de las unidades familiares, siempre que deban tenerse en cuenta para el reconocimiento, mantenimiento o cuantía de dichas prestaciones a fin de verificar si aquellos cumplen en todo momento las condiciones necesarias para la percepción de las prestaciones y en la cuantía legalmente establecida.

Asimismo, facilitarán a las entidades gestoras de la Seguridad Social que gestionen ayudas o subvenciones públicas, la información sobre el cumplimiento de las obligaciones tributarias, así como los datos relativos a las inhabilitaciones para obtener este tipo de ayudas o subvenciones y a la concesión de las mismas que deban tenerse en cuenta para el reconocimiento del derecho o el importe de las ayudas o subvenciones a conceder.

Igualmente, deberán facilitar a la Tesorería General de la Seguridad Social, a través de los procedimientos telemáticos y automatizados que se establezcan, toda la información de carácter tributario necesaria de que dispongan para la realización de la regularización de cuotas a la que se refiere el artículo 308. El suministro de esta información deberá llevarse a cabo en el plazo más breve posible tras la finalización de los plazos de presentación por parte de los sujetos obligados de las correspondientes declaraciones tributarias, debiendo establecerse los adecuados mecanismos de intercambio de información.

Letra a) redactada por el Real Decreto-Ley 13/2022, de 26 de julio, por el que se establece un nuevo sistema de cotización para los trabajadores por cuenta propia o autónomos y se mejora la protección por cese de actividad (BOE núm. 179, 27 de julio de 2022).

b) El organismo que designe el Ministerio de Justicia facilitará a las entidades gestoras de la Seguridad Social la información que estas soliciten acerca de las inscripciones y datos que guarden relación con el nacimiento, modificación, conservación o extinción del derecho a las prestaciones económicas de la Seguridad Social.

Además, el encargado del Registro Central de Penados y el del Registro de Medidas Cautelares, Requisitorias y Sentencias no Firmes comunicará al menos semanalmente a las entidades gestoras de la Seguridad Social los datos relativos a penas, medidas de seguridad y medidas cautelares impuestas por existir indicios racionales de criminalidad por la comisión de un delito doloso de homicidio en cualquiera de sus formas, cuando la víctima fuera ascendiente, descendiente, hermano, cónyuge o ex cónyuge del investigado, o estuviera o hubiese estado ligada a él por una relación de afectividad análoga a la conyugal. Estas comunicaciones se realizarán a los efectos de lo previsto en los artículos 231, 232, 233 y 234 de la presente ley; en los artículos 37 bis y 37 ter del texto refundido de la Ley de Clases Pasivas del Estado, aprobado por el Real Decreto Legislativo 670/1987, de 30 de abril, y en los artículos 4, 5, 6, 7 y 10 del Real Decreto-Ley 20/2020, de 29 de mayo, por el que se establece el ingreso mínimo vital.

c) Los empresarios facilitarán a las entidades gestoras de la Seguridad Social los datos que estas les soliciten, por vía telemática siempre que esté habilitado un canal para su remisión informática, con el fin de poder efectuar las comunicaciones a través de sistemas electrónicos que garanticen un procedimiento de comunicación ágil en el reconocimiento y control de las prestaciones de la Seguridad Social relativas a sus trabajadores.

Los datos que se faciliten en relación con los trabajadores deberán identificar, en todo caso, nombre y apellidos, documento nacional de identidad o número de identificación de extranjero y domicilio.

d) Por el Instituto Nacional de Estadística se facilitarán a las entidades gestoras de la Seguridad Social responsables de la gestión de las prestaciones económicas, así como de la formación marítima y sanitaria de los trabajadores del mar, los datos de domicilio relativos al Padrón municipal referidos al periodo que se requiera, comprendiendo, en su caso, los del padrón histórico y/o colectivo del domicilio, así como dónde residen o han residido los ciudadanos, cuando dichos datos puedan guardar relación con el nacimiento, modificación, conservación o extinción del derecho a dichas prestaciones en cualquier procedimiento, así como con la actualización de la información obrante en las bases de datos del sistema de Seguridad Social.

e) El Ministerio del Interior facilitará a las entidades gestoras de la Seguridad Social por medios informáticos las fechas de concesión, prórroga o modificación de las situaciones de las personas extranjeras en España, de renovación, recuperación o, en su caso, extinción de las autorizaciones de residencia, y sus efectos, así como los movimientos fronterizos de las personas que tengan derecho a una prestación para cuya percepción sea necesario el cumplimiento del requisito de residencia efectiva en España.

Asimismo, facilitará a las entidades gestoras de la Seguridad Social por medios informáticos los datos incorporados en el Documento Nacional de Identidad o, en el caso de extranjeros, documentación de identidad equivalente de las personas, cuyos datos tengan trascendencia en procedimientos seguidos ante dichas entidades gestoras.

f) Las mutuas colaboradoras con la Seguridad Social facilitarán telemáticamente a las entidades gestoras responsables de la gestión de las prestaciones económicas de la Seguridad Social los datos que puedan afectar al nacimiento, modificación, conservación o extinción del derecho a las prestaciones y los importes de las mismas que sean reconocidas por aquellas. Asimismo, facilitaran a la Dirección General de Ordenación de la Seguridad Social los datos que puedan afectar a la prestación por cese de actividad cuando así sea requerido para ello.

g) El Instituto de Mayores y Servicios Sociales y los organismos competentes de las comunidades autónomas facilitarán a las entidades gestoras de la Seguridad Social los datos de grado y nivel de dependencia y los datos incluidos en los certificados de discapacidad que puedan guardar relación con el nacimiento, modificación, conservación o extinción del derecho a las prestaciones en cualquier procedimiento, así como con la actualización de la información obrante en las bases de datos del sistema de Seguridad Social y en el sistema de información Tarjeta Social Digital.

Con la misma finalidad, facilitarán los datos de los beneficiarios, importes y fecha de efectos de concesión, modificación o extinción, de las prestaciones económicas previstas en la Ley 39/2006, de 14 de diciembre, de Promoción de la Autonomía Personal y Atención a las personas en situación de dependencia.

Sin perjuicio de lo previsto en el párrafo anterior, el Instituto de Mayores y Servicios Sociales suministrará al Instituto Nacional de la Seguridad Social la información relativa a las mencionadas prestaciones económicas que figure en el sistema de información del Sistema para la Autonomía y Atención a la Dependencia, previsto en el artículo 37 de la Ley 39/2006, de 14 de diciembre.

h) Las comunidades autónomas facilitarán a las entidades gestoras de la Seguridad Social por medios informáticos los datos relativos a las fechas de reconocimiento y vencimiento de los títulos de familias numerosas, así como los datos relativos a los miembros de la unidad familiar incluidos en los mismos, que puedan guardar relación con el nacimiento, modificación, conservación o extinción del derecho a las prestaciones en cualquier procedimiento, así como con la actualización de la información obrante en las bases de datos del sistema.

Asimismo, facilitarán a las entidades gestoras de Seguridad Social que gestionen ayudas o subvenciones públicas, los datos sobre el cumplimiento de las obligaciones tributarias que deban tenerse en cuenta para el reconocimiento del derecho o el importe de las ayudas o subvenciones a conceder.

Por otra parte, facilitarán a la entidad gestora del Régimen Especial de la Seguridad Social de los Trabajadores del Mar los datos sobre el permiso de explotación marisquera, que puedan guardar relación con la incorporación de los trabajadores dedicados al marisqueo en el citado Régimen Especial.

i) La Dirección General de la Marina Mercante facilitará a la entidad gestora del Régimen Especial de la Seguridad Social de los Trabajadores del Mar los datos sobre las titulaciones correspondientes a los trabajadores embarcados que puedan guardar relación con el acceso a la formación marítima prestada por dicha entidad.

j) Las mutualidades de previsión social alternativas al Régimen Especial de la Seguridad Social de los Trabajadores por Cuenta Propia o Autónomos y los colegios profesionales, facilitarán a la Administración de la Seguridad Social, cuando así se le solicite, los datos de los profesionales colegiados que puedan afectar a las prestaciones, así como a la afiliación, alta, baja y variación de datos y cotización.

k) Las entidades gestoras de los fondos de pensiones en los que se integren los planes de pensiones, en su modalidad de sistema de empleo, en el marco del texto refundido de la Ley de Regulación de Planes y Fondos de Pensiones, aprobado por el Real Decreto Legislativo 1/2002, de 29 de noviembre, y de instrumentos de modalidad de empleo propios de previsión social establecidos por la legislación de las comunidades autónomas con competencia exclusiva en materia de mutualidades no integradas en la Seguridad Social facilitarán anualmente antes de la finalización del mes de marzo, a la Inspección de Trabajo y Seguridad Social y a la Tesorería General de la Seguridad Social, la información sobre las contribuciones empresariales satisfechas a dichos instrumentos respecto de cada trabajador y relativas a cada uno de los meses a los que se refiera la información.

Letra k) redactada por el Real Decreto-Ley 2/2023, de 16 de marzo, de medidas urgentes para la ampliación de derechos de los pensionistas, la reducción de la brecha de género y el establecimiento de un nuevo marco de sostenibilidad del sistema público de pensiones (BOE núm. 65, 17 de marzo de 2023).

Apartado 1 redactado por el Real Decreto-Ley 2/2021, de 26 de enero, de refuerzo y consolidación de medidas sociales en defensa del empleo (BOE núm. 23, 27 de enero de 2021).

2. Todos los datos relativos a los solicitantes de prestaciones económicas del Sistema de Seguridad Social que obren en poder de las entidades gestoras y que hayan sido remitidos por otros organismos públicos o por empresas mediante transmisión telemática, o cuando aquellos se consoliden en las bases de datos corporativas del sistema de la Seguridad Social como consecuencia del acceso electrónico directo a las bases de datos corporativas de otros organismos o empresas, surtirán plenos efectos y tendrán la misma validez que si hubieran sido notificados por dichos organismos o empresas mediante certificación en soporte papel.

Los suministros de información a las entidades gestoras de la Seguridad Social mencionados en este apartado y en el anterior no precisarán consentimiento previo del interesado.

Los datos, informes y antecedentes suministrados conforme a lo dispuesto en este apartado y en el anterior únicamente serán tratados en el marco de las funciones de gestión de prestaciones atribuidas a las entidades gestoras y servicios comunes de la Seguridad Social, sin perjuicio de lo dispuesto en el artículo 77.

3. En los procedimientos de declaración y revisión de la incapacidad permanente, a efectos de las correspondientes prestaciones económicas de la Seguridad Social, así como en lo que respecta al reconocimiento y control de las prestaciones por incapacidad temporal, orfandad o asignaciones familiares por hijo a cargo, las instituciones sanitarias, las mutuas colaboradoras con la Seguridad Social y las empresas colaboradoras remitirán a las entidades gestoras de la Seguridad Social los informes, la historia clínica y demás datos

médicos, relacionados con las lesiones y dolencias padecidas por el interesado que resulten relevantes para la resolución del procedimiento.

Los inspectores médicos adscritos al Instituto Nacional de la Seguridad Social, en el ejercicio de sus funciones, cuando sea necesario para el reconocimiento y control del percibo de las prestaciones de los trabajadores pertenecientes al sistema de la Seguridad Social, y para la determinación de contingencia, así como los médicos de sanidad marítima adscritos al Instituto Social de la Marina, para llevar a cabo los reconocimientos médicos de embarque marítimo, informando de estas actuaciones, y en los términos y condiciones que se acuerden entre el Instituto Nacional de la Seguridad Social y los Servicios de Salud de las Comunidades Autónomas y el Instituto Nacional de Gestión Sanitaria, tendrán acceso electrónico y en papel a la historia clínica de dichos trabajadores, existente en los servicios públicos de salud, en las mutuas colaboradoras con la Seguridad Social, en las empresas colaboradoras y en los centros sanitarios privados.

Las entidades gestoras de la Seguridad Social, en el ejercicio de sus competencias de reconocimiento y control de las prestaciones, recibirán los partes médicos de incapacidad temporal expedidos por los servicios públicos de salud, las mutuas colaboradoras con la Seguridad Social y las empresas colaboradoras, a efectos del tratamiento de los datos contenidos en los mismos. Asimismo, las entidades gestoras y las entidades colaboradoras con la Seguridad Social podrán facilitarse, recíprocamente, los datos relativos a las beneficiarias que resulten necesarios para el reconocimiento y control de las prestaciones por riesgo durante el embarazo y riesgo durante la lactancia natural.

La inspección médica de los servicios públicos de salud tendrá acceso electrónico a los datos médicos necesarios para el ejercicio de sus competencias, que obren en poder de las entidades gestoras de la Seguridad Social.

En los supuestos previstos en este apartado no será necesario recabar el consentimiento del interesado, de conformidad con lo dispuesto en los artículos 6.1. e) y 9.2 h), del Reglamento (UE 2016/679) del Parlamento y el Consejo, de 27 de abril, relativo a la protección de las personas físicas en lo que respecta al tratamiento de datos personales y a la libre circulación de estos datos y por el que se deroga la Directiva 95/46/CE (Reglamento general de protección de datos).

Apartado 3 redactado por el Real Decreto-Ley 2/2021, de 26 de enero, de refuerzo y consolidación de medidas sociales en defensa del empleo (BOE núm. 23, 27 de enero de 2021).

4. Reglamentariamente se determinará la forma en que se remitirán a las entidades encargadas de la gestión de las pensiones de la Seguridad Social los datos que aquellas requieran para el cumplimiento de sus funciones.

**Artículo 72. *Registro de Prestaciones Sociales Públicas*.** 1. Corresponde al Instituto Nacional de la Seguridad Social la gestión y funcionamiento del Registro de Prestaciones Sociales Públicas, constituido en la Seguridad Social, con arreglo a las prescripciones establecidas legal y reglamentariamente.

2. El Registro de Prestaciones Sociales Públicas integrará las prestaciones sociales públicas de carácter económico, destinadas a personas o familias, que se relacionan a continuación:

a) Las pensiones abonadas por el Régimen de Clases Pasivas del Estado y, en general, las abonadas con cargo a créditos de la Sección 07 del Presupuesto de Gastos del Estado.

b) Las pensiones abonadas por el Régimen General y los regímenes especiales de la Seguridad Social y, en general, cualesquiera otras abonadas por las entidades gestoras y colaboradoras del sistema de la Seguridad Social, en cuanto estén financiadas con recursos públicos.

c) Las pensiones abonadas por aquellas entidades que actúan como sustitutorias de las entidades gestoras del sistema de la Seguridad Social, a que se refiere el Real Decreto 1879/1978, de 23 de junio, por el que se dictan normas de aplicación a las entidades de previsión social que actúan como sustitutorias de las correspondientes entidades gestoras del Régimen General o de los regímenes especiales de la Seguridad Social.

d) Las pensiones no contributivas de la Seguridad Social.

e) Las pensiones abonadas por el Fondo Especial de la Mutualidad General de Funcionarios Civiles del Estado, por los Fondos Especiales del Instituto Social de las Fuerzas Armadas y de la Mutualidad General Judicial y también, en su caso, por estas Mutualidades Generales, así como las abonadas por el Fondo Especial del Instituto Nacional de la Seguridad Social.

f) Las pensiones abonadas por el sistema o regímenes de previsión de las comunidades autónomas, las corporaciones locales y por los propios entes.

g) Las pensiones abonadas por las mutualidades, montepíos o entidades de previsión social que se financien en todo o en parte con recursos públicos.

h) Las pensiones abonadas por empresas o sociedades con participación mayoritaria, directa o indirecta, en su capital del Estado, comunidades autónomas, corporaciones locales u organismos autónomos de uno y otras, bien directamente, bien mediante la suscripción de la correspondiente póliza de seguro con una institución distinta cualquiera que sea la naturaleza jurídica de esta, o por las mutualidades o entidades de previsión de aquellas, en las cuales las aportaciones directas de los causantes de la prestación no sean suficientes para la cobertura de las prestaciones a sus beneficiarios y su financiación se complemente con recursos públicos, incluidos los de la propia empresa o sociedad.

i) Las pensiones abonadas por la Administración del Estado o las comunidades autónomas en virtud de la Ley 45/1960, de 21 de julio, de Fondos Nacionales para la aplicación social del Impuesto y del Ahorro, y del Real Decreto 2620/1981, de 24 de julio, por el que se regula la concesión de ayudas del Fondo Nacional de Asistencia Social a ancianos y a enfermos o inválidos incapacitados para el trabajo.

j) Los subsidios económicos de garantía de ingresos mínimos y de ayuda por tercera persona previstos en la Ley 13/1982, de 7 de abril, de Integración Social de los Minusválidos, cuya percepción se mantenga conforme a lo previsto en la disposición transitoria única del texto refundido de la Ley General de derechos de las personas con discapacidad, aprobado por el Real Decreto Legislativo 1/2013, de 29 de noviembre.

k) Las prestaciones económicas abonadas en virtud del Real Decreto 728/1993, de 14 de mayo, por el que se establecen pensiones asistenciales por ancianidad en favor de los emigrantes españoles, así como del Real Decreto 8/2008, de 11 de enero, por el que se regula la prestación por razón de necesidad a favor de los españoles residentes en el exterior y retornados.

l) Los subsidios de desempleo en favor de trabajadores mayores de cincuenta y cinco años, así como los de mayores de cincuenta y dos años cuya percepción se mantenga.

m) Las asignaciones económicas de la Seguridad Social por hijo a cargo con dieciocho o más años y con un grado de discapacidad igual o superior al 65 por ciento.

n) La prestación económica vinculada al servicio, la prestación económica para cuidados en el entorno familiar y la prestación económica de asistencia personalizada, reguladas en la Ley 39/2006, de 14 de diciembre, de Promoción de la Autonomía Personal y Atención a las personas en situación de dependencia.

ñ) La prestación económica de la Seguridad Social, de naturaleza no contributiva, de ingreso mínimo vital.

Letra ñ) añadida por la Ley 19/2021, de 20 de diciembre, por la que se establece el ingreso mínimo vital (BOE núm. 304, 21 de diciembre de 2021).

3. Las entidades, organismos o empresas responsables de la gestión de las prestaciones enumeradas en el apartado anterior quedan obligados a facilitar al Instituto Nacional de la Seguridad Social, en la forma y en los plazos que reglamentariamente se establezcan, los datos identificativos de los titulares de las prestaciones sociales económicas, así como, en cuanto determinen o condicionen el reconocimiento y mantenimiento del derecho a aquellas, de los beneficiarios, cónyuges y otros miembros de las unidades familiares, y los importes y clases de las prestaciones abonadas y fecha de efectos de su concesión.

4. Las entidades y organismos responsables de la gestión de las prestaciones sociales públicas enumeradas en el apartado 2 podrán consultar los datos incluidos en el Registro de Prestaciones Sociales Públicas que sean necesarios para el reconocimiento y mantenimiento de las prestaciones por ellos gestionadas, en los términos que reglamentariamente se establezcan.

El artículo 72 ha sido derogado por la Ley 6/2018, de 3 de julio, de presupuestos generales del Estado para el año 2018 (BOE núm. 161, 4 de julio de 2018). Si bien, se mantendrá en vigor hasta la fecha que se determina en la norma reglamentaria que, en desarrollo de la disposición adicional 141.ª de la Ley 6/2018, de 3 de julio, regule la Tarjeta Social Digital, según establece la disposición transitoria 3.ª de la Ley 6/2018, de 3 de julio, en la redacción dada a ambas por el la Ley 19/2021, de 20 de diciembre, por la que se establece el ingreso mínimo vital (BOE núm. 304, 21 de diciembre de 2021).

*Sección 2.ª Servicios comunes*

**Artículo 73. *Creación.*** Corresponde al Gobierno, a propuesta del Ministerio de Empleo y Seguridad Social, el establecimiento de servicios comunes, así como la reglamentación de su estructura y competencias.

**Artículo 74. *Tesorería General de la Seguridad Social.*** 1. La Tesorería General de la Seguridad Social es un servicio común con personalidad jurídica propia, en el que, por aplicación de los principios de solidaridad financiera y caja única, se unifican todos los recursos financieros, tanto por operaciones presupuestarias como extrapresupuestarias. Tendrá a su cargo la custodia de los fondos, valores y créditos y las atenciones generales y de los servicios de recaudación de derechos y pagos de las obligaciones del sistema de la Seguridad Social.

> – *La Tesorería General de la Seguridad Social tiene a su cargo la custodia de los fondos, valores y créditos generales y de los servicios de recaudación de derechos y pagos de las obligaciones del sistema de Seguridad Social* (SSTS de 4 de mayo de 1989 y 23 de abril de 1996 [*Tol 235588*]).

> – *La Tesorería General de la Seguridad Social es el servicio común con personalidad jurídica propia en el que por aplicación de los principios de solidaridad financiera y caja única se unifican todos los recursos financieros (dinero, valores o créditos) del sistema de Seguridad Social, tanto por operaciones presupuestarias como extrapresupuestarias* (SSTS de 21 de noviembre de 1989 y 4 de febrero de 1991).

> – *A la Tesorería General de la Seguridad Social le corresponde la ordenación de pagos de las obligaciones de la Seguridad Social, con excepción de las prestaciones no contributivas transferidas a las Comunidades Autónomas* (STS de 23 de abril de 1996 [*Tol 235588*]).

> – *La Tesorería General de la Seguridad Social tiene capacidad para, sin acudir a los Tribunales, anular de oficio la inscripción de una empresa en la Seguridad Social al tener conocimiento de que no estaba autorizada para el desempeño de la actividad para la que se dio de alta, puesto que la Administración de la Seguridad Social debe legalmente controlar de oficio el cumplimiento de las obligaciones en materia de inscripción, afiliación, altas, bajas y demás variaciones de datos* (SSTS de 29 de octubre de 2001 [*Tol 223994*] y 13 de mayo de 2002 [*Tol 257225*]).

> – *La Tesorería General de la Seguridad Social está activamente legitimada para interponer demanda en materia de infracciones de Seguridad Social* (SSTS de 1 de marzo [*Tol 6012723*] y 7 de marzo de 2017 [*Tol 6003578*], 11 de julio de 2018 [*Tol 6677536*] y 23 de enero de 2019 [*Tol 7063575*]).

2. A la Tesorería General de la Seguridad Social le será de aplicación lo previsto para las entidades gestoras en el artículo 70.

**Artículo 74 bis. *Gerencia de Informática de la Seguridad Social.*** 1. La Gerencia de Informática de la Seguridad Social es un servicio común para la gestión y administración de las tecnologías de la información y las comunicaciones en el sistema de Seguridad Social, con personalidad jurídica propia y plena capacidad de obrar para el cumplimiento de sus fines, dependiente del Ministerio de Empleo y Seguridad Social y adscrita a la Secretaría de Estado de la Seguridad Social, con rango de Subdirección General.

2. Su régimen jurídico es el establecido en la disposición adicional decimotercera de la Ley 40/2015, de 1 de octubre, de Régimen Jurídico del Sector Público, para las entidades gestoras y servicios comunes de la Seguridad Social.

> Artículo 74 bis añadido por la Ley 3/2017, de 27 de junio, de presupuestos generales del Estado para 2017 (BOE núm. 153, 28 de junio de 2017).

*Sección 3.ª Normas comunes a las entidades gestoras y servicios comunes*

**Artículo 75. *Reserva de nombre*.** Ninguna entidad pública o privada podrá usar en España el título o los nombres de las entidades gestoras y servicios comunes de la Seguridad Social, ni los que puedan resultar de la adición a los mismos de algunas palabras o de la mera combinación, en otra forma, de las principales que los constituyen. Tampoco podrán incluir en su denominación la expresión Seguridad Social, salvo expresa autorización del Ministerio de Empleo y Seguridad Social.

**Artículo 76. *Exenciones tributarias y otros beneficios*.** 1. Las entidades gestoras y servicios comunes disfrutarán en la misma medida que el Estado, con las limitaciones y excepciones que, en cada caso, establezca la legislación fiscal vigente, de exención tributaria absoluta, incluidos los derechos y honorarios notariales y registrales, por los actos que realicen o los bienes que adquieran o posean afectados a sus fines, siempre que los tributos o exacciones de que se trate recaigan directamente sobre los organismos de referencia en concepto legal de contribuyente y sin que sea posible legalmente la traslación de la carga tributaria a otras personas.

2. También gozarán, en la misma medida que el Estado, de franquicia postal y telegráfica.

3. Las exenciones y demás privilegios contemplados en el presente artículo alcanzarán también a las entidades gestoras en cuanto afecten a la gestión de las mejoras voluntarias previstas en el artículo 43.

**Artículo 77. *Reserva de datos*.** 1. Los datos, informes o antecedentes obtenidos por la Administración de la Seguridad Social en el ejercicio de sus funciones tienen carácter reservado y solo podrán utilizarse para los fines encomendados a las distintas entidades gestoras, servicios comunes y órganos que integran la Administración de la Seguridad Social, sin que puedan ser cedidos o comunicados a terceros, salvo que la cesión o comunicación tenga por objeto:

Párrafo primero redactado por el Real Decreto-Ley 2/2021, de 26 de enero, de refuerzo y consolidación de medidas sociales en defensa del empleo (BOE núm. 23, 27 de enero de 2021).

a) La investigación o persecución de delitos públicos por los órganos jurisdiccionales, el Ministerio Público o la Administración de la Seguridad Social.

b) La colaboración con las Administraciones tributarias a efectos del cumplimiento de obligaciones fiscales en el ámbito de sus competencias.

c) La colaboración con la Intervención General de la Seguridad Social, en el ejercicio de su control interno o con las demás entidades gestoras y servicios comunes de la Seguridad Social, distintas del cedente y demás órganos de la Administración de la Seguridad Social.

> Letra c) redactada por el Real Decreto-Ley 2/2021, de 26 de enero, de refuerzo y consolidación de medidas sociales en defensa del empleo (BOE núm. 23, 27 de enero de 2021).

d) La colaboración con cualesquiera otras administraciones públicas para la lucha contra el fraude en la obtención o percepción de ayudas o subvenciones a cargo de fondos públicos, incluidos los de la Unión Europea, para la obtención o percepción de prestaciones incompatibles en los distintos regímenes del sistema de la Seguridad Social y, en general, para el ejercicio de las funciones encomendadas legal o reglamentariamente a las mismas para las que los datos obtenidos por la Administración de la Seguridad Social resulten relevantes.

> Letra d) redactada por el Real Decreto-Ley 2/2021, de 26 de enero, de refuerzo y consolidación de medidas sociales en defensa del empleo (BOE núm. 23, 27 de enero de 2021).

e) La colaboración con las comisiones parlamentarias de investigación en el marco legalmente establecido.

f) La protección por los órganos judiciales o por el Ministerio Público de los derechos e intereses de los menores y personas en cuyo favor se hayan establecido medidas de apoyo a su capacidad jurídica.

> Letra f) redactada por el Real Decreto-Ley 2/2023, de 16 de marzo, de medidas urgentes para la ampliación de derechos de los pensionistas, la reducción de la brecha de género y el establecimiento de un nuevo marco de sostenibilidad del sistema público de pensiones (BOE núm. 65, 17 de marzo de 2023).

g) La colaboración con el Tribunal de Cuentas en el ejercicio de sus funciones de fiscalización de la Administración de la Seguridad Social.

h) La colaboración con los jueces y tribunales en el curso del proceso y para la ejecución de resoluciones judiciales firmes. La solicitud judicial de información exigirá resolución expresa, en la que, por haberse agotado los demás medios o fuentes de conocimiento sobre la existencia de bienes y derechos del deudor, se motive la necesidad de recabar datos de la Administración de la Seguridad Social.

i) La colaboración con el Organismo Estatal Inspección de Trabajo y Seguridad Social en el ejercicio de sus funciones de inspección. El Organismo Estatal Inspección de Trabajo y Seguridad Social tendrá acceso directo a los datos, informes y antecedentes obtenidos por la Administración de la Seguridad Social en el ejercicio de sus funciones, que resulten necesarios para la preparación y ejercicio de sus funciones de inspección.

Letra i) añadida por el Real Decreto-Ley 2/2021, de 26 de enero, de refuerzo y consolidación de medidas sociales en defensa del empleo (BOE núm. 23, 27 de enero de 2021).

j) La colaboración con el Organismo Autónomo Jefatura Central de Tráfico para que este inicie, en su caso, el procedimiento de declaración de pérdida de vigencia del permiso o la licencia de conducción de vehículo a motor por incumplimiento de los requisitos para su otorgamiento cuando, con ocasión de la tramitación de un procedimiento para el reconocimiento de una pensión de incapacidad permanente a un trabajador profesional de la conducción en el dictamen-propuesta emitido por el órgano competente se proponga la declaración de la situación de incapacidad permanente como consecuencia de presentar limitaciones orgánicas y/o funcionales que disminuyan o anulen su capacidad de conducción de vehículos a motor.

La colaboración se realizará mediante un aviso al citado organismo emitido por la correspondiente Dirección Provincial del Instituto Nacional de la Seguridad Social a propuesta del órgano competente para la emisión del dictamen-propuesta, en el que no se harán constar otros datos relativos a la salud del trabajador afectado.

Letra j) añadida por la Ley 18/2021, de 20 de diciembre, por la que se modifica el texto refundido de la Ley sobre tráfico, circulación de vehículos a motor y seguridad vial, aprobado por el Real Decreto Legislativo 6/2015, de 30 de octubre, en materia de permiso y licencia de conducción por puntos (BOE núm. 304, 21 de diciembre de 2021).

k) La finalidad de facilitar la información que sea estrictamente necesaria para el reconocimiento y control de las prestaciones de carácter social competencia de las Comunidades Autónomas y entidades locales, a través de la adhesión a los procedimientos informáticos y con los requisitos de tratamiento de la información establecidos por la correspondiente entidad gestora. La información facilitada no podrá ser utilizada con ninguna otra finalidad si no es con el consentimiento del interesado.

Letra k) añadida por el Real Decreto-Ley 2/2021, de 26 de enero, de refuerzo y consolidación de medidas sociales en defensa del empleo (BOE núm. 23, 27 de enero de 2021).

l) La colaboración con cualesquiera otras administraciones públicas para el suministro e intercambio de datos en materia de Seguridad Social para fines de estadística pública en los términos de la legislación reguladora de dicha función pública.

Letra l) añadida por el Real Decreto-Ley 2/2021, de 26 de enero, de refuerzo y consolidación de medidas sociales en defensa del empleo (BOE núm. 23, 27 de enero de 2021).

m) Fines de investigación científica en el ámbito de la protección social, en el marco establecido por el Reglamento (UE) 2016/679 del Parlamento Europeo y del Consejo de 27 de abril de 2016 relativo a la protección de las personas físicas en lo que respecta al tratamiento de datos personales y a la libre circulación de estos datos (Reglamento general de protección de datos), incluidas las posibles comunicaciones instrumentales que, a efectos de la realización de la investigación, resulte preciso efectuar a sujetos distintos de aquellos que lleven a cabo directamente dicha investigación. Se entenderán comprendidas en esta finalidad las actividades de evaluación de las políticas públicas en materia de protección social.

Los tratamientos que se efectúen en relación con esta finalidad se limitarán a los datos estrictamente imprescindibles para la realización de la actividad de que se trate, utilizándose los procedimientos adecuados que no permitan la identificación de los interesados. Ello no impedirá la comunicación de datos sin anonimizar a efectos meramente instrumentales cuando ello resulte imprescindible para realizar la actividad, se limite a los datos estrictamente necesarios, se garantice que el encargado del tratamiento no podrá utilizarlos con otra finalidad y el tratamiento ulterior garantice la no identificación de los interesados.

El tratamiento de los datos a los que se refieren los artículos 9 y 10 del Reglamento (UE) 2016/679 únicamente se efectuará cuando exista consentimiento expreso de los afectados".

Letra m) añadida por el Real Decreto-Ley 2/2021, de 26 de enero, de refuerzo y consolidación de medidas sociales en defensa del empleo (BOE núm. 23, 27 de enero de 2021).

n) La colaboración con la Dirección General de la Marina Mercante para el control de la situación de alta en la Seguridad Social y respecto al reconocimiento médico de embarque marítimo de los tripulantes y de los botiquines de las embarcaciones en el ejercicio de las funciones que tiene encomendadas en relación con el despacho de buques.

Los datos, informes o antecedentes a los que se refiere este apartado se cederán o comunicarán a través de medios electrónicos, salvo que, a criterio de la Administración de la Seguridad Social, por la naturaleza de los informes o antecedentes no puedan utilizarse tales medios. La entidad gestora, servicio común u órgano que ceda o comunique estos datos, informes o antecedentes, establecerá los procedimientos y datos a través de los cuales se debe realizar dicha cesión o comunicación.

Letra n) añadida por el Real Decreto-Ley 2/2021, de 26 de enero, de refuerzo y consolidación de medidas sociales en defensa del empleo (BOE núm. 23, 27 de enero de 2021).

ñ) La colaboración con la Agencia Española de Empleo y los servicios públicos de empleo autonómicos con objeto de garantizar un óptimo desarrollo de las políticas activas de empleo en el marco competencial que le atribuye la Ley 3/2023, de 28 de febrero, de Empleo, y la demás normativa vigente en la materia, concretamente en lo referido a la información relativa a la protección de las contingencias de desempleo y cese de actividad de las personas, y a sus períodos de actividad laboral.

Letra ñ) añadida por la Ley 3/2023, de 28 de febrero, de empleo (BOE núm. 51, 1 de marzo de 2023).

o) El suministro, a través de procedimientos automatizados, a las Administraciones tributarias de la información necesaria para la regularización de bases de cotización y cuotas a la que se refiere el artículo 308.

Letra o) añadida por el Real Decreto-Ley 13/2022, de 26 de julio, por el que se establece un nuevo sistema de cotización para los trabajadores por cuenta propia o autónomos y se mejora la protección por cese de actividad (BOE núm. 179, 27 de julio de 2022).

2. El acceso a los datos, informes o antecedentes de todo tipo obtenidos por la Administración de la Seguridad Social sobre personas físicas o jurídicas, cualquiera que sea su soporte, por el personal al servicio de aquella y para fines distintos de las funciones que le son propias, se considerará siempre falta disciplinaria grave.

3. Cuantas autoridades y personal al servicio de la Administración de la Seguridad Social tengan conocimiento de estos datos o informes estarán obligados al más estricto y completo sigilo respecto de ellos, salvo en los casos de los delitos citados, en los que se limitarán a deducir el tanto de culpa o a remitir al Ministerio Fiscal relación circunstanciada de los hechos que se estimen constitutivos de delito. Con independencia de las responsabilidades penales o civiles que pudieran corresponder, la infracción de este particular deber de sigilo se considerará siempre falta disciplinaria muy grave.

**Artículo 78. *Régimen de personal.*** 1. Los funcionarios de la Administración de la Seguridad Social se regirán por lo dispuesto en la Ley 7/2007, de 12 de abril, del Estatuto Básico del Empleado Público, la Ley 30/1984, de 2 de agosto, de Medidas para la Reforma de la Función Pública, y las demás disposiciones que les sean de aplicación.

2. Corresponde al Gobierno, a propuesta del ministro competente, el nombramiento y cese de los cargos directivos con categoría de director general o asimilada.

CAPÍTULO VI. Colaboración en la gestión de la Seguridad Social

*Sección 1.ª Entidades colaboradoras*

**Artículo 79. *Enumeración.*** 1. La colaboración en la gestión del sistema de la Seguridad Social se llevará a cabo por mutuas colaboradoras con la Seguridad Social y por empresas, de acuerdo con lo establecido en el presente capítulo.

2. La colaboración en la gestión se podrá realizar también por asociaciones, fundaciones y entidades públicas y privadas, previa su inscripción en un registro público.

*Sección 2.ª Mutuas colaboradoras con la Seguridad Social*

Subsección 1.ª Disposiciones generales

**Artículo 80. *Definición y objeto.*** 1. Son mutuas colaboradoras con la Seguridad Social las asociaciones privadas de empresarios constituidas mediante autorización del Ministerio de Empleo y Seguridad Social e inscripción en el registro especial dependiente de este, que tienen por finalidad colaborar en la gestión de la Seguridad Social, bajo la dirección y tutela del mismo, sin ánimo de lucro y asumiendo sus asociados responsabilidad mancomunada en los supuestos y con el alcance establecidos en esta ley.

> – *Las Mutuas son asociaciones privadas* (SSTS de 22 de abril, 25 de mayo, 18 de julio y 7 de octubre de 1988, 11 de mayo de 1989, 11 de marzo y 5 de junio de 1991, 9 de diciembre de 1992 [*Tol 232793*], 27 de septiembre de 1993 [*Tol 233611*], 8 de marzo [*Tol 236784 y 266253*], 26, 27 y 30 de octubre [*Tol 186761, 186930, 186761, 186840, 186971, 187029, 187076, 187584, 1878013 y 187822, 187961, y 187831, 187178 y 187128*] y 15 de noviembre de 1995 [Rec. 1301/1993], 27 de marzo [Rec. 2986/1992], 24 de mayo [*Tol 23608*], 2 de julio [Rec. 9443/1991 y 9444/1991], 16 de septiembre [Rec. 10355/1990], 14 de octubre [Rec. 6200/1990] y 5 y 23 de diciembre de 1996 [Rec. 8520/1992 y Rec. 5312/1992], 13 de mayo [Rec. 9794/1991], 3 de junio de 1997 [*Tol 194951*] y 25 de marzo de 1999 [*Tol 42318 y 42327*]).

Las mutuas colaboradoras con la Seguridad Social, una vez constituidas, adquieren personalidad jurídica y capacidad de obrar para el cumplimiento de sus fines. El ámbito de actuación de las mismas se extiende a todo el territorio del Estado.

2. Las mutuas colaboradoras con la Seguridad Social tienen por objeto el desarrollo, mediante la colaboración con el Ministerio de Empleo y Seguridad Social, de las siguientes actividades de la Seguridad Social:

a) La gestión de las prestaciones económicas y de la asistencia sanitaria, incluida la rehabilitación, comprendidas en la protección de las contingencias de accidentes de trabajo y enfermedades profesionales de la Seguridad Social, así como de las actividades de prevención de las mismas contingencias que dispensa la acción protectora.

> – *En supuestos de accidente de trabajo, con reconocimiento de prestaciones, respecto de las que se imputa responsabilidad directa a la empresa como consecuencia de descubierto prolongado o infracotización, la Mutua tiene obligación de anticiparlas, sin perjuicio de su derecho de repetir contra dicho responsable directo y, ante su insolvencia, contra el Instituto Nacional de la Seguridad Social y la Tesorería General de la Seguridad Social, en tanto que continuadores del Fondo de accidentes de trabajo y enfermedades profesionales* (SSTS de 4 de febrero, 8 de julio (Rec. 26/1991) y 7 de octubre de 1991 (Rec. 1427/1990), 30 de marzo [*Tol 232394*], 28 de septiembre [*Tol 232327*], 20 de octubre [*Tol 232413*] y 9 de noviembre de 1992 [*Tol 232141*], 18, 19, 23 y 30 de enero [*Tol 233284, 234867, 233628 y 232913*], 6, 11 y 12 de febrero [*Tol 234441, 233750 y 235043*], 6, 8 y 19 de marzo [*Tol 233379, 233845* y Rec. 298/1992], 20 y 23 de abril [*Tol 233561 y 233460*], 3, 9 y 21 de mayo [*Tol 233834, 234418 y 233981*], 10, 14 y 17 de junio [*Tol 233837, 234557* y Rec. 711/1992], 14 y 20 de julio [*Tol 234950 y 233912*], 4, 6, 7, 8 y 15 de octubre [*Tol 233830, 233897, 234329, 235222 y 233779*], 22 de noviembre [*Tol 234365*] y 20 de diciembre de 1993 [*Tol 233205*], 8 de marzo [*Tol 233468 y 267415*], 13 y 14 de junio [*Tol 233244 y 233745*], 11 y 12 de julio [*Tol 233340 y 266811, y 234561 y 267003*], 22 de noviembre

[*Tol 233695*] y 21 y 27 de diciembre de 1994 [*Tol 234658 y 233038 y 234590*], 8 de marzo [*Tol 236784 y 266253*], 18 de mayo [*Tol 236014 y 266310*], 16 de junio [*Tol 235795 y 267237*], 28 de septiembre [*Tol 236760 y 266385*] y 11 y 30 de diciembre de 1995 [*Tol 235509, 236534 y 267141, y 235465 y 267256*], 15 de abril [*Tol 235603*], 24 de mayo [*Tol 236083*], 1 y 16 de julio [*Tol 235454 y 235337*], 26 de septiembre [*Tol 235306*], 1 y 22 de octubre [*Tol 236745 y 235764*], 15 y 21 de noviembre [*Tol 235840 y 236134*] y 7 y 12 de diciembre de 1996 [*Tol 235935 y 236189*], 3 de abril de 1997 [*Tol 237718*] y 17 de enero de 1998 [*Tol 46756*]).

– *El criterio del anticipo en el pago de las prestaciones por las Mutuas se aplica también en el caso de las prestaciones de asistencia sanitaria* (SSTS de 15 de abril [*Tol 235603*], 1 y 18 de julio [*Tol 235454 y 235630*] y 22 de octubre de 1996 [*Tol 235764*]).

– *En los supuestos de cambio de entidad aseguradora, será responsable del pago de la prestación de incapacidad consecuencia de accidente de trabajo la Mutua que aseguraba la contingencia en la fecha en que sobrevino el accidente y no la Mutua que cubría aquel riesgo profesional en el momento del reconocimiento de la prestación* (SSTS de 1 de febrero de 2000 [*Tol 45780*] y 30 de septiembre de 2003 [Rec. 1163/2002]).

– *Dentro de las prestaciones por causa de accidente de trabajo se incluye la renovación de prótesis y ortopedia* (STS de 11 de abril de 2000 [Rec. 1772/1999]).

– *Cuando media un tiempo importante, entre el alta por curación de las lesiones causadas por un accidente laboral y la producción de otro accidente que agrava esas secuelas no invalidantes hasta el punto de causar una incapacidad permanente que antes no existía, la responsabilidad en el pago de la prestación es de la Mutua que cubría el riesgo al tiempo del segundo accidente que agravó unas lesiones que hasta entonces no incapacitaban para el trabajo al beneficiario de la prestación reconocida* (STS de 26 de mayo de 2003 [*Tol 649633*]).

– *La entidad responsable del pago de las prestaciones correspondientes a una situación de incapacidad temporal derivada de accidente de trabajo en el supuesto en el que la Mutua colaboradora en la fecha en que se produjo el accidente es distinta a la Mutua colaboradora en el momento en que el trabajador obtuvo sentencia firme que reconoció la contingencia profesional, inicialmente calificada como enfermedad común, es la que aseguraba el accidente de trabajo en el momento de producirse* (STS de 22 de enero de 2008 [*Tol 1292533*]).

– *Las Mutuas no tienen competencia en la colaboración en la gestión de la incapacidad permanente consecuencia de contingencias comunes, puesto que la Ley General de la Seguridad Social, el Reglamento sobre colaboración de las Mutuas de Accidentes de Trabajo y Enfermedades Profesionales en la gestión de la Seguridad Social (Real Decreto 1993/1995, de 7 de diciembre) y el Real Decreto 575/1997, de 18 de abril, sólo les atribuyen competencias en materia de contingencias comunes relacionada con la colaboración en la gestión de la incapacidad temporal* (STS de 1 de febrero de 2008 [*Tol 1292487*]).

– *En los supuestos de recaída en las lesiones o secuelas causadas por un accidente laboral, transcurridos más de 6 meses desde el alta de la incapacidad temporal precedente (normalmente el alta inicial causada por dicho evento), por tratarse de un nuevo período de incapacidad temporal, la responsabilidad prestacional íntegra, igual que sucede respecto a las facultades de control sobre las incidencias que durante el mismo pudieran producirse, recae sobre la aseguradora que cubre el riesgo profesional en el momento en el que se produce esa baja posterior* (STS de 17 de marzo de 2015 [*Tol 5186137*]).

– *La doctrina sobre que la responsabilidad en el pago es de la aseguradora que cubría el riesgo de accidentes de trabajo al tiempo de acaecer el accidente y no de la que cubría ese riesgo al tiempo de reconocerse la prestación, no puede aplicarse en supuestos en los que el trabajador fue dado de alta por curación, sin secuelas, reanudó su actividad y, posteriormente, pasados varios años, sufrió en el trabajo un nuevo siniestro que provocó una agravación de las lesiones curadas, sin que conste que en ese tiempo hayan causado problema alguno; puesto que en estos casos puede afirmarse que la incapacidad permanente reconocida tiene su causa directa en el nuevo siniestro que provocó la agravación de la lesión silente, razón por la que debe considerarse responsable a la entidad aseguradora al tiempo de ocurrir los hechos que fueron determinantes del reconocimiento de una incapacidad permanente que en otro caso no se habría producido (STS de 11 de mayo de 2015 [Tol 5186143].*

### b) La gestión de la prestación económica por incapacidad temporal derivada de contingencias comunes.

– *Desde la fecha en que una empresa suscriba convenio de asociación con una Mutua de Accidentes de Trabajo y Enfermedades Profesionales de la Seguridad Social para la cobertura de incapacidad temporal, esta última deberá hacerse cargo de las prestaciones de los trabajadores de aquélla, incluidos los que estuvieran ya en situación de incapacidad temporal (SSTS de 27 de febrero [Tol 32210] y 31 de mayo de 2001 [Tol 66332]).*

– *El Instituto Nacional de la Seguridad Social debe responder subsidiariamente de la cobertura de la incapacidad temporal consecuencia de contingencias comunes cuando se produce la insolvencia de la Mutua, pero no de la empresa (SSTS de 26 de enero de 2004 [Tol 449746], 16 de febrero de 2005 [Tol 623112], 8 de junio [Tol 962005] y 8 y 20 de noviembre de 2006 [Tol 1018583 y 1025569] y 19 y 22 de enero [Tol 1038124 y 1044363] y 20 y 22 de febrero [Tol 1050865 y 1038550] y 2 y 10 de julio de 2007 [Tol 1116627, y 1138608 y 1143964]).*

– *Corresponde a la Mutua que cubría el riesgo en la fecha del hecho causante la continuación en el pago del subsidio por incapacidad temporal consecuencia de enfermedad común de un trabajador al que se le ha extinguido el contrato y que ha pasado a disfrutar de un día de vacaciones, en el que se produce la baja médica, porque cuando se produce el hecho causante que determina el nacimiento del derecho a la prestación por incapacidad temporal la Mutua es responsable del pago hasta que se produzca la extinción del derecho, sin que pueda liberarse de esta obligación como consecuencia de la extinción del contrato de trabajo, que no tiene como efecto inmediato la extinción del derecho al subsidio por incapacidad temporal, ni altera el sujeto responsable del pago de la prestación (STS de 29 de marzo de 2007 [Tol 1073512]).*

– *Corresponde a la Mutua de accidentes de trabajo y enfermedades profesionales de la Seguridad Social la continuación en el pago del subsidio por incapacidad temporal consecuencia de enfermedad común de un trabajador al que se le ha extinguido el contrato de trabajo, porque cuando se produce el hecho causante que determina el nacimiento del derecho a la prestación por incapacidad temporal la Mutua es la responsable del pago hasta que se produzca la extinción del citado derecho, sin que pueda liberarse de esta obligación como consecuencia de la extinción del contrato de trabajo, que no tiene como efecto inmediato la extinción del derecho al subsidio por incapacidad temporal, ni altera el sujeto responsable del pago de la prestación (STS de 26 de junio de 2007 [Tol 1143901].*

– *Existe responsabilidad de una Mutua sobre la prestación por incapacidad temporal consecuencia de accidente no laboral causada por un trabajador que ya había finalizado su contrato de trabajo, habiendo percibido las vacaciones no disfrutadas, y por las que sí se cotizó; y puesto que ello significa que la empresa mantuvo el alta y cotizó por el trabajador por el período de vacaciones no disfrutado, éste se encontraba al corriente del pago de las cuotas y, por tanto, tenía derecho a la prestación de la que era responsable la Mutua que cubría las contingencias comunes y profesionales en la empresa del mismo (SSTS de 18 de septiembre de 2007 [Tol 1156905] y 21 de febrero [Tol 1292460] y 29 de mayo de 2008 [Tol 1346942]).*

*– Corresponde a la Mutua de accidentes de trabajo y enfermedades profesionales de la Seguridad Social que cubría el riesgo en la fecha del hecho causante la continuación en el pago del subsidio por incapacidad temporal consecuencia de enfermedad común de un trabajador al que se la ha extinguido el contrato de trabajo y cuya protección ha pasado a ser gestionada por otra Mutua, porque cuando se produce el hecho causante que determina el nacimiento del derecho a la prestación por incapacidad temporal la Mutua es la responsable del pago hasta que se produzca la extinción del citado derecho, sin que pueda liberarse de esta obligación como consecuencia de la extinción del contrato de trabajo, que no tiene como efecto inmediato la extinción del derecho al subsidio por incapacidad temporal, ni altera el sujeto responsable del pago de la prestación (STS de 20 de noviembre de 2008 [Tol 1432337]).*

c) La gestión de las prestaciones por riesgo durante el embarazo y riesgo durante la lactancia natural.

d) La gestión de las prestaciones económicas por cese en la actividad de los trabajadores por cuenta propia, en los términos establecidos en el título V.

*– Las Mutuas no tienen competencia para extinguir el derecho a una prestación por incapacidad temporal de un trabajador incluido en el Régimen Especial de Trabajadores Autónomos como consecuencia de la realización de una actividad laboral (SSTS de 5 de octubre de 2006 [Tol 1006708] y 5 de noviembre de 2007 [Tol 1220860]).*

e) La gestión de la prestación por cuidado de menores afectados por cáncer u otra enfermedad grave.

f) Las demás actividades de la Seguridad Social que les sean atribuidas legalmente.

3. La colaboración de las mutuas en la gestión de la Seguridad Social no podrá servir de fundamento a operaciones de lucro mercantil ni comprenderá actividades de captación de empresas asociadas o de trabajadores adheridos. Tampoco podrá dar lugar a la concesión de beneficios de ninguna clase a favor de los empresarios asociados, ni a la sustitución de estos en las obligaciones que les correspondan por su condición de empresarios.

*– La retribución de agentes y colaboradores mediante un porcentaje de las cuotas tiende a posibilitar el desarrollo de actividades en zonas donde no tiene personal fijo la Mutua, evitando los mayores gastos que supondría su incorporación a la plantilla, sirviendo también de compensación a los gastos ocasionados por el desempeño de sus actividades, que no pueden considerarse como operación de lucro mercantil (STS de 24 de junio de 1988).*

*– Las Mutuas carecen de ánimo de lucro, por lo que no podrán lugar a beneficios (SSTS de 24 de junio de 1988, 1 de junio de 1990 [Rec. 526/1989], 30 de enero de 1991, 17 de*

enero de 1994 [Rec. 944/1992] y 30 de julio [*Tol 191101*], 3 de octubre [*Tol 192536*] y 9 de diciembre de 1996 [*Tol 192641*]).

– *La cantidad abonada por la Mutua a los delegados, sobre la base de un porcentaje de las cuotas, retribuye no sólo el hecho de la captación de un socio, sino toda una serie de servicios prestados con posterioridad y derivados del hecho de la asociación* (STS de 1 de junio de 1990 [Rec. 526/1989]).

4. Las mutuas colaboradoras con la Seguridad Social forman parte del sector público estatal de carácter administrativo, de conformidad con la naturaleza pública de sus funciones y de los recursos económicos que gestionan, sin perjuicio de la naturaleza privada de la entidad.

**Artículo 81.** *Constitución de las mutuas colaboradoras con la Seguridad Social.* 1. La constitución de una mutua colaboradora con la Seguridad Social exige el cumplimiento de los siguientes requisitos:

– *La constitución por los empresarios de las Mutuas es voluntaria* (SSTS de 11 de mayo de 1989 y 27 de febrero de 1991).

a) Que concurran un mínimo de cincuenta empresarios, quienes a su vez cuenten con un mínimo de treinta mil trabajadores y un volumen de cotización por contingencias profesionales no inferior a veinte millones de euros.

b) Que limiten su actividad al ejercicio de las funciones establecidas en el artículo 80.

c) Que presten fianza, en la cuantía que establezcan las disposiciones de aplicación y desarrollo de esta ley, para garantizar el cumplimiento de sus obligaciones.

d) Que exista autorización del Ministerio de Empleo y Seguridad Social, previa aprobación de los estatutos de la mutua, e inscripción en el registro administrativo dependiente del mismo.

2. El Ministerio de Empleo y Seguridad Social, una vez comprobada la concurrencia de los requisitos establecidos en las letras a), b) y c) del apartado anterior y que los estatutos se ajustan al ordenamiento jurídico, autorizará la constitución de la mutua colaboradora con la Seguridad Social y ordenará su inscripción en el Registro de Mutuas Colaboradoras con la Seguridad Social dependiente del mismo. La orden de autorización se publicará en el "Boletín Oficial del Estado", en la que asimismo se consignará su número de registro, adquiriendo desde entonces personalidad jurídica.

3. La denominación de la mutua incluirá la expresión "Mutua Colaboradora con la Seguridad Social", seguida del número con el que haya sido inscrita. La denominación deberá ser utilizada en todos los centros y dependencias de la entidad, así como en sus relaciones con sus asociados, adheridos y trabajadores protegidos, y con terceros.

**Artículo 82.** *Particularidades de las prestaciones y servicios gestionados.* 1. Las prestaciones y los servicios atribuidos a la gestión de las mutuas colaboradoras con la Seguridad Social forman parte de la acción protectora del sistema y se dispensarán a favor de los trabajadores al servicio de los empresarios asociados y de los trabajadores por cuenta propia adheridos conforme a las normas del régimen de la Seguridad Social en el que estén encuadrados y con el mismo alcance que dispensan las entidades gestoras en los supuestos atribuidos a las mismas, con las particularidades establecidas en los siguientes apartados.

2. Respecto de las contingencias profesionales, corresponderá a las mutuas la determinación inicial del carácter profesional de la contingencia, sin perjuicio de su posible revisión o calificación por la entidad gestora competente de acuerdo con las normas de aplicación.

> – *Es competencia del Instituto Nacional de la Seguridad Social y no de las Mutuas la calificación del origen o hecho causante de la lesión generadora de incapacidad temporal, como consecuencia de la condición de entidad gestora de aquél y de entidad colaboradora de éstas, lo que comporta distintas facultades de uno y otro de acuerdo con la legislación vigente* (SSTS de 26, 27 y 28 de enero [*Tol 47635, 47672 y 47439*], 2 de febrero [*Tol 45853*], 6 de marzo [*Tol 46065*] y 28 de abril de 1998 [*Tol 47727*] y 19 de marzo [*Tol 22659*], 22 de noviembre de 1999 [*Tol 209004*], 15 de noviembre de 2006 [*Tol 1025574*] y 8 y 27 de febrero [*Tol 1044374 y 1050885*], 18 de abril [*Tol 1073492*], 30 de mayo [*Tol 1107232*], 6, 11, 12 y 29 de junio [*Tol 1107217, 1124283, 1116514 y 1124392*] y 26 de septiembre de 2007 [*Tol 1174913*]).

Los actos que dicten las mutuas, por los que reconozcan, suspendan, anulen o extingan derechos en los supuestos atribuidos a las mismas, serán motivados y se formalizarán por escrito, estando supeditada su eficacia a la notificación al interesado. Asimismo se notificarán al empresario cuando el beneficiario mantenga relación laboral y produzcan efectos en la misma.

Las prestaciones sanitarias comprendidas en la protección de las contingencias profesionales serán dispensadas a través de los medios e instalaciones gestionados por las mutuas, mediante convenios con otras mutuas o con las administraciones públicas sanitarias, así como mediante conciertos con medios privados, en los términos establecidos en el artículo 258 y en las normas reguladoras del funcionamiento de las entidades.

> – *Corresponde al Servicio público de salud correspondiente la responsabilidad sobre el reintegro a una Mutua de los gastos sanitarios indebidamente abonados por ella al determinarse posteriormente que la contingencia originadora de la protección sanitaria era común y no profesional* (STS de 20 de julio de 2007 [*Tol 1138611*]).

3. Las actividades preventivas de la acción protectora de la Seguridad Social son prestaciones asistenciales a favor de los empresarios asociados y de sus trabajadores dependientes, así como de los trabajadores por cuenta propia adheridos, que no generan derechos subjetivos, dirigidas a asistir a los mismos en el control y, en su caso, reducción de los accidentes de trabajo y de las enfermedades profesionales de la Seguridad Social. También comprenderán actividades de asesoramiento a las empresas asociadas y a los trabajadores autónomos al objeto de que adapten sus puestos de trabajo y estructuras para la recolocación de los trabajadores accidentados o con patologías de origen profesional, así como actividades de investigación, desarrollo e innovación a realizar directamente por las mutuas, dirigidas a la reducción de las contingencias profesionales de la Seguridad Social.

Corresponderá al órgano de dirección y tutela de las mutuas colaboradoras con la Seguridad Social, dependiente del Ministerio de Empleo y Seguridad Social, establecer la planificación periódica de las actividades preventivas de la Seguridad Social que desarrollarán aquellas, sus criterios, contenido y orden de preferencias, así como tutelar su desarrollo y evaluar su eficacia y eficiencia. Las comunidades autónomas que ostenten competencia de ejecución compartida en materia de actividades de prevención de riesgos laborales, y sin perjuicio de lo establecido en sus respectivos estatutos de autonomía, podrán comunicar al órgano de tutela de las mutuas las actividades que consideren que deban desarrollarse en sus respectivos ámbitos territoriales para que se incorporen a la planificación de las actividades preventivas de la Seguridad Social.

4. La gestión de la prestación económica por incapacidad temporal derivada de contingencias comunes a favor de los trabajadores al servicio de los empresarios asociados y de los trabajadores por cuenta propia adheridos se desarrollará de conformidad con lo dispuesto en los artículos 83.1.a), párrafo segundo, y 83.1.b), párrafo primero, y en las normas contenidas en el capítulo V del título II, así como en sus disposiciones de aplicación y desarrollo, con

las particularidades previstas en los regímenes especiales y sistemas en que aquellos estuvieran encuadrados y en este apartado.

a) Corresponde a las mutuas colaboradoras con la Seguridad Social la función de declaración del derecho a la prestación económica, así como las de denegación, suspensión, anulación y declaración de extinción del mismo, sin perjuicio del control sanitario de las altas y bajas médicas por parte de los servicios públicos de salud y de los efectos atribuidos a los partes médicos en esta ley y en sus normas de desarrollo.

Los actos que se dicten en el ejercicio de las funciones mencionadas en el párrafo anterior serán motivados y se formalizarán por escrito, estando supeditada su eficacia a la notificación al beneficiario. Asimismo se notificarán al empresario en los supuestos en que el beneficiario mantenga relación laboral.

> – *Las Mutuas tienen capacidad para extinguir el derecho a una prestación económica por incapacidad temporal consecuencia de contingencias comunes cuando el beneficiario no comparece, sin causa justificada, a un reconocimiento médico indicado por aquella entidad colaboradora, puesto que la capacidad de gestión de las Mutuas en el supuesto de incapacidad temporal consecuencia de contingencias comunes alcanza a todos los supuestos de extinción del derecho a la misma contemplados en la Ley General de la Seguridad Social, ente los que se encuentra la incomparecencia injustificada a un reconocimiento médico; y tal extinción debe entenderse como un acto de gestión y no como un acto sancionador, que no le correspondería a las Mutuas, tal y como sucede en los casos de incompatibilidad del derecho a la prestación con la realización de un trabajo por cuenta ajena o propia (SSTS de 7 y 15 de marzo [Tol 1059314 y 1059220], 24 de abril [Tol 1092952], 28 de junio [Tol 1143887] y 12 de julio de 2007 [Tol 1138589]).*

Recibido el parte médico de baja, la mutua comprobará el cumplimiento por el beneficiario de los requisitos de afiliación, alta, periodo de carencia y restantes exigidos en el régimen de la Seguridad Social correspondiente y determinará el importe del subsidio, adoptando el acuerdo de declaración inicial del derecho a la prestación.

Durante el plazo de dos meses siguientes a la liquidación y pago del subsidio, los pagos que se realicen tendrán carácter provisional, pudiendo las mutuas regularizar los pagos provisionales, que adquirirán el carácter de definitivos cuando transcurra el mencionado plazo de dos meses.

b) Cuando las mutuas colaboradoras con la Seguridad Social, sobre la base del contenido de los partes médicos y de los informes emitidos en el proceso, así como a través de la información obtenida de las actuaciones de control y seguimiento o de las asistencias sanitarias previstas en la letra d), consideren que el beneficiario podría no estar impedido para el trabajo, podrán formular propuestas motivadas de alta médica a través de los médicos dependientes de las mismas, dirigidas a la Inspección Médica de los Servicios Públicos de Salud. Las mutuas comunicarán simultáneamente al trabajador afectado y al Instituto Nacional de la Seguridad Social, para su conocimiento, que se ha enviado la mencionada propuesta de alta.

La Inspección Médica de los Servicios Públicos de Salud estará obligada a comunicar a la mutua y al Instituto Nacional de la Seguridad Social, en un plazo máximo de cinco días hábiles desde el siguiente a la recepción de la propuesta de alta, la estimación de esta, con la emisión del alta, o su denegación, en cuyo caso acompañará informe médico motivado que la justifique. La estimación de la propuesta de alta dará lugar a que la mutua notifique la extinción del derecho al trabajador y a la empresa, señalando la fecha de efectos de esta.

En el supuesto de que la Inspección Médica considere necesario citar al trabajador para revisión médica, esta se realizará dentro del plazo de cinco días previsto en el párrafo anterior y no suspenderá el cumplimiento de la obligación establecida en el mismo. No obstante, en el caso de incomparecencia del trabajador el día señalado para la revisión médica, se comunicará la inasistencia en el mismo día a la mutua que realizó la propuesta. La mutua dispondrá de un plazo de cuatro días para comprobar si la incomparecencia fue justificada y suspenderá el pago del subsidio con efectos desde el día siguiente al de la incomparecencia. En caso de que el trabajador justifique la incomparecencia, la mutua acordará levantar la suspensión y repondrá el derecho al subsidio, y en caso de que la considere no justificada, adoptará el acuerdo de extinción del derecho en la forma establecida en la letra a) y lo notificará al trabajador y a la empresa, consignando la fecha de efectos de este, que se corresponderá con el primer día siguiente al de su notificación al trabajador.

Cuando, excepcionalmente, la Inspección Médica del servicio público de salud no conteste a la propuesta de alta formulada por la mutua en la forma y plazo establecidos, esta última podrá solicitar la emisión del parte de alta al Instituto Nacional de la Seguridad Social, de acuerdo con las atribuciones conferidas en el artículo 170.1 y en el apartado 4 de la disposición adicional primera. El plazo para resolver la solicitud será de cinco días hábiles desde el siguiente a su recepción.

Letra b) redactada por el Real Decreto-Ley 2/2023, de 16 de marzo, de medidas urgentes para la ampliación de derechos de los pensionistas, la reducción de la brecha de género y el establecimiento de un nuevo marco de sostenibilidad del sistema público de pensiones (BOE núm. 65, 17 de marzo de 2023).

c) Las comunicaciones que se realicen entre los médicos de las mutuas, los pertenecientes al servicio público de salud y las entidades gestoras se realizarán preferentemente por medios electrónicos, siendo válidas y eficaces desde el momento en que se reciban en el centro donde aquellos desarrollen sus funciones.

Igualmente las mutuas comunicarán las incidencias que se produzcan en sus relaciones con el servicio público de salud o cuando la empresa incumpla sus obligaciones al Ministerio de Empleo y Seguridad Social, que adoptará, en su caso, las medidas que correspondan.

Las mutuas no podrán desarrollar las funciones de gestión de la prestación a través de medios concertados, sin perjuicio de recabar, en los términos establecidos en la letra d), los servicios de los centros sanitarios autorizados para realizar pruebas diagnósticas o tratamientos terapéuticos y rehabilitadores que las mismas soliciten.

d) Son actos de control y seguimiento de la prestación económica, aquellos dirigidos a comprobar la concurrencia de los hechos que originan la situación de necesidad y de los requisitos que condicionan el nacimiento o mantenimiento del derecho, así como los exámenes y reconocimientos médicos. Las mutuas colaboradoras con la Seguridad Social podrán realizar los mencionados actos a partir del día de la baja médica y, respecto de las citaciones para examen o reconocimiento médico, la incomparecencia injustificada del beneficiario será causa de extinción del derecho a la prestación económica, de conformidad con lo establecido en el artículo 174, en los términos que se establezcan reglamentariamente, sin perjuicio de la suspensión cautelar prevista en el artículo 175.3.

Asimismo las mutuas colaboradoras con la Seguridad Social podrán realizar pruebas diagnósticas y tratamientos terapéuticos y rehabilitadores, con la finalidad de evitar la prolongación innecesaria de los procesos previstos en esta disposición, previa autorización del médico del servicio público de salud y consentimiento informado del paciente.

Los resultados de estas pruebas y tratamientos se pondrán a disposición del facultativo del servicio público de salud que asista al trabajador a través de los servicios de interoperabilidad del Sistema Nacional de Salud, para su incorporación en la historia clínica electrónica del paciente.

Las pruebas diagnósticas y los tratamientos terapéuticos y rehabilitadores se realizarán principalmente en los centros asistenciales gestionados por las mutuas para dispensar la asistencia derivada de las contingencias profesionales, en el margen que permita su aprovechamiento, utilizando los medios destinados a la asistencia de patologías de origen profesional, y, con carácter subsidiario, podrán realizarse en centros concertados, autorizados para dispensar sus servicios en el ámbito de las contingencias profesionales, con sujeción a lo establecido en el párrafo anterior y en los términos que se establezcan reglamentariamente. En ningún caso las pruebas y tratamientos supondrán la asunción de la prestación de asistencia sanitaria derivada de contingencias comunes ni dará lugar a la dotación de recursos destinados a esta última.

e) Las mutuas colaboradoras con la Seguridad Social podrán celebrar convenios y acuerdos con las entidades gestoras de la Seguridad Social y con los servicios públicos de salud, previa autorización del Ministerio de Empleo y Seguridad Social, para la realización en los centros asistenciales que gestionan, de reconocimientos médicos, pruebas diagnósticas, informes, tratamientos sanitarios y rehabilitadores, incluidas intervenciones quirúrgicas, que aquellos les soliciten, en el margen que permita su destino a las funciones de la colaboración. Los convenios y acuerdos autorizados fijarán las compensaciones económicas que hayan de satisfacerse como compensación a la mutua por los servicios dispensados, así como la forma y condiciones de pago.

Con carácter subsidiario respecto de los convenios y acuerdos previstos en el párrafo anterior, siempre que los centros asistenciales que gestionan dispongan de un margen de aprovechamiento que lo permita, las mutuas colaboradoras con la Seguridad Social podrán celebrar conciertos con entidades privadas, previa autorización del Ministerio de Empleo y Seguridad Social y mediante compensación económica conforme a lo que se establezca reglamentariamente, para la realización de las pruebas y los tratamientos señalados a favor de las personas que aquellos les soliciten, los cuales se supeditarán a que las actuaciones que se establezcan no perjudiquen los servicios a que los centros están destinados, ni perturben la debida atención a los trabajadores protegidos ni a los que remitan las entidades públicas, ni minoren los niveles de calidad establecidos para los mismos.

Los derechos de créditos que generen los convenios, acuerdos y conciertos son recursos públicos de la Seguridad Social, siendo de aplicación a los mismos lo dispuesto en el artículo 84.2.

f) Sin perjuicio de los mecanismos y procedimientos regulados en los apartados anteriores, las entidades gestoras de la Seguridad Social o las mutuas colaboradoras con la Seguridad Social podrán establecer acuerdos de colaboración, con el fin de mejorar la eficacia en la gestión y el control de la incapacidad temporal, con el Instituto Nacional de Gestión Sanitaria o los servicios de salud de las comunidades autónomas.

g) La mutuas colaboradoras con la Seguridad Social asumirán a su cargo, sin perjuicio del posible resarcimiento posterior por los servicios de salud o por las entidades gestoras de la Seguridad Social, el coste originado por la realización de pruebas diagnósticas, tratamientos y procesos de recuperación funcional dirigidos a evitar la prolongación innecesaria de los procesos de baja laboral por contingencias comunes de los trabajadores del sistema de la Seguridad Social y que deriven de los acuerdos o convenios que se celebren de acuerdo con lo previsto reglamentariamente.

**Artículo 83. *Régimen de opción de los empresarios asociados y de los trabajadores por cuenta propia adheridos*.** 1. Los empresarios y los trabajadores por cuenta propia, en el momento de cumplir ante la Tesorería General de la Seguridad Social sus respectivas obligaciones de inscripción de empresa, afiliación y alta, harán constar la entidad gestora o la mutua colaboradora con la Seguridad Social por la que hayan optado para proteger las contingencias profesionales, la prestación económica por incapacidad temporal derivada de contingencias comunes y la protección por cese de actividad, de acuerdo con las normas reguladoras del régimen de la Seguridad Social en el que se encuadren, y comunicarán a aquella sus posteriores modificaciones. Corresponderá a la Tesorería General de la Seguridad Social el reconocimiento de tales declaraciones y de sus efectos legales, en los términos establecidos reglamentariamente y sin perjuicio de las particularidades que se disponen en los apartados siguientes en caso de optarse a favor de una mutua colaboradora con la Seguridad Social.

La opción a favor de una mutua colaboradora con la Seguridad Social se realizará en la forma y tendrá el alcance que se establecen seguidamente:

a) Los empresarios que opten por una mutua para la protección de los accidentes de trabajo y las enfermedades profesionales de la Seguridad Social deberán formalizar con la misma el convenio de asociación y proteger en la misma entidad a todos los trabajadores correspondientes a los centros de trabajo situados en la misma provincia, entendiéndose por estos la definición contenida en el texto refundido de la Ley del Estatuto de los Trabajadores.

Igualmente, los empresarios asociados podrán optar porque la misma mutua gestione la prestación económica por incapacidad temporal derivada de contingencias comunes respecto de los trabajadores protegidos frente a las contingencias profesionales.

El convenio de asociación es el instrumento por el que se formaliza la asociación a la mutua y tendrá un periodo de vigencia de un año, que podrá prorrogarse por periodos de igual duración. Reglamentariamente se regulará el procedimiento para formalizar el convenio, su contenido y efectos.

> – *El convenio de asociación no puede tener un plazo de vigencia superior a un año, lo que no impide se entienda tácitamente prorrogado por períodos anuales, salvo denuncia en contrario del empresario, que habrá de hacerse con un mes de antelación al menos a la fecha del vencimiento* (STS de 2 de noviembre de 1989).
>
> – *Las Mutuas no pueden resolver los convenios suscritos por falta de pago de las cuotas de sus asociados* (SSTS de 4 de febrero y 8 de julio de 1991 [Rec. 26/1991] y 8 de marzo de 1994 [Tol 233468 y 267415]).

b) Los trabajadores comprendidos en el ámbito de aplicación del Régimen Especial de la Seguridad Social de los Trabajadores por Cuenta Propia o Autónomos deberán formalizar la cobertura de la acción protectora por contingencias profesionales, incapacidad temporal y cese de actividad con una mutua colaboradora con la Seguridad Social, debiendo optar por la misma mutua colaboradora para toda la acción protectora indicada. Asimismo, deberán formalizar con una mutua colaboradora dicha acción protectora los trabajadores que cambien de entidad.

Para formalizar la gestión por cese de actividad suscribirán el anexo correspondiente al documento de adhesión, en los términos que establezcan las normas reglamentarias que regulan la colaboración.

Los trabajadores por cuenta propia incluidos en el Régimen Especial de la Seguridad Social de los Trabajadores del Mar podrán optar por proteger las contingencias profesionales con la entidad gestora o con una mutua colaboradora con la Seguridad Social. Los trabajadores incluidos en el grupo tercero de cotización deberán formalizar la protección de las contingencias comunes con la entidad gestora de la Seguridad Social. En todo caso, deberán formalizar la protección por cese de actividad con la entidad gestora o con la mutua con quien protejan las contingencias profesionales.

La protección se formalizará mediante documento de adhesión, por el cual el trabajador por cuenta propia se incorpora al ámbito gestor de la mutua de forma externa a la base asociativa de la misma y sin adquirir los derechos y obligaciones derivados de la asociación. El periodo de vigencia de la adhesión será de un año, pudiendo prorrogarse por periodos de igual duración. El procedimiento para formalizar el documento de adhesión, su contenido y efectos, se regulará reglamentariamente.

Apartado 1 redactado por el Real Decreto-Ley 28/2018, de 28 de diciembre, para la revalorización de las pensiones públicas y otras medidas urgentes en materia social, laboral y de empleo (BOE núm. 314, 29 de diciembre de 2018).

2. Las mutuas colaboradoras con la Seguridad Social deberán aceptar toda proposición de asociación y de adhesión que se les formule, sin que la falta de pago de las cotizaciones sociales les excuse del cumplimiento de la obligación ni constituya causa de resolución del convenio o documento suscrito, o sus anexos.

3. La información y datos sobre los empresarios asociados, los trabajadores por cuenta propia adheridos y los trabajadores protegidos que obren en poder de las mutuas colaboradoras con la Seguridad Social y, en general, los generados en el desarrollo de su actividad colaboradora en la gestión de la Seguridad Social, tienen carácter reservado y están sometidos al régimen establecido en el artículo 77, sin que, en consecuencia, puedan ser cedidos o comunicados a terceros, salvo en los supuestos establecidos en dicho artículo.

**Artículo 84. *Régimen económico-financiero*.** 1. El sostenimiento y funcionamiento de las mutuas colaboradoras con la Seguridad Social, así como de las actividades, prestaciones y servicios comprendidos en su objeto, se financiarán mediante las cuotas de la Seguridad Social adscritas a las mismas, los rendimientos, incrementos, contraprestaciones y compensaciones obtenidos tanto de la inversión financiera de estos recursos como de la enajenación y cese de la adscripción por cualquier título de los bienes muebles e inmuebles de la Seguridad Social que estén adscritos a aquellas y, en general, mediante cualquier ingreso obtenido en virtud del ejercicio de la colaboración o por el empleo de los medios de la misma.

La Tesorería General de la Seguridad Social entregará a las mutuas las cuotas por accidentes de trabajo y enfermedades profesionales ingresadas en aquella por los empresarios asociados a cada una o por los trabajadores por cuenta propia adheridos, así como la fracción de cuota correspondiente a la gestión de la prestación económica por incapacidad temporal derivada de contingencias comunes, la cuota por cese en la actividad de los trabajadores autónomos y el resto de cotizaciones que correspondan por las contingencias y prestaciones que gestionen, previa deducción de las aportaciones destinadas a las entidades públicas del sistema por el reaseguro obligatorio y por la gestión de los servicios comunes, así como de las cantidades que, en su caso, se establezcan legalmente.

2. Los derechos de crédito que se generen a consecuencia de prestaciones o servicios que dispensen las mutuas a favor de personas no protegidas por las mismas o, cuando estando protegidas, corresponda a un tercero su pago por cualquier título, así como los originados por prestaciones indebidamente satisfechas, son recursos públicos del sistema de la Seguridad Social adscritos a aquellas.

El importe de estos créditos será liquidado por las mutuas, las cuales reclamarán su pago del sujeto obligado en la forma y condiciones establecidas en la norma o concierto del que nazca la obligación y hasta obtener su pago o, en su defecto, el título jurídico que habilite la exigibilidad del crédito, el cual comunicarán a la Tesorería General de la Seguridad Social para su recaudación con arreglo al procedimiento establecido en esta ley y en sus normas de desarrollo.

Los ingresos por servicios previstos en el artículo 82.2 dispensados a trabajadores no incluidos en el ámbito de actuación de la mutua, generarán crédito en el presupuesto de gastos de la mutua que presta el servicio, en los conceptos correspondientes a los gastos de la misma naturaleza que los que se originaron por la prestación de dichos servicios.

El Ministerio de Empleo y Seguridad Social, en todos los procedimientos dirigidos al cobro de la deuda, podrá autorizar el pago de los derechos de crédito en forma distinta a la de su ingreso en metálico y determinará el importe líquido del crédito que resulte extinguido, así como los términos y condiciones aplicables hasta la extinción del derecho. Cuando el sujeto obligado sea una administración pública o una entidad de la misma naturaleza y las deudas tengan su causa en la dispensación de asistencia sanitaria, el Ministerio de Empleo y Seguridad Social podrá asimismo autorizar el pago mediante dación de bienes, sin perjuicio de la aplicación del resto de facultades que se atribuyen al mismo hasta la extinción del derecho.

3. Las obligaciones económicas que se atribuyan a las Mutuas serán pagadas con cargo a los recursos públicos adscritos para el desarrollo de la co-

laboración, sin perjuicio de que aquellas obligaciones que tengan por objeto pensiones se financien de conformidad con lo dispuesto en el artículo 110.3.

4. Son gastos de administración de las mutuas colaboradoras con la Seguridad Social los derivados del sostenimiento y funcionamiento de los servicios administrativos de la colaboración y comprenderán los gastos de personal, los gastos corrientes en bienes y servicios, los gastos financieros y las amortizaciones de bienes inventariables. Estarán limitados anualmente al importe resultante de aplicar sobre los ingresos de cada ejercicio el porcentaje que corresponda de la escala que se establecerá reglamentariamente.

> – *En los gastos de administración no deben englobarse los abonos de comisiones por la captación de nuevos socios, ya que los perceptores de aquéllas no pertenecen a la plantilla del personal de la Mutua* (STS de 1 de junio de 1990 [Rec. 526/1989]).

> – *El límite máximo admisible de gastos de administración, determinable anualmente, se señala reglamentariamente en función de los ingresos totales potencialmente cobrables, incluyendo en las bases de cálculo las cantidades pendientes de remisión por la Tesorería General de la Seguridad Social* (STS de 14 de mayo de 1992 [Rec. 643/1990]).

> – *En el cálculo del límite de los gastos de administración no podrán computarse las cuotas correspondientes a mutualistas morosos, pues como fecha de devengo deberá considerarse aquella en que tenga lugar el ingreso de las cuentas recaudadoras, cualquiera que sea la fecha a que las cotizaciones se contraen* (STS de 22 de abril de 1997 [Tol 194192]).

5. Las mutuas colaboradoras con la Seguridad Social gozarán de exención tributaria, en los términos que se establecen para las entidades gestoras en el artículo 76.1.

> – *Las Mutuas no gozan del beneficio de justicia gratuita* (STS de 31 de mayo de 1982).

> – *Las Mutuas tienen derecho a exención tributaria por su especial configuración como asociaciones sin ánimo de lucro, colaboradoras en la gestión de la Seguridad Social, la condición de cuotas de la misma que tienen las primas y el hecho de que los ingresos, así como los bienes muebles e inmuebles en que pueden invertir los mismos, son parte del patrimonio de la Seguridad Social* (STS de 20 de junio de 1989).

### Subsección 2.ª Órganos de gobierno y participación

**Artículo 85. *Enumeración*.** Los órganos de gobierno de las mutuas colaboradoras con la Seguridad Social son la Junta General, la Junta Directiva y el Director Gerente.

El órgano de participación institucional es la Comisión de Control y Seguimiento.

La Comisión de Prestaciones Especiales es el órgano a quien corresponde la concesión de los beneficios de la asistencia social potestativa prevista en el artículo 96.1.b).

**Artículo 86. *La Junta General*.** 1. La Junta General es el órgano de gobierno superior de la mutua y estará integrada por todos los empresarios asociados, por una representación de los trabajadores por cuenta propia adheridos en los términos que reglamentariamente se establezcan, y por un representante de los trabajadores dependientes de la mutua. Carecerán de derecho a voto aquellos empresarios asociados, así como los representantes de los trabajadores por cuenta propia adheridos, que no estén al corriente en el pago de las cotizaciones sociales.

2. La Junta General se reunirá con carácter ordinario una vez al año, para aprobar el anteproyecto de presupuestos y las cuentas anuales, y con carácter extraordinario las veces que sea convocada por la Junta Directiva cumplidos los requisitos que reglamentariamente se establezcan para su convocatoria y celebración.

3. Es competencia de la Junta General, en todo caso, la designación y renovación de los miembros de la Junta Directiva, ser informada sobre las dotaciones y aplicaciones del patrimonio histórico, la reforma de los estatutos, la fusión, absorción y disolución de la entidad, la designación de los liquidadores y la exigencia de responsabilidad a los miembros de la Junta Directiva.

4. Reglamentariamente se regulará el procedimiento y requisitos de convocatoria de la Junta General y el régimen de deliberación y adopción de sus acuerdos, así como el ejercicio por los asociados de las acciones de impugnación de los acuerdos que sean contrarios a la ley, a los reglamentos e instrucciones de aplicación a la mutua o lesionen el interés de la entidad en beneficio de uno o varios asociados o de terceros, así como los intereses de la Seguridad Social. La acción de impugnación caducará en el plazo de un año desde la fecha de su adopción.

**Artículo 87. *La Junta Directiva*.** 1. La Junta Directiva es el órgano colegiado al que corresponde el gobierno directo de la mutua. Estará compuesta por entre diez y veinte empresarios asociados, de los cuales el treinta por ciento corresponderá a aquellas empresas que cuenten con mayor número de trabajadores, determinadas con arreglo a los tramos que se establecerán reglamentariamente, y un trabajador por cuenta propia adherido, todos ellos designados por la Junta General. También formará parte el representante de los trabajadores mencionado en el artículo anterior.

El nombramiento como miembro de la Junta Directiva estará supeditado a la confirmación del Ministerio de Empleo y Seguridad Social, a excepción del representante de los trabajadores, y entre sus miembros se designará al Presidente de la misma, que será el Presidente de la entidad.

2. Es competencia de la Junta Directiva la convocatoria de la Junta General, la ejecución de los acuerdos adoptados por la misma, la formulación de los anteproyectos de presupuestos y de las cuentas anuales, que deberán ser firmados por el Presidente de la Junta Directiva, así como la exigencia de responsabilidad al Director Gerente y demás funciones que se establezcan que no estén reservadas a la Junta General. Reglamentariamente se regulará el régimen de funcionamiento de la Junta Directiva y de exigencia de responsabilidad.

3. Corresponde al Presidente de la Junta Directiva la representación de la mutua colaboradora con la Seguridad Social, la convocatoria de las reuniones a la misma y moderar sus deliberaciones.

El régimen de indemnizaciones que se establezca regulará las que correspondan al Presidente de la Junta Directiva por las funciones específicas atribuidas y que en ningún caso podrán superar en su conjunto las retribuciones del Director Gerente.

4. No podrá recaer simultáneamente en la misma persona más de un cargo de la Junta Directiva, ya sea por sí misma o en representación de otras empresas asociadas, ni podrán formar parte de la Junta las personas o empresas que mantengan relación laboral o de servicios con la mutua, a excepción del representante de los trabajadores.

**Artículo 88.** *El Director Gerente y el resto de personal de la mutua.* 1. El Director Gerente ejerce la dirección ejecutiva de la mutua y le corresponde desarrollar sus objetivos generales y la dirección ordinaria de la entidad, sin perjuicio de estar sujeto a los criterios e instrucciones que, en su caso, le impartan la Junta Directiva y el Presidente de la misma.

El Director Gerente mantendrá informado al Presidente de la gestión de la mutua y seguirá las indicaciones que el mismo, en su caso, le imparta.

El Director Gerente estará vinculado mediante contrato de alta dirección regulado por el Real Decreto 1382/1985, de 1 de agosto, por el que se regula la relación laboral de carácter especial del personal de alta dirección. Será nombrado por la Junta Directiva, estando supeditada la eficacia del nombramiento y la del contrato de trabajo a la confirmación del Ministerio de Empleo y Seguridad Social.

No podrán ocupar el cargo de Director Gerente las personas que pertenezcan al Consejo de Administración o desempeñen actividad remunerada en cualquier empresa asociada a la mutua, sean titulares de una participación igual o superior al 10 por ciento del capital social de aquellas o bien la titularidad corresponda al cónyuge o hijos de aquel. Tampoco podrán ser designadas las personas que hayan sido suspendidas de sus funciones en virtud de expediente sancionador hasta que se extinga la suspensión.

2. El resto del personal que ejerza funciones ejecutivas dependerá del Director Gerente, estará vinculado por contratos de alta dirección y también estará sujeto al régimen de incompatibilidades y limitaciones previstas para el Director Gerente, quedando igualmente supeditada la eficacia de sus nombramientos, la de los contratos de alta dirección del personal con funciones ejecutivas y sus posibles modificaciones a la confirmación del Ministerio de Inclusión, Seguridad Social y Migraciones.

Apartado 2 redactado por la Ley 22/2021, de 28 de diciembre, de presupuestos generales del Estado para el año 2022 (BOE núm. 312, 29 de diciembre de 2021).

3. A efectos retributivos, así como para la determinación del número máximo de personas que ejerzan funciones ejecutivas en las mutuas, el titular del Ministerio de Empleo y Seguridad Social clasificará a las mutuas por grupos en función de su volumen de cuotas, número de trabajadores protegidos y eficiencia en la gestión.

4. Las retribuciones del Director Gerente y del personal que ejerza funciones ejecutivas en las mutuas se clasificarán en básicas y complementarias y estarán sujetas a los límites máximos fijados para cada grupo por el Real Decreto 451/2012, de 5 de marzo, por el que se regula el régimen retributivo de los máximos responsables y directivos en el sector público empresarial y otras entidades. Asimismo estarán también sujetos a los límites previstos en el citado Real Decreto 451/2012, de 5 de marzo, el número máximo de personas que ejerzan funciones ejecutivas en cada mutua.

Las retribuciones básicas del Director Gerente y del personal que ejerza funciones ejecutivas incluyen su retribución mínima obligatoria y se fijarán por la Junta Directiva conforme al grupo de clasificación en que resulte catalogada la mutua.

Las retribuciones complementarias del Director Gerente y del personal que ejerza funciones ejecutivas comprenden un complemento del puesto y un complemento variable que se fijarán por la Junta Directiva de la mutua.

El complemento del puesto se asignará teniendo en cuenta la situación retributiva del directivo en comparación con puestos similares del mercado de referencia, la estructura organizativa dependiente del puesto, el peso relativo del puesto dentro de la organización y el nivel de responsabilidad.

El complemento variable, que tendrá carácter potestativo, retribuirá la consecución de unos objetivos previamente establecidos por la Junta Directiva de la mutua de conformidad con los criterios que pueda fijar el Ministerio de Empleo y Seguridad Social. Estos objetivos tendrán carácter anual y deberán estar fundamentados en los resultados del ejercicio generados por la mutua en la gestión de las diferentes actividades de la Seguridad Social en las que colabora.

En ningún caso, la retribución total puede exceder del doble de la retribución básica y ningún puesto podrá tener una retribución total superior a la que tenía con anterioridad a la entrada en vigor de la Ley 35/2014, de 26 de diciembre, por la que se modifica el texto refundido de la Ley General de la Seguridad Social en relación con el régimen jurídico de las mutuas de accidentes de trabajo y enfermedades profesionales de la Seguridad Social.

5. El personal no directivo estará sujeto a relación laboral ordinaria, regulada en el texto refundido de la Ley del Estatuto de los Trabajadores. En cualquier caso, ningún miembro del personal de la mutua podrá obtener unas retribuciones totales superiores a las del Director Gerente. En todo caso, las retribuciones del conjunto del personal estarán sujetas a las disposiciones sobre la masa salarial y a las limitaciones o restricciones que establezcan, en su caso, las Leyes de Presupuestos Generales del Estado de cada año.

6. Con cargo a los recursos públicos, las mutuas colaboradoras con la Seguridad Social no podrán satisfacer indemnizaciones por extinción de la relación laboral con su personal, cualquiera que sea la forma de dicha relación y la causa de su extinción, que superen las establecidas en las disposiciones legales y reglamentarias reguladoras de dicha relación.

7. Asimismo, las mutuas no podrán establecer planes de pensiones para su personal, ni seguros colectivos que instrumenten compromisos por pensiones,

ni planes de previsión social empresarial sin la aprobación del Ministerio de Empleo y Seguridad Social. Los planes de pensiones, los contratos de seguros y los planes de previsión social empresarial, y las aportaciones y primas periódicas que se realicen estarán sujetos a los límites y criterios que las Leyes de Presupuestos Generales del Estado establezcan en esta materia para el sector público.

**Artículo 89.** *La Comisión de Control y Seguimiento*. 1. La Comisión de Control y Seguimiento es el órgano de participación de los agentes sociales, al que corresponde conocer e informar de la gestión que realiza la entidad en las distintas modalidades de colaboración, proponer medidas para mejorar el desarrollo de las mismas en el marco de los principios y objetivos de la Seguridad Social, informar el anteproyecto de presupuestos y las cuentas anuales y conocer los criterios que mantiene y aplica la mutua en el desarrollo de su objeto social.

Para desarrollar esa labor, la Comisión dispondrá periódicamente de los informes sobre litigiosidad, reclamaciones y recursos, así como de los requerimientos de los órganos de supervisión y dirección y tutela, junto con la información relativa a su cumplimiento. Anualmente elaborará una serie de recomendaciones que serán enviadas tanto a la Junta Directiva como al órgano de dirección y tutela.

2. La Comisión estará compuesta por un máximo de doce miembros designados por las organizaciones sindicales y empresariales más representativas, así como por una representación de las asociaciones profesionales de los trabajadores autónomos. Será Presidente de la Comisión el que en cada momento lo sea de la Junta Directiva.

No podrá formar parte de la Comisión de Control y Seguimiento ningún miembro de la Junta Directiva, a excepción del Presidente, o persona que trabaje para la entidad.

3. El Ministerio de Empleo y Seguridad Social regulará la composición y régimen de funcionamiento de las Comisiones de Control y Seguimiento, previo informe del Consejo General del Instituto Nacional de la Seguridad Social.

**Artículo 90.** *La Comisión de Prestaciones Especiales*. 1. La Comisión de Prestaciones Especiales será competente para la concesión de los beneficios derivados de la Reserva de Asistencia Social que tenga establecidos la mutua colaboradora con la Seguridad Social a favor de los trabajadores protegidos o adheridos y sus derechohabientes que hayan sufrido un accidente de trabajo o una enfermedad profesional y se encuentren en especial estado o situación de necesidad. Los beneficios serán potestativos e independientes de los comprendidos en la acción protectora de la Seguridad Social.

2. La Comisión estará integrada por el número de miembros que se establezca reglamentariamente, los cuales estarán distribuidos, por partes iguales, entre los representantes de los trabajadores de las empresas asociadas y los representantes de empresarios asociados, siendo estos últimos designados por la Junta Directiva; asimismo tendrán representación los trabajadores adheridos. El Presidente será designado por la Comisión entre sus miembros.

**Artículo 91.** *Incompatibilidades y responsabilidades de los miembros de los órganos de gobierno y de participación.* 1. No podrán formar parte de la Junta Directiva, de la Comisión de Control y Seguimiento ni de la Comisión de Prestaciones Especiales de una mutua colaboradora con la Seguridad Social las personas que formen parte de cualquiera de estos órganos en otra mutua, por sí mismas o en representación de empresas asociadas o de organizaciones sociales, así como aquellas que ejerzan funciones ejecutivas en otra entidad.

2. Los cargos anteriores o sus representantes en los mismos, así como las personas que ejerzan funciones ejecutivas en las mutuas no podrán comprar ni vender para sí mismos cualquier activo patrimonial de la entidad ni celebrar contratos de ejecución de obras, de realización de servicios o de entrega de suministros, excepto las empresas de servicios financieros o de suministros esenciales, que requerirán para contratar autorización previa del Ministerio de Empleo y Seguridad Social, ni celebrar contratos en los que concurran conflictos de intereses. Tampoco podrán realizar esos actos quienes estén vinculados a aquellos cargos o personas mediante relación conyugal o de parentesco, en línea directa o colateral, por consanguinidad, adopción o afinidad, hasta el cuarto grado, ni las personas jurídicas en las que cualquiera de las mencionadas personas, cargos o parientes sean titulares, directa o indirectamente, de un porcentaje igual o superior al 10 por ciento del capital social, ejerzan en las mismas funciones que impliquen poder de decisión o formen parte de sus órganos de administración o gobierno.

3. La condición de miembro de la Junta Directiva, de la Comisión de Control y Seguimiento y de las Comisiones de Prestaciones Especiales será gratuita,

sin perjuicio de que la mutua en la que se integren les indemnice y compense por los gastos de asistencia a las reuniones de los respectivos órganos, en los términos que se establezcan reglamentariamente, teniendo en cuenta lo establecido en el artículo 87.3 en relación con el Presidente de la Junta Directiva.

4. Los miembros de la Junta Directiva, el Director Gerente y las personas que ejerzan funciones ejecutivas serán responsables directos frente a la Seguridad Social, la mutua y los empresarios asociados de los daños que causen por sus actos u omisiones contrarios a las normas jurídicas de aplicación, a los estatutos o a las instrucciones dictadas por el órgano de tutela, así como por los realizados incumpliendo los deberes inherentes al desempeño del cargo, siempre y cuando haya intervenido dolo o culpa grave. Se entenderán como acto propio las acciones y omisiones comprendidas en los respectivos ámbitos funcionales o de competencias.

La responsabilidad de los miembros de la Junta Directiva será solidaria. No obstante, estarán exentos aquellos miembros que prueben que, no habiendo intervenido en la adopción o ejecución del acto, desconocían su existencia o, conociéndola, hicieron todo lo conveniente para evitar el daño o, al menos, se opusieron expresamente a él.

Las mutuas colaboradoras con la Seguridad Social, mediante la responsabilidad mancomunada regulada en el artículo 100.4, responderán directamente de los actos lesivos en cuya ejecución concurra culpa leve o en los que no exista responsable directo. Asimismo, responderán subsidiariamente en los supuestos de insuficiencia patrimonial de los responsables directos.

5. Los derechos de crédito que nazcan de las responsabilidades establecidas en este artículo, así como de la responsabilidad mancomunada que asumen los empresarios asociados, prevista en el artículo 100.4, son recursos públicos de la Seguridad Social adscritos a las mutuas en las que concurrieron los hechos origen de la responsabilidad.

Corresponde al órgano de dirección y tutela la declaración de las responsabilidades establecidas en el párrafo anterior, de las obligaciones objeto de las mismas, así como determinar su importe líquido, reclamar su pago con arreglo a las normas que regulan la colaboración de las entidades y determinar los medios de pago, que podrán incluir la dación de bienes, las modalidades, formas, términos y condiciones aplicables hasta su extinción. Cuando el Tribunal de Cuentas inicie procedimiento de reintegro por alcance por los mismos hechos, el órgano de dirección y tutela acordará la suspensión del procedimiento administrativo hasta que aquel adopte resolución firme, cuyas disposiciones de naturaleza material producirán plenos efectos en el procedimiento administrativo.

El órgano de dirección y tutela podrá solicitar a la Tesorería General de la Seguridad Social la recaudación ejecutiva de los derechos de crédito derivados de estas responsabilidades, a cuyo efecto trasladará a la misma el acto de liquidación de aquellos y la determinación de los sujetos obligados. Las cantidades que se obtengan se ingresarán en las cuentas que dieron lugar a la exigencia de la responsabilidad en los términos que establezca el órgano de dirección y tutela.

El Ministerio de Empleo y Seguridad Social, en aplicación de sus facultades de dirección y tutela, podrá reclamar el pago o ejercitar las acciones legales que sean necesarias para la declaración o exigencia de las responsabilidades generadas con motivo del desarrollo de la colaboración, así como comparecer y ser parte en los procesos legales que afecten a las responsabilidades establecidas.

Subsección 3.ª Patrimonio y régimen de contratación

**Artículo 92. *Patrimonio de la Seguridad Social adscrito a las mutuas*.**
1. De acuerdo con lo establecido en los artículos 19.3 y 103.1, los ingresos establecidos en el artículo 84.1, así como los bienes muebles e inmuebles en que puedan invertirse los mismos, y, en general, los derechos, acciones y recursos relacionados con ellos, forman parte del patrimonio de la Seguridad Social y están adscritos a las mutuas para el desarrollo de las funciones de la Seguridad Social atribuidas, bajo la dirección y tutela del Ministerio de Empleo y Seguridad Social.

– *Las Mutuas no disponen de la facultad para fijar la prima aplicable, puesto que las primas vienen establecidas mediante una norma general, por lo que no existe margen alguno para la autonomía privada* (SSTS de 20 de diciembre de 1990, 11 de marzo de 1991, 20 de junio de 1995 [Rec. 5487/1991], 27 de mayo de 1997 [Rec. 6053/1991] y 30 de marzo de 1998 [Tol 44211]).

– *Las Mutuas sólo disponen de los recursos o patrimonio de la Seguridad Social para atender a los fines de su colaboración con el Estado respecto de las prestaciones de la Seguridad Social* (STS de 27 de febrero de 1991).

2. La adquisición por cualquier título de los inmuebles necesarios para el desarrollo de las funciones atribuidas y su enajenación se acordará por

las mutuas, previa autorización del Ministerio de Empleo y Seguridad Social, correspondiendo a la Tesorería General de la Seguridad Social la formalización del acto en los términos autorizados, y se titularán e inscribirán en el Registro de la Propiedad a nombre del Servicio Común. La adquisición llevará implícita su adscripción a la mutua autorizada. Igualmente podrán solicitar autorización para que se les adscriban inmuebles del patrimonio de la Seguridad Social adscritos a las entidades gestoras, los servicios comunes u otras mutuas, así como para el cese de la adscripción de aquellos afectados, lo que requerirá conformidad de los interesados y obligará a compensar económicamente a la entidad cedente por aquella que reciba la posesión de los bienes.

Corresponde a las mutuas colaboradoras con la Seguridad Social la conservación, disfrute, mejora y defensa de los bienes adscritos, bajo la dirección y tutela del Ministerio de Empleo y Seguridad Social. Respecto de los bienes inmuebles, corresponderá a aquellas el ejercicio de las acciones posesorias y a la Tesorería General de la Seguridad Social el ejercicio de las acciones dominicales.

3. No obstante la titularidad pública del patrimonio, dada la gestión singularizada del mismo y el régimen económico-financiero establecido para las actividades de la colaboración, los bienes que integran el patrimonio adscrito estarán sujetos a los resultados de la gestión, pudiendo liquidarse para atender las necesidades de la misma y el pago de prestaciones u otras obligaciones derivadas de las expresadas actividades, sin perjuicio de la responsabilidad mancomunada de los empresarios asociados. El producto que se obtenga de la enajenación de los indicados bienes o de su cambio de adscripción a favor de otra mutua o de las entidades públicas del sistema, se ingresará en la mutua de la que procedan.

**Artículo 93.** *Patrimonio histórico.* 1. Los bienes incorporados al patrimonio de las mutuas con anterioridad a 1 de enero de 1967 o durante el período comprendido entre esa fecha y el 31 de diciembre de 1975, siempre que en este último caso se trate de bienes que provengan del 20 por 100 del exceso de excedentes, así como los que procedan de recursos distintos de los que tengan su origen en las cuotas de Seguridad Social, constituyen el patrimonio histórico de las mutuas, cuya propiedad les corresponde en su calidad de asociación de empresarios, sin perjuicio de la tutela a que se refiere el artículo 98.1.

Este patrimonio histórico se halla igualmente afectado estrictamente al fin social de la entidad, sin que de su dedicación al mismo puedan derivarse rendimientos o incrementos patrimoniales que, a su vez, constituyan gravamen para el patrimonio único de la Seguridad Social. Considerando la estricta afectación de este patrimonio a los fines de colaboración de las mutuas con la Seguridad Social, ni los bienes ni los rendimientos que, en su caso, produzcan pueden desviarse hacia la realización de actividades mercantiles.

> – *Las Mutuas cuentan con un patrimonio propio, pues, aun siendo cierto que sus ingresos por recibo de primas, así como los bienes muebles e inmuebles que adquieran con dichos ingresos forman parte del patrimonio de la Seguridad Social, ello no impide la titularidad de las Mutuas sobre su patrimonio histórico o bienes de otro origen* (SSTS de 4 de febrero y 8 de julio de 1991 [Rec. 26191]).

2. Sin perjuicio de lo establecido con carácter general en el apartado anterior, previa autorización del Ministerio de Empleo y Seguridad Social y en los términos y condiciones que se establezcan reglamentariamente, formarán parte del patrimonio histórico de las mutuas los ingresos a los que se refieren los apartados siguientes:

a) Las mutuas que cuenten con bienes inmuebles integrantes de su patrimonio histórico, destinados a ubicar centros y servicios sanitarios o administrativos adscritos al desarrollo de las actividades propias de la colaboración con la Seguridad Social que tienen encomendada, podrán imputar en sus correspondientes cuentas de resultados un canon o coste de compensación por la utilización de tales inmuebles.

b) Las mutuas que posean inmuebles vacíos que pertenezcan a su patrimonio histórico, que por las circunstancias concurrentes no puedan ser utilizados para la ubicación de centros y servicios sanitarios o administrativos para el desarrollo de actividades propias de la colaboración con la Seguridad Social y sean susceptibles de ser alquilados a terceros, podrán hacerlo a precios de mercado.

c) Las mutuas podrán percibir de las empresas que contribuyan eficazmente a la reducción de las contingencias profesionales de la Seguridad Social parte de los incentivos contemplados en el artículo 97.2, previo acuerdo de las partes. Reglamentariamente se establecerá el límite máximo de participación de las mutuas en dichos incentivos.

**Artículo 94.** *Contratación.* 1. Las mutuas colaboradoras con la Seguridad Social ajustarán su actividad contractual a las normas de aplicación a los poderes adjudicadores que no revisten el carácter de Administración Pública, contenidas en el texto refundido de la Ley de Contratos del Sector Público, aprobado por el Real Decreto Legislativo 3/2011, de 14 de noviembre, y sus normas de desarrollo.

2. El Ministerio de Empleo y Seguridad Social aprobará los pliegos generales que regirán la contratación, así como las instrucciones de aplicación a los procedimientos que tengan por objeto contratos no sujetos a regulación armonizada, previo informe del Servicio Jurídico de la Administración de la Seguridad Social.

3. En los procedimientos de contratación se garantizarán los principios de publicidad, concurrencia, transparencia, confidencialidad, igualdad y no discriminación, pudiendo licitar en los mismos los empresarios asociados y los trabajadores adheridos, en cuyo caso no podrán formar parte de los órganos de contratación, por sí mismos ni a través de mandatarios. Tampoco podrán formar parte de los órganos de contratación las personas vinculadas al licitador por parentesco, en línea directa o colateral, por consanguinidad o afinidad, hasta el cuarto grado, ni las sociedades en las que las mismas ostenten una participación, directa o indirecta, igual o superior al 10 por ciento del capital social o ejerzan en las mismas funciones que impliquen el ejercicio de poder de decisión.

4. Reglamentariamente se regularán las especialidades de aplicación a las operaciones que supongan inversiones reales, inversiones financieras o a la actividad contractual excluida del ámbito de aplicación del texto refundido de la Ley de Contratos del Sector Público.

Subsección 4.ª Resultados de la gestión

**Artículo 95.** *Resultado económico y reservas.* 1. El resultado económico patrimonial se determinará anualmente por la diferencia entre los ingresos y los gastos imputables a las actividades comprendidas en cada uno de los siguientes ámbitos de la gestión:

a) Gestión de las contingencias de accidentes de trabajo y de las enfermedades profesionales, de la prestación económica por riesgo durante el embarazo o la lactancia natural, de la prestación por cuidado de menores afectados por cáncer u otra enfermedad grave y de las actividades preventivas de la Seguridad Social.

b) Gestión de la prestación económica por incapacidad temporal derivada de contingencias comunes.

c) Gestión de la protección por cese de actividad de los trabajadores por cuenta propia, sin perjuicio de que la mutua actúe en este ámbito exclusivamente como organismo gestor.

En el ámbito de la gestión de las contingencias profesionales se constituirá una provisión para contingencias en tramitación, que comprenderá la parte no reasegurada del importe estimado de las prestaciones de carácter periódico previstas por incapacidad permanente y por muerte y supervivencia derivadas de accidentes de trabajo y enfermedades profesionales, cuyo reconocimiento se encuentre pendiente al cierre del ejercicio.

2. En cada uno de los ámbitos mencionados en el apartado 1 se constituirá una Reserva de Estabilización que se dotará con el resultado económico positivo obtenido anualmente, cuyo destino será corregir las posibles desigualdades de los resultados económicos generados entre los diferentes ejercicios en cada uno de los ámbitos. Las cuantías de las Reservas serán las siguientes:

a) La Reserva de Estabilización de Contingencias Profesionales tendrá una cuantía mínima equivalente al 20 por ciento de la media anual de las cuotas ingresadas en el último trienio por las contingencias y prestaciones señaladas en el apartado 1.a), la cual, voluntariamente, podrá elevarse hasta el 30 por ciento, que constituirá el nivel máximo de dotación de la reserva.

b) La Reserva de Estabilización de Contingencias Comunes tendrá una cuantía mínima equivalente al 5 por ciento de las cuotas ingresadas durante el ejercicio económico por las mencionadas contingencias, la cual podrá incrementarse voluntariamente hasta el 20 por ciento, que constituirá el nivel máximo de cobertura.

c) La Reserva de Estabilización por Cese de Actividad tendrá una cuantía mínima equivalente al 5 por ciento de las cuotas ingresadas por esta contingencia durante el ejercicio, que podrá incrementarse voluntariamente hasta el 20 por ciento de las mismas cuotas, que constituirá el nivel máximo de cobertura.

Asimismo, las mutuas ingresarán en la Tesorería General de la Seguridad Social la dotación de la Reserva Complementaria de Estabilización por Cese de Actividad, que constituirá la misma, con la finalidad de garantizar la suficiencia financiera de este sistema de protección. La cuantía se corresponderá con la diferencia entre el importe destinado a la Reserva de Estabilización por Cese de Actividad y la totalidad del resultado neto positivo.

Apartado 2 redactado por la Ley 31/2022, de 23 de diciembre, de presupuestos generales del Estado para el año 2023 (BOE núm. 308, 24 de diciembre de 2022).

3. Los resultados negativos obtenidos en los ámbitos previstos en las letras a) y b) del apartado 1 se cancelarán aplicando la respectiva Reserva de Estabilización. En caso de que la misma se sitúe por debajo de su nivel mínimo de cobertura, se repondrá hasta el mencionado nivel con cargo a la Reserva Complementaria prevista en el artículo 96.1.b).

Cuando después de realizadas las operaciones establecidas en el párrafo anterior persista el déficit en el ámbito de la gestión de las contingencias profesionales o la dotación de la Reserva de Estabilización Específica sea inferior al mínimo obligatorio, se aplicará a la cancelación del déficit y a dotar la Reserva hasta el mencionado nivel mínimo obligatorio, el tramo de dotación voluntaria de la Reserva de Estabilización de Contingencias Comunes y, en caso de insuficiencia, será de aplicación, en su caso, lo establecido en el artículo 100.

Respecto del ámbito de la gestión de la prestación económica por incapacidad temporal derivada de contingencias comunes, en el supuesto de que después de aplicada la Reserva Complementaria prevista en el párrafo primero persista el déficit o la dotación de la Reserva Específica se sitúe en una cuantía inferior a su nivel mínimo obligatorio, se aplicará a la cancelación del déficit y a dotar la Reserva de Estabilización específica de este ámbito, hasta situarla en su nivel mínimo de cobertura, la Reserva de Estabilización de Contingencias Profesionales. En caso de que una vez aplicada esta última Reserva, la misma se sitúe en los niveles previstos en el artículo 100.1.a), resultarán de aplicación las medidas establecidas en este artículo.

Asimismo, el Ministerio de Empleo y Seguridad Social podrá establecer las condiciones en las que autorizar, en su caso, la aplicación de un porcentaje adicional sobre la fracción de cuota que financia la gestión de las prestaciones económicas por incapacidad temporal derivadas de contingencias comunes a las mutuas que acrediten una insuficiencia financiera del coeficiente general en base a circunstancias estructurales en los términos que se determinen.

4. El resultado negativo de la gestión de las prestaciones por cese en la actividad se cancelará aplicando la Reserva específica constituida en las mutuas y, en caso de insuficiencia, se aplicará la Reserva Complementaria de Estabilización por Cese de Actividad constituida en la Tesorería General de la Seguridad Social hasta extinguir el déficit y reponer hasta su nivel mínimo de dotación aquella Reserva, en los términos que se establezcan reglamentariamente.

**Artículo 96.** *Excedentes.* 1. El excedente que resulte después de dotar la Reserva de Estabilización de Contingencias Profesionales se aplicará de la siguiente forma:

a) El 5 por ciento del excedente obtenido en el ámbito de la gestión señalado en el artículo 95.1.a), se ingresará con anterioridad al 31 de julio de cada ejercicio en la cuenta especial del Fondo de Contingencias Profesionales de la Seguridad Social, abierta en el Banco de España a nombre de la Tesorería General de la Seguridad Social y a disposición del Ministerio de Inclusión, Seguridad Social y Migraciones.

b) El 5 por ciento del excedente señalado en el primer párrafo de este apartado se aplicará a la dotación de la Reserva Complementaria que constituirán las mutuas, cuyos recursos se podrán destinar al pago de exceso de gastos de administración, de gastos procesales derivados de pretensiones que no tengan por objeto prestaciones de Seguridad Social y de sanciones administrativas, en el caso de que no resulte necesaria su aplicación a los fines establecidos en el artículo 95.3.

El importe máximo de la Reserva Complementaria no podrá superar la cuantía equivalente al 25 por ciento del nivel máximo de la Reserva de Estabilización de Contingencias Profesionales al que se refiere el artículo 95.2.a).

c) El 10 por ciento del excedente señalado en el primer párrafo de este apartado se aplicará a la dotación de la Reserva de Asistencia Social, que se destinará al pago de prestaciones de asistencia social autorizadas, que comprenderán, entre otras, acciones de rehabilitación y de recuperación y reorientación profesional y medidas de apoyo a la adaptación de medios esenciales y puestos de trabajo, a favor de los trabajadores accidentados protegidos por las mismas y, en particular, para aquellos con discapacidad sobrevenida, así como, en su caso, ayudas a sus derechohabientes, las cuales serán ajenas y complementarias a las incluidas en la acción protectora de la Seguridad Social. Reglamentariamente se desarrollará el régimen de las aplicaciones de estas reservas.

d) El 80 por ciento del excedente señalado en el primer párrafo de este apartado se ingresará, con anterioridad al 31 de julio de cada ejercicio, en el Fondo de Reserva de la Seguridad Social.

Apartado 1 redactado por la Ley 31/2022, de 23 de diciembre, de presupuestos generales del Estado para el año 2023 (BOE núm. 308, 24 de diciembre de 2022).

2. En ningún caso la Reserva Complementaria y la Reserva de Asistencia Social podrán aplicarse al pago de gastos indebidos, por no corresponder a prestaciones, servicios u otros conceptos comprendidos en la colaboración, o a retribuciones o indemnizaciones del personal de las mutuas por cuantía superior a la establecida en las normas de aplicación, los cuales serán pagados en la forma establecida en el artículo 100.4.

3. El excedente que resulte después de dotar la Reserva de Estabilización de Contingencias Comunes se ingresará en el Fondo de Reserva de la Seguridad Social.

4. El excedente que resulte después de dotar la Reserva de Estabilización por Cese de Actividad se ingresará en la Tesorería General de la Seguridad Social con destino a la dotación de la Reserva Complementaria de Estabilización por Cese de Actividad, cuya finalidad será la cancelación de los déficits que puedan generar las mutuas en este ámbito de la gestión después de aplicada su Reserva de Estabilización por Cese de Actividad, así como la reposición de la misma al nivel mínimo obligatorio, en los términos establecidos en el artículo 95.4, sin perjuicio de ser de aplicación a la misma las previsiones establecidas en el artículo 97.3, sobre materialización y disposiciones transitorias de los fondos.

**Artículo 97. *Fondo de Contingencias Profesionales de la Seguridad Social.*** 1. El Fondo de Contingencias Profesionales de la Seguridad Social estará integrado por el metálico depositado en la cuenta especial, por los valores mobiliarios y demás bienes muebles e inmuebles en que aquellos fondos se inviertan y, en general, por los recursos, rendimientos e incrementos que tengan su origen en el excedente de los recursos de la Seguridad Social generado por las mutuas. Los rendimientos y gastos que produzcan los activos financieros y los de la cuenta especial se imputarán a la misma, salvo que el Ministerio de Empleo y Seguridad Social disponga otra cosa.

El Fondo estará sujeto a la dirección del Ministerio de Empleo y Seguridad Social y adscrito a los fines de la Seguridad Social.

2. El Ministerio de Empleo y Seguridad Social podrá aplicar los recursos del Fondo de Contingencias Profesionales de la Seguridad Social a la creación o renovación de centros asistenciales y de rehabilitación adscritos a las mutuas, a actividades de investigación, desarrollo e innovación de técnicas y tratamientos terapéuticos y rehabilitadores de patologías derivadas de accidentes de trabajo y de enfermedades profesionales a desarrollar en los centros asistenciales adscritos a las mutuas, así como a incentivar en las empresas la adopción de medidas y procesos que contribuyan eficazmente a la reducción de las contingencias profesionales de la Seguridad Social, mediante un sistema que se regulará reglamentariamente y, en su caso, a dispensar servicios relacionados con la prevención y el control de las contingencias profesionales. Los bienes muebles e inmuebles que se adquieran estarán sujetos al régimen establecido en el artículo 92.

3. La Tesorería General de la Seguridad Social podrá materializar los fondos depositados en la cuenta especial en activos financieros emitidos por personas jurídicas públicas, así como enajenar los mismos en las cantidades, plazos y demás condiciones que determine el Ministerio de Empleo y Seguridad Social, hasta que el mismo disponga su uso para las aplicaciones expresadas.

Igualmente la Tesorería General de la Seguridad Social podrá disponer de los fondos depositados en la cuenta especial, con carácter transitorio, para atender a los fines propios del Sistema de la Seguridad Social, así como a las necesidades o desfases de tesorería, en la forma y condiciones que establezca el Ministerio de Empleo y Seguridad Social, hasta su aplicación por el mismo Ministerio a los fines señalados.

Subsección 5.ª Otras disposiciones

**Artículo 98. *Competencias del Ministerio de Empleo y Seguridad Social*.**
1. De conformidad con lo establecido en el artículo 5, corresponden al Ministerio de Empleo y Seguridad Social las facultades de dirección y tutela sobre las mutuas colaboradoras con la Seguridad Social, las cuales se ejercerán a través del órgano administrativo al que se atribuyan las funciones.

> – *Las Mutuas están sometidas a un severo control por parte de la Administración* (SSTS de 11 de octubre de 1993 [Rec. 1067/1992], 8 de marzo [*Tol 236784 y 266253*] y 15 de noviembre de 1995 [Rec. 1301/1993], 30 de julio [*Tol 191101*], 14 y 27 de octubre de 1996 [Rec. 6200/1990 y *Tol 192170*] y 19 y 21 de octubre [*Tol 40181 y 56816, y 56819*] y 16 de diciembre de 1999 [Rec. 181/1994]).

*– A la Secretaría de Estado de la Seguridad Social le corresponde la tutela y control de la gestión ejercida por las Mutuas (SSTS de 9 de mayo de 1995 [Rec. 946/1992], 14 de octubre de 1996 [Rec. 6200/1990], 21 de septiembre de 1998 [Tol 40906] y 19 y 21 de octubre [Tol 40181 y 56816, y 56819] y 16 de diciembre de 1999 [Rec. 181/1994]).*

**2.** Las mutuas colaboradoras con la Seguridad Social serán objeto anualmente de una auditoría de cuentas, de conformidad con lo establecido en el artículo 168.a) de la Ley 47/2003, de 26 de noviembre, General Presupuestaria, que será realizada por la Intervención General de la Seguridad Social. Asimismo anualmente realizará una auditoría de cumplimiento, de conformidad con lo previsto en el artículo 169 de la referida ley.

*– La auditoría sobre una Mutua puede contender mandatos que tienen por objeto la transparencia contable y la observancia de las disposiciones legales, que se concretarían en una serie de operaciones variadas, entre las que pueden citarse, verificar determinadas operaciones contables, regularizar asientos, ajustar su gestión a las prescripciones reglamentarias, efectuar la depuración de las operaciones registradas o mejorar el inmovilizado material (STS de 2 de julio de 1990).*

*– Debe reconocerse la validez de la actuación de la Secretaría General de la Seguridad Social en el procedimiento específico de auditoría al ser las Mutuas entidades colaboradoras de la Seguridad Social, y dicha competencia no alcanza para auditar y sí para dictar la resolución que pone fin un expediente de auditoría o para realizar el acto consecuencia de la auditoría (SSTS de 11 de octubre de 1993 [Rec. 1067/1992], 8 de marzo [Tol 236784 y 266253], 9 de mayo [Rec. 946/1992] y 15 de noviembre de 1995 [Rec. 1301/1993], 14 de octubre [Rec. 6200/1990] y 9 de diciembre de 1996 [Tol 192641], 13 de mayo [Tol 194641] y 3 de junio de 1997 [Tol 194951] y 21 de diciembre de 1998 [Rec. 6414/1992]).*

*– La Administración tiene potestad para llevar a cabo auditorías sobre las Mutuas dada su naturaleza de entidades colaboradoras de la Seguridad Social (SSTS de 9 de mayo de 1995 [Rec. 946/1992], 7 de marzo de 1997 [Rec. 7063/1992] y 21 de septiembre de 1998 [Tol 40906]).*

*– El resultado del procedimiento de auditoría constituye el presupuesto y ratio decidendi de la potestad tutelar, encomendado a la Intervención General de la Seguridad Social y, en su caso, a la Intervención General de la Administración General del Estado, y cuya plasmación es un informe o dictamen de fiscalización financiera con la naturaleza de acto administrativo de trámite (SSTS de 14 de octubre de 1996 [Rec. 6200/1990] y 25 de octubre de 1999 [Tol 39744]).*

*– Recae sobre la Mutua auditada la carga de desvirtuar la corrección contable del juicio técnico de los asientos de ajuste y reclasificación propuestos en la auditoría (STS de 3 de junio de 1997 [Tol 194951]).*

*– Si bien las Mutuas son asociaciones empresariales, se integran en el sector público en razón de su actividad de colaboración en la gestión de la Seguridad Social, y, por ello sus cuentas deben no solo ser auditadas por la Intervención General de la Seguridad Social, sino que también pueden ser revisadas por el Tribunal de Cuentas (STS de 16 de abril de 2013 [Tol 3744592]).*

3. Las mutuas colaboradoras con la Seguridad Social elaborarán anualmente sus anteproyectos de presupuestos de ingresos y gastos de la gestión de la Seguridad Social y los remitirán al Ministerio de Empleo y Seguridad Social para su integración en el Proyecto de Presupuestos de la Seguridad Social. Igualmente, estarán sujetas al régimen contable establecido en el título V de la Ley 47/2003, de 26 de noviembre, que regula la contabilidad en el sector público estatal, en los términos de aplicación a las entidades del sistema de la Seguridad Social, sin perjuicio de presentar en sus cuentas anuales el resultado económico alcanzado como consecuencia de la gestión de cada una de las actividades señaladas en el artículo 95.1, conforme a las disposiciones que establezca el organismo competente con sujeción a lo dispuesto en la citada ley. Las mutuas colaboradoras con la Seguridad Social deberán rendir sus cuentas anuales al Tribunal de Cuentas en los términos previstos en el título V de la Ley 47/2003, de 26 de noviembre.

4. La inspección de las mutuas colaboradoras con la Seguridad Social será ejercida por la Inspección de Trabajo y Seguridad Social con arreglo a lo dispuesto en el texto refundido de la Ley sobre Infracciones y Sanciones en el Orden Social, aprobado por el Real Decreto Legislativo 5/2000, de 4 de agosto, que comunicará al órgano de dirección y tutela el resultado de las actuaciones desarrolladas y los informes y propuestas que resulten de las mismas.

5. Las mutuas colaboradoras con la Seguridad Social estarán obligadas a facilitar al Ministerio de Empleo y Seguridad Social cuantos datos e información les solicite en orden al adecuado conocimiento del estado de la colaboración y de las funciones y actividades que desarrollan, así como sobre la gestión y administración del patrimonio histórico, y deberán cumplir las instrucciones que imparta el órgano de dirección y tutela.

6. El Ministerio de Empleo y Seguridad Social editará anualmente, para conocimiento general, un informe comprensivo de las actividades desarrolladas por las mutuas durante el ejercicio en el desarrollo de su colaboración en la gestión, en los distintos ámbitos autorizados, así como de los recursos y medios públicos adscritos, su gestión y aplicaciones. Igualmente editará un informe sobre las quejas y peticiones formuladas ante la misma, de conformidad con lo establecido en el apartado anterior, y su incidencia en los ámbitos de la gestión atribuidos.

**Artículo 99.** *Derecho de información, quejas y reclamaciones.* 1. Los empresarios asociados, sus trabajadores y los trabajadores por cuenta propia adheridos tendrán derecho a ser informados por las mutuas acerca de los datos referentes a ellos que obren en las mismas. Asimismo podrán dirigirse al órgano de dirección y tutela formulando quejas y peticiones con motivo de las deficiencias que aprecien en el desarrollo de las funciones atribuidas, a cuyo efecto las mutuas colaboradoras con la Seguridad Social mantendrán en todos sus centros administrativos o asistenciales un Libro de Reclamaciones a disposición de los interesados, destinadas al mencionado órgano administrativo, sin perjuicio de que los mismos puedan utilizar los medios establecidos en el artículo 38 de la Ley 30/1992, de 26 de noviembre, de Régimen Jurídico de las Administraciones Públicas y del Procedimiento Administrativo Común, y aquellos que se establezcan reglamentariamente.

En cualquiera de los casos, la mutua dará contestación directamente a las quejas y reclamaciones que reciba y deberá comunicar estas junto con la respuesta dada al órgano de dirección y tutela.

2. Las reclamaciones que tengan por objeto prestaciones y servicios de la Seguridad Social objeto de la colaboración en su gestión o que tengan su fundamento en las mismas, incluidas las de carácter indemnizatorio, se sustanciarán ante el orden jurisdiccional social de conformidad con lo establecido en la Ley 36/2011, de 10 de octubre, reguladora de la jurisdicción social.

**Artículo 100.** *Medidas cautelares y responsabilidad mancomunada.* 1. El Ministerio de Empleo y Seguridad Social podrá adoptar las medidas cautelares establecidas en el apartado 2 cuando la mutua se halle en alguna de las siguientes situaciones:

a) Cuando la Reserva de Estabilización de Contingencias Profesionales no alcance el 80 por ciento de su cuantía mínima.

b) Cuando concurran circunstancias de hecho, determinadas en virtud de comprobaciones de la Administración General del Estado, que muestren la existencia de desequilibrio económico-financiero en la entidad, que, a su vez, ponga en peligro la solvencia o liquidez de la misma, los intereses de los asociados, de los beneficiarios y de la Seguridad Social o el cumplimiento de obligaciones contraídas. Asimismo, cuando aquellas comprobaciones determinen la insuficiencia o irregularidad de la contabilidad o de la administración, en términos que impidan conocer la situación real de la mutua.

2. Las medidas cautelares que podrán adoptarse serán adecuadas y proporcionales en función de las características de la situación, y consistirán en:

a) Requerir a la entidad para que en el plazo de un mes presente un plan de viabilidad, rehabilitación o saneamiento a corto o medio plazo, aprobado por su Junta Directiva, en el que se propongan las medidas adecuadas de carácter financiero, administrativo o de otro orden, y formule previsión de los resultados y sus efectos, fijando asimismo los plazos para su ejecución, con la finalidad de superar la situación que dio origen a dicho requerimiento, garantizando en todo caso los derechos de los trabajadores protegidos y de la Seguridad Social.

La duración del plan no será superior a tres años, según las circunstancias, y concretará la forma y periodicidad de las actuaciones a realizar.

El Ministerio de Empleo y Seguridad Social aprobará o denegará el plan propuesto en el plazo de un mes desde su presentación y, en su caso, fijará la periodicidad con la que la entidad deberá informar de su desarrollo.

b) Convocar los órganos de gobierno de la entidad, designando la persona que deba presidir la reunión y dar cuenta de la situación.

c) Suspender en sus funciones a todos o algunos de los directivos de la entidad, debiendo esta designar las personas que, aceptadas previamente por el Ministerio de Empleo y Seguridad Social, hayan de sustituirlos interinamente. Si la entidad no lo hiciera, podrá dicho Ministerio proceder a su designación.

d) Ordenar la ejecución de medidas correctoras de las tendencias desfavorables registradas en su desarrollo económico y en el cumplimiento de sus fines sociales durante los últimos ejercicios analizados.

e) Intervenir la entidad para comprobar y garantizar el correcto cumplimiento de órdenes concretas emanadas del citado Ministerio cuando, en otro caso, pudieran infringirse tales órdenes y de ello derivarse perjuicio mediato o inmediato para los trabajadores protegidos o la Seguridad Social.

f) Ordenar el cese en la colaboración en caso de infracción calificada como muy grave conforme a lo dispuesto en el texto refundido de la Ley sobre Infracciones y Sanciones en el Orden Social, aprobado por el Real Decreto Legislativo 5/2000, de 4 de agosto.

3. Para adoptar las medidas cautelares previstas en el apartado anterior, se instruirá el correspondiente procedimiento administrativo con audiencia previa de la entidad interesada. Tales medidas cesarán por acuerdo del Minis-

terio de Empleo y Seguridad Social cuando hayan desaparecido las causas que las motivaron.

Las medidas cautelares son independientes de las sanciones que legalmente procedan por los mismos hechos, y de la responsabilidad mancomunada regulada en el apartado siguiente.

4. La responsabilidad mancomunada de los empresarios asociados a las mutuas tendrá por objeto las siguientes obligaciones:

a) La reposición de la Reserva de Estabilización de Contingencias Profesionales hasta el nivel mínimo de cobertura, cuando la misma no alcance el 80 por ciento de su cuantía mínima, después de aplicarse las reservas en la forma establecida en el artículo 95 y el Ministerio de Empleo y Seguridad Social lo entienda necesario para garantizar la adecuada dispensación por la entidad de las prestaciones de la Seguridad Social o el cumplimento de sus obligaciones.

b) Los gastos indebidos por no corresponder a prestaciones, servicios u otros conceptos comprendidos en la colaboración en la gestión de la Seguridad Social.

c) Los excesos en los gastos de administración y por sanciones económicas impuestas.

d) Las retribuciones o indemnizaciones del personal al servicio de la mutua por cuantía superior a la establecida en las normas que regulen la relación laboral de aplicación o por superar las limitaciones legalmente establecidas.

e) La cancelación del déficit que resulte de la liquidación de la mutua, por la inexistencia de recursos suficientes una vez agotados los patrimonios en liquidación, incluido el patrimonio previsto en el artículo 93.

f) Las obligaciones contraídas por la mutua cuando la misma no las cumpla en la forma establecida legalmente.

g) Las obligaciones atribuidas a la mutua en virtud de la responsabilidad directa o subsidiaria, establecidas en el artículo 91.4.

La responsabilidad mancomunada se extenderá hasta el pago de las obligaciones contraídas durante el periodo de tiempo en el que haya permanecido asociado el empresario o sean consecuencia de operaciones realizadas durante el mismo. En caso de cese en la asociación, la responsabilidad prescribirá a los cinco años del cierre del ejercicio en que finalizó aquella.

El sistema que se aplique para determinar las derramas salvaguardará la igualdad de los derechos y obligaciones de los empresarios asociados y será proporcional al importe de las cuotas de la Seguridad Social que les corresponda satisfacer por las contingencias protegidas por la mutua.

Las derramas tienen el carácter de recursos públicos de la Seguridad Social. La declaración de los créditos que resulten de la derrama y, en general, de la aplicación de la responsabilidad mancomunada se realizará por el Ministerio de Empleo y Seguridad Social, quién establecerá el importe líquido de los mismos, reclamará su pago y determinará la forma, los medios, modalidades y condiciones aplicables hasta su extinción, en los términos establecidos en el artículo 91.5.

5. Asimismo, la mutua podrá hacer frente a esta responsabilidad mediante el patrimonio previsto en el artículo 93. En el caso de que este patrimonio no fuera suficiente para atender la citada responsabilidad a corto plazo, podrá autorizarse por el Ministerio de Empleo y Seguridad Social, a propuesta de la Junta General de la mutua, un plan de viabilidad y/o un aplazamiento en el que podrá no ser necesaria la constitución de garantías, en las condiciones y plazos que reglamentariamente se establezcan.

**Artículo 101. *Disolución y liquidación*.** Las mutuas colaboradoras con la Seguridad Social cesarán en la colaboración en la gestión de la misma, produciéndose la disolución de la entidad, en los supuestos siguientes:

a) Acuerdo adoptado en Junta General Extraordinaria.

b) Fusión o absorción de la mutua.

> – *La Mutua que realice la absorción de otra Mutua tiene responsabilidad en los débitos, sea cual sea su naturaleza, de ésta, pudiendo mantenerse al efecto y para garantizar los derechos de los acreedores durante el período que resulte necesario para la habilitación de créditos la separación del patrimonio de la Mutua absorbida* (STS de 18 de abril de 1984).

c) Ausencia de alguno de los requisitos exigidos para su constitución o funcionamiento.

d) Acuerdo del Ministerio de Empleo y Seguridad Social por incumplimiento del plan de viabilidad, rehabilitación o saneamiento previsto en el artículo 100.2.a), dentro del plazo establecido en la resolución que apruebe el mismo.

e) En el supuesto previsto en el artículo 100.2.f).

f) Cuando exista insuficiencia del patrimonio previsto en el artículo 93 para hacer frente al total de la responsabilidad mancomunada prevista en el artículo 100.5, o se incumplan el plan de viabilidad o el aplazamiento del mencionado artículo.

En los supuestos anteriores y conforme al procedimiento que se regulará reglamentariamente, el Ministerio de Empleo y Seguridad Social acordará la disolución de la mutua, iniciándose seguidamente el proceso liquidatorio, cuyas operaciones y resultado requerirán la aprobación del mismo Ministerio. Los excedentes que resulten se ingresarán en la Tesorería General de la Seguridad Social para los fines del sistema, excepto los que se obtengan de la liquidación del patrimonio histórico, que se aplicarán a los fines establecidos en los estatutos una vez extinguidas las obligaciones de la mutua.

Aprobada la liquidación, el Ministerio de Empleo y Seguridad Social acordará el cese de la entidad como mutua en liquidación, ordenará la cancelación de su inscripción registral y publicará el acuerdo en el Boletín Oficial del Estado.

En los supuestos de fusión y absorción no se iniciará proceso liquidatorio de las mutuas integradas. La mutua resultante de la fusión o la absorbente se subrogará en los derechos y obligaciones de las que se extingan.

*Sección 3.ª Empresas*

**Artículo 102.** ***Colaboración de las empresas.*** 1. Las empresas, individualmente consideradas y en relación con su propio personal, podrán colaborar en la gestión de la Seguridad Social exclusivamente en alguna o algunas de las formas siguientes:

a) Asumiendo directamente el pago, a su cargo, de las prestaciones por incapacidad temporal derivada de accidente de trabajo y enfermedad profesional y las prestaciones de asistencia sanitaria y recuperación profesional, incluido el subsidio consiguiente que corresponda durante la indicada situación.

> – *En los supuestos de pago por la empresa interrumpido después del cese, pero con descuento del subsidio por incapacidad temporal consecuencia de accidente de trabajo en las liquidaciones hechas a una Mutua, existe responsabilidad de ésta en el pago de la prestación y responsabilidad de la empresa en la devolución de la Mutua del importe de aquélla, pero que no existe responsabilidad del Instituto Nacional de la Seguridad Social y la Tesorería General de la Seguridad Social porque no se han producido descubiertos en la cotización (SSTS de 26 de junio [Tol 238333], 3 de julio [Tol 258258] y 30 de septiembre de 2002 [Tol 228519], 7 de febrero de 2012 [Tol 2481411] y 29 de noviembre de 2016 [Rec. 1235/2015]).*
>
> – *Una vez producida la finalización del convenio de colaboración voluntaria entre una empresa y el INSS, aquél por el que la empresa se convierte en autoaseguradora de las contingencias por incapacidad temporal, no conlleva la extinción de las obligaciones que tenga la empleadora, con relación al pago de las contingencias por incapacidad temporal causadas durante la vigencia del convenio de colaboración rescindido a su instancia, que se*

*mantendrán hasta que el derecho al cobro del subsidio se extinguiera por causa legal* (STS de 20 de enero de 2010 [*Tol 1790465*]).

b) Pagando a sus trabajadores, a cargo de la entidad gestora o mutua obligada, las prestaciones económicas por incapacidad temporal, así como las demás que puedan determinarse reglamentariamente.

Letra b) redactada por el Real Decreto-Ley 28/2018, de 28 de diciembre, para la revalorización de las pensiones públicas y otras medidas urgentes en materia social, laboral y de empleo (BOE núm. 314, 29 de diciembre de 2018).

– El empresario colaborador en la gestión de la Seguridad Social no está obligado a controlar los requisitos exigidos para el reconocimiento del derecho a la prestación por incapacidad temporal, y ello, por las siguientes razones: el abono de las prestaciones económicas por incapacidad temporal representa una obligación que vincula a la entidad gestora, de una parte, y al beneficiario, de otra; al empresario no le impone la ley otra obligación que la de anticipar el pago por cuenta de la entidad gestora, una vez que ha recibido el reglamentario parte médico de baja y los de confirmación; la ley no ha previsto que sea el empresario el que, en caso de que el trabajador no reúna los requisitos necesarios y a pesar de ello perciba prestaciones, deba reclamar el reintegro de las prestaciones así percibidas, pues es esta una competencia que corresponde en exclusiva a la entidad gestora de la Seguridad Social, por lo que tampoco deberá reintegrar lo percibido por otro, aunque se le reserven las acciones para repetir contra el verdadero obligado (SSTS de 2 de abril de 2003 [*Tol 276323*] y 23 de enero de 2009 [*Tol 1460267*]).

2. El Ministerio de Empleo y Seguridad Social podrá establecer con carácter obligatorio, para todas las empresas o para algunas de determinadas características, la colaboración en el pago de prestaciones a que se refiere el apartado c) anterior.

La colaboración obligatoria consiste en el pago por la empresa a sus trabajadores, a cargo de la entidad gestora o colaboradora, de las prestaciones económicas, compensándose su importe en la liquidación de las cotizaciones sociales que aquella debe ingresar. La empresa deberá comunicar a la entidad gestora, a través de los medios electrónicos establecidos, los datos obligación de la misma requeridos en el parte médico de baja, en los términos que se establezcan reglamentariamente. El Ministerio de Empleo y Seguridad Social podrá suspender o dejar sin efecto la colaboración obligatoria cuando la empresa incumpla las obligaciones establecidas.

3. El Ministerio de Empleo y Seguridad Social determinará las condiciones por las que ha de regirse la colaboración prevista en los números anteriores del presente artículo.

4. La modalidad de colaboración de las empresas en la gestión de la Seguridad Social a que se refiere el apartado 1 podrá ser autorizada a agrupaciones de empresas, constituidas a este único efecto, siempre que reúnan las condiciones que determine el Ministerio de Empleo y Seguridad Social.

5. En la regulación de las modalidades de colaboración establecidas en la letra a) del apartado 1 y en el apartado 4 se armonizará el interés particular por la mejora de prestaciones y medios de asistencia con las exigencias de la solidaridad nacional.

> Apartado 5 redactado por el Real Decreto-Ley 28/2018, de 28 de diciembre, para la revalorización de las pensiones públicas y otras medidas urgentes en materia social, laboral y de empleo (BOE núm. 314, 29 de diciembre de 2018).

## CAPÍTULO VII. Régimen económico

### Sección 1.ª Patrimonio de la Seguridad Social

**Artículo 103. Patrimonio.** 1. Las cuotas, bienes, derechos, acciones y recursos de cualquier otro género de la Seguridad Social constituyen un patrimonio único afecto a sus fines, distinto del patrimonio del Estado.

Asimismo, los inmuebles que forman parte del patrimonio de la Seguridad Social, además de estar afectos, con carácter prioritario, a los fines de la Seguridad Social, podrán ser destinados a fines de utilidad pública a través de su adscripción, en la forma prevista en el artículo 104, o de la cesión de su uso, en la forma prevista en el artículo 107.

2. La regulación del patrimonio de la Seguridad Social se regirá por las disposiciones específicas contenidas en la presente ley, en sus normas de aplicación y desarrollo y, en lo no previsto en las mismas, por lo establecido en la Ley 33/2003, de 3 de noviembre, del Patrimonio de las Administraciones Públicas. Las referencias que en dicha Ley se efectúan a las Delegaciones de Economía y Hacienda, a la Dirección General del Patrimonio del Estado y al Ministerio de Hacienda y Función Pública se entenderán hechas, respectivamente, a las Direcciones Provinciales de la Tesorería General de la Seguridad Social, a la Dirección General de la Tesorería General de la Seguridad Social y al Ministerio de Inclusión, Seguridad Social y Migraciones.

> Artículo 103 redactado por la Ley 31/2022, de 23 de diciembre, de presupuestos generales del Estado para el año 2023 (BOE núm. 308, 24 de diciembre de 2022).

**Artículo 104. *Titularidad, adscripción, administración y custodia*.** 1. La titularidad del patrimonio único de la Seguridad Social corresponde a la Tesorería General de la Seguridad Social. Dicha titularidad, así como la adscripción, administración y custodia del referido patrimonio, se regirá por lo establecido en esta ley y demás disposiciones reglamentarias.

2. Los bienes inmuebles del patrimonio de la Seguridad Social podrán ser adscritos, por el titular del Ministerio de Inclusión, Seguridad Social y Migraciones, a órganos de la Administración General del Estado o sus Organismos públicos, o a otras administraciones públicas o a entidades de derecho público con personalidad jurídica propia o vinculadas o dependientes de las mismas. La adscripción no alterará la titularidad del bien.

Cuando la adscripción se realice a favor de un órgano de la Administración General del Estado o de un Organismo Público dependiente de ella, para que surta efecto deberá aceptarse en la forma prevista en la legislación patrimonial.

3. Corresponde a las administraciones o entidades a las que figuren adscritos los bienes inmuebles las siguientes funciones, salvo que en el acuerdo de adscripción o traspaso se haya previsto otra cosa:

a) Realizar las reparaciones necesarias en orden a su conservación.

b) Efectuar las obras de mejora que estimen convenientes.

c) Ejercitar las acciones posesorias que, en defensa de dichos bienes, procedan en derecho.

d) Asumir, por subrogación, el pago de las obligaciones tributarias que afecten a dichos bienes.

4. Los bienes inmuebles adscritos a otras administraciones o entidades de derecho público, salvo que otra cosa se establezca en el acuerdo de adscripción o traspaso, revertirán a la Tesorería General de la Seguridad Social en el caso de no uso o cambio de destino, conforme a lo dispuesto en la Ley del Patrimonio de las Administraciones Públicas, siendo a cargo de la administración o entidad a la que fueron adscritos los gastos derivados de su conservación y mantenimiento, así como la subrogación en el pago de las obligaciones tributarias que afecten a los mismos, hasta la finalización del ejercicio económico en el que se produzca dicha reversión. No obstante, no procederá la reversión cuando el titular del Ministerio de Inclusión, Seguridad Social y Migraciones autorice el cambio de uso o destino de los bienes adscritos o transferidos.

5. Los certificados que se libren con relación a los inventarios y documentos oficiales que se conserven en la Administración de la Seguridad So-

cial serán suficientes para su titulación e inscripción en los registros oficiales correspondientes.

Artículo 104 redactado por la Ley 31/2022, de 23 de diciembre, de presupuestos generales del Estado para el año 2023 (BOE núm. 308, 24 de diciembre de 2022).

**Artículo 105.** *Adquisición de bienes inmuebles.* 1. La adquisición a título oneroso de bienes inmuebles de la Seguridad Social, para el cumplimiento de sus fines, se efectuará por la Tesorería General de la Seguridad Social mediante concurso público, salvo que, en atención a las peculiaridades de la necesidad a satisfacer o a la urgencia de la adquisición a efectuar, el Ministerio de Empleo y Seguridad Social autorice la adquisición directa.

2. Corresponde al Director General del Instituto Nacional de Gestión Sanitaria autorizar los contratos de adquisición de bienes inmuebles que dicho Instituto precise para el cumplimiento de sus fines, previo informe de la Tesorería General de la Seguridad Social. Será necesaria la autorización del Ministro de Sanidad, Servicios Sociales e Igualdad, según la cuantía que se fije en la correspondiente Ley de Presupuestos Generales del Estado.

3. Por el Ministerio de Empleo y Seguridad Social se determinará el procedimiento aplicable para la adquisición de los bienes afectos al cumplimiento de los fines de colaboración en la gestión de las mutuas colaboradoras con la Seguridad Social.

**Artículo 106.** *Enajenación de bienes inmuebles y de títulos valores.* 1. La enajenación de los bienes inmuebles integrados en el patrimonio de la Seguridad Social requerirá la oportuna autorización del Ministerio de Empleo y Seguridad Social cuando su valor, según tasación pericial, no exceda de las cuantías fijadas por la Ley del Patrimonio de las Administraciones Públicas, o del Gobierno en los restantes casos.

La enajenación de los bienes señalados en el párrafo anterior se realizará mediante subasta pública, salvo cuando el Consejo de Ministros, a propuesta del titular del Ministerio de Empleo y Seguridad Social, autorice la enajenación directa. Esta podrá ser autorizada por el titular del Ministerio de Empleo y Seguridad Social cuando se trate de bienes que no superen el valor fijado en la Ley del Patrimonio de las Administraciones Públicas.

2. La enajenación de títulos valores, ya sean estos de renta variable o fija, se efectuará previa autorización en los términos establecidos en el apartado anterior. Por excepción, los títulos admitidos a negociación en Mercados Ofi-

ciales se enajenarán necesariamente a través de los sistemas reconocidos en dichos mercados según la legislación vigente reguladora del mercado de valores, sin que se requiera autorización previa para su venta cuando esta venga exigida para atender al pago de prestaciones reglamentariamente reconocidas y el importe bruto de la venta no exceda el montante fijado por la correspondiente Ley de Presupuestos Generales del Estado. De las enajenaciones de tales títulos se dará cuenta inmediata al Ministerio de Empleo y Seguridad Social.

**Artículo 107.** *Arrendamiento y cesión de bienes inmuebles*. 1. Los arrendamientos de bienes inmuebles que deba efectuar la Seguridad Social se concertarán mediante concurso público, salvo en aquellos casos en que, a juicio del Ministerio de Empleo y Seguridad Social, sea necesario o conveniente concertarlos de modo directo.

2. Corresponde al Director General del Instituto Nacional de Gestión Sanitaria autorizar los contratos de arrendamiento de bienes inmuebles que dicho Instituto precise para el cumplimiento de sus fines. Será necesaria la autorización de la persona titular del Ministerio de Sanidad, Servicios Sociales e Igualdad cuando su importe supere la cuantía de renta anual establecida en la correspondiente Ley de Presupuestos Generales del Estado.

3. Por el Ministerio de Empleo y Seguridad Social se determinará el procedimiento aplicable para el arrendamiento de los bienes afectos al cumplimiento de los fines de colaboración en la gestión de las mutuas colaboradoras con la Seguridad Social.

4. Los bienes inmuebles del patrimonio de la Seguridad Social, que no resulten necesarios para el cumplimiento de sus fines, podrán ser cedidos gratuitamente en uso para fines de utilidad pública o de interés de la Seguridad Social por el titular del Ministerio de Inclusión, Seguridad Social y Migraciones, a propuesta de la Tesorería General de la Seguridad Social, previa comunicación a la Dirección General de Patrimonio del Estado.

> Apartado 4 redactado por la Ley 31/2022, de 23 de diciembre, de presupuestos generales del Estado para el año 2023 (BOE núm. 308, 24 de diciembre de 2022).

**Artículo 108.** *Inembargabilidad*. Los bienes y derechos que integran el patrimonio de la Seguridad Social son inembargables. Ningún tribunal ni autoridad administrativa podrá dictar providencia de embargo ni despachar mandamiento de ejecución contra los bienes y derechos del patrimonio de la Seguridad Social, ni contra sus rentas, frutos o productos del mismo, siendo de aplicación, en su caso, lo dispuesto sobre esta materia en los artículos 23, 24 y 25 de la Ley 47/2003, de 26 de noviembre, General Presupuestaria.

*Sección 2.ª Recursos y sistemas financieros de la Seguridad Social*

**Artículo 109. *Recursos generales*.** 1. Los recursos para la financiación de la Seguridad Social estarán constituidos por:

a) Las aportaciones progresivas del Estado, que se consignarán con carácter permanente en sus Presupuestos Generales, y las que se acuerden para atenciones especiales o resulten precisas por exigencia de la coyuntura.

b) Las cuotas de las personas obligadas.

c) Las cantidades recaudadas en concepto de recargos, sanciones u otras de naturaleza análoga.

d)Los frutos, rentas o intereses y cualquier otro producto de sus recursos patrimoniales en los supuestos que estos se produzcan, sin perjuicio de las facultades de disposición patrimonial no onerosas previstas en la sección anterior del presente capítulo.

e) Cualesquiera otros ingresos, sin perjuicio de lo previsto en la disposición adicional décima.

> Apartado 1 redactado por la Ley 31/2022, de 23 de diciembre, de presupuestos generales del Estado para el año 2023 (BOE núm. 308, 24 de diciembre de 2022).

2. La acción protectora de la Seguridad Social, en su modalidad no contributiva y universal, se financiará mediante aportaciones del Estado al Presupuesto de la Seguridad Social, sin perjuicio de lo establecido en el artículo 10.3, primer inciso, en relación con la letra c) del apartado 2 del mismo artículo, con excepción de las prestaciones y servicios de asistencia sanitaria de la Seguridad Social y servicios sociales cuya gestión se halle transferida a las comunidades autónomas, en cuyo caso, la financiación se efectuará de conformidad con el sistema de financiación autonómica vigente en cada momento.

Las prestaciones contributivas, los gastos derivados de su gestión y los de funcionamiento de los servicios correspondientes a las funciones de afiliación, recaudación y gestión económico-financiera y patrimonial serán financiadas básicamente con los recursos a que se refieren las letras b), c), d) y e) del apartado anterior, así como, en su caso, por las aportaciones del Estado que se acuerden para atenciones específicas.

3. A los efectos previstos en el apartado anterior, la naturaleza de las prestaciones de la Seguridad Social será la siguiente:

a) Tienen naturaleza contributiva:

1.ª Las prestaciones económicas de la Seguridad Social, con excepción de las señaladas en la letra b) siguiente.

2.ª La totalidad de las prestaciones derivadas de las contingencias de accidentes de trabajo y enfermedades profesionales.

b) Tienen naturaleza no contributiva:

1.ª Las prestaciones y servicios de asistencia sanitaria incluidos en la acción protectora de la Seguridad Social y los correspondientes a los servicios sociales, salvo que se deriven de accidentes de trabajo y enfermedades profesionales.

2.ª Las pensiones no contributivas por invalidez y jubilación.

3.ª El subsidio por maternidad regulado en los artículos 181 y 182 de esta ley.

4.ª Los complementos por mínimos de las pensiones de la Seguridad Social.

5.ª Las prestaciones familiares reguladas en el capítulo I del título VI.

6.ª. El ingreso mínimo vital.

> Ordinal 6.ª añadido por la Ley 19/2021, de 20 de diciembre, por la que se establece el ingreso mínimo vital (BOE núm. 304, 21 de diciembre de 2021).

**Artículo 110.** *Sistema financiero*. 1. El sistema financiero de todos los regímenes que integran el sistema de la Seguridad Social será el de reparto, para todas las contingencias y situaciones amparadas por cada uno de ellos, sin perjuicio de lo previsto en el apartado 3.

2. En la Tesorería General de la Seguridad Social se constituirá un fondo de estabilización único para todo el sistema de la Seguridad Social, que tendrá por finalidad atender las necesidades originadas por desviaciones entre ingresos y gastos.

3. En materia de pensiones causadas por incapacidad permanente o muerte derivadas de accidente de trabajo o enfermedad profesional cuya responsabilidad corresponda asumir a las mutuas colaboradoras con la Seguridad Social o, en su caso, a las empresas declaradas responsables, se procederá a la capitalización del importe de dichas pensiones, debiendo las entidades señaladas constituir en la Tesorería General de la Seguridad Social, hasta el límite de su respectiva responsabilidad, los capitales coste correspondientes.

Por capital coste se entenderá el valor actual de dichas prestaciones, que se determinará en función de las características de cada pensión y aplicando los criterios técnicos-actuariales más apropiados, de forma que los importes que se obtengan garanticen la cobertura de las prestaciones con el grado de aproximación más adecuado y a cuyo efecto el Ministerio de Empleo y Seguridad Social aprobará las tablas de mortalidad y la tasa de interés aplicables.

Asimismo, el Ministerio de Empleo y Seguridad Social podrá establecer la obligación de las mutuas colaboradoras con la Seguridad Social de reasegurar los riesgos asumidos que se determinen, a través de un régimen de reaseguro proporcional obligatorio y no proporcional facultativo o mediante cualquier otro sistema de compensación de resultados.

4. Las materias a que se refiere el presente artículo serán reguladas por los reglamentos a que alude el artículo 5.2.a).

**Artículo 111. *Inversiones.*** Las reservas de estabilización que no hayan de destinarse de modo inmediato al cumplimiento de las obligaciones reglamentarias serán invertidas de forma que se coordinen las finalidades de carácter social con la obtención del grado de liquidez, rentabilidad y seguridad técnicamente preciso.

*Sección 3.ª Presupuesto, intervención y contabilidad de la Seguridad Social*

**Artículo 112. *Disposición general y normas reguladoras de la intervención.*** 1. El Presupuesto de la Seguridad Social, integrado en los Presupuestos Generales del Estado, se regirá por lo previsto en el título II de la Ley 47/2003, de 26 de noviembre, General Presupuestaria, y la contabilidad y la intervención de la Seguridad Social, respectivamente, por lo previsto en los títulos V y VI de la misma ley, así como, en ambos casos, por las normas de la presente sección.

2. A efectos de procurar una mejor y más eficaz ejecución y control presupuestario, el Gobierno, a propuesta de la Intervención General de la Administración del Estado y a iniciativa de la Intervención General de la Seguridad Social, aprobará las normas para el ejercicio por esta última del control en las entidades que integran el sistema de la Seguridad Social.

En los hospitales y demás centros sanitarios del Instituto Nacional de Gestión Sanitaria, la función interventora podrá ser sustituida por el control financiero de carácter permanente a cargo de la Intervención General de la Seguridad Social.

La Intervención General de la Administración del Estado podrá delegar en los interventores de la Seguridad Social el ejercicio de la función interventora respecto de todos los actos que realice el Instituto Nacional de Gestión Sanitaria en nombre y por cuenta de la Administración del Estado.

**Artículo 113.** *Modificación de créditos, remanentes e insuficiencias presupuestarias en el Instituto Nacional de Gestión Sanitaria.* 1. No obstante lo establecido en la Ley 47/2003, de 26 de noviembre, General Presupuestaria, todo incremento del gasto del Instituto Nacional de Gestión Sanitaria, con excepción del que pueda resultar de las generaciones de crédito, que no pueda financiarse con redistribución interna de sus créditos ni con cargo al remanente afecto a la entidad, se financiará durante el ejercicio por aportación del Estado.

2. Los remanentes derivados de una menor realización en el Presupuesto de dotaciones del Instituto Nacional de Gestión Sanitaria y los producidos por un incremento en los ingresos previstos por asistencia sanitaria serán utilizados para la financiación de los gastos de la citada entidad.

3. Se autoriza al titular del Ministerio de Hacienda y Administraciones Públicas a reflejar, mediante ampliaciones de crédito en el Presupuesto del Instituto Nacional de Gestión Sanitaria, las repercusiones que en el mismo tengan las variaciones que experimente la aportación del Estado. Corresponde asimismo al titular del Ministerio de Hacienda y Administraciones Públicas la autorización de las modificaciones de crédito que se financien con cargo al remanente de dicha entidad.

**Artículo 114.** *Amortización de adquisiciones.* El inmovilizado de la Seguridad Social deberá ser objeto de la amortización anual, dentro de los límites que fije el titular del Ministerio de Empleo y Seguridad Social por los principios y procedimientos establecidos en el Plan General de la Contabilidad Pública.

**Artículo 115.** *Plan anual de auditorías.* 1. El plan anual de auditorías de la Intervención General de la Administración del Estado incluirá el elaborado por la Intervención General de la Seguridad Social, en el que estarán comprendidas las entidades gestoras, servicios comunes, así como las mutuas colaboradoras con la Seguridad Social, de acuerdo con lo previsto en el artículo 98.2.

Para la ejecución del plan de auditorías de la Seguridad Social se podrá recabar la colaboración de empresas privadas, en caso de insuficiencia de los servicios de la Intervención General de la Seguridad Social, que deberán ajustarse a las normas e instrucciones que determine el centro directivo mencionado, el cual podrá efectuar las revisiones y controles de calidad que considere oportunos.

2. Para recabar la colaboración de las empresas privadas, será necesaria la inclusión de la autorización correspondiente en la orden a que se refiere la disposición adicional segunda de la Ley 47/2003, de 26 de noviembre, General Presupuestaria.

Será necesaria una orden del Ministerio de Empleo y Seguridad Social o del Ministerio de Sanidad, Servicios Sociales e Igualdad cuando la financiación de la indicada colaboración se realice con cargo a créditos de los presupuestos de las entidades y servicios de la Seguridad Social adscritos a uno u otro departamento.

**Artículo 116.** *Cuentas de la Seguridad Social.* 1. Las cuentas de las entidades que integran el sistema de la Seguridad Social se formarán y rendirán de acuerdo con los principios y normas establecidos en el título V de la Ley 47/2003, de 26 de noviembre.

2. Se autoriza a la persona titular del Ministerio de Empleo y Seguridad Social para que pueda disponer la no liquidación o, en su caso, la anulación y baja en contabilidad de todas aquellas liquidaciones de las que resulten deudas inferiores a la cuantía que se estime y fije como insuficiente para la cobertura del coste que su exacción y recaudación representen.

*Sección 4.ª Fondo de reserva de la Seguridad Social*

**Artículo 117.** *Constitución del Fondo de Reserva de la Seguridad Social.* En la Tesorería General de la Seguridad Social se constituirá un Fondo de Reserva de la Seguridad Social con la finalidad de atender las necesidades financieras en materia de prestaciones contributivas del sistema de la Seguridad Social en la forma y condiciones previstos en esta ley.

Artículo 117 redactado por el Real Decreto-Ley 2/2023, de 16 de marzo, de medidas urgentes para la ampliación de derechos de los pensionistas, la reducción de la brecha de género y el establecimiento de un nuevo marco de sostenibilidad del sistema público de pensiones (BOE núm. 65, 17 de marzo de 2023).

**Artículo 118.** *Dotación del Fondo*. 1. Los excedentes de ingresos que financian las prestaciones de carácter contributivo y demás gastos necesarios para su gestión que, en su caso, resulten de la consignación presupuestaria de cada ejercicio o de la liquidación presupuestaria del mismo se destinarán, siempre que las posibilidades económicas y la situación financiera del sistema de Seguridad Social lo permitan, al Fondo de Reserva de la Seguridad Social.

2. De conformidad con lo dispuesto en el artículo 96.3, el excedente que resulte después de dotar la Reserva de Estabilización de Contingencias Comunes de las mutuas colaboradoras con la Seguridad Social se ingresará en el Fondo de Reserva de la Seguridad Social.

3. El importe correspondiente al porcentaje del excedente que resulte de la gestión de las contingencias profesionales al que se refiere el artículo 96.1.d) se ingresará por las mutuas colaboradoras con la Seguridad Social en el Fondo de Reserva de la Seguridad Social.

4. Los ingresos obtenidos de la cotización finalista fijada en el artículo 127 bis. 1 se ingresarán en el Fondo de Reserva de la Seguridad Social.

Artículo 118 redactado por el Real Decreto-Ley 2/2023, de 16 de marzo, de medidas urgentes para la ampliación de derechos de los pensionistas, la reducción de la brecha de género y el establecimiento de un nuevo marco de sostenibilidad del sistema público de pensiones (BOE núm. 65, 17 de marzo de 2023).

**Artículo 119.** *Determinación del excedente y de la cotización finalista*. 1. El excedente al que se refiere el artículo 118.1 será el correspondiente a las operaciones que financian prestaciones de carácter contributivo y demás gastos para la gestión del sistema de la Seguridad Social y, en concreto, en lo referente a las prestaciones contributivas, conforme a la delimitación establecida en el artículo 109.3.a), con exclusión del resultado obtenido por las mutuas colaboradoras con la Seguridad Social y del importe líquido recaudado en concepto de cotización finalista, referida en el artículo 118.4.

2. El excedente por gastos relativos a prestaciones de naturaleza contributiva del sistema de la Seguridad Social en cada ejercicio económico será el constituido por la diferencia entre los ingresos y gastos derivados de los importes reconocidos netos por operaciones no financieras, correspondientes a las entidades gestoras y servicios comunes de la Seguridad Social, corregida con arreglo a criterios de máxima prudencia, en la forma que reglamenta-

riamente se establezca, respetando los principios y normas de contabilidad establecidos en el Plan General de Contabilidad Pública.

3. La cotización finalista es la establecida en el artículo 127 bis.1.

Artículo 119 redactado por el Real Decreto-Ley 2/2023, de 16 de marzo, de medidas urgentes para la ampliación de derechos de los pensionistas, la reducción de la brecha de género y el establecimiento de un nuevo marco de sostenibilidad del sistema público de pensiones (BOE núm. 65, 17 de marzo de 2023).

**Artículo 120.** *Procedimiento para la dotación del Fondo.* 1. Las dotaciones efectivas del Fondo de Reserva de la Seguridad Social, siempre que las posibilidades económicas y la situación financiera del sistema lo permitan, serán las acordadas, al menos una vez en cada ejercicio económico, por el Consejo de Ministros, a propuesta conjunta de las personas titulares de los Ministerios de Inclusión, Seguridad Social y Migraciones, de Asuntos Económicos y Transformación Digital y de Hacienda y Función Pública.

2. El importe que se recaude en concepto de cotización finalista establecida en el artículo 127 bis.1 se integrará automáticamente en las dotaciones del Fondo de Reserva de la Seguridad Social.

3. Los rendimientos de cualquier naturaleza que generen la cuenta del Fondo de Reserva y los activos financieros en que se hayan materializado las dotaciones del Fondo de Reserva se integrarán automáticamente en las dotaciones del Fondo.

Artículo 120 redactado por el Real Decreto-Ley 2/2023, de 16 de marzo, de medidas urgentes para la ampliación de derechos de los pensionistas, la reducción de la brecha de género y el establecimiento de un nuevo marco de sostenibilidad del sistema público de pensiones (BOE núm. 65, 17 de marzo de 2023).

**Artículo 121.** *Disposición de activos del Fondo.* La disposición de los activos del Fondo de Reserva de la Seguridad Social se destinará con carácter exclusivo a la financiación de las pensiones de carácter contributivo para reforzar el equilibrio y sostenibilidad del sistema de Seguridad Social.

2. La Ley de Presupuestos Generales del Estado establecerá para cada ejercicio económico, desde 2033, el desembolso anual a efectuar por el Fondo de Reserva de la Seguridad Social, que consistirá en el porcentaje del PIB que se determine cada año con el límite máximo que se establece seguidamente:

*Desembolsos máximos del Fondo de Reserva de la Seguridad Social
por año en puntos porcentuales del Producto Interior Bruto*

| Año | % |
|---|---|
| 2033 | 0,10% |
| 2034 | 0,12% |
| 2035 | 0,15% |
| 2036 | 0,17% |
| 2037 | 0,19% |
| 2038 | 0,22% |
| 2039 | 0,25% |
| 2040 | 0,28% |
| 2041 | 0,46% |
| 2042 | 0,50% |
| 2043 | 0,54% |
| 2044 | 0,77% |
| 2045 | 0,82% |
| 2046 | 0,87% |
| 2047 | 0,91% |
| 2048 | 0,86% |
| 2049 | 0,84% |
| 2050 | 0,82% |
| 2051 | 0,53% |
| 2052 | 0,51% |
| 2053 | 0,50%" |

Artículo 121 redactado por el Real Decreto-Ley 2/2023, de 16 de marzo, de medidas urgentes para la ampliación de derechos de los pensionistas, la reducción de la brecha de género y el establecimiento de un nuevo marco de sostenibilidad del sistema público de pensiones (BOE núm. 65, 17 de marzo de 2023).

**Artículo 122. *Gestión financiera del Fondo.*** Los valores en que se materialice el Fondo de Reserva serán títulos emitidos por personas jurídicas públicas.

Reglamentariamente se determinarán los valores que han de constituir la cartera del Fondo de Reserva, grados de liquidez de la misma, supuestos de enajenación de los activos financieros que lo integran y demás actos de gestión financiera del Fondo de Reserva.

**Artículo 123.** *Comité de Gestión del Fondo de Reserva de la Seguridad Social.* 1. Al Comité de Gestión del Fondo de Reserva de la Seguridad Social le corresponde el superior asesoramiento, control y ordenación de la gestión económica del Fondo de Reserva.

2. Dicho comité estará presidido por el Secretario de Estado de la Seguridad Social y se compondrá, además, de:

a) Un vicepresidente primero, que será el Secretario de Estado de Economía y Apoyo a la Empresa.

b) Un vicepresidente segundo, que será el Secretario de Estado de Presupuestos y Gastos.

c) El Director General de la Tesorería General de la Seguridad Social.

d) El Director General del Tesoro.

e) El Interventor General de la Seguridad Social.

f) El Subdirector General de Ordenación de Pagos y Gestión del Fondo de Reserva de la Tesorería General de la Seguridad Social, que ejercerá las funciones de secretario de la comisión, sin voz ni voto.

3. Las funciones de este comité serán las de formular propuestas de ordenación, asesoramiento, selección de valores que han de constituir la cartera del fondo, enajenación de activos financieros que lo integren y demás actuaciones que los mercados financieros aconsejen y el control superior de la gestión del Fondo de Reserva de la Seguridad Social, así como elaborar el informe a presentar a las Cortes Generales sobre la evolución de dicho Fondo.

**Artículo 124.** *Comisión Asesora de Inversiones del Fondo de Reserva de la Seguridad Social.* 1. La Comisión Asesora de Inversiones del Fondo de Reserva de la Seguridad Social tendrá como función asesorar al Comité de Gestión del Fondo de Reserva de la Seguridad Social en orden a la selección de los valores que han de constituir la cartera del Fondo, formulación de propuestas de adquisición de activos y de enajenación de los mismos y demás actuaciones financieras del Fondo.

2. Esta comisión estará presidida por el Secretario de Estado de Economía y Apoyo a la Empresa y estará compuesta, además, por:

a) El Director General de la Tesorería General de la Seguridad Social.

b) El Director General del Tesoro.

c) El Director General de Política Económica.

d) El Interventor General de la Seguridad Social.

e) El Subdirector General de Ordenación de Pagos y Gestión del Fondo de Reserva de la Tesorería General de la Seguridad Social, que ejercerá las funciones de secretario de la comisión, con voz pero sin voto.

**Artículo 125. *Comisión de Seguimiento del Fondo de Reserva de la Seguridad Social*.** 1. El conocimiento de la evolución del Fondo de Reserva de la Seguridad Social corresponderá a la Comisión de Seguimiento del Fondo de Reserva de la Seguridad Social.

2. Esta Comisión de Seguimiento estará presidida por el Secretario de Estado de la Seguridad Social o persona que el mismo designe y se compondrá, además, de:

a) Tres representantes del Ministerio de Empleo y Seguridad Social, designados por el Secretario de Estado de la Seguridad Social.

b) Un representante del Ministerio de Economía y Competitividad.

c) Un representante del Ministerio de Hacienda y Administraciones Públicas.

d) Cuatro representantes de las distintas organizaciones sindicales de mayor implantación.

e) Cuatro representantes de las organizaciones empresariales de mayor implantación.

f) El Subdirector General de Ordenación de Pagos y Gestión del Fondo de Reserva de la Tesorería General de la Seguridad Social actuará como secretario de la comisión, sin voz ni voto.

> – *Debe anularse el punto 2 del artículo 7 del Real Decreto 337/2004, de 27 de febrero, que dispone "que deberán nombrar dos representantes por cada uno de los dos sindicatos que tenga acreditada mayor implantación", por no ser en ello ajustado a derecho al alterar y restringir los términos del artículo 8 de la Ley 28/2003, de 29 de septiembre (SSTS de 16 y 18 de mayo de 2006 [Tol 945514 y 945520]).*

3. La Comisión de Seguimiento conocerá semestralmente de la evolución y composición del Fondo de Reserva de la Seguridad Social, para lo cual el Comité de Gestión, la Comisión Asesora de Inversiones y la Tesorería General de la Seguridad Social facilitarán información sobre tales extremos con carácter previo a las reuniones que mantenga dicha comisión.

**Artículo 126. *Carácter de las operaciones de gestión e imputación presupuestaria*.** Las materializaciones, inversiones, reinversiones, desinversiones y demás operaciones de adquisición, disposición y gestión de los activos fincieros del Fondo de Reserva de la Seguridad Social correspondientes a cada ejercicio tendrán carácter extrapresupuestario y se imputarán definitivamente, al último día hábil del mismo, al presupuesto de la Tesorería General de la Seguridad Social, conforme a la situación patrimonial del Fondo en dicha fecha, a cuyo efecto serán objeto de adecuación los créditos presupuestarios.

**Artículo 127. *Informe anual.*** El Gobierno presentará a las Cortes Generales un informe anual sobre la evolución y composición del Fondo de Reserva de la Seguridad Social.

Dicho informe será remitido por el Gobierno a las Cortes Generales a través de su Oficina Presupuestaria que lo pondrá a disposición de los Diputados, Senadores y las Comisiones parlamentarias.

*Sección 5.ª Mecanismo de Equidad Intergeneracional*

**Artículo 127 bis. *Mecanismo de Equidad Intergeneracional.*** 1. Con el fin de preservar el equilibrio entre generaciones y fortalecer la sostenibilidad del sistema de la Seguridad Social a largo plazo, se establece un Mecanismo de Equidad Intergeneracional consistente en una cotización finalista aplicable en todos los regímenes y en todos los supuestos en los que se cotice por la contingencia de jubilación, que no será computable a efectos de prestaciones y que nutrirá el Fondo de Reserva de la Seguridad Social.

La cotización será de 1,2 puntos porcentuales. En el supuesto de trabajadores por cuenta ajena un punto porcentual corresponderá a la empresa y 0,2 puntos porcentuales al trabajador. En el caso de que se modifique la estructura de distribución de la cotización entre empresa y trabajador por contingencias comunes esta cotización finalista se ajustará a la nueva estructura.

2. La cotización adicional finalista que nutrirá el Fondo de Reserva de la Seguridad Social no podrá ser objeto de bonificación, reducción, exención o deducción alguna. De igual forma no podrá ser objeto de disminución por la aplicación de coeficientes u otra fórmula que disminuya la cotización ni por cualquier otras variables que puedan resultar de aplicación respecto de las aportaciones empresariales o de los trabajadores, en función de las condiciones de cotización aplicables a los mismos por su inclusión en cualesquiera de los regímenes y sistemas especiales de la Seguridad Social, o en función de las situaciones de alta o asimilada al alta que determine la obligación de ingreso

de cuotas, así como del sujeto responsable del ingreso de las mismas, salvo lo previsto para los trabajadores de los grupos segundo y tercero del artículo 10 de la Ley 47/2015, de 21 de octubre, reguladora de la protección social de las personas trabajadoras del sector marítimo-pesquero.

> Sección 5.ª redactada por el Real Decreto-Ley 2/2023, de 16 de marzo, de medidas urgentes para la ampliación de derechos de los pensionistas, la reducción de la brecha de género y el establecimiento de un nuevo marco de sostenibilidad del sistema público de pensiones (BOE núm. 65, 17 de marzo de 2023).

### Sección 6.ª Contratación en la Seguridad Social

> Rúbrica redactada por el Real Decreto-Ley 2/2023, de 16 de marzo, de medidas urgentes para la ampliación de derechos de los pensionistas, la reducción de la brecha de género y el establecimiento de un nuevo marco de sostenibilidad del sistema público de pensiones (BOE núm. 65, 17 de marzo de 2023).

**Artículo 128. *Contratación*.** El régimen de contratación de las entidades gestoras y servicios comunes de la Seguridad Social se ajustará a lo dispuesto en el texto refundido de la Ley de Contratos del Sector Público, aprobado por el Real Decreto Legislativo 3/2011, de 14 de noviembre, en el Real Decreto 1098/2001, de 12 de octubre, por el que se aprueba el Reglamento General de la Ley de Contratos de las Administraciones Públicas, y en otras normas de desarrollo y complementarias, con las especialidades siguientes:

a) La facultad de celebrar contratos corresponde a los directores de las distintas entidades gestoras y servicios comunes, pero necesitarán autorización para aquellos cuya cuantía sea superior al límite fijado en la respectiva Ley de Presupuestos Generales del Estado.

La autorización será adoptada, a propuesta de dichas entidades y servicios, por los titulares de los departamentos ministeriales a que se hallen adscritos y, en su caso, por el Consejo de Ministros, según las competencias definidas en el texto refundido de la Ley de Contratos del Sector Público.

b) Los directores de las entidades gestoras y servicios comunes no podrán delegar o desconcentrar la facultad de celebrar contratos, sin la autorización previa del titular del ministerio al que se hallen adscritos.

c) Los proyectos de obras que elaboren las entidades gestoras y servicios comunes de la Seguridad Social deberán ser supervisados por la oficina de supervisión de proyectos del departamento ministerial del que dependan, salvo que ya tuvieran establecidas oficinas propias, en cuyo caso serán estas las supervisoras de los mismos.

d) Los informes jurídicos o técnicos que preceptivamente se exijan en la legislación del Estado se podrán emitir por los órganos competentes en el ámbito de la Seguridad Social o de los ministerios respectivos.

CAPÍTULO VIII. Procedimientos y notificaciones en materia de Seguridad Social

**Artículo 129. *Normas de procedimiento, autenticación y firma.*** 1. La tramitación de las prestaciones y demás actos en materia de Seguridad Social, incluida la protección por desempleo, que no tengan carácter recaudatorio o sancionador se ajustará a lo dispuesto en la Ley 39/2015, de 1 de octubre, del Procedimiento Administrativo Común de las Administraciones Públicas, con las especialidades en ella previstas para tales actos en cuanto a impugnación y revisión, así como con las establecidas en este capítulo o en otras disposiciones que resulten de aplicación.

> Título y apartado 1 redactados por el Real Decreto-Ley 2/2021, de 26 de enero, de refuerzo y consolidación de medidas sociales en defensa del empleo (BOE núm. 23, 27 de enero de 2021).

2. En caso de actuación por medio de representante, la representación deberá acreditarse por cualquier medio válido en Derecho que deje constancia fidedigna o mediante declaración en comparecencia personal del interesado ante el órgano administrativo competente. A estos efectos, serán válidos los documentos normalizados de representación que apruebe la Administración de la Seguridad Social para determinados procedimientos.

3. En los procedimientos iniciados a solicitud de los interesados, una vez transcurrido el plazo máximo para dictar resolución y notificarla fijado por la norma reguladora del procedimiento de que se trate sin que haya recaído resolución expresa, se entenderá desestimada la petición por silencio administrativo.

Se exceptúan de lo dispuesto en el párrafo anterior los procedimientos relativos a la inscripción de empresas y a la afiliación, altas y bajas y variaciones de datos de los trabajadores iniciados a solicitud de los interesados, así como los de convenios especiales, en los que la falta de resolución expresa en el plazo previsto tendrá como efecto la estimación de la respectiva solicitud por silencio administrativo.

4. La Administración de la Seguridad Social facilitará a los interesados el ejercicio de sus derechos, la presentación de documentos o la realización de

cualquier servicio o trámite a través de los medios electrónicos disponibles en la Sede Electrónica de la Secretaría de Estado de la Seguridad Social y Pensiones o a través de otros medios que garanticen la verificación de la identidad del interesado y la expresión de su voluntad y consentimiento, en los términos y condiciones que se establezcan mediante resolución de la Secretaría de Estado de la Seguridad Social y Pensiones.

Asimismo, en la tramitación de los procedimientos de protección por desempleo, el Servicio Público Estatal facilitará a los interesados el ejercicio de sus derechos, la presentación de documentos o la realización de cualquier servicio o trámite a través de los medios electrónicos disponibles en la Sede Electrónica del Servicio Público de Empleo Estatal o a través de otros medios que garanticen la verificación de la identidad del interesado y la expresión de su voluntad y consentimiento, en los términos y condiciones que se establezcan mediante resolución de la Dirección General del Servicio Público de Empleo Estatal.

A tal efecto, en dichas resoluciones se establecerán métodos seguros de identificación de la persona física a través del canal telefónico o de voz, la videollamada o videoidentificación o el contraste de datos, u otros que así se establezcan, todos ellos equivalentes a la fiabilidad de la presencia física. Esos métodos garantizarán, además, la gestión de la evidencia de la identificación realizada.

> Apartado 4 añadido por el Real Decreto-Ley 2/2021, de 26 de enero, de refuerzo y consolidación de medidas sociales en defensa del empleo (BOE núm. 23, 27 de enero de 2021).

5. En la tramitación de procedimientos de la Administración de la Seguridad Social y del Servicio Público de Empleo Estatal se considerará válida, a los efectos del artículo 10.1 de la Ley 39/2015, de 1 de octubre, la firma insertada en los documentos a que se refiere el artículo 11.2 de dicha ley, o en documento adjunto a los mismos, siempre que se acompañe copia del Documento Nacional de Identidad o documento identificativo equivalente y se efectúe la correspondiente comprobación favorable a través del Servicio de Verificación de Datos de Identidad y Residencia (SVDIR).

> Apartado 5 añadido por el Real Decreto-Ley 2/2021, de 26 de enero, de refuerzo y consolidación de medidas sociales en defensa del empleo (BOE núm. 23, 27 de enero de 2021).

6. Mediante resolución de la Secretaría de Estado de la Seguridad Social y Pensiones o del titular de la Dirección General del Servicio Público de Empleo

Estatal en materia de protección por desempleo, se podrán establecer sistemas de firma electrónica no criptográfica en sus relaciones con los interesados, respecto a los procedimientos y trámites que se determinen.

Los sistemas de firma electrónica no criptográfica requerirán la previa verificación de la identidad del interesado, a través de los medios a que se refiere el apartado 4.

Las aplicaciones informáticas en las que se utilice un sistema de firma electrónica no criptográfica requerirán de forma expresa el consentimiento y la voluntad de firma del interesado, y deberán garantizar el no repudio, la trazabilidad del caso, la gestión de la evidencia de autenticación y el sellado de la información presentada

Apartado 6 añadido por el Real Decreto-Ley 2/2021, de 26 de enero, de refuerzo y consolidación de medidas sociales en defensa del empleo (BOE núm. 23, 27 de enero de 2021).

**Artículo 130. *Tramitación electrónica de procedimientos en materia de Seguridad Social.*** De acuerdo con lo dispuesto en el artículo 41.1 de la Ley 40/2015, de 1 de octubre, de Régimen Jurídico del Sector Público, podrán adoptarse y notificarse resoluciones de forma automatizada en los procedimientos de gestión tanto de la protección por desempleo previstos en el título III como de las restantes prestaciones del sistema de la Seguridad Social previstas en esta ley, excluidas las pensiones no contributivas, así como en los procedimientos de afiliación, cotización y recaudación.

A tal fin, mediante resolución de la persona titular de la Dirección General del Instituto Nacional de la Seguridad Social, del Servicio Público de Empleo Estatal o de la Tesorería General de la Seguridad Social, o de la persona titular de la Dirección del Instituto Social de la Marina, según proceda, se establecerá previamente el procedimiento o procedimientos de que se trate y el órgano u órganos competentes, según los casos, para la definición de las especificaciones, programación, mantenimiento, supervisión y control de calidad y, en su caso, auditoría del sistema de información y de su código fuente. Asimismo, se indicará el órgano que debe ser considerado responsable a efectos de impugnación.

Artículo 130 redactado por la Ley 19/2021, de 20 de diciembre, por la que se establece el ingreso mínimo vital (BOE núm. 304, 21 de diciembre de 2021).

**Artículo 131. *Aportaciones de datos de Seguridad Social por medios electrónicos.*** A efectos de la gestión recaudatoria de los recursos del sistema de la Seguridad Social, el titular del Ministerio de Empleo y Seguridad Social podrá determinar los supuestos y condiciones en que las empresas deberán presentar por medios electrónicos los datos relativos a sus actuaciones en materia de encuadramiento, cotización y recaudación en el ámbito de la Seguridad Social, así como cualesquiera otros exigidos en su normativa.

De igual modo, el titular del Ministerio de Empleo y Seguridad Social podrá determinar los supuestos y condiciones en que las empresas deberán presentar por medios electrónicos los partes de baja y alta, correspondientes a procesos de incapacidad temporal, de los trabajadores a su servicio.

**Artículo 132.** *Notificaciones de actos administrativos por medios electrónicos.* 1. Las notificaciones por medios electrónicos de actos administrativos en el ámbito de la Seguridad Social se efectuarán en la sede electrónica de la Seguridad Social, respecto a los sujetos obligados que se determinen por el titular del Ministerio de Empleo y Seguridad Social así como respecto a quienes, sin estar obligados, hubiesen optado por dicha clase de notificación.

Los sujetos no obligados a ser notificados por medios electrónicos en la sede electrónica de la Seguridad Social que no hubiesen optado por dicha forma de notificación serán notificados en el domicilio que expresamente hubiesen indicado para cada procedimiento y, en su defecto, en el que figure en los registros de la Administración de la Seguridad Social.

2. Las notificaciones de los actos administrativos que traigan causa o se dicten como consecuencia de los datos que deban comunicarse electrónicamente a través del Sistema RED, realizadas a los autorizados para dicha transmisión, se efectuarán obligatoriamente por medios electrónicos en la sede electrónica de la Seguridad Social, siendo válidas y vinculantes a todos los efectos legales para las empresas y sujetos obligados a los que se refieran dichos datos, salvo que estos últimos hubiesen manifestado su preferencia porque dicha notificación en sede electrónica se les efectúe directamente a ellos o a un tercero.

3. A los efectos previstos en el artículo 59.4 de la Ley 30/1992, de 26 de noviembre, las notificaciones realizadas en la sede electrónica de la Seguridad Social se entenderán rechazadas, cuando, existiendo constancia de la puesta a disposición del interesado del acto objeto de notificación, transcurran diez días naturales sin que se acceda a su contenido.

4. En los supuestos previstos en el artículo 59.5 de la Ley 30/1992, de 26 de noviembre, las notificaciones que no hayan podido realizarse en la sede electrónica de la Seguridad Social o en el domicilio del interesado, conforme a lo indicado en los apartados anteriores, se practicarán exclusivamente por medio de un anuncio publicado en el "Boletín Oficial del Estado", de acuerdo con la disposición adicional vigésima primera de la citada ley.

Fuera de los supuestos indicados en el párrafo anterior, los anuncios, acuerdos, resoluciones y comunicaciones emitidos por la Administración de la Seguridad Social en ejercicio de sus competencias, y cualesquiera otras informaciones de interés general de dicha administración, se publicarán en el Tablón de Anuncios de la Seguridad Social, situado en su sede electrónica y gestionado por la Secretaría de Estado de la Seguridad Social. Esta publicación tendrá carácter complementario con relación a aquellos actos en que una norma exija su publicación por otros medios.

Las publicaciones en dicho tablón se efectuarán en los términos que se determinen por orden del Ministerio de Empleo y Seguridad Social.

CAPÍTULO IX. Inspección e infracciones y sanciones en materia de Seguridad Social

**Artículo 133. *Competencias de la Inspección*.** 1. La inspección en materia de Seguridad Social se ejercerá a través de la Inspección de Trabajo y Seguridad Social, desarrollando las funciones y competencias que tiene atribuidas por la Ley 23/2015, de 21 de julio, Ordenadora del Sistema de Inspección de Trabajo y Seguridad Social, la presente ley y normas concordantes.

2. Específicamente corresponderá a la Inspección de Trabajo y Seguridad Social:

a) La vigilancia en el cumplimiento de las obligaciones que derivan de la presente ley y, en especial, de los fraudes y morosidad en el ingreso y recaudación de cuotas de la Seguridad Social.

b) La inspección de la gestión, funcionamiento y cumplimiento de la legislación que les sea de aplicación a las entidades colaboradoras en la gestión.

c) La asistencia técnica a entidades y organismos de la Seguridad Social, cuando les sea solicitada.

3. Las competencias transcritas serán ejercidas de acuerdo con las facultades y procedimientos establecidos en las disposiciones aplicables.

4. Lo dispuesto en la presente ley en materia de inspección no será de aplicación a los Regímenes Especiales de Funcionarios Civiles del Estado, Fuerzas Armadas y Funcionarios al servicio de la Administración de Justicia, en tanto no se disponga otra cosa por el Gobierno.

**Artículo 134.** *Colaboración con la Inspección*. Las entidades gestoras y colaboradoras y los servicios comunes de la Seguridad Social prestarán su colaboración a la Inspección de Trabajo y Seguridad Social en orden a la vigilancia que esta tiene atribuida respecto al cumplimiento de las obligaciones de empresarios y trabajadores establecidas en la presente ley.

**Artículo 135.** *Infracciones y sanciones*. 1. En materia de infracciones y sanciones, se estará a lo dispuesto en la presente ley y en el texto refundido de la Ley sobre Infracciones y Sanciones en el Orden Social, aprobado por el Real Decreto Legislativo 5/2000, de 4 de agosto.

2. Las resoluciones relativas a las sanciones que las entidades gestoras de las prestaciones impongan a los trabajadores y beneficiarios de prestaciones, conforme a lo establecido en el artículo 47 del texto refundido de la Ley sobre Infracciones y Sanciones del Orden Social, serán recurribles ante los órganos jurisdiccionales del orden social, previa reclamación ante la entidad gestora competente en la forma prevista en el artículo 71 de la Ley 36/2011, de 10 de octubre, reguladora de la jurisdicción social.

## TÍTULO II. Régimen General de la Seguridad Social

### CAPÍTULO I. Campo de aplicación

**Artículo 136.** *Extensión*. 1. Estarán obligatoriamente incluidos en el campo de aplicación del Régimen General de la Seguridad Social los trabajadores por cuenta ajena y los asimilados a los que se refiere el artículo 7.1.a) de esta ley, salvo que por razón de su actividad deban quedar comprendidos en el campo de aplicación de algún régimen especial de la Seguridad Social.

2. A los efectos de esta Ley se declaran expresamente comprendidos en el apartado anterior:

a) Los trabajadores incluidos en el Sistema Especial para Empleados de Hogar y en el Sistema Especial para Trabajadores por Cuenta Ajena Agrarios, así como en cualquier otro de los sistemas especiales a que se refiere el artículo 11, establecidos en el Régimen General de la Seguridad Social.

b) Los trabajadores por cuenta ajena y los socios trabajadores de las sociedades de capital, aun cuando sean miembros de su órgano de administración, si el desempeño de este cargo no conlleva la realización de las funciones de dirección y gerencia de la sociedad, ni posean su control en los términos previstos por el artículo 305.2.b).

c) Como asimilados a trabajadores por cuenta ajena, los consejeros y administradores de las sociedades de capital, siempre que no posean su control en los términos previstos por el artículo 305.2.b), cuando el desempeño de su cargo conlleve la realización de las funciones de dirección y gerencia de la sociedad, siendo retribuidos por ello o por su condición de trabajadores por cuenta de la misma.

Estos consejeros y administradores quedarán excluidos de la protección por desempleo y del Fondo de Garantía Salarial.

> – No está incluido en el Régimen General la persona que desempeña solidariamente el cargo de administrador de una sociedad y a la que se le otorgan, entre otros, los poderes de representar a la sociedad a todos los niveles, público y privado, administrar en los más amplios términos toda clase de bienes, vender, comprar, dar o recibir pago o compensación, ceder, permutar, extinguir dominios, adquirir y enajenar bienes muebles e inmuebles y derechos de todas clases, celebrar y suscribir toda clase de contratos, ratificarlos, prorrogarlos o renovarlos, rescindirlos o anularlos, concertar préstamos, incluso de naturaleza hipotecaria, con garantía de bienes inmuebles, operar con entidades de crédito, librar, girar, aceptar, avalar, negociar, endosar cobrar, protestar toda clase de títulos valores, nombrar y despedir personal, facultades. Todos estos amplios poderes responden al ejercicio de las funciones de dirección y gestión de la totalidad del negocio, más propias de un verdadero empresario (STS de 21 de abril de 2004 [Tol 615698]).

d) Los socios trabajadores de las sociedades laborales, cuya participación en el capital social se ajuste a lo establecido en el artículo 1.2.b) de la Ley 44/2015, de 14 de octubre, de Sociedades Laborales y Participadas, y aun cuando sean miembros de su órgano de administración, si el desempeño de este cargo no conlleva la realización de las funciones de dirección y gerencia de la sociedad, ni posean su control en los términos previstos por el artículo 305.2.e).

e) Como asimilados a trabajadores por cuenta ajena, los socios trabajadores de las sociedades laborales que, por su condición de administradores de las mismas, realicen funciones de dirección y gerencia de la sociedad, siendo retribuidos por ello o por su vinculación simultánea a la sociedad laboral mediante una relación laboral de carácter especial de alta dirección, y no posean su control en los términos previstos por el artículo 305.2.e).

Estos socios trabajadores quedarán excluidos de la protección por desempleo y del Fondo de Garantía Salarial, salvo cuando el número de socios de la sociedad laboral no supere los veinticinco.

> – *Quien ostenta en una empresa la condición de consejero delegado y vocal del consejo de administración tiene una relación de tipo mercantil y por tanto ni le es aplicable el sistema de contratación a tiempo parcial ni es trabajador por cuenta ajena, sino solo asimilado a tal a efectos de Seguridad Social, en la que debe figurar como afiliado y en alta a tiempo completo* (SSTS de 21 de enero [Tol 304404], 11 y 19 de febrero [Tol 265730 y 265755] y 20 de noviembre de 2003 [Tol 332174] y 15 de julio de 2004 [Tol 515695]).

> – *Excepcionalmente, el alta a tiempo parcial sólo será posible en aquellos supuestos en que quede cumplidamente acreditado que el administrador societario presta sus servicios a varias empresas, pues no cabe exigir su alta a tiempo completo en todas ellas; si bien, aun entonces el conjunto de tiempos asegurados deberá alcanzar la jornada completa que en todo caso le es exigible al administrador* (STS de 15 de julio de 2004 [Tol 515695]).

f) El personal contratado al servicio de notarías, registros de la propiedad y demás oficinas o centros similares.

g) Los trabajadores que realicen las operaciones de manipulación, empaquetado, envasado y comercialización del plátano, tanto si dichas labores se llevan a cabo en el lugar de producción del producto como fuera del mismo, ya provengan de explotaciones propias o de terceros y ya se realicen individualmente o en común mediante cualquier tipo de asociación o agrupación, incluidas las cooperativas en sus distintas clases.

h) Las personas que presten servicios retribuidos en entidades o instituciones de carácter benéfico-social.

i) Los laicos o seglares que presten servicios retribuidos en los establecimientos o dependencias de las entidades o instituciones eclesiásticas. Por acuerdo especial con la jerarquía eclesiástica competente se regulará la situación de los trabajadores laicos y seglares que presten sus servicios retribuidos a organismos o dependencias de la Iglesia y cuya misión primordial consista en ayudar directamente en la práctica del culto.

j) Los conductores de vehículos de turismo al servicio de particulares.

k) El personal civil no funcionario de las administraciones públicas y de las entidades y organismos vinculados o dependientes de ellas siempre que no estén incluidos en virtud de una ley especial en otro régimen obligatorio de previsión social.

l) El personal funcionario al servicio de las administraciones públicas y de las entidades y organismos vinculados o dependientes de ellas, incluido su periodo de prácticas, salvo que estén incluidos en el Régimen de Clases Pasivas del Estado o en otro régimen en virtud de una ley especial.

m) El personal funcionario a que se refiere la disposición adicional tercera, en los términos previstos en ella.

n) Los funcionarios del Estado transferidos a las comunidades autónomas que hayan ingresado o ingresen voluntariamente en cuerpos o escalas propios de la comunidad autónoma de destino, cualquiera que sea el sistema de acceso.

> – *Un funcionario de la Administración del Estado que ha sido transferido a la Administración de una Comunidad Autónoma de manera forzosa no está incluido en el Régimen General de la Seguridad Social* (STS de 30 de noviembre de 2006 [*Tol* 1028399]).
>
> – *El precepto dispone que el Régimen General de la Seguridad Social será obligatorio para los funcionarios del Estado que una vez transferidos a la Comunidad Autónoma hayan ingresado o ingresen voluntariamente en Cuerpos o Escalas propios de la Comunidad Autónoma; que el ingreso voluntario en Cuerpos o Escalas propios de la Comunidad Autónoma pueda producirse antes o después de la transferencia forzosa de dicho funcionario; que la norma prevé que pueda producirse un ingreso voluntario posterior en un cuerpo o escala propio de la Comunidad Autónoma; y que no excluye que dicho ingreso se produzca como consecuencia de su participación en un proceso de promoción interna de aquellos que ya ostentan la condición de funcionarios de dicha Administración, pues así ha de interpretarse el inciso "cualquiera que sea el sistema de acceso"* (SSTS de 18 de mayo [Rec. 3641/2020], 29 de junio [*Tol* 9114509] y 7 de noviembre de 2022 [*Tol* 9291680]).

ñ) Los altos cargos de las administraciones públicas y de las entidades y organismos vinculados o dependientes de ellas, que no tengan la condición de funcionarios públicos.

o) Los miembros de las corporaciones locales y los miembros de las Juntas Generales de los Territorios Históricos Forales, Cabildos Insulares Canarios y Consejos Insulares Baleares que desempeñen sus cargos con dedicación exclusiva o parcial, a salvo de lo previsto en los artículos 74 y 75 de la Ley 7/1985, de 2 de abril, Reguladora de las Bases del Régimen Local.

p) Los cargos representativos de las organizaciones sindicales constituidas al amparo de la Ley Orgánica 11/1985, de 2 de agosto, de Libertad Sindical, que ejerzan funciones sindicales de dirección con dedicación exclusiva o parcial y percibiendo una retribución.

q) Cualesquiera otras personas que, por razón de su actividad, sean objeto de la asimilación prevista en el apartado 1 mediante real decreto, a propuesta del Ministerio de Empleo y Seguridad Social.

> – *No son deportistas profesionales los técnicos y entrenadores, que siempre se han encuadrado en el Régimen General de la Seguridad Social* (STS de 5 de diciembre de 1995 [Rec. 5142/1992]).
>
> – *La inclusión del personal español contratado al servicio de la Administración española en el extranjero no tiene eficacia retroactiva, sino a partir de la entrada en vigor del RD 2234/1981, 20 de agosto* (SSTS de 12 de diciembre de 1996 [Tol 235698] y 7 de febrero de 1997 [Tol 237523]).
>
> – *Es nula la disposición adicional 2.ª del Real Decreto 369/1999, de 5 de marzo, introducida por el Real Decreto 839/2015, de 21 de septiembre, por suponer un trato discriminatorio carente de justificación constitucionalmente lícita, y vulnerar el principio de igualdad protegido por los artículos 14 de la Constitución Española y 14 del Convenio Europeo de Derechos Humanos* (STS de 13 de noviembre de 2017 [Tol 6433493]).
>
> – *Los jueces sustitutos se han integrado en el Régimen General de la Seguridad Social como asimilados a trabajadores por cuenta ajena; situación legal que conlleva la aplicación del régimen propio del Régimen General de la Seguridad Social, que prevé y exige que el alta en Seguridad Social se produzca a la toma de posesión de la plaza, tal y como sucede con carácter general en este régimen, lo que significa que el alta y cotización se conecta necesariamente al trabajo efectivo, lo que no sucede en los sistemas especiales, en los que en períodos de inactividad se pudiera estar dado de alta en Seguridad Social* (STS de 9 de julio de 2024 [774/2023]).

**Artículo 137.** *Exclusiones*. No darán lugar a inclusión en este Régimen General los siguientes trabajos:

a) Los que se ejecuten ocasionalmente mediante los llamados servicios amistosos, benévolos o de buena vecindad.

b) Los que den lugar a la inclusión en alguno de los regímenes especiales de la Seguridad Social.

c) Los realizados por los profesores universitarios eméritos, de conformidad con lo previsto en el apartado 2 de la disposición adicional vigésima segunda de la Ley Orgánica 6/2001, de 21 de diciembre, de Universidades, así como por el personal licenciado sanitario emérito nombrado al amparo de la disposición adicional cuarta de la Ley 55/2003, de 16 de diciembre, del Estatuto Marco del personal estatutario de los servicios de salud.

CAPÍTULO II. Inscripción de empresas y normas sobre afiliación, cotización y recaudación

*Sección 1.ª Inscripción de empresas y afiliación de trabajadores*

**Artículo 138. *Inscripción de empresas*.** 1. Los empresarios, como requisito previo e indispensable a la iniciación de sus actividades, solicitarán su inscripción en el Régimen General de la Seguridad Social, haciendo constar la entidad gestora o, en su caso, la mutua colaboradora con la Seguridad Social por la que hayan optado para proteger las contingencias profesionales, y en su caso, la prestación económica por incapacidad temporal derivada de contingencias comunes del personal a su servicio.

> – *La entidad responsable de una prestación consecuencia de riesgos profesionales es aquella que los tenía asegurados en el momento de producirse el accidente de trabajo, aun cuando se hubiera producido un cambio de entidad aseguradora* (STS de 16 de junio de 2009 [*Tol 1577532*]).

Los empresarios deberán comunicar las variaciones que se produzcan de los datos facilitados al solicitar su inscripción, en especial la referente al cambio de la entidad que deba asumir la cobertura de las contingencias indicadas anteriormente, así como su extinción o el cese temporal o definitivo de su actividad, a efectos de practicar su baja.

> Apartado 1 redactado por el Real Decreto-Ley 1/2023, de 10 de enero, de medidas urgentes en materia de incentivos a la contratación laboral y mejora de la protección social de las personas artistas (BOE núm. 9, 11 de enero de 2023).

> – *Para que sea válido y tenga efectos un cambio de entidad aseguradora no es suficiente la realización del convenio de asociación entre la empresa y la nueva Mutua, puesto que es necesario que, además de la suscripción de aquel convenio, se cumplan los requisitos y trámites establecidos para los supuestos de variaciones o modificaciones de datos en la inscripción de empresarios (y, en consecuencia, en las opciones de cobertura de accidentes de trabajo y enfermedades profesionales, y de cobertura de la incapacidad temporal consecuencia de contingencias comunes) establecidos en los artículos 11 a 17 del Reglamento general sobre inscripción de empresas y afiliación, altas, bajas y variaciones de datos de trabajadores en la Seguridad Social, aprobado por el Real Decreto 84/1996, de 26 de enero* (STS de 12 de diciembre de 2006 [*Tol 1028417*]).

2. Las actuaciones en materia de inscripción a que se refiere el apartado anterior se efectuarán ante el correspondiente organismo de la Administración de la Seguridad Social, a nombre de la persona física o jurídica o entidad sin personalidad titular de la empresa. Dicho organismo podrá, también, realizar de oficio tales actuaciones cuando por cualquiera de los procedimientos a que

se refiere el artículo 16.4 de esta ley constate el incumplimiento de la obligación de efectuarlas, así como proceder a la revisión de oficio de sus actos dictados en esas materias, en los supuestos a que se refiere el apartado 5 del citado artículo.

> Apartado 2 redactado por el Real Decreto-Ley 1/2023, de 10 de enero, de medidas urgentes en materia de incentivos a la contratación laboral y mejora de la protección social de las personas artistas (BOE núm. 9, 11 de enero de 2023).

3. A los efectos de la presente ley se considerará empresario, aunque su actividad no esté motivada por ánimo de lucro, a toda persona física o jurídica o entidad sin personalidad, pública o privada, por cuya cuenta trabajen las personas incluidas en el artículo 136.

**Artículo 139.** *Afiliación, altas y bajas.* 1. Los empresarios estarán obligados a solicitar la afiliación al Sistema de la Seguridad Social de los trabajadores que ingresen a su servicio, así como a comunicar dicho ingreso y, en su caso, el cese en la empresa de tales trabajadores para que sean dados, respectivamente, de alta y de baja en el Régimen General.

2. En el caso de que el empresario incumpla las obligaciones que le impone el apartado anterior, el trabajador podrá instar su afiliación, alta o baja, directamente al organismo competente de la Administración de la Seguridad Social. Dicho organismo podrá, también, efectuar tales actos de oficio en los supuestos a que se refiere el artículo 16.4 de esta ley, así como proceder a la revisión de oficio de sus actos dictados en esas materias, en los supuestos a que se refiere el apartado 5 del citado artículo.

> Apartado 2 redactado por el Real Decreto-Ley 1/2023, de 10 de enero, de medidas urgentes en materia de incentivos a la contratación laboral y mejora de la protección social de las personas artistas (BOE núm. 9, 11 de enero de 2023).

3. El reconocimiento del derecho al alta y a la baja en el Régimen General corresponderá al organismo de la Administración de la Seguridad Social que reglamentariamente se establezca.

4. Salvo disposición legal expresa en contrario, la situación de alta del trabajador en este Régimen General condicionará la aplicación al mismo de las normas del presente título.

**Artículo 140.** *Procedimiento y plazos*. 1. El cumplimiento de las obliga-ciones que se establecen en los artículos anteriores se ajustará, en cuanto a la forma, plazos y procedimiento, a lo establecido reglamentariamente.

2. La afiliación y altas sucesivas solicitadas fuera de plazo por el empresa-rio o el trabajador no tendrán efecto retroactivo alguno. Cuando tales actos se practiquen de oficio, su eficacia temporal e imputación de responsabilidades resultantes serán las que se determinan en esta ley y sus disposiciones de aplicación y desarrollo.

*Sección 2.ª Cotización*

Subsección 1.ª Disposiciones generales

**Artículo 141.** Sujetos obligados. 1. Estarán sujetos a la obligación de cotizar al Régimen General de la Seguridad Social los trabajadores y asimilados comprendidos en su campo de aplicación y los empresarios por cuya cuenta trabajen.

– *Los trabajadores incluidos en el Régimen Especial de Trabajadores del Mar retribuidos "a la parte" deben cotizar conforme a los criterios establecidos en el Régimen General* (STS de 3 de junio de 1997 [Rec. 11856/1990]).

2. La cotización comprenderá dos aportaciones:

a) De los empresarios, y

b) De los trabajadores.

3. No obstante lo dispuesto en los números anteriores, por las contin-gencias de accidentes de trabajo y enfermedades profesionales la cotización completa correrá a cargo exclusivamente de los empresarios.

**Artículo 142.** *Sujeto responsable*. 1. El empresario es sujeto responsable del cumplimiento de la obligación de cotizar e ingresará las aportaciones pro-pias y las de sus trabajadores, en su totalidad.

Responderán, asimismo, solidaria, subsidiariamente o mortis causa las per-sonas o entidades sin personalidad a que se refieren los artículos 18 y 168.1 y 2.

La responsabilidad solidaria por sucesión en la titularidad de la explota-ción, industria o negocio que se establece en el citado artículo 168 se extiende a la totalidad de las deudas generadas con anterioridad al hecho de la sucesión. Se entenderá que existe dicha sucesión aun cuando sea una sociedad laboral la que continúe la explotación, industria o negocio, esté o no constituida por trabajadores que prestaran servicios por cuenta del empresario anterior.

En caso de que el empresario sea una sociedad o entidad disuelta y liquidada, sus obligaciones de cotización a la Seguridad Social pendientes se transmitirán a los socios o partícipes en el capital, que responderán de ellas solidariamente y hasta el límite del valor de la cuota de liquidación que se les hubiere adjudicado.

> – *Existe responsabilidad solidaria por el impago de cotizaciones sociales durante el período de vigencia de una contrata entre entidades mercantiles* (STS de 27 de febrero de 2019 [Rec. 232/2016]).

2. El empresario descontará a sus trabajadores, en el momento de hacerles efectivas sus retribuciones, la aportación que corresponda a cada uno de ellos. Si no efectuase el descuento en dicho momento no podrá realizarlo con posterioridad, quedando obligado a ingresar la totalidad de las cuotas a su exclusivo cargo.

En los justificantes de pago de dichas retribuciones, el empresario deberá informar a los trabajadores de la cuantía total de la cotización a la Seguridad Social indicando, de acuerdo con lo establecido en el artículo 141.2, la parte de la cotización que corresponde a la aportación del empresario y la parte correspondiente al trabajador, en los términos que reglamentariamente se determinen.

3. El empresario que habiendo efectuado tal descuento no ingrese dentro de plazo la parte de cuota correspondiente a sus trabajadores, incurrirá en responsabilidad ante ellos y ante los organismos de la Administración de la Seguridad Social afectados, sin perjuicio de las responsabilidades penal y administrativa que procedan.

**Artículo 143. *Nulidad de pactos*.** Será nulo todo pacto, individual o colectivo, por el cual el trabajador asuma la obligación de pagar total o parcialmente la prima o parte de cuota a cargo del empresario.

Igualmente, será nulo todo pacto que pretenda alterar las bases de cotización que se fijan en el artículo 147.

**Artículo 144. *Duración de la obligación de cotizar*.** 1. La obligación de cotizar nacerá con el inicio de la prestación del trabajo, incluido el período de prueba. La mera solicitud de la afiliación o alta del trabajador al organismo competente de la Administración de la Seguridad Social surtirá en todo caso idéntico efecto.

2. La obligación de cotizar se mantendrá por todo el período en que el trabajador esté en alta en el Régimen General o preste sus servicios, aunque estos revistan carácter discontinuo. Dicha obligación subsistirá asimismo respecto a los trabajadores que se encuentren cumpliendo deberes de carácter público o desempeñando cargos de representación sindical, siempre que ello no dé lugar a la excedencia en el trabajo.

3. Dicha obligación solo se extinguirá con la solicitud en regla de la baja en el Régimen General al organismo competente de la Administración de la Seguridad Social. Sin embargo, dicha comunicación no extinguirá la obligación de cotizar si continuase la prestación de trabajo.

> – *En las situaciones de suspensión de empleo y sueldo, dado que no se produce el desarrollo de la actividad profesional retribuida no existe obligación de cotizar, lo que permite al empresario dar de baja al trabajador en la Seguridad Social mientras dura la suspensión, sin perjuicio de que se considere a dicho trabajador en situación de situación asimilada a la de alta* (SSTS de 30 de mayo de 2000 [Rec. 1906/1999] y 4 de junio de 2002 [*Tol 212816*]).

4. La obligación de cotizar continuará en la situación de incapacidad temporal, cualquiera que sea su causa, incluidas las situaciones especiales de incapacidad temporal por menstruación incapacitante secundaria, interrupción del embarazo, sea voluntaria o no, gestación desde el día primero de la semana trigésima novena y aquella en la que se encuentren las personas donantes de órganos o tejidos para su trasplante; en la de nacimiento y cuidado de menor; en la de riesgo durante el embarazo y en la de riesgo durante la lactancia natural; así como en las demás situaciones previstas en el artículo 166 en que así se establezca reglamentariamente.

Sin perjuicio de lo dispuesto en el párrafo anterior, las empresas tendrán derecho a una reducción del 75 por ciento de las cuotas empresariales a la Seguridad Social por contingencias comunes durante la situación de incapacidad temporal de aquellos trabajadores que hubieran cumplido la edad de 62 años. A estas reducciones de cuotas no les resultará de aplicación lo establecido en el artículo 20.1.

> Apartado 4 redactado por la Ley 6/2024, de 20 de diciembre, para la mejora de la protección de las personas donantes en vivo de órganos o tejidos para su posterior trasplante (BOE núm. 307, 21 de diciembre de 2024).

5. La obligación de cotizar se suspenderá durante las situaciones de huelga y cierre patronal.

6. La obligación de cotizar por las contingencias de accidentes de trabajo y enfermedades profesionales existirá aunque la empresa, con infracción de lo dispuesto en esta ley, no tuviera establecida la protección de su personal, o de parte de él, respecto a dichas contingencias. En tal caso, las primas debidas se devengarán a favor de la Tesorería General de la Seguridad Social.

**Artículo 145. *Tipo de cotización*.** 1. El tipo de cotización tendrá carácter único para todo el ámbito de protección de este Régimen General. Su establecimiento y su distribución, para determinar las aportaciones respectivas del empresario y trabajador obligados a cotizar, se efectuarán en la correspondiente Ley de Presupuestos Generales del Estado.

2. El tipo de cotización se reducirá en el porcentaje o porcentajes correspondientes a aquellas situaciones y contingencias que no queden comprendidas en la acción protectora que se determine de acuerdo con lo previsto en el artículo 155.2, para quienes sean asimilados a trabajadores por cuenta ajena, así como para otros supuestos establecidos legal o reglamentariamente.

**Artículo 146. *Cotización por accidentes de trabajo y enfermedades profesionales*.** 1. No obstante lo dispuesto en el artículo anterior, la cotización por las contingencias de accidentes de trabajo y enfermedades profesionales se realizará mediante la aplicación de los tipos de cotización establecidos para cada actividad económica, ocupación, o situación en la tarifa de primas establecida legalmente. Para el cálculo de dichos tipos de cotización se computará el coste de las prestaciones y las exigencias de los servicios preventivos y rehabilitadores.

2. De igual forma se podrán establecer, para las empresas que ofrezcan riesgos de enfermedades profesionales, tipos adicionales a la cotización de accidentes de trabajo, en relación a la peligrosidad de la industria o clase de trabajo y a la eficacia de los medios de prevención empleados.

3. La cuantía de los tipos de cotización a que se refieren los apartados anteriores podrá reducirse en el supuesto de empresas que se distingan por el empleo de medios eficaces de prevención. Asimismo, dicha cuantía podrá aumentarse en el caso de empresas que incumplan sus obligaciones en materia de seguridad y salud en el trabajo. La reducción y el aumento previstos en

este apartado no podrán exceder del 10 por ciento de los tipos de cotización, si bien el aumento podrá llegar hasta un 20 por ciento en caso de reiterado incumplimiento de las aludidas obligaciones.

4. Los empresarios que ocupen a trabajadores, a quienes en razón de su actividad les resulte de aplicación un coeficiente reductor de la edad de jubilación, deberán cotizar por el tipo de cotización por accidentes de trabajo y enfermedades profesionales más alto de los establecidos, siempre y cuando el establecimiento de ese coeficiente reductor no lleve aparejada una cotización adicional por tal concepto.

Lo previsto en este apartado no será de aplicación a los empresarios que ocupen a trabajadores incluidos en el ámbito de aplicación del Real Decreto 1539/2003, de 5 de diciembre, por el que se establecen coeficientes reductores de la edad de jubilación a favor de los trabajadores que acreditan un grado importante de discapacidad. Tampoco resultará de aplicación a los trabajadores embarcados en barcos de pesca hasta 10 Toneladas de Registro Bruto incluidos en el Régimen Especial de Trabajadores del Mar.

> Apartado 4 añadido por el Real Decreto-Ley 28/2018, de 28 de diciembre, para la revalorización de las pensiones públicas y otras medidas urgentes en materia social, laboral y de empleo (BOE núm. 314, 29 de diciembre de 2018).

**Artículo 147.** *Base de cotización*. 1. La base de cotización para todas las contingencias y situaciones amparadas por la acción protectora del Régimen General, incluidas las de accidente de trabajo y enfermedad profesional, estará constituida por la remuneración total, cualquiera que sea su forma o denominación, tanto en metálico como en especie, que con carácter mensual tenga derecho a percibir el trabajador o asimilado, o la que efectivamente perciba de ser esta superior, por razón del trabajo que realice por cuenta ajena.

> – *La cotización por la contingencia de desempleo en el Régimen Especial de la Minería del Carbón no debe realizarse por las empresas sobre los salarios normalizados, sino sobre los salarios reales de los trabajadores* (SSTS de 7, 14 y 28 de abril de 2000 [Tol 35096, 37557, y 6724]).

> – *La utilización de vivienda debe considerarse producto en especial a los efectos de la cotización a la Seguridad Social* (STS de 13 de noviembre de 2001 [Tol 238583]).

Las percepciones de vencimiento superior al mensual se prorratearán a lo largo de los doce meses del año.

Las percepciones correspondientes a vacaciones anuales devengadas y no disfrutadas y que sean retribuidas a la finalización de la relación laboral serán objeto de liquidación y cotización complementaria a la del mes de la extinción del contrato. La liquidación y cotización complementaria comprenderán los días de duración de las vacaciones, aun cuando alcancen también el siguiente mes natural o se inicie una nueva relación laboral durante los mismos, sin prorrateo alguno y con aplicación, en su caso, del tope máximo de cotización correspondiente al mes o meses que resulten afectados.

No obstante lo establecido en el párrafo anterior, serán aplicables las normas generales de cotización en los términos que reglamentariamente se determinen cuando, mediante ley o en ejecución de la misma, se establezca que la remuneración del trabajador debe incluir, conjuntamente con el salario, la parte proporcional correspondiente a las vacaciones devengadas.

2. Únicamente no se computarán en la base de cotización los siguientes conceptos:

> – *Los convenios colectivos no pueden incluir o excluir pluses extrasalariales en la base de cotización porque no pueden entrar en la regulación de las relaciones de Seguridad Social* (STS de 18 de mayo de 1990).

> – *No deben computarse para el cálculo de la base de cotización a la Seguridad Social las cantidades percibidas por un deportista profesional en concepto de "derechos de imagen", puesto que no tienen naturaleza salarial y, en consecuencia, no existe obligación de cotizar por los mismos* (STS de 20 de abril de 2009 [*Tol 1530452*]).

a) Las asignaciones para gastos de locomoción del trabajador que se desplace fuera de su centro habitual de trabajo para realizar el mismo en lugar distinto, cuando utilice medios de transporte público, siempre que el importe de dichos gastos se justifique mediante factura o documento equivalente.

b) Las asignaciones para gastos de locomoción del trabajador que se desplace fuera de su centro habitual de trabajo para realizar el mismo en lugar distinto, no comprendidos en el apartado anterior, así como para gastos normales de manutención y estancia generados en municipio distinto del lugar del trabajo habitual del perceptor y del que constituya su residencia, en la cuantía y con el alcance previstos en la normativa estatal reguladora del Impuesto sobre la Renta de la Personas Físicas.

c) Las indemnizaciones por fallecimiento y las correspondientes a traslados, suspensiones y despidos.

Las indemnizaciones por fallecimiento y las correspondientes a traslados y suspensiones estarán exentas de cotización hasta la cuantía máxima prevista en norma sectorial o convenio colectivo aplicable.

Las indemnizaciones por despido o cese del trabajador estarán exentas en la cuantía establecida con carácter obligatorio en el texto refundido de la Ley del Estatuto de los Trabajadores, en su normativa de desarrollo o, en su caso, en la normativa reguladora de la ejecución de sentencias, sin que pueda considerarse como tal la establecida en virtud de convenio, pacto o contrato.

Cuando se extinga el contrato de trabajo con anterioridad al acto de conciliación, estarán exentas las indemnizaciones por despido que no excedan de la que hubiera correspondido en el caso de que este hubiera sido declarado improcedente, y no se trate de extinciones de mutuo acuerdo en el marco de planes o sistemas colectivos de bajas incentivadas.

Sin perjuicio de lo dispuesto en los párrafos anteriores, en los supuestos de despido o cese como consecuencia de despidos colectivos, tramitados de conformidad con lo dispuesto en el artículo 51 del texto refundido de la Ley del Estatuto de los Trabajadores, o producidos por las causas previstas en el artículo 52.c) del citado texto refundido, siempre que en ambos casos se deban a causas económicas, técnicas, organizativas, de producción o por fuerza mayor, quedará exenta la parte de indemnización percibida que no supere los límites establecidos con carácter obligatorio en el mencionado Estatuto para el despido improcedente.

d) Las prestaciones de la Seguridad Social, las mejoras de las prestaciones por incapacidad temporal concedidas por las empresas y las asignaciones destinadas por estas para satisfacer gastos de estudios dirigidos a la actualización, capacitación o reciclaje del personal a su servicio, cuando tales estudios vengan exigidos por el desarrollo de sus actividades o las características de los puestos de trabajo.

e) Las horas extraordinarias, salvo para la cotización por accidentes de trabajo y enfermedades profesionales de la Seguridad Social.

3. Los empresarios deberán comunicar a la Tesorería General de la Seguridad Social en cada período de liquidación el importe de todos los conceptos retributivos abonados a sus trabajadores, con independencia de su inclusión o no en la base de cotización a la Seguridad Social y aunque resulten de aplicación bases únicas.

Las contribuciones empresariales satisfechas a los planes de pensiones, en su modalidad de sistema de empleo, en el marco del texto refundido de la Ley de Regulación de Planes y Fondos de Pensiones, aprobada por el Real Decreto Legislativo 1/2002, de 29 de noviembre, y a instrumentos de modalidad de empleo propios establecidos por la legislación de las Comunidades Autónomas con competencia exclusiva en materia de mutualidades no integradas en la Seguridad Social se deberán comunicar, respecto de cada trabajador, código de cuenta de cotización y período de liquidación a la Tesorería General de la Seguridad Social antes de solicitarse el cálculo de la liquidación de cuotas correspondiente.

> Párrafo final añadido por la Ley 12/2022, de 30 de junio, de regulación para el impulso de los planes de pensiones de empleo, por la que se modifica el texto refundido de la Ley de Regulación de los Planes y Fondos de Pensiones, aprobado por Real Decreto Legislativo 1/2002, de 29 de noviembre (BOE núm. 157, 1 de julio de 2022).

4. No obstante lo dispuesto en el apartado 2.e), el Ministerio de Empleo y Seguridad Social podrá establecer el cómputo de las horas extraordinarias, ya sea con carácter general, ya sea por sectores laborales en los que la prolongación de la jornada sea característica de su actividad.

**Artículo 148. *Topes máximo y mínimo de la base de cotización*.** 1. El tope máximo de la base de cotización, único para todas las actividades, categorías profesionales y contingencias incluidas en este Régimen, será el establecido, para cada año, en la correspondiente Ley de Presupuestos Generales del Estado.

> – *La base reguladora de las prestaciones de la Seguridad Social está sometida al tope máximo de la base de cotización* (STS de 19 de enero de 1995 [*Tol* 237127]).

2. El tope máximo de la base de cotización así establecido será aplicable igualmente en los casos de pluriempleo. A los efectos de esta ley se entenderá por pluriempleo la situación de quien trabaje en dos o más empresas distintas, en actividades que den lugar a su inclusión en el campo de aplicación de este Régimen General.

3. La base de cotización tendrá como tope mínimo la cuantía establecida en el artículo 19.2.

4. El Ministerio de Empleo y Seguridad Social adecuará, en función de los días y horas trabajados, los topes mínimos y las bases mínimas fijados para cada grupo de categorías profesionales, en relación con los supuestos en que, por disposición legal, se establezca expresamente la cotización por días o por horas.

**Artículo 149.** *Cotización adicional por horas extraordinarias.* La remuneración que obtengan los trabajadores por el concepto de horas extraordinarias, con independencia de su cotización a efectos de accidentes de trabajo y enfermedades profesionales, estará sujeta a una cotización adicional por parte de empresarios y trabajadores, con arreglo a los tipos que se establezcan en la correspondiente Ley de Presupuestos Generales del Estado.

La cotización adicional por horas extraordinarias estructurales que superen el tope máximo de ochenta horas establecido en el artículo 35.2 del texto refundido de la Ley del Estatuto de los Trabajadores se efectuará mediante la aplicación del tipo general de cotización establecido para las horas extraordinarias en la Ley de Presupuestos Generales del Estado.

**Artículo 150.** *Normalización.* El Ministerio de Empleo y Seguridad Social establecerá la normalización de las bases de cotización que resulten con arreglo a lo establecido en la presente sección.

Subsección 2.ª Cotización en supuestos especiales

**Artículo 151.** *Cotización adicional en contratos de duración determinada.* 1. Los contratos de duración determinada inferior a 30 días tendrán una cotización adicional a cargo del empresario a la finalización del mismo.

2. Dicha cotización adicional se calculará multiplicando por tres la cuota resultante de aplicar a la base mínima diaria de cotización del grupo 8 del Régimen General de la Seguridad Social para contingencias comunes, el tipo general de cotización a cargo de la empresa para la cobertura de las contingencias comunes.

3. Esta cotización adicional no se aplicará a los contratos a los que se refiere este artículo, cuando sean celebrados con trabajadores incluidos en el Sistema Especial para Trabajadores por Cuenta Ajena Agrarios, en el Sistema Especial para Empleados de Hogar, en el Régimen Especial para la Minería del Carbón, o en la relación laboral especial de las personas artistas que desarrollan su actividad en las artes escénicas, audiovisuales y musicales, así como de las personas que realizan actividades, técnicas o auxiliares necesarias para el desarrollo de dicha actividad; ni a los contratos por sustitución.

Apartado 3 redactado por el Real Decreto-Ley 5/2022, de 22 de marzo, por el que se adapta el régimen de la relación laboral de carácter especial de las personas dedicadas a las activi-

dades artísticas, así como a las actividades técnicas y auxiliares necesarias para su desarrollo, y se mejoran las condiciones laborales del sector (BOE núm. 70, 23 de marzo de 2022).
Artículo 151 redactado por el Real Decreto-Ley 32/2021, de 28 de diciembre, de medidas
urgentes para la reforma laboral, la garantía de la estabilidad en el empleo y la transformación del mercado de trabajo (BOE núm. 313, 30 de diciembre de 2021).

**Artículo 152.** *Cotización al Régimen General a partir de la edad de jubilación.* 1. Las empresas y las personas trabajadoras quedarán exentas de cotizar a la Seguridad Social por contingencias comunes, salvo por incapacidad temporal derivada de dichas contingencias, respecto de los trabajadores por cuenta ajena y de los socios trabajadores o de trabajo de las cooperativas, una vez hayan alcanzado la edad de acceso a la pensión de jubilación que en cada caso resulte de aplicación según lo establecido en el artículo 205.1.a).

2. La exención en la cotización prevista en este artículo comprenderá también las aportaciones por desempleo, Fondo de Garantía Salarial y formación profesional.

3. Las exenciones establecidas en este artículo no serán aplicables a las cotizaciones relativas a trabajadores que presten sus servicios en las administraciones públicas o en los organismos públicos regulados en la Ley 40/2015, de 1 de octubre, de Régimen Jurídico del Sector Público.

4. Los períodos en los que resulte de aplicación la exención prevista en este artículo serán computados como cotizados a los efectos de acceso y determinación de la cuantía de las prestaciones. La base reguladora de la prestación se determinará, en relación con estos períodos, conforme a lo dispuesto en el artículo 161.4.

Artículo 152 redactado por la Ley 21/2021, de 28 de diciembre, de garantía del poder
adquisitivo de las pensiones y de otras medidas de refuerzo de la sostenibilidad financiera
y social del sistema público de pensiones (BOE núm. 312, de 29 de diciembre de 2021).

**Artículo 153.** *Cotización en supuestos de compatibilidad de jubilación y trabajo.* Durante la realización de un trabajo por cuenta ajena compatible con la pensión de jubilación, en los términos establecidos en el artículo 214, los empresarios y los trabajadores cotizarán al Régimen General únicamente por incapacidad temporal y por contingencias profesionales, según la normativa reguladora de dicho Régimen, si bien quedarán sujetos a una cotización especial de solidaridad del 9 por ciento sobre la base de cotización por contingencias comunes, no computable a efectos de prestaciones, que se distribuirá entre ellos, corriendo a cargo del empresario el 7 por ciento y del trabajador el 2 por ciento.

Artículo 153 redactado por la Ley 11/2020, de 30 de diciembre, de presupuestos generales del Estado para el año 2021 (BOE núm. 341, 31 de diciembre de 2020).

**Artículo 153 bis. *Cotización en los supuestos de reducción de jornada o suspensión de contrato.*** En los supuestos de reducción temporal de jornada o suspensión temporal del contrato de trabajo, ya sea por decisión del empresario al amparo de lo establecido en los artículos 47 o 47 bis del texto refundido de la Ley del Estatuto de los Trabajadores, o en virtud de resolución judicial adoptada en el seno de un procedimiento concursal, la empresa está obligada al ingreso de las cuotas correspondientes a la aportación empresarial.

En caso de causarse derecho a la prestación por desempleo o a la prestación a la que se refiere la disposición adicional cuadragésima primera, corresponde a la entidad gestora de la prestación el ingreso de la aportación del trabajador en los términos previstos en el artículo 273.2 y en dicha disposición adicional, respectivamente.

En estos supuestos, las bases de cotización a la Seguridad Social para el cálculo de la aportación empresarial por contingencias comunes y por contingencias profesionales, estarán constituidas por el promedio de las bases de cotización en la empresa afectada correspondientes a dichas contingencias de los seis meses naturales inmediatamente anteriores al mes anterior al del inicio de cada situación de reducción de jornada o suspensión del contrato. Para el cálculo de dicho promedio, se tendrá en cuenta el número de días en situación de alta, en la empresa de que se trate, durante el período de los seis meses indicados.

Las bases de cotización calculadas conforme a lo indicado anteriormente se reducirán, en los supuestos de reducción temporal de jornada, en función de la jornada de trabajo no realizada.

No obstante, en los supuestos en que la persona trabajadora haya causado alta en la empresa en el mes anterior al inicio de cada situación, o en el mismo mes del inicio de la situación, para el cálculo de dicho promedio se tomarán las bases de cotización en la empresa afectada correspondiente al mes inmediatamente anterior al del inicio de la situación, o al mes del inicio de situación, respectivamente.

Durante los períodos de suspensión temporal de contrato de trabajo y de reducción temporal de jornada, respecto de la jornada de trabajo no realizada, no resultarán de aplicación las normas de cotización correspondientes a las situaciones de incapacidad temporal, descanso por nacimiento y cuidado de menor, y riesgo durante el embarazo y la lactancia natural.

Artículo 153 bis redactado por el Real Decreto-Ley 1/2023, de 10 de enero, de medidas urgentes en materia de incentivos a la contratación laboral y mejora de la protección social de las personas artistas (BOE núm. 9, 11 de enero de 2023).

**Artículo 153 ter. *Cotización de las personas pensionistas de jubilación cuando realicen actividades artísticas.*** Durante la realización de un trabajo por cuenta ajena regulado en el artículo 249 quater compatible con la pensión de jubilación, los empresarios estarán obligados a solicitar el alta y cotizar en el Régimen General de la Seguridad Social únicamente por contingencias profesionales, según la normativa reguladora de dicho régimen, si bien quedarán sujetos a una cotización especial de solidaridad del 9 por ciento sobre la base de cotización por contingencias comunes, no computable a efectos de prestaciones, que se distribuirá entre empresario y trabajador, quedando a cargo del empresario el 7 por ciento y del trabajador el 2 por ciento.

Artículo 153 ter añadido por el Real Decreto-Ley 1/2023, de 10 de enero, de medidas urgentes en materia de incentivos a la contratación laboral y mejora de la protección social de las personas artistas (BOE núm. 9, 11 de enero de 2023).

*Sección 3.ª Recaudación*

**Artículo 154. *Normas generales.*** 1. A efectos de lo dispuesto en el capítulo III del título I de esta ley, los empresarios y, en su caso, las personas señaladas en los artículos 18 y 168.1 y 2, serán los obligados a ingresar la totalidad de las cuotas de este Régimen General en el plazo, lugar y forma establecidos en esta ley y en sus normas de aplicación y desarrollo.

2. Serán imputables a los sujetos responsables del cumplimiento de la obligación de cotizar los recargos y el interés de demora establecidos en los artículos 30 y 31.

3. El ingreso de las cuotas fuera de plazo reglamentario se efectuará con arreglo al tipo de cotización vigente en la fecha en que las cuotas se devengaron.

## CAPÍTULO III. Aspectos comunes de la acción protectora

**Artículo 155. *Alcance de la acción protectora*.** 1. La acción protectora del Régimen General será la establecida en el artículo 42, con excepción de la protección por cese de actividad y las prestaciones no contributivas.

Las prestaciones y beneficios se facilitarán en las condiciones que se determinan en el presente título y en sus disposiciones reglamentarias.

2. En el supuesto de asimilación a trabajadores por cuenta ajena a que se refiere el artículo 136.2.q), la propia norma en la que se disponga dicha asimilación determinará el alcance de la protección otorgada.

**Artículo 156. *Concepto del accidente de trabajo*.** 1. Se entiende por accidente de trabajo toda lesión corporal que el trabajador sufra con ocasión o por consecuencia del trabajo que ejecute por cuenta ajena.

– *Existe accidente de trabajo incluso aunque hubiera dolencias previas o se presentaran ciertos factores de riesgo en el propio sujeto pues no se puede descartar la influencia de factores laborales* (SSTS de 22 de noviembre de 1988, 15 de febrero de 1996 [*Tol 235569*], 14 de julio de 1997 [*Tol 238166*], 23 de enero de 1998 [*Tol 47241*] y 18 de marzo [*Tol 208958*], 23 de julio [*Tol 209014*] y 23 de noviembre de 1999 [*Tol 209020*]).

– *Es accidente de trabajo no sólo la acción súbita y violenta de un agente exterior sobre el cuerpo humano, sino también las enfermedades en determinadas circunstancias* (STS de 18 de junio de 1997 [*Tol 237962*]).

– *En caso de pluriempleo, el accidente de trabajo se considera en los dos trabajos, aunque se hubiera producido en uno, pues la contingencia y la situación de necesidad no se puede fragmentar* (STS de 22 de julio de 1998 [*Tol 23066 y 47211*]).

– *Se califica como accidente de trabajo el sufrido durante la pausa de descanso en el trabajo, al existir un enlace directo y necesario entre la situación en la que se encuentra la trabajadora y el tiempo y el lugar de trabajo, pues el nexo de causalidad nunca se ha roto, porque la pausa era necesaria, y la utilización de la misma se produjo con criterios de total normalidad* (SSTS de 20 de abril [*Tol 8422437*] y 13 de octubre de 2021 [*Tol 8628114*]).

2. Tendrán la consideración de accidentes de trabajo:
a) Los que sufra el trabajador al ir o al volver del lugar de trabajo.

– *Se rompe el nexo causal si existe prohibición expresa y razonable en el contrato de trabajo de utilizar medio de transporte propio o si no existió, en su caso, autorización de la empresa* (SSTS de 24 de enero de 1980 y 22 de diciembre de 1987).

– *El concepto de domicilio o residencia del trabajador es el habitual, sea de invierno o de verano* (STS de 16 de octubre de 1984).

– *El accidente de trabajo in itinere debe darse en tiempo de trabajo, cumpliendo órdenes de la empresa o en tiempos de espera o presencia, o pausas breves* (SSTS de 17 de marzo y 19 de julio de 1986, 8 de abril y 6 de mayo de 1987 y 5 de julio de 1988).

– *El concepto de domicilio o residencia del trabajador es el habitual, incluso el ocasional de fin de semana* (STS de 8 de junio de 1987).

– *Fuera del tiempo y lugar de trabajo entendido en sentido estricto deberá ser el trabajador el que tendrá que probar la relación de causalidad* (SSTS de 24 de septiembre de 1992 [Rec. 2750/1991], 4 de julio de 1995 [*Tol 266288*], 27 de febrero [*Tol 238051*] y 20 de marzo de 1997 [*Tol 237892*], 16 de noviembre [*Tol 46747*] y 21 de diciembre de 1998 [*Tol 47154*], 30 de mayo de 2000 [*Tol 47796*], 24 de junio de 2010 [*Tol 1908016*] y 18 de enero de 2011 [*Tol 2037383*]).

– *No puede calificarse de accidente de trabajo in itinere el que sufre el trabajador en el desplazamiento a su lugar de trabajo desde el domicilio de sus familiares, porque aquél debe realizarse desde su residencia legal, su domicilio real o habitual o su domicilio secundario de uso habitual (o, en general, desde el punto normal de llegada y partida del trabajador) y no puede hablarse de domicilio del trabajador cuando es el de un familiar (aunque desde el mismo se dirija directamente a su lugar de trabajo)* (SSTS de 29 de septiembre [*Tol 237748*] y 17 de diciembre de 1997 [*Tol 238090*] y 19 de enero de 2005 [*Tol 591408*]).

– *No se considera desplazamiento o viaje el regreso de un puente yendo directamente al trabajo* (STS de 29 de septiembre de 1997).

– *El envío en misión es cumplimiento normal de la prestación laboral y, por tanto, durante el mismo se amplía la presunción de tiempo y lugar, sin que el accidente tenga que reunir los requisitos del accidente in itinere* (STS de 4 de mayo de 1998 [*Tol 57165*]).

– *El accidente en el trayecto aumentaría el riesgo en la medida en que hay que hacer un desplazamiento por motivo del trabajo, por lo que la relación de causalidad se establece en relación con el trabajo, no con la lesión o trauma* (STS de 16 de noviembre de 1998 [*Tol 46747*]).

– *La asimilación a accidente de trabajo del accidente en el trayecto se limita a los accidentes en sentido estricto y no a las dolencias o procesos morbosos de distinta etiología y modo de manifestación* (STS de 30 de mayo de 2000 [*Tol 47796*]).

– *No es accidente de trabajo el ocurrido a la salida del trabajo hacia domicilio distinto del habitual* (STS de 28 de febrero de 2001 [*Tol 32220*]).

– *No existe accidente de trabajo in itinere cuando el riesgo se produce como consecuencia de agresión física causada por un tercero por razones ajenas al trabajo* (STS de 20 de junio de 2002 [*Tol 246512*]).

– *No existe accidente de trabajo en el caso de infarto de miocardio que provoca el fallecimiento de un trabajador cuando se dirigía desde su domicilio al lugar de trabajo si no es posible relacionar los síntomas del infarto, verdadera causa de la muerte, con el trabajo* (STS de 30 de mayo de 2003 [*Tol 336615*]).

– *Para que las enfermedades que se manifiestan en el trayecto del domicilio al trabajo la calificación como accidentes de trabajo depende de que quede acreditada una relación causal con el trabajo, y no la hay en el origen de una afección cardiaca y el trabajo cuando no consta que en el camino desde el domicilio al trabajo se hubiera producido acontecimiento alguno que haya podido actuar como factor desencadenante de la crisis que determinó la muerte del causante* (STS de 30 de junio de 2004 [*Tol 515553*]).

– *No puede calificarse como accidente de trabajo la embolia producida cuando el trabajador se dirigía a su domicilio después de hacer concluido la jornada y una vez fuera, aunque en las proximidades del centro de trabajo, puesto que la presunción regulada en la Ley General de la Seguridad Social solo es aplicable a las dolencias aparecidas en tiempo y lugar de*

*trabajo y no a las que se manifiestan en el trayecto de ida o vuelta, pues no derivan directa-
mente de la ejecución del contenido de la relación de trabajo, quedando así el accidente in
itinere considerado como accidente laboral únicamente cuando las dolencias se producen
como consecuencia de una acción súbita y violenta, correspondiente al sentido vulgar y
tradicional del accidente* (STS de 16 de julio de 2004 [*Tol 515752*]).

– *No puede calificarse como accidente de trabajo in itinere el accidente de tráfico sufrido por
un trabajador cuando se dirigía a su centro de trabajo tras haber pernoctado la noche anterior en domicilio diferente del legal o habitual, habiéndose producido el accidente en un trayecto o itinerario que no era el habitual y mediante la utilización de un vehículo distinto al
suyo habitual* (SSTS de 19 de enero [*Tol 591408*] y 20 de septiembre de 2005 [*Tol 732187*]).

– *La muerte de un trabajador producida como consecuencia de una hemorragia encefálica,
un ictus isquémico o un infarto de miocardio producidos cuando descansaba en un hotel
de regreso de una actividad de transporte no debe considerarse como accidente de trabajo,
por la siguientes razones: 1) no cumple con los requisitos del "accidente en misión", en el
que existe un desplazamiento del trabajador para realizar una actividad encomendada por
la empresa, al tratarse de una actividad de transporte que consiste en un desplazamiento
permanente del trabajador como forma de cumplir la prestación de servicios; 2) no puede
considerarse como accidente "in itinere" porque la lesión no tiene lugar en el trayecto, sino
en el hotel durante el descanso y tampoco el punto de llegada es el domicilio del trabajador;
y 3) no se ha producido un accidente, sino una enfermedad* (SSTS de 6 de marzo de 2007
[*Tol 1059208*], 8 de octubre de 2009 [*Tol 1726333*], 11 de febrero de 2014 [*Tol 4152394*]
y 20 de abril de 2015 [*Tol 5004236*]).

– *No puede calificarse como accidente de trabajo "in itinere" el accidente de tráfico que se
produce durante el desplazamiento consecuencia de la realización de una gestión de carácter
privado en horario de trabajo y con autorización expresa del empresario porque la finalidad
principal y directa del viaje en el que se produce el accidente del trabajador, aunque ocurrido durante una interrupción autorizada de la jornada laboral, no tenía relación alguna con
el trabajo ni sucedió en el trayecto habitual de ida y vuelta entre el domicilio y el lugar de
trabajo; de manera que fue consecuencia de un motivo de interés particular que rompió el
nexo causal con esa ida o vuelta, sin que la autorización empresarial para realizarlo implique otra cosa que la imposibilidad de cualquier sanción posterior por abandono del puesto
de trabajo* (STS de 29 de marzo de 2007 [*Tol 1076427*]).

– *Debe calificarse como accidente de trabajo la caída de un trabajador después de salir de su
vivienda y al bajar las escaleras del portal del inmueble en el que aquélla está situada, puesto
que a efectos de la calificación del accidente de trabajo "in itinere" las escaleras del portal
del inmueble en el que radica el domicilio del trabajador constituyen parte del trayecto que
recorre éste hasta el lugar de trabajo, dado que cuando el trabajador desciende las escaleras
del inmueble en el que se ubica su vivienda ya no está en el espacio cerrado, exclusivo y excluyente para los demás, constitucionalmente protegido, sino que ya ha iniciado el trayecto
que es necesario recorrer para ir al trabajo, transitando por un lugar de libre acceso para los
vecinos y susceptible de ser visto y controlado por terceras personas ajenas a la familia* (STS
de 26 de febrero de 2008 [*Tol 1302930*]).

– *No existe accidente in itinere en el supuesto de un accidente sufrido por un trabajador/a
bien sea en el trayecto de su centro de trabajo al centro médico o ambulatorio, bien en
el trayecto inverso, con ocasión de acudir a una consulta médica, con autorización de la
empresa para el desplazamiento* (SSTS de 10 de diciembre de 2009 [*Tol 1773195*] y 15 de
abril de 2013 [*Tol 3706726*]).

– *Por domicilio debe entenderse el lugar cerrado en el que el trabajador desarrolla habitualmente las actividades más características de su vida familiar, personal, privada e íntima ("morada fija y permanente", en la primera acepción del Diccionario de la Real Academia Española), es decir, lo que comúnmente denominamos "vivienda" ("lugar cerrado y cubierto construido para ser habitado por personas", también en la primera acepción del Diccionario de la Real Academia Española), y que, por tanto, el abandono de ese espacio concreto (elemento geográfico) debe ponerse en relación directa con el inicio de otras actividades o circunstancias que, alejadas ya por completo de las primeras, así mismo ponen claramente de relieve una relación causal (elemento teleológico) con el comienzo (elemento cronológico) del trayecto que conduce en exclusiva al desempeño de la actividad laboral* (STS de 14 de febrero de 2011 [Tol 2115765]).

– *La presunción de laboralidad regulada en la Ley General de la Seguridad Social no es aplicable a las dolencias cardíacas surgidas o manifestadas en el trayecto de ida o vuelta al trabajo por las siguientes razones: 1) la presunción de laboralidad del accidente o dolencia de trabajo sólo alcanza a los acaecidos en el tiempo y lugar de trabajo, y no a los ocurridos en el trayecto de ida al trabajo o vuelta del mismo; 2) la asimilación a accidente de trabajo del accidente in itinere se limita a los accidentes en sentido estricto (lesiones súbitas y violentas producidas por agente externo) y no a las dolencias o procesos morbosos de distinta etiología y modo de manifestación; y 3) estos dos procedimientos técnicos de extensión de la protección de los accidentes de trabajo (la presunción iuris tantum y la inclusión expresa de un supuesto de frontera) son claramente diferenciados y no deben mezclarse* (STS de 18 de junio de 2013 [Tol 3858518]).

– *No existe accidente de trabajo cuando, sin más datos o circunstancias significativas, el trabajador sufre una enfermedad de las jurisprudencialmente relacionadas con el trabajo durante su desplazamiento ocasional, distinto del efectuado ordinariamente entre domicilio habitual y lugar de trabajo, que efectuó a principio de temporada o para iniciar uno de los periodos correspondientes de prestación efectiva de servicios* (SSTS de 16 de septiembre de 2013 [Rec. 2965/2012] y 7 de febrero de 2017 [Rec. 536/2015]).

– *La interpretación de las normas debe adaptarse a la realidad social, y ésta, a la vista de la evolución de las nuevas formas de organización del trabajo y de la propia distribución de éste en el hogar familiar, está imponiendo unas exigencias de movilidad territorial que obligan a los trabajadores a ajustes continuos en el lugar del trabajo, ajustes que no siempre pueden traducirse en un cambio de domicilio y que tienen en muchos casos carácter temporal por la propia naturaleza del contrato o del desplazamiento, lo que determina que, si se quiere respetar la voluntad del legislador en los tiempos presentes, habrá que reconocer que a efectos del punto de partida o retorno del lugar de trabajo puede jugar, según las circunstancias del caso, tanto el domicilio del trabajador en sentido estricto, como la residencia habitual a efectos de trabajo; y cuando el accidente se produce en un itinerario cuyo destino no es el lugar del trabajo, ese dirigirse a la residencia laboral no rompe la relación entre trayecto y trabajo, pues se va al lugar de residencia laboral para desde éste ir al trabajo en unas condiciones más convenientes para la seguridad y para el propio rendimiento laboral* (STS de 26 de diciembre de 2013 [Tol 4085965]).

– *No existe accidente de trabajo in itinere cuando no consta a donde se dirigía el trabajador cuando ocurrió el siniestro* (STS de 25 de mayo de 2015 [Tol 5214784]).

– *No existe accidente de trabajo en el supuesto de una crisis cardiaca que sobreviene al causante en horas de descanso y en la habitación del hotel en que se alojaba un día en el que amaneció indispuesto y no se levantó para ir al trabajo, porque no puede estimarse la existencia de AT in itinere y, consecuentemente, al no jugar la presunción en favor de la existencia de accidente laboral, ni constar la existencia de conexión alguna entre el trabajo realizado y la enfermedad causante de la muerte, ni que esta tuviese por origen el trabajo realizado (STS de 7 de febrero de 2017 [Rec. 536/2015]).*

*– No se rompe la relación de causalidad cuando el accidente se produce regresando al domicilio por el trayecto habitual que incluye un pequeño desvío para dejar a unos compañeros de trabajo (STS de 14 de febrero de 2017 [Rec. 838/2015]).*

*– Existe relación de causalidad cuando se trata de un accidente de tráfico sufrido en el autobús de regreso del centro de trabajo al domicilio, aunque previamente se hubiese invertido un corto período de tiempo en una compra doméstica (STS de 17 de abril de 2018 [Tol 6594830]).*

*– Existe accidente de trabajo cuando la trabajadora se accidentó cuando salió de la empresa dirigiéndose a tomar un café dentro del tiempo legalmente previsto como de trabajo de 15 minutos por tratarse de jornada superior a 6 horas, habitualmente utilizado para una pausa para "tomar café", como actividad habitual, social y normal en el mundo del trabajo (STS de 13 de diciembre de 2018 [Tol 6988926]).*

*– Existe accidente de trabajo cuando un trabajador sufre una parada cardiorrespiratoria durante la pausa del bocadillo en el comedor de la empresa, debiendo entenderse que tuvo la lesión en tiempo de trabajo, pues esa corta interrupción de la actividad desarrollada no puede considerarse fuera de la jornada laboral de prestación de servicios (STS de 16 de julio de 2020 [Rec. 1072/18]).*

*– Existe accidente de trabajo cuando el trabajador se dirigía a su vehículo situado en el aparcamiento de la empresa durante un tiempo de descanso de cuarenta minutos y se resbaló, cayendo al suelo, y sufriendo, en consecuencia, una lesión, al existir un enlace directo y necesario entre la situación en la que se encontraba el trabajador cuando se produjo la caída y el tiempo y el lugar de trabajo (STS de 13 de octubre de 2020 [Rec. 2648/2018]);*

*– Existe accidente de trabajo cuando el trabajador sufre una caída mientras estaba en una cafetería durante una pausa de descanso en su trabajo (STS de 20 de abril de 2021 [Rec. 4466/2018]).*

*– Existe accidente de trabajo cuando la trabajadora, durante su tiempo de descanso, salió del centro de trabajo para aparcar su vehículo más cerca del centro de trabajo, momento en que fue atropellada (STS de 13 de octubre de 2021 [Rec. 5042/2018])*

*– Existe accidente de trabajo cuando la trabajadora sufre una caída cuando se dirigía desde su centro de trabajo a un bar a merendar, en una pausa del trabajo (STS de 9 de febrero de 2023 [Tol 9416305]).*

*– En los supuestos en los que el domicilio es una vivienda unifamiliar, con carácter general, cabe entender que el accidente que se produce dentro de la vivienda unifamiliar, cuya obligación de mantenimiento y cuidado corresponde precisamente a la persona accidentada o a alguien de su familia con quién conviva, es decir, la persona accidentada o sus allegados es en último extremo quien controla el riesgo de accidente y puede tomar las medidas para que este se minimice, no podrá ser considerado como AT in itinere en la medida en la que no ha salido a la vía pública, punto geográfico éste en el que no tiene ninguna capacidad de intervención para minimizar dicho riesgo; que, por el contrario, de existir circunstancias excepcionales podrá alcanzarse diferente decisión, si bien en tal caso deberá quedar suficientemente acreditada la circunstancia excepcional que implique la consideración de AT in itinere dentro de la vivienda unifamiliar propia; y que, en definitiva, el criterio espacial*

*primará para este tipo de supuestos fácticos salvo que el criterio teleológico sea tan relevante que pueda llevar a conclusión contraria* (STS de 2 de junio de 2025 [Rec. 813/2023]).

b) Los que sufra el trabajador con ocasión o como consecuencia del desempeño de cargos electivos de carácter sindical, así como los ocurridos al ir o al volver del lugar en que se ejerciten las funciones propias de dichos cargos.

c) Los ocurridos con ocasión o por consecuencia de las tareas que, aun siendo distintas a las de su categoría profesional, ejecute el trabajador en cumplimiento de las órdenes del empresario o espontáneamente en interés del buen funcionamiento de la empresa.

d) Los acaecidos en actos de salvamento y en otros de naturaleza análoga, cuando unos y otros tengan conexión con el trabajo.

e) Las enfermedades, no incluidas en el artículo siguiente, que contraiga el trabajador con motivo de la realización de su trabajo, siempre que se pruebe que la enfermedad tuvo por causa exclusiva la ejecución del mismo.

– *Se considera accidente de trabajo el infarto de miocardio provocado o inducido por las tareas de gran esfuerzo físico que realizaba el trabajador* (STS de 15 de febrero de 1996 [Tol 235569]).

– *Es accidente de trabajo la dolencia que se produce en el trabajo y que no tiene una relación probada con un factor ajeno al trabajo* (STS de 27 de febrero de 1997 [Tol 238051]).

– *Es accidente de trabajo la angina de pecho producida en tiempo y lugar de trabajo* (SSTS de 18 de junio de 1997 [Tol 237962], 23 de julio de 1999 [Tol 209014] y 26 de abril de 2016 [Tol 5733258]).

– *Es accidente de trabajo el resultado de la acción lenta y progresiva de una enfermedad que no siendo profesional contrae el trabajador con motivo de la realización de su trabajo, siempre que tenga por causa exclusiva el trabajo o se agrave con el trabajo* (STS de 22 de julio de 1998 [Tol 23066 y 47211]).

– *Es accidente de trabajo el derrame cerebral durante las llamadas horas de presencia, mientras realizaba un descanso técnico o tomaba un café* (STS de 19 de julio de 2010 [Tol 1948584]).

– *Es accidente de trabajo la isquemia miocárdica-arritmia cardíaca-asistolia sufrida por el conductor de un camión mientras pernoctaba en el interior del vehículo con la intención además de descansar, de vigilancia, tanto del vehículo como de la mercancía, al encontrarse en un lapso temporal de presencia, pues aunque no se presta trabajo efectivo de conducción, se está realizando servicio de guardia y vigilancia dentro del camión, sin que se desvirtúe el nexo causal necesario* (STS de 22 de julio de 2010 [Tol 1962725]).

– *No existe accidente de trabajo cuando, sin más datos o circunstancias significativas, el trabajador sufre una enfermedad de las jurisprudencialmente relacionadas con el trabajo durante su desplazamiento ocasional, distinto del efectuado ordinariamente entre domicilio habitual y lugar de trabajo, que efectuó a principio de temporada o para iniciar uno de los periodos correspondientes de prestación efectiva de servicios* (STS de 16 de septiembre de 2013 [Tol 3970619]).

*– Es accidente de trabajo el que se produce en tiempo y lugar de trabajo, aun cuando sus síntomas se presentaron en días anteriores sin impedir al trabajador acudir al trabajo* (STS de 8 de marzo de 2016 [*Tol 5671447*]).

**f)** Las enfermedades o defectos, padecidos con anterioridad por el trabajador, que se agraven como consecuencia de la lesión constitutiva del accidente.

*– Existe accidente de trabajo cuando se produce agravación de enfermedades o defectos padecidos con anterioridad* (STS de 24 de abril de 1985).

*– Es accidente de trabajo aquella enfermedad que no tiene en el trabajo su causa determinante, sino que padece con anterioridad, pero como consecuencia de éste se agrava, agudiza o desencadena* (SSTS de 11 de abril y 20 de junio de 1990, 27 de octubre de 1992 [*Tol 232057*] y 23 de febrero de 2010 [*Tol 1798102*]).

*– Debe declararse la existencia de accidente de trabajo en el supuesto de un trabajador que sufre una agravación de una enfermedad profesional previa como consecuencia de la lesión constitutiva del accidente de trabajo, puesto que la Ley General de la Seguridad Social se establece expresamente que tendrán la consideración de accidente de trabajo las enfermedades que se agraven como consecuencia de la lesión constitutiva del accidente, siendo lo determinante que los efectos incapacitantes se produzcan o pongan de manifiesto con ocasión o como consecuencia del trabajo que se venga desarrollando a través de un suceso repentino calificable de accidente de trabajo, y lo relevante a los efectos de aquella norma no es que el traumatismo ponga de manifiesto una enfermedad clínica sino que produzca una incapacidad hasta entonces inexistente* (STS de 25 de enero de 2006 [*Tol 856788*]).

*– Debe darse el carácter de accidente de trabajo al TCE consecuencia de una crisis comicial sufrida en tiempo y lugar de trabajo al considerar que la Ley General de la Seguridad Social establece una presunción que requiere la prueba en contrario evidenciadora en forma inequívoca de la ruptura de la relación de causalidad entre el trabajo y la enfermedad y para ello es preciso que se trate de enfermedades que no sean susceptibles de una etiología laboral o que esa etiología pueda ser excluida mediante prueba en contrario, y en principio, no es descontable una influencia de los factores laborales en su formación o desencadenamiento* (STS de 27 de febrero de 2008 [*Tol 1293877*]).

*– Las lesiones degenerativas padecidas por el trabajador anteriores al accidente que no le habían mermado sus facultades para ejercer las labores propias de la profesión que ejercía tienen la consideración de accidente de trabajo cuando se agravan como consecuencia de aquél* (STS de 23 de febrero de 2010 [*Tol 1798102*]).

*– Es accidente toda agravación de enfermedad preexistente por causa de lesión en el trabajo* (STS de 3 de julio [*Tol 3858640*] y 18 de diciembre de 2013 [*Tol 4095823*] y 29 de abril de 2014 [*Tol 4330908*]).

*– Existe accidente de trabajo cuando la enfermedad previa apenas había presentado síntomas con anterioridad (enfermedad silente), no había sido diagnosticada y no había provocado ninguna baja laboral, pero se agrava por causa de lesión en el trabajo* (STS de 29 de abril de 2014 [*Tol 4330908*] y 15 de julio de 2015 [*Tol 5412198*]).

**g)** Las consecuencias del accidente que resulten modificadas en su naturaleza, duración, gravedad o terminación, por enfermedades intercurrentes, que constituyan complicaciones derivadas del proceso patológico determinado por el accidente mismo o tengan su origen en afecciones adquiridas en el nuevo medio en que se haya situado el paciente para su curación.

3. Se presumirá, salvo prueba en contrario, que son constitutivas de accidente de trabajo las lesiones que sufra el trabajador durante el tiempo y en el lugar del trabajo.

– *En el tiempo de trabajo habrá de incluirse el extraordinario, el de preparación para iniciar el trabajo* (STS de 28 de abril de 1983).

– *Se considera accidente de trabajo el que sobreviene a un trabajador incluido en el Régimen Especial de Trabajadores del Mar cuando pernoctaba, por la tarde en que cesó en sus trabajos, en el lugar en que los efectuaba* (STS de 6 de octubre de 1983).

– *Como centro o lugar de trabajo se considera el punto en el que se desarrolle la actividad correspondiente, incluyendo, en su caso, el lugar en el que se pernocte por razones de trabajo si también se utiliza para realizar encargos o tareas laborales* (STS de 9 de mayo de 1985).

– *La presunción sólo quedará desvirtuada cuando hayan ocurrido hechos de tal relieve que sea evidente a todas luces la absoluta carencia de relación de causalidad entre el trabajo que el operario realiza, con todos los matices psíquicos y físicos que lo rodean, y el siniestro* (STS de 22 de mayo de 1985).

– *En los supuestos de envío en misión la presunción se extiende a todo el tiempo y lugar en que el trabajador esté cumpliendo órdenes de la empresa, incluso en los tiempos de espera o de ocio breves* (SSTS de 8 de abril de 1987 y 5 de julio de 1988).

– *Existe accidente de trabajo cuando se produce en el hotel tras una cena de negocios* (SSTS de 6 de mayo de 1987 y 14 de abril de 1988).

– *El lugar de trabajo es aquel donde se realizan las tareas, aunque no sea el habitual* (STS de 18 de diciembre de 1996 [*Tol 236191*]).

– *No existe accidente de trabajo en el supuesto de infarto de miocardio sufrido en el domicilio del trabajador encontrándose éste en situación de guardia localizada o disponibilidad permanente* (STS de 7 de febrero de 2001 [*Tol 31976*]).

– *En el envío en misión se mantiene la presunción de tiempo y lugar de trabajo incluso a efectos de las enfermedades del trabajo o de las enfermedades cardiovasculares, al mantenerse el vínculo con el trabajo derivado de la ampliación del tiempo y lugar, porque el trabajador aun fuera de horas de trabajo permanece bajo la dependencia de la empresa que le impide reintegrarse a su vida privada y domicilio familiar y a la libre disposición sobre su propia vida* (STS de 24 de septiembre de 2001 [*Tol 226339*]).

– *No existe accidente de trabajo cuando el infarto de miocardio se manifiesta antes del inicio de la jornada laboral* (SSTS de 6 de octubre de 2003 [*Tol 332321*], 20 de diciembre de 2005 [*Tol 815723*] y 22 de noviembre de 2006 [*Tol 1025571*]).

– *Existe accidente de trabajo en el caso de trombosis sufrida por el trabajador en el tiempo y lugar de trabajo* (STS de 7 de octubre de 2003 [Rec. 3595/2002]).

– *Una crisis de taquicardia sufrida en tiempo y lugar de trabajo excluye al trabajador de la prueba del nexo causal* (STS de 13 de octubre de 2003 [*Tol 332305*]).

– *La presunción legal de laboralidad de las lesiones acaecidas durante el tiempo y el lugar del trabajo cede ante la presunción judicial de que la lesión debida a una enfermedad común atendidos los antecedentes clínicos del afectado* (STS de 16 de abril de 2004 [*Tol 434608*]).

– *No puede calificarse como accidente de trabajo la embolia producida cuando el trabajador se dirigía a su domicilio después de haber concluido la jornada y una vez fuera, aunque en las proximidades del centro de trabajo, puesto que la presunción regulada en la Ley General de la Seguridad Social solo es aplicable a las dolencias aparecidas en tiempo y lugar de trabajo y no a las que se manifiestan en el trayecto de ida o vuelta, pues no derivan directamente de la ejecución del contenido de la relación de trabajo, quedando así el accidente "in itinere" considerado como accidente laboral únicamente cuando las dolencias se producen como consecuencia de una acción súbita y violenta, correspondiente al sentido vulgar y tradicional del accidente* (STS de 16 de julio de 2004 [*Tol 515752*]).

– *Para la destrucción de la presunción de laboralidad de la enfermedad de trabajo surgida en el tiempo y lugar de prestación de servicios es necesario que la falta de relación entre la lesión padecida y el trabajo realizado se acredite de manera suficiente, bien porque se trate de enfermedad que por su propia naturaleza excluya la etiología laboral, bien porque se aduzcan hechos que desvirtúan dicho nexo causal; y en el caso de la existencia de una dolencia congénita debe entenderse que es independiente de factores exógenos, y ello porque la crisis que desencadenó la nueva situación de incapacidad pudo haberse producido en cualquier otro momento y lugar (además en este caso concreto es indicativo el que los síntomas de la dolencia habían comenzado ya seis días antes, y el trabajador no realizó ningún esfuerzo, ninguna actividad que pudiera vincularse con la agravación de unos síntomas que ya se habían manifestado antes)* (STS de 16 de diciembre de 2005 [*Tol 809795*]).

– *Debe calificarse de accidente de trabajo el fallecimiento de un trabajador de la construcción en la obra en que trabajaba durante la pausa de la comida, estando autorizado por la empresa* (SSTS de 9 de mayo de 2006 [*Tol 945606*] y 27 de enero de 2014 [*Tol 4111534*]).

– *No puede calificarse como accidente de trabajo el infarto de miocardio sufrido por el trabajador en los vestuarios del centro de trabajo con anterioridad al inicio de su jornada laboral porque no es suficiente para aplicar la presunción de laboralidad prevista en la Ley General de la Seguridad Social con que el trabajador se halle en los vestuarios de la empresa cuando ocurre el infarto, que es lugar de trabajo a estos efectos, sino que el término legal "tiempo de trabajo" contiene una significación más concreta, equivalente a la del artículo 34.5 del Estatuto de los Trabajadores referida a la necesidad de que el operario se encuentre en su puesto de trabajo, en el que se presume que se ha comenzado a realizar algún tipo de actividad o esfuerzo —físico o intelectual— que determina una más fácil vinculación del accidente con el trabajo y por ello opera la presunción citada* (SSTS de 20 de diciembre de 2005 [*Tol 815723*], 14 de julio [*Tol 1013617*] y 20 de noviembre de 2006 [*Tol 1022703*] y 25 de enero [*Tol 1038540*], 5 de febrero [*Tol 1059161*] y 14 de marzo de 2007 [*Tol 1082666*] y 22 de mayo de 2024 [Rec. 3911/2021]).

– *Debe darse el carácter de accidente el infarto de miocardio producido en tiempo y lugar de trabajo porque la Ley General de la Seguridad Social establece una presunción que requiere la prueba en contrario evidenciadora en forma inequívoca de la ruptura de la relación de causalidad entre el trabajo y la enfermedad y para ello es preciso que se trate de enfermedades que no sean susceptibles de una etiología laboral o que esa etiología pueda ser excluida mediante prueba en contrario, y en principio, no es descontable una influencia de los factores laborales en la formación o desencadenamiento de un infarto de miocardio* (SSTS de 11 de junio de 2007 [*Tol 1113302*] y 20 de octubre de 2009 [*Tol 1746501*]).

– *Es admisible la existencia de accidente de trabajo cuando no exista constancia de prueba alguna conducente a desvirtuar la presunción legal, y califica como tal accidente el shock volémico secundario, a sangramiento digestivo abundante por gastritis hemorrágica, no existiendo antecedentes médicos de enfermedad, cuando se produce en el lugar y durante el tiempo de trabajo* (STS de 15 de junio de 2010 [*Tol 1898048*]).

– *Para que el accidente ocurrido en los vestuarios de la empresa pueda ser considerado accidente de trabajo es preciso que ya se haya fichado e iniciado la jornada laboral* (SSTS de 22 de diciembre de 2010 (Rec. 719/2010), 4 de octubre de 2012 (Rec. 3402/2011) y 16 de julio de 2020 (Rec. 1077/2018).

– *Existe accidente de trabajo en el supuesto de lesión sufrida por un trabajador embarcado en un buque, aun cuando se produjo durante un período de descanso, pues cabe entender que el accidente tuvo lugar no sólo en el lugar de trabajo, sino también en tiempo de trabajo, y que no se ha desvirtuado la presunción de laboralidad ex art. 115.3 de la LGSS* (SSTS de 16 de julio de 2014 [*Tol 4545589*] y 4 de febrero [*Tol 4952449*] y 6 de julio de 2015 [*Tol 5412249*]).

– *Existe accidente de trabajo en el supuesto de una hemorragia cerebral sufrida por un trabajador en la pausa de descanso para comer, cuando previamente, durante el tiempo y lugar de trabajo, se había sentido indispuesto, comentándoselo a sus compañeros de trabajo, y el que existiera una malformación congénita arterio-venosa, no excluye la calificación del suceso como accidente de trabajo ya que la presunción regulada en la Ley General de la Seguridad Social se refiere, no sólo a los accidentes en sentido estricto, o lesiones producidas por la acción súbita y violenta de un agente exterior, sino también a las enfermedades o alteraciones de los procesos vitales que pueden surgir en el trabajo ya que, si bien la acción del trabajo como causa de la lesión cerebro vascular no sería apreciable en principio, dada la etiología común de este tipo de lesiones, lo que se valora es la acción del trabajo como factor desencadenante del accidente cerebro vascular, que es la que lleva a la situación de necesidad protegida, y esta posible acción del trabajo se beneficia de la presunción legal del precepto citado y no puede quedar excluida solo por la prueba de que la enfermedad se padecía ya antes; pues, aunque así fuera, es la crisis y no la dolencia previa la que hay que tener en cuenta a efectos de protección* (STS de 10 de diciembre de 2014 [*Tol 4689264*]).

– *No existe presunción de laboralidad cuando medie prueba que destruya la misma* (STS de 5 de abril de 2018 [*Tol 6586926*]).

– *Existe accidente de trabajo en el caso de un accidente cardiovascular del trabajador que se inicia mientras se encuentra en pleno desarrollo de su trabajo, en las dependencias de su empresa, inmediatamente antes y después de trasladarse a otro lugar para realizar una actividad relacionada con su empresa, y ello aunque la dolencia solo se exterioriza con toda su virulencia cuando se encuentra posteriormente en un gimnasio; y no se destruye la presunción de laboralidad porque lo cierto es que incluso las circunstancias en que el trabajador fallece no aparecen del todo desprendidas de laboralidad al no acudir a un lugar cualquiera de esparcimiento (sino al gimnasio que la empleadora subvenciona), y tampoco parece que la motivación de su práctica sea fundamentalmente deportiva o lúdica, sino más bien terapéutica* (STS de 20 de marzo de 2018 [*Tol 6565947*]).

– *El desprendimiento de retina sufrido por una administrativa de la Seguridad Social mientras trabajaba delante de la pantalla del ordenador debe ser considerado un accidente de trabajo al tratarse de una lesión súbita que se ha producido en lugar y tiempo de trabajo* (STS de 21 de junio de 2018 [*Tol 6660670*]).

– *No es accidente de trabajo el producido por caída mientras el trabajador se toma una ducha en el hotel de alojamiento a que se acude con ocasión de un desplazamiento para asistir a un evento relacionado con la actividad profesional* (STS de 18 de abril de 2023 [*Tol 9519508*]).

*– No existe accidente de trabajo cuando el trabajador tuvo el domingo anterior molestias centro-torácicas por las que acudió al centro de salud, indicándosele allí que debía acudir al hospital, lo que no hizo, y sin que quedara acreditado que al día siguiente realizara durante el tiempo y lugar de trabajo ningún esfuerzo excepcional (STS de 3 de febrero de 2025 [Rec. 2707/2022]).*

*– No es accidente de trabajo la crisis epiléptica que se produjo en tiempo y lugar de trabajo, pero en la que no concurre ninguna especial circunstancia vinculada al entorno laboral que pudiera estar en el origen de la misma y que pudiera haber sido su factor desencadenante o agravante (STS de 17 de julio de 2025 [Rec. 694/2024]).*

4. No obstante lo establecido en los apartados anteriores, no tendrán la consideración de accidente de trabajo:

a) Los que sean debidos a fuerza mayor extraña al trabajo, entendiéndose por ésta la que sea de tal naturaleza que ninguna relación guarde con el trabajo que se ejecutaba al ocurrir el accidente.

En ningún caso se considerará fuerza mayor extraña al trabajo la insolación, el rayo y otros fenómenos análogos de la naturaleza.

b) Los que sean debidos a dolo o a imprudencia temeraria del trabajador accidentado.

*– Es imprudencia temeraria la conducta que implica la inobservancia de las más elementales medidas de precaución (STS de 10 de diciembre de 1968).*

*– Es imprudencia temeraria actuar con desprecio del riesgo cierto que se deriva del trabajo o de una determinada tarea (STS de 23 de octubre de 1971).*

*– Es imprudencia temeraria la conducta de desobediencia de las órdenes empresariales (STS de 16 de julio de 1985).*

*– Existe imprudencia temeraria cuando el accidente de trabajo se produce bajo los efectos del alcohol (STS de 31 de marzo de 1999 [Tol 47823]).*

*– El accidente de tráfico que es consecuencia del incumplimiento de las normas de tráfico (no detenerse en un semáforo en rojo) supone la existencia de una conducta que merece el calificativo de temerariamente imprudente, por revelar un claro desprecio del riesgo conocido y de la más elemental prudencia exigible en tales circunstancias (STS de 18 de septiembre de 2007 [Tol 1161302]).*

*– No debe calificarse como accidente de trabajo el producido como consecuencia de la circulación voluntaria en dirección prohibida, puesto que se trata de un supuesto de imprudencia temeraria, desde el momento en que el trabajador asume indudablemente riesgos manifiestos, innecesarios y especialmente graves ajenos al usual comportamiento de las personas, con conocimiento además de que en aquellos momentos circulaba en sentido contrario a la dirección obligatoria, lo que supone un desprecio del riesgo, para él y para otros usuarios de la vía pública, y la omisión de la diligencia más elemental exigible (STS de 22 de enero de 2008 [Tol 1369841]).*

*– No existe imprudencia temeraria y, por tanto, sí accidente de trabajo, en el supuesto de un accidente sufrido por el conductor de un camión de la empresa a la que presta servicios como consecuencia de exceso de velocidad, puesto que no se produce la imprudencia teme-*

*raria en su significado jurídico-doctrinal de falta de la más elemental cautela o prudencia que debe exigirse en los actos humanos susceptibles de causar daños, sino más bien la falta de un cuidado o descuido en el trabajador que no previó, con la debida anticipación, los riesgos del exceso de velocidad (STS de 13 de marzo de 2008 [Tol 1330853]).*

5. No impedirán la calificación de un accidente como de trabajo:

a) La imprudencia profesional que es consecuencia del ejercicio habitual de un trabajo y se deriva de la confianza que éste inspira.

*– Ni la habitualidad ni la confianza profesional justifican que se desconozcan las más elementales medidas de precaución (STS de 10 de diciembre de 1968).*

*– La imprudencia profesional es resultado de la confianza que se genera por la habitualidad (STS de 23 de octubre de 1971).*

b) La concurrencia de culpabilidad civil o criminal del empresario, de un compañero de trabajo del accidentado o de un tercero, salvo que no guarde relación alguna con el trabajo.

*– No puede considerarse accidente de trabajo la muerte por agresión de un tercero en el momento de iniciarse el camino hacia el centro de trabajo y por razones personales que no guardan relación con el trabajo (STS de 20 de junio de 2002 [Tol 246512]).*

*– Existe accidente de trabajo in itinere cuando la muerte del trabajador es consecuencia de la agresión de un tercero con el que no existía relación alguna previa al suceso que provocó su muerte cuando se dirigía a su domicilio desde el lugar de trabajo, puesto que la excepción final establecida en la Ley General de la Seguridad Social debe interpretarse como excluyente de la calificación de accidente de trabajo cuando la agresión obedezca a motivos determinados ajenos al trabajo y próximos a circunstancias de agresor y agredido, pero no en los casos en los que, por las circunstancias, el suceso deba ser calificado como caso fortuito (STS de 20 de febrero de 2006 [Tol 856787]).*

**Artículo 157. *Concepto de la enfermedad profesional.*** Se entenderá por enfermedad profesional la contraída a consecuencia del trabajo ejecutado por cuenta ajena en las actividades que se especifiquen en el cuadro que se apruebe por las disposiciones de aplicación y desarrollo de esta Ley, y que esté provocada por la acción de los elementos o sustancias que en dicho cuadro se indiquen para cada enfermedad profesional.

*– Si la enfermedad tiene por causa la actividad profesional para que se considere profesional deberá estar listada o, si está causada de manera lenta y no agresiva, tendrá que probarse el nexo causal con la actividad de manera severa y exclusiva por el trabajador (STS de 24 de mayo de 1990).*

*– Para que una enfermedad pueda ser calificada como profesional debe haber sido contraída a consecuencia del trabajo realizado por cuenta ajena, tratarse de alguna de las actividades que reglamentariamente se determinan, y que esté provocada por la acción de elementos y sustancias que se determinen para cada enfermedad; y puede considerarse como enfermedad*

*profesional el cáncer de laringe producido por inhalación prolongada en el puesto de trabajo de polvo de amianto aunque no se contemple específicamente en la lista de enfermedades profesionales (actualmente regulada por el RD 1.299/2006, de 10 de noviembre) (STS de 13 de noviembre de 2006 [Tol 1026793]).*

– *Debe calificarse como enfermedad profesional el cáncer de laringe producido por una continuada inhalación de asbesto, puesto que si una simple irritación de las vías respiratorias se puede considerar como enfermedad profesional, con mucha más razón ha de encuadrarse en dicho concepto la más grave dolencia del cáncer de laringe producido por la prolongada exposición a la inhalación del polvo de amianto (STS de 26 de junio de 2008 [Tol 1373083]).*

– *No debe calificarse como enfermedad profesional la epicondilitis de codo sufrida por una trabajadora que desarrolla su actividad como cajera de banco, al no poder afirmarse que dicha dolencia se halla entre las enfermedades listadas en el apartado correspondiente a las "fatigas de las vainas tendinosas, de los tejidos peritendinosos, de las inserciones musculares y tendinosas, y las periostitis de los chapistas, herreros, caldereros, albañiles, canteros, etc.", puesto que las funciones de la actividad desarrollada por una cajera de banco (manejo de ordenador, escritura normal o manipulación de billetes) no puede entenderse que ocasionaran los microtraumatismos a los que se refiere el precepto reglamentario aplicable, al carecer de la más mínima intensidad, ni llevar consigo vibraciones ni sobrecarga, del músculo o tendón afectado (STS de 20 de octubre de 2008 [Tol 1407913]).*

– *No debe calificarse como enfermedad profesional la "epicondilitis lateral de codo derecho intervenida, tendinopatía y radiculopatía secular en S.E.D." porque el número de profesiones previstas en el anexo del real decreto de referencia (actualmente Real Decreto 1299/2006, de 10 de noviembre) tiene un carácter meramente enunciativo, lo que permite incluir a algunas otras, en el cuadro lesivo valorado en la aquella resolución solo podría tener encaje en lo que se califica como "fatiga de las vainas tendinosas, de los tejidos peritendinosos, de las inserciones musculares y tendinosas" y para que ésto pudiera producirse sería necesaria una prueba pericial "ad hoc", que no resulta de la que se practicó en la instancia (STS de 23 de octubre de 2008 [Tol 1408025]).*

– *Es necesario que exista una relación de causalidad física o material entre el trabajo por cuenta ajena y el elemento o la sustancia específica (el polvo de amianto, en este caso) (STS de 18 de julio de 2012 [Tol 2645595]).*

– *Debe calificarse como enfermedad profesional la epicondilitis sufrida por una gerocultora de una residencia de ancianos, que con frecuencia se ve obligada a mover, cambiar y acostar a las personas que cuida, realizando movimientos de cuerpos pesados que sobrecargan sus músculos y tendones (SSTS de 5 de noviembre de 2014 [Rec. 1515/2013], 18 de mayo de 2015 [Rec. 1543/2014], 13 de noviembre de 2019 [Tol 7611477] y 10 de marzo de 2020 [Rec. 3749/2017]).*

– *Tiene la consideración de enfermedad profesional el síndrome de túnel carpiano sufrido por una trabajadora que ejerce la profesión de auxiliar domiciliaria (SSTS de 6, 7 y 8 de julio de 2022 [Tol 9140780, 9142655 y 9142901, 9152487, y 9142535]).*

– *Tiene la consideración de enfermedad profesional el síndrome de túnel carpiano sufrido por una trabajadora que ejerce la profesión de limpiadora (STS de 20 de septiembre de 2022 [Tol 9229842]).*

En tales disposiciones se establecerá el procedimiento que haya de observarse para la inclusión en dicho cuadro de nuevas enfermedades profesionales que se estime deban ser incorporadas al mismo. Dicho procedimiento comprenderá, en todo caso, como trámite preceptivo, el informe del Ministerio de Sanidad, Servicios Sociales e Igualdad.

> – *El decreto que regule las nuevas enfermedades profesionales no puede ser ejemplificativo, sino cerrado* (STS de 24 de abril de 1985).

**Artículo 158.** *Concepto de los accidentes no laborales y de las enfermedades comunes.* 1. Se considerará accidente no laboral el que, conforme a lo establecido en el artículo 156, no tenga el carácter de accidente de trabajo.

> – *El concepto de accidente no laboral se extiende a hechos como contraer el SIDA por un drogadicto o la muerte por sobredosis, puesto que debe considerarse causados por accidente todos aquellos eventos en los que el causante no fallece como consecuencia de un deterioro psico-físico desarrollado de forma paulatina que pudiera derivar naturalmente de su acreditada situación patológica previa de drogadicción, sino que la causa de la muerte, repentina e imprevista se produce directamente por una concreta causa externa como puede ser la ingestión de una droga que por circunstancias de exceso de cantidad o defecto de calidad provoca una reacción inusual en el organismo que conduce a la muerte del afectado* (SSTS de 27 de mayo de 1998 [Tol 47688], 22 de octubre de 1999 [Tol 47227] y 27 de noviembre de 2002 [Tol 241089]).

> – *Para que se produzca accidente no laboral es imprescindible que un agente extraño cause directamente y de modo adecuado la lesión corporal* (STS de 15 de noviembre de 1999 [Tol 46674]).

> – *En el accidente no laboral no se incluyen los infartos o lesiones internas* (SSTS de 15 de noviembre de 1999 [Tol 46674] y 30 de abril de 2001 [Tol 66071]).

> – *El fallecimiento como consecuencia de un suicidio debe considerarse causado por accidente no laboral a efectos del reconocimiento de una mejora en la protección de la Seguridad Social* (STS de 10 de junio de 2009 [Tol 1602364]).

2. Se considerará que constituyen enfermedad común las alteraciones de la salud que no tengan la condición de accidentes de trabajo ni de enfermedades profesionales, conforme a lo dispuesto, respectivamente, en los apartados 2.e), f) y g) del artículo 156 y en el artículo 157.

**Artículo 159.** *Concepto de las restantes contingencias.* El concepto legal de las restantes contingencias será el que resulte de las condiciones exigidas para el reconocimiento del derecho a las prestaciones otorgadas en consideración a cada una de ellas.

**Artículo 160.** *Riesgos catastróficos*. En ningún caso serán objeto de protección por el Régimen General los riesgos declarados catastróficos al amparo de su legislación especial.

CAPÍTULO IV. Normas generales en materia de prestaciones

**Artículo 161.** *Cuantía de las prestaciones*. 1. La cuantía de las prestaciones económicas no determinada en la presente ley será fijada en sus normas de desarrollo.

2. La cuantía de las pensiones y de las demás prestaciones cuyo importe se calcule sobre una base reguladora se determinará en función de la totalidad de las bases por las que se haya cotizado durante los períodos que se señalen para cada una de ellas.

> – *Para el cálculo de la base reguladora de la pensión de jubilación de los trabajadores por cuenta ajena agrarios para periodos anteriores al 1 de enero de 2009, debe computarse el sumatorio las aportaciones efectivamente realizadas por trabajador y empresario, puesto que no se está ante una doble valoración de la base de cotización sino un incremento específico de las bases en los periodos de actividad agraria por cuenta ajena en función de la contribución llevada a cabo también por la parte empresarial* (SSTS de 30 y 31 de enero de 2024 [Rec. 3462/2020 y 3515/2020]).

La cotización adicional por horas extraordinarias a que se refiere el artículo 149 no será computable a efectos de determinar la base reguladora de las prestaciones.

> – *Las horas extraordinarias sólo computan a efectos de la base reguladora para contingencias profesionales, incluso aunque excedan del número máximo establecido* (STS de 25 de septiembre de 1998 [*Tol 47619*]).

En todo caso, la base reguladora de cada prestación no podrá rebasar el tope máximo de la base de cotización previsto en el artículo 148.

3. En los casos de pluriempleo, la base reguladora de las prestaciones se determinará en función de la suma de las bases por las que se haya cotizado en las distintas empresas, siendo de aplicación a la base reguladora así determinada el tope máximo a que se refiere el apartado anterior.

4. Por los períodos de actividad en los que no se hayan efectuado cotizaciones por contingencias comunes, en los términos previstos en el artículo 152, a efectos de determinar la base reguladora de las prestaciones excluidas de cotización, las bases de cotización correspondientes a las mensualidades de cada ejercicio económico exentas de cotización no podrán ser superiores

al resultado de incrementar el promedio de las bases de cotización del año natural inmediatamente anterior en el porcentaje de variación media conocida del Índice de Precios de Consumo en el último año indicado más dos puntos porcentuales.

**Artículo 162. *Caracteres de las prestaciones*.** 1. Las prestaciones del Régimen General de la Seguridad Social tendrán los caracteres establecidos genéricamente en el artículo 44.

2. Las prestaciones que deban satisfacer los empresarios a su cargo, conforme a lo establecido en el artículo 167.2 y en el párrafo segundo del artículo 173.1, o por su colaboración en la gestión y, en su caso, las mutuas colaboradoras con la Seguridad Social en régimen de liquidación, tendrán el carácter de créditos privilegiados, gozando, al efecto, del régimen establecido en el artículo 32 del texto refundido de la Ley del Estatuto de los Trabajadores.

3. Lo dispuesto en los apartados anteriores será también de aplicación al recargo de prestaciones a que se refiere el artículo 164.

**Artículo 163. *Incompatibilidad de pensiones*.** 1. Las pensiones de este Régimen General serán incompatibles entre sí cuando coincidan en un mismo beneficiario, a no ser que expresamente se disponga lo contrario, legal o reglamentariamente.

En caso de que se cause derecho a una nueva pensión que resulte incompatible con la que se viniera percibiendo, la entidad gestora iniciará el pago o, en su caso, continuará con el abono de la pensión de mayor cuantía, en términos anuales, con suspensión de la pensión que conforme a lo anterior corresponda.

No obstante, el interesado podrá solicitar que se revoque dicho acuerdo y optar por percibir la pensión suspendida. Esta opción producirá efectos económicos a partir del día primero del mes siguiente a la solicitud.

Apartado 1 redactado por la Ley 11/2020, de 30 de diciembre, de presupuestos generales del Estado para el año 2021 (BOE núm. 341, 31 de diciembre).

– *La compatibilidad o incompatibilidad de pensiones es una cuestión de mera legalidad ordinaria, sin que puedan invocarse los artículos 41 y 50 de la Constitución española para obtener una interpretación* (STC 375/1993, 20 de diciembre [Tol 82396]).

– *En los supuestos de incapacidad permanente, el reconocimiento de una pensión de jubilación tiene como consecuencia la incompatibilidad y la necesidad de opción, salvo en caso de pluriactividad* (SSTS de 8 de mayo de 1982, 19 de noviembre de 1985, 27 de octubre de 1986 y 1 de abril de 1987).

– *La pensión en favor de familiares es incompatible con otras pensiones, teniendo el beneficiario el derecho de opción* (SSTS de 18 de septiembre de 1991, 1 de diciembre de 1992 [*Tol 232023*], 3 de febrero [*Tol 234362*] y 9 de julio de 1993 [*Tol 233400*] y 18 de enero de 1999 [*Tol 208951*]).

– *La incompatibilidad se refiere a pensiones causadas dentro del Régimen General de la Seguridad Social por la misma actividad* (SSTS de 24 de julio [*Tol 232166*], 21 de septiembre [*Tol 232488*] y 18 de diciembre de 1992 [*Tol 232033*] y 20 de enero de 1993 [*Tol 233006*]).

– *Las pensiones del Régimen General de la Seguridad Social son incompatibles con las pensiones de Clases Pasivas del Estado* (SSTS de 24 de febrero [*Tol 237200*] y 13 de marzo de 1995 [*Tol 236815*]).

– *Las pensiones causadas con arreglo a la legislación anterior (Seguro de Accidentes de Trabajo) son compatibles con las nuevas* (STS de 22 de abril de 1997 (*Tol 237547*]).

– *La prestación de incapacidad permanente parcial derivada de accidente de trabajo es compatible con la incapacidad permanente total derivada de enfermedad profesional cuando se trata de profesiones habituales diferentes* (STS de 21 de junio de 1999 [*Tol 208983*]).

– *En los supuestos de concurrencia entre prestaciones de incapacidad temporal e incapacidad permanente debe aplicarse la Ley General de la Seguridad Social* (STS de 19 de diciembre de 2000 [Rec. 4635/1999]).

– *Es posible el reconocimiento a una misma persona de una pensión de Clases Pasivas del Estado y una prestación de la Seguridad Social consecuencia de enfermedad profesional porque para la prestación con cargo a la Seguridad Social no se precisó período alguno de cotización* (STS de 10 de mayo de 2006 [*Tol 956273*]).

– *Existe incompatibilidad entre dos pensiones por incapacidad permanente total para la profesión habitual reconocidas a un mismo beneficiario como consecuencia de dos trabajos diferentes, puesto que la regla general de incompatibilidad de pensiones recogida en la Ley General de la Seguridad Social es acorde con el principio de que la pérdida de una renta profesional no puede protegerse a la vez con la percepción de dos prestaciones que tengan la misma finalidad de sustitución y, en consecuencia, el beneficiario deberá optar por una de las dos pensiones* (STS de 5 de febrero de 2008 [*Tol 1324274*]).

– *La Ley General de la Seguridad Social no prohíbe la compatibilidad de pensiones en distintos regímenes sino únicamente dentro del propio Régimen General de la Seguridad Social* (STS de 11 de mayo de 2010 [*Tol 1887504*]).

– *Una pensión por incapacidad permanente total reconocida en el Régimen Especial de Trabajadores Autónomos (o en el Régimen Especial de Trabajadores del Mar) y una pensión por incapacidad permanente absoluta reconocida en el Régimen General de la Seguridad Social cuando son consecuencia de dos trabajos y patologías diferentes, porque no se trata de un supuesto en el que la agravación de un cuadro determinante de incapacidad permanente total hubiese generado el grado de incapacidad permanente absoluta [supuesto en el cual sería sostenible que este superior grado discapacitante absorbía el precedente inferior], sino se dos diferentes panoramas de secuelas que se producen con intervalo cotizado de varios años, en el ejercicio de profesiones diversas, en diferentes regímenes de la Seguridad Social y con cotización suficiente en el cada uno de ellos para lucrar pensión por incapacidad permanente (sobre todo, si la incapacidad permanente absoluta se reconoce sin recurrir a cuota alguna que hubiese sido utilizada en la declaración de incapacidad permanente total); siendo esta doctrina aplicable a un supuesto de incapacidad permanente total reconocida en el Régimen General de la Seguridad Social y en el Régimen Especial de Trabajadores*

*Autónomos (o en el Régimen Especial de Trabajadores del Mar) (SSTS de 12 de mayo [Tol 1889500] y 15 de julio [Tol 1944975] y 22 de noviembre de 2010 [Tol 2024650], 20 y 27 de enero de 2011 [Tol 2034587 y 2062292] y 14 de julio de 2014 [Tol 4471305]).*

**2.** El régimen de incompatibilidad establecido en el apartado anterior será también aplicable a la indemnización a tanto alzado prevista en el artículo 196.2 como prestación sustitutiva de pensión de incapacidad permanente en el grado de total.

> – *La incompatibilidad entre las prestaciones por incapacidad permanente parcial y total derivadas de la misma contingencia, y reconocidas sucesiva y respectivamente por resolución administrativa y resolución judicial, significa que el beneficiario, una vez reconocida la pensión de valor superior que reclamó, debe devolver la prestación a tanto alzado de valor inferior que percibió en vía administrativa (STS de 6 marzo de 2003 [Tol 368293]).*

**Artículo 164. *Recargo de las prestaciones económicas derivadas de accidente de trabajo o enfermedad profesional.* 1.** Todas las prestaciones económicas que tengan su causa en accidente de trabajo o enfermedad profesional se aumentarán, según la gravedad de la falta, de un 30 a un 50 por ciento, cuando la lesión se produzca por equipos de trabajo o en instalaciones, centros o lugares de trabajo que carezcan de los medios de protección reglamentarios, los tengan inutilizados o en malas condiciones, o cuando no se hayan observado las medidas generales o particulares de seguridad y salud en el trabajo, o las de adecuación personal a cada trabajo, habida cuenta de sus características y de la edad, sexo y demás condiciones del trabajador.

> – *No es aplicable el recargo de prestaciones sobre las mejoras voluntarias porque a éstas no les alcanza la responsabilidad subsidiaria del Instituto Nacional de la Seguridad Social, ni las normas sobre revalorización o incrementos de prestaciones que prescriben anualmente las Leyes de presupuestos generales del Estado y los decretos que las desarrollan, así como tampoco buena parte de las disposiciones específicas que regulan las prestaciones propiamente dichas de la Seguridad Social, como en las que determina el período de carencia, el importe de la prestación, etc., y sin que rija en cuanto a tales mejoras el principio de automaticidad de las prestaciones, ni consiguientemente puede entrar en juego, con respecto a ellas, la obligación de anticipo que caracteriza a este principio (SSTS de 20 de marzo [Rec. 2730/1996] y 11 de julio de 1997 [Tol 238145]).*

> – *El hecho de que el recargo haya sido tradicionalmente como una medida sancionadora no impide en modo alguno que debe recaer sobre el total de la prestación; no supone inconveniente alguno el hecho de que la prestación por gran invalidez se calcule en su 50 por 100 por referencia a la prestación correspondiente a la incapacidad permanente absoluta, por cuanto esta referencia constituye una forma referencial de calcular el incremento, pero no elimina la naturaleza de prestación compensatoria de una situación de incapacidad permanente; y tampoco el hecho de que la finalidad de ese 50 por 100 se haya previsto con la intención de que el inválido pueda remunerar la persona que lo atienda, pues tal previsión*

*finalista no impide calificar ese incremento como la prestación económica que es* (STS de 27 de septiembre de 2000 [*Tol 11153*]).

– *Es aplicable el recargo de prestaciones económicas cuando el accidente de trabajo es consecuencia del incumplimiento empresarial en las medidas de seguridad en el manejo y uso de explosivos en excavaciones* (SSTS de 30 de junio de 2003 [*Tol 348516*] y 16 de enero de 2006 [*Tol 821521*]).

– *La presunción de inocencia no es aplicable al recargo de prestaciones por incumplimiento de las medidas de seguridad y salud en el trabajo, puesto que en el ordenamiento español no tiene el recargo de prestaciones formalmente el carácter de una sanción tipificada como tal por la ley, aunque pueda cumplir una función preventiva* (STS de 30 de junio de 2008 [*Tol 1369636*]).

– *La falta de audiencia de la empresa responsable en el procedimiento administrativo de imposición de recargo de prestaciones no determina la nulidad de actuaciones, al no haberse provocado indefensión* (STS de 11 de febrero de 2009 [*Tol 1462915*]).

– *Debe aplicarse un recargo sobre las prestaciones de Seguridad Social consecuencia de un accidente de trabajo que deriva de la falta de anclaje de máquina rozadora y la falta o deficiencia en la vigilancia o comprobación de los mismos, puesto que, tal y como indica la legislación aplicable, se produce una relación de causalidad entre el accidente de trabajo y la falta de medidas de seguridad y salud laboral* (STS de 26 de mayo de 2009 [*Tol 1567130*]).

– *Con arreglo a los principios legales aplicables, al empresario principal, en los supuestos de subcontratación se le impone una obligación específica de vigilancia en el cumplimiento de las obligaciones del contratista en materia de seguridad en el trabajo, cuando se trate de obras o servicios correspondientes a su propia actividad y, en general cuando las labores del contratista se realicen en su centro de trabajo, y que la responsabilidad de empresa principal respecto al trabajador del contratista no se produce si la principal no ha participado en la falta de las medidas de seguridad* (STS de 18 de enero de 2010 [*Tol 1790456*]).

– *La concurrencia de culpa del trabajador no determina la ruptura de la relación de causalidad con respecto al incumplimiento del empresario de las normas de prevención de riesgos laborales cuando este incumplimiento es relevante en orden al daño causado, que no se hubiera producido si la empresa hubiera cumplido dichas normas, y aunque dicha concurrencia de culpas podría determinar una ponderación a efectos de la determinación de la cuantía de la indemnización consecuente, tal ponderación no es posible en los supuestos de recargo de prestaciones de la Seguridad Social cuyo importe se hubiera fijado en su cuantía mínima (30 por 100), puesto que el mismo no puede ser reducido* (SSTS de 20 de enero [*Tol 1790427*] y 22 de julio de 2010 [*Tol 1953126*] y 4 de diciembre de 2024 [Rec. 3939/2021]).

– *Para declarar la responsabilidad empresarial como consecuencia de la ineficacia de las medidas para prevenir, evitar o, como mínimo, disminuir los riesgos, debe existir prueba objetiva, sin que sea posible presumirse la falta de medidas de seguridad* (SSTS de 24 y 30 de enero [*Tol 2459799* y *2475682*] y 10 de diciembre de 2012 [*Tol 2721188*]).

– *Procede el recargo de prestaciones en el supuesto de inexistencia de plan de evaluación de riesgos laborales y, en consecuencia, no se han adoptado las medidas de prevención de riesgos laborales oportunas* (STS de 12 de junio de 2013 [*Tol 3844663*]).

– *El recargo de prestaciones tiene un plazo de prescripción de 5 años, que comienza a correr desde el momento en que la acción puede ser ejercitada, que es en el momento en que concurren los tres elementos que integran el derecho: 1) el accidente de trabajo; 2) la infracción de las medidas de seguridad y 3) el hecho causante de la prestación de Seguridad Social objeto de recargo; la interrupción del plazo de prescripción se mantiene hasta que la declaración de la prestación de base que es objeto de recargo sea judicialmente firme (en caso de que se hubiera impugnado), y una vez iniciada la prescripción, existen diversos supuestos interruptivos, entre ellos, el del procedimiento sancionador con la resolución de la alzada; y entre todos esos posibles motivos de interrupción de la prescripción, debe escogerse el que produce el efecto interruptivo más favorable para el interesado* (SSTS de 19 de julio [*Tol 3984581*] y 12 de noviembre de 2013 [*Tol 4042155*].

– *La determinación del recargo de prestaciones no está supeditado a una previa calificación de la falta en los términos del Texto refundido de la Ley de Infracciones y Sanciones en el Orden Social, pues opera en los límites previstos en la Ley General de la Seguridad Social* (SSTS de 4 de marzo de 2014 [Rec. 788/2013], 26 de abril de 2016 [Rec. 149/2015] y 14 de marzo de 2017 [Rec. 1083/2015]).

– *No cabe la minoración en vía judicial del recargo de prestaciones impuesto a la empresa por la entidad gestora cuando no consta actuación preventiva alguna en materia de seguridad e higiene empresarial* (SSTS de 17 de marzo de 2015 [*Tol 4986067*] y 23 de febrero de 2017 [Rec. 2066/2015]).

– *Procede el recargo de prestaciones cuando el empresario no acredita haber adoptado las medidas de protección necesarias, cualesquiera que ellas fueren, para impedir el accidente, puesto que aunque el deudor de seguridad concierte con entidades especializadas en prevención complementaria, no protegió a la trabajadora frente a sus propios descuidos e imprudencias no temerarias, ni acredita haber agotado toda la diligencia exigible, evidenciándose el fracaso de la acción preventiva a que el empresario está obligado, porque no evaluó correctamente los riesgos, porque no evitó lo evitable, o no protegió frente al riesgo detectable y no evitable* (STS de 4 de mayo de 2015 [*Tol 5191081*].

– *El recargo es aplicable a las prestaciones por muerte y supervivencia porque desde el momento en que la omisión de falta de medida de seguridad incide de manera determinante en el menoscabo funcional padecido, este es el origen de la prestación y no su añadido, y cuando la Ley General de la Seguridad Social decide llevar en bloque a la muerte y supervivencia la situación vigente en vida del causante sin establecer ninguna restricción al respecto, no existe una razón para conjeturar que en la mente del legislador pueda estar presente la exclusión del recargo* (SSTS de 9 de junio de 2015 [*Tol 5412266*] y 11 de octubre de 2023 [Rec. 1719/2021]).

– *Al recargo de prestaciones le resulta aplicable el plazo de prescripción de cinco años y los efectos del mismo se producirán con una retroacción de tres meses desde la solicitud cuando no haya prescrito el derecho* (SSTS de 13, 15, 16, 20 y 27 de septiembre de 2016 [*Tol 5843337, 5843489, 5843365, 5843709 y 5849324*] y 11 de mayo [*Tol 6639592*] y 18 de septiembre de 2018 [*Tol 6879430*]).

– *No cabe establecer la relación causa-efecto entre omisión de medidas de seguridad imputable a la empresa y resultado dañoso del trabajador cuando queda acreditado que existe tanto la información necesaria acerca del modo de llevar a cabo la actividad concreta como los medios adecuados para cumplir con el plan de prevención de riesgos laborales, y que no existe razón alguna por la que el trabajador no siguiera las prescripciones indicadas y además prescindiera de los medios a su alcance* (STS de 18 de octubre de 2016 [Rec. 1233/2015]).

– *La expresión "gravedad de la falta" no es utilizada como sinónimo de calificación conforme a las normas que rigen la potestad sancionadora en el orden administrativo, sino como directriz general dentro de la que el juzgador podrá actuar empleando los parámetros que el precepto legal aplicable le proporciona* (SSTS de 14 de marzo de 2017 [Rec. 1083/2015] y 12 de diciembre de 2019 [*Tol 7711515*]).

– No procede el recargo de prestaciones cuando no existe una infracción normativa que sea imputable al empresario, porque el siniestro se debió a la imprudencia temeraria de un encargado y ser un hecho imprevisible (STS de 28 de febrero de 2019 [Rec. 508/2017]).

– El recargo de prestaciones no se revaloriza anualmente, ya que los reales decretos sobre revalorización de pensiones de la Seguridad Social excluyen expresamente de la revalorización el recargo de prestaciones económicas por falta de medidas de seguridad y salud en el trabajo (STS de 25 de enero de 2024 [Rec. 3521/2020]).

**2. La responsabilidad del pago del recargo establecido en el apartado anterior recaerá directamente sobre el empresario infractor y no podrá ser objeto de seguro alguno, siendo nulo de pleno derecho cualquier pacto o contrato que se realice para cubrirla, compensarla o transmitirla.**

– La responsabilidad por falta de medidas de seguridad es directa e intransferible a cargo del empresario incumplidor y la imposibilidad del aseguramiento de tal tipo de responsabilidad se extiende a cualquier modalidad de seguro, sea éste público o privado (SSTS de 8 de marzo de 1993 [*Tol 233845*], 7 de febrero [*Tol 233973*], 23 de marzo [*Tol 267212*], 20 de mayo [*Tol 267535*] y 22 de septiembre de 1994 [*Tol 233023*], 20 de marzo de 1997 [Rec. 2730/1996] y 4 de marzo de 2015 [*Tol 4985671*]).

– En los supuestos de una empresa de construcción adjudicataria de una obra que, a su vez, la subcontrata, con otra empresa de la misma actividad cuando el accidente de trabajo se produce en el lugar de trabajo en el que no habían trabajadores de la empresa adjudicataria sino de la subcontratista existirá responsabilidad solidaria porque debe entenderse que el estricto concepto de centro de trabajo previsto en el artículo 1.5 del Estatuto de los Trabajadores no resulta aplicable a los efectos previstos en las normas sobre prevención de riesgos laborales, sino que la referencia legal equivale más bien a la expresión "lugar de trabajo"; lo que significa que si la empresa que se ha adjudicado una obra para su ejecución decide libremente subcontratarla a otra empresa de su misma actividad, lo que ocurra en ese lugar de trabajo no le es en absoluto ajeno, sino que forma parte de las responsabilidades de ejecución que ha de asumir, lo mismo que los beneficios, con la contrata, de forma que su responsabilidad deriva de la falta de información control que le era exigible en relación con los trabajadores de la empresa subcontratista en relación con una obra de la que era adjudicatario (STS de 26 de mayo de 2005 [*Tol 675535*]).

– En el supuesto de sucesión de empresa, la asunción de responsabilidades por la empresa sucesora alcanza al recargo de prestaciones por infracción de medidas de seguridad previas a la fecha de la sucesión llevada a cabo (SSTS de 23 de marzo [*Tol 4988937*] y 14 de abril [*Tol 5199935*], 5 de mayo de 2015 [*Tol 5191545*], 13 de octubre [*Tol 5583900*] y 2 de noviembre de 2015 [*Tol 5574944*] y 25 de febrero [*Tol 5662172*] y 18 de mayo de 2016 [*Tol 5751962*]).

– La encomienda de tareas propias de la propia actividad a otra empresa genera específicos y reforzados deberes de seguridad laboral, pero no comporta un automatismo en la responsabilidad del recargo de prestaciones que pueda imponerse a los trabajadores de las contratistas o subcontratistas; la encomienda de tareas correspondientes a actividad ajena a la propia es un elemento que debe valorarse, junto con otros, de cara a la exención principal; la empresa principal puede resultar responsable del recargo de prestaciones aunque *las tareas encomendadas a la empresa auxiliar del trabajador accidentado no correspondan a su propia actividad; y, en todo caso, lo decisivo para determinar si la empresa principal asume responsabilidad en materia de recargo de prestaciones es comprobar si el accidente se ha producido por una infracción imputable a la empresa principal y dentro de su esfera de responsabilidad (STS de 18 de septiembre de 2018 [Tol 6843600]).*

3. La responsabilidad que regula este artículo es independiente y compatible con las de todo orden, incluso penal, que puedan derivarse de la infracción.

– *La tramitación del expediente administrativo de recargo por falta de medidas de seguridad no debe suspenderse cuando los hechos determinantes del accidente de trabajo que generaron las prestaciones de la Seguridad Social están siendo objeto de investigación en proceso penal pendiente (STS de 8 de octubre de 2004 ([Tol 515791]).*

– *Debe aplicarse el recargo de prestaciones consecuencia del incumplimiento por parte del empresario de las medidas de seguridad y salud laboral en el supuesto de negligencia no temeraria imputable al trabajador que ha sufrido el accidente de trabajo, puesto que en tal caso no se rompe el nexo causal entre la infracción cometida por el empresario y el daño sufrido por el trabajador (SSTS de 12 de julio de 2007 [Tol 1138597] y 22 de julio de 2010 [Tol 1949510]).*

**Artículo 165. *Condiciones del derecho a las prestaciones*.** 1. Para causar derecho a las prestaciones del Régimen General, las personas incluidas en su campo de aplicación habrán de cumplir, además de los requisitos particulares exigidos para acceder a cada una de ellas, el requisito general de estar afiliadas y en alta en dicho Régimen o en situación asimilada a la de alta al sobrevenir la contingencia o situación protegida, salvo disposición legal expresa en contrario.

– *La flexibilización del concepto de situación asimilada a la de alta supone tratar de evitar que se abra una vía aleatoria de exclusión de la protección en atención a determinadas circunstancias ajenas a la voluntad del trabajador que impidan la conservación del alta o de una situación asimilada a la de alta cuando realmente existía o estaba desarrollándose una situación que hubiera debido ser objeto de protección específica por la Seguridad Social (STS de 17 de abril de 2000 [Tol 46786]).*

– *El listado general de situaciones asimiladas al alta no exhaustivo, y ello permite entender que, desde la aprobación de la Constitución española existe una laguna legal que debe ser integrada (STS de 23 de diciembre de 2005 [Tol 821485]).*

– *La flexibilización del concepto de situación asimilada a la de alta no supone la desaparición del requisito de encontrarse en alta o situación asimilada a la de alta exigido legalmente (SSTS de 21 de marzo de 2006 [Tol 883722] y 30 de junio de 2008 [Tol 1369573]).*

– *No tiene la consideración de situación asimilada a la de alta la excedencia no forzosa (STS de 12 de diciembre de 2018 [Tol 6999201]).*

– *No existe situación asimilada a la de alta en el supuesto de un trabajador que causó baja en el Régimen Especial de la Seguridad Social de los Trabajadores por Cuenta Propia o Autónomos y estuvo dos años y seis meses sin inscribirse como demandante de empleo, sin que concurriese ninguna circunstancia personal o familiar que lo justificase, lo que evidencia una voluntad de apartarse del mundo laboral (STS de 20 de abril de 2021 [Tol 8412652]).*

**2. En las prestaciones cuya concesión o cuantía esté subordinada, además, al cumplimiento de determinados períodos de cotización, solamente serán computables las cotizaciones efectivamente realizadas o las expresamente asimiladas a ellas en esta Ley o en sus disposiciones reglamentarias.**

– *Para calcular el período de carencia las cotizaciones por pagas extraordinarias deben sumarse a los días ordinarios (STS de 22 de octubre de 1980).*

– *El alcance de los días-cuota no va más allá de la concesión del derecho, sin que puedan utilizarse para su cuantía o duración (SSTS de 26 de febrero de 1994 [Tol 232792] y 24 de enero de 1995 [Tol 237043]).*

– *La presunción de mil ochocientos días por la simple afiliación al Retiro Obrero sólo se aplica en el Régimen General y respecto de los que hubieran cotizado al Seguro Obligatorio de Vejez e Invalidez (SOVI) o al Mutualismo Laboral o lo hubieran debido hacer durante el período comprendido entre el 1 de enero de 1960 y el 31 de diciembre de 1966 (SSTS de 4 de julio de 1994 [Tol 233074 y 267047], 23 de noviembre de 1995 [Tol 236804 y 266784] y 1 de junio de 1998 [Tol 45789]).*

– *La teoría del "paréntesis" no se aplica en el acceso de la prestación por incapacidad temporal (STS de 10 de octubre de 1994 [Tol 234972]).*

– *Los días-cuota no se aplican a las prestaciones que exigen trabajo cotizado, no simple cotización (SSTS de 30 de diciembre de 1994 [Tol 233940] y 1 de febrero de 1995 [Tol 237173]).*

– *No son computables las cotizaciones por pagas extraordinarias a efectos del porcentaje aplicable a la base reguladora (SSTS de 24 de enero [Tol 237043] y 4 de julio de 1995 [Tol 266523]) y 27 de enero de 1998 [Tol 47671]).*

– *Los días-cuota se aplican para la superposición de los períodos de quince años cotizados en los supuestos de pluriactividad cuando no hay alta (SSTS de 21 de septiembre de 1998 [Tol 47136 y 114927]).*

– *Los días-cuota se aplican para las pensiones del Seguro Obligatorio de Vejez e Invalidez (SOVI), pero teniendo en cuenta la cuantía de las pagas extraordinarias que correspondiera percibir en función de la normativa sectorial vigente en la época (STS de 29 de mayo de 2000 [Tol 47489]).*

– *En el cómputo del período de carencia no se computan más allá de los dos meses de pagas extraordinarias, aunque el convenio colectivo hubiera reconocido más pagas (SSTS de 22 de diciembre de 2000 [Tol 26589 y 72202]).*

– *No se computa la cotización no llevada a cabo por no estar vigente el contrato o no cumplirse los compromisos pactados de duración mínima del contrato de trabajo (STS de 29 de abril de 2001 [Tol 32241]).*

– *En las prestaciones por muerte y supervivencia se aplica la teoría del paréntesis para la carencia no computando los períodos de paro involuntario con inscripción en la oficina de empleo (STS de 19 de julio de 2001 [Tol 128892]).*

– *Al exclusivo objeto de obtener la carencia exigible para poder acceder a las prestaciones por incapacidad permanente, derivada de enfermedad común, sigue vigente la doctrina jurisprudencial sobre los denominados días-cuota por gratificaciones extraordinarias, de forma que a los mencionados efectos de cómputo carencial, el año no consta sólo de los 365 días naturales, sino de éstos y de los días-cuotas abonados por gratificaciones extraordinarias; tras la entrada en vigor de la Ley 40/2007, vigente desde 1 de enero de 2008, dicha doctrina ya no resulta aplicable en cuanto se refiere al cálculo del período de carencia necesario para la pensión por jubilación, al haberse incorporado en Ley General de la Seguridad Social la previsión de que "a efectos del cómputo de los años cotizados no se tendrá en cuenta la parte proporcional correspondiente por pagas extraordinarias"; y no debe modificarse, con pretendido fundamento en dicha Ley 40/2007, la doctrina jurisprudencial que ha venido excluyendo el cómputo de los días-cuota a efectos del cálculo de la base reguladora o el porcentaje aplicable a ella por años de cotización* (STS de 23 de septiembre de 2013 [BOE núm. 280, 22 de noviembre]).

3. Las cuotas correspondientes a las situaciones de incapacidad temporal, de maternidad, de paternidad, de riesgo durante el embarazo o de riesgo durante la lactancia natural serán computables a efectos de los distintos períodos previos de cotización exigidos para el derecho a las prestaciones.

> – *A efectos de cumplimiento del requisito de cotización previa para causar derecho a prestación por incapacidad permanente el período de incapacidad temporal se computa en su duración máxima aunque no se hubiera agotado* (SSTS de 10 de diciembre de 1992 [*Tol* 232211] y 10 de junio de 1996 [*Tol* 235606]).
>
> – *A efectos del cumplimiento del requisito de cotización previa para causar derecho a prestaciones por muerte y supervivencia se tiene en cuenta la incapacidad temporal común, no la que subsiste tras extinguirse el contrato de trabajo* (STS de 19 de julio de 1996 [*Tol* 236224]).
>
> – *En el cómputo de carencia de prestaciones por incapacidad permanente debe tenerse en cuenta el tiempo de incapacidad temporal, aunque no se hubiera permanecido en dicha situación* (SSTS de 26 de marzo [*Tol* 237351] y 22 de septiembre de 1997 [*Tol* 237919], 6 de marzo de 1998 [*Tol* 46069], 18 de enero de 1999 [*Tol* 46844] y 17 de julio de 2000 [Rec. 3051/1999]).

4. No se exigirán períodos previos de cotización para el derecho a las prestaciones que se deriven de accidente, sea o no de trabajo, o de enfermedad profesional, salvo disposición legal expresa en contrario.

5. El período de suspensión con reserva del puesto de trabajo, contemplado en el artículo 48.8 del texto refundido de la Ley del Estatuto de los Trabajadores para supuestos de violencia de género o violencia sexual, tendrá la consideración de período de cotización efectiva a efectos de las correspondientes prestaciones de la Seguridad Social por jubilación, incapacidad permanente, muerte y supervivencia, nacimiento y cuidado de menor, desempleo y cuidado de menores afectados por cáncer u otra enfermedad grave.

> Apartado 5 redactado por la Ley orgánica 10/2022, de 6 de septiembre, de garantía integral de la libertad sexual (BOE núm. 215, 7 de septiembre).

6. El período por maternidad o paternidad que subsista a la fecha de extinción del contrato de trabajo, o que se inicie durante la percepción de la prestación por desempleo, será considerado como período de cotización efectiva a efectos de las correspondientes prestaciones de la Seguridad Social por jubilación, incapacidad permanente, muerte y supervivencia, maternidad, paternidad y cuidado de menores afectados por cáncer u otra enfermedad grave.

**Artículo 166. *Situaciones asimiladas a la de alta*. 1.** A los efectos indicados en el artículo 165.1, la situación legal de desempleo total durante la que el trabajador perciba prestación por dicha contingencia será asimilada a la de alta.

– *Por desempleo total deberá entenderse la situación legal de desempleo, total y subsidiado, y la de paro involuntaria una vez agotada la prestación, contributiva o asistencial, siempre que, en tal situación, se mantenga la inscripción actualizada como desempleado en la oficina de empleo, que se revela como instrumento justificativo de la involuntariedad en el paro laboral a los fines de, en su caso, posibilitar el acceso a prestaciones de Seguridad Social (SSTS de 29 de mayo [Tol 232098] y 17 de noviembre de 1992 [Tol 232367]).*

– *A efectos de la causación de derecho a prestaciones por incapacidad permanente se considera en situación asimilada a la de alta al trabajador que se encuentra en situación de desempleo total involuntario y subsidiado, siendo necesaria una manifestación externa del deseo de trabajar mediante la inscripción como demandante de empleo en la oficina de empleo (STS de 10 de junio de 1992 [Tol 232652]).*

– *Es situación asimilada a la de alta el paro involuntario que subsista tras agotar las prestaciones por desempleo, porque no se hubiera accedido a las mismas o por estar excluido de la protección (SSTS de 17 de noviembre de 1992 [Tol 232367] y 1 de abril de 1993 [Tol 233728]).*

– *Es situación asimilada a la de alta para el reconocimiento del derecho a las prestaciones por muerte y supervivencia, la situación de desempleo involuntario total y subsidiado (STS de 25 de junio de 1993 [Tol 235119]).*

– *A efectos del reconocimiento del derecho a la prestación económica por incapacidad temporal, se consideran situaciones asimiladas a la de alta la situación de desempleo involuntario total y subsidiado, en su modalidad contributiva y no asistencial, dada la distinta naturaleza de ambas situaciones de protección del desempleo, siendo objeto del nivel contributivo proporcionar prestaciones sustitutivas de las rentas salariales dejadas de percibir como consecuencia de la pérdida de un empleo anterior, y garantizando el nivel asistencial una protección de este carácter a los trabajadores desempleados que se encuentren en algunos de los supuestos específicos mencionados en la ley (SSTS de 26 de julio de 1993 [Tol 233632], 28 de abril de 1995 [Tol 237191], 16 de abril de 1997 [Tol 237480] y 12 de septiembre de 2003 [Tol 317750]).*

– *Está en situación asimilada a la de alta el trabajador que se encuentra en paro involuntario que subsista después de haber agotado las prestaciones por desempleo, en su modalidad contributiva o no contributiva, cualquiera que sea la edad del trabajador, aunque no esté inscrito como demandante de empleo (SSTS de 26 de enero de 1998 [Tol 47636], 9 de noviembre de 1999 [Tol 46295] y 17 de septiembre de 2004 [Tol 510086]).*

*– Está en situación asimilada a la de alta el trabajador que se encuentra percibiendo un subsidio por desempleo, pero no está inscrito como demandante de empleo, porque la circunstancia de no hallarse inscrito como desempleado en la oficina de empleo no es suficiente para estimar que no concurre la situación asimilada a la de alta, ya que las lesiones que presentaba el interesado evidencian que no estaba físicamente capacitado para realizar trabajo alguno, por lo que su inscripción en la oficina de colocación carecía totalmente de finalidad* (SSTS de 16 de diciembre de 1999 [*Tol 46755*] y 10 de noviembre de 2003 [*Tol 342011*]).

*– A efectos del reconocimiento de la pensión por jubilación se considera en situación asimilada a la de alta al trabajador que ha percibido un subsidio por desempleo para emigrantes retornados y ha permanecido inscrito como demandante de empleo, al acreditar requisitos exigidos en la legislación aplicable, como son la de encontrarse en paro subsidiado y haber mantenido la inscripción permanente como demandante de empleo sin haber rechazado oferta alguna* (STS de 26 de mayo de 2009 [*Tol 1577500*]).

*– No es situación asimilada a la de alta la suspensión de empleo y sueldo* (STS de 4 de junio de 2002 [*Tol 212816*]).

*– Se considera en situación asimilada a la de alta al perceptor de subsidio por desempleo para excarcelados fallecido como consecuencia de un accidente de tráfico* (STS de 7 de noviembre de 2018 [*Tol 6932662*]).

2. También tendrá la consideración de situación asimilada a la de alta, con cotización, salvo en lo que respecta a los subsidios por riesgo durante el embarazo y por riesgo durante la lactancia natural, la situación del trabajador durante el período correspondiente a vacaciones anuales retribuidas que no hayan sido disfrutadas por el mismo con anterioridad a la finalización del contrato.

3. Los casos de excedencia forzosa, traslado por la empresa fuera del territorio nacional, convenio especial con la Administración de la Seguridad Social y los demás que señale el Ministerio de Empleo y Seguridad Social, podrán ser asimilados a la situación de alta para determinadas contingencias, con el alcance y condiciones que reglamentariamente se establezcan.

*– Tiene la consideración de situación asimilada a la de alta el supuesto de la excedencia consecuencia de la Ley 53/1984, de 26 de diciembre, de incompatibilidades del personal al servicio de la Administraciones públicas, pues esta disposición, que contempla el carácter específico de la excedencia a que obliga la ley a efectos de derechos pasivos y pensiones, viene a crear una situación nueva asimilada al alta, y que si la disposición no lo dice expresamente se debe sin duda a que por una parte amplia sus efectos y por otra a que regula conjuntamente los derechos pasivos y las prestaciones de la Seguridad Social, pero es evidente que no puede vaciarse de contenido a la misma por una interpretación formal y descontextualizada de la Ley General de la Seguridad Social y la Orden de 13 de febrero de 1967* (SSTS de 28 de octubre [*Tol 235193*] y 29 de noviembre de 1993 [*Tol 234622*]).

*– Las trabajadoras que se encuentran en el primer año de la situación de excedencia por cuidado de hijo tienen derecho a la prestación por maternidad derivada del nacimiento posterior de otro hijo porque la Ley General de la Seguridad Social considera el primer año*

*de excedencia por cuidado de hijos como período de cotización efectiva y el artículo 17 del entonces aplicable Real Decreto 356/1991, 15 de marzo, establece que tal período de cotización lleva consigo la asimilación a la situación de alta para las distintas prestaciones de la Seguridad Social, con la excepción de la de prestación por incapacidad temporal* (SSTS de 14 de noviembre de 2002 [*Tol 265742*] y 15 de diciembre de 2003 [*Tol 352653*]).

*– Se cumple el requisito de alta o situación asimilada a los efectos de la prestación de maternidad en el supuesto de maternidad sobrevenida en situación de excedencia por cuidado de hijos* (STS de 15 de diciembre de 2003 [*Tol 352653*]).

*– Debe considerarse en situación asimilada a la de alta a efectos de maternidad a una trabajadora en excedencia para el cuidado de hijos menores pese a desarrollar un trabajo por cuenta propia compatible con el cuidado del menor* (STS de 10 de febrero de 2015 [*Tol 4763880*]).

4. Los trabajadores comprendidos en el campo de aplicación de este Régimen General se considerarán, de pleno derecho, en situación de alta a efectos de accidentes de trabajo, enfermedades profesionales y desempleo, aunque su empresario hubiera incumplido sus obligaciones. Igual norma se aplicará a los exclusivos efectos de la asistencia sanitaria por enfermedad común, maternidad y accidente no laboral.

– *El principio de automaticidad relativa se aplica a las prestaciones por maternidad* (SSTS de 12 de febrero de 1997 [*Tol 237743*], 3 de junio [Rec. 2259/2013] y 13 de noviembre de 2014 [Rec. 2684/2013], 22 de enero de 2016 [Rec. 1931/2014] y 21 de noviembre de 2023 [Rec. 3655/2022]).

5. El Gobierno, a propuesta del titular del Ministerio de Empleo y Seguridad Social y previa la determinación de los recursos financieros precisos, podrá extender la presunción de alta a que se refiere el apartado anterior a alguna o algunas de las restantes contingencias reguladas en el presente título.

6. Lo establecido en los dos apartados anteriores se entenderá sin perjuicio de la obligación de los empresarios de solicitar el alta de sus trabajadores en el Régimen General, conforme a lo dispuesto en el artículo 139, y de la responsabilidad empresarial que resulte procedente de acuerdo con lo previsto en el artículo siguiente.

7. Durante las situaciones de huelga y cierre patronal el trabajador permanecerá en situación de alta especial en la Seguridad Social.

**Artículo 167.** *Responsabilidad en orden a las prestaciones.* 1. Cuando se haya causado derecho a una prestación por haberse cumplido las condiciones a que se refiere el artículo 165, la responsabilidad correspondiente se imputará, de acuerdo con sus respectivas competencias, a las entidades gestoras, mutuas colaboradoras con la Seguridad Social o empresarios que colaboren en la gestión o, en su caso, a los servicios comunes.

– *El Instituto Nacional de la Seguridad Social no tiene responsabilidad en el abono de un subsidio de incapacidad temporal por enfermedad común pagado inicialmente por una Mutua en el supuesto de que como consecuencia de sentencia se produce la declaración posterior del beneficiario en situación de incapacidad permanente total derivada de enfermedad común y con efectos iniciales anteriores a la fecha en que se inició la situación de incapacidad temporal, y, por tanto, no cabe el reintegro de la cuantía de prestación por la entidad gestora en favor de la entidad colaboradora (SSTS de 26 de diciembre de 2007 [Tol 1292559] y 25 de febrero de 2008 [Tol 1292467]).*

– *Debe tenerse en cuenta la fecha del accidente de trabajo a los efectos de señalar la entidad responsable y el alcance de la posible responsabilidad (exclusiva o compartida) de una prestación por incapacidad permanente derivada de accidente de trabajo en aquellos supuestos en que la cobertura de los riesgos derivados de dicho accidente la tiene asegurada una entidad en la fecha de producción del mismo, mientras que es otra distinta la aseguradora que tiene a su cargo la cobertura de aquel riesgo con la propia empleadora en la fecha de efectos de la incapacidad permanente derivada de aquél (SSTS de 19 de enero de 2009 [Tol 1453846] y 4 de marzo de 2015 [Tol 4850832]).*

– *La cobertura se establece en función del riesgo asegurado, aunque proteja el daño indemnizable derivado de éste, que puede manifestarse con posterioridad al siniestro (SSTS de 15 de enero [Tol 3011340] y 25 y 26 de marzo [Tol 3536861 y 3536583] y 10 de julio de 2013 [Tol 3918971], 18 de noviembre de 2014 [Tol 4587242] y 17 de marzo de 2015 [Tol 4850642]).*

**2. El incumplimiento de las obligaciones en materia de afiliación, altas y bajas y de cotización determinará la exigencia de responsabilidad, en cuanto al pago de las prestaciones, previa la fijación de los supuestos de imputación y de su alcance y la regulación del procedimiento para hacerla efectiva.**

– *Cuando la empresa incurre en continuas, reiteradas y dilatas faltas de cotización a la Seguridad Social, la responsabilidad directa sobre las prestaciones alcanza única y estrictamente a la empresa, quedando libre de la misma la entidad gestora (SSTS de 19 de septiembre de 1991 [Rec. 83/1991] y 10 de mayo de 1993 [Tol 234719]).*

– *En los supuestos de incumplimiento de la obligación de alta de los trabajadores, el empresario es responsable de las prestaciones causadas para períodos anteriores al alta, salvo regularización antes de que se produzca el hecho causante (SSTS de 22 de abril de 1994 [Tol 234501], 27 de febrero de 1996 [Tol 235907] y 31 de enero de 1997 [Tol 237534]).*

– *Debe distinguirse entre la obligación de cotizar y la obligación de abono de las prestación por parte del empresario en el supuesto de prolongado incumplimiento de aquélla, no pudiendo admitirse que la extinción de la primera obligación por prescripción determine la extinción de la segunda, ya que tal modalidad de prescripción sólo es oponible frente al órgano correspondiente de la Seguridad Social cuando éste requiera el abono de las cuotas impagadas (SSTS de 20 de julio de 1995 [Tol 236051 y 267434] y 22 de julio de 2002 [Tol 222840 y 266640]).*

– *En relación con las prestaciones derivadas de accidente laboral sigue siendo válida la aplicación de la doctrina tradicional en relación con la responsabilidad empresarial por falta de cotización, en el sentido de distinguir según se trate de incumplimientos empresariales transitorios, ocasionales o involuntarios, o de incumplimientos definitivos y voluntarios, rupturistas o expresivos de la voluntad empresarial de no cumplir con su obligación de cotizar, para, en el primer caso imponer la responsabilidad del pago de las prestaciones a la entidad gestora o colaboradora y en el segundo a la empresa, con la responsabilidad subsidiaria del Instituto Nacional de la Seguridad Social* (SSTS de 1 y 21 de febrero [*Tol 45781* y *47092*], 18 de septiembre [*Tol 46894*], 27 de noviembre [*Tol 72203*] y 15 de diciembre de 2000 [*Tol 72219*], 16 de enero [Rec. 4043/1999], 5, 12, 19 y 22 de febrero [*Tol 31943, 32039, 32105 y 32145*], 5, 21 y 24 de marzo [*Tol 31949, 32140 y 32166*], 5 de abril [*Tol 31950*] y 28 de junio de 2001 [*Tol 66315*], 25 de junio de 2003 [*Tol 348510*], 11 de febrero [*Tol 377017*] y 27 de mayo de 2004 [*Tol 463093*], 16 de junio de 2005 [*Tol 726053*], 13 de febrero de 2006 [*Tol 867351*], 16 de mayo de 2007 [*Tol 110.202*], 10 de noviembre de 2009 [*Tol 1748982*], 23 de abril [*Tol 1865973*] y 10 de noviembre de 2010 [*Tol 2002896*] y 8 de marzo de 2011 [*Tol 2084521*]).

*– En los supuestos de pensión por jubilación o por incapacidad permanente existe responsabilidad empresarial en la parte proporcional correspondiente a los descubiertos habidos aunque éstos no afecten a la carencia para obtener la pensión y sí tienen incidencia en el porcentaje aplicable* (SSTS de 22 de julio de 2002 [*Tol 222840 y 266640*], 19 de marzo [*Tol 421593*], 7 de abril [*Tol 421592 y 421634*] y 2 de junio de 2004 [*Tol 463100*], 25 de septiembre de 2008 [*Tol 1396179*], 10 de marzo [*Tol 1486356*], 7 de julio [*Tol 1594425*] y 29 de octubre de 2009 [*Tol 1748975*] y 27 de abril [*Tol 1866196*] y 20 de septiembre de 2010 [*Tol 1981653*]).

*– No existiendo normas concretas sobre la responsabilidad subsidiaria del Instituto Nacional de la Seguridad Social respecto de las prestaciones económicas derivadas de contingencias comunes y anticipadas por la Mutua en el caso de responsabilidad directa de la empresa, aquella entidad gestora no debe de responder subsidiariamente de la misma, porque la Mutua es, de una parte, una entidad colaboradora en la gestión de la Seguridad Social, sujeta a las facultades de dirección y tutela del Estado, por lo que la protección queda suficientemente asegurada, y, además, percibe, por la función aseguradora asumida respecto a la incapacidad temporal derivada de contingencias comunes como contraprestación una fracción de cuota* (SSTS de 26 de enero de 2004 [*Tol 449746*], 16 de febrero de 2005 [*Tol 623112*] y 8 de junio de 2006 [*Tol 962005*]).

*– Para que la falta de ingreso de las cotizaciones del empresario en el plazo legalmente establecido pueda determinar la declaración de responsabilidad empresarial tiene que vincularse a un incumplimiento con trascendencia en la relación jurídica de protección, de forma que si el incumplimiento no tiene trascendencia en orden al reconocimiento de la prestación ha de excluirse la responsabilidad empresarial* (SSTS de 14 de diciembre de 2004 [*Tol 556885*] y 3 de abril de 2007 [*Tol 1073504*]).

*– En el supuesto de un trabajador que inicia una situación de incapacidad temporal en un momento posterior al día de su despido, fecha en que la empresa le da de baja en la Seguridad Social y deja de cotizar de él, y la posterior sentencia de improcedencia de despido es firme regularizándose la situación inicial, aquél debe ser considerado realmente en alta en Seguridad Social, pese a la baja formal que dio la empresa, siendo por tanto responsable directo del pago el Instituto Nacional de la Seguridad Social y no el empresario* (SSTS de 22 de julio de 2004 [*Tol 515635*], 5 de julio de 2006 [*Tol 986949*], y 4 de diciembre de 2007 [*Tol 1245225*]).

*– El empresario es el responsable del pago de una prestación por incapacidad temporal consecuencia de accidente de trabajo en el supuesto de falta de alta en el momento del*

*inicio de la prestación de servicios, puesto que el artículo 32.3.1º del Reglamento general sobre inscripción de empresas y afiliación, altas, bajas y variaciones de los trabajadores en la Seguridad Social establece que las solicitudes de alta deberán presentarse por los sujetos obligados (el empresario) con carácter previo al comienzo de la prestación de servicios por el trabajador (STS de 21 de septiembre de 2005 [Tol 732199]).*

*– En el supuesto de descubiertos parciales consecuencia de cotización en cuantía inferior a la que correspondía legalmente que afectan a la determinación de la cuantía de una pensión por incapacidad permanente total (y no al cumplimiento del requisito de carencia) existe responsabilidad directa del empresario en el pago de aquélla consistente en la diferencia entre la cuantía reconocida por la entidad gestora teniendo en cuenta las cotizaciones ingresadas y la que resulte de incluir las cantidades que no cotizó la empresa (SSTS de 18 de noviembre de 2005 [Tol 781773], 9 de abril [Tol 1076443], 26 de junio de 2007 [Tol 1124414] y 18 y 26 de febrero de 2008 [Tol 1324780 y 1292511], 13 de octubre de 2009 [Tol 1748979] y 27 de octubre de 2022 [Rec. 3629/2019]).*

*– Se produce responsabilidad del empresario en el pago de una prestación por incapacidad temporal cuando el trabajador había sido dado indebidamente de baja en la Seguridad Social con anterioridad al hecho causante, puesto que no se puede imponer el anticipo de tal prestaciones a cargo de la entidad gestora de la Seguridad Social cuando falta la oportuna alta del trabajador al momento del hecho causante; y ello porque no debe confundirse la situación de descubierto o retraso en el pago de las pertinentes cotizaciones por parte de la empresa con la ausencia total de alta del personal laboral en el Régimen General de la Seguridad Social al tiempo de producirse el hecho causante de la baja por incapacidad temporal (STS de 7 de diciembre de 2005 [Tol 816784]).*

*– Existe responsabilidad directa del empresario en el pago de una prestación económica por incapacidad temporal en aquellos supuestos en los que ha incumplido el plazo para solicitar el alta del trabajador, aun cuando sí ha ingresado en plazo las cotizaciones correspondientes al mismo (STS de 20 de junio de 2006 [Tol 986973]).*

*– No existe responsabilidad empresarial sobre las prestaciones de la Seguridad Social cuando se ha producido un defecto no intencionado en el epígrafe de accidentes de trabajo y enfermedades profesionales por el que debe abonarse la cotización correspondiente (STS de 21 de julio de 2009 [Tol 1642398]).*

*– Existe responsabilidad empresarial en el abono de una prestación por jubilación cuando existe falta de cotización empresarial durante un largo período debido a que la relación se entendía no laboral hasta que por sentencia firme se declaró laboral (STS de 22 de julio de 2020 [Rec. 737/2018]).*

*– No hay responsabilidad del empresario en el pago de las diferencias de la prestación derivadas de la existencia de infracotización tras el cese de la situación de pluriempleo, del que no tuvo conocimiento al no ser notificado por el trabajador ni por la Tesorería General de la Seguridad Social (STS de 31 de mayo de 2022 [Tol 9002493]).*

*– Existe responsabilidad empresarial en el supuesto de infracotización, por la diferencia entre la cuantía total de la prestación causada por el trabajador y la que corresponde asumir a la Seguridad Social, por las cuotas efectivamente ingresadas (STS de 14 de noviembre de 2023 [Rec. 3575/2022].*

**3. No obstante lo establecido en el apartado anterior, las entidades gestoras, mutuas colaboradoras con la Seguridad Social o, en su caso, los servicios**

comunes procederán, de acuerdo con sus respectivas competencias, al pago de las prestaciones a los beneficiarios en aquellos casos, incluidos en dicho apartado, en los que así se determine reglamentariamente, con la consiguiente subrogación en los derechos y acciones de tales beneficiarios. El indicado pago procederá aun cuando se trate de empresas desaparecidas o de aquellas que por su especial naturaleza no puedan ser objeto de procedimiento de apremio. Igualmente, las mencionadas entidades, mutuas y servicios asumirán el pago de las prestaciones, en la medida en que se atenúe el alcance de la responsabilidad de los empresarios respecto a dicho pago.

El anticipo de las prestaciones, en ningún caso, podrá exceder de la cantidad equivalente a dos veces y media el importe del indicador público de renta de efectos múltiples vigente en el momento del hecho causante o, en su caso, del importe del capital coste necesario para el pago anticipado, con el límite indicado por las entidades gestoras, mutuas o servicios. En todo caso, el cálculo del importe de las prestaciones o del capital coste para el pago de las mismas por las mutuas o empresas declaradas responsables de aquellas incluirá el interés de capitalización y el recargo por falta de aseguramiento establecido pero con exclusión del recargo por falta de medidas de seguridad y salud en el trabajo a que se refiere el artículo 164.

Los derechos y acciones que, por subrogación en los derechos y acciones de los beneficiarios, correspondan a aquellas entidades, mutuas o servicios frente al empresario declarado responsable de prestaciones por resolución administrativa o judicial o frente a las entidades de la Seguridad Social en funciones de garantía, únicamente podrán ejercitarse contra el responsable subsidiario tras la previa declaración administrativa o judicial de insolvencia, provisional o definitiva, de dicho empresario.

Cuando, en virtud de lo dispuesto en este apartado, las entidades gestoras, las mutuas y, en su caso, los servicios comunes se subrogasen en los derechos y acciones de los beneficiarios, aquellos podrán utilizar frente al empresario responsable la misma vía administrativa o judicial que se hubiera seguido para la efectividad del derecho y de la acción objeto de subrogación.

> – La entidad gestora queda obligada a anticipar el pago de las prestaciones (vejez), cuando recae sobre el empresario la obligación principal de satisfacer al interesado la devengada, por razón de incumplimientos relativos a las obligaciones de aquél, para con la Seguridad Social, estando el trabajador de alta o en situación asimilada a la de alta en la fecha del hecho causante y reuniendo los requisitos particulares exigidos para lucrar la prestación de que se trate (SSTS de 10 de mayo de 1993, 1 de junio de 1994 [Tol 235089], 20 de julio de 1995 [Tol 236051 y 267434], 21 de diciembre de 1998 y 19 de junio de 2000).

– *Es aplicable el principio de automaticidad de las prestaciones (incapacidad permanente) en los casos de infracotización, puesto que en los supuestos de cotización por base inferior a la debida se está en presencia de un supuesto anormal de infraseguro, donde por razones de justicia social han de responder las entidades correspondientes frente al trabajador, que no puede sufrir el perjuicio económico debido a la defectuosa aportación empresarial, y si bien corresponde la responsabilidad relativa a las pertinentes diferencias de la prestación a la empresa, es la entidad gestora de la Seguridad Social o entidad colaboradora, en aras de la garantía de los derechos de los beneficiarios de la prestación, la que asumirá la responsabilidad referente a esas diferencias, con la subsiguientes subrogación en los derechos y acciones de los beneficiarios* (SSTS de 20 de diciembre de 1993 [*Tol 233205*] y 17 de enero de 1998 [*Tol 46756*]).

– *En los supuestos de falta de afiliación, alta o cotización el empresario incumplidor de estas obligaciones es en principio el responsable directo de las prestaciones previstas para remediar las consecuencias del accidente de trabajo, la Mutua de accidentes de trabajo y enfermedades profesionales tiene obligación de anticipar de manera inmediata el pago de tales prestaciones al accidentado si el empresario responsable directo no lo hace, subsiste la responsabilidad indirecta de garantía de las prestaciones a cargo de la entidad gestora para el supuesto de insolvencia del sujeto responsable de las mismas, sea la empresa o la Mutua, y el anticipo de prestaciones por parte de la entidad colaboradora subroga en su caso a ésta en os derechos del accidentado tanto frente al empresario responsable directo, como frente al Instituto Nacional de la Seguridad Social responsable por vía de garantía* (SSTS de 12 de julio [*Tol 234561* y *267003*] y 27 de diciembre de 1994 [*Tol 233038* y *234590*], 18 de mayo [*Tol 236014* y *266310*] y 11 de diciembre de 1995 [*Tol 267141*], 24 de mayo [*Tol 236083*] y 26 de septiembre de 1996 [*Tol 235306*], 3 de abril [*Tol 237718*] y 15 de diciembre de 1997 [*Tol 237695*], 29 de diciembre de 1998 [Rec. 859/1998], 28 de abril de 2006 [*Tol 956265*], 18 de enero de 2007 [*Tol 1038117*] y 18 de octubre de 2011 [*Tol 2287553*]).

– *Tras el pago anticipado de la prestación (incapacidad temporal) por la Mutua de accidentes de trabajo y enfermedades profesionales, existe la obligación subsidiaria de pago del Fondo de Garantía de Accidente de Trabajo (Instituto Nacional de la Seguridad Social y Tesorería General de la Seguridad Social) cuando la persona obligada a responder por el incumplimiento de sus obligaciones (empresario) resultara insolvente, en cuyo caso el citado Fondo se resarcirá del responsable, sin que la normativa aplicable exija con carácter previo una declaración de insolvencia* (SSTS de 21 de febrero de 2000 [*Tol 47092*] y 14 de junio 2011 [*Tol 2196284*]).

– *Se distinguen dos tipos de prestaciones, las que tienen reconocido un régimen completo de automaticidad y aquellos en las que ese régimen está limitado o condicionado, de forma que se aplica para los supuestos en los que el trabajador se encuentra en alta, aunque existan descubiertos en materia de cotización, pero no cuando el trabajador no está en alta en el momento en que se actualiza la contingencia determinante (incapacidad permanente)* (STS de 9 de abril de 2001 [*Tol 32000*]).

– *El Instituto Nacional de la Seguridad Social tiene la obligación de anticipar el pago de una prestación por jubilación reconocida judicialmente con responsabilidad parcial de la empresa consecuencia del incumplimiento de sus obligaciones de alta y cotización, cuando se trata de un trabajador que no se encontraba en situación de alta en el momento del hecho causante, puesto que no es aplicable el artículo 95.2 de la Ley de Seguridad Social de 1966 a los supuestos de jubilación porque para poder acceder al derecho a esta prestación ya no es necesario el requisito de encontrarse de alta en la fecha del hecho causante* (SSTS de 17 de marzo de 2006 [*Tol 883660*] y 16 de diciembre de 2009 [*Tol 1776169*]).

– *El reintegro del anticipo de una prestación realizado por una Mutua como consecuencia del incumplimiento de las obligaciones con la Seguridad Social por un empresario comprende los intereses de la capitalización que la Mutua tuvo que abonar a la Tesorería General de la Seguridad Social en el momento de la constitución del capital coste de renta correspondiente a la prestación porque los intereses de capitalización forman parte integrante de los conceptos que se tienen que abonar para constituir el capital coste de renta; en consecuencia, la Mutua tiene derecho a que los mismos se comprendan en el reintegro que ha de recibir de la entidad o empresa responsable, como consecuencia de la subrogación que establece el artículo 126.3 de la LGSS de 1994, alcanzando la responsabilidad subsidiaria del Instituto Nacional de la Seguridad Social también al abono de esos intereses* (STS de 11 de julio de 2007 [Tol 1143922]).

– *Aunque por disposición legal la prestación por riesgo durante el embarazo tiene naturaleza profesional y su anticipo corresponde a la Mutua aseguradora, en caso de insolvencia empresarial no hay responsabilidad subsidiaria del Instituto Nacional de la Seguridad Social, como sucede en las contingencias profesionales propiamente dichas* (SSTS de 19 de mayo [Tol 4462435] y 10 de diciembre de 2014 [Tol 4752059]).

– *Para que pueda ejercitarse por una Mutua Colaboradora con la Seguridad Social la acción subrogatoria por las cantidades anticipadas a los beneficiarios en concepto de prestaciones derivadas de un accidente de trabajo es preciso que se determine previamente la responsabilidad principal del empresario incumplidor* (STS de 16 de febrero de 2016 [Tol 5661990]).

– *La infracotización existe cuando la cuota abonada por la empresa no se corresponde con las reglas que en materia de cotización vienen establecidas y que atiende al salario que pudiera estar percibiendo el trabajador, incurriendo con esa conducta en un claro incumplimiento por parte del obligado al pago de la cotización que puede tener repercusión en el derecho a las prestaciones que puedan generarse* (STS de 26 de mayo de 2021 [Tol 8489097]).

**4. Corresponderá a la entidad gestora competente la declaración, en vía administrativa, de la responsabilidad en orden a las prestaciones cualquiera que sea la prestación de que se trate, así como de la entidad que, en su caso, deba anticipar aquella o constituir el correspondiente capital coste.**

Puesto que no se ha producido el desarrollo reglamentario en materia de responsabilidad de prestaciones de la Seguridad Social, se considera vigentes los siguientes preceptos del Texto Articulado primero de la Ley de Bases de Seguridad Social, aprobado por Decreto 907/1966, de 21 de abril:

**Artículo 94**: "*Imputación de responsabilidades en orden a las prestaciones.* 1. Cuando se haya causado derecho a una prestación a favor de un trabajador por haberse cumplido, de acuerdo con lo dispuesto en la presente Ley, las obligaciones de afiliación o alta y de cotización, así como los requisitos particulares exigidos para cada una de ellas, la responsabilidad correspondiente se imputará a las Entidades Gestoras de la Seguridad Social o, en su caso, a las Mutuas Patronales o empresarios que colaboren en la gestión.

2. El empresario, respecto a los trabajadores a su servicio incluidos en el campo de aplicación de este Régimen General, será responsable de las prestaciones previstas en el mismo:

a) Por falta de afiliación o alta, sin que le exonere de responsabilidad el alta presunta de pleno derecho del número 3 del artículo anterior.

b) Por falta de ingreso de las cotizaciones, a partir de la iniciación del segundo mes siguiente a la fecha en que expire el plazo reglamentario establecido para el pago; en consecuencia las cotizaciones efectuadas fuera del plazo, a que se refiere el apartado b) de la norma 1.ª del número 3 del artículo 92, no exonerarán de responsabilidad al empresario, salvo los casos de concesión de aplazamiento o fraccionamiento en el pago u otros supuestos, que se determinen reglamentariamente con exclusión expresa de la responsabilidad del empresario establecida en este artículo.

c) En el supuesto del número 5 del artículo 92, por la diferencia entre la cuantía total de la prestación causada por el trabajador y la que corresponde asumir a la Seguridad Social, por las cuotas efectivamente ingresadas. En materia de accidentes de trabajo y enfermedades profesionales se equipararán al supuesto del número 5 del artículo 92 la ocultación o falseamiento deliberados en la declaración de las circunstancias que hayan motivado un ingreso de cuotas o primas inferiores al procedente.

3. La responsabilidad del empresario regulada en este artículo será compatible con las demás se carácter administrativo o de otro orden que puedan originarse por el incumplimiento de sus obligaciones.

4. En los casos de accidentes de trabajo y enfermedades profesionales, cuando el empresario o empresarios responsables y, en los supuestos del artículo 97, las personas obligadas a responder con ellos, o, en su caso, la Mutua Patronal que hubiere asumido el riesgo, resultaren insolventes, el trabajador y sus derechohabientes podrán hacer efectivos sus derechos a las prestaciones de todo orden derivadas de incapacidad laboral transitoria, invalidez permanente o muerte, con cargo al oportuno Fondo de Garantía. Este Fondo se resarcirá del responsable por el procedimiento ejecutivo que se regulará en las disposiciones de aplicación y desarrollo de la presente Ley.

5. La norma del número anterior será aplicable a las prestaciones causadas en caso de invalidez permanente derivada de accidente no laboral.

6. El Gobierno, a propuesta del Ministro de Trabajo y previa la dotación de los recursos financieros precisos, podrá extender la responsabilidad subsidiaria, a que se refieren los dos números anteriores, o el anticipo en el pago de las prestaciones reconocidas, que se regula en el artículo siguiente, a la cobertura de alguna de las restantes contingencias reguladas en el presente Título."

**Artículo 95:** "*Alcance de la responsabilidad empresarial y anticipo de prestaciones.* 1. El alcance de la responsabilidad empresarial establecido en el número anterior, así como los supuestos en que, sin perjuicio de la misma, se anticiparán por las Entidades Gestoras o Mutuas Patronales, en su caso, las prestaciones reconocidas o los beneficiarios, se regirán por las siguientes normas:

1.ª La prestación de asistencia sanitaria, cuando se trate de trabajadores en alta o que estén comprendidos en alguno de los supuestos del número 3 del artículo 93, será facilitada por las Entidades Gestoras, de forma directa e inmediata, y el empresario vendrá obligado a reintegrarle los gastos correspondientes al tratamiento completo dispensado por la misma al trabajador o, en su caso, a sus familiares beneficiarios.

2.ª Las prestaciones de desempleo, así como las económicas de incapacidad laboral transitoria, cuando se trate de trabajadores en alta, serán hechas efectivas por la Entidad Gestora, de forma directa e inmediata, y el empresario vendrá obligado a reintegrarle el importe de las mismas, sin perjuicio de lo que se disponga en orden al pago delegado de prestaciones.

3.ª Las prestaciones de protección a la familia, así como las económicas de incapacidad laboral transitoria correspondientes a trabajadores que no estén en alta, serán abonadas por el empresario al trabajador directamente y a su cargo.

4.ª Las prestaciones de vejez y las pensiones y subsidios de invalidez y supervivencia, serán a cargo del empresario, y se abonarán al trabajador o a sus derechohabientes a través de la Entidad Gestora correspondiente. A tal efecto, el empresario constituirá en la misma o, en su caso, en el correspondiente Servicio Común de la Seguridad Social, el capital necesario para que se proceda con él al abono de las mencionadas las prestaciones. El importe del capital será determinado por la citada Entidad Gestora o Servicio Común, teniendo en cuenta las Tablas que fije el Ministro de Trabajo. El empresario responsable, así como el alcance total o parcial de su responsabilidad, se determinará con arreglo a lo dispuesto en las normas reglamentarias, en el supuesto de que la obligación de cotización exigida para las prestaciones haya sido incumplida a lo largo del tiempo por uno o varios empresarios.

5.ª En las prestaciones que consistan en el pago de una cantidad a tanto alzado, y que no estén incluidas en las normas anteriores, el empresario habrá de ingresar su importe directamente en la Entidad Gestora o Servicio Común citados en el apartado anterior, para su abono al beneficiario.

2. Sin perjuicio de lo dispuesto en la regla 4.ª del número anterior, cuando reconocido el derecho a una pensión de vejez, a un trabajador que estuviese en alta, el empresario no se encuentre al corriente en el pago de las cuotas correspondientes a la totalidad de sus trabajadores la Entidad Gestora anticipará al beneficiario el pago de la pensión. No procederá este anticipo en el supuesto de empresas desaparecidas o que, por su especial naturaleza insolvente, la Entidad Gestora continuará abonando la pensión y conservará frente al mismo, si viniese a mejor fortuna, los derechos reconocidos en igual situación el Fondo de Garantía de Accidentes de Trabajo.

3. Para las pensiones y subsidios de invalidez y supervivencia, las disposiciones reglamentarias establecerán en favor de los trabajadores en alta y de sus derechohabientes beneficios similares a los regulados en el número anterior, teniendo en consideración, cuando proceda, las especialidades que se derivan de la responsabilidad subsidiaria del Fondo de Garantía establecida en la norma 4.ª del número 1 de este artículo, de la participación en la gestión de las Mutuas Patronales, previstas en el apartado c) del artículo 199, y de la competencia atribuida, en el artículo 144, a las Comisiones Técnicas Calificadoras.

4. En el supuesto a que se refiere el apartado b), del número 2 del artículo anterior, podrá moderarse reglamentariamente el alcance de la responsabilidad empresarial cuando el empresario ingrese las cuotas correspondientes a la totalidad de sus trabajadores; en tal caso, la Entidad Gestora asumirá, en la medida en que el empresario quede exonerado, la responsabilidad resultante.

5. Lo dispuesto en las normas 1.ª, 2.ª y 3.ª del número 1, y en los números 3 y 4 del presente artículo será de aplicación a las Mutuas Patronales que colaboren en la gestión.

6. Serán nulos los compromisos o pactos que se opongan a lo dispuesto en el presente artículo concertados entre el empresario y los presuntos beneficiarios."

**Artículo 96:** "*Procedimiento para la exigencia de responsabilidad.* 1. Cuando la Entidad Gestora deniegue su responsabilidad por una o varias prestaciones, en aplicación del artículo 94, lo hará en resolución fundada, oído el empresario o empresarios afectados siempre que sea posible. Cuando se trate de prestaciones por invalidez, cualquiera que sea su causa, la determinación de la responsabilidad por las prestaciones, y su imputación, corresponderá a las Comisiones Técnicas Calificadoras, de conformidad y con los efectos dispuestos en el artículo 144.

2. Será competencia de la Jurisdicción del Trabajo el conocimiento de las cuestiones que se susciten con ocasión de lo previsto en el número anterior y su tramitación se ajustará al Texto Refundido de Procedimiento Laboral.

3. Cuando en virtud de lo dispuesto en el artículo anterior la Entidad Gestora anticipe el pago de una prestación de la que es responsable el empresario, podrá utilizar frente al mismo el procedimiento administrativo especial de apremio que a los efectos de recaudación se establece en el artículo 19.

4. Cuando la Entidad Gestora o Mutua Patronal, en su caso, deniegue parcialmente su responsabilidad en aplicación del apartado c) del número 2 del artículo 94, se estará a lo establecido en los números 1 y 2 del presente artículo en cuanto a la parte de prestación no asumida por aquéllas.

5. En los supuestos a que se refieren los números 1 y 4 del presente artículo, la acción del trabajador para reclamar frente al empresario o empresarios responsables prescribirá al año, a contar desde la fecha en que la Entidad Gestora comunique al trabajador perjudicado su resolución administrativa firme por la que se le deniega en todo o en parte la prestación solicitada.

6. Sin embargo, cuando la acción, cualquiera que sea el demandante, se dirija contra una resolución de la Comisión Técnica Calificadora, en los supuestos a que se refiere el número 1 del presente artículo se estará a lo que disponga el Texto Refundido del Procedimiento Laboral."

**Artículo 168. _Supuestos especiales de responsabilidad en orden a las prestaciones._** 1. Sin perjuicio de lo dispuesto en el artículo 42 del texto refundido de la Ley del Estatuto de los Trabajadores para las contratas y subcontratas de obras y servicios correspondientes a la propia actividad del empresario contratante, cuando un empresario haya sido declarado responsable, en todo o en parte, del pago de una prestación, a tenor de lo previsto en el artículo anterior, si la correspondiente obra o industria estuviera contratada, el propietario de esta responderá de las obligaciones del empresario si el mismo fuese declarado insolvente.

> – _Existe responsabilidad solidaria de la empresa principal y la empresa contratista en los supuestos de recargo de prestaciones por incumplimiento de las medidas de seguridad y salud laborales_ (STS de 18 de abril de 1992 [Tol 232490]).
>
> – _Lo que determina que una actividad sea "propia" de la empresa es su condición de inherente a su ciclo productivo; podría entenderse como propia actividad la "indispensable", de suerte que integrarán el concepto, además de las que constituyen el ciclo de producción de la empresa, todas aquellas que resulten necesarias para la organización del trabajo, abarcando las tareas complementarias; podría pensarse que únicamente se integran en el concepto las actividades inherentes, de modo que sólo las tareas que correspondan al ciclo productivo de la empresa principal se entenderán "propia actividad" de ella, lo que comporta que las labores no "nucleares" quedan excluidas del concepto; si se exige que las obras y servicios que se contratan o subcontratan deben corresponder a la propia actividad empresarial del comitente, es porque el legislador está pensando en una limitación razonable que excluya una interpretación favorable a cualquier clase de actividad empresarial, siendo obvio que la primera de las interpretaciones posibles anula el efecto del mandato del artículo 42 del Estatuto de los Trabajadores que no puede tener otra finalidad que reducir los supuestos de responsabilidad del empresario comitente y, por ello, ha de acogerse la interpretación que entiende que propia actividad de la empresa es la que engloba las obras y servicios nucleares de la comitente; y son las obras o servicios que pertenecen al ciclo productivo de la empresa, esto es, las que forman parte de las actividades principales de la empresa, de forma que nos encontraríamos ante una contrata de este tipo cuando de no haberse concertado ésta, las obras y servicios debieran realizarse por el propio empresario comitente so pena de perjudi-_

*car sensiblemente su actividad empresarial* (SSTS de 18 de enero de 1995 [Rec. 150/1994], 24 de noviembre de 1998 [Rec. 517/1998], 22 de noviembre de 2002 [Rec. 3904/2001], 11 de mayo de 2005 [Rec. 2291/2004] y 7 de junio de 2022 [*Tol 9010114*].

– *Cuando la incapacidad temporal que exceda del tiempo de vigencia de una contrata sobre la misma actividad traiga su causa de la enfermedad o accidente acaecido durante aquélla, tiene consideración de la Seguridad Social, de la que responde solidariamente el contratista principal cuando sea responsable el subcontratista contratado para la misma actividad de la contrata principal* (STS de 17 de mayo de 1996 [*Tol 235643*]).

– *El concepto de "propia actividad" se refiere a aquellas contratas que desempeñan actividades inherentes al ciclo productivo de la empresa principal* (STS de 24 de noviembre de 1998 [*Tol 47328*]).

– *Existe responsabilidad en orden a las prestaciones de Seguridad Social como consecuencia del incumplimiento de las obligaciones de afiliación y alta en un supuesto de subcontratación de una obra cuando se produce un accidente no laboral padecido por un trabajador al servicio de la empresa subcontratista (artículo 94.2 a) de la Ley de Seguridad Social de 1966); y, dado que el objeto de la subcontratación corresponde a la misma actividad (construcción), la responsabilidad en el pago de las prestaciones del empresario principal debe ser declarada solidaria, en aplicación del artículo 42.2 del Estatuto de los Trabajadores* (STS de 23 de septiembre de 2008 [*Tol 1393230*]).

– *Existe responsabilidad subsidiaria cuando se trata de una actividad diferente* (STS de 9 de diciembre de 2010 [*Tol 236588*]).

– *Es propia actividad de las Administraciones públicas el servicio municipal de atención a personas mayores en centros de día, porque el ayuntamiento asumió ese servicio, para lo que es competente, con independencia de que su prestación le sea legalmente exigible* (STS de 5 de diciembre de 2011 [Rec. 4197/2010]); *el servicio de comedor en los centros docentes públicos de la Junta de Andalucía, porque se trata de una competencia atribuida al ente público y es un servicio complementario pero inherente y estrictamente necesario para que se pueda prestar el servicio público docente* (STS de 14 de septiembre de 2021 [Rec. 652/2018]); *los servicios de atención al público en los centros culturales de un patronato de un ayuntamiento, porque el ayuntamiento había asumido estas funciones culturales, debiendo incluirse como propia actividad las tareas necesarias para la ejecución de los programas culturales encomendados, como los servicios de atención al público (información, control de aforos, taquillaje, portería, organización de comienzo y fin de actividades, medidas de seguridad, planes de evacuación, etc.)* (SSTS de 7, 8 y 13 de junio de 2022 [Rec. 675/2021 y 1817/2021, 674/21 y 677/21]); *y el servicio de cafetería y comedor de los centros municipales de mayores, porque no es una actividad complementaria inespecífica de la corporación local, como pueden serlo la limpieza o la vigilancia del centro* (STS de 9 de marzo de 2023 [*Tol 9460013*]).

– *Existe responsabilidad solidaria por el impago de cotizaciones sociales durante el período de vigencia de una contrata entre entidades mercantiles* (STS de 27 de febrero de 2019 [Rec. 232/2016]).

– *El artículo 42.1 y 2 del Estatuto de los Trabajadores no permite atribuir responsabilidad solidaria al empresario principal por las deudas que tuviere con la Seguridad Social el contratista o subcontratista anteriores a su contratación o subcontratación; y respecto de los descubiertos en que incurra el contratista o subcontratista durante la ejecución de la obra o servicio, la emisión de certificados negativos por la Tesorería General de la Seguridad Social no exonera al empresario principal de responsabilidad solidaria, salvo que, atendiendo a las circunstancias del caso, pueda deducirse que la Tesorería General de la Seguridad Social al tiempo de certificar estaba en condiciones de ofrecer una información coincidente con la realidad del estado de los débitos del contratista o subcontratista (STS de 3 de febrero de 2021 [Rec. 2584/2019]).*

*– Afectos de la responsabilidad solidaria del artículo 42.2 del Estatuto de los Trabajadores, constituye propia actividad la externalizada y consistente en prestar atención al público (información, control de aforos, taquillaje, portería, organización de comienzo y fin de actividades, medidas de seguridad, planes de evacuación, etc.) por parte de una empresa a quien se lo ha encomendado un organismo municipal encargado de organizar y desarrollar la actividad cultural de un Ayuntamiento (SSTS de 7, 8 y 13 de junio de 2022 [Tol 9010114 y 9093529, 9093618, y 9097301]).*

No habrá lugar a esta responsabilidad subsidiaria cuando la obra contratada se refiera exclusivamente a las reparaciones que pueda contratar un amo de casa respecto a su vivienda.

2. En los casos de sucesión en la titularidad de la explotación, industria o negocio, el adquirente responderá solidariamente con el anterior o con sus herederos del pago de las prestaciones causadas antes de dicha sucesión. La misma responsabilidad se establece entre el empresario cedente y cesionario en los casos de cesión temporal de mano de obra, aunque sea a título amistoso o no lucrativo, sin perjuicio de lo establecido en el art. 16.3 de la Ley 14/1994, de 1 de junio, por la que se regulan las empresas de trabajo temporal.

*– En los casos de sucesión en la titularidad de la explotación industrial o negocio el adquirente responderá solidariamente con el empresario anterior a sus sucesores en el pago de las prestaciones causadas antes de dicha sucesión (reconocimiento de una pensión de jubilación por no haber cotizado antes de la transmisión del negocio) (SSTS de 22 de noviembre de 2005 [Tol 796198] y 13 de noviembre de 2006 [Tol 1028402]).*

*– No es admisible la existencia de responsabilidad solidaria en el supuesto de sucesión de empresas porque la función preventivo/punitiva del recargo de prestaciones, la determinante idea de empresario infractor que utiliza la Ley General de la Seguridad Social, la consiguiente afirmación jurisprudencial de que sólo es atribuible, en forma exclusiva, a la empresa incumplidora de sus deberes en materia de seguridad e higiene en el trabajo, la exclusión de responsabilidad por el Instituto Nacional de la Seguridad Social como sucesor del Fondo de Garantía de Accidente de Trabajo y la no asegurabilidad de aquélla, llevan a concluir que la responsabilidad que comporta el recargo, cualquiera que sea el momento de su declaración, es intransferible por la vía de la sucesión de empresa (STS de 18 de julio de 2011 [Tol 2246749]).*

*– No se produce sucesión de empresa cuando no hay transmisión de elementos patrimoniales, ni de una parte esencial, en cantidad o cualificación de la plantilla (STS de 23 de noviembre de 2016 [Rec. 795/2015]).*

*– En los casos de sucesión en la titularidad de la explotación, industria o negocio, el adquirente responderá solidariamente con el anterior o con sus herederos del pago de las prestaciones causadas antes de dicha sucesión, sin excluir la responsabilidad que correspondería a las empresas que se han transformado estructuralmente, por medio de operaciones de*

*fusión, respecto de las prestaciones que se reconozcan con posterioridad a dicha reestructuración en tanto que esas situaciones, en sí mismas, ya llevan implícita una sucesión universal en todos los derechos y obligaciones de una empresa a otra, de manera que, no habiendo desaparecido ni extinguido la responsabilidad en que ha incurrido la anterior empresa por sus incumplimientos en las obligaciones de cotización y respecto de las prestaciones que corresponden a los que fueron sus trabajadores, dicha responsabilidad ha pasado a asumirla la nueva empresa, colocándose en la posición de aquella, respecto de todos los derechos y obligaciones que a aquellos les podía corresponder, como en materia de prestaciones de la Seguridad Social (SSTS de 27 de marzo [Tol 7223898] y 19 de diciembre de 2019 [Rec. 3276/2017], 6 de octubre de 2021 [Tol 8628276] y 20 de diciembre de 2022 [Rec. 2588/2019]).*

Reglamentariamente se regulará la expedición de certificados por la Administración de la Seguridad Social que impliquen garantía de no responsabilidad para los adquirentes.

3. Cuando la prestación haya tenido como origen supuestos de hecho que impliquen responsabilidad criminal o civil de alguna persona, incluido el empresario, la prestación será hecha efectiva, cumplidas las demás condiciones, por la entidad gestora, servicio común o mutua colaboradora con la Seguridad Social, en su caso, sin perjuicio de aquellas responsabilidades. En estos casos, el trabajador o sus derechohabientes podrán exigir las indemnizaciones procedentes de los presuntos responsables criminal o civilmente.

*– En materia de accidentes de trabajo y enfermedades profesionales que gozan de una protección de responsabilidad objetiva, venir a duplicar ésta por la vía de responsabilidad por culpa contractual o aquiliana, que nunca podrá ser universal como la prevista en la legislación social ni equitativa entre los distintos damnificados, como la legislada, más que ser una mejora social se transforma en un elemento de inestabilidad y desigualdad, y, por ello, en este ámbito, la responsabilidad por culpa ha de ceñirse a su sentido clásico y tradicional, sin ampliaciones que están ya previstas o instauradas, con más seguridad y equidad (SSTS de 30 de septiembre de 1997 [Tol 238190], 2 de febrero [Tol 45854] y 10 de diciembre de 1998 [Tol 645175], 17 de febrero de 1999 [Tol 208938] y 20 de julio de 2000 [Rec. 3801/1999]).*

*– Las prestaciones de la Seguridad Social no agotan la indemnización total que pudiera proceder en concepto de responsabilidad civil por culpa o negligencia del empresario en un accidente de trabajo y se integran en el total indemnizatorio, siendo, por tanto, deducibles del importe que hubiera tenido que abonarse si no hubieran existido tales prestaciones; si bien, debe tenerse en cuenta que este criterio no es aplicable al recargo de prestaciones por incumplimiento por el empresario de las medidas de seguridad y salud laboral (SSTS de 2 de febrero [Tol 45854] y 10 de diciembre de 1998 [Tol 645175], 17 de febrero de 1999 [Tol 208938], 3 de junio de 2003 [Tol 649488], 9 de febrero [Tol 649710 y 739424] y 1 de junio de 2005 [Tol 675586] y 24 de julio de 2006 [Tol 1006701]).*

Con independencia de las acciones que ejerciten los trabajadores o sus causahabientes, el Instituto Nacional de Gestión Sanitaria o comunidad autónoma correspondiente y, en su caso, las mutuas colaboradoras con la Seguridad

Social, tendrán derecho a reclamar al tercero responsable o, en su caso, al subrogado legal o contractualmente en sus obligaciones, el coste de las prestaciones sanitarias que hubiesen satisfecho. Igual derecho asistirá, en su caso, al empresario que colabore en la gestión de la asistencia sanitaria, conforme a lo previsto en la presente ley.

Para ejercitar el derecho al resarcimiento a que se refiere el párrafo anterior, la entidad gestora que en el mismo se señala y, en su caso, las mutuas colaboradoras con la Seguridad Social o empresarios, tendrán plena facultad para personarse directamente en el procedimiento penal o civil seguido para hacer efectiva la indemnización, así como para promoverlo directamente, considerándose como terceros perjudicados al efecto del artículo 113 del Código Penal.

> – *El orden jurisdiccional social es competente para conocer de las acciones de la responsabilidad civil o patrimonial derivada de un accidente de trabajo con la intención de obtener una indemnización por daños y perjuicios a causa de la negligencia del empresario, puesto que se trata de una materia encuadrada en la prevención de riesgos laborales, que, a su vez, encaja en la rama social del Derecho y que es manifiestamente ajena al Derecho civil* (SSTS de 1 de diciembre de 2003 [*Tol 348768*] y 22 de junio de 2005 [*Tol 703750*]).

## CAPÍTULO V. Incapacidad temporal

**Artículo 169.** *Concepto.* 1. Tendrán la consideración de situaciones determinantes de incapacidad temporal:

a) Las debidas a enfermedad común o profesional y a accidente, sea o no de trabajo, mientras el trabajador reciba asistencia sanitaria de la Seguridad Social y esté impedido para el trabajo, con una duración máxima de trescientos sesenta y cinco días, prorrogables por otros ciento ochenta días cuando se presuma que durante ellos puede el trabajador ser dado de alta médica por curación.

Tendrán la consideración de situaciones especiales de incapacidad temporal por contingencias comunes aquellas en que pueda encontrarse la mujer en caso de menstruación incapacitante secundaria, así como la debida a la interrupción del embarazo, voluntaria o no, mientras reciba asistencia sanitaria por el Servicio Público de Salud y esté impedida para el trabajo, sin perjuicio de aquellos supuestos en que la interrupción del embarazo sea debida a accidente de trabajo o enfermedad profesional, en cuyo caso tendrá la consideración de situación de incapacidad temporal por contingencias profesionales.

Se considerará también situación especial de incapacidad temporal por contingencias comunes la de gestación de la mujer trabajadora desde el día primero de la semana trigésima novena.

Se considerará situación especial de incapacidad temporal por contingencias comunes aquella en la que se encuentre la persona trabajadora donante de órganos o tejidos para su trasplante. Esta situación comprenderá tanto los días discontinuos como ininterrumpidos, en los que el donante reciba asistencia sanitaria de la Seguridad Social y esté impedido para el trabajo como consecuencia de la preparación médica de la cirugía, como los transcurridos desde el día del ingreso hospitalario para la realización de esta preparación o la realización del trasplante hasta que sea dado de alta por curación.

Letra a) redactada por la Ley 6/2024, de 20 de diciembre, para la mejora de la protección de las personas donantes en vivo de órganos o tejidos para su posterior trasplante (BOE núm. 307, 21 de diciembre de 2024).

– *Existe derecho a prestación por incapacidad temporal en el supuesto de una trabajadora que se sometió a una intervención quirúrgica en ambos ojos para implante de lentes intraoculares al objeto de eliminar la presbicia, la hipermetropía y el astigmatismo que padecía, aun cuando dicha intervención no se encuentra incluida en la Cartera de servicios comunes del Sistema Nacional de Salud, al no tratarse de una intervención de cirugía estética* (SSTS de 8 de enero de 2020 [*Tol 7691113*] y 19 de septiembre de 2023 [*Tol 9723949*]).

b) Los períodos de observación por enfermedad profesional en los que se prescriba la baja en el trabajo durante los mismos, con una duración máxima de ciento ochenta días, prorrogables por otros ciento ochenta días cuando se estime necesario para el estudio y diagnóstico de la enfermedad.

Letra b) redactada por el Real Decreto-Ley 2/2023, de 16 de marzo, de medidas urgentes para la ampliación de derechos de los pensionistas, la reducción de la brecha de género y el establecimiento de un nuevo marco de sostenibilidad del sistema público de pensiones (BOE núm. 65, 17 de marzo de 2023).

– *La prórroga de 6 meses no precisa declaración expresa, puesto que los partes de confirmación justifican la necesidad de asistencia médica e incapacidad para trabajar* (STS de 18 de julio de 1995 [*Tol 236136*]).

2. A efectos del período máximo de duración de la situación de incapacidad temporal que se señala en la letra a) del apartado anterior, y de su posible prórroga, se computarán los períodos de recaída y de observación.

Se considerará que existe recaída en un mismo proceso cuando se produzca una nueva baja médica por la misma o similar patología dentro de los ciento ochenta días naturales siguientes a la fecha de efectos de alta médica anterior, salvo los procesos por bajas médicas por menstruación incapacitante secundaria en los que cada proceso se considerará nuevo sin computar a los efectos del período máximo de duración de la situación de incapacidad temporal, y de su posible prórroga.

Apartado 2 redactado por la Ley Orgánica 1/2023, de 28 de febrero, por la que se modifica la Ley Orgánica 2/2010, de 3 de marzo, de salud sexual y reproductiva y de la interrupción voluntaria del embarazo (BOE núm. 51, de 1 de marzo de 2023).

– *No procede la acumulación de períodos de baja cuando la causa de la incapacidad obedezca a una enfermedad distinta, propiciando cada una de ellas el inicio de un nuevo proceso de incapacidad temporal* (SSTS de 8 de mayo de 1995 [*Tol 235857*], 10 de diciembre de 1997 [*Tol 237791*], 24 de marzo [*Tol 47314*], 7 de abril [*Tol 46137*] y 24 de noviembre de 1998 [*Tol 47592*], 1 y 18 de febrero [*Tol 45770 y 46858*] y 23 de julio de 1999 [*Tol 23077*] y 26 de septiembre de 2001 [*Tol 226343*]).

– *Cuando el beneficiario acredita en el momento del hecho causante el período de carencia exigido, no existe impedimento alguno para que vuelva a iniciarse un nuevo proceso por incapacidad temporal, aunque se hubiera agotado uno anterior por la misma enfermedad y no hubiese transcurrido un período de seis meses de actividad laboral, incluso cuando ya hubiera agotado el plazo máximo de duración con denegación de incapacidad permanente en la primera situación de incapacidad temporal* (SSTS de 20 de febrero [*Tol 246503*], 25 de julio [*Tol 273808*] y 22 de octubre de 2002 [*Tol 238329*] y 28 de octubre de 2003 [Rec. 4453/2002] y 8 de noviembre de 2004 [*Tol 515809*]).

– *En el supuesto de recaída en la misma situación de incapacidad temporal por haber transcurrido un período de actividad inferior a seis meses desde el alta médica del trabajador, la prestación deberá abonarse sobre una nueva base cuando entre el alta y la nueva baja se hubiera producido una modificación de la base de cotización, aunque sea consecuencia de un contrato en el que el salario es inferior* (SSTS de 2 de octubre de 2003 [Rec. 3605/2002] y 12 de julio de 2007 [*Tol 1124435*]).

– *Una misma enfermedad dará lugar a recaída en un proceso de incapacidad temporal cuando después del alta se produzca una nueva baja sin 6 meses intermedios de actividad, y producirá un nuevo período de incapacidad temporal cuando desde el alta hasta la nueva baja transcurra un período de actividad superior a seis meses; y no podrá calificarse como recaída el nuevo proceso de baja médica y laboral cualquiera que sea el tiempo transcurrido que responda a enfermedad diferente y autónoma de la aquejada con anterioridad* (SSTS de 14 de mayo [*Tol 1143889*] y 22 de noviembre de 2007 [*Tol 1214633*]).

– *Es posible el reconocimiento de una prestación por incapacidad temporal consecuencia de enfermedad común en el supuesto de haberse agotado el período de duración máxima y su prórroga, sin haberse declarado incapacidad permanente ni producido la reincorporación a la empresa como consecuencia del inicio de un nuevo período de incapacidad temporal consecuencia de distinta enfermedad* (STS de 27 de enero de 2009 [*Tol 1486354*]).

– *En el supuesto de alta médica cursada por los servicios de inspección médica autonómicos a la que sigue después otra baja, esta vez realizada por el servicio médico de salud también dependiente de la misma comunidad autónoma, por diferente patología a la inicial, la Orden de 21 de marzo de 1974 ha de interpretarse con arreglo al bloque normativo posterior que se contiene en el Real Decreto 575/1997, en la redacción dada por el Real Decreto*

*1117/1998, y la Orden de 18 de septiembre de 1998, de manera que la nueva baja expedida por los servicios médicos y no por la inspección, cuando obedece a patología diferente de la inicial por la que se estuvieron percibiendo las prestaciones, ha de surtir efectos para el reconocimiento de un nuevo proceso de incapacidad temporal, cuando se reúnen los demás requisitos legales (SSTS de 30 de enero [Tol 2472691] y 7 de febrero de 2012 [Tol 2481296]).*

*– En el supuesto de prestación por incapacidad temporal derivada de contingencias comunes que se produce tras finalizar otro proceso de incapacidad temporal derivada de accidente de trabajo durante el cual se produce la extinción del contrato de trabajo, no procede el reconocimiento de una nueva prestación por no encontrarse el trabajador ni en alta ni en situación asimilada a la de alta (STS de 17 de noviembre de 2021 [Tol 8663089]).*

**Artículo 170. *Competencias sobre los procesos de incapacidad temporal.*** 1. Hasta el cumplimiento del plazo de duración de trescientos sesenta y cinco días de los procesos de incapacidad temporal, el Instituto Nacional de la Seguridad Social ejercerá, a través de su inspección médica, las mismas competencias que la Inspección de Servicios Sanitarios de la Seguridad Social u órgano equivalente del respectivo servicio público de salud para emitir un alta médica a todos los efectos, así como para considerar que existe recaída en un mismo proceso, cuando se produzcan las circunstancias que se recogen en el último párrafo del apartado 2 del artículo anterior.

Cuando el alta haya sido expedida por el Instituto Nacional de la Seguridad Social, este será el único competente, a través de su inspección médica, para emitir una nueva baja médica producida por la misma o similar patología en los ciento ochenta días siguientes a la citada alta médica.

2. Agotado el plazo de duración de trescientos sesenta y cinco días indicado en el apartado anterior, la inspección médica del Instituto Nacional de la Seguridad Social será la única competente para emitir el alta médica por curación, por mejoría que permita la reincorporación al trabajo, con propuesta de incapacidad permanente o por incomparecencia injustificada a los reconocimientos médicos convocados por dicha entidad gestora. De igual modo, la citada inspección médica será la única competente para emitir una nueva baja médica en la situación de incapacidad temporal producida, por la misma o similar patología, en los ciento ochenta días naturales posteriores a la citada alta médica.

La falta de alta médica, una vez agotado dicho plazo, supondrá que el trabajador se encuentre en la situación de prórroga de incapacidad temporal a que se refiere el artículo 169.1.a) por presumirse que, dentro del período subsiguiente de ciento ochenta días, aquel puede ser dado de alta médica por curación o mejoría.

La colaboración obligatoria en el pago de la prestación se mantendrá hasta que se notifique al interesado el alta médica por curación, por mejoría o por incomparecencia injustificada a los reconocimientos médicos, o hasta el último día del mes en que el Instituto Nacional de la Seguridad Social haya expedido el alta médica con propuesta de incapacidad permanente, o hasta que se cumpla el periodo máximo de quinientos cuarenta y cinco días, finalizando en todo caso en esta fecha.

Las empresas colaboradoras en la gestión de la Seguridad Social a las que hace referencia el artículo 102.1.a) mantendrán el pago a su cargo de la prestación hasta la fecha en que se notifique al interesado el alta médica o la resolución por la que se extinga el derecho al subsidio, incluida, en su caso, la situación de prolongación de efectos económicos de la incapacidad temporal a que se refiere el artículo 174.5.

3. Frente al alta médica por curación, por mejoría o por incomparecencia injustificada a los reconocimientos médicos emitida por la inspección médica del Instituto Nacional de la Seguridad Social una vez agotado el plazo de duración de los trescientos sesenta y cinco días indicado en el apartado anterior, el interesado podrá manifestar, en el plazo máximo de cuatro días naturales, su disconformidad ante la inspección médica del servicio público de salud. Si esta discrepara del criterio de la inspección médica del Instituto Nacional de la Seguridad Social, tendrá la facultad de proponerle, en el plazo máximo de siete días naturales, la reconsideración de su decisión, especificando las razones y fundamento de su discrepancia.

Si la inspección médica del servicio público de salud se pronunciara confirmando la decisión de la Inspección médica del Instituto Nacional de la Seguridad Social o si no se produjera pronunciamiento alguno en los once días naturales siguientes a la fecha de la resolución, la mencionada alta médica adquirirá plenos efectos. Durante el período de tiempo transcurrido entre la fecha del alta médica y aquella en la que la misma adquiera plenos efectos se considerará prorrogada la situación de incapacidad temporal.

Si, en el aludido plazo máximo de siete días naturales, la inspección médica del servicio público de salud hubiera manifestado su discrepancia con el alta emitida por la inspección médica del Instituto Nacional de la Seguridad Social, esta última se pronunciará expresamente en los siete días naturales siguientes, notificando al interesado la reconsideración del alta médica o su confirmación, que será también comunicada a la inspección médica del servicio público de salud. Si reconsiderara el alta médica, se reconocerá al interesado la prórroga de su situación de incapacidad temporal a todos los efectos. Si, por el contrario, se reafirmara en su decisión, para lo cual aportará las pruebas complementarias que la fundamenten, solo se prorrogará la situación de incapacidad temporal hasta la fecha de la última resolución.

Durante la prórroga de la situación de incapacidad temporal se mantendrá la colaboración obligatoria en el pago de la prestación, así como la colaboración voluntaria, en su caso.

4. En el desarrollo reglamentario de este artículo, se regulará la forma de efectuar las comunicaciones precisas para el ejercicio de las competencias previstas en el mismo, así como la obligación de poner en conocimiento de las empresas las decisiones que se adopten y que les afecten.

5. Asimismo, de acuerdo con lo previsto en la disposición adicional decimonovena de la Ley 40/2007, de 4 de diciembre, de medidas en materia de Seguridad Social, reglamentariamente se regulará el procedimiento administrativo de revisión, por el Instituto Nacional de la Seguridad Social y a instancia del interesado, de las altas que expidan las entidades colaboradoras en los procesos de incapacidad temporal.

6. Los procesos de impugnación de las altas médicas emitidas por el Instituto Nacional de la Seguridad Social se regirán por lo establecido en los artículos 71 y 140 de la Ley 36/2011, de 10 de octubre, reguladora de la jurisdicción social.

> Artículo 170 redactado por el Real Decreto-Ley 2/2023, de 16 de marzo, de medidas urgentes para la ampliación de derechos de los pensionistas, la reducción de la brecha de género y el establecimiento de un nuevo marco de sostenibilidad del sistema público de pensiones (BOE núm. 65, 17 de marzo de 2023).

**Artículo 171. *Prestación económica*.** La prestación económica en las diversas situaciones constitutivas de incapacidad temporal consistirá en un subsidio equivalente a un tanto por ciento sobre la base reguladora, que se fijará y se hará efectivo en los términos establecidos en esta ley y en sus normas de desarrollo.

No obstante, en la situación especial de incapacidad temporal por donación de órganos o tejidos para su trasplante, prevista en el párrafo cuarto del artículo 169, apartado 1, letra a), la prestación consistirá en un subsidio equivalente al cien por ciento de la base reguladora establecida para la prestación de incapacidad temporal derivada de contingencias comunes.

Artículo 171 redactado por la Ley 6/2024, de 20 de diciembre, para la mejora de la protección de las personas donantes en vivo de órganos o tejidos para su posterior trasplante (BOE núm. 307, 21 de diciembre de 2024).

*El subsidio por incapacidad temporal derivada de enfermedad común o accidente no laboral asciende al 60 por 100 de la base reguladora durante el período de tiempo comprendido entre el cuarto y el vigésimo día a partir de la baja, y del 75 por 100 de la base reguladora a partir del vigesimoprimer día de baja* (STS de 30 de noviembre de 2021 [Tol 8690245]).

**Artículo 172. *Beneficiarios*.** Serán beneficiarios del subsidio por incapacidad temporal las personas incluidas en este Régimen General que se encuentren en cualquiera de las situaciones determinadas en el artículo 169, siempre que, además de reunir la condición general exigida en el artículo 165.1, acrediten los siguientes períodos mínimos de cotización:

– *Es situación asimilada a la de alta, a efectos de la prestación por incapacidad temporal, el desempleo subsidiado, sólo en su modalidad contributiva* (SSTS de 26 de julio de 1993 [Tol 233632], 28 de abril de 1995 [Tol 237191] y 16 de abril de 1997 [Tol 237480]).

– *Es situación asimilada a la de alta, a efectos de la prestación por incapacidad temporal, el período correspondiente al devengo de salarios de tramitación consecuencia de resolución judicial en materia de despido* (SSTS de 16 de junio [Tol 234667] y 3 de octubre de 1994 [Tol 233139] y 17 de enero [Tol 237050] y 24 de julio de 1995 [Tol 236320]).

– *En los supuestos de pluriactividad consecuencia de la realización de un trabajo por cuenta propia y otro por cuenta ajena, uno de los cuales exige esfuerzo físico y otro que es totalmente sedentario, es lógicamente posible y congruente con el propio concepto de incapacidad temporal, que unas dolencias incapaciten para el ejercicio del trabajo que se desarrolla en un régimen y las mismas dolencias premian la realización de la actividad profesional, objeto del otro* (STS de 19 de febrero de 2002 [Tol 191876]).

– *No es situación asimilada a la de alta el inicio de un proceso de incapacidad temporal tras la extinción de otro anterior durante el cual finalizó el contrato de trabajo, aunque el trabajador se hubiera inscrito como demandante de empleo* (SSTS de 18 de septiembre de 2002 [Tol 266635] y 19 de septiembre de 2003 [Tol 332029]).

– *Para que un trabajador fijo discontinuo incluido en el Régimen Especial Agrario pueda acceder a la prestación económica por incapacidad temporal consecuencia de contingencias comunes es necesario que en el momento de iniciarse la enfermedad o se produce el accidente no laboral se encuentre prestando servicios por cuenta ajena; entendiéndose como "prestación de servicios" la efectiva prestación en el momento de sobrevenir la incapacidad temporal y no la mera vigencia del vínculo laboral, siempre que no se entienda en un sentido físico de exigir que se esté realizando materialmente el trabajo en el momento de producirse la baja médica* (SSTS de 26 de mayo de 2003 [Tol 336623] y 4 de mayo [Tol 649704] y 3 de octubre de 2005 [Tol 732160]).

– *El trabajador autónomo que, agotado el período máximo de incapacidad temporal, continúa sin recibir el alta médica, se encuentra en una situación de asimilación "especial" al alta (STS de 20 de enero de 2004 [Tol 421566]).*

– *Un trabajador por cuenta ajena incluido en el Régimen General de la Seguridad Social al que se le extingue el contrato de trabajo estando en situación de incapacidad temporal y tras ser dado de alta médica, inicia a los cuatro días una recaída, sin haberse inscrito como demandante de empleo, y, en consecuencia, sin encontrarse en situación de alta o situación asimilada a la de alta, tiene derecho a percibir subsidio por incapacidad temporal (STS de 1 de abril de 2009 [Tol 1530455]).*

– *En el supuesto de incapacidad permanente derivada de accidente no laboral, el momento en que se exige el requisito de alta es aquel en que se produjo la contingencia protegida (STS de 21 de septiembre de 2009 [Tol 1642380]).*

– *Continua en el derecho a la prestación económica por incapacidad temporal el trabajador al que se le extingue el contrato de trabajo y posteriormente ingresa en prisión porque la situación de incapacidad temporal del trabajador que ingresa en prisión para cumplir condena firme le impide trabajar, no por su situación de penado, que tiene el derecho y el deber de trabajar, sino por la enfermedad que le imposibilita realizar su actividad laboral, y, por lo tanto, el trabajador cumple uno de los requisitos establecidos en el artículo 128 de la Ley General de la Seguridad Social de 1994, cual es el de estar impedido para el trabajo (STS de 19 de julio de 2011 [Tol 2248860]).*

– *No procede el reconocimiento de una prestación por incapacidad temporal consecuencia de contingencias comunes que se produce tras finalizar otro proceso de incapacidad temporal derivado de accidente de trabajo durante el cual se produjo la extinción del contrato de trabajo, al no encontrarse el interesado ni en situación de alta ni en situación asimilada a la de alta (SSTS de 19 de enero de 2003 [Rec. 356/2002], 2 de febrero de 2018 [Rec. 679/2016] y 17 de noviembre de 2021 [Tol 8663089]).*

a) En caso de enfermedad común, ciento ochenta días dentro de los cinco años inmediatamente anteriores al hecho causante. En las situaciones especiales previstas en los párrafos segundo y cuarto del artículo 169.1.a), no se exigirán periodos mínimos de cotización.

En la situación especial prevista en el párrafo tercero del artículo 169.1.a) se exigirá que la interesada acredite los periodos mínimos de cotización señalados en el artículo 178.1, según la edad que tenga cumplida en el momento de inicio del descanso.

– *Es posible acreditar la carencia aun cuando inicialmente no se hubiera hecho, si con posterioridad se alcanza, aunque se tratase del mismo hecho causante y siempre que no hubieran transcurrido seis meses desde la primera baja (STS de 24 de noviembre de 1998 (Tol 47592).*

– *A efectos del reconocimiento de derecho a prestación por incapacidad temporal no cabe la aplicación de la doctrina del "paréntesis", como consecuencia de la limitada carencia que se exige en un período temporal amplio (STS de 11 de marzo de 2002 [Tol 239211]).*

– *El cómputo de los ciento ochenta días debe realizarse por días-cuota y no por días de trabajo cotizado, incluyéndose los días teóricos de las gratificaciones extraordinarias (STS de 20 de junio de 2002 [Tol 266636]).*

*– En los supuestos de agotamiento de prestación por incapacidad temporal consecuencia de enfermedad común y posterior baja consecuencia de la misma enfermedad sin haber transcurrido 6 meses de actividad laboral entre uno y otro momento, si el beneficiario cumple al momento del hecho causante el período de carencia nada impedirá que se vuelva a iniciarse un nuevo proceso de incapacidad temporal* (SSTS de 20 de octubre de 2006 [*Tol 1009628*], 15 de enero de 2008 [*Tol 1369875*] y 23 de junio de 2009 [*Tol 1584742*]).

*– En el cálculo del período de carencia exigido para causar derecho a prestación por incapacidad temporal cuando el interesado está sujeto a contrato a tiempo parcial deberá atenderse al porcentaje de reducción de la jornada de trabajo, de forma que el periodo mínimo exigible deberá estar comprendido dentro de un lapso de tiempo inmediatamente anterior al hecho causante incrementado en la misma proporción en que se reduzca la jornada efectivamente realizada respecto a la jornada habitual en la actividad correspondiente* (STS de 10 de julio de 2007 [*Tol 1161257*]).

b) En caso de accidente, sea o no de trabajo, y de enfermedad profesional, no se exigirá ningún período previo de cotización.

Artículo 172 redactado por la Ley 6/2024, de 20 de diciembre, para la mejora de la protección de las personas donantes en vivo de órganos o tejidos para su posterior trasplante (BOE núm. 307, 21 de diciembre de 2024).

## Artículo 173. *Nacimiento y duración del derecho al subsidio.* 1. En caso de accidente de trabajo o enfermedad profesional, el subsidio se abonará desde el día siguiente al de la baja en el trabajo, estando a cargo del empresario el salario íntegro correspondiente al día de la baja.

En caso de enfermedad común o de accidente no laboral, el subsidio se abonará a partir del cuarto día de baja en el trabajo, si bien desde el día cuarto al decimoquinto de baja, ambos inclusive, el subsidio estará a cargo del empresario.

En las situaciones especiales de incapacidad temporal por menstruación incapacitante secundaria y por donación de órganos o tejidos para su trasplante previstas en los párrafos segundo y cuarto del artículo 169.1.a), el subsidio se abonará a cargo de la entidad gestora o colaboradora que cubra la incapacidad temporal por contingencias comunes desde el mismo día de baja.

En la situación especial de incapacidad temporal por interrupción del embarazo prevista en el mismo párrafo segundo del artículo 169.1.a), así como en la situación especial de gestación desde el día primero de la semana trigésima novena de gestación, prevista en el párrafo tercero del mismo artículo, el subsidio se abonará a cargo de la entidad gestora o colaboradora que cubra la incapacidad temporal por contingencias comunes desde el día siguiente al de la baja en el trabajo, estando a cargo del empresario el salario íntegro correspondiente al día de la baja.

Apartado 1 redactado por la Ley 6/2024, de 20 de diciembre, para la mejora de la protección de las personas donantes en vivo de órganos o tejidos para su posterior trasplante (BOE núm. 307, 21 de diciembre de 2024).

– En los supuestos de incumplimiento empresarial en el abono de la prestación por incapacidad temporal consecuencia de contingencias comunes, la entidad gestora debe asumir su responsabilidad subsidiaria, sin perjuicio de que ésta se subrogue en los derechos del beneficiario (SSTS de 15 de junio de 1998 [Tol 46650] y 9 de mayo de 2016 [Tol 5743168]).

– Es posible la no aplicación del principio de oficialidad cuando se trata de un supuesto de incapacidad temporal derivada de accidente de trabajo en trabajador por cuenta ajena no dado de alta en la Seguridad Social, habiéndose cuestionado previamente la existencia de relación laboral y la calificación del accidente de tráfico como laboral, puesto que no cabe exigir a la entidad gestora o a los obligados al pago de la prestación económica por incapacidad temporal que debían abonarla desde que tuvieran conocimiento de su existencia y no cabe afirmar que dicha prestación económica no estaba condicionada a la previa solicitud del beneficiario (STS de 7 de julio de 2015 [Tol 5214776]).

– Cuando la persona trabajadora presenta la solicitud de determinación de la contingencia una vez transcurrido el plazo de tres meses desde el hecho causante, deben limitarse los efectos económicos derivados del reconocimiento de esta pretensión a los tres meses anteriores a la fecha de dicha solicitud (STS de 10 de noviembre de 2022 [Tol 9291734]).

2. El subsidio se abonará mientras el beneficiario se encuentre en situación de incapacidad temporal, conforme a lo establecido en el artículo 169.

No obstante, en la situación especial de incapacidad temporal a partir de la semana trigésima novena de gestación, el subsidio se abonará desde que se inicie la baja laboral hasta la fecha del parto, salvo que la trabajadora hubiera iniciado anteriormente una situación de riesgo durante el embarazo, supuesto en el cual permanecerá percibiendo la prestación correspondiente a dicha situación en tanto ésta deba mantenerse.

3. Durante las situaciones de huelga y cierre patronal el trabajador no tendrá derecho a la prestación económica por incapacidad temporal.

Artículo 173 redactado por la Ley Orgánica 1/2023, de 28 de febrero, por la que se modifica la Ley Orgánica 2/2010, de 3 de marzo, de salud sexual y reproductiva y de la interrupción voluntaria del embarazo (BOE núm. 51, de 1 de marzo de 2023).

**Artículo 174. *Extinción del derecho al subsidio*.** 1. El derecho al subsidio se extinguirá por el transcurso del plazo máximo de quinientos cuarenta y cinco días naturales desde la baja médica; por alta médica por curación o mejoría que permita al trabajador realizar su trabajo habitual; por ser dado de alta el trabajador con o sin declaración de incapacidad permanente; por el reconocimiento de la pensión de jubilación; por la incomparecencia injustificada a cualquiera de las convocatorias para los exámenes y reconocimientos establecidos por la inspección médica del Instituto Nacional de la Seguridad Social o por los médicos de la mutua colaboradora con la Seguridad Social; o por fallecimiento.

> *El subsidio por incapacidad temporal debe abonarse hasta la fecha de notificación al interesado de la resolución administrativa con declaración de alta médica, que no solo hasta la fecha de la propia resolución* (SSTS de 18 de enero de 2012 [Rec. 715/2012], 2 de diciembre de 2014 [Rec. 573/2014], 6 y 27 de abril [*Tol 8913135* y 8913135], 24 de mayo [*Tol 9002412*], y 12 y 13 de julio de 2022 [*Tol 9191604* y 9152409] y Rec. 78/2021] y 2 de febrero [*Tol 9398439*] y 19 y 21 de diciembre de 2023 [Rec. 705/2021 y 1396/2021]).

A efectos de determinar la duración del subsidio, se computarán los períodos de recaída en un mismo proceso.

Cuando, iniciado un expediente de incapacidad permanente antes de que hubieran transcurrido los quinientos cuarenta y cinco días naturales de duración del subsidio de incapacidad temporal, se denegara el derecho a la prestación de incapacidad permanente, el Instituto Nacional de la Seguridad Social, a través de su inspección médica, será el único competente para emitir, dentro de los ciento ochenta días naturales posteriores a la resolución denegatoria, una nueva baja médica por la misma o similar patología. En estos casos se reanudará el proceso de incapacidad temporal hasta el cumplimiento de los quinientos cuarenta y cinco días, como máximo.

> – *No es necesaria la tramitación de un expediente administrativo contradictorio para proceder a extinguir el derecho a prestación por incapacidad temporal en casos de abandono del tratamiento por parte del beneficiario* (STS de 22 de abril de 2002 [*Tol 246511*]).
>
> – *Un trabajador no puede continuar en situación de incapacidad temporal cuando ha sido dado de alta sin declaración de incapacidad permanente, aun cuando precise finalizar su tratamiento médico, pues lo definitivo es la existencia de una resolución administrativa en la que se declara al trabajador no afecto de invalidez permanente en grado alguno; y, sobre todo, si se constata la ausencia de previsión de demora en la calificación* (STS de 10 de junio de 2008 [*Tol 1346925*]).
>
> – *El derecho a prestación por incapacidad temporal se extingue por no acudir a la comparecencia médica para la que fue requerido el beneficiario por una Mutua, al entenderse falta de diligencia del perceptor del subsidio* (STS de 29 de septiembre de 2009 [*Tol 1726476*], 6 de marzo de 2012 [*Tol 2517925*], 13 de noviembre de 2013 [*Tol 4065527*], 22 de enero de 2016 [*Tol 54647711*] y 9 de mayo de 2018 [*Tol 6630277*]).
>
> – *La nueva regulación de la extinción el subsidio por incapacidad temporal busca evitar que los efectos de la declaración de invalidez permanente se retrotraigan a una fecha en la que no consta la existencia de lesiones definitivas* (STS de 6 de noviembre de 2009 [*Tol 1748990*]).

– *Puesto que la incomparecencia al reconocimiento médico por parte del beneficiario es una conducta que incide en la determinación jurídico-prestacional y su control entraña una facultad de gestión de la prestación encomendada, siendo, pues, un acto de gestión y no de sanción* (STS de 15 de abril de 2010 [*Tol 1867263*]).

– *El Instituto Nacional de la Seguridad Social debe reconocer el derecho a una prestación por incapacidad temporal cuando se ha agotado el período máximo de una prestación previa y, sin haber transcurrido seis meses desde el alta, se produce una nueva baja por la misma patología, sin que la entidad gestora hubiera cuestionado si la misma incapacita o no para el trabajo* (SSTS de 8 y 13 de julio de 2009 [*Tol 1602312* y *1602358*], 11 de mayo [*Tol 1888001*] y 23 de julio de 2010 [*Tol 1952204*], 27 de junio [*Tol 2205706*] y 8 de noviembre de 2011 [*Tol 2295498*], 10 de diciembre de 2012 [*Tol 2728654*], 9 de mayo [*Tol 7300913*] y 6 de noviembre de 2019 [*Tol 7611364*], 4 de febrero [Rec. 3489/2018] y 23 de noviembre de 2021 [*Tol 8674806*], y 19 de julio de 2023 [*Tol 9662514*]).

– *En los supuestos de recaída en las lesiones o secuelas causadas por un accidente laboral, transcurridos más de 6 meses desde el alta de la incapacidad temporal precedente (normalmente el alta inicial causada por dicho evento), por tratarse de un nuevo período de incapacidad temporal, la responsabilidad prestacional íntegra, igual que sucede respecto a las facultades de control sobre las incidencias que durante el mismo pudieran producirse, recae sobre la aseguradora que cubre el riesgo profesional en el momento en el que se produce esa baja posterior* (STS de 17 de marzo de 2015 [*Tol 5186137*]).

– *No puede calificarse una incomparecencia como injustificada cuando el beneficiario no ha sido adecuadamente citado por el Instituto Nacional de la Seguridad Social* (STS de 4 de mayo de 2021 [*Tol 8431055*]).

2. Cuando el derecho al subsidio se extinga por el transcurso del período de quinientos cuarenta y cinco días naturales fijado en el apartado anterior, se examinará necesariamente, en el plazo máximo de noventa días naturales, el estado del incapacitado a efectos de su calificación, en el grado de incapacidad permanente que corresponda.

No obstante, en aquellos casos en los que, continuando la necesidad de tratamiento médico por la expectativa de recuperación o la mejora del estado del trabajador, con vistas a su reincorporación laboral, la situación clínica del interesado hiciera aconsejable demorar la citada calificación, esta podrá retrasarse por el período preciso, sin que en ningún caso se puedan rebasar los setecientos treinta días naturales sumados los de incapacidad temporal y los de prolongación de sus efectos.

Durante los períodos previstos en este apartado, de noventa días y de demora de la calificación, no subsistirá la obligación de cotizar.

– *El subsidio por incapacidad temporal se prorroga, pasados quinientos cuarenta y cinco días de la baja, hasta la calificación de la incapacidad permanente, aun cuando se acabe declarando la inexistencia de incapacidad permanente en grado alguno* (SSTS de 1 de diciembre de 2003 [*Tol 348781*], 23 de noviembre [*Tol 2369476*] y 7 de diciembre de 2011 [*Tol 2406989*], 6 de febrero de 2012 [*Tol 2481525*] y 8 de julio de 2013 [*Tol 3919266*]).

3. Extinguido el derecho a la prestación de incapacidad temporal por el transcurso del plazo de quinientos cuarenta y cinco días naturales de duración, con o sin declaración de incapacidad permanente, solo podrá generarse un nuevo derecho a la prestación de incapacidad temporal por la misma o similar patología, si media un período superior a ciento ochenta días naturales, a contar desde la resolución de la incapacidad permanente.

Este nuevo derecho se causará siempre que el trabajador reúna, en la fecha de la nueva baja médica, los requisitos exigidos para ser beneficiario del subsidio de incapacidad temporal derivado de enfermedad común o profesional, o de accidente, sea o no de trabajo. A estos efectos, para acreditar el período de cotización necesario para acceder al subsidio de incapacidad temporal derivada de enfermedad común, se computarán exclusivamente las cotizaciones efectuadas a partir de la resolución de la incapacidad permanente.

No obstante, aun cuando se trate de la misma o similar patología y no hubiesen transcurrido ciento ochenta días naturales desde la denegación de la incapacidad permanente, podrá iniciarse un nuevo proceso de incapacidad temporal, por una sola vez, cuando el Instituto Nacional de la Seguridad Social, a través de los órganos competentes para evaluar, calificar y revisar la situación de incapacidad permanente del trabajador, considere que el trabajador puede recuperar su capacidad laboral. Para ello, el Instituto Nacional de la Seguridad Social acordará la baja a los exclusivos efectos de la prestación económica por incapacidad temporal.

4. El alta médica con propuesta de incapacidad permanente, cualquiera que sea el momento en el que sea expedida, extinguirá la situación de incapacidad temporal.

5. Sin perjuicio de lo dispuesto en los apartados anteriores, cuando la extinción se produjera por alta médica con propuesta de incapacidad permanente, o por el transcurso de los quinientos cuarenta y cinco días naturales, el trabajador estará en la situación de prolongación de efectos económicos de la incapacidad temporal hasta que se notifique la resolución en la que se califique la incapacidad permanente.

En los supuestos a los que se refiere el párrafo anterior, cuando se reconozca la prestación de incapacidad permanente sus efectos coincidirán con la fecha de la resolución de la entidad gestora por la que se reconozca, salvo que dicha prestación sea superior a la que venía percibiendo el trabajador en concepto de prolongación de los efectos de la incapacidad temporal, en cuyo caso se retrotraerán los efectos de la incapacidad permanente al día siguiente al de extinción de la incapacidad temporal.

*El abono del subsidio ha de prolongarse hasta la fecha de notificación al interesado de la resolución de la entidad gestora* (SSTS de 27 de abril [Rec. 456/2019], 24 de mayo [Rec. 3448/2020], 12 y 13 de julio [Rec. 3468/2020 y 2531/2020] y 21 de diciembre de 2022 [Rec. 2815/2019] y 22 de febrero [*Tol 9437869*], 21 de diciembre de 2023 [Rec. 3519/2022] y 14 de mayo [Rec. 972/2023] y 15 de octubre de 2024 [Rec. 2917/2021]).

En aquellos casos en los que, de acuerdo con lo establecido en el artículo 49.1.n) del texto refundido del Estatuto de los Trabajadores, la declaración de incapacidad permanente en los grados de total, absoluta o gran incapacidad no determine la extinción de la relación laboral, por llevar a cabo la empresa la adaptación razonable, necesaria y adecuada del puesto de trabajo a la nueva situación de incapacidad declarada o por haber destinado a otro puesto a la persona trabajadora, la prestación de incapacidad permanente se suspenderá durante el desempeño del mismo puesto de trabajo con adaptaciones u otro que resulte incompatible con la percepción de la pensión que corresponda, de acuerdo con el artículo 198.

En caso de extinción de la incapacidad temporal anterior al agotamiento de los quinientos cuarenta y cinco días naturales de duración de la misma sin que exista ulterior declaración de incapacidad permanente, subsistirá la obligación de cotizar mientras no se extinga la relación laboral o hasta la extinción del citado plazo de quinientos cuarenta y cinco días naturales, de producirse con posterioridad dicha declaración de inexistencia de incapacidad permanente.

Apartado 5 redactado por la Ley 2/2025, de 29 de abril, por la que se modifican el texto refundido de la Ley del Estatuto de los Trabajadores, aprobado por Real Decreto Legislativo 2/2015, de 23 de octubre, en materia de extinción del contrato de trabajo por incapacidad permanente de las personas trabajadoras, y el texto refundido de la Ley General de la Seguridad Social, aprobado por Real Decreto Legislativo 8/2015, de 30 de octubre, en materia de incapacidad permanente (BOE núm. 104, 30 de abril de 2025).

Artículo 174 redactado por el Real Decreto-Ley 2/2023, de 16 de marzo, de medidas urgentes para la ampliación de derechos de los pensionistas, la reducción de la brecha de género y el establecimiento de un nuevo marco de sostenibilidad del sistema público de pensiones (BOE núm. 65, 17 de marzo de 2023).

– *La empresa disconforme con el alta médica, sea quien sea la entidad que la lleve a cabo, no tiene legitimidad para recurrirla, pese a los posibles riesgos laborales de la vuelta al trabajo* (SSTS de 14 y 20 de octubre de 1992 [*Tol 317264 y 232353*]).

– *El alta médica de la incapacidad temporal con informe-propuesta de lesiones permanentes no invalidantes extingue la situación de incapacidad temporal* (SSTS de 22 de noviembre de 1995 [*Tol 234882 y 266923*], 2 de abril de 1996 [*Tol 235911*], 14 de julio de 1997 [*Tol 237532*], 5 de marzo de 1999 [*Tol 45999*] y 24 de noviembre de 2003 [*Tol 332332*]).

– *La prórroga de la incapacidad temporal en casos de informe-propuesta de incapacidad permanente no alcanza a lesiones permanentes no invalidantes* (SSTS de 29 de mayo [*Tol 235364 y 266466*] y 22 de noviembre de 1995 [*Tol 234882 y 266923*], 5 de marzo [*Tol 45999*] y 26 de octubre de 1999 [*Tol 209060*]).

– *La duración de la prestación por incapacidad temporal alcanza hasta el alta médica con informe-propuesta de lesiones permanentes no invalidantes y no hasta el dictamen de la Unidad de Valoración Médica de Incapacidades* (STS de 2 de abril de 1996 [*Tol 235911*]).

– *En los supuestos de existencia de complemento de la prestación económica por incapacidad temporal a cargo de la empresa, la incapacidad permanente tendrá efectos retroactivos anteriores al percibo de dicho complemento* (STS de 14 de julio de 1997 [*Tol 237532*]).

– *En los supuestos de no propuesta de declaración de incapacidad permanente por no reunir la cotización necesaria, no cabe prorrogar la incapacidad temporal ni sus efectos* (SSTS de 20 de enero (*Tol 47003*), 11 de julio (Rec. 2509/1999) y 3 de octubre de 2000 [*Tol 8091 y 45920*] y 12 de enero [*Tol 72182*] y 11 y 30 de abril de 2001 [*Tol 32027 y 66328*]).

– *La prórroga de los efectos económicos de la prestación por incapacidad temporal se produce aun cuando posteriormente no se reconozca la incapacidad permanente* (STS de 3 de octubre de 2000 [*Tol 8091 y 45920*]).

– *La prórroga de efectos económicos de la prestación por incapacidad temporal alcanza hasta la fecha de la resolución sobre la inexistencia de incapacidad temporal y no hasta la fecha de su notificación* (STS de 30 de abril de 2002 ([*Tol 245509*]).

– *La prórroga de la prestación por incapacidad temporal, tras agotar su plazo máximo, sólo puede aplicarse en aquellos casos en los que realmente no se ha llevado a cabo la actuación administrativa compleja de valorar en toda su extensión, médica y carencial, la situación del asegurado* (STS de 25 de febrero de 2003 [*Tol 298224*] y 21 de junio de 2004 [*Tol 515544*]).

– *No existe obligación de reintegrar el subsidio por incapacidad temporal a la empresa abonado desde la fecha del alta con propuesta de incapacidad permanente hasta la de efectos económicos de la declaración de la invalidez permanente, en el supuesto de que dicha declaración no retrotraiga sus efectos económicos a la fecha del alta por ser el subsidio de cuantía superior a la prestación por incapacidad permanente* (STS de 13 de junio de 2003 [*Tol 649497*]).

– *En el supuesto de superación del plazo máximo de la prórroga extraordinaria para la prestación por incapacidad temporal (hasta 30 meses desde el nacimiento del derecho) sin haberse producido la calificación de incapacidad permanente, los efectos de la situación de incapacidad temporal se prorrogarán hasta el momento de dicha calificación, porque la regla sobre el plazo máximo no va dirigida al interesado, que ningún poder tiene en el procedimiento de calificación, sino a la entidad gestora, que es la que tiene que realizar la calificación, que podrá retrasarse por el período preciso, pero sin rebasar en ningún caso aquellos 30 meses; de manera que no es el trabajador el que ha incumplido la norma y no debe, por ello, sufrir las consecuencias de la demora en la calificación, sin perjuicio de las responsabilidades de compensación que pudieran producirse entre la gestora y la mutua, como consecuencia del retraso y de la imputación de la causa del mismo* (SSTS de 1 de diciembre de 2003 [*Tol 348781*] y 27 de septiembre de 2005 [*Tol 732167*]).

– *Durante el período de prórroga de la incapacidad temporal se perciben las prestaciones correspondientes a la misma, y no otras distintas, y que declarada la incapacidad permanente esta no tiene efectos económicos sino a partir de la fecha en que es calificada como tal* (STS de 11 de febrero de 2004 [Rec. 535/2002]).

– *Teniendo en cuenta los artículos 131 bis.3 de la Ley General de la Seguridad Social de 1994, 6 del Real Decreto 1300/1995, 21 de julio, y 13 de la Orden de 18 de enero de 1996 cuando se trata de una incapacidad permanente que no deriva de un proceso previo de incapacidad temporal, la fecha del hecho causante será la del dictamen del Equipo de Valoración de Incapacidades y la fecha de efectos económicos, aquella en la que se produce el cese en el trabajo* (SSTS de 13 de octubre de 2004 [Tol 515709] y 18 de mayo de 2006 ([Tol 945595]).

– *En el supuesto de un trabajador que se encuentra en situación de incapacidad temporal durante la cual se inicia un expediente para declaración de una posible incapacidad permanente y que finaliza con la decisión de denegarle la incapacidad permanente, no debe producirse la extinción del subsidio que se venía percibiendo por la incapacidad temporal, cuando el trabajador sigue sin ser dado médicamente de alta y continúa estando impedido para el trabajo; y ello porque el artículo 128.1 de la Ley General de la Seguridad Social de 1994 establece expresamente que la situación de incapacidad temporal se mantendrá mientras el trabajador reciba asistencia sanitaria de la Seguridad Social y esté impedido para el trabajo, sin que el mero hecho de que, iniciadas actuaciones administrativas tendentes a conseguir una posible declaración de incapacidad permanente, terminen aquéllas con la decisión de no declarar tal incapacidad, pueda dar lugar a la extinción del subsidio de incapacidad temporal, y porque, además, esta situación no viene contemplada en el artículo 131 bis.1 de la Ley General de la Seguridad Social de 1994 entre las únicas causas que pueden dar lugar su extinción* (SSTS de 22 de noviembre de 2005 [Tol 809805] y 21 de julio de 2011 [Tol 2243651]).

**Artículo 175. *Pérdida o suspensión del derecho al subsidio.*** 1. El derecho al subsidio por incapacidad temporal podrá ser denegado, anulado o suspendido:

a) Cuando el beneficiario haya actuado fraudulentamente para obtener o conservar dicha prestación.

b) Cuando el beneficiario trabaje por cuenta propia o ajena.

2. También podrá ser suspendido el derecho al subsidio cuando, sin causa razonable, el beneficiario rechace o abandone el tratamiento que le fuere indicado.

3. La incomparecencia del beneficiario a cualquiera de las convocatorias realizadas por los médicos adscritos al Instituto Nacional de la Seguridad Social y a las mutuas colaboradoras con la Seguridad Social para examen y reconocimiento médico producirá la suspensión cautelar del derecho, al objeto de comprobar si aquella fue o no justificada. Reglamentariamente se regulará el procedimiento de suspensión del derecho y sus efectos.

**Artículo 176.** *Períodos de observación y obligaciones especiales en caso de enfermedad profesional.* 1. A efectos de lo dispuesto en el artículo 169.1.b), se considerará como período de observación el tiempo necesario para el estudio médico de la enfermedad profesional cuando haya necesidad de aplazar el diagnóstico definitivo.

2. Lo dispuesto en el apartado anterior se entenderá sin perjuicio de las obligaciones establecidas, o que puedan establecerse en lo sucesivo, a cargo de este Régimen General o de los empresarios, cuando por causa de enfermedad profesional se acuerde respecto de un trabajador el traslado de puesto de trabajo, su baja en la empresa u otras medidas análogas.

### CAPÍTULO VI. Nacimiento y cuidado de menor

Rúbrica redactada por el Real Decreto-Ley 6/2019, de 1 de marzo, de medidas urgentes para garantía de la igualdad de trato y de oportunidades entre mujeres y hombres en el empleo y la ocupación (BOE núm. 57, 7 de marzo de 2019).

*Sección 1.ª Supuesto general*

**Artículo 177.** *Situaciones protegidas.* A efectos de la prestación por nacimiento y cuidado de menor prevista en esta sección, se consideran situaciones protegidas el nacimiento, la adopción, la guarda con fines de adopción y el acogimiento familiar, de conformidad con el Código Civil o las leyes civiles de las comunidades autónomas que lo regulen, durante los períodos de descanso que por tales situaciones se disfruten, de acuerdo con lo previsto en los apartados 4, 5 y 6 del artículo 48 del texto refundido de la Ley del Estatuto de los Trabajadores, y en el artículo 49.a), b) y c) del texto refundido de la Ley del Estatuto Básico del Empleado Público.

Artículo 177 redactado por la Ley Orgánica 1/2023, de 28 de febrero, por la que se modifica la Ley Orgánica 2/2010, de 3 de marzo, de salud sexual y reproductiva y de la interrupción voluntaria del embarazo (BOE núm. 51, de 1 de marzo de 2023).

La STC 140/2024, de 6 de noviembre [BOE núm. 294, 6 de diciembre de 2024], ha declarado la inconstitucionalidad del artículo 177 de la Ley General de la Seguridad Social (y del artículo 48.4 del Estatuto de los Trabajadores), al no prever la posibilidad de que la madres biológicas de familias monoparentales, trabajadoras por cuenta ajena, puedan ampliar su permiso por nacimiento y cuidado de hijo más allá de dieciséis semanas, disfrutando del permiso y de la correspondiente prestación económica de la Seguridad Social que se reconocería al otro progenitor, en caso de existir, puesto que genera *ex silentio* una discriminación por razón de nacimiento de los niños y niñas nacidos en familias monoparentales, que es contraria al artículo 14 de la Constitución española, en relación con el artículo 39 de la Constitución española, en tanto esos menores podrán disfrutar de un período de cuidado de sus progenitores significativamente inferior a los nacidos en familias biparentales; precisando que al vincularse a una omisión del legislador, esto es, al hecho de que la norma no contemple aquello que debió ser necesariamente incluido, la inconstitucionalidad declarada no debe llevar aparejada la nulidad del precepto cuestionado, dado que tal declaración no solo no repararía la lesión del artículo 14 de la Constitución española, en relación con el artículo 39 de la Constitución española, en que la norma incurre, sino que determinaría la expulsión de nuestro ordenamiento jurídico de las normas que reconocen a todos los progenitores los permisos y prestaciones por nacimiento y cuidado de menor; y, en consecuencia, la apreciación de la inconstitucionalidad de la insuficiencia normativa del precepto cuestionado exige el mantenimiento de su vigencia, correspondiendo al legislador, en uso de su libertad de configuración normativa y a la luz de su específica legitimidad democrática, llevar a cabo, a partir de esta sentencia, las modificaciones pertinentes para reparar la vulneración del artículo 14 Constitución española, en relación con el artículo 39 de la Constitución española. Además, precisa que, en tanto el legislador no se pronuncie al respecto, en las familias monoparentales el permiso a que hace referencia el artículo 177 de la Ley General de la Seguridad Social (y el artículo 48.4 del Estatuto de los Trabajadores), ha de ser interpretado en el sentido de adicionarse al permiso para la madre biológica (dieciséis semanas), el previsto para progenitor distinto (diez semanas, al excluirse las seis primeras).

– *La Ley 39/1999, de 5 de noviembre, sólo es aplicable a las adopciones o acogimientos múltiples que se han producido con posterioridad a su entrada en vigor, sin que a las anteriores a la misma sea de aplicación, por analogía, del artículo 2.3 de la Orden de 13 de octubre de 1967, que extiende las prestaciones por maternidad de seis a doce semanas únicamente en caso de parto doble y no se refiere a los supuestos de adopción* (STS de 5 de mayo de 2003 [Tol 275798]).

– *En los supuestos de prestación de maternidad cuyo hecho causante es anterior a la fecha de entrada en vigor del Real Decreto 1251/2001, de 16 de noviembre, no es necesaria la solicitud de reconocimiento del derecho al Instituto Nacional de la Seguridad Social, puesto que la legislación aplicable en aquel momento (Orden de 13 de octubre de 1967) establecía un régimen jurídico de la maternidad unido al de la incapacidad temporal; régimen jurídico que suponía la aplicación del principio de "oficialidad", que suponía que el Instituto Nacional de la Seguridad Social venía obligado a abonar la prestación por maternidad con el solo cumplimiento por la interesada de la presentación del parte médico de notificación de parto que había de entregar a la empresa para que ésta lo hiciera llegar al Instituto Nacional de la Seguridad Social* (STS de 3 de noviembre de 2005 [Tol 781714]).

– *Debe reconocerse el derecho a la prestación por maternidad a la madre adoptiva, casada con la madre biológica, cuando previamente a existido convivencia entre adoptante y adoptada, como consecuencia de las siguientes razones: en primer lugar, porque la trabajadora reúne todos y cada uno de los requisitos legalmente exigidos (se halla en situación de alta en el Régimen General de la Seguridad Social y reúne el periodo de cotización requerido); en segundo lugar, en la normativa reguladora de la prestación de maternidad no aparece como requisito que la menor adoptada no se encuentre incorporada e integrada a la unidad familiar con anterioridad al inicio del periodo de descanso por maternidad; en tercer lugar, entre los supuestos de denegación, anulación y suspensión del derecho no figura la circunstancia de que la menor hubiera convivido con la adoptante con anterioridad al inicio del descanso por maternidad y solicitud de la correspondiente prestación; en cuarto lugar, porque, en caso contrario, en numerosos supuestos de adopción legalmente previstos no habría derecho al descanso por maternidad ni a la prestación correspondiente (por ejemplo, ser pariente del adoptante en tercer grado por consanguinidad o afinidad, ser hijo del consorte del adoptante, llevar más de un año acogido legalmente por el adoptante o haber estado bajo su tutela por el mismo tiempo) en los que habitualmente ha habido convivencia previa de adoptante y adoptado; y, en quinto lugar, porque la finalidad de la integración del adoptado en su nueva familia y en su nueva situación no se produce por el mero hecho de la convivencia con el adoptante con anterioridad a la adopción, sino que es a partir del momento de la adopción cuando surge la nueva situación del adoptado, pues es a partir de la resolución judicial constituyendo la adopción cuando se establece la situación de hijo del adoptante, cuando pasa a integrarse en la nueva familia (STS de 15 de septiembre de 2010 [Tol 1981579]).*

*– Aunque la maternidad por sustitución no tiene en el Derecho de la Unión Europea la misma protección que la maternidad natural, esta circunstancia no sería óbice para que el Derecho español pudiera, en su caso, atribuirle la misma consideración a los efectos legales, puesto que mientras que en el Derecho de la Unión Europea únicamente se contempla como objeto de protección la gestación propiamente dicha, en nuestro legislación se otorgan los mismos efectos a la adopción y al acogimiento lo que, en su caso, pudiera dar cierta cobertura a una hipotética aplicación analógica a la maternidad subrogada (SSTS de 19 de octubre [Rec. 1650/2015] y 30 de noviembre de 2016 [Rec. 1307/2015]).*

*– La actual regulación legal (Ley General de la Seguridad Social) y reglamentaria (Real Decreto 295/2009) omite la contemplación de los supuestos de maternidad subrogada, pero no es tan cerrada como para impedir su interpretación en el sentido más favorable a los objetivos constitucionales de protección al menor, con independencia de su filiación, y de conciliación de vida familiar y laboral, y existiendo una verdadera integración del menor en el núcleo familiar del padre subrogado, las prestaciones asociadas a la maternidad han de satisfacerse, salvo supuestos de fraude, previo cumplimiento de los requisitos generales de acceso a las mismas, de forma que cuando el solicitante de las prestaciones por maternidad, asociadas a una gestación por subrogación, es el padre biológico y registral de los menores existen poderosas razones adicionales para conceder aquellas prestaciones (SSTS de 25 de octubre de 2016 [Rec. 3818/2015], 14 de diciembre de 2017 [Tol 6478021], y 13 y 22 de marzo de 2018 [Tol 6568084 y 6566101])*

*– Procede reconocer prestación de maternidad a favor de la trabajadora que, en virtud de un contrato de gestación por sustitución (maternidad subrogada), aparece como madre, en el Registro Civil Consular de un país extranjero (Estados Unidos), del niño nacido de la madre biológica que ha renunciado a la filiación materna, porque la situación del menor deriva de una resolución judicial extranjera (sentencia de 4 de abril de 2013 dictada por la Corte Suprema de California), cuya finalidad y efectos pueden considerarse similares a los previstos para la adopción y el acogimiento (SSTS de 16 de noviembre de 2016 [Rec. 3146/2014], 14 de diciembre de 2017 [Tol 6478021], y 13 y 22 de marzo de 2018 [Tol 6568084 y 6566101]).*

*– Debe reconocerse derecho a prestación por maternidad solicitada con motivo de ser padre biológico, tras gestación por sustitución mediante técnicas de reproducción humana asistida en Estados Unidos (SSTS de 30 de noviembre de 2016 [Rec. 3183/2015], 14 de diciembre de 2017 [Tol 6478021], y 13 y 22 de marzo de 2018 [Tol 6568084 y 6566101]).*

*– La adoptante del hijo biológico de su cónyuge tiene derecho a la prestación asociada a tal acontecimiento aunque el padre biológico haya disfrutado de la prestación asociada a esa cualidad y hubiera habido convivencia familiar desde el nacimiento, fruto de gestación subrogada (STS de 21 de diciembre de 2022 [Rec. 3763/2019]).*

*– En el supuesto de una familia monoparental, el único progenitor que disfrutó de la prestación por nacimiento y cuidado del menor no tiene derecho, además, a la prestación que*

*le hubiera correspondido al otro progenitor de haber existido, al no resultar una exigencia que derive de la Comunidad Europea, ni de ninguna norma de la Unión Europea, ni de ningún acuerdo o tratado internacional ratificado por España* (SSTS de 2 de marzo [*Tol 9448860*], 14 de junio [Rec. 1642/2022], 30 de noviembre [Rec. 3038/2022 y 5271/2022] y 12 [Rec. 2814/2022 y 5054/2022] y 21 de diciembre de 2023 [Rec. 4345/2021, 4070/2021, 1829/2022, 2755/2022, 3491/2022, 3636/2022, 3647/2022, 4358/2022, 4846/2022, 4932/2022, 5046/2022, 5148/2022, 5198/2022, 5608/2022 y 5678/2022] y 26, 29 y 30 de enero de 2024 [Rec. 1003/2023, 2576/2022, 5019/2022, 5159/2022 y 5301/2022, y 142/2023, 169/2023 y 1081/2023], 21 de febrero [Rec. 1408/2023 y 1598/2023], 22 y 31 de mayo de 2024 [Rec. 1918/2022, 4132/2022, 5072/2022, 196/2023, 444/2023, 596/2023, 601/2023, 877/2023, 1055/2023, 1063/2023, 1103/2023, 1211/2023, 1351/2023, 1392/2023, 1596/2023, 1924/2023 y 2127/2023, y 3081/2022, 577/2023 y 1227/2023] y 4, 6, 11 y 27 de junio de 2024 [Rec. 796/2023, 1563/2023, 2049/2023 y 2349/2023, y 2044/2023 y 2301/2023, 5837/2022 y 81/2023, 904/2023]).

– *El artículo 48.4 del Estatuto de los Trabajadores, el artículo 49 c) del Estatuto básico del Empleado Público y los correlativos artículos 177 y 178 y conexos de la Ley General de la Seguridad Social, sobre el derecho al subsidio por nacimiento y cuidado del menor, en la dicción otorgada por el Real Decreto-Ley 6/2019, de medidas urgentes para garantía de la igualdad de trato y de oportunidades entre mujeres y hombres en el empleo y la ocupación, y el derecho reglamentario anterior vigente (Real Decreto 295/2009), no reconocen el derecho a la suspensión ni, en consecuencia, la prestación por nacimiento y cuidado de menor al padre biológico, en el caso de fallecimiento intrauterino del feto que hubiera permanecido en el seno materno durante más de ciento ochenta días* (SSTS de 19 de octubre de 2023 [Rec. 292/2022], 29 de enero [Rec. 2832/2022] y 30 de mayo de 2024 [Rec. 793/2023] y 27 de mayo de 2025 [Rec. 4968/2023]).

– *Debe reconocerse el incremento temporal de la prestación de nacimiento y cuidado de menor en diez semanas adicionales que son las que corresponderían al otro progenitor al tratarse de familia monoparental* (STS de 19 de enero [Rec. 878/2022], 21 de febrero [Rec. 1562/2023], 5, 8 y 27 de mayo [Rec. 1675/2023, 2774/2023 y 2785/2023, 1128/2023, 1538/2023, 1569/2023, 1612/2023, 1678/2023, 2498/2023, 2718/2023, 3364/2023, 4266/2023, 4638/2023, 1306/2024 y 1771/2024, y 4736/2023 y 4855/2023], 25, 26 y 27 de junio [Rec. 67/2023 y 181/2023, 657/2023, y 2575/2023, 5149/2023, 698/2024, 929/2024, 2166/2024 y 2703/2024], 21 y 22 de octubre de 2025 [Rec. 1593/2024 y 3935/2024, 185/2024, 225/2024, 534/2024, 1714/2024, 2993/2024, 3217/2024, 3306/2024 y 3423/2024] y 3 y 16 de diciembre de 2025 [Rec. 4904/2023 y 2675/2023]y 20, 21, 23, 27 y 28 de enero de 2026 [Rec. 3658/2024, 4386/2024 y 4438/2024, 2997/2024, 4689/2024, 4249/2024, y 4372/2023, 688/2024, 3551/2024, 4287/2024 y 4698/2024]).

**Artículo 178.** *Beneficiarios.* 1. Serán beneficiarios del subsidio por nacimiento y cuidado de menor las personas incluidas en este Régimen General, cualquiera que sea su sexo, que disfruten de los descansos referidos en el artículo anterior, siempre que, además de reunir la condición general exigida en el artículo 165.1 y las demás que reglamentariamente se establezcan, acrediten los siguientes períodos mínimos de cotización:

> – *El requisito del alta hay que entenderlo referido al día inmediato anterior al inicio del descanso, porque resulta imposible que la fecha de alta y baja coincidan en un mismo día y que*

*debe primar la realidad material sobre la formal, de tal manera que si la trabajadora solicita el descanso y le es concedido el mismo día que ha trabajado, ese día reunía el requisito del alta, constituyendo, en fin, una irregularidad que no debe perjudicar al trabajador, el alta y baja en igual fecha* (STS de 19 de junio de 2013 [Tol 3858847]).

– *Debe considerarse en situación asimilada a la de alta a efectos de maternidad a una trabajadora en excedencia para el cuidado de hijos menores pese a desarrollar un trabajo por cuenta propia compatible con el cuidado del menor* (STS de 10 de febrero de 2015 [Tol 4763880]).

– *No cabe la prestación de paternidad en el supuesto de alumbramiento sin vida a las treinta y nueve semanas y tres días de gestación* (STS de 5 de julio de 2022 [Tol 9141812]).

a) Si la persona trabajadora tiene menos de veintiún años de edad en la fecha del nacimiento, o en la fecha de la decisión administrativa de acogimiento o de guarda con fines de adopción o de la resolución judicial por la que se constituye la adopción, no se exigirá período mínimo de cotización.

b) Si la persona trabajadora tiene cumplidos veintiún años de edad y es menor de veintiséis en la fecha del nacimiento, o en la fecha de la decisión administrativa de acogimiento o de guarda con fines de adopción o de la resolución judicial por la que se constituye la adopción, el período mínimo de cotización exigido será de noventa días cotizados dentro de los siete años inmediatamente anteriores al momento de inicio del descanso. Se considerará cumplido el mencionado requisito si, alternativamente, acredita ciento ochenta días cotizados a lo largo de su vida laboral, con anterioridad a esta última fecha.

c) Si la persona trabajadora tiene cumplidos veintiséis años de edad en la fecha del nacimiento, o en la fecha de la decisión administrativa de acogimiento o de guarda con fines de adopción o de la resolución judicial por la que se constituye la adopción, el período mínimo de cotización exigido será de ciento ochenta días cotizados dentro de los siete años inmediatamente anteriores al momento de inicio del descanso. Se considerará cumplido el mencionado requisito si, alternativamente, acredita trescientos sesenta días cotizados a lo largo de su vida laboral, con anterioridad a esta última fecha.

– *El período de carencia exigido para el reconocimiento de derecho a una prestación por maternidad (180 días cotizados dentro de los cinco años inmediatamente anteriores a la fecha del parto) generado por una trabajadora contratada a tiempo parcial deberá calcularse incrementándolo en la misma proporción en la que se haya reducido su jornada efectivamente realizada respecto de la jornada habitual en la actividad correspondiente, tal y como establece el artículo 3.1 del Real Decreto 1131/2002, de 31 de octubre, por el que se regula la Seguridad Social de los trabajadores contratados a tiempo parcial, así como la jubilación parcial* (STS de 29 de enero de 2007 [Tol 1038545]).

*– Para el reconocimiento de un subsidio por maternidad a favor del padre no es necesario haberlo solicitado en el momento inicial de solicitud por parte de la madre al producirse el parto, y que, en consecuencia, puede solicitarse con posterioridad a dicho momento; lo que significa que la solicitud del subsidio por maternidad a favor del padre, en el supuesto de que la madre decidiese que fuera el padre el que disfrutase de una parte del descanso por maternidad, se regirá, en cuanto a los plazos de solicitud, prescripción y caducidad por las normas generales de la Ley General de la Seguridad Social, si bien la trabajadora habrá de tener en cuenta que, como el subsidio por maternidad se le viene abonando a ella por la entidad gestora, en el momento en que se reincorpore al trabajo, por iniciar el padre el descanso por maternidad, deberá poner tal hecho en conocimiento de dicha entidad, a fin de evitar pagos indebidos y facilitar el abono al padre de dicha prestación* (SSTS de 20 de mayo de 2009 [Tol 1580518] y 26 de septiembre de 2018 [Tol 6879369]).

*– El reconocimiento de la prestación para cada uno de los progenitores que integran las familias biparentales queda condicionado en todo caso a la acreditación de concurrencia de los requisitos a que se refiere el artículo 178 de la Ley General de la Seguridad Social, no siendo admisible la presencia de un trato desigual entre los hijos de familias mono y biparentales, resultando, por el contrario, que el reconocimiento automático del derecho a los progenitores de familias monoparentales sí que determinaría una diferencia de trato inadmisible en términos de igualdad* (STS de 30 de noviembre de 2023 [Rec. 4845/2022]).

2. En el supuesto de nacimiento, la edad señalada en el apartado anterior será la que tenga cumplida la interesada en el momento de inicio del descanso, tomándose como referente el momento del parto a efectos de verificar la acreditación del período mínimo de cotización que, en su caso, corresponda.

3. En los supuestos de adopción internacional previstos en el tercer párrafo del artículo 48.5 del texto refundido de la Ley del Estatuto de los Trabajadores, y en el párrafo cuarto del artículo 49.b) del texto refundido de la Ley del Estatuto Básico del Empleado Público, la edad señalada en el apartado 1 será la que tengan cumplida los interesados en el momento de inicio del descanso, tomándose como referente el momento de la resolución a efectos de verificar la acreditación del período mínimo de cotización que, en su caso, corresponda.

4. Al inicio de cada uno de los periodos de descanso la persona trabajadora deberá encontrarse en situación de alta o asimilada a la de alta.

Apartado 4 añadido por el Real Decreto-Ley 9/2025, de 29 de julio, por el que se amplía el permiso de nacimiento y cuidado, mediante la modificación del texto refundido de la Ley del Estatuto de los Trabajadores, aprobado por el Real Decreto Legislativo 2/2015, de 23 de octubre, el texto refundido de la Ley del Estatuto Básico del Empleado Público, aprobado por Real Decreto Legislativo 5/2015, de 30 de octubre, y el texto refundido de la Ley General de la Seguridad Social, aprobado por Real Decreto Legislativo 8/2015, de 30 de octubre, para completar la transposición de la Directiva (UE) 2019/1158 del Parlamento Europeo y del Consejo, de 20 de junio de 2019, relativa a la conciliación de la vida familiar y la vida profesional de los progenitores y los cuidadores, y por la que se deroga la Directiva 2010/18/UE del Consejo (BOE núm. 182, 30 de julio de 2025).

Artículo 178 redactado por el Real Decreto-Ley 6/2019, de 1 de marzo, de medidas urgentes para garantía de la igualdad de trato y de oportunidades entre mujeres y hombres en el empleo y la ocupación (BOE núm. 57, 7 de marzo de 2019).

– *Es situación asimilada a la de alta, a efectos de prestación por maternidad, la incapacidad temporal que subsiste después de la extinción de la relación laboral* (SSTS de 10 y 22 de mayo de 1995 [*Tol 236100 y 266918, y 236274 y 266467*] y 8 de febrero [*Tol 236617*] y 10 de mayo de 1996 [*Tol 235469*]).

– *Es situación asimilada a la de alta, a efectos de prestación por maternidad, los períodos de tramitación del juicio por despido si éste es calificado de nulo o improcedente, deduciéndose la prestación de los salarios de tramitación* (SSTS de 24 de junio de 1996 [*Tol 236367*] y 28 de febrero de 2000 [*Tol 47721*]).

– *Es situación asimilada a la de alta, a efectos de prestación por maternidad, la sanción disciplinaria de empleo y sueldo, siempre que no impliquen actuación fraudulenta del beneficiario* (STS de 30 de mayo de 2000 [Rec. 1906/1999]).

– *No procede el derecho al descanso y a la prestación por maternidad al padre en el caso de que la madre no sea sujeto causante de la misma* (SSTS de 20 de noviembre de 2001 [*Tol 238582*] y 18 de marzo de 2002 [*Tol 201942*]).

– *El requisito de alta o situación asimilada se cumple a los efectos de la prestación de maternidad en el supuesto de maternidad sobrevenida en situación de excedencia por cuidado de hijos* (STS de 15 de diciembre de 2003 [*Tol 352653*]).

**Artículo 179.** *Prestación económica.* 1. La prestación económica por nacimiento y cuidado de menor consistirá en un subsidio equivalente al 100 por ciento de la base reguladora correspondiente. A tales efectos, con carácter general, la base reguladora será la base de cotización por contingencias comunes del mes inmediatamente anterior al mes previo al del hecho causante, dividida entre el número de días a que dicha cotización se refiera.

A efectos de lo dispuesto en el párrafo anterior, cuando la persona trabajadora perciba retribución mensual y haya permanecido en alta en la empresa todo el mes natural, la base de cotización correspondiente se dividirá entre treinta.

2. No obstante, en los supuestos en que la persona trabajadora haya ingresado en la empresa en el mes anterior al del hecho causante, para el cálculo de la base reguladora se tomará la base de cotización por contingencias comunes correspondiente al mes inmediatamente anterior al del inicio del descanso o del permiso por nacimiento y cuidado de menor.

Si la persona trabajadora hubiera ingresado en la empresa en el mismo mes del hecho causante, para el cálculo de la base reguladora se tomará la base de cotización por contingencias comunes de dicho mes.

3. En los supuestos señalados en los apartados anteriores, el subsidio podrá reconocerse por el Instituto Nacional de la Seguridad Social mediante resolución provisional teniendo en cuenta la última base de cotización por contingencias comunes que conste en las bases corporativas del sistema, en tanto no esté incorporada a las mismas la base de cotización por contingencias comunes a que se hace referencia en los apartados anteriores.

Si posteriormente se comprobase que la base de cotización que correspondiera de conformidad con lo previsto en los apartados anteriores fuese diferente a la aplicada en la resolución provisional, se recalculará la prestación y se emitirá resolución definitiva. Si la base de cotización no hubiese variado, la resolución provisional devendrá definitiva en un plazo de tres meses desde su emisión.

Artículo 179 redactado por el Real Decreto-Ley 13/2022, de 26 de julio, por el que se establece un nuevo sistema de cotización para los trabajadores por cuenta propia o autónomos y se mejora la protección por cese de actividad (BOE núm. 179, 27 de julio de 2022).

– *En el supuesto de adopción constituida en el extranjero la fecha del hecho causante de la prestación por maternidad se producirá en la fecha del reconocimiento en España* (STS de 9 de diciembre de 2002 [*Tol* 240979]).

– *Para el cálculo de la base reguladora de la prestación por maternidad en los supuestos en que la relación de trabajo o la actividad no se extienda a todo el mes, los días efectivamente cotizados deberán dividirse solo por el número de días a que dicha cotización se refiere y no por todos los días naturales del mes* (STS de 21 de octubre de 2005 [*Tol* 781730]).

– *La base reguladora de la prestación económica por maternidad cuando se produce el agotamiento de una prestación por desempleo y el inicio de una situación de incapacidad temporal el día antes de agotar aquella prestación por desempleo, produciéndose, a continuación y sin solución de continuidad, la de situación de maternidad, será la misma base reguladora del subsidio por incapacidad temporal que venía cobrando la beneficiaria al tiempo del parto, que en este caso coincide con la cuantía del indicador público de rentas de efectos múltiples, tal y como establece la Ley General de la Seguridad Social* (STS de 16 de junio de 2009 [*Tol* 1602367]).

– *Los efectos económicos de las prestaciones por maternidad causadas a partir del Real Decreto 1251/2001, de 16 de noviembre, por el que se regula las prestaciones económicas del sistema de la Seguridad Social por maternidad y riesgo durante el embarazo sólo se retrotraen a los 3 meses anteriores a su solicitud, pues se ha abandonado el principio de automaticidad* (STS de 16 de diciembre de 2009 [*Tol* 1790480]).

– *El hecho causante en una prestación por nacimiento y cuidado del menor solicitada por un progenitor, cuya filiación biológica no matrimonial se ha declarado por sentencia firme dictada en el orden jurisdiccional civil con posterioridad al nacimiento, es la fecha de dicha sentencia, y no la del nacimiento, es la que determina la normativa aplicable a los efectos de duración de la prestación* (SSTS de 25 de septiembre [Rec. 3077/2023] y 22 de octubre de 2025 [Rec. 1815/2024]).

**Artículo 180. *Pérdida o suspensión del derecho al subsidio por nacimiento y cuidado de menor.*** El derecho al subsidio por nacimiento y cuidado de menor podrá ser denegado, anulado o suspendido, cuando el beneficiario hubiera actuado fraudulentamente para obtener o conservar dicha prestación, así como cuando trabajara por cuenta propia o ajena durante los correspondientes períodos de descanso.

Artículo 180 redactado por el Real Decreto-Ley 6/2019, de 1 de marzo, de medidas urgentes para garantía de la igualdad de trato y de oportunidades entre mujeres y hombres en el empleo y la ocupación (BOE núm. 57, 7 de marzo de 2019).

*Sección 2.ª Supuesto especial*

**Artículo 181. *Beneficiarias.*** Serán personas beneficiarias del subsidio por nacimiento y cuidado de menor previsto en esta sección las personas trabajadoras incluidas en el Régimen General que, producida la situación de nacimiento, adopción, guarda con fines de adopción o acogimiento familiar a que se refiere el artículo 177, reúnan todos los requisitos establecidos para acceder a la prestación por nacimiento y cuidado de menor regulada en la sección anterior, salvo el período mínimo de cotización establecido en el artículo 178.

Artículo 181 redactado por el Real Decreto-Ley 9/2025, de 29 de julio, por el que se amplía el permiso de nacimiento y cuidado, mediante la modificación del texto refundido de la Ley del Estatuto de los Trabajadores, aprobado por el Real Decreto Legislativo 2/2015, de 23 de octubre, el texto refundido de la Ley del Estatuto Básico del Empleado Público, aprobado por Real Decreto Legislativo 5/2015, de 30 de octubre, y el texto refundido de la Ley General de la Seguridad Social, aprobado por Real Decreto Legislativo 8/2015, de 30 de octubre, para completar la transposición de la Directiva (UE) 2019/1158 del Parlamento Europeo y del Consejo, de 20 de junio de 2019, relativa a la conciliación de la vida familiar y la vida profesional de los progenitores y los cuidadores, y por la que se deroga la Directiva 2010/18/UE del Consejo (BOE núm. 182, 30 de julio de 2025).

**Artículo 182. *Prestación económica.*** 1. La prestación económica por nacimiento y cuidado de menor regulada en esta sección tendrá la consideración de no contributiva a los efectos del artículo 109.

2. La cuantía de la prestación será igual al 100 por ciento del indicador público de renta de efectos múltiples (IPREM) vigente en cada momento, salvo que la base reguladora calculada conforme al artículo 179 o al artículo 248 fuese de cuantía inferior, en cuyo caso se estará a esta.

3. La duración de la prestación será la que se corresponda con el periodo de descanso obligatorio, que deberá disfrutarse a jornada completa de forma obligatoria e ininterrumpida inmediatamente después del parto, de la

resolución judicial por la que se constituye la adopción o bien de la decisión administrativa de guarda con fines de adopción o de acogimiento, pudiendo denegarse, anularse o suspenderse el derecho por las mismas causas establecidas en el artículo 180.

Dicha duración se incrementará en catorce días naturales en los siguientes supuestos:

a) Nacimiento de hijo, adopción, guarda con fines de adopción o acogimiento en una familia numerosa o en la que, con tal motivo, adquiera dicha condición, de acuerdo con lo dispuesto en la Ley 40/2003, de 18 de noviembre, de Protección a las Familias Numerosas.

b) Nacimiento de hijo o hija, adopción, guarda con fines de adopción o acogimiento en caso de monoparentalidad por existir un único progenitor, guardador con fines de adopción o acogedor.

c) Nacimiento, adopción, guarda con fines de adopción o acogimiento múltiples, entendiendo que existe el mismo cuando el número de personas nacidas, adoptadas, en guarda o acogidas sea igual o superior a dos.

d) Discapacidad en un grado igual o superior al sesenta y cinco por ciento de la persona progenitora, adoptante, guardadora o acogedora, beneficiaria del subsidio regulado en esta sección o del hijo, hija o persona menor adoptada, en guarda o acogimiento.

La duración del subsidio de cada una de las personas beneficiarias de este subsidio únicamente podrá incrementarse en catorce días naturales, aun cuando concurran dos o más circunstancias de las señaladas.

Artículo 182 redactado por el Real Decreto-Ley 9/2025, de 29 de julio, por el que se amplía el permiso de nacimiento y cuidado, mediante la modificación del texto refundido de la Ley del Estatuto de los Trabajadores, aprobado por el Real Decreto Legislativo 2/2015, de 23 de octubre, el texto refundido de la Ley del Estatuto Básico del Empleado Público, aprobado por Real Decreto Legislativo 5/2015, de 30 de octubre, y el texto refundido de la Ley General de la Seguridad Social, aprobado por Real Decreto Legislativo 8/2015, de 30 de octubre, para completar la transposición de la Directiva (UE) 2019/1158 del Parlamento Europeo y del Consejo, de 20 de junio de 2019, relativa a la conciliación de la vida familiar y la vida profesional de los progenitores y los cuidadores, y por la que se deroga la Directiva 2010/18/UE del Consejo (BOE núm. 182, 30 de julio de 2025).

## CAPÍTULO VII. Corresponsabilidad en el cuidado del lactante

Capítulo VII redactado por el Real Decreto-Ley 6/2019, de 1 de marzo, de medidas urgentes para garantía de la igualdad de trato y de oportunidades entre mujeres y hombres en el empleo y la ocupación (BOE núm. 57, 7 de marzo de 2019).

**Artículo 183. *Situación protegida*.** A efectos de la prestación económica por ejercicio corresponsable del cuidado del lactante, se considera situación protegida la reducción de la jornada de trabajo en media hora que, de acuerdo con lo previsto en el párrafo cuarto del artículo 37.4 del texto refundido de la Ley del Estatuto de los Trabajadores, lleven a cabo con la misma duración y régimen los dos progenitores, adoptantes, guardadores con fines de adopción o acogedores de carácter permanente, cuando ambos trabajen, para el cuidado del lactante desde que cumpla nueve meses hasta los doce meses de edad.

La acreditación del ejercicio corresponsable del cuidado del lactante se realizará mediante certificación de la reducción de la jornada por las empresas en que trabajen sus progenitores, adoptantes, guardadores o acogedores.

Reglamentariamente se determinarán los requisitos que deberá cumplir esta documentación.

**Artículo 184. *Beneficiarios*.** 1. Para el acceso al derecho a la prestación económica por ejercicio corresponsable del cuidado del lactante, se exigirán los mismos requisitos y en los mismos términos y condiciones que los establecidos para la prestación por nacimiento y cuidado de menor regulada en la sección 1.ª del capítulo VI.

2. Cuando concurran en ambos progenitores, adoptantes, guardadores con fines de adopción o acogedores de carácter permanente, las circunstancias necesarias para tener la condición de beneficiarios de la prestación, el derecho a percibirla solo podrá ser reconocido a favor de uno de ellos.

3. Las previsiones contenidas en este capítulo no serán aplicables a los funcionarios públicos, que se regirán por lo establecido en el artículo 48.f) del texto refundido de la Ley del Estatuto Básico del Empleado Público, y en la normativa que lo desarrolle.

**Artículo 185. Prestación económica.** 1. La prestación económica por ejercicio corresponsable del cuidado de lactante consistirá en un subsidio equivalente al 100 por ciento de la base reguladora establecida para la prestación de incapacidad temporal derivada de contingencias comunes, y en proporción a la reducción que experimente la jornada de trabajo.

2. Esta prestación se extinguirá cuando el o la menor cumpla doce meses de edad.

CAPÍTULO VIII. Riesgo durante el embarazo

**Artículo 186. *Situación protegida.*** A los efectos de la prestación económica por riesgo durante el embarazo, se considera situación protegida el periodo de suspensión del contrato de trabajo en los supuestos en que, debiendo la mujer trabajadora cambiar de puesto de trabajo por otro compatible con su estado, en los términos previstos en el artículo 26.3 de la Ley 31/1995, de 8 de noviembre, de Prevención de Riesgos Laborales, dicho cambio de puesto no resulte técnica u objetivamente posible, o no pueda razonablemente exigirse por motivos justificados.

La prestación correspondiente a la situación de riesgo durante el embarazo tendrá la naturaleza de prestación derivada de contingencias profesionales.

**Artículo 187. *Prestación económica.*** 1. La prestación económica por riesgo durante el embarazo se reconocerá a la mujer trabajadora en los términos y condiciones previstos en esta ley para la prestación económica de incapacidad temporal derivada de contingencias profesionales, con las particularidades establecidas en los apartados siguientes.

2. La prestación económica nacerá el día en que se inicie la suspensión del contrato de trabajo y finalizará el día anterior a aquel en que se inicie la suspensión del contrato de trabajo por maternidad o al de reincorporación de la mujer trabajadora a su puesto de trabajo anterior o a otro compatible con su estado.

> Cuando está suspendido el contrato de trabajo por un ERTE y posteriormente la trabajadora queda embarazada no existirá derecho a percibir la prestación de riesgo durante el embarazo en tanto se mantenga dicha suspensión en la medida en que no tiene obligación de realizar trabajo que le produzca riesgo; por el contrario, cuándo la existencia de dicho riesgo provoca la suspensión del contrato de trabajo, la existencia de una causa posterior qué hubiera podido dar lugar a la suspensión del contrato, de ninguna manera tendrá consecuencia alguna en tanto que es irracional pretender suspender un contrato de trabajo que ya está suspendido; y ello sucede tanto cuando el embarazo es cronológicamente anterior al ERTE, como cuando finaliza una suspensión del contrato sustentada en un ERTE, durante aquella se ha producido el embarazo, y en ese momento se plantea la obligación de reincorporarse a un puesto de trabajo que implica riesgo, momento en que finalizada la suspensión derivada del ERTE se activa la suspensión del contrato por riesgo durante el embarazo (STS de 15 de septiembre de 2025 [Rec. 1198/2024]).

3. La prestación económica consistirá en un subsidio equivalente al 100 por cien de la base reguladora correspondiente. A tales efectos, la base regu-

ladora será equivalente a la que esté establecida para la prestación de incapacidad temporal derivada de contingencias profesionales.

4. La gestión y el pago de la prestación económica por riesgo durante el embarazo corresponderá a la entidad gestora o a la mutua colaboradora con la Seguridad Social en función de la entidad con la que la empresa tenga concertada la cobertura de los riesgos profesionales.

CAPÍTULO IX. Riesgo durante la lactancia natural

**Artículo 188. *Situación protegida*.** A los efectos de la prestación económica por riesgo durante la lactancia natural, se considera situación protegida el período de suspensión del contrato de trabajo en los supuestos en que, debiendo la mujer trabajadora cambiar de puesto de trabajo por otro compatible con su situación, en los términos previstos en el artículo 26.4 de la Ley 31/1995, de 8 de noviembre, de Prevención de Riesgos Laborales, dicho cambio de puesto no resulte técnica u objetivamente posible, o no pueda razonablemente exigirse por motivos justificados.

– *Para el reconocimiento del derecho a la prestación por riesgo durante la lactancia natural son necesarias la identificación de riesgos específicos para la trabajadora en situación de lactancia natural, la imposibilidad de adaptación de las condiciones del puesto específico y la imposibilidad de cambio de la trabajadora a un puesto de la misma o diferente categoría que no tenga esos riesgos o con niveles de riesgo tolerables y controlados; y que se trata de una situación protegida cuya complejidad se pone de relieve porque la misma no responde sólo a una decisión sobre la existencia del riesgo, sino que depende también de actuaciones empresariales en orden a la adecuación del puesto de trabajo o al traslado a un puesto de trabajo compatible con la situación de la lactante, medidas que de no adoptarse, siendo posibles y procedentes, plantearían el problema de la eventual responsabilidad de la empresa por esta omisión, pues el derecho de la trabajadora a no sufrir la situación de riesgo no debería verse perjudicado por la resistencia empresarial a la adaptación o la movilidad, de la misma forma que la entidad gestora tampoco tendría que soportar —al margen de la procedencia, en su caso, del anticipo de la prestación— el coste de una prestación que no se habría causado si la empresa hubiera cumplido sus obligaciones preventivas* (SSTS de 17 [Tol 2093074, 2114655 y 2114812] y 18 de marzo [Tol 2108381, 2109583, 2114862 y 2124684], 3 de mayo [Tol 2128810], 21 de septiembre [Tol 2259155] y 22 de noviembre de 2011 [Tol 2366892], 23 y 25 de enero [Tol 2451011 y 2459674], 21 de junio [Tol 2598322], 1 de octubre [Tol 2708626] y 22 de noviembre de 2012 [Tol 2722693], 21 de marzo [Tol 3536946] y 24 de junio de 2013 [Tol 3858921] y 13 de mayo de 2015 [Tol 5214852]).

– *No puede reconocerse derecho a prestación por riesgo durante la lactancia natural cuando no existe una conexión específica de los riesgos, sin precisión alguna sobre los concretos agentes nocivos detectados efectivamente en el puesto de trabajo y de los efectos que los mismos pudieran tener sobre la salud de la madre o del lactante, sino únicamente una declaración global y genérica de unos riesgos susceptibles de poder estar aparejados a la naturaleza de la actividad* (SSTS de 21 de marzo [*Tol 3536946*] y 24 de junio de 2013 [*Tol 3858921*]).

*– La delimitación de la contingencia en el caso de la lactancia natural no es fácil porque lo que busca es la constatación de que la lactancia se ve dificultada o impedida por el mero desempeño de la actividad laboral, y, desde esa óptica, no bastará con que exista un peligro de transmisión de enfermedades de la madre al hijo, puesto que tan perjudicial puede ser dicho contagio como la imposibilidad real de que el menor realice las imprescindibles tomas alimentarias; por eso, la influencia de los tiempos de trabajo sobre la efectividad de la lactancia natural no puede desdeñarse como elemento de influencia en la calidad y cantidad del amamantamiento so pena de incurrir en la contravención de la propia finalidad protectora buscada; de ahí que, en caso de trabajo a turnos o con horarios y jornadas que impidan la alimentación regular del menor, sea necesario tomar en consideración la efectiva puesta a disposición de la trabajadora de las condiciones necesarias que permitan la extracción y conservación de la leche materna, y no cabe limitar la perspectiva de la presencia de riesgos a la exposición a contaminantes transmisibles por vía de la leche materna, porque con ello se estaría pervirtiendo el objetivo de la norma que pretende salvaguardar el mantenimiento de la lactancia natural en aquellos casos en que la madre haya optado por esa vía de alimentación del hijo* (SSTS de 3 de abril [Rec. 762/2017], 26 de junio [*Tol 6670571*] y 11 de julio de 2018 [*Tol 6677586*], y 24 de enero [Rec. 3529/2017 y 4164/2017], 6 de febrero [Rec. 4016/2017], 26 de marzo [Rec. 2170/2018], 4 de diciembre de 2019 [Rec. 2170/2018], 19 de octubre de 2020 [Rec. 1887/1918] y 27 de enero [*Tol 8310424*] y 16 de junio de 2021 [*Tol 8503717*]).

*– La lactancia natural se acredita a través del certificado médico que debe acompañarse a la solicitud, lo que, a falta de ulteriores exigencias normativas, determina la presunción de que dicho tipo de lactancia se mantiene* (STS de 24 de abril de 2019 [*Tol 7238951*]).

**Artículo 189.** *Prestación económica*. La prestación económica por riesgo durante la lactancia natural se reconocerá a la mujer trabajadora en los términos y condiciones previstos en esta ley para la prestación económica por riesgo durante el embarazo, y se extinguirá en el momento en que el hijo cumpla nueve meses, salvo que la beneficiaria se haya reincorporado con anterioridad a su puesto de trabajo anterior o a otro compatible con su situación, en cuyo caso se extinguirá el día anterior al de dicha reincorporación.

CAPÍTULO X. Cuidado de menores afectados por cáncer u otra enfermedad grave

**Artículo 190.** *Situación protegida*. 1. A efectos de la prestación económica por cuidado de hijos o personas sujetas a guarda con fines de adopción o acogida con carácter permanente, menores de 18 años, afectados por cáncer u otra enfermedad grave, se considera situación protegida la reducción de la jornada de trabajo de, al menos, un 50 por ciento que, de acuerdo con lo previsto en el párrafo tercero del artículo 37.6 del texto refundido de la Ley del Estatuto de los Trabajadores, lleven a cabo los progenitores, guardadores con fines de adopción o acogedores de carácter permanente, cuando ambos trabajen, o cuando solo haya un progenitor por tratarse de familias monoparentales, para el cuidado directo, continuo y permanente del menor a su cargo afectado por cáncer (tumores malignos, melanomas y carcinomas) o por cualquier otra enfermedad grave que requiera ingreso hospitalario de larga duración, durante el tiempo de hospitalización y tratamiento continuado de la enfermedad.

> – *El hecho de que el menor esté escolarizado, recibiendo tratamiento y educación, no impide que concurran las circunstancias exigidas para la concesión de la prestación* (STS de 28 de junio de 2016 [Rec. 80/2015]).
>
> – *La situación protegida es la reducción de jornada de los progenitores, cuando ambos trabajen, para el cuidado directo, continuo y permanente del menor a su cargo, y si uno de los progenitores no trabaja no se genera la situación protegida* (SSTS de 12 de junio de 2018 [Rec. 1470/2017] y 7 de mayo de 2020 [Rec. 3896/2017]).

2. La acreditación del padecimiento del cáncer u otra enfermedad grave, así como de la necesidad de hospitalización y tratamiento, y de cuidado durante el mismo, en los términos indicados en el apartado anterior, se realizará mediante informe del servicio público de salud u órgano administrativo sanitario de la comunidad autónoma correspondiente.

3. Se mantendrá la prestación económica hasta los 23 años cuando, alcanzada la mayoría de edad, persistiera el padecimiento del cáncer o la enfermedad grave, diagnosticada anteriormente, y subsistiera la necesidad de hospitalización, tratamiento y cuidado durante el mismo, en los términos y con la acreditación que se exigen en los apartados anteriores.

No obstante, cumplidos los 18 años, se podrá reconocer la prestación hasta que el causante cumpla 23 años en los supuestos de padecimiento de cáncer o enfermedad grave diagnosticada antes de alcanzar la mayoría de edad, siempre que en el momento de la solicitud se acrediten los requisitos establecidos en los apartados anteriores, salvo la edad.

Asimismo, se mantendrá la prestación económica hasta que el causante cumpla 26 años si antes de alcanzar los 23 años acreditara, además, un grado de discapacidad igual o superior al 65 por ciento.

> Apartado 3 redactado por el Real Decreto-Ley 2/2023, de 16 de marzo, de medidas urgentes para la ampliación de derechos de los pensionistas, la reducción de la brecha de género y el establecimiento de un nuevo marco de sostenibilidad del sistema público de pensiones (BOE núm. 65, 17 de marzo de 2023).

4. Reglamentariamente se determinarán las enfermedades consideradas graves, a efectos del reconocimiento de la prestación económica prevista en este capítulo.

Artículo 190 redactado por la Ley 22/2021, de 28 de diciembre, de presupuestos generales del Estado para el año 2022 (BOE núm. 312, 29 de diciembre de 2021).

**Artículo 191. *Beneficiarios*.** 1. Para el acceso al derecho a la prestación económica de la situación protegida prevista en el artículo anterior, se exigirán los mismos requisitos y en los mismos términos y condiciones que los establecidos para la prestación por nacimiento y cuidado de menor regulada en la sección 1.ª del capítulo VI.

2. Cuando concurran en ambos progenitores, guardadores con fines de adopción o acogedores de carácter permanente, las circunstancias necesarias para tener la condición de beneficiarios de la prestación, el derecho a percibirla solo podrá ser reconocido a favor de uno de ellos.

No obstante, en los supuestos de nulidad, separación, divorcio o extinción de la pareja de hecho constituida en los términos del artículo 221, así como cuando se acredite ser víctima de violencia de género, el derecho se reconocerá a favor del progenitor, guardador o acogedor que conviva con la persona enferma, aunque el otro no trabaje, siempre que se cumplan el resto de los requisitos exigidos.

Apartado 2 redactado por el Real Decreto-Ley 2/2023, de 16 de marzo, de medidas urgentes para la ampliación de derechos de los pensionistas, la reducción de la brecha de género y el establecimiento de un nuevo marco de sostenibilidad del sistema público de pensiones (BOE núm. 65, 17 de marzo de 2023).

3. Cuando la persona enferma que se encuentre en el supuesto previsto en el apartado 3 del artículo anterior, contraiga matrimonio o constituya una pareja de hecho, tendrá derecho a la prestación quien sea su cónyuge o pareja de hecho, siempre que acredite las condiciones para ser beneficiario.

4. Las previsiones contenidas en este capítulo no serán aplicables a los funcionarios públicos, que se regirán por lo establecido en el artículo 49.e) del texto refundido del Estatuto Básico del Empleado Público, aprobado por el Real Decreto Legislativo 5/2015, de 30 de octubre, y en la normativa que lo desarrolle.

Artículo 191 redactado por la Ley 22/2021, de 28 de diciembre, de presupuestos generales del Estado para el año 2022 (BOE núm. 312, 29 de diciembre de 2021; correc. BOE núm. 125, 26 de mayo de 2022).

**Artículo 192. *Prestación económica*.** 1. La prestación económica de la situación protegida prevista en el artículo 190, consistirá en un subsidio equivalente al 100 por ciento de la base reguladora establecida para la prestación de incapacidad temporal derivada de contingencias profesionales, y en proporción a la reducción que experimente la jornada de trabajo.

2. Esta prestación se extinguirá cuando, previo informe del servicio público de salud u órgano administrativo sanitario de la comunidad autónoma correspondiente, cese la necesidad del cuidado directo, continuo y permanente del hijo o de la persona sujeta a acogimiento de carácter permanente o guarda con fines de adopción, o cuando esta cumpla los 23 años. Asimismo, en el supuesto del artículo 190.3, párrafo tercero, la prestación se extinguirá si la persona enferma dejara de acreditar el grado de discapacidad requerido o, en todo caso, cuando cumpla los 26 años.

> Apartado 2 redactado por el Real Decreto-Ley 2/2023, de 16 de marzo, de medidas urgentes para la ampliación de derechos de los pensionistas, la reducción de la brecha de género y el establecimiento de un nuevo marco de sostenibilidad del sistema público de pensiones (BOE núm. 65, 17 de marzo de 2023).

> *En el supuesto de subsidio reconocido a una madre divorciada que es titular de la guarda y custodia de menor afectado por una enfermedad grave, la baja en el sistema de la Seguridad Social del otro progenitor, que no está impedido para cuidar al menor, es causa de extinción del subsidio* (STS de 12 de junio de 2018 [*Tol* 6660431]).

3. La gestión y el pago de la prestación económica corresponderá a la mutua colaboradora con la Seguridad Social o, en su caso, a la entidad gestora con la que la empresa tenga concertada la cobertura de los riesgos profesionales.

> Artículo 192 redactado por la Ley 22/2021, de 28 de diciembre, de presupuestos generales del Estado para el año 2022 (BOE núm. 312, 29 de diciembre de 2021).

### CAPÍTULO XI. Incapacidad permanente contributiva

**Artículo 193. *Concepto*.** 1. La incapacidad permanente contributiva es la situación de la persona trabajadora que, después de haber estado sometida al tratamiento prescrito, presenta reducciones anatómicas o funcionales graves, susceptibles de determinación objetiva y previsiblemente definitivas, que disminuyan o anulen su capacidad laboral. No obstará a tal calificación la posibilidad de recuperación de la capacidad laboral de la persona incapacitada, si dicha posibilidad se estima médicamente como incierta o a largo plazo.

El requisito de haber estado sometido previamente al tratamiento prescrito podrá no ser exigible en aquellos supuestos en los que, atendiendo a las características de la patología de la persona trabajadora, el estadio de la enfermedad, su previsible evolución, y la gravedad de las reducciones anatómicas y funcionales, estas queden suficientemente objetivadas y sean previsiblemente definitivas.

Las reducciones anatómicas o funcionales existentes en la fecha de la afiliación del interesado en la Seguridad Social no impedirán la calificación de la situación de incapacidad permanente, cuando se trate de personas con discapacidad y con posterioridad a la afiliación tales reducciones se hayan agravado, provocando por sí mismas o por concurrencia con nuevas lesiones o patologías una disminución o anulación de la capacidad laboral que tenía el interesado en el momento de su afiliación.

Apartado 1 redactado por la Ley 3/2024, de 30 de octubre, para mejorar la calidad de vida de personas con esclerosis lateral amiotrófica y otras enfermedades o procesos de alta complejidad y curso irreversible (BOE núm. 263, 31 de octubre de 2024).

– *El concepto de incapacidad permanente está basado en un criterio de capacidad laboral y funcional según las secuelas, tanto físicas como psíquicas, de base médica, déficit orgánico o funcional* (SSTS de 9 de abril y 13 de junio de 1990).

– *No cabe unificación de doctrina en la determinación del grado de incapacidad permanente (Autos TS de 10 de mayo de 1991, 17 de febrero* [Rec. 1437/1991], 29 de mayo [Rec. 1862/1991] *y 9 de julio de 1992* [Rec. 2144/1991], 29 de marzo de 1993 [Rec. 1409/1992], 17 de enero de 1994 [Rec. 2581/1992] *y 9 de marzo de 1995* [Rec. 2819/1994]).

– *La calificación del grado de la incapacidad permanente es una cuestión jurídica y que, por ello, aunque permanezcan inalterados los hechos probados de la resolución de instancia, el Tribunal de suplicación puede examinar si es correcta o no la calificación efectuada en esa resolución de instancia* (SSTS de 26 de diciembre de 2000 [Rec. 2341/1999], 6 de marzo [*Tol 31958*] *y 25 de junio de 2001* [*Tol 32183*] *y 23 de abril de 2013* [*Tol 3744821*]).

– *La determinación de la contingencia en proceso anterior sobre incapacidad temporal produce efecto vinculante en la sentencia del proceso de incapacidad permanente* (STS de 14 de abril de 2005 [*Tol 642184*]).

– *Cuando se trata de una incapacidad permanente que no deriva de un proceso previo de incapacidad temporal, la fecha del hecho causante será la del dictamen del Equipo de Valoración de Incapacidades y la fecha de efectos económicos, aquella en la que se produce el cese en el trabajo* (STS de 14 de marzo de 2006 [*Tol 883639*]).

– *Las lesiones anteriores a la afiliación de un trabajador a la Seguridad Social que se agravaron con posterioridad a la misma pueden originar una incapacidad permanente protegible por el sistema de Seguridad Social* (STS de 28 de noviembre de 2006 [*Tol 1025576*].

– *La situación invalidante es ajena al cuadro de patología derivado de accidente de trabajo, aunque las secuelas de la incapacidad permanente parcial derivada de accidente de trabajo concurran con las lesiones derivadas de enfermedad común* (STS de 24 de marzo de 2009 [*Tol 1494343*]).

*– Las personas que presentaran reducciones anatómicas o funcionales en la fecha de su afiliación a la Seguridad Social pueden ser calificados en situación de incapacidad permanente, cuando se trate de personas discapacitadas, que con posterioridad a la afiliación se hayan agravado, provocando por sí mismas o por concurrencia con nuevas lesiones o patologías una disminución o anulación de la capacidad laboral que tenían en el momento de su afiliación* (SSTS de 27 de julio de 1992 [*Tol 314544*], 28 de noviembre de 2006 [*Tol 1025576*], 26 de septiembre de 2007 [*Tol 1161285*], 19 de enero de 2010 [*Tol 1781217*] y 21 de enero de 2015 [*Tol 4763775*]).

*– Las dolencias aparecidas con posterioridad a las constatadas en el momento del hecho causante y a la declaración administrativa del grado de IP deben ser tenidas en cuenta por el órgano judicial para establecer el grado de IP* (STS de 6 de febrero de 2019 [*Tol 7091906*]).

2. La incapacidad permanente habrá de derivarse de la situación de incapacidad temporal, salvo que afecte a quienes carezcan de protección en cuanto a dicha incapacidad temporal, bien por encontrarse en una situación asimilada a la de alta, de conformidad con lo previsto en el artículo 166, que no la comprenda, bien en los supuestos de asimilación a trabajadores por cuenta ajena, en los que se dé la misma circunstancia, de acuerdo con lo previsto en el artículo 155.2, bien en los casos de acceso a la incapacidad permanente desde la situación de no alta, a tenor de lo previsto en el artículo 195.4. Tampoco será necesario que la incapacidad permanente derive de una situación de incapacidad temporal en los supuestos señalados en el segundo párrafo del apartado anterior.

Apartado 2 redactado por la Ley 3/2024, de 30 de octubre, para mejorar la calidad de vida de personas con esclerosis lateral amiotrófica y otras enfermedades o procesos de alta complejidad y curso irreversible (BOE núm. 263, 31 de octubre de 2024).

**Artículo 194. *Grados de incapacidad permanente*.** 1. La incapacidad permanente, cualquiera que sea su causa determinante, se clasificará, en función del porcentaje de reducción de la capacidad de trabajo del interesado, valorado de acuerdo con la lista de enfermedades que se apruebe reglamentariamente en los siguientes grados:

a) Incapacidad permanente parcial.

*– Cuando ya ha sido reconocida a un trabajador una incapacidad permanente parcial derivada de accidente de trabajo para su profesión habitual, no es posible, aunque se aprecien conjuntamente nuevas secuelas derivadas de enfermedad común, reconocerle de nuevo, una incapacidad permanente parcial para la realización de su trabajo habitual* (STS de 26 de julio de 2015 [*Tol 549428*]).

– *Existe incapacidad permanente parcial cuando la pérdida de visión de un ojo (visión monocular) suponga una reducción de la capacidad laboral para el ejercicio de las funciones de su profesión, que si bien no le impide llevar a cabo las tareas fundamentales de dicha profesión, si ha de implicar una merma de su rendimiento laboral no inferior al 33 por 100 del normal, al tener que efectuarlas en condiciones manifiestamente desfavorables* (SSTS de 4 de mayo de 2016 [Rec. 1986/2014], 9, 12 y 22 de julio de 2020 [Rec. 338/2018, 698/2020 y 4533/2017] y 24 de mayo [Rec. 2117/2020] y 10 de octubre de 2023 [Rec. 1037/2021]).

## b) Incapacidad permanente total.

– *Para determinar la calificación de una incapacidad permanente total se tendrán en cuenta los siguientes criterios: el principio básico de absoluta incompatibilidad entre la pensión de incapacidad permanente total y el desempeño de la misma profesión; la función de sustitución de rentas salariales de la pensión de incapacidad permanente total; la inactividad en la profesión integra el concepto mismo del grado de incapacidad permanente total; y cuando se accede a la pensión de incapacidad permanente total desde la situación de activo laboral, la fecha de inicio de los efectos económicos de la pensión coincide con la del cese efectivo en el trabajo* (SSTS de 26 de abril de 2017 [Rec. 3050/2015] y 17 de abril de 2024 [Rec. 2225/2021]).

– *La pensión por incapacidad permanente total tiene como objeto la sustitución de las rentas salariales que ya no se pueden obtener con el ejercicio de la profesión habitual y, en consecuencia, su derecho es compatible con el ejercicio de una profesión distinta a la habitual para la que se tenga capacidad o habilidad física, y no es compatible con el desempeño retribuido de la misma profesión habitual* (STS de 20 de septiembre de 2005 [Tol 726630]).

– *No debe revisarse una incapacidad permanente total para la profesión habitual como consecuencia de la realización de cometidos laborales por cuenta ajena compatibles con la capacidad residual de la beneficiaria, cuando no se ha producido una mejora que justifique dicha revisión, de manera que queda constatado que las dolencias permanecen inmodificadas* (STS de 22 de diciembre de 2009 [Tol 1776178]).

## c) Incapacidad permanente absoluta.

– *No debe revisarse una incapacidad permanente absoluta como consecuencia de la realización de cometidos laborales por cuenta ajena compatibles con la capacidad residual de la beneficiaria, cuando no se ha producido una mejora que justifique dicha revisión, de manera que queda constatado que las dolencias permanecen inmodificadas* (STS de 14 de julio de 2010 [Tol 1945409]).

## d) Gran incapacidad.

– *La gran invalidez es un grado autónomo de la incapacidad permanente, de tal modo que su reconocimiento o bien es inicial o directo, en una primera calificación de las secuelas, o bien se reconoce por agravación del grado de invalidez antes establecido, cualquiera que fuera su grado anterior, porque la modificación legal introducida por la disposición final 5.ª de la Ley de 7 de abril de 1982 consiste en que no es preciso que el reconocimiento de la gran invalidez parta de un previo establecimiento de la incapacidad permanente absoluta* (STS de 22 de julio de 1996 [Tol 236094]).

– *En el caso de beneficiario que se encuentre en situación de fase terminal en la que el desenlace es previsible en fecha próxima, no puede denegarse la calificación del grado de gran invalidez porque falta el requisito de permanencia, pues su determinación no exige el mismo, sino la simple constatación de la necesidad de asistencia de una tercera persona* (SSTS de 12 de mayo de 2003 [*Tol 336616*] y 11 de octubre de 2004 [*Tol 515467*]).

– *En la declaración del grado de gran invalidez desde una incapacidad permanente absoluta se requiere una agravación de la situación invalidante previamente reconocida porque la gran invalidez es un grado autónomo de la incapacidad permanente y su reconocimiento o bien es inicial o directo en una primera calificación de las secuelas o se reconoce por agravación del grado de incapacidad permanente antes establecido y cuando el reconocimiento no es consecuencia de una primera calificación, sino que se parte de un grado inferior de incapacidad, la forma legal de la declaración es la revisión, nunca por mejoría sino por agravación, al tratarse del más grave de los grados de incapacidad permanente, o por error de diagnóstico* (STS de 7 de mayo de 2004 [*Tol 434617*]).

– *No debe revisarse una gran invalidez como consecuencia de la realización de cometidos laborales por cuenta ajena compatibles con la capacidad residual de la beneficiaria, cuando no se ha producido una mejora que justifique dicha revisión y el cuadro patológico de la trabajadora ha permanecido inmodificado desde la fecha de su reconocimiento [paraplejia determinada por lesión medular, con necesidad de silla de ruedas y ayuda de tercera persona para atender las necesidades vitales], de manera que queda constatado que las dolencias permanecen inmodificadas* (STS de 23 de abril de 2009 [*Tol 1530436*]).

– *Una persona que padezca ceguera total o pérdida de visión equiparable, inferior a una décima en ambos ojos, reúne objetivamente la situación de gran invalidez, pues el invidente, en tales condiciones, tiene derecho a la colaboración de una tercera persona que no hace falta que sea continuada, y sin que excluya su calificación como gran invalidez el hecho de que el invidente haya adquirido habilidades adaptativas y pueda realizar funciones esenciales de la vida sin ayuda de terceros o de ayuda permanente, o incluso que pueda haber llegado a efectuar trabajos no perjudiciales con su situación* (SSTS de 3 de marzo de 2014 [*Tol 4152447*] y 10 de febrero de 2015 [*Tol 4738354*]).

– *En los supuestos de deficiencia visual, para el reconocimiento de una gran invalidez debe seguirse un criterio objetivo, prescindiendo de las posibles habilidades adquiridas por el sujeto en orden a realizar los actos esenciales de la vida* (SSTS de 20 de abril de 2016 [*Tol 5733486*] y 4 de diciembre de 2019 [*Tol 7673916*]).

– *No procede el reconocimiento de gran invalidez a un trabajador de la ONCE que ya necesitaba la ayuda de tercera persona antes de su alta en el sistema de Seguridad Social y cuya situación clínica se agrava posteriormente* (SSTS de 19 de julio de 2016 [Rec. 3907/2014], 17 de abril [*Tol 6594725*] y 10 de julio de 2018 [*Tol 6676588* y 6680831], 29 y 30 de septiembre de 2020 [Rec. 4716/2018 y 1090/2018], 9 de febrero [*Tol 8329440*], 19 de abril [*Tol 8416679*], 13 y 14 de julio [*Tol 8523560* y 8523627], 13 de octubre [*Tol 8630618*] y 23 de noviembre de 2021 [*Tol 8690249*] y 6, 19, 20 y 26 de abril [*Tol 8916455*, 8916550, 8920631, 8932542 y 89325656], 11 de mayo [*Tol 8975945*], 1 y 21 de junio [*Tol 9093529* y 9102110], 11 y 25 de octubre [*Tol 9271089* y 9284332], 2 y 23 de noviembre de 2022 [*Tol 9291727* y Rec. 3121/2019], y 21 de febrero [*Tol 9469631*], 26 de marzo [Rec. 3980/2019 y 1766/2020] y 18 de julio de 2023 [*Tol 9661000*]).

– *No hay ceguera absoluta cuando el interesado conserva 1/10 de visión en un ojo y 1/15 en el otro, lo que ciertamente imposibilita realizar cualquier tipo de trabajo y corresponde por ello una incapacidad permanente absoluta, pero no alcanza la situación de ceguera legal, lo que impide el reconocimiento de la situación de gran invalidez* (SSTS de 8 de marzo de 2018 [Rec. 1442/2016], 22 de mayo [Rec. 192/2018] y 29 de septiembre de 2020 [Rec.

1098/2018], 1 de diciembre de 2021 [*Tol 8797615*], 26 de abril [*Tol 8932656*], 7 y 29 de junio [*Tol 9009621*, y 9123949 y 9124593*], 12 de julio [*Tol 9152597*], 28 de septiembre [*Tol 9251931*] y 6 de octubre de 2022 [*Tol 9259697*] y 16 y 29 de marzo [Rec. 3980/2019 y 1766/2020, y 739/20] y 19 de septiembre de 2023 [*Tol 9724148*]).

– *El dato objetivo relativo a la pérdida de agudeza visual no supone, por sí solo, que una persona necesite dicha asistencia de terceros para los actos más esenciales de la vida, y que motive el reconocimiento de una gran invalidez* (SSTS 2 y 24 de abril de 2025 [Rec. 925/2023 y 4235/2023]).

**2. La calificación de la incapacidad permanente en sus distintos grados se determinará en función del porcentaje de reducción de la capacidad de trabajo que reglamentariamente se establezca.**

– *No son hechos nuevos ajenos al expediente las dolencias que sean agravación de otras anteriores, ni las lesiones o enfermedades que ya existían con anterioridad y se ponen de manifiesto después, ni siquiera las que existían durante la tramitación del expediente pero no fueron detectadas por los servicios médicos* (SSTS de 5 de marzo de 2013 [Rec. 1453/2012], 1 de junio de 2016 [Rec. 452/2015] y 13 de octubre [Rec. 5108/2018] y 1 de diciembre de 2021 [*Tol 869271*]).

**A efectos de la determinación del grado de la incapacidad, se tendrá en cuenta la incidencia de la reducción de la capacidad de trabajo en el desarrollo de la profesión que ejercía el interesado o del grupo profesional, en que aquella estaba encuadrada, antes de producirse el hecho causante de la incapacidad permanente.**

– *El concepto de profesión habitual debe extenderse a aquellas actividades que requieren de permiso especial o licencia administrativa para desempeñarla, en los supuestos de accidente, sea o no de trabajo* (SSTS de 9 de febrero [*Tol 46248*] y 23 de noviembre de 2000 [*Tol 104734*], 12 de febrero de 2003 [Rec. 661/2002], y 8 de junio de 2005 [*Tol 675529*]).

– *La profesión habitual, a efectos de calificación de invalidez, es la desarrollada a lo largo de la vida activa, aunque en un último estadio, breve por sí mismo y más si se contrapone al muy prolongado anterior, se haya accedido a otra más liviana* (SSTS de 7 de febrero [*Tol 191886*] y 9 de diciembre de 2002 [*Tol 240981* y *257243*]).

– *Los pensionistas por incapacidad permanente total y absoluta y por gran invalidez no quedan automáticamente equiparados a la condición de discapacitados a partir de la entrada en vigor de la Ley 51/2003, de 2 de diciembre, de igualdad de oportunidades, no discriminación y accesibilidad universal de las personas con discapacidad, por las siguientes razones: la atribución de la condición o estatus de persona con discapacidad pertenece al grupo normativo de la Ley 13/1982, de 7 de abril, de integración social de los minusválidos, y no al de la Ley 51/2003, de 2 de diciembre, al atribuir a equipos multiprofesionales de valoración, entre otras competencias, la valoración y calificación de la presunta minusvalía, determinando el tipo y grado de disminución en relación con los beneficios, derechos económicos y servicios previstos en la legislación; la definición de los grados de incapacidad permanente a efectos de Seguridad Social atiende exclusivamente a consideraciones de empleo y trabajo y la definición de la minusvalía incluye otras dimensiones de la vida social, como son la educación y la participación en las actividades sociales, económicas y culturales: y la coincidencia de los respectivos campos de cobertura de una y otra legislación puede ser amplia, y el legislador puede establecer una asimilación o conjunción de los mismos, pero teniendo en cuenta que hay otros espacios que corresponden privativamente bien a la Seguridad Social bien a la protección de los discapacitados, y cuyos beneficiarios han de ser determinados, en principio, mediante los procedimientos establecidos en uno y otro sector del ordenamiento social* (SSTS de 21, 22 y 29 de marzo [*Tol 1079885 y 1107127, 1072288 y 1079849, y 1092939*], 17 de abril [*Tol 1081939*], 29 de mayo [*Tol 1092892*], 5 y 20 de junio [*Tol 1113266 y 1124416*] y 19 y 24 de julio [*Tol 1153295, 1153297, 1151328, 1151330, y 1151337, y 1161256*], 18 y 20 de septiembre [*Tol 1161283, y 1161260 y 1174938*], 16, 18 y 30 de octubre [*Tol 1174933, 1174945 y 1220851*], 6, 14, 15, 26 y 27 de noviembre [*Tol 1214603, 1214259, 122958, 1222946 y 1229562*], y 5, 17, 18, 19, 21 y 26 de diciembre de 2007 [*Tol 1235083 y 1245207, 1256563, 1288693 y 1292546, 1235075, 1245264 y 1292548*], 21, 22, 28, 29 y 30 de enero [*Tol 1292481, 1292483, 1295431, y 1292515, 1324695, 1324282, 1324283 y 1343623, 1324284 y 1330889*], 5, 6, 21, 26 y 29 de febrero [*Tol 1292485 y 1320654, 1324286 y 1324294, 1292458 y 1330879, 1292468 y 1302931, y 1331810 y 1330888*], 12 de mayo [*Tol 1333225*], 3, 10, 11 y 26 de junio [*Tol 1343559 y 1343572, 1343577, 1351094 y 1351097*], 7 de julio [*Tol 1369547*], 24 de septiembre [*Tol 1383897*], 5 y 13 de noviembre [*Tol 1432373 y 1413277*] y 2 y 9 de diciembre de 2008 [*Tol 1432358 y 1432361*] y 7 de abril de 2016 [*Tol 5733473*]).

– *El reconocimiento del 33 por 100 de discapacidad a quienes tengan reconocida una incapacidad permanente total, absoluta o gran invalidez sólo se produce de forma automática en el ámbito y para las previsiones de la Ley 51/2003, de 2 de diciembre, y, en ningún caso, de forma general y para todos los efectos (previstos en el Real Decreto 1971/1999, de 23 de diciembre); de forma que a quienes estén en esas situaciones de incapacidad y pretendan hacer efectiva la realidad de la existencia de la simple condición de minusvalía cifrada en el 33 por 100 en el ámbito exclusivo de la aplicación de la referida norma, no han de llevar a cabo otra actuación que no sea la de acreditar la situación de incapacidad permanente legalmente homologada* (SSTS de 22, 28, 29 y 30 de enero [*Tol 1369842, 1369833, y 1369831, 1369838, 1369855, y 1369832 y 1369837*], 20 de febrero [*Tol 1369862*], 6 y 30 de junio [*Tol 1346940 y 1373048*], 22 de julio [*Tol 1373051*] y 18 y 29 de septiembre de 2008 [*Tol 1385908 y 1393239*]).

– *La profesión habitual determinante de una situación de incapacidad permanente no es esencialmente coincidente con la labor específica que se realice en un determinado puesto de trabajo sino aquella que el trabajador está cualificado para realizar y a la que la empresa le haya destinado o pueda destinarle, lo que significa que no solo hay que tener en cuenta a la hora calificar una incapacidad permanente cuáles eran las funciones o trabajos concretos que el trabajador afectado pudiera estar desarrollando antes o las que pueda estar realizando después del accidente sino todas las que integran objetivamente su profesión, las cuales vienen delimitadas en ocasiones por las de su propia categoría profesional o en otras las de su grupo profesional, según los casos y el alcance que en cada caso tenga el ius variandi empresarial de conformidad con la normativa laboral aplicable* (SSTS de 10 de junio de 2008 [*Tol 1369612*], 25 de marzo de 2009 [*Tol 1509431*], 10 de octubre de 2011 [*Tol 2264706*] y 2 de noviembre de 2012 [*Tol 2693326*]).

– *En los casos de valoración de incapacidades, la propia naturaleza del proceso intelectual y jurídico que comporta ese juicio de encuadramiento de la incapacidad en relación con un trabajo concreto, impide casi siempre que se pueda construir una jurisprudencia unificada, porque las condiciones personales, profesionales y médicas de las situaciones comparadas difícilmente pueden ser suficientemente homogéneas, sustancialmente iguales* (SSTS de 25 de marzo [*Tol 5004096*] y 26 de mayo de 2015 [*Tol 5191342*] y 23 de febrero de 2016 [*Tol 5662149*]).

– *En el supuesto de la incapacidad permanente total de un policía municipal, el devengo de la pensión se produce cuando se cesa en la actividad como policía, sea primera o segunda, por incompatibilidad entre el salario percibido por tal concepto y la pensión que es renta sustitutoria de aquél* (STS de 25 de marzo de 2009 [Rec. 3402/2007], 26 de abril de 2017 [Rec. 3050/2015] y 11 de mayo de 2020 [Rec. 3777/2017]).

– *En la delimitación de la profesión habitual, no cabe confundir la misma con el concreto puesto de trabajo* (STS de 26 de octubre de 2016 [Rec. 1267/2015]).

– *Un futbolista profesional que ya ha cumplido los 30 años puede ser declarado en situación de incapacidad permanente total para la profesión habitual consecuencia de accidente de trabajo, puesto que no existe norma alguna que impida a un futbolista el ejercicio de su profesión a aquella edad y que, por otro lado, es razonable que a dicha edad pueda ejercerse la profesión de futbolista* (STS de 20 de diciembre de 2016 [Rec. 535/2015]).

– *El 33 por 100 de discapacidad no se atribuye de manera automática, porque la equiparación se atribuye a los efectos de la Ley 26/2011, de 1 de agosto, y no "a todos los efectos"* (SSTS de 29 de noviembre de 2018 [Rec. 3382/2016], 12 de mayo de 2020 [Rec. 243/2018], 26 de mayo de 2021 [*Tol 8464061*], 13 de julio de 2022 [*Tol 9150103*] y 29 de mayo de 2024 [Rec. 1404/2022 y 1777/2022]).

– *La profesión habitual no se define en función del concreto puesto de trabajo que desempeña el trabajador, ni en atención a la delimitación del grupo profesional, sino en atención al ámbito de funciones a las que se refiere el tipo de trabajo que se realiza o puede realizarse; y el pase a segunda actividad no supone automáticamente un determinado grado de incapacidad permanente, pues ha de tomarse en consideración todo el contenido de la profesión y no solo las tareas que integran la segunda actividad a las que se ha destinado el trabajador* (STS de 23 de septiembre de 2020 [Rec. 2800/2018]).

– *Debe aplicarse una tesis subjetiva a todas las pensiones de incapacidad permanente, de forma que el reconocimiento del grado (y de la pensión) dependerá de las circunstancias de cada caso concreto, debiendo valorar individualizadamente las concretas patologías y limitaciones anatómicas o funcionales de cada uno los demandantes* (STS de 24 de abril de 2025 [Rec. 925/2023]).

3. La lista de enfermedades, la valoración de las mismas, a efectos de la reducción de la capacidad de trabajo, y la determinación de los distintos grados de incapacidad, así como el régimen de incompatibilidades de los mismos, serán objeto de desarrollo reglamentario por el Gobierno, previo informe del Consejo General del Instituto Nacional de la Seguridad Social.

**Artículo 195.** *Beneficiarios*. 1. Tendrán derecho a las prestaciones por incapacidad permanente las personas incluidas en el Régimen General que sean declaradas en tal situación y que, además de reunir la condición general exigida en el artículo 165.1, hubieran cubierto el período mínimo de cotización que se determina en los apartados 2 y 3 de este artículo, salvo que aquella sea debida a accidente, sea o no laboral, o a enfermedad profesional, en cuyo caso no será exigido ningún período previo de cotización.

– *La fecha del hecho causante es aquella en la cual las secuelas fueron objetivadas, independientemente del momento de su calificación* (STS de 27 de septiembre de 1991 [Rec. 384/1991]).

– *Para encontrarse en situación asimilada a la de alta, a efectos de la protección por incapacidad permanente, es necesaria una manifestación externa del deseo de trabajar en los casos de paro involuntario mediante la inscripción de la oficina de empleo* (STS de 10 de junio de 1992 [Tol 232652]).

– *La fecha del hecho causante de la incapacidad permanente es la de la calificación de la incapacidad o la del agotamiento de la previa incapacidad temporal* (STS de 20 de abril de 1994 [Tol 233395 y 234530]).

– *El requisito de alta o situación asimilada a la de alta debe acreditarse en la fecha de la contingencia o hecho causante* (SSTS de 9 de octubre de 1995 [Tol 236275 y 266566], 16 de abril de 1999 [Tol 208933] y 31 de mayo de 2007 [Tol 1107201]).

– *A efectos del período de carencia necesario para causar derecho a incapacidad permanente desde una situación de paro involuntario debe computarse el tiempo de incapacidad temporal, aunque no se hubiera permanecido en dicha situación* (SSTS de 22 de septiembre de 1997 [Tol 237919] y 17 de julio de 2000 [Rec. 3051/1999]).

– *Es situación asimilada a la de alta, a efectos de la protección por incapacidad permanente, el paro involuntario que subsiste después de haber agotado las prestaciones por desempleo, cualquiera que sea la edad del trabajador* (SSTS de 26 de enero de 1998 [Tol 47636] y 9 de noviembre de 1999 [Tol 46295]).

– *Aunque para que exista situación asimilada a la de alta es necesario que la inscripción como demandante de empleo se mantenga sin interrupciones, debe realizarse una interpretación humanizadora, flexible e individualizada, evitando rigideces que en ocasiones desnaturalizarían el propio espíritu protector de la Seguridad Social, pudiendo considerarse que, pese a rupturas temporales, sigue vivo el animus laborandi cuando el alejamiento intermedio del sistema obedece a especiales circunstancias* (STS de 14 de abril de 2000 [Rec. 1721/1999]).

– *La ausencia del requisito de la inscripción como desempleado no es por sí sola suficiente para enervar el derecho del interesado a la prestación por incapacidad permanente cuando se constata que por su situación no estaba físicamente capacitado para realizar trabajo alguno por lo que su inscripción en la oficina de colocación carecía totalmente de finalidad* (STS de 10 de noviembre de 2003 [Tol 342011]).

– *A efectos del reconocimiento de una prestación económica por incapacidad permanente son computables las cotizaciones efectuadas por el interesado con posterioridad a una anterior denegación del derecho a aquella prestación por no acreditar la cotización exigida para ello; puesto que las declaraciones de incapacidad permanente sin derecho a prestaciones por la ausencia del cumplimiento del requisito de carencia previa no impiden que el trabajador afectado pueda continuar desarrollando su actividad laboral y manteniendo la situación de alta y su cotización a la Seguridad Social, y, en consecuencia, estas cotizaciones han de producir plenos efectos cuando posteriormente solicita de nuevo una prestación por incapacidad permanente, salvo que se acreditara que tales cotizaciones son ficticias por no corresponder a un trabajo efectivamente realizado* (STS de 29 de septiembre de 2004 [Tol 515790 y 520803]).

– *En el supuesto de revisión por agravación de una previa incapacidad permanente total consecuencia de accidente de trabajo no será necesario acreditar los requisitos de alta o asimilación ni de cotización de quince años con una quinta parte comprendida en los diez últimos* (STS de 4 de noviembre de 2004 [Tol 528816]).

– *Únicamente en el supuesto de que el trabajador se encuentre percibiendo el subsidio por incapacidad temporal puede verse beneficiado del mecanismo de cotizaciones ficticias previsto en el artículo 4.4.º del Real Decreto 1799/1985, de 2 de octubre, en la redacción del Real Decreto 4/1998, para el cómputo de carencia necesaria para causar derecho a prestación por incapacidad permanente, hasta completar los dieciocho meses que se establecen como duración máxima de una situación de incapacidad temporal* (SSTS de 2 y 3 de febrero [Tol 352677 y 376990], 10 de marzo [Tol 434635], 14 de mayo [Tol 443740] y 2 de diciembre de 2004 [Tol 526709] y 17 de enero de 2005 [Tol 565133]).

– *El tiempo de subsidio por incapacidad temporal percibido en pago directo del Instituto Nacional de la Seguridad Social sin cotizaciones, percibidas en un período no inmediato al hecho causante de la incapacidad permanente, no puede tenerse en cuenta a efectos del cómputo de la carencia necesaria, pues los beneficios previstos en el artículo 4.4.º del Real Decreto 1799/1985, de 2 de octubre, en la redacción del Real Decreto 4/1998, sólo son aplicables cuando esa situación inmediata se produce y precede la incapacidad temporal a la permanente* (STS de 14 de febrero de 2005 [Tol 639704]).

– *Para causar derecho a una prestación económica por incapacidad permanente es necesario que el interesado se encuentre en la fecha del hecho causante en situación de alta o asimilada a la misma, tal y como establecen los artículos 124 y 138 de la Ley General de la Seguridad Social de 1994, y no es posible una aplicación de su reiterada doctrina sobre la flexibilización del concepto de situación asimilada a la de alta que, en último término, suponga la desaparición de un requisito exigido legalmente* (STS de 21 de marzo de 2006 [Tol 883722]).

– *El momento en que debe cumplirse el requisito de alta a efectos del reconocimiento del derecho a una pensión por incapacidad permanente total consecuencia de accidente no laboral es la fecha en la que se produce el accidente* (STS de 1 de junio de 2006 [Tol 970172]).

– *Las cotizaciones efectuadas a consecuencia de un trabajo efectivo y desarrollado tras la indebida declaración de incapacidad permanente sin derecho a pensión poseen virtualidad, aun cuando el cuadro patológico existente sea el primigenio, habida cuenta de que el acto declarativo de la incapacidad permanente es un acto complejo, en el que es distinguible un aspecto de valoración médica y otro de valoración jurídica, y de que sólo por la conjunción de ambos puede surgir el fenómeno, propiamente jurídico-social, del reconocimiento de la incapacidad permanente; de ahí que carezca de trascendencia alguna en orden al ulterior reconocimiento pleno de una incapacidad permanente la patología tenida en cuenta en un anterior acto administrativo de reconocimiento incompleto de dicha incapacidad, puesto que la configuración del estado invalidante no se llega a producir sino por la conjunción del cuadro patológico correspondiente con el período de cotización y demás requisitos jurídicos exigibles; y la función de todo sistema de Seguridad Social consiste en garantizar a todos los ciudadanos asistencia y prestaciones sociales suficientes ante situaciones de necesidad, por lo que, en principio, constituye un claro contrasentido el que, no pudiéndose, jurídicamente, proporcionar, en un momento determinado, esa asistencia protectora se obstaculice, sin embargo, su ulterior obtención impidiendo, a su vez, desde un plano teórico, la continuidad en la misma o en cualquier otra actividad laboral* (SSTS de 21 de febrero [Tol 1343626] y 6 de noviembre de 2008 [Tol 1413290]).

*– Un trabajador que ha causado derecho a pensión por incapacidad permanente, acreditando cotizaciones en Andorra y en España, no tiene derecho a percibir íntegramente la pensión a cargo de la Seguridad Social española, sino únicamente la cuantía que le correspondiera como consecuencia de la aplicación del principio pro rata temporis, aun cuando hubiera cotizado en España el tiempo suficiente para causar el derecho a la pensión; pues debe evitarse que la compatibilidad entre pensiones de la misma naturaleza a cargo de entidades gestoras distintas pudiera producirse el percibo de pensiones superiores a aquéllas que se habrían causado en el caso de no haber tenido lugar la emigración (STS de 22 de octubre de 2008 [Tol 1407910]).*

*– Se considera en situación asimilada a la de alta la percepción de una pensión de invalidez, en su modalidad no contributiva, siempre que el interesado reúna el resto de requisitos legales exigidos (período de carencia, grado de incapacidad...) (SSTS de 22 de enero de 2013 [Tol 3054557] y 10 de noviembre de 2016 [Rec. 901/2015]).*

*– Al exclusivo objeto de obtener la carencia exigible para poder acceder a las prestaciones por incapacidad permanente derivada de enfermedad común sigue vigente la doctrina jurisprudencial sobre los denominados días-cuota por gratificaciones extraordinarias, de forma que a los mencionados efectos de cómputo carencial, el año no consta sólo de los 365 días naturales, sino de éstos y de los días-cuotas abonados por gratificaciones extraordinarias (STS de 17 de abril de 2013 [Tol 3706867]).*

*– Se debe tener por cumplido requisito estar en alta cuando éste concurría al iniciarse acontecer que conduce al hecho causante situación de incapacidad permanente y es fundadamente explicable que se hayan descuidado los resortes legales prevenidos para continuar formalmente en alta o asimilada (SSTS de 3 de junio de 2014 [Tol 4418415] y 27 de julio de 2021 [Tol 8579320]).*

*– No procede reconocer la pensión por incapacidad permanente total a un jubilado anticipadamente porque no está en situación de alta ni asimilada (SSTS de 21 de enero de 2015 [Rec. 491/2014], 12 de julio de 2022 [Rec. 1301/2019] y 22 de febrero de 2023 [Tol 9437626].*

*– Se considera en situación asimilada a la de alta al trabajador que cesa voluntariamente en su trabajo para pasar a prestar servicios en otra empresa, y que, días después y antes del inicio del nuevo empleo, sufre un accidente de tráfico del que es consecuencia una incapacidad permanente, al no existir voluntad de abandonar el mercado de trabajo, sino de continuar trabajando en una nueva actividad (STS de 23 de febrero de 2017 [Rec. 2120/2015]).*

No se reconocerá el derecho a las prestaciones de incapacidad permanente derivada de contingencias comunes cuando el beneficiario, en la fecha del hecho causante, tenga la edad prevista en el artículo 205.1.a) y reúna los requisitos para acceder a la pensión de jubilación en el sistema de la Seguridad Social.

*– No se reconocerá el derecho a la prestación por incapacidad permanente cuando el beneficiario, en la fecha del hecho causante, tenga la edad prevista en el artículo 205.1 a) de la Ley General de la Seguridad Social y reúna los requisitos para acceder a la pensión de jubilación en el sistema de Seguridad Social (SSTS de 30 de enero de 1996 [Tol 236871] y 24 y 29 de junio [Rec. 1411/2018 y 1062/2018], 1 de julio [Rec. 1935/2018] y 2 de diciembre de 2020 [Rec. 2916/2018]).*

– *No puede reconocerse derecho a pensión por incapacidad permanente consecuencia de enfermedad profesional al trabajador que no ha cumplido los sesenta y cinco años de edad en la fecha de la solicitud porque el hecho de que aquél haya accedido a su jubilación impide el reconocimiento de una situación de incapacidad permanente, cualquiera que sea la causa que la origine* (STS de 17 de septiembre de 2004 [*Tol 515501*]).

– *No puede acceder al derecho a pensión por incapacidad permanente la persona que en la fecha del hecho causante es pensionista de jubilación, y ello aunque lo sea de jubilación anticipada y, por tanto, su edad sea inferior a 65 años; puesto que el objetivo de la legislación aplicable es evitar que puedan acceder a la pensión por incapacidad permanente aquellos posibles beneficiarios que reúnan los requisitos para jubilarse, entre ellos la edad de 65 años; y cuando se da la circunstancia de que el trabajador ya está jubilado voluntariamente antes de cumplir esa edad, es evidente que tampoco puede acceder a dicha pensión porque el hecho causante de la incapacidad permanente ha de venir precedido por el desempeño de profesión u oficio* (STS de 27 de julio de 2005 [*Tol 726597*]).

– *Es posible el reconocimiento del derecho a una pensión por incapacidad permanente absoluta a un pensionista por jubilación anticipada cuando todavía no ha alcanzado los sesenta y cinco años de edad porque la redacción del artículo 138 de la LGSS de 1994 llevada a cabo por la Ley 24/1997, de 15 de julio, deja claro que el acceso a las pensiones por incapacidad permanente, cuando el interesado cumple los requisitos necesarios para ello, sólo se veda o impide a quienes han cumplido sesenta y cinco años de edad; y, por tanto, al ser el artículo 138 de la LGSS de 1994 un precepto marcadamente limitativo de derechos, no permite ninguna interpretación que amplíe o haga más extensa esa limitación de derechos, no pudiendo mantenerse en la actualidad criterios limitativos relativos a los supuestos de jubilación anticipada* (SSTS de 22 de marzo de 2006 [*Tol 948973*], 13 de junio de 2007 [*Tol 1124417*], 21 de enero de 2015 [*Tol 751846*] y 12 de julio de 2022 [*Tol 9142709*]).

– *Debe reconocerse el derecho a pensión por incapacidad permanente consecuencia de accidente de trabajo en el supuesto en el que se dicta la resolución declarativa de la incapacidad permanente cuando el trabajador ya está jubilado, habiéndose producido el alta médica con anterioridad a la situación de jubilación; puesto que debe seguirse la doctrina que plantea que la fecha del dictamen del órgano competente de la incapacidad permanente no puede configurarse necesariamente y en todos los casos como el hecho causante de la prestación, porque lo decisivo es el momento en que las dolencias aparecen fijadas como definitivas e invalidantes, retrotrayéndose al momento real en que las secuelas se revelan como permanentes e irreversibles* (STS de 22 de septiembre de 2008 [*Tol 1393246*]).

– *Es posible el reconocimiento de una incapacidad permanente derivada de enfermedad profesional en favor de quien era preceptor de pensión por jubilación* (STS de 5 de noviembre de 2009 [*Tol 1748991*]).

– *Existe derecho a acceder a una incapacidad permanente cuando el solicitante se encuentra en la situación de jubilación anticipada a la que ha accedido por aplicación de los coeficientes correctores por discapacidad, dándose la circunstancia de que no ha cumplido la edad ordinaria de jubilación* (SSTS de 27 de abril [*Tol 8932435*], 22 de noviembre [Rec. 1563/2019] y 14 de diciembre de 2022 [Rec. 3412/2019], 24 de enero [*Tol 9448991*], 22 de febrero [Rec. 4500/2019] y 21 de diciembre de 2023 [Rec. 3214/2022] y 16 de enero de 2024 [Rec. 2465/2021]).

**2. En el caso de incapacidad permanente parcial, el período mínimo de cotización exigible será de mil ochocientos días, que han de estar comprendidos**

en los diez años inmediatamente anteriores a la fecha en la que se haya extinguido la incapacidad temporal de la que se derive la incapacidad permanente.

El Gobierno, mediante real decreto, a propuesta del titular del Ministerio de Empleo y Seguridad Social, podrá modificar el período de cotización que para la indicada prestación se exige en este apartado.

3. En el caso de pensiones por incapacidad permanente, el período mínimo de cotización exigible será:

a) Si el sujeto causante tiene menos de treinta y un años de edad, la tercera parte del tiempo transcurrido entre la fecha en que cumplió los dieciséis años y la del hecho causante de la pensión.

b) Si el causante tiene cumplidos treinta y un años de edad, la cuarta parte del tiempo transcurrido entre la fecha en que cumplió los veinte años y la del hecho causante de la pensión, con un mínimo, en todo caso, de cinco años. En este supuesto, al menos la quinta parte del período de cotización exigible deberá estar comprendida dentro de los diez años inmediatamente anteriores al hecho causante.

En los supuestos en que se acceda a la pensión de incapacidad permanente desde una situación de alta o asimilada a la de alta, sin obligación de cotizar, el período de los diez años, dentro de los cuales deba estar comprendido, al menos, una quinta parte del período de cotización exigible, se computará, hacia atrás, desde la fecha en que cesó la obligación de cotizar.

En los casos a que se refiere el párrafo anterior y respecto de la determinación de la base reguladora de la pensión, se aplicará lo establecido, respectivamente, en el artículo 197, apartados 1, 2 y 4.

> – El cómputo de la carencia específica no se inicia en el momento real del hecho causante, sino que se retrotrae al momento en que cesó la obligación de cotizar del beneficiario, quedando excluidos del cómputo la situación de paro involuntario tras agotar la prestación por desempleo, el tiempo de prestación por invalidez provisional y la prórroga de los efectos de incapacidad temporal tras agotar su duración máxima (SSTS de 24 de octubre de 1994 [Tol 233848] y 25 de mayo [Tol 47613], 27 de junio [Tol 47691], 18 de octubre [Tol 23270 y 46909] y 13 de noviembre de 2000 [Tol 30687 y 72217]).
>
> – A efectos del cumplimiento del período de carencia necesario para causar derecho a incapacidad permanente deben sumarse todos los días de cotización asimilada del período no agotado de la incapacidad temporal previa (STS de 10 de diciembre de 1992 [Tol 232211]).
>
> – Las cotizaciones a regímenes de Seguridad Social anteriores al 1 de enero de 1967 no son computables respecto a la carencia específica, aunque lo sean para la genérica (SSTS de 17 de julio [Tol 236618 y 266588] y 27 de septiembre de 1995 [Tol 236219 y 266394]).

– *A efectos del cumplimiento del período de carencia necesario para causar derecho a incapacidad permanente no es computable como cotizado el tiempo de incapacidad temporal subsiguiente a desempleo* (STS de 29 de junio de 2001 [*Tol 32247*]).

– *Solo si el trabajador se encuentra percibiendo el subsidio por incapacidad temporal puede verse beneficiado por la aplicación del sistema de cotizaciones ficticias hasta completar los dieciocho meses que como máximo corresponden a la duración de la incapacidad temporal* (SSTS de 2 y 3 de febrero [*Tol 352677 y 376990*], 10 de marzo [*Tol 434635*] y 14 de mayo de 2004 [*Tol 443740*]).

– *La exigencia temporal de las cotizaciones para causar derecho a pensión por incapacidad permanente absoluta debe quedar circunscrita a los supuestos en los que haya existido una posibilidad real de prestar servicios y cotizar por ellos, pues en caso contrario, la exigencia constituiría un óbice insalvable causante de auténtica desprotección de quien es evidente que está necesitado de ella y tiene cotizaciones genéricas suficientes para alcanzarla; de manera que no puede ser exigida cotización inmediata al hecho causante a quien permaneció en prisión y no le fue facilitado trabajo* (STS de 15 de marzo de 2004 [*Tol 434678*]).

– *Debe retrotraerse la determinación de período de carencia específica a la fecha en que el beneficiario cesó en la prestación de sus servicios cuando se hubiera mantenido como demandante de empleo desde entonces, y aun cuando hubieran existido cortos períodos de tiempo en los que el trabajador no hubiese figurado como inscrito en la oficina de empleo* (STS de 12 de julio de 2004 [*Tol 502450*]).

– *La carencia para la prestación por incapacidad permanente se cubre con las cotizaciones efectivamente realizadas hasta el momento del hecho causante en los supuestos de coincidencia del hecho causante con el dictamen emitido en el expediente de calificación o con la extinción de la incapacidad temporal, debiendo hacerse excepción en los casos en que el hecho causante quede determinado al inicio de la baja médica, en cuyo caso habrán de tenerse en cuenta las cotizaciones correspondientes a la situación de incapacidad temporal y las posibles cotizaciones ficticias por no agotamiento del período máximo o de la prórroga* (STS de 18 de mayo de 2010 [*Tol 1899432*]).

– *Sigue plenamente vigente la doctrina jurisprudencial sobre los días-cuota para determinación período carencia prestaciones incapacidad permanente derivada de enfermedad común; que tras la entrada en vigor Ley 40/2007, dicha doctrina ya no resulta aplicable al cálculo periodo de carencia para la pensión por jubilación; y que no se modifica, con pretendido fundamento en dicha Ley 40/2007, la doctrina jurisprudencial que ha venido excluyendo el cómputo de los días-cuota a efectos del cálculo base reguladora o porcentaje aplicable a ella por años de cotización* (SSTS de 16 de julio [*Tol 3906982*] y 18 y 23 de septiembre de 2013 [*Tol 3970108 y 3971715*]).

4. No obstante lo establecido en el apartado 1, las pensiones de incapacidad permanente en los grados de incapacidad permanente absoluta o gran incapacidad derivadas de contingencias comunes podrán causarse aunque los interesados no se encuentren en el momento del hecho causante en alta o situación asimilada a la de alta.

En tales supuestos, el período mínimo de cotización exigible será, en todo caso, de quince años, distribuidos en la forma prevista en el último inciso del apartado 3.b).

5. Para causar pensión en el Régimen General y en otro u otros del sistema de la Seguridad Social, en los casos a que se refiere el apartado anterior, será necesario que las cotizaciones acreditadas en cada uno de ellos se superpongan, al menos, durante quince años.

**Artículo 196. *Prestaciones económicas*.** 1. La prestación económica correspondiente a la incapacidad permanente parcial, consistirá en una cantidad a tanto alzado.

> – *En el cálculo de la base reguladora para la determinación de la cuantía de la indemnización por incapacidad permanente parcial consecuencia de accidente de trabajo debe tomarse en cuenta el importe del plus de actividad del mes anterior a la baja y no el promedio anual del mismo* (STS de 14 diciembre de 1999 [Tol 209292]).

> – *Cuando la cotización del interesado es mensual, para calcular la cuantía de la indemnización de 24 meses bastará con multiplicar por veinticuatro la mensualidad equivalente a la base de cotización del mes anterior al inicio de la incapacidad temporal, y cuando la cotización es diaria, se calculará multiplicando la base diaria de la incapacidad temporal por los trescientos sesenta y cinco días del año, y el resultado se dividirá por 12 para obtener la mensualidad de referencia y luego multiplicándola por veinticuatro* (STS de 29 de abril de 2004 [Tol 449744]).

> – *En el cálculo de la indemnización por incapacidad permanente parcial como cantidades devengadas de periodicidad superior a la mensual únicamente deben incluirse aquellos conceptos salariales que no es posible devengar todos los meses del año, como es el caso de las pagas extraordinarias y no de los incentivos* (STS de 9 de julio de 2004 [Tol 515662]).

2. La prestación económica correspondiente a la incapacidad permanente total consistirá en una pensión vitalicia, que podrá excepcionalmente ser sustituida por una indemnización a tanto alzado cuando el beneficiario fuese menor de sesenta años.

> – *La pensión de incapacidad permanente total tiene una función de sustitución de las rentas salariales que ya no se pueden obtener en el ejercicio de la profesión habitual, y ello comporta su compatibilidad con el ejercicio de una actividad distinta de la habitual para la que sí tenga habilidad o capacidad física, pero no su compatibilidad con el desempeño retribuido (con esfuerzo desmesurado, con rendimiento bajo, o con uno y otro a la vez) de la misma profesión habitual respecto de la que se ha declarado la incapacidad permanente* (SSTS de 18 de enero de 2002 [Tol 191885] y 2 de marzo de 2004 [Tol 377000]).

Los declarados afectos de incapacidad permanente total percibirán la pensión prevista en el párrafo anterior incrementada en el porcentaje que reglamentariamente se determine, cuando por su edad, falta de preparación general o especializada y circunstancias sociales y laborales del lugar de residencia, se presuma la dificultad de obtener empleo en actividad distinta de la habitual anterior.

– *La exigencia de la edad de 55 años para el reconocimiento del incremento de la pensión por incapacidad permanente total es consecuencia de la condición financiera y la mayor dificultad para encontrar empleo del incapacitado* (STC 137/1987, 22 de julio [*Tol* 79877]).

– *El incremento de la incapacidad permanente total cualificada es compatible con las mejoras concedidas por las empresas* (SSTS de 30 septiembre [Rec. 734/1991] y 20 de diciembre de 1991 [*Tol* 231810] y 30 de junio de 1992 [*Tol* 232692]).

*Cuando se reconoce judicialmente la incapacidad permanente total de mayor de cincuenta y cinco años, salvo que quien reclamara lo haya descartado expresamente, lo congruente es reconocer el derecho a percibir el complemento de incapacidad permanente total cualificada* (SSTS de 16 de febrero de 1993 [Rec. 1203/1992], 4 y 11 de mayo de 2006 [Rec. 3998/2004 y 2454/2005], 12 de febrero [*Tol* 7805784] y 23 de septiembre de 2020 [Rec. 1548/2018] y 11 de mayo de 2021 [*Tol* 8446215]).

– *Para el reconocimiento del incremento de la pensión por incapacidad permanente total es suficiente la edad de cincuenta y cinco años y la profesión del trabajador* (STS de 4 de marzo de 1992 [*Tol* 232459]).

– *El incremento de la pensión por incapacidad permanente total puede reclamarse aun cuando la resolución que reconoció la incapacidad esté recurrida y no consolidada* (STS de 22 de noviembre de 1999 [*Tol* 47232]).

– *El incremento de la pensión por incapacidad permanente total puede otorgarse en los supuestos de solicitud de incapacidad permanente absoluta que no es reconocida posteriormente* (SSTS de 13 de noviembre de 2000 [*Tol* 30686 y 72216]).

– *El incremento de la pensión de incapacidad permanente total para la profesión habitual reconocida a un trabajador por cuenta propia del Régimen Especial de Trabajadores del Mar únicamente es de aplicación a las situaciones de incapacidad permanente que se causen a partir del 1 de enero de 2003, fecha de entrada en vigor de la Ley 53/2002* (STS de 1 de diciembre de 2003 [*Tol* 434566]).

– *El órgano judicial puede reconocer el incremento del 20 por 100 de la cuantía de la pensión consecuencia de la incapacidad permanente total "cualificada", aun cuando dicho complemento no hubiera sido solicitado expresamente por el propio beneficiario, siempre que se cumplan las condiciones establecidas legalmente para su reconocimiento* (STS de 28 de septiembre de 2006 [*Tol* 1002045]).

– *Los efectos económicos del incremento del 20 por 100 consecuencia de una incapacidad permanente total "cualificada" reconocida con posterioridad a una inicial incapacidad permanente total deben retrotraerse a los tres meses anteriores a la fecha de la solicitud, puesto que aunque no se trata de una prestación sí es un complemento de carácter prestacional* (SSTS de 9 de octubre de 2008 [*Tol* 1407900], 23 de abril [*Tol* 1577475] y 25 de junio de 2009 [*Tol* 1577503], 2 y 9 de febrero de 2010 [*Tol* 1792643 y 1808397] y 22 de marzo de 2023 [Rec. 279/2020]).

– *Es compatible el complemento por incapacidad permanente "cualificada" con la pensión por jubilación abonada por un tercer Estado incluido en el ámbito de aplicación de los Reglamentos de la Unión Europea 1408/71 y 884/2003, como consecuencia de la aplicación de la STJUE de 15 de marzo de 2018 (C-431/16, Blanco Marqués)* (SSTS de 29 de junio [*Tol* 6677494], 9 de octubre [*Tol* 6920044, 6920098, 6920223 y 6920392] y 13 y 15 de noviembre de 2018 [*Tol* 6931308 y Rec. 3902/2017], 5 y 13 de marzo de 2019 [Rec. 1514/2018 y 3415/2017] y 7 y 19 de mayo [Rec. 1096/2018, y 115/2018 y 2285/2018] y 9 de diciembre de 2020 [Rec. 1519/2018]).

La cuantía de la pensión de incapacidad permanente total derivada de enfermedad común no podrá resultar inferior al importe mínimo fijado anualmente en la Ley de Presupuestos Generales del Estado para la pensión de incapacidad permanente total derivada de enfermedad común de titulares menores de sesenta años con cónyuge no a cargo.

> Apartado 2 redactado por el Real Decreto-Ley 28/2018, de 28 de diciembre, para la revalorización de las pensiones públicas y otras medidas urgentes en materia social, laboral y de empleo (BOE núm. 314, 29 de diciembre de 2018).

3. La prestación económica correspondiente a la incapacidad permanente absoluta consistirá en una pensión vitalicia.

4. Si el trabajador fuese calificado como gran inválido, tendrá derecho a una pensión vitalicia según lo establecido en los apartados anteriores, incrementándose su cuantía con un complemento, destinado a que el inválido pueda remunerar a la persona que le atienda. El importe de dicho complemento será equivalente al resultado de sumar el 45 por ciento de la base mínima de cotización vigente en el momento del hecho causante y el 30 por ciento de la última base de cotización del trabajador correspondiente a la contingencia de la que derive la situación de incapacidad permanente. En ningún caso el complemento señalado podrá tener un importe inferior al 45 por ciento de la pensión percibida, sin el complemento, por el trabajador.

> – *La suma de los porcentajes que configuran el complemento de la pensión de gran invalidez se aplica sin recalcular la base de cotización, y sin que sea necesario multiplicar la suma de las bases por doce y dividirla por catorce, puesto que no debe calcularse de forma anual* (SSTS de 16 de junio de 2010 [*Tol 1900255*], 17 de enero de 2012 [Rec. 4351/2010], 29 de septiembre de 2011 [*Tol 2290076*], 6 de abril de 2015 [*Tol 5191482*] y 15 de marzo de 2023 [Rec. 2355/2019]).
>
> – *La base mínima de cotización a tener en cuenta al calcular el complemento de la pensión de gran invalidez será la base mínima de cotización de todos los grupos profesionales y no la base mínima de cotización del grupo del beneficiario* (STS de 17 de octubre de 2023 [Rec. 4315/2023]).

5. En los casos en que el trabajador, con sesenta y siete o más años acceda a la pensión de incapacidad permanente derivada de contingencias comunes, por no reunir los requisitos para el reconocimiento del derecho a pensión de jubilación, la cuantía de la pensión de incapacidad permanente será equivalente al resultado de aplicar a la correspondiente base reguladora el porcentaje que corresponda al período mínimo de cotización que esté establecido, en cada momento, para el acceso a la pensión de jubilación. Cuando la incapacidad

permanente derive de enfermedad común, se considerará como base reguladora el resultado de aplicar únicamente lo establecido en la norma a) del apartado 1 del artículo 197.

> – *Tanto si se trata de incapacidad total como si es absoluta, en el caso de beneficiarios mayores de sesenta y cinco años que no pueden acceder a la pensión de jubilación por acreditar un período de cotización inferior a quince años, la cuantía de la pensión de incapacidad permanente será idéntica: el 50 por 100 de la base reguladora* (STS de 22 de junio de 2010 [Tol 1900608]).

6. Las prestaciones a que se refiere el presente artículo se harán efectivas en la cuantía y condiciones que se determinen en las normas de desarrollo de esta ley.

La cuantía de las prestaciones por incapacidad permanente se sigue regulando conforme a las siguientes normas reglamentarias:

– **Artículo 9 del Decreto 1.646/1972, de 23 de junio**, por el que se desarrolla la Ley 24/1972, de 21 de junio, en materia de prestaciones del Régimen General de la Seguridad Social: "Los trabajadores declarados en situación de incapacidad permanente parcial para la profesión habitual, cualquiera que sea la contingencia determinante de la misma y su edad, percibirán una cantidad a tanto alzado equivalente a veinticuatro mensualidades de la base reguladora que haya servido para determinar la prestación económica por *incapacidad laboral transitoria* de la que se deriva la *invalidez*."

– **Artículo 12 del Reglamento General de prestaciones económicas de la Seguridad Social, aprobado por Decreto 3.158/1966, de 23 de diciembre**: "2. Cuando los trabajadores que hayan sido declarados con una incapacidad permanente total para la profesión habitual y estén comprendidos, en razón de su edad, en lo previsto en el *número 2 del artículo 136 de la Ley de la Seguridad Social* opten, dentro de los treinta días siguientes a dicha declaración, porque les sea reconocido el derecho a una pensión vitalicia, la cuantía de ésta será equivalente al 55 por 100 de su base de cotización, determinada de acuerdo con las normas comunes que se establecen en el Capítulo VIII de este Reglamento...

4. El trabajador declarado *inválido* en grado de incapacidad permanente absoluta para todo trabajo, además de los tratamientos especializados de rehabilitación y readaptación previstos en el *apartado b) del número 4 del artículo 136 de la Ley de la Seguridad Social*, tendrá derecho a una pensión vitalicia equivalente al 100 por 100 de su salario real, determinado en la forma prevista en el Capítulo VIII de este Reglamento...

5. Si el trabajador fuese además calificado de gran inválido tendrá derecho a las prestaciones a las que se refiere el número anterior, incrementándose la pensión en un 50 por 100, destinado a remunerar a la persona que le atienda.

La Entidad gestora, a petición del gran inválido o de sus representantes legales, podrá autorizar, siempre que lo considere conveniente, en beneficio del mismo, la sustitución del incremento a que se refiere el párrafo anterior por su alojamiento y cuidado, a cargo de la Seguridad Social y en régimen de internado, en una Institución asistencial."

– *La base reguladora de las prestaciones por IP consecuencia de contingencias profesionales es equivalente a la suma de las siguientes percepciones: 1) Salario diario más antigüedad, multiplicado por 365 días. 2) Importe de las pagas extraordinarias. 3) Cociente que resulte de dividir la suma de los complementos salariales percibidos por el interesado en el año anterior al hecho causante, entre el número de días realmente trabajados por aquél en el mismo período, multiplicado por 273, salvo que el número de días laborales efectivos en la actividad de que se trate sea menor, en cuyo caso se aplicará el multiplicador que corresponda (SSTS de 19 de octubre de 1994 [Tol 235029] y 15 de febrero de 2022 [Tol 8820492]).*

*– En el cálculo de la base reguladora para la determinación de la cuantía de la indemnización por incapacidad permanente parcial consecuencia de accidente de trabajo debe tomarse en cuenta el importe del plus de actividad del mes anterior a la baja y no el promedio anual del mismo (STS de 14 diciembre de 1999 [Tol 209292]).*

*– A efectos del cómputo de la base reguladora de una prestación económica por incapacidad permanente consecuencia de accidente de trabajo como "días laborales efectivos" deben entenderse los días que resulten de la aplicación del calendario laboral de la empresa sobre el que se habrán proyectado el número total de horas a realizar; así únicamente se descontarán como días laborales "no efectivos" los domingos, festivos y vacaciones que correspondan, pero no los que por su naturaleza de "recuperables" (sábados y puentes) se corresponden o equiparan con los días de trabajo efectivo, pues sus horas hábiles han sido realizadas en los restantes días de la semana o del año (STS de 17 de mayo de 2005 [Tol 668435]).*

*– Para el cálculo de la base reguladora de una pensión por incapacidad permanente absoluta consecuencia de un accidente de trabajo sufrido por un trabajador fijo discontinuo deberán tenerse en cuenta los días transcurridos entre el que dio comienzo a la campaña laboral del trabajador y aquél otro en el que se produjo el accidente de trabajo y no el período del último año completo (STS de 25 de febrero de 2008 [Tol 1292466]).*

*– La base reguladora de la pensión por incapacidad permanente total derivada de accidente de trabajo debe calcularse conforme a lo dispuesto en el artículo 60 del Reglamento de Accidentes de Trabajo y la disposición adicional undécima del Real Decreto 4/1998, de 9 de enero, no existiendo razón legal para equipararla a la correspondiente base de cotización (STS de 15 de febrero de 2022 [Tol 88190492]).*

**Artículo 197. *Base reguladora de las pensiones de incapacidad permanente derivada de contingencias comunes.*** 1. La base reguladora de las pensiones de incapacidad permanente derivada de enfermedad común se determinará de conformidad con las siguientes normas:

a) Se hallará el cociente que resulte de dividir por 112 las bases de cotización del interesado durante los 96 meses anteriores al mes previo al del hecho causante.

El cómputo de dichas bases se realizará conforme a las siguientes reglas, de las que es expresión matemática la fórmula que figura al final de las mismas:

1.ª Las bases correspondientes a los veinticuatro meses anteriores al mes previo al del hecho causante se computarán en su valor nominal.

2.ª Las restantes bases de cotización se actualizarán de acuerdo con la evolución que haya experimentado el Índice de Precios de Consumo desde los meses a que aquellas correspondan hasta el mes inmediato anterior a aquel en que se inicie el período de bases no actualizables a que se refiere la regla anterior.

$$B_r = \frac{\sum_{i=1}^{24} B_i + \sum_{i=25}^{96} B_i \frac{I_{25}}{I_i}}{112}$$

Siendo:

Br = Base reguladora.

Bi = Base de cotización del mes i-ésimo anterior al mes previo al del hecho causante.

Ii =Índice General de Precios al Consumo del mes i-ésimo anterior al mes previo al del hecho causante.

Siendo i = 1,2,...,96.

b) Al resultado obtenido en razón a lo establecido en la norma anterior se le aplicará el porcentaje que corresponda en función de los años de cotización, según la escala prevista en el artículo 210.1, considerándose a tal efecto como cotizados los años que le resten al interesado, en la fecha del hecho causante, para cumplir la edad ordinaria de jubilación vigente en cada momento. En el caso de no alcanzarse quince años de cotización, el porcentaje aplicable será del 50 por ciento.

El importe resultante constituirá la base reguladora a la que, para obtener la cuantía de la pensión que corresponda, habrá de aplicarse el porcentaje previsto para el grado de incapacidad reconocido.

– *La base reguladora de la prestación por incapacidad permanente debe ser recalculada cuando se aprueben tablas salariales con efectos retroactivos por convenio colectivo que afecten al período que sirve para determinarla* (STS de 27 de diciembre de 1997 [*Tol* 237544]).

– *La base reguladora de la pensión por incapacidad permanente absoluta derivada de enfermedad común reconocida a un vendedor del cupón pro ciegos debe calcularse conforme a las bases de cotización de los noventa y seis meses anteriores al hecho causante, pese a que con anterioridad a la STS de 26 de septiembre de 2000 la ONCE cotizara como si el vendedor fuera un representante de comercio* (STS de 7 de octubre de 2004 [*Tol* 538399]).

– *En el supuesto del cálculo de la base reguladora de una pensión por incapacidad permanente reconocida a un trabajador que hubiera cotizado durante un tiempo en Andorra, deben tenerse en cuenta las bases de cotización mínimas vigentes en ese momento en España, porque el Convenio hispano-andorrano aplicable en dicha fecha estableció que cuando el período de cotización elegido por el beneficiario para el cálculo de la base reguladora de su pensión se hubiera cumplido en todo o en parte en Andorra deberán tenerse en cuenta las bases "tarifadas" vigentes en España; puesto que estas bases tenían una cuantía fija y en la actualidad la determinación de bases se mueve entre unas bases mínimas y otras máximas, según el grupo profesional del trabajador, deben tomarse para el cálculo de la base regula-*

*dora las bases mínimas en España y no las que correspondan a las retribuciones realmente percibidas por el trabajador en Andorra (STS de 28 de junio de 2005 [Tol 675617]).*

*– La base reguladora de una incapacidad permanente total para la profesión habitual consecuencia de un accidente no laboral sufrido por un trabajador en situación de alta o asimilada seguirá siendo la establecida en el Decreto 1646/1972 (el resultado de dividir un período ininterrumpido de veinticuatro mensualidades, elegido dentro de los siete años inmediatamente anteriores a la fecha del hecho causante, por veintiocho) como consecuencia de los siguientes razonamientos: 1) la Ley General de la Seguridad Social limita el alcance de las reglas de cálculo de la base reguladora a la incapacidad permanente derivada de enfermedad común y a las pensiones por incapacidad permanente absoluta y gran invalidez derivadas de accidente no laboral sufrido por quienes no se encuentran en alta o situación asimilada, sin establecer nada sobre la incapacidad permanente total derivada de accidente no laboral; 2) el artículo 5.4 del Real Decreto 1799/1985, de 2 de octubre, de aplicación y desarrollo de la Ley 26/1985, se remite al artículo 7 del Decreto 1646/1972, al establecer que el cálculo de la base reguladora de las pensiones de invalidez permanente total...derivadas de accidente no laboral...continuará rigiéndose por las normas ya en vigor con anterioridad a la Ley 26/1985; 3) la base reguladora establecida por aquel precepto reglamentario se ajusta a las características peculiares de la situación de incapacidad permanente total consecuencia de accidente no laboral, que puede afectar a trabajadores que llevan escaso tiempo en la vida profesional, y no determina necesariamente su exclusión de la población activa; y 4) en definitiva, la falta de previsión expresa de este supuesto la Ley General de la Seguridad Social debe ser entendida en este caso como mandato de exclusión y como aceptación de la vigencia del artículo 7 del Decreto 1646/1972 (SSTS de 27 de febrero de 2006 [Tol 866376] y 4 de abril de 2007 [Tol 1075432]).*

2. En los supuestos en que se exija un período mínimo de cotización inferior a ocho años, la base reguladora se obtendrá de forma análoga a la establecida en el apartado anterior, pero computando bases mensuales de cotización en número igual al de meses de que conste el período mínimo exigible, sin tener en cuenta las fracciones de mes, y excluyendo, en todo caso, de la actualización las bases correspondientes a los veinticuatro meses inmediatamente anteriores al mes previo a aquel en que se produzca el hecho causante.

3. Respecto a las pensiones de incapacidad permanente absoluta o gran incapacidad derivadas de accidente no laboral a que se refiere artículo 195.4, para el cómputo de su base reguladora, se aplicarán las reglas previstas en el apartado 1.a) del presente artículo.

4. Si en el período que haya de tomarse para el cálculo de la base reguladora aparecieran meses durante los cuales no hubiese existido obligación de cotizar, las primeras cuarenta y ocho mensualidades se integrarán con la base mínima de entre todas las existentes en cada momento, y el resto de mensualidades con el 50 por ciento de dicha base mínima.

En los supuestos en que en alguno de los meses a tener en cuenta para la determinación de la base reguladora, la obligación de cotizar exista solo durante una parte del mismo, procederá la integración señalada en el párrafo anterior, por la parte del mes en que no exista obligación de cotizar, siempre que la base de cotización correspondiente al primer período no alcance la cuantía de la base mínima mensual señalada. En tal supuesto, la integración alcanzará hasta esta última cuantía.

– *Cuando dentro del plazo anterior al hecho causante hay algún período en el que no existiera obligación de cotizar (invalidez provisional, prórroga de incapacidad temporal), la base reguladora debe calcularse teniendo en cuenta las cotizaciones anteriores al inicio de dicho período, sin estarse a las bases mínimas durante el mismo, pues ello llevaría a la consecuencia de otorgar a los futuros inválidos un menor grado de protección* (SSTS de 18 de septiembre [Rec. 1372/1990] y 7, 25 y 27 de noviembre de 1991 [Rec. 909/1991, 1095/1991 y 737/1991], 2, 4 y 8 de febrero de 1993 [*Tol 235071, 235267 y 233189*], 21 de enero de 1994 [*Tol 267222*]), 7 de febrero [*Tol 46126*], 25 de mayo [*Tol 47613*], 27 de junio [*Tol 47691, 120866 y 178909*], 18 y 20 de julio [*Tol 104730* y Rec. 567/2000], 4 de octubre [*Tol 26540* y 72179], 13 y 27 de noviembre [*Tol 30687* y 72217, y 104738] y 4 y 21 de diciembre de 2000 [*Tol 30673* y 72209, y 72199], 4, 16, 25 y 29 de octubre [*Tol 128935* y 152936, 152930, 152937, y 152938, Rec. 4351/2000 y Rec. 467/2001], 12 y 19 de noviembre [*Tol 152941* y 152940] y 14 y 19 de diciembre de 2001 [*Tol 152946* y Rec. 251/2001], 31 de enero [*Tol 163188* y 204763], 25 de febrero [*Tol 204760*], 30 de mayo [*Tol 202058*], 1 de octubre [Rec. 3666/2001] y 11 y 16 de diciembre de 2002 [*Tol 240995* y 257246, y 266631*] y 20 de septiembre de 2011 [*Tol 2255994*]).

– *No procede la integración de lagunas de cotización con las bases mínimas cuando dentro del plazo anterior al hecho causante existen períodos de incapacidad temporal* (STS de 18 de octubre de 2000 [*Tol 23270*]).

– *No es aplicable la doctrina del "paréntesis" a un supuesto de invalidez provisional que se produce con anterioridad a un nuevo proceso de incapacidad temporal que conduce a la declaración de incapacidad permanente, aunque dicho período no anteceda con carácter inmediato al hecho causante, porque en él la invalidez provisional no está operando como una situación de tránsito desde la incapacidad laboral transitoria a la incapacidad permanente, dado que ésta última no deriva de una situación previa de invalidez provisional sino que ha llegado a ella directamente a partir de una reanudación de la actividad laboral y de una situación de desempleo sin conexión alguna con la invalidez provisional que terminó hace ya varios años* (STS de 12 de julio de 2004 [*Tol 515651*]).

– *En el cálculo de la base reguladora de una prestación por incapacidad permanente no puede considerarse como laguna de cotización integrable con las bases mínimas de cotización el tiempo no trabajado por el beneficiario durante un contrato a tiempo parcial porque aquél trabajó y cotizó a tiempo parcial y no puede pretenderse que en tal situación se recurra a una ficción jurídica contraria al principio de que la base de cotización deba atemperarse a las retribuciones realmente percibidas y prevista únicamente para aquellos casos en los que no hay obligación de cotizar* (SSTS de 23 de marzo de 2006 [*Tol 883730*], 30 de enero de 2008 [*Tol 1292523*], 10 de marzo [*Tol 1474758*] y 1 de diciembre de 2009 [*Tol 1768670*] y 26 de enero de 2010 [*Tol 1790455*]).

– *En el cálculo de la base reguladora de la prestación por incapacidad permanente deben computarse las bases mínimas y no las bases sobre las que el Servicio Público de Empleo Estatal debió cotizar por desempleo durante el período en que el trabajador estuviera percibiendo prestaciones por incapacidad temporal/desempleo después de producirse la extinción de su contrato de trabajo hallándose en situación de incapacidad temporal; y ello porque la Ley General de la Seguridad Social además de prever que la prestación por incapacidad temporal que siga percibiendo en pago directo y por la que no existe obligación de cotizar, la percibirá el beneficiario en la cuantía correspondiente a la prestación por desempleo que pudiera haberle correspondido, no dispone nada más sobre el particular por lo que para tal período habrá de regir la regla de la Ley General de la Seguridad Social cuando haya que computar dicho período para el cálculo de una base reguladora, o sea, el cómputo de las bases mínimas en cuanto que no es aplicable a esta situación la doctrina del paréntesis prevista para otras situaciones (SSTS de 5 de julio de 2007 [Tol 1124425], 23 de enero [Tol 1369849] y 4 de marzo [Tol 1333247] y 19 y 29 de mayo [Tol 1343609 y 1346947] y 14 de octubre de 2008 [Tol 1408027], 25 de febrero [Tol 1474764], 13 de abril [Tol 1564503] y 26 de mayo de 2009 [Tol 1567134] y 15 de marzo de 2010 [Tol 1822731]).*

– *No es aplicable la doctrina del "paréntesis" en el cálculo de la base reguladora de una pensión por incapacidad permanente en el supuesto en que, hallándose el trabajador en situación de incapacidad temporal, en el transcurso de la misma, se extingue la relación laboral, continuando el trabajador percibiéndole subsidio correspondiente a la incapacidad en la que se encuentra, en cuantía correspondiente a la prestación o subsidio de desempleo, pero sin que haya obligación alguna de cotizar por parte de la entidad gestora; siendo en consecuencia pertinente la integración de las lagunas de cotización con la bases mínima de cotización de entre todas las existentes en cada momento para trabajadores mayores de dieciocho años (STS de 14 de octubre de 2008 [Tol 1235078]).*

– *En el cálculo de la base reguladora de una prestación por incapacidad permanente consecuencia de enfermedad común de una trabajadora fija discontinua la integración con las bases mínimas de cotización de las lagunas de cotización, en el periodo entre campañas en el que no hubo obligación de cotizar, debe hacerse en proporción al tiempo trabajado durante la campaña, puesto que la Ley General de la Seguridad Social y artículo 7.2 del Real Decreto 1131/2002, de 31 de octubre, cuando disponen que la integración durante los periodos en los que no haya obligación de cotizar debe llevarse a cabo con las bases mínimas de cotización de entre los aplicables en cada momento, correspondiente al número de horas trabajadas en último término, lo que se están indicando con dicha expresión, es que la proporcionalidad, a tener en cuenta para integrar las periodos entre campañas, en las que no había obligación de cotizar, con las bases mínimas, aplicables en cada momento, debe hacerse en función de los días en que se trabajó durante la duración de la campaña hasta la fecha de su integración y de cese de la obligación de cotizar, y no en cómputo anual (SSTS de 25 y 29 de junio [Tol 1577464 y 1634613] y 21 de septiembre de 2009 [Tol 1642394] y 21 de enero de 2010 [Tol 1790436]).*

– *No procede la aplicación de la doctrina del "paréntesis" en el supuesto del ejercicio del derecho de huelga, de forma no prolongada, por el beneficiario dentro del período de cotización referido a aquélla, porque la exención del deber de cotizar, por más que corresponda al ejercicio de un derecho fundamental como es el de huelga, no es ajena a la voluntad del interesado, sino puramente voluntaria, como corresponde al ejercicio de cualquier derecho, y la doctrina constitucional recogida en la STC 48/1991, de 28 de febrero no resulta aplicable a este supuesto, pues aquí no se trata de extender al ejercicio del derecho de huelga determinados supuestos de retroacción de cotizaciones que estén contempladas en una norma legal o reglamentaria, y que pudieran ser asimilables a dicha situación, ni tampoco se trata de que la posible retroacción tuviera influencia en la duración del período al que debiera extenderse la prestación (allí de desempleo), pues, en primer lugar, el artículo 140.4 de la Ley General de la Seguridad Social no establece ningún supuesto de retroacción del periodo de cotización a tener en cuenta para el devengo de la pensión de incapacidad permanente, y, en segundo término, esta prestación tiene, por regla general y por su propia naturaleza, carácter vitalicio (STS de 25 de mayo de 2010 [Tol 1894046]).*

*– En el supuesto de una prestación por incapacidad permanente reconocida en el ámbito del Régimen General de la Seguridad Social, en el cálculo de la base reguladora no cabe integrar con las bases mínimas el período en que el trabajador permaneció de alta en el Régimen Especial de la Seguridad Social de los Trabajadores por Cuenta Propia o Autónomos y en el que incumplió su obligación de cotizar al mismo; pues tal integración no es posible, no sólo porque en el Régimen Especial de la Seguridad Social de los Trabajadores por Cuenta Propia o Autónomos no cabe la integración de lagunas de cotización, sino principalmente porque dicha integración sólo es viable con respecto a los períodos en los que no existió obligación de cotizar, y, en este caso, el trabajador sí venía obligado a cotizar como autónomo (SSTS de 26 de julio de 2011 [Tol 2259010] y 24 de enero de 2012 [Tol 2450925]).*

*– La exclusión normativa de la integración de lagunas de cotización no puede conducir a que se haga de mejor derecho a los trabajadores del Régimen Especial de la Seguridad Social de los Trabajadores por Cuenta Propia o Autónomos que a los trabajadores del Régimen General de la Seguridad Social, lo que sucedería si los trabajadores por cuenta ajena integrasen esos vacíos con las bases mínimas mientras que, respecto de los trabajadores autónomos, en virtud de la doctrina del paréntesis, esos periodos se considerasen "neutros" y se computasen las cotizaciones de un periodo anterior a los años previos al hecho causante, pues bastaría con que alguna o algunas de esas cotizaciones anteriores fuera superior a las cotizaciones mínimas, para que estos trabajadores del Régimen Especial de la Seguridad Social de los Trabajadores por Cuenta Propia o Autónomos percibiesen pensiones superiores a las que hubieran percibido si hubieran sido trabajadores del Régimen General de la Seguridad Social y se les hubieran aplicado las bases mínimas (STS de 16 de julio de 2024 [Rec. 3983/2021]).*

*– En el cálculo de la base reguladora de pensión de incapacidad permanente causada en el Régimen General de la Seguridad Social cuando el beneficiario tiene periodos de cotización en regímenes o sistemas de Seguridad Social en los que no está prevista la integración de lagunas de cotización, si la pensión se causa en el Régimen General de la Seguridad Social debe aplicarse la integración de lagunas prevista en las normas del Régimen General de la Seguridad Social a todos los periodos sin cotización, aunque sean posteriores al trabajo en dichos regímenes (SSTS de 17 de mayo de 2022 [Rec. 1836/2019] y 10 de septiembre de 2025 [Rec. 4374/2023]).*

**Artículo 198. *Compatibilidades en el percibo de prestaciones económicas por incapacidad permanente.*** 1. En caso de incapacidad permanente total, la pensión vitalicia correspondiente será compatible con el salario que pueda percibir el trabajador en la misma empresa o en otra distinta, siempre y cuando las funciones no coincidan con aquellas que dieron lugar a la incapacidad permanente total.

*– En los supuestos en que un pensionista por incapacidad permanente continúa ejerciendo actividades laborales y disfruta de un salario superior al que percibía cuando sufrió la contingencia determinante de la incapacidad inicial, ha de ser este último salario el que ha de servir para fijar la pensión correspondiente a la nueva situación creada por la agravación de sus dolencias primitivas (SSTS de 24 de abril de 1984 y 12 de junio de 1989).*

*– El beneficiario de pensión por incapacidad permanente total para la profesión habitual que trabaja posteriormente por cuenta ajena tiene derecho a la prestación por incapacidad temporal, aunque sea consecuencia de la misma dolencia que ocasionó la incapacidad permanente, computándose las cotizaciones de los cinco años anteriores, incluidas las que sirvieron para causar derecho a la pensión (SSTS de 10 de junio de 1997 y 10 de febrero de 1998).*

*– La pensión de incapacidad permanente total tiene una función de sustitución de las rentas salariales que ya no se pueden obtener en el ejercicio de la profesión habitual, y ello comporta su compatibilidad con el ejercicio de una actividad distinta de la habitual para la que sí tenga habilidad o capacidad física, pero no su compatibilidad con el desempeño retribuido (con esfuerzo desmesurado, con rendimiento bajo, o con uno y otro a la vez) de la misma profesión habitual respecto de la que se ha declarado la incapacidad permanente (SSTS de 18 y 28 de enero de 2002 [Tol 191885 y 204762], 28 de julio de 2003 [Tol 327274], 2 de marzo [Tol 377000], 29 de octubre [Tol 538406] y 19 de noviembre de 2004 [Tol 550651], 19 de abril [Tol 639701] y 20 de septiembre de 2005 [Tol 726630] y 20 de marzo [Tol 929172] y 17 de mayo de 2006 [Tol 942317] y 6 de febrero [Tol 1036729] y 13 de junio de 2007 [Tol 1124394]).*

*– El ordenamiento español no incompatibiliza el cobro de una pensión por incapacidad permanente total con el desempeño de trabajos propios de profesiones distintas a aquella para la que ha sido declarado incapaz (STS de 15 de octubre de 2004 ([Tol 515750]).*

*– Es compatible el derecho a pensión por incapacidad permanente con la realización de un trabajo en el supuesto de administrador social retribuido que antes de la declaración de incapacidad absoluta trabajaba en una sociedad limitada controlada por él como mecánico, ostentando además el cargo de administrador social (STS de 1 de diciembre de 2009 [Tol 1768670]).*

*– Existe incompatibilidad entre el cargo de concejal en régimen de dedicación exclusiva parcial y retribuida, que determina el alta en la Seguridad Social y la pensión de IP absoluta para toda profesión u oficio o de gran invalidez, porque el cargo de concejal no es residual, ni mínimo ni limitado, lo que excluye que sea compatible con la citada pensión (SSTS de 12 y 19 de noviembre de 2024 [Rec. 281/2022 y 723/2023]).*

*– La incapacidad permanente total como peluquera en el Régimen Especial de la Seguridad Social de los Trabajadores por Cuenta Propia o Autónomos, para la que se tuvieren en cuenta determinadas cotizaciones en el Régimen General de la Seguridad Social, es compatible con la posterior pensión de incapacidad permanente total de limpiadora en el Régimen General de la Seguridad Social, reconocida con base, exclusivamente, a cotizaciones posteriores en dicho régimen de un periodo distinto y no coincidente con el anterior (STS de 27 de noviembre de 2024 [Rec. 1227/2022]).*

De igual forma podrá determinarse la incompatibilidad entre la percepción del incremento previsto en el artículo 196.2, párrafo segundo, y la realización de trabajos, por cuenta propia o ajena, incluidos en el campo de aplicación del sistema de la Seguridad Social.

2. Las pensiones vitalicias en caso de incapacidad permanente absoluta o de gran incapacidad no impedirán el ejercicio de aquellas actividades, sean o no lucrativas, compatibles con el estado del incapacitado y que no representen un cambio en su capacidad de trabajo a efectos de revisión.

En el supuesto de que el pensionista realice un trabajo o actividad que dé lugar a la inclusión en un régimen de la seguridad social, la entidad gestora suspenderá el pago de la pensión. La entidad gestora reanudará el pago de la misma cuando se produzca el cese en el trabajo o actividad. Todo ello sin perjuicio de la eventual revisión del grado de incapacidad permanente.

Sin perjuicio de lo previsto en el párrafo anterior, el complemento de gran incapacidad destinado a que la persona beneficiaria pueda remunerar a la persona que le atienda no se suspenderá por la realización de un trabajo incompatible con la pensión.

Apartado 2 redactado por la Ley 7/2024, de 20 de diciembre, por la que se establecen el impuesto complementario para garantizar un nivel mínimo global de imposición para los grupos multinacionales y los grupos nacionales de gran magnitud, un impuesto sobre el margen de intereses y comisiones de determinadas entidades financieras y un impuesto sobre los líquidos para cigarrillos electrónicos y otros productos relacionados con el tabaco, y se modifican otras normas tributarias (BOE núm. 307, 21 de diciembre de 2024).

– *Existe la compatibilidad del derecho a una pensión consecuencia de gran invalidez con la realización de un trabajo por cuenta ajena en jornada ordinaria, puesto que el contenido del artículo 141.2 de la Ley General de la Seguridad Social de 1994 relativiza en apreciable medida el riguroso concepto de gran invalidez que la propia Ley General de la Seguridad Social, que sí apuntaría a la imposibilidad jurídica de realizar trabajos en tal situación* (SSTS de 30 de enero de 2008 [Tol 1369843], 14 de octubre de 2009 [Tol 1746505], 16 de octubre de 2013 [Rec. 907/2012] y 11 de abril de 2024 [Rec. 197/2023]).

– *No debe revisarse una incapacidad permanentes (gran invalidez, incapacidad permanente total para la profesión habitual o incapacidad permanente absoluta) como consecuencia de la realización de cometidos laborales por cuenta ajena compatibles con la capacidad residual de la beneficiaria, cuando no se ha producido una mejora que justifique dicha revisión y el cuadro patológico de la trabajadora ha permanecido inmodificado desde la fecha de su reconocimiento (paraplejia determinada por lesión medular, con necesidad de silla de ruedas y ayuda de tercera persona para atender las necesidades vitales), de manera que queda constatado que las dolencias permanecen inmodificadas* (SSTS de 23 de abril [Tol 1530436]). 22 de diciembre de 2009 [Tol 1776178] y 14 de julio de 2010 [Tol 1945409]).

– *Es compatible el derecho a pensión por gran invalidez con la realización de un trabajo por cuenta ajena en jornada ordinaria, si no se revela un cambio en la capacidad de trabajo del beneficiario* (STS de 14 de octubre de 2009 [Tol 1746505]).

– *Son compatibles con las pensiones de incapacidad permanente absoluta y gran invalidez los trabajos marginales y de poca importancia que no requieran darse de alta, ni cotizar por ellos a la Seguridad Social (SSTS de 11 de abril [Rec. 197/2023] y 12 de noviembre de 2024 [Rec. 281/2022]).*

*– Existe incompatibilidad entre el cargo de concejal en régimen de dedicación exclusiva parcial y retribuida, que determina el alta en la Seguridad Social y la pensión de incapacidad permanente absoluta para toda profesión u oficio o de gran invalidez, porque el cargo de concejal no es residual, ni mínimo ni limitado, lo que excluye que sea compatible con la citada pensión (STS de 12 y 19 de noviembre de 2024 [Rec. 281/2022 y 723/2023]).*

3. El disfrute de la pensión de incapacidad permanente absoluta y de gran incapacidad a partir de la edad de acceso a la pensión de jubilación será incompatible con el desempeño por el pensionista de un trabajo, por cuenta propia o por cuenta ajena, que determine su inclusión en alguno de los regímenes del Sistema de la Seguridad Social, en los mismos términos y condiciones que los regulados para la pensión de jubilación en su modalidad contributiva en el artículo 213.1.

**Artículo 199. *Norma especial sobre incapacidad permanente derivada de enfermedad profesional*.** Las disposiciones de desarrollo de la presente ley adaptarán, en cuanto a enfermedades profesionales, las normas de este capítulo a las peculiaridades y características especiales de dicha contingencia.

*– Procede la declaración de incapacidad permanente derivada de enfermedad profesional si no es posible recolocar al trabajador sin riesgo tras los períodos de observación de dicha contingencia (SSTS de 27 de junio [Tol 234846 y 267556] y 22 de diciembre de 1994 [Tol 232919]).*

*– Un trabajador declarado afecto a una incapacidad permanente total en el Régimen General de la Seguridad Social, que prestó servicios en el sector de la pizarra, tiene derecho al incremento del 20 por 100 de la base reguladora de su pensión al haber alcanzado 55 años ficticios, por aplicación del Régimen Especial de la Seguridad Social para la Minería del Carbón (SSTS de 28 de octubre de 1994 [Rec. 1297/1994], 11 de septiembre [Rec. 3211/2022], 4 y 11 de diciembre de 2024 [Rec. 1647/2022 y 525/2023] y 28 de mayo [Rec. 4042/2023], 24 de junio [Rec. 3935/2023] y 1 de julio [Rec. 4344/2023] y 13 de noviembre de 2025 [Rec. 1711/2024]).*

*– En la revisión de grado de incapacidad permanente consecuencia de enfermedad profesional, la fecha de efectos es la del primer día del mes siguiente al de su solicitud (SSTS de 5 de junio de 2000 [Tol 11170 y 46030] y 19 de julio de 2001 [Tol 66222]).*

*– Un trabajador incluido en el Régimen Especial de la Minería del Carbón que había obtenido una pensión de incapacidad permanente total por silicosis y que transformó posteriormente en pensión de jubilación no puede obtener la revisión por agravación para alcanzar la incapacidad permanente absoluta después de convertirse en pensionista de jubilación, puesto que no es posible solicitar la revisión de una prestación que ya no existe, y ello aunque el artículo 103 de la Orden de 9 de mayo de 1962, por la que se aprobó el Reglamento de Enfermedades Profesionales, establezca que todas la incapacidades permanentes por causa de enfermedad profesional podrán ser revisadas, sin que exista límite de plazo para solicitar*

*la revisión de la incapacidad, dado que de aquel precepto no cabe desprender la conclusión de que la norma autorice al jubilado a pedir la revisión por agravación de su pensión por incapacidad, puesto que ya no es pensionista por enfermedad profesional sino de jubilación (STS de 3 de febrero de 2005 [Tol 598572]).*

*– La enfermedad profesional puede manifestarse en un periodo agudo que incapacite para el trabajo que puede conducir como resulta a su calificación como incurso en cualquiera de los grados de incapacidad permanente, pero también puede ocurrir que solo se descubran sus síntomas sin repercutir todavía sobre su capacidad de trabajo, o que el enfermo se haya recuperado ya de la enfermedad padecida, y, sin embargo exista la posibilidad, o más aun la probabilidad o certeza, de que si vuelve a su trabajo recaerá en la enfermedad; ello conduce a considerar como situaciones muy distintas la del trabajador al que se descubre la enfermedad mientras presta servicios en la empresa, para el que puede disponerse otra protección consistente en el traslado de puesto de trabajo si lo hubiere, y la del trabajador al que se descubre la enfermedad estando ya fuera de la empresa, que no tiene ya posibilidad de ser trasladado a otro puesto de trabajo, lo cual obliga a enfocar la decisión judicial únicamente desde la perspectiva de la posibilidad de declarar o no una incapacidad permanente, atendiendo a la gravedad de las secuelas detectadas (STS de 1 de abril de 2015 [Tol 5200047]).*

*– Un trabajador declarado afecto a una incapacidad permanente total en el Régimen General de la Seguridad Social, que prestó servicios en el sector de la pizarra, tiene derecho al incremento del 20 por 100 de la base reguladora de su pensión al haber alcanzado cincuenta y cinco años ficticios, por aplicación del Régimen Especial de la Minería del Carbón (STS de 4 de diciembre de 2024 [Rec. 1647/2022]).*

**Artículo 200. *Calificación y revisión*.** 1. Corresponde al Instituto Nacional de la Seguridad Social, a través de los órganos que reglamentariamente se establezcan y en todas las fases del procedimiento, declarar la situación de incapacidad permanente, a los efectos de reconocimiento de las prestaciones económicas a que se refiere este capítulo.

*– Los empresarios no están legitimados para instar el reconocimiento de una incapacidad permanente de un trabajador a su servicio (STC 207/1989, de 14 de diciembre [Tol 81777] y STS de 20 de octubre de 1992 [Tol 232353]).*

*– Cuando se trata de una incapacidad permanente que no deriva de un proceso previo de incapacidad temporal, la fecha del hecho causante será la del dictamen del Equipo de Valoración de Incapacidades y la fecha de efectos económicos, aquella en la que se produce el cese en el trabajo (SSTS de 19 de enero [Tol 1441004] y 17 de febrero de 2009 [Tol 1474761]).*

*– Son posibles las siguientes variaciones en el nacimiento del derecho a las prestaciones por incapacidad permanente (STS de 16 de enero de 2020 [Tol 7746623]): cuando la persona trabajadora es declarada en situación de incapacidad permanente, si la solicitud no va precedida de una situación de incapacidad temporal y el solicitante estuviera prestando servicios, se distingue entre la fecha del hecho causante —fecha de emisión del dictamen del Equipo de Valoración de Incapacidades— y la fecha de efectos económicos de la prestación —fecha del cese en el trabajo— (SSTS de 19 de diciembre de 2003 [Rec. 2151/2003], 13 de octubre de 2004 [Rec. 6096/2003], 18 de mayo de 2006 [Rec. 425/2005], 19 de enero de 2009 [Rec. 1764/2008] y 17 de febrero de 2009 [Rec. 1827/2008]); cuando el solicitante estuviera siendo perceptor del subsidio de incapacidad temporal, el hecho causante se sitúa en la fecha de extinción de éste, de suerte que la fecha de efectos de la pensión de incapacidad permanente*

*se fija en la fecha de su calificación, salvo que el importe de ésta sea superior, en cuyo caso se retrotraerá a la fecha del dictamen del Equipo de Valoración de Incapacidades* (STS de 24 abril de 2002 [Rec. 2871/2001]).

2. Toda resolución, inicial o de revisión, por la que se reconozca el derecho a las prestaciones de incapacidad permanente, en cualquiera de sus grados, o se confirme el grado reconocido previamente, hará constar necesariamente el plazo a partir del cual se podrá instar la revisión por agravación o mejoría del estado incapacitante profesional, en tanto que el beneficiario no haya cumplido la edad mínima establecida en el artículo 205.1.a), para acceder al derecho a la pensión de jubilación. Este plazo será vinculante para todos los sujetos que puedan promover la revisión.

No obstante lo anterior, si el pensionista de incapacidad permanente estuviera ejerciendo cualquier trabajo, por cuenta ajena o propia, el Instituto Nacional de la Seguridad Social podrá, de oficio o a instancia del propio interesado, promover la revisión, con independencia de que haya o no transcurrido el plazo señalado en la resolución.

Las revisiones fundadas en error de diagnóstico podrán llevarse a cabo en cualquier momento, en tanto el interesado no haya cumplido la edad a que se refiere el primer párrafo de este apartado.

– *El artículo 143.2 de la Ley General de la Seguridad Social de 1994 no vulnera el principio de igualdad recogido en el artículo 14 de la Constitución española* (STC 78/2004, de 29 de abril [Tol 409881]).

– *La fijación del plazo de revisión del grado de incapacidad permanente debe motivarse, bastando la remisión al dictamen propuesta o demás documentos del expediente* (STS de 26 de mayo de 2000 [Tol 8124, 47384 y 191882]).

– *En las resoluciones en las que la entidad gestora no reconozca o modifique el grado de incapacidad permanente no puede fijar plazos para la nueva revisión* (STS de 30 de junio de 2000 [Tol 11162 y 152944]).

– *Para que pueda producirse la revisión del grado de incapacidad permanente reconocido en una declaración previa solo existen dos posibilidades: de un lado, la mejoría o agravamiento del estado del beneficiario, y, de otra, un error de diagnóstico; en el primer supuesto se exige conceptualmente la comparación entre dos situaciones, la contemplada en la resolución que concedió la prestación, declarando el grado que se pretende revisar, y el estado actual del beneficiario, de tal modo que si la situación ha mejorado deberá efectuarse la revisión a la baja, pero si el estado actual del beneficiario coincide con el pretérito que dio lugar al reconocimiento, no puede efectuarse la revisión por mejoría; y en el segundo supuesto, podrá revisarse si no existió error de diagnóstico, sino simplemente se está en desacuerdo con la valoración efectuada en la resolución administrativa o judicial que reconoció el grado, que son resoluciones que han causado estado* (STS de 31 de octubre de 2005 [Tol 781776]).

– *Es posible que un trabajador que ha sido declarado por la entidad gestora afecto de lesiones permanente no invalidantes con derecho a percibo de prestación pueda solicitar la revisión de grado de incapacidad permanente por agravamiento de las lesiones iniciales* (SSTS de 4 de mayo de 2006 [Tol 953061] y 30 de junio de 2008 [Tol 1369608]).

– *Un trabajador declarado en situación de invalidez permanente parcial y que se halla trabajando puede instar la revisión del grado de incapacidad permanente por agravación antes de la fecha fijada para ello en la resolución administrativa que le declaró afecto de aquella incapacidad permanente, porque, tomando en consideración el contenido del artículo 143.2 de la Ley General de la Seguridad Social de 1994, nada impide que una situación de incapacidad permanente parcial sea susceptible de empeoramiento ni que, en consecuencia, exista la posibilidad de realizar una revisión del grado de incapacidad permanente en el plazo que razonablemente estimara procedente* (STS de 18 de noviembre de 2008 [Tol 1413295]).

3. Las disposiciones que desarrollen la presente ley regularán el procedimiento de revisión y la modificación y transformación de las prestaciones económicas que se hubiesen reconocido al trabajador, así como los derechos y obligaciones que a consecuencia de dichos cambios correspondan a las entidades gestoras o colaboradoras y servicios comunes que tengan a su cargo tales prestaciones.

Cuando, como consecuencia de revisiones por mejoría del estado incapacitante profesional proceda reintegrar, parcialmente o en su totalidad, la parte no consumida de los capitales coste constituidos por las mutuas colaboradoras con la Seguridad Social o por las empresas que hubieran sido declaradas responsables de su ingreso, este último no tendrá la consideración de ingreso indebido, a los efectos previstos en el artículo 26, apartados 1, 2, 3 y 5 de esta ley, sin perjuicio de la aplicación de lo dispuesto en el artículo 24 de la Ley 47/2003, de 26 de noviembre, General Presupuestaria.

– *Los efectos económicos de una revisión de grado se producen a partir del primer día del mes siguiente al de la resolución definitiva en vía administrativa* (SSTS de 18 de octubre de 1988, 17 de febrero de 1992 [Tol 231929], 31 de enero [Tol 235148 y 267504] y 31 de mayo de 1994 [Tol 234390], 23 de septiembre de 1997 [Tol 237513], 24 de junio [Tol 47324 y 48419] y 20 de diciembre de 1999 [Tol 23053] y 4 de marzo [Tol 1491160] y 8 de abril de 2009 [Tol 1514396]).

– *Es posible la revisión por agravación de una contingencia profesional consecuencia de posteriores dolencias derivadas de contingencias comunes, siempre que se acredite el requisito de carencia, distribuyéndose el pago de pensión entre la entidad aseguradora y la entidad gestora* (SSTS de 18 de octubre de 1988, 18 de febrero [Tol 204759] y 28 de octubre de 2002 [Tol 228520] y 24 de marzo de 2009 [Tol 1494343]).

– *La fecha de efectos económicos de la revisión de una incapacidad permanente en la que se produce un cambio en su grado es aquella en la que se pronunció la resolución de la entidad gestora que puso fin al expediente administrativo y no la de la sentencia de instancia que por primera vez la reconoce* (SSTS de 17 de febrero [Rec. 1619/1991], y 13 y 20 de julio [Rec. 2489/1991 y 2586/1991] y 19 de octubre de 1992 [Rec. 111/1992], 14 de junio de 1993 [Rec. 1671/1992], 31 de enero [Tol 235148] y 31 de mayo de 1994 [Rec. 2695/1993], 23 de septiembre de 1997 [Rec. 4376/1996], 24 de junio [Rec. 4758/1998] y 20 de diciembre de 1999 [Rec. 1260/1999], 16 de enero de 2002 [Rec. 3926/2000] y 25 de octubre de 2016 [Rec. 2300/2015]).

– *La agravación o mejoría no puede referirse a las dolencias ya calificadas, sino a la situación completa y global del incapacitado permanente, siendo posible tener en cuenta nuevas afecciones o cuadros patológicos* (SSTS de 27 de julio de 1996 [*Tol 236998*], 2 de octubre de 1997 [*Tol 237622*] y 12 de junio de 2000 [*Tol 8096, 46476 y 191880*]).

– *Cuando se produce revisión de grado de incapacidad permanente, la base reguladora no debe alterarse, salvo existencia de trabajo posterior* (STS de 12 de junio de 2000 [*Tol 8096, 46476 y 191880*]).

– *La entidad gestora no queda vinculada en la tramitación del expediente de revisión por la petición de grado del interesado, pudiendo revisarse en perjuicio del beneficiario* (STS de 17 de diciembre de 2001 [*Tol 128870 y 152931*]).

– *Cuando tras la revisión de grado el trabajador declarado inicialmente incapacitado parcial por accidente de trabajo es declarado incapacitado total por enfermedad común, deberá seguir teniéndose en cuenta la base reguladora correspondiente a la incapacidad consecuencia de accidente de trabajo* (STS de 23 de septiembre de 2003 [*Tol 320215*]).

– *La revisión por agravación provoca el reconocimiento de un nuevo derecho, de una nueva prestación en tanto que la primera se entiende extinguida por la revisión, naciendo una nueva, con las consecuencias legales que ello conlleva* (STS de 5 de julio de 2022 [*Tol 9140786*]).

4. Las pensiones de incapacidad permanente, cuando sus beneficiarios cumplan la edad de sesenta y siete años, pasarán a denominarse pensiones de jubilación. La nueva denominación no implicará modificación alguna, respecto de las condiciones de la prestación que se viniese percibiendo.

CAPÍTULO XII. Lesiones permanentes no incapacitantes

**Artículo 201.** *Indemnizaciones por baremo*. Las lesiones, mutilaciones y deformidades de carácter definitivo, causadas por accidentes de trabajo o enfermedades profesionales que, sin llegar a constituir una incapacidad permanente conforme a lo establecido en el capítulo anterior, supongan una disminución o alteración de la integridad física del trabajador y aparezcan recogidas en el baremo anejo a las disposiciones de desarrollo de esta ley, serán indemnizadas, por una sola vez, con las cantidades alzadas que en el mismo se determinen, por la entidad que estuviera obligada al pago de las prestaciones de incapacidad permanente, todo ello sin perjuicio del derecho del trabajador a continuar al servicio de la empresa.

– *En los supuestos de hipoacusia bilateral con afectación de la zona conversacional de un oído pero no del otro debe concederse indemnización por lesión permanente no invalidan-*

*te, con arreglo al número 9 del baremo aplicable* (SSTS de 25 de noviembre de 2002 [*Tol 240175 y 258263*] y 31 de octubre [*Tol 332340*] y 26 de diciembre de 2003 [*Tol 348742*]).

– *En los supuestos de hipoacusia bilateral sin afectación a la zona conversacional debe concederse indemnización por lesión permanente no invalidante, con arreglo al número núm. 8 baremo oficial* (STS de 2 de febrero de 2004 [*Tol 350903*]).

– *Las cicatrices quirúrgicas son susceptibles de ser indemnizadas por baremo, independientemente de la limitación funcional que hayan producido las lesiones a que están vinculadas, derivadas de enfermedad profesional, aunque sean consecuencia de intervención quirúrgica* (STS de 22 de marzo de 2004 [*Tol 434652*]).

– *La Ley obliga a indemnizar a todas y cada una de las lesiones que pueda sufrir el trabajador en todos aquellos aspectos en que sumadas no den lugar a una incapacidad permanente, estando la cuantía de dichas indemnizaciones sujeta al baremo legal o reglamentariamente establecido* (SSTS de 2 de noviembre de 2005 [*Tol 796192*], 10 de mayo [*Tol 945609*] y 4 de octubre de 2006 [*Tol 1006699*] y 20 de junio [*Tol 1124408*] y 20 de diciembre de 2007 [*Tol 1292544*]).

**Artículo 202. *Beneficiarios*.** Serán beneficiarios de las indemnizaciones a que se refiere el artículo anterior los trabajadores integrados en este Régimen General que reúnan la condición general exigida en el artículo 165.1 y hayan sido dados de alta médica.

– *Es situación de alta de pleno derecho el supuesto de reconocimiento de lesiones permanentes no invalidantes derivadas de enfermedad profesional reconocidas con posterioridad a la declaración de una situación de incapacidad permanente total para la profesión habitual consecuencia de enfermedad común* (STS de 13 de julio de 2011 [*Tol 2248010*]).

**Artículo 203. *Incompatibilidad con las prestaciones por incapacidad permanente*.** Las indemnizaciones a tanto alzado que procedan por las lesiones, mutilaciones y deformidades que se regulan en este capítulo serán incompatibles con las prestaciones económicas establecidas para la incapacidad permanente, salvo en el caso de que dichas lesiones, mutilaciones y deformidades sean totalmente independientes de las que hayan sido tomadas en consideración para declarar tal incapacidad permanente y el grado de la misma.

CAPÍTULO XIII. Jubilación en su modalidad contributiva

**Artículo 204. *Concepto*.** La prestación económica por causa de jubilación, en su modalidad contributiva, será única para cada beneficiario y consistirá en una pensión vitalicia que le será reconocida, en las condiciones, cuantía y forma que reglamentariamente se determinen, cuando, alcanzada la edad establecida, cese o haya cesado en el trabajo por cuenta ajena.

– *La jubilación consiste en una situación de necesidad generada por la ausencia de rentas salariales, determinada por el cese en el trabajo a causa de la edad y acompañada del cese en las cotizaciones* (STS de 19 de enero de 2015 [*Tol 4737819*]).

**Artículo 205. *Beneficiarios*. 1.** Tendrán derecho a la pensión de jubilación regulada en este capítulo, las personas incluidas en el Régimen General que, además de la general exigida en el artículo 165.1, reúnan las siguientes condiciones:

– *Es situación asimilada a la de alta, a efectos de pensión de jubilación, el desempleo involuntario total y subsidiado y el paro involuntario que subsiste tras haber agotado las prestaciones por desempleo cuando el trabajador tiene cumplidos 55 años y no hubiera podido acceder al subsidio por desempleo para mayores de 52 años, siempre que se mantenga la inscripción ininterrumpida en la oficina de empleo* (SSTS de 17 de noviembre de 1992 [*Tol 232367*] y 1 de abril de 1993 [*Tol 233728*]).

– *Si es situación asimilada a la de alta, a efectos de pensión de jubilación, la situación de paro involuntario con inscripción en la oficina de empleo* (STS de 1 de julio de 1993 [*Tol 234416*]).

– *Está en situación asimilada a la de alta, a efectos de pensión de jubilación, el pensionista de incapacidad permanente que ha seguido trabajando* (STS de 14 de abril de 1994 [*Tol 234116*]).

– *Es situación asimilada a la de alta, a efectos de pensión de jubilación, el cese en un empleo por aplicación de la Ley 53/1984, de 26 de diciembre* (STS de 11 de junio de 1996 [*Tol 235813*]).

– *No es posible acceder a una pensión por jubilación anticipada cuando el beneficiario se encuentra en situación de incapacidad permanente total para la profesión habitual porque la exoneración de la falta del requisito de estar en alta para causar la pensión de jubilación sólo es operante a partir de los sesenta y cinco años y la situación de incapacidad permanente total para la profesión habitual no es una situación de alta ni está asimilada a ella* (STS de 10 de octubre de 2005 [*Tol 766398*]).

– *Debe considerarse en situación asimilada a la de alta a efectos del reconocimiento del derecho a una pensión por jubilación el supuesto de un trabajador que ha percibido un subsidio por desempleo para emigrantes retornados y ha permanecido inscrito como demandante de empleo, al acreditar requisitos exigidos en la legislación aplicable, como son la de encontrarse en paro subsidiado y haber mantenido la inscripción permanente como demandante de empleo sin haber rechazado oferta alguna* (STS de 25 de mayo de 2009 [*Tol 1570584*]).

– *La situación de paro involuntario con mantenimiento de la inscripción en la oficina de empleo como demandante de empleo es una situación asimilada al alta y, para acceder a la pensión de jubilación anticipada, aquélla ha de mantenerse durante un plazo de, al menos, seis meses inmediatamente anteriores a la fecha de la solicitud de la jubilación* (STS de 2 de diciembre de 2020 [Rec. 2390/2018]).

a) Haber cumplido sesenta y siete años de edad, o sesenta y cinco años cuando se acrediten treinta y ocho años y seis meses de cotización, sin que se tenga en cuenta la parte proporcional correspondiente a las pagas extraordinarias.

Para el cómputo de los períodos de cotización se tomarán años y meses completos, sin que se equiparen a ellos las fracciones de los mismos.

> – *Tiene plenos efectos la jubilación anticipada de un trabajador a los sesenta y cuatro años como consecuencia de medidas de fomento del empleo (Real Decreto 1194/1985, de 17 de julio), aunque en la contratación entre la empresa y el trabajador sustituto del trabajador jubilado anticipadamente se hubieran producido irregularidades* (STS de 22 de septiembre de 2006 [Tol 1002061]).

b) Tener cubierto un período mínimo de cotización de quince años, de los cuales al menos dos deberán estar comprendidos dentro de los quince años inmediatamente anteriores al momento de causar el derecho. A efectos del cómputo de los años cotizados no se tendrá en cuenta la parte proporcional correspondiente a las pagas extraordinarias.

En los supuestos en que se acceda a la pensión de jubilación desde una situación de alta o asimilada a la de alta, sin obligación de cotizar, el período de dos años a que se refiere el párrafo anterior deberá estar comprendido dentro de los quince años inmediatamente anteriores a la fecha en que cesó la obligación de cotizar.

> – *Las situaciones asimiladas a la de alta tienen virtualidad a efectos de la aplicación de la teoría del "paréntesis" respecto de la carencia cualificada* (SSTS de 29 de mayo de 1992 [Tol 232222] y 1 de abril [Tol 233728]) y 1 de julio de 1993 (Tol 234416)).

> – *Cuando se acceda a la pensión de jubilación desde una situación de alta o asimilada a la alta, sin obligación de cotizar (incapacidad temporal, subsidio por desempleo), el período de dos años de carencia específica debe estar comprendido dentro de los quince años anteriores a la fecha en que cesó la obligación de cotizar* (STS de 1 de julio de 1993 [Tol 234416]).

> – *En los supuestos de aplicación de la Ley 53/1984, el período de carencia específico se retrotrae al momento de la aplicación de la citada Ley* (STS de 11 de junio de 1996 [Tol 235816]).

> – *Las cotizaciones efectuadas a sistemas de protección anteriores a 1967 producen un efecto equivalente a la cotización a la Seguridad Social., y, por tanto, deberán tenerse en cuenta las cotizaciones realizadas al Montepío Nacional del Servicio Doméstico tanto para la determinación del período de carencia como del porcentaje aplicable a la base reguladora de la pensión por jubilación* (STS de 27 de marzo de 2007 [Tol 1072224]).

> – *Es aplicable la teoría del "paréntesis" sobre el tiempo que la solicitante estuvo privada de libertad cumpliendo condena, en cuyo transcurso no consta que se le ofreciera y rechazase llevar a cabo trabajos o actividades laborales en talleres penitenciarios* (STS de 30 de octubre de 2018 [Tol 6932388]

En los casos a que se refiere el párrafo anterior, y respecto de la determinación de la base reguladora de la pensión, se aplicará lo establecido en el artículo 209.1.

– *Cuando se trate de la jubilación de un pensionista por incapacidad permanente total no puede acudirse a las cotizaciones utilizadas para la protección de la incapacidad, sino que debe reunirse después* (SSTS de 22 de abril [*Tol 232312*] y 14 de noviembre de 1992 [*Tol 314651*], 18 de junio [*Tol 233211*] y 15 de diciembre de 1993 [*Tol 233424*] y 14 de febrero [*Tol 234307 y 266680*] y 14 de abril de 1994 [*Tol 234116*]).

– *Las cotizaciones que sirvieron para causar derecho a pensión por incapacidad permanente total para la profesión habitual tendrán efectos para aumentar la cuantía de la pensión por jubilación, pero no para completar la carencia necesaria para acceder a la misma* (SSTS de 18 de junio [*Tol 233211*] y 15 de diciembre de 1993 [*Tol 233424*] y 14 de abril de 1994 [*Tol 234116*]).

– *Las cotizaciones efectuadas al Seguro Obligatorio de Vejez e Invalidez (SOVI) y al Mutualismo Laboral no sirven para acreditar la carencia específica* (SSTS de 20 de junio [*Tol 233512 y 267374*] y 21 de noviembre de 1994 [*Tol 233258*]).

– *Es posible computar los días-cuotas abonados por las gratificaciones extraordinarias para acreditar la carencia mínima, pero no para incrementar el porcentaje de la pensión de jubilación* (SSTS de 24 de enero [*Tol 237043*] y 4 de julio de 1995 [*Tol 266523*] y 27 de enero de 1998 [*Tol 47671*]).

– *Los trabajadores que hubieran estado afiliados al Retiro Obrero, tienen acreditados, en todo caso, 1.800 días cotizados, que son eficaces para completar, cuando no es suficiente, el período mínimo de carencia, pero no para incrementar el porcentaje aplicable a la base reguladora* (STS de 19 de junio de 1996 [Rec. 3040/1995]).

– *Para acreditar la carencia necesaria para la jubilación pueden computarse los períodos cotizados en virtud de reglamentos comunitarios y convenios bilaterales* (SSTS de 20 de diciembre de 1991 [*Tol 232221*], 26 de marzo [Rec. 901/1991] y 31 de julio de 1992 [*Tol 231759*], 25 de enero [*Tol 235031*], 31 de marzo [*Tol 238503*], 22 de mayo [*Tol 235110*] y 24 de septiembre de 1993 [*Tol 234041*], 5 de mayo de 1997 [*Tol 237867*], 13 de noviembre de 2002 [*Tol 241010*] y 13 de marzo de 2003 [Rec. 1929/2002]).

– *Los días trabajados en la Administración pública deben considerarse como válidamente cotizados a los efectos de la carencia genérica para obtener las pensiones de jubilación del Régimen General o de vejez del Seguro Obligatorio de Vejez e Invalidez* (STS de 26 de febrero de 1998 [*Tol 47643*]).

– *A los trabajadores de la Administración Local les será aplicable el requisito de carencia específica que, con carácter general, sin exclusión alguna y sin período transitorio, se exigió para todos los beneficiarios de los regímenes afectados a partir de la entrada en vigor de la Ley 26/1985, 31 de julio* (STS de 7 de marzo de 2001 [*Tol 31981*]).

– *En el caso de trabajador migrante deben computarse para el cálculo prorrata temporis los años de bonificación por edad cumplida el 1 de enero de 1967 establecidos por la disposición transitoria 2.ª de la Orden de 18 de enero de 1967 porque como período de seguro deben considerarse los períodos de cotización, empleo o de actividad por cuenta propia, tales como se definen o admiten como períodos de seguro por la legislación bajo la cual han sido cubiertos o se consideran como cubiertos, y todos los períodos asimilados en la medida que sean reconocidos por la legislación como equivalentes a los períodos de seguro. Las co-*

*tizaciones reconocidas en aplicación de la norma transitoria enunciada no tienen el carácter de cotizaciones teóricas o ficticias que se proyectan sobre previsiones posteriores al hecho causante, sino cotizaciones asimiladas a las efectivamente realizadas para un determinado período de carrera de seguro de un trabajador, que es anterior al hecho causante; por ello dichas cotizaciones deben ser computadas a los efectos del cálculo de la cuantía de la pensión por jubilación española (SSTS de 26 de junio [Tol 32203], 5 de julio [Tol 66088], 9 de octubre [Tol 129036] y 15 de noviembre de 2001 [Tol 129092], 28 de mayo [Tol 202026] y 13 de noviembre de 2002 [Tol 241010], 16 de mayo [Tol 276341], 24 de junio [Tol 649630] y 13 de noviembre de 2003 [Tol 341964] y 29 de junio de 2005 [Tol 698511]).*

*– En el supuesto de cotizaciones a distintos países de la Unión Europea, para decidir el prorrateo han de computarse todas las cotizaciones de la carrera de seguro del trabajador afectado (SSTS de 20 de abril de 2004 [Tol 434614] y 21 de julio de 2006 [Tol 986941]).*

*– Las cotizaciones por la contingencia de cotización abonadas por la entidad gestora durante un período de percepción de un subsidio por desempleo para mayores de cincuenta y dos años no son eficaces para acreditar el período de carencia necesario para causar derecho a pensión de jubilación porque la Ley General de la Seguridad Social establece únicamente su validez para el cálculo de la base reguladora y el porcentaje aplicable de la pensión (SSTS de 16 de octubre de 2003 [Rec. 981/2003], 10 de febrero [Tol 376987] y 3 y 17 de diciembre de 2004 [Tol 556876 y 556864] y 2 de junio de 2005 [Tol 675590]).*

2. También tendrán derecho a la pensión de jubilación, quienes se encuentren en situación de prolongación de efectos económicos de la incapacidad temporal y reúnan las condiciones que se establecen en el apartado 1.

3. No obstante lo dispuesto en el párrafo primero del apartado 1, la pensión de jubilación podrá causarse, aunque los interesados no se encuentren en el momento del hecho causante en alta o situación asimilada a la de alta, siempre que reúnan los requisitos de edad y cotización contemplados en el citado apartado 1.

*El paro involuntario con inscripción en la oficina de empleo como demandante de empleo es una situación asimilada al alta, de manera que no es necesario plantearse si es aplicable o no a la pensión de jubilación anticipada el requisito de tener que estar en alta o en situación asimilada a la de alta, establecido con carácter general en el artículo 165.1 de la Ley General de la Seguridad Social, y para la pensión de jubilación en el artículo 205.1 de la Ley General de la Seguridad Social, pero cuyo cumplimiento es dispensado por el artículo 205.3 de la Ley General de la Seguridad Social para la pensión de jubilación siempre que se reúnan los requisitos de edad y cotización; y no es necesario plantearse lo anterior, cuando el requisito que legalmente exige es el de haber estado inscrito en la oficina de empleo como demandante de empleo durante un plazo de al menos seis meses anteriores a la fecha de su solicitud, puesto que el interesado está, por tanto, en situación asimilada a la de alta (SSTS de 22 de noviembre [Rec. 4281/2019] y 23 de diciembre de 2022 [Rec. 1562/2020]).*

En el supuesto previsto en el párrafo anterior, para causar pensión en el Régimen General y en otro u otros del sistema de la Seguridad Social será necesario que las cotizaciones acreditadas en cada uno de ellos se superpongan, al menos, durante quince años.

**Artículo 206. *Jubilación anticipada por razón de la actividad.*** 1. La edad mínima de acceso a la pensión de jubilación a la que se refiere el artículo 205.1.a) podrá ser rebajada por real decreto, a propuesta del titular del Ministerio de Inclusión, Seguridad Social y Migraciones, en aquellos grupos o actividades profesionales cuyos trabajos sean de naturaleza excepcionalmente penosa, tóxica, peligrosa o insalubre y acusen elevados índices de morbilidad o mortalidad, siempre que los trabajadores afectados acrediten en la respectiva profesión o trabajo el mínimo de actividad que se establezca.

A tales efectos, reglamentariamente se determinará el procedimiento general para establecer coeficientes reductores que permitan anticipar la edad de jubilación en el sistema de la Seguridad Social, que incluirá, entre otras, la realización previa de estudios sobre siniestralidad en el sector, penosidad, peligrosidad y toxicidad de las condiciones del trabajo, su incidencia en los procesos de incapacidad laboral de los trabajadores y los requerimientos físicos o psíquicos exigidos para continuar con el desarrollo de la actividad a partir de una determinada edad.

El establecimiento de coeficientes reductores de la edad de jubilación solo procederá cuando no sea posible la modificación de las condiciones de trabajo.

– *La reducción de la edad prevista para los trabajadores incluidos en el Régimen Especial de la Seguridad Social para la Minería del Carbón es también aplicable a los demás mineros* (SSTS de 19 de noviembre [*Tol 235943*] y 12 de diciembre de 1996 [*Tol 235506*], 20 de febrero de 1997 [*Tol 237309*] y 19 de marzo de 2024 [Rec. 115/2022])

– *Para la aplicación del anticipo de edad de jubilación no basta que la actividad sea peligrosa, penosa o insalubre, sino que es preciso que la edad adelantada esté prevista por una norma legal* (SSTS de 14 de diciembre de 1999 [*Tol 209290*] y 27 de enero de 2009 [*Tol 1453835*]).

– *Son aplicables los coeficientes reductores de la edad de jubilación previstos en el Real Decreto 1559/1986, de 28 de junio, por el que se reduce la edad de jubilación del personal de vuelo de trabajo aéreos, al personal de vuelo que presta servicios en compañías de transporte aéreo de personas y mercancías* (STS de 27 de enero de 2009 [*Tol 1453835*]).

– *Ni de los artículos 2.1 y 4 del Real Decreto 1559/1986, de 28 de junio, ni de su examen conjunto, se llega a la ya interpretación de limitar el cómputo de las bonificaciones de cotización al período de tiempo existente entre la fecha del hecho causante y el cumplimiento de la edad de 65 años, para hallar el porcentaje aplicable a la base reguladora de la pensión, sino más bien al contrario, el tenor literal de lo señalados preceptos abonan la interpretación de que el citado artículo 2.1 se refiere al período equivalente al que resulte de aplicar al tiempo efectivamente trabajado el coeficiente que corresponda, con lo que está poniendo de manifiesto la intención de la norma —además de la finalidad de rebajar la edad de jubilación en virtud de la peligrosidad y penosidad en que se desarrollan los denominados trabajos aéreos— de primar la contributividad, que es el principio que preside el sistema de Seguridad Social, pues tiempo efectivamente trabajado es también tiempo efectivamente cotizado, y de ahí, que las bonificaciones de cotización resultantes del citado art. 4 en relación con el anterior precepto deban aplicarse íntegramente sobre el tiempo efectivamente trabajado sin otra limitación temporal que la norma no contempla (STS de 28 de junio de 2013 [Tol 3889314]).*

*– La habilitación al reglamento opera exclusivamente para rebajar la edad de jubilación, pero no para otorgar a los colectivos afectados una cotización adicional en función del trabajo realizado que supere la que con carácter general deriva de la aplicación de las reglas generales de cotización, según las cuales y salvo excepciones, como la del trabajo a tiempo parcial, el valor de un día cotizado a efectos del cómputo en materia de prestaciones —periodos previos de cotización a efectos del acceso o duración de determinadas prestaciones y días cotizados en el porcentaje de la pensión de jubilación— es equivalente también a un día de cotización (SSTS de 12 de diciembre de 2013 [Tol 4081975] y 11 de febrero de 2014 [Tol 4142393]).*

*– Las empresas o los trabajadores por cuenta propia, considerados individualmente, no están legitimados para instar el inicio de las actuaciones del procedimiento general en orden al establecimiento de coeficientes reductores para rebajar la edad de jubilación (STS de 21 de junio de 2017 [Tol 6205463]).*

*– No son aplicables los coeficientes reductores de la edad de jubilación a los trabajadores ferroviarios que prestan servicios como conductores de vagoneta de línea electrificada, al no encontrarse dicha actividad en el artículo 3.1 del Real Decreto 2621/1986, pues tal régimen es excepcional y no puede ser objeto de interpretación extensiva o analógica (SSTS de 21 de junio de 2017 [Rec. 157/2016] y 4 de julio de 2018 [Tol 671581]).*

2. En los términos que se establezcan reglamentariamente, el inicio del procedimiento deberá instarse conjuntamente por organizaciones empresariales y sindicales más representativas, si el colectivo afectado está constituido por trabajadores por cuenta ajena; y por asociaciones representativas de trabajadores autónomos y organizaciones empresariales y sindicales más representativas, cuando se trate de trabajadores por cuenta propia. Cuando el procedimiento afecte al personal de las administraciones públicas la iniciativa corresponderá conjuntamente a las organizaciones sindicales más representativas y a la administración de la que dependa el colectivo.

3. La solicitud se presentará por medios telemáticos y deberá ir acompañada de la identificación de la actividad laboral a nivel nacional a través de la categoría CNAE, subgrupo CNAE secundario, subgrupo y grupo de la clasificación nacional de actividades económicas, así como de la identificación de la ocupación o del grupo profesional, según el caso, especificando, en ambos supuestos, las funciones concretas que se desarrollan y que determinan que la actividad laboral que se realiza es de naturaleza excepcionalmente penosa,

tóxica, peligrosa o insalubre y que acusa elevados índices de morbilidad o mortalidad.

> *Quedan anulados los artículos 10.2.a) y 12.1 del Real Decreto 402/2025, de 27 de mayo por el que se regula el procedimiento previo para determinar los supuestos en los que procede permitir anticipar la edad de jubilación en el sistema de la Seguridad Social mediante la aplicación de coeficientes reductores, con el alcance de entender suprimida la exigencia la identificación fiscal en la solicitud de inicio del procedimiento previo (STS de 18 de febrero de 2026 [BOE núm. 55, 3 de marzo de 2026]).*

Reglamentariamente se establecerán indicadores que acrediten la concurrencia de circunstancias objetivas que justifiquen la aplicación de tales coeficientes a partir de, entre otros, la incidencia, persistencia y duración de los procesos de baja laboral, así como las incapacidades permanentes o fallecimientos que se puedan causar. Su valoración corresponderá a una comisión integrada por los ministerios de Inclusión, Seguridad Social y Migraciones, Trabajo y Economía Social, y Hacienda y Función Pública, junto a las organizaciones empresariales y sindicales más representativas a nivel estatal que estará encargada de evaluar y, en su caso, instar la aprobación de los correspondientes reales decretos de reconocimiento de coeficientes reductores.

4. Con la finalidad de mantener el equilibrio financiero del sistema, la aplicación de los coeficientes reductores que se establezcan llevará consigo un incremento en la cotización a la Seguridad Social, a efectuar en relación con el colectivo, sector y actividad que se delimiten en la norma correspondiente, en los términos y condiciones que, asimismo, se establezcan. Dicho incremento consistirá en aplicar un tipo de cotización adicional sobre la base de cotización por contingencias comunes, tanto a cargo de la empresa como del trabajador.

5. Los coeficientes reductores para la anticipación de la edad de jubilación establecidos en su normativa específica serán objeto de revisión cada diez años, con sujeción al procedimiento que se determine reglamentariamente. Los efectos de la revisión de los coeficientes reductores para la anticipación de la edad de jubilación no afectarán a la situación de los trabajadores que, con anterioridad a la misma, hubiesen desarrollado su actividad y por los períodos de ejercicio de aquélla.

6. La aplicación de los correspondientes coeficientes reductores de la edad en ningún caso dará lugar a que el interesado pueda acceder a la pensión de jubilación con una edad inferior a la de cincuenta y dos años.

Los coeficientes reductores de la edad de jubilación no serán tenidos en cuenta, en ningún caso, a efectos de acreditar la exigida para acceder a la jubilación parcial, a los beneficios establecidos en el artículo 210.2, y a cualquier otra modalidad de jubilación anticipada.

Artículo 206 redactado por la Ley 21/2021, de 28 de diciembre, de garantía del poder adquisitivo de las pensiones y de otras medidas de refuerzo de la sostenibilidad financiera y social del sistema público de pensiones (BOE núm. 312, de 29 de diciembre de 2021).

**Artículo 206 bis.** *Jubilación anticipada en caso de discapacidad.* 1. La edad mínima de acceso a la pensión de jubilación a que se refiere el artículo 205.1.a) podrá ser reducida en el caso de personas con discapacidad en un grado igual o superior al 65 por ciento, en los términos contenidos en el correspondiente real decreto acordado a propuesta del titular del Ministerio de Inclusión, Seguridad Social y Migraciones, o también en un grado de discapacidad igual o superior al 45 por ciento, siempre que, en este último supuesto, se trate de discapacidades reglamentariamente determinadas respecto de las que existan evidencias contrastadas que determinan de forma generalizada una reducción significativa de la esperanza de vida.

– *Es posible tener en cuenta dolencias no listadas a efectos de acreditar el porcentaje de discapacidad, porque si la intención del Gobierno hubiera sido la de exceptuar todo tipo de dolencias distintas de las vinculadas a la reducción de la esperanza de vida, de forma que no fuese suficiente con padecer esa patología, sino que la misma determinase, por sí sola, el porcentaje de discapacidad exigido, así lo habría consignado de manera explícita, utilizando cualquiera de las fórmulas posibles, y al no haberlo hecho así, no cabe admitir la exclusión de las citadas dolencias* (STS de 27 de septiembre de 2017 [*Tol* 6388442]).

– *Es aplicable la reducción de la edad de jubilación a un trabajador afectado de agenesia por taliomida* (STS de 19 de diciembre de 2017 [*Tol* 6478037]).

– *Es aplicable la reducción de la edad de jubilación a un trabajador con dolencias de poliomelitis infantil que se omitieron en un primer reconocimiento a pesar de que ya existían antes del inicio de la vida laboral* (SSTS de 8 de febrero [*Tol* 6525884] y 13 de junio de 2018 [*Tol* 6666165] y 22 de febrero de 2023 [*Tol* 9437813]).

2. La aplicación de los correspondientes coeficientes reductores de la edad en ningún caso dará lugar a que el interesado pueda acceder a la pensión de jubilación con una edad inferior a la de cincuenta y dos años.

Los coeficientes reductores de la edad de jubilación no serán tenidos en cuenta, en ningún caso, a efectos de acreditar la exigida para acceder a la jubilación parcial, a los beneficios establecidos en el artículo 210.2, y a cualquier otra modalidad de jubilación anticipada.

Artículo 206 bis añadido por la Ley 21/2021, de 28 de diciembre, de garantía del poder adquisitivo de las pensiones y de otras medidas de refuerzo de la sostenibilidad financiera y social del sistema público de pensiones (BOE núm. 312, de 29 de diciembre de 2021).

**Artículo 207.** *Jubilación anticipada por causa no imputable al trabajador.*
1. El acceso a la jubilación anticipada derivada del cese en el trabajo por causa no imputable a la libre voluntad del trabajador exigirá los siguientes requisitos:

> – *En el supuesto quedar acreditado que el trabajador está incluido en el ámbito de aplicación de un acuerdo laboral en el que se le ofrece por la empresa la prejubilación, debe concluirse que la extinción de su contrato no fue voluntaria* (STS de 28 de septiembre de 2022 [Tol 9260062]).

> – *El acceso a la jubilación anticipada derivada del cese en el trabajo por causa no imputable a la libre voluntad del trabajador exigirá los requisitos previstos en el artículo 207.1 de la Ley General de la Seguridad Social, cuyo listado debe considerarse cerrado* (SSTS de 10 de febrero de 2021 [Rec. 3370/2018], 22 de junio de 2022 [Tol 9102117] y 16 de abril de 2024 [Rec. 1073/2020 y 3173/2021]).

a) Tener cumplida una edad que sea inferior en cuatro años, como máximo, a la edad que en cada caso resulte de aplicación según lo establecido en el artículo 205.1.a) sin que a estos efectos resulten de aplicación los coeficientes reductores a que se refieren los artículos 206 y 206 bis.

b) Encontrarse inscrito en las oficinas de empleo como demandante de empleo durante un plazo de, al menos, seis meses inmediatamente anteriores a la fecha de la solicitud de la jubilación.

> – *Si un trabajador estuvo en situación legal de desempleo durante un período de inactividad de su contrato de trabajo fijo discontinuo, y sin solución de continuidad se extinguió la relación laboral y posteriormente solicitó la jubilación anticipada, la aplicación literal del artículo 207.1 d) de la Ley General de la Seguridad Social obliga a concluir que se ha cumplido la exigencia legal de encontrarse inscrito como demandante de empleo durante seis meses, siendo irrelevante que parte de dicho plazo correspondiera a un período de inactividad* (SSTS de 5, 6, 7 y 12 de julio de 2022 [Rec. 605/2022, Tol 9140777, Rec. 382/2020 y Tol 9152439], 21 de diciembre de 2023 [Rec. 3616/2022] y 29 de abril de 2024 [Rec. 3824/2022]).

> – *Cuando se pretende acceder a la jubilación anticipada por causa no imputable al solicitante, el requisito de inscripción como demandante de empleo durante un plazo de, al menos, seis meses inmediatamente anteriores a la fecha de la solicitud de la jubilación ha de exigirse en sus propios términos, con independencia de que el tiempo de incumplimiento sea de solo unos días, y solo es posible flexibilizarlo si concurren circunstancias excepcionales* (SSTS de 20 de diciembre de 2022 [Rec. 2418/2019] y 26 de febrero [Rec. 864/2021] y 9 de abril de 2024 [Rec. 4047/2021]).

c) Acreditar un período mínimo de cotización efectiva de 33 años, sin que, a tales efectos, se tenga en cuenta la parte proporcional por pagas extraordinarias. A estos exclusivos efectos, solo se computará el período de prestación del servicio militar obligatorio o de la prestación social sustitutoria, o del servicio social femenino obligatorio, con el límite máximo de un año.

*– A efectos de completar el período mínimo de cotización para acceder a esta jubilación anticipada también ha de tenerse en cuenta el tiempo de prestación del Servicio Social obligatorio de la mujer, siempre que dicho período de tiempo no figure cotizado* (STS de 6 de febrero de 2020 [Rec. 3801/2017]).

## d) Que el cese en el trabajo se haya producido por alguna de las causas siguientes:

*– Esta minoración de la edad de jubilación se halla estrictamente vinculada a la concurrencia de la circunstancia que constituye el elemento esencial de la propia institución jurídica, la involuntariedad del cese; ahora bien, el precepto no equipara a ello cualquier supuesto de desempleo, sino que efectúa una clara concreción de los supuestos en que, "a estos efectos", se reconoce la existencia de una situación de "reestructuración empresarial que impida la continuación de la relación laboral"; por consiguiente, la ley excluye todas las demás situaciones que dan lugar a la extinción del contrato de trabajo y también obedecen a causa no imputable al trabajador* (STS de 10 de febrero de 2021 [Tol 8329400]).

*– Es admisible la jubilación anticipada en el caso de reestructuración de cooperativa de trabajo asociado que se halla en situación de concurso en el que se acuerda por el Juzgado de lo Mercantil la extinción de la relación laboral de los socios trabajadores* (STS de 10 de diciembre de 2018 [Tol 6999097]); *en el supuesto de una socia trabajadora de cooperativa de trabajo asociado con fundamento en la extinción de su contrato de trabajo de trabajo por causas económicas acordada por auto judicial en el seno del concurso en el que se hallaba la cooperativa* (SSTS de 20 de noviembre [Rec. 3407/2016] y 19 de diciembre de 2018 [Tol 7012075] y 7 de febrero [Rec. 649/2017] y 17 de septiembre de 2019 [Tol 7523654]); *y en el caso del socio trabajador de una cooperativa de trabajo asociado que ve extinguida su relación como consecuencia del acuerdo adoptado por la Asamblea General, con base en la deficiente situación económica de la mercantil, sin que quepa rechazar la solicitud de jubilación invocando que no se ha percibido la indemnización propia de los despidos objetivos o colectivos* (STS de 14 de noviembre de 2023 [Rec. 3387/2022]).

*– El listado de supuestos contemplados en el artículo 207.1 de la Ley General de la Seguridad Social posee carácter cerrado, de numerus clausus, sin que razones de interpretación sistemática puedan avalar una solución diversa, y las causas establecidas en el artículo 207.1.d) de la Ley General de la Seguridad Social para acceder a la jubilación anticipada derivada del cese en el trabajo por causa no imputable a la libre voluntad del trabajador configuran una lista tasada desde que la Ley 27/2011 abandonó la fórmula inicial de la Ley 40/2007; y, en consecuencia, la jubilación anticipada por causa no imputable a la libre voluntad del trabajador no estaba al alcance de quienes habían extinguido su contrato como reacción frente a una modificación sustancial de condiciones de trabajo* (STS de 7 de febrero de 2024 [Rec. 559/2021]).

### 1.ª El despido colectivo por causas económicas, técnicas, organizativas o de producción, conforme al artículo 51 del texto refundido de la Ley del Estatuto de los Trabajadores.

*– La jubilación anticipada se rige íntegramente por la legislación anterior a la Ley 27/2011 cuando así se desprende de la opción legislativa, por ello, debe aplicarse aquella legislación al trabajador cuyo contrato se extinguió al amparo de un expediente de regulación de em-*

*pleo, pese a que desarrolló diversas ocupaciones asalariadas durante un tiempo posterior* (STS de 26 de abril de 2022 [*Tol* 8932496]).

2.ª El despido por causas objetivas conforme al artículo 52 del texto refundido de la Ley del Estatuto de los Trabajadores.

> – *Si una empresa quiere proceder a su cierre con la consiguiente extinción de los contratos de trabajo, dicha extinción ha de preceptivamente encauzarse por los artículos 51 y 52 c) del Estatuto de los Trabajadores, sin que el hecho de que no lo haga así pueda perjudicar al trabajador, a los efectos del artículo 207.1 d) de la Ley General de la Seguridad Social, porque no depende de él cumplir o no los trámites de los mencionados artículos 51 y 52 c) del Estatuto de los Trabajadores* (SSTS de 14 de octubre de 2021 [Rec. 4088/2018] y 17 de octubre de 2022 [Rec. 1593/2019]).

3.ª La extinción del contrato por resolución judicial en los supuestos contemplados en el texto refundido de la Ley concursal, aprobado por el Real Decreto Legislativo 1/2020, de 5 de mayo.

4.ª La muerte, jubilación o incapacidad del empresario individual, sin perjuicio de lo dispuesto en el artículo 44 del texto refundido de la Ley del Estatuto de los Trabajadores, o la extinción de la personalidad jurídica del contratante.

5.ª La extinción del contrato de trabajo motivada por la existencia de fuerza mayor constatada por la autoridad laboral conforme a lo establecido en el artículo 51.7 del texto refundido de la Ley del Estatuto de los Trabajadores.

6.ª La extinción del contrato por voluntad del trabajador por las causas previstas en los artículos 40.1, 41.3 y 50 del texto refundido de la Ley del Estatuto de los Trabajadores.

7.ª La extinción del contrato por voluntad de la trabajadora por ser víctima de la violencia de género o violencia sexual prevista en el artículo 49.1.m) de la Ley del Estatuto de los Trabajadores.

> Causa 7.ª redactada por la Ley orgánica 10/2022, de 6 de septiembre, de garantía integral de la libertad sexual (BOE núm. 215, 7 de septiembre de 2022).

En los supuestos contemplados en las causas 1.ª, 2.ª y 6.ª, para poder acceder a esta modalidad de jubilación anticipada, será necesario que el trabajador acredite haber percibido la indemnización correspondiente derivada de la extinción del contrato de trabajo o haber interpuesto demanda judicial en reclamación de dicha indemnización o de impugnación de la decisión extintiva.

El percibo de la indemnización se acreditará mediante documento de la transferencia bancaria recibida o documentación acreditativa equivalente.

*– Para la acreditación del requisito de haber percibido indemnización no es admisible el documento privado suscrito entre trabajador y empresa sin acreditar el ingreso efectivo de la indemnización en el haber del primero (STS de 5 de julio de 2018 [Tol 6779758]).*

*– La Ley excluye todas las situaciones no listadas que dan lugar a la extinción del contrato de trabajo y también obedecen a causa no imputable al trabajador, por ello, no cabe incluir los incumplimientos contractuales del empresario (STS de 22 de junio de 2022 [Tol 9102117]).*

2. En los casos de acceso a la jubilación anticipada a que se refiere este artículo, la pensión será objeto de reducción mediante la aplicación, por cada mes o fracción de mes que, en el momento del hecho causante, le falte al trabajador para cumplir la edad legal de jubilación que en cada caso resulte de la aplicación de lo establecido en el artículo 205.1.a), de los coeficientes que resultan del siguiente cuadro en función del período de cotización acreditado y los meses de anticipación:

| | Periodo cotizado: menos de 38 años y 6 meses | Periodo cotizado: igual o superior a 38 años y 6 meses e inferior a 41 años y 6 meses | Periodo cotizado: igual o superior a 41 años y 6 meses e inferior a 44 años y 6 meses | Periodo cotizado: igual o superior a 44 años y 6 meses |
|---|---|---|---|---|
| Meses que se adelanta la jubilación | % reducción | % reducción | % reducción | % reducción |
| 48 | 30,00 | 28,00 | 26,00 | 24,00 |
| 47 | 29,38 | 27,42 | 25,46 | 23,50 |
| 46 | 28,75 | 26,83 | 24,92 | 23,00 |
| 45 | 28,13 | 26,25 | 24,38 | 22,50 |
| 44 | 27,50 | 25,67 | 23,83 | 22,00 |
| 43 | 26,88 | 25,08 | 23,29 | 21,50 |
| 42 | 26,25 | 24,50 | 22,75 | 21,00 |
| 41 | 25,63 | 23,92 | 22,21 | 20,50 |
| 40 | 25,00 | 23,33 | 21,67 | 20,00 |
| 39 | 24,38 | 22,75 | 21,13 | 19,50 |
| 38 | 23,75 | 22,17 | 20,58 | 19,00 |
| 37 | 23,13 | 21,58 | 20,04 | 18,50 |
| 36 | 22,50 | 21,00 | 19,50 | 18,00 |
| 35 | 21,88 | 20,42 | 18,96 | 17,50 |
| 34 | 21,25 | 19,83 | 18,42 | 17,00 |
| 33 | 20,63 | 19,25 | 17,88 | 16,50 |

| Meses que se adelanta la jubilación | Periodo cotizado: menos de 38 años y 6 meses | Periodo cotizado: igual o superior a 38 años y 6 meses e inferior a 41 años y 6 meses | Periodo cotizado: igual o superior a 41 años y 6 meses e inferior a 44 años y 6 meses | Periodo cotizado: igual o superior a 44 años y 6 meses |
|---|---|---|---|---|
|  | % reducción | % reducción | % reducción | % reducción |
| 32 | 20,00 | 18,67 | 17,33 | 16,00 |
| 31 | 19,38 | 18,08 | 16,79 | 15,50 |
| 30 | 18,75 | 17,50 | 16,25 | 15,00 |
| 29 | 18,13 | 16,92 | 15,71 | 14,50 |
| 28 | 17,50 | 16,33 | 15,17 | 14,00 |
| 27 | 16,88 | 15,75 | 14,63 | 13,50 |
| 26 | 16,25 | 15,17 | 14,08 | 13,00 |
| 25 | 15,63 | 14,58 | 13,54 | 12,50 |
| 24 | 15,00 | 14,00 | 13,00 | 12,00 |
| 23 | 14,38 | 13,42 | 12,46 | 11,50 |
| 22 | 13,75 | 12,83 | 11,92 | 11,00 |
| 21 | 12,57 | 12,00 | 11,38 | 10,00 |
| 20 | 11,00 | 10,50 | 10,00 | 9,20 |
| 19 | 9,78 | 9,33 | 8,89 | 8,40 |
| 18 | 8,80 | 8,40 | 8,00 | 7,60 |
| 17 | 8,00 | 7,64 | 7,27 | 6,91 |
| 16 | 7,33 | 7,00 | 6,67 | 6,33 |
| 15 | 6,77 | 6,46 | 6,15 | 5,85 |
| 14 | 6,29 | 6,00 | 5,71 | 5,43 |
| 13 | 5,87 | 5,60 | 5,33 | 5,07 |
| 12 | 5,50 | 5,25 | 5,00 | 4,75 |
| 11 | 5,18 | 4,94 | 4,71 | 4,47 |
| 10 | 4,89 | 4,67 | 4,44 | 4,22 |
| 9 | 4,63 | 4,42 | 4,21 | 4,00 |
| 8 | 4,40 | 4,20 | 4,00 | 3,80 |
| 7 | 4,19 | 4,00 | 3,81 | 3,62 |
| 6 | 3,75 | 3,50 | 3,25 | 3,00 |
| 5 | 3,13 | 2,92 | 2,71 | 2,50 |
| 4 | 2,50 | 2,33 | 2,17 | 2,00 |

| Meses que se adelanta la jubilación | Periodo cotizado: menos de 38 años y 6 meses | Periodo cotizado: igual o superior a 38 años y 6 meses e inferior a 41 años y 6 meses | Periodo cotizado: igual o superior a 41 años y 6 meses e inferior a 44 años y 6 meses | Periodo cotizado: igual o superior a 44 años y 6 meses |
|---|---|---|---|---|
| | % reducción | % reducción | % reducción | % reducción |
| 3 | 1,88 | 1,75 | 1,63 | 1,50 |
| 2 | 1,25 | 1,17 | 1,08 | 1,00 |
| 1 | 0,63 | 0,58 | 0,54 | 0,50 |

A los exclusivos efectos de determinar dicha edad legal de jubilación, se considerará como tal la que le hubiera correspondido al trabajador de haber seguido cotizando durante el plazo comprendido entre la fecha del hecho causante y el cumplimiento de la edad legal de jubilación que en cada caso resulte de la aplicación de lo establecido en el artículo 205.1.a).

Para el cómputo de los períodos de cotización se tomarán períodos completos, sin que se equipare a un período la fracción del mismo.

Artículo 207 redactado por la Ley 21/2021, de 28 de diciembre, de garantía del poder adquisitivo de las pensiones y de otras medidas de refuerzo de la sostenibilidad financiera y social del sistema público de pensiones (BOE núm. 312, de 29 de diciembre de 2021).

– *Debe considerarse voluntario el cese en el trabajo consecuencia de la suscripción de un contrato de prejubilación entre el trabajador y la empresa en el marco de un convenio colectivo* (SSTS de 25 de noviembre [*Tol* 241080 y 267849], 9 y 10 de diciembre de 2002 [*Tol* 200978 y 240986] y 23 y 30 de enero [*Tol* 275515 y 275518], 4, 6 y 12 de febrero de 2003 [*Tol* 265710 y 275508, 265718 y 275511, y 265739], 12 de julio de 2004 [*Tol* 515688] y 17, 18 y 30 de enero [*Tol* 827779, 846487 y 856778], 1, 6 y 15 de febrero [*Tol* 843574, 839688 y 862891], 16 de marzo [*Tol* 883681], 7 de abril [*Tol* 929185], 23 y 30 de mayo [*Tol* 956249 y 961993], 22 de junio [*Tol* 986976], 4 de julio [*Tol* 990794] y 23 de octubre de 2006 [*Tol* 1013560], 29 de mayo [*Tol* 1107141], 6 de junio [*Tol* 1124377], 20 y 24 de julio [*Tol* 1143926 y 1151338], 20 y 25 de septiembre [*Tol* 1220280 y 1161279], 2 y 31 de octubre [*Tol* 174916 y 1174917, y 1214249], y 2, 6, 15, 20, 27 y 28 de noviembre de 2007 [*Tol* 1214257, 1222966, 1222943, 1222897, 1235088 y 1235109] y 15 de enero [*Tol* 1256447] y 21 de febrero de 2008 [*Tol* 1333250]).

– *Debe considerarse como involuntario el cese en el trabajo consecuencia de un expediente de regulación de empleo autorizado por la Administración* (SSTS de 24 y 25 de octubre [*Tol* 1013548 y 1018540] y 28 de noviembre de 2006 [*Tol* 1018562], 17 de enero [*Tol* 1038114], 17 de abril [*Tol* 1081938], 23 de mayo [*Tol* 1113252] y 21 de junio de 2007 [*Tol* 1113304], 7 de febrero de 2008 [*Tol* 1369871] y 5 de julio de 2010 [*Tol* 1946163]).

– *Un trabajador que con anterioridad a la solicitud de la prestación de jubilación contributiva anticipada al cumplir la edad de sesenta años había trabajado para terceras empresas con contratos de trabajo de duración determinada a tiempo parcial durante un periodo de unos cinco meses no puede razonablemente por sí solo considerarse indicio de querer burlar los efectos de un cese voluntario (minoración de la futura pensión de jubilación por aplicación de un superior coeficiente reductor) sino que ha de considerarse el ejercicio de un legítimo derecho al trabajo (STS de 12 de mayo de 2009 [Tol 1554036]).*

**Artículo 208. *Jubilación anticipada por voluntad del interesado.*** 1. El acceso a la jubilación anticipada por voluntad del interesado exigirá los siguientes requisitos:

a) Tener cumplida una edad que sea inferior en dos años, como máximo, a la edad que en cada caso resulte de aplicación según lo establecido en el artículo 205.1.a), sin que a estos efectos resulten de aplicación los coeficientes reductores a que se refieren los artículos 206 y 206 bis.

Letra a) redactada por la Ley 21/2021, de 28 de diciembre, de garantía del poder adquisitivo de las pensiones y de otras medidas de refuerzo de la sostenibilidad financiera y social del sistema público de pensiones (BOE núm. 312, de 29 de diciembre de 2021).

b) Acreditar un período mínimo de cotización efectiva de treinta y cinco años, sin que, a tales efectos, se tenga en cuenta la parte proporcional por pagas extraordinarias. A estos exclusivos efectos, solo se computará el período de prestación del servicio militar obligatorio o de la prestación social sustitutoria, o del servicio social femenino obligatorio, con el límite máximo de un año.

Letra b) redactada por la Ley 21/2021, de 28 de diciembre, de garantía del poder adquisitivo de las pensiones y de otras medidas de refuerzo de la sostenibilidad financiera y social del sistema público de pensiones (BOE núm. 312, de 29 de diciembre de 2021).

c) Una vez acreditados los requisitos generales y específicos de dicha modalidad de jubilación, el importe de la pensión a percibir ha de resultar superior a la cuantía de la pensión mínima que correspondería al interesado por su situación familiar al cumplimiento de los sesenta y cinco años de edad. En caso contrario, no se podrá acceder a esta fórmula de jubilación anticipada.

*La finalidad de esta específica regla es la de evitar el sobrecoste que supondría el reconocimiento de una pensión de jubilación anticipada, que haya de ser incrementada con el pago del complemento por mínimos, lo que a su vez supondría el sinsentido de neutralizar por esta vía los coeficientes de reducción aplicables a la pensión de jubilación anticipada; motivos por los que el legislador niega el acceso a esta concreta modalidad de jubilación cuando la cuantía de la pensión de jubilación anticipada resultante es inferior a la de la pensión mínima en cada caso aplicable por la situación familiar del interesado, para evitar de esta forma el gravamen adicional que supondría añadir a su importe el complemento por mínimos; siguiendo con ello la lógica de no admitir la posibilidad de anticipar el devengo de la jubilación anticipada si conlleva el pago del complemento por mínimos, toda vez que se genera por la libre voluntad del propio trabajador que quiere adelantar el momento de la jubilación antes de alcanzar la edad ordinaria* (STS de 11 de enero de 2024 [Rec. 128/2021]).

2. En los casos de acceso a la jubilación anticipada a que se refiere este artículo, la pensión será objeto de reducción mediante la aplicación, por cada mes o fracción de mes que, en el momento del hecho causante, le falte al trabajador para cumplir la edad legal de jubilación fijada en el artículo 205.1.a), de los coeficientes que resultan del siguiente cuadro en función del período de cotización acreditado y los meses de anticipación:

| Meses que se adelanta la jubilación | Periodo cotizado: menos de 38 años y 6 meses | Periodo cotizado: igual o superior a 38 años y 6 meses e inferior a 41 años y 6 meses | Periodo cotizado: igual o superior a 41 años y 6 meses e inferior a 44 años y 6 meses | Periodo cotizado: igual o superior a 44 años y 6 meses |
|---|---|---|---|---|
| | % reducción | % reducción | % reducción | % reducción |
| 24 | 21,00 | 19,00 | 17,00 | 13,00 |
| 23 | 17,60 | 16,50 | 15,00 | 12,00 |
| 22 | 14,67 | 14,00 | 13,33 | 11,00 |
| 21 | 12,57 | 12,00 | 11,43 | 10,00 |
| 20 | 11,00 | 10,50 | 10,00 | 9,20 |
| 19 | 9,78 | 9,33 | 8,89 | 8,40 |
| 18 | 8,80 | 8,40 | 8,00 | 7,60 |
| 17 | 8,00 | 7,64 | 7,27 | 6,91 |
| 16 | 7,33 | 7,00 | 6,67 | 6,33 |
| 15 | 6,77 | 6,46 | 6,15 | 5,85 |
| 14 | 6,29 | 6,00 | 5,71 | 5,43 |
| 13 | 5,87 | 5,60 | 5,33 | 5,07 |
| 12 | 5,50 | 5,25 | 5,00 | 4,75 |
| 11 | 5,18 | 4,94 | 4,71 | 4,47 |
| 10 | 4,89 | 4,67 | 4,44 | 4,22 |
| 9 | 4,63 | 4,42 | 4,21 | 4,00 |
| 8 | 4,40 | 4,20 | 4,00 | 3,80 |
| 7 | 4,19 | 4,00 | 3,81 | 3,62 |
| 6 | 4,00 | 3,82 | 3,64 | 3,45 |

|  | Periodo cotizado: menos de 38 años y 6 meses | Periodo cotizado: igual o superior a 38 años y 6 meses e inferior a 41 años y 6 meses | Periodo cotizado: igual o superior a 41 años y 6 meses e inferior a 44 años y 6 meses | Periodo cotizado: igual o superior a 44 años y 6 meses |
|---|---|---|---|---|
| Meses que se adelanta la jubilación | % reducción | % reducción | % reducción | % reducción |
| 5 | 3,83 | 3,65 | 3,48 | 3,30 |
| 4 | 3,67 | 3,50 | 3,33 | 3,17 |
| 3 | 3,52 | 3,36 | 3,20 | 3,04 |
| 2 | 3,38 | 3,23 | 3,08 | 2,92 |
| 1 | 3,26 | 3,11 | 2,96 | 2,81 |

A los exclusivos efectos de determinar dicha edad legal de jubilación, se considerará como tal la que le hubiera correspondido al trabajador de haber seguido cotizando durante el plazo comprendido entre la fecha del hecho causante y el cumplimiento de la edad legal de jubilación que en cada caso resulte de la aplicación de lo establecido en el artículo 205.1.a).

Para el cómputo de los períodos de cotización se tomarán períodos completos, sin que se equipare a un período la fracción del mismo.

Apartado 2 redactado por la Ley 21/2021, de 28 de diciembre, de garantía del poder adquisitivo de las pensiones y de otras medidas de refuerzo de la sostenibilidad financiera y social del sistema público de pensiones (BOE núm. 312, de 29 de diciembre de 2021).

3. Cuando en el momento de acogerse a esta modalidad de jubilación el trabajador esté percibiendo el subsidio por desempleo del artículo 274, y lo haya hecho durante al menos tres meses, serán de aplicación los coeficientes reductores previstos para la jubilación anticipada por causas no imputables al trabajador, sin perjuicio del cumplimiento de los requisitos del apartado 1 de este precepto.

Apartado 3 añadido por la Ley 21/2021, de 28 de diciembre, de garantía del poder adquisitivo de las pensiones y de otras medidas de refuerzo de la sostenibilidad financiera y social del sistema público de pensiones (BOE núm. 312, de 29 de diciembre de 2021).

**Artículo 209. *Base reguladora de la pensión de jubilación*.** 1 La base reguladora de la pensión de jubilación será el cociente que resulte de dividir entre 378, la suma de las bases de cotización del interesado durante 324 meses anteriores al del mes previo al del hecho causante obtenidos de la siguiente forma:

a) Se seleccionarán los 348 meses consecutivos e inmediatamente anteriores al del mes previo al del hecho causante.

b) Si en el período que haya de tomarse para el cálculo de la base reguladora, según lo dispuesto en el apartado a), aparecieran meses durante los cuales no hubiese existido obligación de cotizar, las primeras cuarenta y ocho mensualidades se integrarán con la base mínima de cotización del Régimen General que corresponda al mes respectivo y el resto de las mensualidades con el 50 por ciento de dicha base mínima.

En los supuestos en que en alguno de los meses a tener en cuenta para la determinación de la base reguladora la obligación de cotizar hubiera existido solo durante una parte del mismo, procederá la integración señalada en el párrafo anterior por la parte del mes en que no exista obligación de cotizar, siempre que la base de cotización correspondiente al primer período no alcance la cuantía de la base mínima mensual establecida para el Régimen General. En tal supuesto, la integración alcanzará hasta esta última cuantía.

c) Las bases correspondientes a los veinticuatro meses inmediatamente anteriores al mes previo al del hecho causante se computarán en su valor nominal.

d) Las restantes bases se actualizarán de acuerdo con la evolución que haya experimentado el Índice de Precios de Consumo desde el mes a que aquellas correspondan, hasta el mes inmediato anterior a aquel en que se inicie el período a que se refiere la regla anterior.

e) De las 348 bases calculadas conforme a las letras anteriores se elegirán de oficio las 324 bases de cotización de mayor importe.

La siguiente fórmula es la expresión matemática de las reglas precedentes:

$$BR = \frac{\sum_{i=1}^{24} B_i + \sum_{i=25}^{348} \frac{B_i I_{25}}{I_i}}{378}$$

Siendo:

BR = Base reguladora.

$B_i$=Base de cotización del mes i-ésimo anterior al mes previo al del hecho causante (tomará valores entre 25 y 348).

$I_{25}$ = Índice general de precios al consumo del mes 25 anterior al mes previo al del hecho causante.

Las 24 bases de cotización $B_i$ descartadas tomarán valor 0 en la fórmula.

Siendo i = 1, 2,...348.

Apartado 1 redactado por el Real Decreto-Ley 2/2023, de 16 de marzo, de medidas urgentes para la ampliación de derechos de los pensionistas, la reducción de la brecha de género y el establecimiento de un nuevo marco de sostenibilidad del sistema público de pensiones (BOE núm. 65, 17 de marzo de 2023).

– *No procede acumular la pensión que percibía el causante por incapacidad permanente total a los salarios como trabajador en activo en el cálculo de la pensión por jubilación* (SSTS de 12 de noviembre [*Tol 235249*] y 19 de diciembre de 1994 [Rec. 1200/1994] y 13 de enero de 1995 [*Tol 237121*]).

– *Los incrementos retributivos que se reconozcan tras causar derecho a la pensión de jubilación, si no se cotiza por ellos por haber prescrito, no modifican la base reguladora* (STS de 4 de mayo de 1995 [*Tol 236183*]).

– *No es posible la modificación de la base reguladora de la pensión de jubilación cuando se ha trabajado y cotizado posteriormente a su reconocimiento durante la suspensión de la prestación por la realización de un trabajo* (SSTS de 11 de abril de 1997 [*Tol 237989*] y 22 de marzo de 1999 [*Tol 208998*]).

– *En el supuesto de totalización de períodos de cotización en distintos países debe aplicarse la normativa comunitaria, sin perjuicio de que se aplique un convenio bilateral más favorable* (SSTS de 9, 15 y 16 de marzo [*Tol 209222, 208902 y 208924*], 15 de abril [*Tol 208913*] y 7 y 21 de junio de 1999 [*Tol 209193 y 209194, y 208984*], 20 de enero [*Tol 47003*] y 30 de mayo de 2000 [*Tol 47795*], 11 de octubre [*Tol 129049*] y 15 de noviembre de 2001 [*Tol 129092*], 16 de septiembre de 2009 [*Tol 1642404*] y 20 de abril [*Tol 1863852*] y 15 de septiembre de 2010 [*Tol 1976040*]).

– *En el cálculo de la base reguladora de la pensión por jubilación reconocida a un trabajador de la ONCE no deben aplicarse los topes máximos del Régimen General de la Seguridad Social a las bases de cotización correspondientes a períodos anteriores a la integración, el 1 de abril de 1991, del colectivo de los trabajadores de la ONCE en el propio Régimen General de la Seguridad Social* (STS de 9 de junio de 2009 [*Tol 1570566*]).

– *En el caso de un trabajador que ha prestado servicios en Gran Bretaña y en España procede la aplicación del Convenio sobre Seguridad Social entre España y el Reino Unido de Gran Bretaña e Irlanda del Norte de 13 de septiembre de 1974, debiendo calcularse la pensión de jubilación sobre las bases medias, no siendo de aplicación las normas contenidas en el Reglamento 1408/1971* (STS de 21 de enero de 2011 [*Tol 2055682*]).

– *En el cálculo de la base reguladora de la prestación por jubilación deben computarse las bases mínimas y no las bases sobre las que el Servicio Público de Empleo Estatal debió cotizar por desempleo durante el período en que el trabajador estuviera percibiendo prestaciones por incapacidad temporal/desempleo después de producirse la extinción de su contrato de trabajo hallándose en situación de incapacidad temporal; y ello porque la Ley General de la Seguridad Social además de prever que la prestación por incapacidad temporal que siga percibiendo en pago directo y por la que no existe obligación de cotizar, la percibirá el beneficiario en la cuantía correspondiente a la prestación por desempleo que pudiera haberle correspondido, no dispone nada más sobre el particular por lo que para tal período habrá de regir la regla de la Ley General de la Seguridad Social cuando haya que computar dicho período para el cálculo de una base reguladora, o sea, el cómputo de las bases mínimas en cuanto que no es aplicable a esta situación la doctrina del paréntesis prevista para otras situaciones* (STS de 21 de febrero de 2008 [Tol 1330882]).

– *No es posible retrotraer el cumplimiento del período mínimo específico de cotización a la efectuada con anterioridad a ser declarado el interesado en situación de incapacidad permanente total para la profesión habitual, pues ésta no le impide continuar trabajando en otra empresa y seguir cotizando* (STS de 14 de febrero de 1994 [Tol 234307 y 266680]).

– *Debe seguir aplicándose la teoría del "paréntesis" en el cálculo de la base reguladora de la pensión por jubilación tras la nueva redacción del artículo 162 de la Ley General de la Seguridad Social de 1994 por la Ley 24/1997, de 15 de julio* (STS de 25 de abril de 2006 [Tol 945596]).

– *En el supuesto de un trabajador español que ha trabajado en Suecia antes de la entrada de España en la Unión Europea, para el cálculo de la base reguladora de la pensión por jubilación deben tenerse en cuenta las bases de cotización del asegurado en los años inmediatamente anteriores a la interrupción de cotización a la Seguridad Social, debidamente actualizadas, puesto que el convenio bilateral firmado entre España y Suecia no contiene una forma de cálculo más favorable que la prevista en el artículo 47 del Reglamento 1408/1971, con la modificación operada por el Reglamento 1248/1992, y tampoco queda acreditado que el cómputo de las bases mínimas sea más beneficioso que el de las efectivamente cotizadas en los años inmediatamente anteriores a la interrupción de cotización a la Seguridad Social española* (STS de 25 de marzo de 2009 [Tol 1494349]).

– *En el caso de un trabajador que ha prestado servicios en Gran Bretaña y en España procede la aplicación del Convenio sobre Seguridad Social entre España y el Reino Unido de Gran Bretaña e Irlanda del Norte de 13 de septiembre de 1974, debiendo calcularse la pensión de jubilación sobre las bases medias, no siendo de aplicación las normas contenidas en el Reglamento 1408/71* (STS de 31 de enero de 2011 [Tol 2055682]).

– *En el supuesto de un trabajador que acredita períodos de cotización en España y Bélgica, para el cálculo de la base reguladora de la pensión a cargo de la Seguridad Social española se toman como referencia las últimas bases reales por las que cotizó en España y no las bases medias de cotización correspondientes al período previo al hecho causante en que trabajó en Bélgica* (STS de 14 de febrero de 2018 [Tol 6538516]).

– *Como consecuencia de la incidencia del Acuerdo sobre la libre circulación de personas entre la Comunidad Europea y sus Estados Miembros y la Confederación Suiza, hecho en Luxemburgo el 21 de enero de 1999, deben aplicarse las bases mínimas durante el período no cotizado en España durante el cual no se trabajó en España sino en Suiza* (SSTS de 13 de febrero de 2019 [Rec. 619/2017], 14 de enero de 2020 [Tol 7734999 y 7793073] y 29 de abril de 2021 [Tol 8422491]).

– *En el supuesto de un trabajador que ha prestado servicios en España y en Polonia, la "prorrata temporis" a cargo de la Seguridad Social española debe calcularse computando la cotización real y ficticia en España, y no deben añadirse a la cotización real en España todos los días de adelanto de la edad de jubilación, lo que incluiría la cotización ficticia en Polonia* (STS de 19 de noviembre de 2024 [Rec. 5042/2022]).

2. Sin perjuicio de lo establecido en el artículo 161.2, para la determinación de la base reguladora de la pensión de jubilación no se podrán computar

los incrementos de las bases de cotización producidos en los dos últimos años, que sean consecuencia de aumentos salariales superiores al incremento medio interanual experimentado en el convenio colectivo aplicable o, en su defecto, en el correspondiente sector.

> – *En el cálculo de la base reguladora de la jubilación, la cotización fraudulenta no se presume, sino que debe probarse* (SSTS de 22 de mayo de 1985, 23 de febrero, 14 de mayo y 16 de octubre de 1987 y 30 de enero de 2001 [*Tol 32248*]).

> – *El límite de dos años previsto en la Ley puede ampliarse a todo el período en que se hubiera cometido fraude* (SSTS de 8 de abril de 1992 [*Tol 232309*] y 30 de enero de 2001 [*Tol 32248*]).

3. Se exceptúan de la norma general establecida en el apartado anterior los incrementos salariales que sean consecuencia de la aplicación estricta de las normas contenidas en disposiciones legales y convenios colectivos sobre antigüedad y ascensos reglamentarios de categoría profesional.

> – *Quedan exceptuados de la primera regla los incrementos salariales que obedezcan a la aplicación estricta de las normas contenidas en disposiciones legales y convenios colectivos sobre antigüedad y ascensos reglamentarios de categoría profesional* (STS de 30 de noviembre de 2016 [Rec. 2018/2015]).

Quedarán asimismo exceptuados, en los términos contenidos en el párrafo anterior, aquellos incrementos salariales que deriven de cualquier otro concepto retributivo establecido con carácter general y regulado en las citadas disposiciones legales o convenios colectivos.

No obstante, la referida norma general será de aplicación cuando los incrementos salariales a que se refiere este apartado se produzcan exclusivamente por decisión unilateral de la empresa en virtud de sus facultades organizativas.

> – *En el cálculo de la base reguladora correspondiente a la pensión por jubilación causada por un trabajador que tras haber prestado servicios en España, marchó a otro país comunitario (Francia y Alemania) donde cotizó más tiempo pueden tenerse en cuenta los incrementos del salario mínimo interprofesional que se hubieran producido hasta el momento del hecho causante, puesto que es admisible la actualización de la pensión por jubilación con criterios alternativos, como puede ser la aplicación a las cotizaciones españolas computables de los incrementos experimentados por el salario mínimo interprofesional* (SSTS de 20 de enero de 2000 [*Tol 47004*] y 18 de diciembre de 2008 [*Tol 1432357*]).

4. No obstante lo dispuesto en el apartado anterior, en ningún caso se computarán aquellos incrementos salariales que excedan del límite establecido en el apartado 2 y que hayan sido pactados exclusiva o fundamentalmente en función del cumplimiento de una determinada edad próxima a la jubilación.

5. A efectos del cálculo de la base reguladora de la pensión de jubilación en las situaciones de pluriempleo, las bases por las que se haya cotizado a las diversas empresas se computarán en su totalidad, sin que la suma de dichas bases pueda exceder del límite máximo de cotización vigente en cada momento.

**Artículo 210.** *Cuantía de la pensión.* 1. La cuantía de la pensión de jubilación se determinará aplicando a la base reguladora, calculada conforme a lo dispuesto en el artículo precedente, los porcentajes siguientes:

a) Por los primeros quince años cotizados, el 50 por ciento.

b) A partir del año decimosexto, por cada mes adicional de cotización, comprendido entre los meses uno y doscientos cuarenta y ocho, se añadirá el 0,19 por ciento, y por cada uno de los que rebasen el mes doscientos cuarenta y ocho, se añadirá el 0,18 por ciento, sin que el porcentaje aplicable a la base reguladora supere el 100 por cien, salvo en el supuesto a que se refiere el apartado siguiente.

...

Párrafo último derogado por la Ley 21/2021, de 28 de diciembre, de garantía del poder adquisitivo de las pensiones y de otras medidas de refuerzo de la sostenibilidad financiera y social del sistema público de pensiones (BOE núm. 312, de 29 de diciembre de 2021).

– *No son computables a efectos del cálculo del porcentaje aplicable en una pensión por jubilación los períodos trabajados como funcionario interino antes del 1 de enero de 1960 (SSTS de 4 de julio de 1994 [Tol 267047], 28 de febrero de 2000 [Tol 47717], 30 de septiembre de 2004 [Tol 515627] y 7 de noviembre de 2008 [Tol 1413283]).*

– *Es posible computar los días-cuotas abonados por las gratificaciones extraordinarias para acreditar la carencia mínima, pero no para incrementar el porcentaje de la pensión de jubilación (SSTS de 24 de enero de 1995 [Tol 237043] y 27 de enero de 1998 [Tol 47671]).*

– *En el supuesto de emigrantes españoles que tienen cotizaciones en España y Alemania, los años de abono de cotización por edad en 1 de enero de 1967, cuyo cómputo para el porcentaje de la pensión de jubilación se prevé en la disposición transitoria 2.ª de la Orden de 18 de enero de 1967, han de tenerse en cuenta para la fijación del importe de la pensión efectiva española (SSTS de 15 de noviembre de 2001 [Tol 129092] y 12 de julio de 2004 [Tol 515663]).*

– *Las cotizaciones reconocidas por la aplicación de la escala de abono de años de cotización por edad, en virtud de la disposición transitoria 2.ª de la Orden de 18 de enero de 1967 no son cotizaciones teóricas o ficticias que se proyectan sobre previsiones posteriores al hecho causante, sino cotizaciones asimiladas a las efectivamente realizadas para un determinado período de la carrera de seguro de un trabajador, que es anterior al hecho causante (STS de 27 de abril de 2004 [Tol 421614]).*

– *Al igual que ocurre en el Derecho comunitario europeo, en el Convenio Hispano Suizo de Seguridad Social la prorrata a calcular por el Instituto Nacional de la Seguridad Social para determinar el importe a abonar por la Seguridad Social española a un pensionista de jubilación al que se le ha debido calcular su pensión computando las cotizaciones efectuadas en España y en Suiza, debe hacerse teniendo en cuenta también las cotizaciones estimadas que se contienen en la disposición transitoria 2.ª de la Orden de 18 de enero de 1967* (STS de 15 de junio de 2004 [*Tol 515696*]).

*– En el cálculo del importe de un complemento por mínimos de una pensión por jubilación reconocida como consecuencia de la aplicación de un convenio bilateral (hispano-venezolano) no debe tomarse en consideración el importe de la prestación a cargo de la Seguridad Social extranjera porque en la suma de los importes reales de las pensiones reconocidas en virtud de la legislación española y extranjera para conceder el complemento por mínimos en ningún caso se autoriza a suspender el pago del citado complemento hasta que se señale la pensión por el organismo extranjero, porque equivaldría a abandonar el cumplimiento de las obligaciones legales a la decisión de otro Estado* (SSTS de 22 de noviembre de 2005 [*Tol 796184*] y 21 de marzo de 2006 [*Tol 880677*]).

*– Debe aplicarse el principio prorrata temporis una vez computada la totalidad de las cotizaciones efectuadas en los diferentes Estados de la Unión Europea en los que el trabajador hubiera desarrollado su vida laboral o profesional para la determinación del porcentaje aplicable a la pensión de jubilación* (SSTS de 11 de julio de 2006 [*Tol 986963*] y 30 de enero de 2007 [*Tol 1038128*]).

*– No será computable el período de servicio militar prestado en los años 50 y 60 del pasado siglo, pues no existía ninguna disposición que asimilara a período cotizado el del servicio militar, ni que estableciera la obligación de cotizar durante el mismo, tanto si se prestaba durante el correspondiente reemplazo como si se hiciera en otras fechas bajo la denominación de voluntario, pero sin que el demandante llegara a ostentar en ninguno de ambos supuestos la condición de militar profesional ni la de funcionario o empleado público, y, en consecuencia, no siendo posible ninguna clase de cómputo recíproco de cotizaciones que permitiera incrementar el porcentaje o la cuantía de la pensión por jubilación generada por cotizaciones efectivas posteriores* (SSTS de 23 de noviembre de 2009 [*Tol 1761728*] y 2 de febrero [*Tol 1792637*] y 17 de septiembre de 2010 [*Tol 1968813*]).

2. Cuando se acceda a la pensión de jubilación a una edad superior a la que resulte de aplicar en cada caso lo establecido en el artículo 205.1.a), siempre que al cumplir esta edad se hubiera reunido el período mínimo de cotización establecido en el artículo 205.1.b), se reconocerá al interesado un complemento económico que se abonará de alguna de las siguientes maneras, a elección del interesado.

a) Un porcentaje adicional de un 4 por ciento por cada año completo cotizado entre la fecha en que cumplió dicha edad y la del hecho causante de la pensión, siempre que acredite el resto de los requisitos legales exigidos.

A partir del segundo año completo de demora, para el cálculo del porcentaje se podrán computar periodos superiores a 6 meses e inferiores a un año, correspondiendo a dichos periodos un 2 por ciento adicional.

El porcentaje adicional obtenido según lo establecido en los párrafos anteriores se sumará al que con carácter general corresponda al interesado de acuerdo con el apartado 1, aplicándose el porcentaje resultante a la respectiva base reguladora a efectos de determinar la cuantía de la pensión, que no podrá ser superior en ningún caso al límite establecido en el artículo 57.

En el supuesto de que la cuantía de la pensión reconocida alcance el indicado límite sin aplicar el porcentaje adicional o aplicándolo solo parcialmente, el interesado tendrá derecho, además, a percibir anualmente una cantidad cuyo importe se obtendrá aplicando al importe de dicho límite vigente en cada momento el porcentaje adicional no utilizado para determinar la cuantía de la pensión, redondeado a la unidad más próxima por exceso. La citada cantidad se devengará por meses vencidos y se abonará en catorce pagas, sin que la suma de su importe y el de la pensión o pensiones que tuviera reconocidas el interesado, en cómputo anual, pueda superar la cuantía del tope máximo de la base de cotización vigente en cada momento, también en cómputo anual.

– *No puede reconocerse el incremento del 3 por 100 del porcentaje previsto en el artículo 163.2 de Ley General de la Seguridad Social de 1994 para el pensionista por jubilación que accede a la jubilación definitiva con sesenta y ocho años de edad, desde la situación simultánea, con sesenta y cinco años, de jubilado parcial y trabajo a tiempo parcial; puesto que no se cumple la exigencia legal de que se trate de años completos cotizados para que se pueda incrementar el 100 por 100 de la base reguladora en jubilaciones posteriores a los sesenta y cinco años y con más de 40 de cotización, pudiendo integrarse no obstante tales años completos acreditando la cotización de, al menos, un año, calculado en la forma que permite el artículo 3 del Real Decreto 1131/2002 para los trabajadores a tiempo parcial* (STS de 21 de marzo de 2011 [Tol 2115454]).

– *Existe una prohibición legal expresa de que los coeficientes reductores de la edad de jubilación previstos en el trabajo en el mar puedan incidir en los incrementos en la cuantía de la pensión de jubilación previstos la Ley General de la Seguridad Social* (STS de 27 de marzo de 2013 [Tol 3537322] y 10 de febrero de 2015 [Tol 3763924]).

– *No cabe aplicar el incremento adicional en el supuesto del trabajador discapacitado en grado superior al 65 por 100 que accede a la pensión por jubilación a los 50 años de edad por aplicación de una reducción de edad de 16 años en función de aquella discapacidad, jubilándose a la edad ficticia de 66 años, puesto que dicho incremento solo es aplicable a los que acceden a la jubilación a una edad real superior a la edad ordinaria de jubilación* (SSTS de 27 de marzo de 2013 [Rec. 2379/2012] y 17 de noviembre de 2016 [Rec. 3994/2014]).

b) Una cantidad a tanto alzado, cuya cuantía vendrá determinada en función de los años de cotización acreditados en la fecha en que cumplió la edad a que se refiere el artículo 205.1.a), siendo la fórmula de cálculo la siguiente:

1.º Por cada año completo cotizado entre la fecha en que cumplió dicha edad y la del hecho causante de la pensión, el complemento económico se corresponderá con el resultado de multiplicar la cuantía resultante de la fórmula siguiente por el número de años cotizados.

Si ha cotizado menos de 44 años y 6 meses:

$$\text{Pago único} = 800 \left( \frac{\text{Pensión inicial anual}}{500} \right)^{1/1,65}$$

Si ha cotizado, al menos, 44 años y 6 meses la cifra anterior se aumenta en un 10%:

$$\text{Pago único} = 880 \left( \frac{\text{Pensión inicial anual}}{500} \right)^{1/1,65}$$

2.º A partir del segundo año completo de demora, para el cálculo del complemento se podrán computar periodos superiores a 6 meses e inferiores a un año, correspondiendo a dichos periodos el resultado de multiplicar la cuantía de la formula anterior por 0,5.

c) Una combinación de las opciones anteriores en los términos que se determinen reglamentariamente.

La elección se llevará a cabo por una sola vez en el momento de la solicitud en que se adquiere el derecho a percibir el complemento económico, no pudiendo ser modificada con posterioridad. De no ejercitarse esta facultad, se aplicará el complemento contemplado en la letra a).

La percepción de este complemento en todas las modalidades es compatible con el acceso a la jubilación activa regulada en el artículo 214. En todo caso, mientras se mantenga este tipo de jubilación no se generará incremento alguno del complemento.

El complemento económico establecido en este apartado no se aplicará en los supuestos de jubilación parcial, ni en el de jubilación flexible al que se refiere el párrafo segundo del artículo 213.1, ni en los supuestos de acceso a la jubilación desde una situación asimilada al alta.

> Apartado 2 redactado por el Real Decreto-Ley 11/2024, de 23 de diciembre, para la mejora de la compatibilidad de la pensión de jubilación con el trabajo (BOE núm. 309, 24 de diciembre de 2024).

3. Cuando para determinar la cuantía de una pensión de jubilación anticipada por voluntad del interesado prevista en el artículo 208 hubieran de aplicarse coeficientes reductores por edad en el momento del hecho causante,

aquellos se aplicarán sobre el importe de la pensión resultante de aplicar a la base reguladora el porcentaje que corresponda por meses de cotización.

No obstante, en el supuesto de que el importe de la pensión resultante de aplicar a la base reguladora el porcentaje que corresponda en función de los meses de cotización acreditados fuese superior al límite de la cuantía inicial de las pensiones, establecido en el artículo 57, los coeficientes reductores por edad se aplicarán sobre el indicado límite.

Apartado 3 redactado por el Real Decreto-Ley 11/2024, de 23 de diciembre, para la mejora de la compatibilidad de la pensión de jubilación con el trabajo (BOE núm. 309, 24 de diciembre de 2024).

4. Cuando para determinar la cuantía de una pensión de jubilación anticipada por causas no imputables al trabajador hubieran de aplicarse coeficientes reductores por edad en el momento del hecho causante, aquellos se aplicarán sobre el importe de la pensión resultante de aplicar a la base reguladora el porcentaje que corresponda por meses de cotización. Una vez aplicados los referidos coeficientes reductores, el importe resultante de la pensión no podrá ser superior a la cuantía que resulte de reducir el tope máximo de pensión en un 0,50 por ciento por cada trimestre o fracción de trimestre de anticipación. Este sistema de cálculo se extenderá a los supuestos contemplados en el apartado 3 del artículo 208.

Apartado 4 redactado por la Ley 21/2021, de 28 de diciembre, de garantía del poder adquisitivo de las pensiones y de otras medidas de refuerzo de la sostenibilidad financiera y social del sistema público de pensiones (BOE núm. 312, de 29 de diciembre de 2021; correc. BOE núm. 95, de 21 de abril de 2022).

5. El coeficiente del 0,50 por ciento a que se refiere el apartado anterior y lo previsto en el apartado 3 no será de aplicación en los casos de jubilaciones anticipadas conforme a las previsiones de los artículos 206 y 206 bis, en relación con los grupos o actividades profesionales cuyos trabajos sean de naturaleza excepcional penosa, tóxica, peligrosa o insalubre, o con las personas con discapacidad.

Apartado 5 añadido por la Ley 21/2021, de 28 de diciembre, de garantía del poder adquisitivo de las pensiones y de otras medidas de refuerzo de la sostenibilidad financiera y social del sistema público de pensiones (BOE núm. 312, de 29 de diciembre de 2021).

### Artículo 211. *Factor de sostenibilidad de la pensión de jubilación*....

Artículo 211 derogado por la Ley 21/2021, de 28 de diciembre, de garantía del poder adquisitivo de las pensiones y de otras medidas de refuerzo de la sostenibilidad financiera y social del sistema público de pensiones (BOE núm. 312, de 29 de diciembre de 2021).

**Artículo 212. *Imprescriptibilidad*.** El derecho al reconocimiento de la pensión de jubilación es imprescriptible, sin perjuicio de que, en los supuestos de jubilación en situación de alta, los efectos de tal reconocimiento se produzcan a partir de los tres meses anteriores a la fecha en que se presente la correspondiente solicitud.

– *La pensión de vejez del Seguro Obligatorio de Vejez e Invalidez se devengará desde el día siguiente a la fecha del cumplimiento de los sesenta y cinco años de edad si el beneficiario presenta su solicitud dentro de los treinta días contados desde esa fecha, y si lo solicita más tarde, el día primero del mes siguiente a la presentación de la solicitud, tal y como regula la Orden de 2 de febrero de 1940* (SSTS de 16 de marzo [Tol 232005] y 15 de diciembre de 1992 [Tol 232591] y 25 de octubre de 1993 [Tol 234154]).

– *Cuando se produzca reclamación de diferencias salariales, de categoría, de antigüedad por errores de la entidad gestora o revalorizaciones no solicitadas oportunamente que prosperen en sede judicial, procede recalcular la pensión sin que deba limitarse los efectos a los tres meses de retroacción, desde la sentencia, sino que producirá efectos desde el reconocimiento inicial* (SSTS de 25 de marzo de 1993 [Tol 234281], 23 de enero [Tol 237064], 14 de marzo [Tol 237215] y 4 de mayo de 1995 [Tol 236183] y 7 de febrero de 2002 [Rec. 2129/2001]).

– *Cuando el trabajador se jubila estando en situación de desempleo no subsidiado, los efectos de la pensión no se retrotraerán tres meses* (STS de 28 de octubre de 1994 [Tol 234298]).

– *Los efectos económicos de una pensión por jubilación cuya cuantía inicial ha sido modificada como consecuencia de la asignación administrativa de un nuevo coeficiente reductor de la edad mínima de jubilación deben producirse a partir de la fecha de la resolución que acuerda dicha nueva asignación de coeficiente reductor, dado que se trata de un supuesto diferente a los de modificación de la cuantía inicial de la pensión por jubilación como consecuencia de un error de la entidad gestora competente o de una decisión judicial* (STS de 22 de enero de 2008 [Tol 1369846]).

– *Los efectos económicos del reconocimiento del complemento de pensión consecuencia de tener cónyuge a cargo deben retrotraerse a los 3 meses anteriores a la fecha de la solicitud, puesto que aunque no se trata de una prestación sí es un complemento de carácter prestacional* (STS de 22 de abril de 2010 [Tol 1861169]).

– *El hecho causante de la pensión por jubilación, en situación de no alta o no asimilada a la de alta, es el momento en el que se reúnen las condiciones para que pueda ser reconocida, sin perjuicio de que los efectos económicos se determinen en atención a la fecha de solicitud* (STS de 13 de junio de 2022 [Tol 9093899]).

– *El hecho causante de una jubilación a la que se accede desde una situación de no alta es el momento en el que se reúnen las condiciones para que pueda ser reconocida, sin perjuicio de que los efectos económicos se determinen en atención a la fecha de solicitud* (SSTS de 13 de junio de 2022 [Rec. 1133/2019] y 29 de marzo de 2023 [Rec. 1439/2020]).

– *Con carácter general, es posible dejar sin efecto por voluntad del beneficiario una prestación de jubilación reconocida, inmediatamente después de su notificación, para poder solicitarla más adelante, en un momento posterior que le pueda resultar más favorable al aumentar su período de cotización* (STS de 26 de abril de 2023 [Rec. 2860/2020]).

– *El beneficiario puede renunciar a una pensión de jubilación anticipada por no haber sido informado debidamente de su cuantía por el funcionario de la entidad gestora, pues tal posibilidad no está expresamente prevista en la norma, pero tampoco está expresamente prohibida, porque no implica, en modo alguno, una renuncia al derecho a la prestación de jubilación, sino la manifestación de no querer disfrutarla en la cuantía reconocida para solicitarla más adelante cuando, en virtud de los acontecimientos personales posteriores, dicha cuantía pudiera ser más conveniente para sus intereses, debiendo tenerse en cuenta, por un lado, que la solicitud de jubilación no resulta obligatoria para quienes cumplan la edad ordinaria de jubilación, y, por otro, que el propio sistema permite e, incluso, incentiva la prolongación de la vida activa y, con ello, el retraso en la solicitud de la jubilación* (STS de 25 de septiembre de 2024 [Rec. 4211/2021]).

**Artículo 213. *Incompatibilidades*.** 1. El disfrute de la pensión de jubilación será incompatible con el trabajo del pensionista, con las salvedades y en los términos que legal o reglamentariamente se determinen.

> – *En el supuesto de realización de un trabajo con posterioridad al reconocimiento del derecho a una pensión de jubilación anticipada en la que se aplicó el correspondiente coeficiente reductor a la cuantía de la pensión debe producirse el restablecimiento del derecho en las mismas condiciones en las que fue reconocida, con la posibilidad de acrecentar el porcentaje aplicable con los días trabajados, pero nunca aumentando la base reguladora* (STS de 29 de noviembre de 2005 [Tol 815728]).

No obstante, las personas que accedan a la jubilación podrán compatibilizar el percibo de la pensión con un trabajo a tiempo parcial en los términos que reglamentariamente se establezcan.

> Apartado 1 redactado por el Real Decreto-Ley 11/2024, de 23 de diciembre, para la mejora de la compatibilidad de la pensión de jubilación con el trabajo (BOE núm. 309, 24 de diciembre de 2024).

> *En el caso de la jubilación flexible es posible compatibilizar la pensión con el desarrollo de un trabajo a tiempo parcial de menor entidad que la mínima admisible a efectos de jubilación parcial; y, sin perjuicio de la eventual sanción que proceda, la ausencia de comunicación de la referida circunstancia comporta el deber de reintegrar la prestación indebidamente percibida, aplicándose la proporcionalidad inversa a la minoración de jornada experimentada* (STS de 19 de septiembre de 2023 [Tol 9731080]).

2. El desempeño de un puesto de trabajo en el sector público delimitado en el párrafo segundo del artículo 1.1 de la Ley 53/1984, de 26 de diciembre, de Incompatibilidades del Personal al Servicio de las Administraciones Públicas, es incompatible con la percepción de pensión de jubilación, en su modalidad contributiva.

La percepción de la pensión indicada quedará en suspenso por el tiempo que dure el desempeño de dicho puesto, sin que ello afecte a sus revalorizaciones.

La incompatibilidad a que se refiere este apartado no será de aplicación a los profesores universitarios eméritos ni al personal licenciado sanitario emérito a los que se refiere el artículo 137.c).

> – En los supuestos de incompatibilidad de la pensión de jubilación con el ejercicio de cargos en la Administración pública no tiene efectos retroactivos ni afecta a derechos adquiridos (SSTC 65/1987, de 21 de mayo [Tol 79774], 99/1987, de 11 de junio [Tol 338841], 127/1987, de 16 de julio [Tol 79867], 134/1987, de 21 de julio [Tol 79874], 41/1990, de 15 de marzo [Tol 526743], 65/1990, de 5 de abril [Tol 80357] y 68/1990, de 5 de abril [Tol 338822]).
>
> – El derecho a pensión de jubilación es incompatible con el ejercicio de cualquier cargo, profesión o actividad retribuida en cualesquiera Administraciones públicas y organismos constitucionales, siendo plenamente aplicable la Ley 53/1984, 26 de diciembre, de incompatibilidades del personal que presta servicios en el sector público (STS de 11 de junio de 1996 [Tol 235813]).

3. También será incompatible el percibo de la pensión de jubilación, en su modalidad contributiva, con el desempeño de los altos cargos a los que se refiere el artículo 1 de la Ley 3/2015, de 30 de mayo, reguladora del ejercicio del alto cargo de la Administración General del Estado.

4. El percibo de la pensión de jubilación será compatible con la realización de trabajos por cuenta propia cuyos ingresos anuales totales no superen el salario mínimo interprofesional, en cómputo anual. Quienes realicen estas actividades económicas no estarán obligados a cotizar por las prestaciones de la Seguridad Social.

Las actividades especificadas en el párrafo anterior, por las que no se cotice, no generarán nuevos derechos sobre las prestaciones de la Seguridad Social.

**Artículo 214.** *Pensión de jubilación activa.* 1. Siempre que en la fecha de cumplimiento de la edad que en cada caso resulte de aplicación según lo establecido en el artículo 205.1.a), se hubiera reunido el periodo mínimo de cotización establecido en el artículo 205.1.b), y entre dicha fecha y la del hecho causante de la pensión de jubilación haya transcurrido al menos un año, la percepción de la pensión de jubilación, en su modalidad contributiva, será compatible con la realización de cualquier trabajo por cuenta ajena, a tiempo completo o a tiempo parcial, o por cuenta propia del pensionista. A efectos del cómputo de la edad, no serán admisibles jubilaciones acogidas a bonificaciones o anticipaciones.

Si el periodo mínimo de cotización se reuniera en una fecha posterior a la del cumplimiento de la edad ordinaria de jubilación, el periodo mínimo de un año se computará entre dicha fecha y la del hecho causante de la pensión de jubilación.

> – *El disfrute de la pensión de jubilación, en su modalidad contributiva, será compatible con la realización de cualquier trabajo por cuenta ajena o por cuenta propia del pensionista (que tendrá tal consideración a todos los efectos), en los términos establecidos en el artículo 214.1 de la Ley General de la Seguridad Social* (STS de 30 de mayo de 2017 [Rec. 2268/2015]).

2. La cuantía de la pensión de jubilación compatible con el trabajo será equivalente a un porcentaje del importe resultante en el reconocimiento inicial en los términos establecidos en el artículo 210 de esta Ley o la que esté percibiendo, incluido el complemento de maternidad o el de la brecha de género cuando se perciba, y excluido, en todo caso, el complemento por mínimos cualquiera que sea la jornada laboral o la actividad que realice el pensionista; este porcentaje del importe de la pensión de jubilación se calculará en función del número de años que se haya demorado el acceso a dicha pensión de acuerdo con la siguiente escala:

a) Si se demora un año el acceso a la pensión de jubilación de acuerdo con lo establecido en el apartado 1.a), el porcentaje será del 45 por ciento de la pensión.

b) Si se demora dos años el acceso a la pensión de jubilación, el porcentaje a percibir será del 55 por ciento de la pensión.

c) Si se demora tres años el acceso a la pensión de jubilación, el porcentaje será del 65 por ciento de la pensión.

d) Si se demora cuatro años el acceso a la pensión de jubilación, el porcentaje será del 80 por ciento de la pensión.

e) Si se demora cinco años o más el acceso a la pensión de jubilación, el porcentaje será del 100 por ciento de la pensión.

El porcentaje que resulte de la escala anterior se incrementará 5 puntos porcentuales por cada 12 meses ininterrumpidos que permanezca en la situación de jubilación activa, con el máximo del 100 por ciento de la pensión. En el supuesto de trabajadores fijos discontinuos, para acreditar este periodo, se aplicará la regla general prevista en el artículo 247.2, párrafo primero, de esta ley.

Este incremento comenzará a percibirse el día primero del mes de siguiente a aquel en que se haya cumplido dicho periodo de 12 meses.

A efectos de la aplicación de los porcentajes establecidos en este apartado se tomarán años completos, sin que se equiparen a ellos las fracciones de estos.

> – *La compatibilidad del 100 por 100 de la pensión de jubilación con los ingresos de actividades profesionales o económicas por cuenta propia, cuyos gastos se compensen con la creación, al menos, de un puesto de trabajo, o el mantenimiento del mismo, solo es accesible para el autónomo clásico, puesto que su actividad se realiza efectivamente por cuenta propia y el mantenimiento del empleo o, en su defecto, la creación de un puesto de trabajo compensa el gasto público que comporta la compatibilidad de la pensión; y, por el contrario, no es aplicable al autónomo societario, porque su actividad no se realiza por cuenta propia, sino por cuenta de la sociedad, y no se compensa por el mantenimiento del empleo, puesto que los trabajadores están contratados por la sociedad y la jubilación del consejero o administrador de la misma no constituye causa de extinción de los contratos* (SSTS de 23 de julio [Tol 8586718, 8572827, 8540335, 8539192, 8539190, 8539189 y 8572882] y 21 de septiembre de 2021 [Tol 8600214 y 29 de junio de 2022 [Tol 9124052]).

> – *No es admisible la compatibilidad del 100 por 100 cuando se jubilen varios comuneros o autónomo societarios simultáneamente y la comunidad de bienes o sociedad tenga contratado un único trabajador, pues supondría reconocerles a todos ellos sus respectivas pensiones compatibilidad plena, las cuales tendrían causa de un único contrato de trabajo suscrito por una persona distinta, la comunidad de bienes, lo que iría en contra del tenor literal de la norma; y también podría suceder que se jubilara un comunero, teniendo la comunidad contratada a una persona por cuenta ajena y solicitara la pensión de jubilación activa con el 100 por 100 una vez que le ha sido concedida, se jubila un segundo comunero y solicita asimismo la pensión de jubilación activa, apelando al hecho de que la comunidad ya tiene contratado a un trabajador por cuenta ajena y no hay razón alguna para adjudicar dicha contratación al comunero que se jubiló primero, ya que los dos ostentan los mismos derechos en la comunidad* (SSTS de 23 de julio de 2021 [Rec. 2956/2019, 4416/2019, 1328/2020, 1459/2020, 1515/2020 y 1702/2020], 8 de febrero de 2022 [Rec. 3087/2020 y 3930/2020], 1 de febrero [Tol 9422909], 14 de marzo [Tol 9482314], 13 de junio [Rec. 3794/2020], 19 de julio [Tol 9661426], 21 de septiembre [Tol 9723984], 30 de noviembre [Rec. 147/2021, 3658/2021 y 3728/2022] y 21 de diciembre de 2023 [Rec. 328/2021] y 24 y 26 de enero [Rec. 201/2021, 1890/2021 y 3300/2021] y 23 de febrero de 2024 [Rec. 509/2022]).

> – *El socio de una sociedad civil irregular no tiene derecho a la jubilación activa del 100 por 100, aun cuando aquella tenga contratado a un trabajador, porque el hecho de que la responsabilidad de los socios de aquella sociedad frente a sus trabajadores, al igual que frente a terceros, sea una responsabilidad directa, personal e ilimitada, no se debe confundir con quién es el empresario, que es la sociedad civil irregular, como empleador único, y no los socios de dicha sociedad* (STS de 7 de julio de 2022 [Tol 9140782]).

3. En el supuesto de que la actividad se realice por cuenta propia y se acredite tener contratado para la realización de la propia actividad, al menos, a un trabajador por cuenta ajena con carácter indefinido con una antigüedad

mínima de 18 meses, o si se contrata con carácter indefinido a un nuevo trabajador por cuenta ajena que no haya tenido vínculo laboral con el trabajador autónomo en los dos años anteriores al inicio de la jubilación activa, la cuantía de la pensión compatible con el trabajo alcanzará el 75 por ciento, cuando la demora en el acceso a la pensión de jubilación haya sido entre uno y tres años, a partir del cuarto año será de aplicación lo previsto en el apartado anterior. En ambos supuestos, se aplicará el incremento de 5 puntos porcentuales por cada 12 meses ininterrumpidos que permanezca en la situación de jubilación activa en los términos previstos en el apartado 2.

Si no se acreditan las condiciones establecidas en el párrafo anterior, se aplicará la escala prevista en el apartado 2.

4. La cotización efectuada durante la situación de jubilación activa no dará lugar a ningún incremento del porcentaje aplicable a la base reguladora de la pensión que se tenga reconocida, ni tampoco incrementará el complemento económico de demora que hubiera correspondido.

5. La pensión se revalorizará en su integridad en los términos establecidos para las pensiones del sistema de la Seguridad Social. No obstante, en tanto se mantenga el trabajo compatible, al importe de la pensión más las revalorizaciones acumuladas se le aplicará el porcentaje que corresponda conforme a lo dispuesto en este artículo.

6. El pensionista no tendrá derecho a los complementos para pensiones inferiores a la mínima durante el tiempo en el que compatibilice la pensión con el trabajo.

7. El beneficiario tendrá la consideración de pensionista a todos los efectos.

8. Finalizada la relación laboral por cuenta ajena o el trabajo por cuenta propia, se restablecerá el percibo íntegro de la pensión de jubilación.

9. La regulación contenida en este artículo se entenderá aplicable sin perjuicio del régimen jurídico previsto para cualesquiera otras modalidades de compatibilidad entre pensión y trabajo, establecidas legal o reglamentariamente.

Las previsiones de este artículo no serán aplicables en los supuestos de desempeño de un puesto de trabajo o alto cargo en el sector público, delimitado en el párrafo segundo del artículo 1.1 de la Ley 53/1984, de 26 de diciembre, de Incompatibilidades del Personal al Servicio de las Administraciones Públicas, que será incompatible con la percepción de la pensión de jubilación.

Artículo 214 redactado por el Real Decreto-Ley 11/2024, de 23 de diciembre, para la mejora de la compatibilidad de la pensión de jubilación con el trabajo (BOE núm. 309, 24 de diciembre de 2024).

**Artículo 215. *Jubilación parcial.*** 1. Los trabajadores que hayan cumplido la edad a que se refiere el artículo 205.1.a) y reúnan los requisitos para causar derecho a la pensión de jubilación, siempre que se produzca una reducción de su jornada de trabajo comprendida entre un mínimo del 25 por ciento y un máximo del 75 por ciento, podrán acceder a la jubilación parcial sin necesidad de la celebración simultánea de un contrato de relevo. Los porcentajes indicados se entenderán referidos a la jornada de un trabajador a tiempo completo comparable.

– *El acceso a la pensión por jubilación parcial está previsto para quienes tiene una actividad a tiempo completo (SSTS de 12 de abril y 25 de junio de 2011 [Rec. 1872/2010 y 2881/2011]).*

– *No procede el acceso a la jubilación parcial de los trabajadores fijos discontinuos que prestan servicios en fechas no ciertas, al no atender la reducción a una actividad a tiempo completo (STS de 7 de julio de 2022 [Tol 9142616]).*

2. Asimismo, siempre que con carácter simultáneo se celebre un contrato de relevo en los términos previstos en el artículo 12 del texto refundido de la Ley del Estatuto de los Trabajadores, los trabajadores a tiempo completo que no hayan alcanzado la edad ordinaria de jubilación podrán acceder a la jubilación parcial cuando reúnan los siguientes requisitos:

– *No existe responsabilidad empresarial sobre el abono de una prestación de jubilación parcial reconocida a un trabajador, desde el momento en que se ha producido la extinción del contrato de relevo de otro trabajador que le sustituía, como consecuencia de la aprobación de un expediente de regulación de empleo, habiéndose causado, en ambos casos, alta en la situación de desempleo en la misma fecha; y ello porque no es aplicable la disposición adicional 2.ª4, del Real Decreto 1131/2002, de 31 de octubre, ya que al no existir relación laboral con el trabajador jubilado parcialmente tampoco existe obligación de contratar trabajador relevista, como se deduce a "sensu contrario" de lo dispuesto en el número 2 de la misma disposición adicional, en donde se mantiene la obligación de contratar sólo cuando el trabajador jubilado parcialmente fuera despedido de forma improcedente antes de cumplir la edad que le permite acceder a la jubilación y no se procediera a su readmisión, sin que sea éste el caso (SSTS de 29 de mayo [Tol 1351100], 23 de junio [Tol 1346934 y 1369554] y 16 y 19 de septiembre de 2008 [Tol 1407918] y 9 de julio de 2009 [Tol 1602348]).*

– *Una persona que tiene la condición de personal estatutario no puede acceder a la jubilación anticipada parcial, puesto que dicha modalidad de jubilación anticipada solo está claramente prevista y perfeccionada en la Ley General de la Seguridad Social, que ha sido desarrollado reglamentariamente en la actualidad por el Real Decreto 1131/2002, de 31 de octubre, para los trabajadores por cuenta ajena, pero necesita de un desarrollo propio y específico (también reglamentario, tal y como indica la Ley General de la Seguridad Social) respecto a quienes, como el personal estatutario de los Servicios de Salud, tienen un régimen jurídico muy distinto en relación con la prestación de servicios, que hasta el momento no se ha llevado a cabo* (SSTS de 22 de julio [*Tol 1627776*] y 3 de noviembre [*Tol 1746479*] y 9 de diciembre de 2009 [*Tol 1776182*], y 6 de julio de 2010 [*Tol 1920343*]).

– *La jubilación parcial no puede considerarse jubilación anticipada por las siguientes causas: la Ley 40/2007 no se refiere en ningún momento a la jubilación parcial como jubilación anticipada; la Ley General de la Seguridad Social de 1994 únicamente denomina, de forma expresa, jubilación anticipada a la regulada en su artículo 161 bis; este último texto legal consagra dos preceptos diferentes para la regulación de la jubilación anticipada y la de la jubilación parcial; el régimen jurídico de una y otra modalidad son diferentes así como los requisitos exigidos para acceder a las mismas; el artículo 166 de la Ley General de la Seguridad Social de 1994 en ningún momento califica la jubilación parcial de anticipada; y la jubilación anticipada extingue el contrato de trabajo, en tanto que en la jubilación parcial subsiste el contrato* (SSTS de 20 de diciembre de 2010 [*Tol 2030073, 2039096 y 2041042*], 19 y 26 de enero [*Tol 2041808 y 2047378*], 11 de abril [*Tol 2108467*], 28 de septiembre [*Tol 22744*] y 12 de diciembre de 2011 [*Tol 2400641*]).

– *A la vista de la regulación que la Ley General de la Seguridad Social hace de los diversos supuestos de jubilación anticipada no parece aventurado sostener que en el caso de la total se contempla, aparte del respeto a los derechos adquiridos de los que hubiesen sido mutualistas, una determinada situación de necesidad (la discapacidad y el desempleo), en tanto que en el supuesto de la jubilación parcial el mecanismo se configura como una mera conveniencia del beneficiario, ligada a la creación del empleo a través del simultáneo contrato de relevo, y a unos posibles intereses empresariales, como es la estabilidad de la plantilla, y que por lo mismo se condiciona a una rigurosa persistencia o estabilidad laboral previa (los seis años ininterrumpidos de trabajo en la misma empresa), al objeto de evitar que la institución se convierta en vía de salida para otras situaciones a las que el legislador quiere atribuir diversa solución legal y que a la par comporte perjuicio para el referido interés de la empresa, por la excesiva movilidad del personal* (STS de 25 de marzo de 2013 [*Tol 3536598*]).

– *Es requisito constitutivo para acceder a la jubilación parcial, a tenor con lo dispuesto en el artículo 215.2 de la Ley General de la Seguridad Social, en relación con el artículo 12. 6 y 7 del Estatuto de los Trabajadores, que la empresa lo convenga así con el trabajador y formalice, a continuación, un contrato de relevo, sin que la empresa esté obligada legalmente a aceptar la propuesta de jubilación parcial del trabajado, ni tampoco a formalizar un contrato de relevo; y cuando el convenio colectivo aplicable reconoce el "derecho a acceder a la jubilación parcial, al cumplir la edad y requisitos exigidos por la legislación vigente", sin mayores precisiones (como la imposición del deber empresarial de aceptar la solicitud o de celebrar el preceptivo contrato de relevo) no puede entenderse que estamos ante un verdadero y perfecto derecho que sea exigible, siendo necesario el acuerdo entre las partes de contrato de trabajo* (SSTS de 29 de marzo de 2023 [Rec. 2322/2020] y 7 de febrero de 2024 [Rec. 1495/2021]).

– *Cuando el convenio colectivo aplicable dispone que las personas trabajadoras que reuniendo las condiciones legales para su jubilación parcial, deben presentar ante la empresa certificado de la vida laboral junto con el escrito del interesado dirigido a la empresa solicitando acogerse a la jubilación parcial anticipada, sin mayores precisiones (como la imposición del deber empresarial de aceptar la solicitud o de celebrar el preceptivo contrato de relevo) no puede entenderse que se está ante un verdadero y perfecto derecho que sea exigible, siendo necesario el acuerdo entre las partes de contrato de trabajo* (STS de 27 de enero de 2026 [Rec. 4179/2024]).

a) Tener cumplida en la fecha del hecho causante una edad que sea inferior en tres años, como máximo, a la edad que en cada caso resulte de aplicación según lo establecido en el artículo 205.1.a), y acreditar un periodo de cotización de treinta y tres años, sin que, a tales efectos, se tengan en cuenta las bonificaciones o anticipaciones de la edad de jubilación que pudieran ser de aplicación al interesado, ni la parte proporcional correspondiente por pagas extraordinarias.

En el supuesto de personas con discapacidad en grado igual o superior al 33 por ciento, el período de cotización de 33 años indicado en el párrafo anterior se reducirá al de veinticinco años.

A los exclusivos efectos de determinar el periodo de cotización, sólo se computará el período de prestación del servicio militar obligatorio o de la prestación social sustitutoria, o del servicio social femenino obligatorio, con el límite máximo de un año.

También, a los exclusivos efectos de determinar la edad legal de jubilación, se considerará como tal la que le hubiera correspondido al trabajador de haber seguido cotizando durante el plazo comprendido entre la fecha del hecho causante de la jubilación parcial y el cumplimiento de la edad legal de jubilación que en cada caso resulte de la aplicación de lo establecido en el artículo 205.1.a).

Para el cómputo de los períodos de cotización se tomarán períodos completos, sin que se equipare a un período la fracción del mismo.

— *Es posible el reconocimiento del derecho a pensión por jubilación parcial a un trabajador por cuenta ajena que acredita la mayor parte de sus cotizaciones en el Régimen Especial de la Seguridad Social de los Trabajadores por Cuenta Propia o Autónomos y que se encuentra en el Régimen General de la Seguridad Social en la fecha de la solicitud del derecho a la pensión, porque el condicionamiento del acceso a la prestación establecido por la legislación aplicable se hace depender de la existencia de un período mínimo de cotización de treinta años, abstracción hecha por tanto, del régimen de la Seguridad Social que debe reconocer y satisfacer la prestación* (SSTS de 20 de enero [Tol 1486342] y 20 de mayo de 2009 [Tol 1567135]).

— *Para acreditar la carencia precisa para el reconocimiento del derecho a la pensión por jubilación parcial no cabe el cómputo recíproco de cotizaciones realizadas en el Régimen General de la Seguridad Social y en el Régimen de Clases Pasivas del Estado* (SSTS de 31 de mayo de 2012 [Tol 2576040] y 11 de marzo de 2013 [Tol 3530670] y 15 de diciembre de 2014 [Tol 4698405].

— *No puede acceder a la jubilación parcial el trabajador que cumplió los sesenta años y solicitó la pensión de jubilación parcial después del 31 de diciembre de 2012, fecha final inmodificada en la que podía accederse a tal clase de jubilación a los sesenta años, en las condiciones previstas en la disposición transitoria segunda del Real Decreto-Ley 8/2010, de 20 de mayo, y en el artículo 166.2 de la Ley General de la Seguridad Social (de 1994) en la redacción vigente al tiempo de producirse los hechos al interesado, cuando en la empresa existía acuerdo colectivo de empresa sobre jubilación parcial adoptado antes de la entrada en vigor del Real Decreto-Ley 8/2010 y comunicado al Instituto Nacional de la Seguridad Social (SSTS de 9, 15, 16 y 30 de marzo [Tol 5688636, 5688538, 5720293 y 5698957], 14 de septiembre [Rec. 1990/2015, 2176/2015 y 2293/2015], y 4 y 6 de octubre de 2016 [Rec. 2425/2015 y 1681/2015], 11 de mayo de 2017 [Rec. 3130/2015] y 1 de marzo [Rec. 1213/2016] y 17 de julio de 2018 [Rec. 2387/2016]).*

*– A efectos de completar el período mínimo de cotización para acceder a esta jubilación anticipada también ha de tenerse en cuenta el tiempo de prestación del Servicio Social obligatorio de la mujer, siempre que dicho período de tiempo no figure cotizado (STS de 6 de febrero de 2020 [Rec. 3801/2017]).*

b) Acreditar un período de antigüedad en la empresa de, al menos, seis años inmediatamente anteriores a la fecha de la jubilación parcial. A tal efecto se computará la antigüedad acreditada en la empresa anterior si ha mediado una sucesión de empresa en los términos previstos en el artículo 44 del texto refundido de la Ley del Estatuto de los Trabajadores, o en empresas pertenecientes al mismo grupo.

*– La antigüedad exigida por la Ley General de la Seguridad equivale a la vinculación o prestación de servicios (ininterrumpida durante los seis años precedentes), y ello porque no hay criterio interpretativo alguno que pueda avalar el parecer de que esa vinculación deba ser exclusivamente laboral, excluyendo la funcionarial (STS de 25 de marzo de 2013 [Tol 3536598]).*

c) Que la reducción de su jornada de trabajo se halle comprendida entre un mínimo de un 25 por ciento y un máximo del 75. Dichos porcentajes se entenderán referidos a la jornada de un trabajador a tiempo completo comparable.

En los supuestos de anticipación del acceso a la jubilación parcial en más de dos años respecto de la edad ordinaria de jubilación, la reducción de jornada de trabajo durante el primer año se fijará entre un 20 y un 33 por ciento. En estos casos, a partir del segundo año las partes podrán alterar la reducción de la jornada dentro de los márgenes establecidos en el párrafo anterior.

*– De la normativa general reguladora de la jubilación anticipada resulta que si bien en el ámbito estricto de la Seguridad social el trabajador que reúna los requisitos para ello tiene pleno derecho a acceder a la jubilación anticipada parcial, sin embargo, desde el plano de las obligaciones previas en materia laboral, no puede imponerse a la empresa el cambio de un contrato a tiempo completo en un trabajo parcial a los efectos de acceso a la jubilación parcial, aunque la empresa deberá acceder a ello, en la medida de lo posible, y motivar su posible denegación, como cabe deducir del artículo 12.4.e) IV del Estatuto de los Trabajadores, relativo a las solicitudes de conversión de contrato de trabajo a tiempo completo en otro contratos a tiempo parcial o viceversa, y no existiendo tampoco, ni siquiera con ese afán motivador de la empresa a adoptar dicha forma de contratación, norma legal estatutaria que obligue a la empresa a dar también el segundo paso y concertar simultáneamente un contrato de relevo, así, de no mediar acuerdo entre el trabajador que pretenda jubilarse y su empleadora, la posible obligación empresarial podría derivar de las previsiones que a tal fin pudieran contenerse en convenio*

*colectivo, pues entre las medidas de fomento contempladas en el artículo 12.6.II d) del Estatuto de los Trabajadores para su articulación a través de la negociación colectiva con el fin de impulsar la celebración de contratos de relevo, sería dable incluir la obligación empresarial de facilitar, mediante las novaciones y contrataciones oportunas, la jubilación anticipada parcial que se le solicitara; y en el ámbito de personal laboral al servicio de las Administraciones Públicas, en interpretación del artículo 67 del Estatuto Básico del Empleado Público, es también posible entender que, dentro de la planificación u ordenación que de sus recursos humanos pudiera establecer en determinados supuestos la correspondiente Administración pública empleadora, cabría articular unas condiciones especiales, diferentes a las de la jubilación parcial establecida como regla general, y entre las que podría incluirse la obligación empresarial de convertir en a tiempo parcial el contrato del trabajador que pretendiera jubilarse de forma anticipada parcial y el de efectuar simultáneamente el correspondiente contrato de relevo* (SSTS de 26 de junio [*Tol 1919094*], 6 y 7 de julio [*Tol 1921057 y 1946384*], 21 de septiembre [*Tol 1969843*] y 5 de octubre de 2010 [*Tol 1980539*]).

d) Que exista una correspondencia entre las bases de cotización del trabajador relevista y del jubilado parcial, de modo que la correspondiente al trabajador relevista no podrá ser inferior al 65 por ciento del promedio de las bases de cotización correspondientes a los seis últimos meses del período de base reguladora de la pensión de jubilación parcial.

> *El trabajador relevista debe mantener una cotización no inferior al 65 por 100 del promedio de las bases de cotización correspondientes a los seis últimos meses del período de base reguladora de la pensión de jubilación parcial, sin que aquel porcentaje deba, a su vez, estar afectado por el porcentaje de jornada que realice el trabajador relevista* (STS de 25 de septiembre de 2024 [Rec. 403/2022]).

e) Los contratos de relevo que se establezcan como consecuencia de una jubilación parcial tendrán carácter indefinido y a tiempo completo. Estos contratos deberán mantenerse al menos durante los dos años posteriores a la extinción de la jubilación parcial.

En el supuesto de que el contrato de relevo se extinga antes de que el jubilado parcial acceda a la jubilación plena en cualquiera de sus modalidades, el empresario estará obligado a celebrar un nuevo contrato en los mismos términos del extinguido. En caso de incumplimiento por parte del empresario, de las condiciones establecidas en el presente artículo en materia de contrato de relevo, será responsable del reintegro de la pensión que haya percibido el pensionista a tiempo parcial.

f) Sin perjuicio de la reducción de jornada a que se refiere la letra c), durante el período de disfrute de la jubilación parcial, empresa y trabajador cotizarán por la base de cotización que, en su caso, hubiese correspondido de seguir trabajando este a jornada completa.

– *Una de las finalidades de la normativa de jubilación parcial y contrato de relevo es la del mantenimiento del empleo o puesto de trabajo parcialmente vacante como consecuencia de la jubilación parcial, que, por ello, cuando se produce el "cese", en una amplia interpretación de tal concepto, del trabajador relevista no se cumple con aquella finalidad normativa de mantenimiento de empleo de no contratarse por la empresa a un nuevo trabajador relevista, en el plazo reglamentariamente fijado, y que el incumplimiento del deber empresarial de contratación de un trabajador relevista justifica la responsabilidad empresarial prevista a favor de la entidad gestora, partiendo de que la disposición adicional 2.ª4, del Real Decreto 1131/2002, al tiempo que determina la responsabilidad civil derivada de tal incumplimiento, tiene un evidente contenido sancionador y antifraude* (SSTS de 25 de enero [Tol 1792650] y 25 de mayo de 2010 [Tol 1896449]).

– *Existe responsabilidad empresarial sobre una pensión por jubilación parcial cuando se produce un retraso en el cumplimiento de la obligación de sustituir al trabajador relevista, cuando éste cesa en su trabajo, porque es aplicable la disposición adicional 2.ª4, del Real Decreto 1131/2002, que es un precepto regulador de la responsabilidad civil que se deriva del incumplimiento por parte del empleador de su obligación de mantener un relevista durante todo el tiempo que media entre la jubilación parcial de uno de sus trabajadores y la jubilación ordinaria, o la anticipada, de éste, y si tal incumplimiento fuera meramente parcial, en ese caso la responsabilidad del empleador deberá atemperarse para ser exigida en forma proporcional a la entidad del incumplimiento* (SSTS de 8 y 9 de julio de 2009 [Tol 1602360 y 1602348] y 9 de febrero [Tol 1808403], 15 de marzo [Tol 1818477], 13 de abril [Tol 1851932] y 8 de julio de 2010 [Tol 1944413]).

– *No es procedente la exigencia de devolución contra la empresa del importe de la pensión por jubilación correspondiente al tiempo de ausencia del relevista en el supuesto por transmisión parcial de la concesión de un servicio de transportes por parte de una empresa de transporte de viajeros de una de sus diversas líneas de transporte, en concreto aquella en la que prestaba servicios el relevista, éste pasó a integrarse por subrogación en la nueva empresa a la que se cedió parte de la actividad empresarial, calificada de sucesión empresarial, manteniéndose en la plantilla de la empresa originaria el jubilado parcial y sin que por esta última empresa se contratara a ningún otro posible trabajador relevista en sustitución del trabajador subrogado por la tercera empresa* (SSTS de 25 de enero [Tol 1792650] y 18 de mayo de 2010 [Tol 1881074] y 9 de febrero de 2011 [Tol 2067385]).

– *La obligación de reintegrar a la Seguridad Social el importe de la pensión del trabajador jubilado parcialmente no supone sanción sino un acto de gestión, pues el plazo de 15 días para la contratación del trabajador relevista es imperativo y obliga a la empresa a actuar con la diligencia necesaria para cumplirlo* (SSTS de 9 de febrero [Tol 1808403] y 15 de marzo de 2010 [Tol 1818477]).

– *La extinción del contrato de trabajo por muerte del trabajador relevado no determina, en principio, el cese del contrato del relevista, que se mantendrá en sus propios términos, tanto si se concretó con carácter indefinido o por tiempo determinado, hasta la jubilación total del relevado o sustituido* (STS de 25 de febrero de 2010 [Tol 1815303]).

– *Para disfrutar de ese incremento "ficticio" de las bases de cotización es condición que la jubilación parcial se hubiese simultaneado con un contrato de relevo, debiendo entenderse tal exigencia como que el contrato de relevo se ha celebrado a su debido tiempo, lo que producirá ingresos a la Seguridad Social (bien las cotizaciones de ese trabajador relevista, bien las cotizaciones de un nuevo relevista que sustituya al anterior, bien, si tal sustitución no se produce, el pago de la jubilación parcial a costa del empresario); pero en ningún caso puede interpretarse una normativa que pretende facilitar la jubilación parcial en un sentido tal que se haga recaer sobre el jubilado parcial las consecuencias de un incumplimiento que no es suyo sino del empresario, al no sustituir al relevista cesado, y que pueden ser extraordinariamente graves en términos de disminución drástica de la base reguladora, y por ende de la cuantía final, de su pensión definitiva cuando se produzca su jubilación completa* (STS de 15 de julio de 2010 [*Tol 1946474*]).

– *En los supuestos en los que el trabajador relevista se acoge a una reducción de la jornada de trabajo como consecuencia del cuidado de un menor no existe obligación del empresario de reintegrar la cuantía de la pensión por jubilación parcial porque su contrato de trabajo conserva su carácter de tiempo completo y no se transforma en un contrato a tiempo parcial, aunque externamente se comporte como tal* (STS de 23 de junio de 2011 [*Tol 2198592*]).

– *Es posible la celebración de un contrato de relevo con un trabajador unido a la empresa por un contrato temporal eventual por circunstancias de la producción, que asimismo desarrolla su actividad como trabajador autónomo, encontrándose de alta en el Régimen Especial de la Seguridad Social de los Trabajadores por Cuenta Propia o Autónomos* (STS de 21 de septiembre de 2011 [*Tol 2268349*]).

– *Al cumplir los sesenta y cinco años, o en cualquier momento anterior, el trabajador podrá solicitar se recalcule nuevamente la pensión ordinaria o anticipada de jubilación, las cotizaciones realizadas durante el tiempo en que estuvo reducida la jornada, se computarán al 100 por 100 para establecer la nueva base reguladora y se considerarán realizadas a tiempo completo a efectos de determinar el porcentaje aplicable a la nueva base reguladora* (SSTS de 23 de mayo de 2012 [*Tol 2598033*] y 30 de enero de 2013 [*Tol 3239126*]).

– *El trabajador jubilado parcial cuyo contrato de trabajo temporal a tiempo parcial se extingue por despido colectivo que afecta a la totalidad de los trabajadores de la empresa tiene derecho a continuar en situación de jubilación parcial desde la fecha de tal extinción contractual o desde la de finalización de la percepción de la prestación por desempleo hasta que cumpla la edad que le permita acceder a la jubilación ordinaria o anticipada; y ello porque se trata de una extinción por causas objetivas y lo que la norma trata de evitar son aquellas situaciones en las que el trabajador jubilado parcial extingue voluntariamente o por causa a él imputable el contrato de trabajo, debe entenderse que, por el contrario, no existe razón para extinguir la referida prestación por jubilación parcial si la extinción del contrato lo es por despido improcedente lo que debe ser extensivo a aquellos supuestos, como el presente, en el que el contrato, del mismo modo que cuando es improcedente, se ha extinguido por voluntad del empresario o por causa ajena, en todo caso, a la voluntad del trabajador* (SSTS de 22 y 30 de enero de 2013 [*Tol 3011730 y 3238878*]).

– *La doble finalidad de la institución (política de empleo y mantenimiento financiero de la Seguridad Social) determina que debe entenderse que en los supuestos de suspensión del contrato de trabajo del relevista, las obligaciones de sustituirle por otro trabajador y, en su caso, de haberse incumplido aquélla, la de reintegro de las prestaciones percibidas por el jubilado, se limitan a los casos en que no se cotice por el trabajador con contrato suspendido (no mientras se cotice, como es el caso del periodo ordinario de incapacidad temporal), pues si bien en estos casos ha de admitirse que se alcanza uno de los objetivos perseguidos por la institución regulada (la representada por el binomio jubilación parcial/contrato de relevo), cual es el mantenimiento del empleo, y lo cierto es que la otra finalidad, la de asegurar la financiación del sistema, se ve por completo defraudada, y si bien esta regla realmente no se cumple en el caso de reducción de jornada por cuidado de menor (la cotización por el tramo de jornada reducida, no es a cargo de la empresa ni del trabajador, sino del sistema), ello se debe a valores superiores de conciliación de la vida familiar con la laboral, que se verían comprometidos con la solución opuesta; y, por ello, no puede mantenerse que carece*

*de lógica que la obligación de sustituir al relevista no alcance el periodo de incapacidad temporal y que sí sea exigible en su prórroga, precisamente porque en la primera fase (incapacidad temporal propiamente dicha) la empresa sigue cotizando al sistema (con lo que la jubilación parcial no comporta detrimento para la financiación de la Seguridad Social), mientras que en la segunda (en que la incapacidad temporal está agotada y se produce la mera prolongación de algunos de sus efectos) desaparece la obligación de cotizar y se produce la baja en la empresa (aunque con posibilidad de reincorporación), de forma que la satisfacción de los objetivos de la institución (jubilación/relevo) imponen una nueva contratación, al objeto de que se mantengan simultáneamente el nivel de empleo en la empresa y la integridad financiera del sistema en los términos anteriores a la jubilación parcial (SSTS de 24 de septiembre de 2013 [Tol 3988378], 17 de noviembre de 2014 [Tol 4568824] y 23 de junio de 2015 [Tol 5412486]).*

*– Existe responsabilidad empresarial por las prestaciones abonadas a un jubilado parcial en el supuesto de incumplimiento de la obligación de sustituir al trabajador relevista cuyo contrato se extingue antes de la jubilación del trabajador relevado, no pudiendo justificarse dicho incumplimiento por el hecho de que la empresa haya realizado un expediente de regulación temporal de empleo de suspensión de contratos de toda la plantilla (SSTS de 16 y 19 de septiembre de 2008 [Rec. 3719/2007 y 3804/2007], 9 de febrero de 2010 [Rec. 2334/2009], 17 de noviembre de 2014 [Rec. 3309/2013] y 25 de octubre de 2022 [Tol 9293005]).*

3. En aquellos casos en los que se acceda a la jubilación parcial antes del cumplimiento de la edad legal de jubilación que en cada caso resulte de la aplicación de lo establecido en el artículo 205.1.a), la compatibilidad efectiva entre trabajo y pensión permitirá, la acumulación del tiempo de trabajo en periodos de días en la semana, semanas en el mes, meses en el año u otros periodos de tiempo, de conformidad con lo dispuesto en pacto individual o, en su caso, en la negociación colectiva, en todas sus expresiones, incluido el acuerdo de centro de trabajo, sin que en ningún ámbito se pueda limitar o impedir su uso.

4. La percepción de la pensión de jubilación parcial será compatible con el puesto de trabajo a tiempo parcial resultante de la reducción de jornada.

*Son compatibles la pensión de incapacidad permanente total derivada del desempeño de una antigua profesión y la jubilación parcial solicitada mientras se está realizando una posterior actividad productiva (STS de 30 de septiembre de 2025 [Rec. 4276/2024]).*

5. El régimen jurídico de la jubilación parcial a que se refieren los apartados anteriores será el que reglamentariamente se establezca.

6. Podrán acogerse a la jubilación parcial regulada en este artículo los socios trabajadores o de trabajo de las cooperativas, asimilados a trabajadores por cuenta ajena en los términos del artículo 14, que reduzcan su jornada y derechos económicos en las condiciones previstas en el texto refundido de la Ley del Estatuto de los Trabajadores y cumplan los requisitos establecidos

en este artículo, cuando la cooperativa concierte con un socio de duración determinada de la misma o con un desempleado la realización, en calidad de socio trabajador o de socio de trabajo en los mismos términos previstos en el Estatuto de los Trabajadores para el contrato de relevo por lo que afecta a la duración de la jornada y al vínculo como socio.

> Artículo 215 redactado por el Real Decreto-Ley 11/2024, de 23 de diciembre, para la mejora de la compatibilidad de la pensión de jubilación con el trabajo (BOE núm. 309, 24 de diciembre de 2024).

## CAPÍTULO XIV. Muerte y supervivencia

**Artículo 216. *Prestaciones*.** 1. En caso de muerte, cualquiera que fuera su causa, cuando concurran los requisitos exigibles se reconocerán, según los supuestos, alguna o algunas de las prestaciones siguientes:

a) Un auxilio por defunción.

b) Una pensión vitalicia de viudedad.

> – *Cuando el sujeto causante de una pensión de viudedad es pensionista de jubilación o incapacidad permanente, la base reguladora será la que sirvió para determinar su pensión, incrementándose la cuantía resultante con las revalorizaciones que para las pensiones de viudedad se hubieran producido desde la fecha del hecho causante de la jubilación o de la incapacidad permanente, y ello aunque la causa de la muerte sea diferente de la que ocasionó la incapacidad permanente, excepto en aquellos supuestos en los que la incapacidad permanente es total y el trabajador continuó trabajando en otra actividad* (SSTS de 18 de febrero de 1994 [*Tol 233294 y 266652*], 10 de abril [*Tol 235746 y 266478*] y 28 de septiembre de 1995 [*Tol 235929 y 266532*], 15 de enero de 1996 [*Tol 236788*], 5 de marzo de 1999 [*Tol 45998 y 57173*] y 18 de enero [*Tol 241435*] y 14 de mayo de 2002 [*Tol 201908*]).

> – *En los supuestos de compatibilidad entre pensión de incapacidad permanente total para la profesión habitual y realización de actividad diferente, la base reguladora de la nueva actividad y la cuantía de la pensión por incapacidad permanente no se acumulan al calcular la base reguladora de la pensión de viudedad* (SSTS de 21 de mayo [*Tol 234510 y 266876*] y 12 de julio de 1994 [*Tol 234655 y 267048*]).

> – *En el supuesto de sujeto fallecido declarado inválido con posterioridad al fallecimiento en expediente iniciado con anterioridad, la base reguladora de la pensión de viudedad será la causada por quien está en activo en sentido laboral y no en situación de pensionista* (SSTS de 10 de abril de 1995 [*Tol 235746 y 266478*] y 5 de marzo de 1999 [*Tol 45998 y 57173*]).

> *La extinción del incremento del 70 por 100 de la pensión de viudedad se produce cuando, computando en el ejercicio corriente el incremento en los rendimientos del ejercicio anterior, se supera el límite de rendimientos establecido legalmente* (STS de 2 de abril de 2019 [*Tol 723876*]).

c) Una prestación temporal de viudedad.

d) Una pensión de orfandad.

e) Una pensión vitalicia o, en su caso, subsidio temporal en favor de familiares.

*– Las prestaciones en favor de familiares no se reconocen en el ámbito del Seguro Obligatorio de Vejez e Invalidez (STS de 19 de noviembre de 1993 [Tol 234991]).*

*– No es aplicable el incremento del porcentaje de la pensión de viudedad al subsidio en favor de familiares cuando se produce inexistencia de cónyuge viudo (SSTS de 2 de febrero de 1999 [Tol 209148] y 24 de julio de 2000 [Tol 8119]).*

*– En el supuesto de que no hubiera cónyuge superviviente o falleciera el cónyuge con derecho a pensión, la pensión de los nietos y hermanos del causante se incrementará, por partes iguales, con el porcentaje de la pensión de viudedad, que, en su defecto, irá a los ascendientes, aunque el hijo causante sea soltero (STS de 15 de abril de 2002 [Tol 163055]).*

2. En caso de muerte causada por accidente de trabajo o enfermedad profesional se reconocerá, además, una indemnización a tanto alzado.

3. Asimismo, en caso de muerte, tendrán derecho a una prestación de orfandad las hijas e hijos de la causante fallecida como consecuencia de violencia contra la mujer, en los términos en que se defina por la ley o por los instrumentos internacionales ratificados por España, siempre que se hallen en circunstancias equiparables a una orfandad absoluta, con las excepciones establecidas en los artículos siguientes, y que no reúnan los requisitos necesarios para causar una pensión de orfandad, en los términos establecidos reglamentariamente.

Apartado 3 redactado por la Ley orgánica 2/2022, de 21 de marzo, de mejora de la protección de las personas huérfanas víctimas de la violencia de género (BOE núm. 69, 22 de marzo de 2022).

**Artículo 217.** *Sujetos causantes.* 1. Podrán causar derecho a las prestaciones enumeradas en el artículo anterior:

a) Las personas incluidas en el Régimen General que cumplan la condición general exigida en el artículo 165.1.

*– El requisito de estar en alta o situación asimilada a la de alta sigue siendo preciso, sin que en ningún caso pueda entenderse eliminado como en otras pensiones (SSTS de 5 de febrero de 1993 [Tol 233640], 22 de febrero de 1994 [Tol 234197], 21 de junio de 1995 [Tol 236253], 4 de junio de 1996 [Tol 236381], 20 de abril de 2021 [Rec. 4668/2018], 29 de octubre de 2024 [Rec. 3765/2022] y 8 de abril de 2025 [Rec. 2393/2023]).*

*– Se considera asimilada a la de alta la excedencia derivada de la aplicación de la Ley 53/1984, de 26 de diciembre, de incompatibilidades (STS de 28 de octubre de 1993 [Tol 235193]).*

*– Se considera en situación asimilada a la de alta al trabajador que no acudió a uno de los controles previstos y que volvió a causar alta como demandante de empleo hasta su muerte,*

*pues ello no revela su voluntad de apartarse del mundo laboral* (SSTS de 12 de marzo de 1998 [*Tol 46452*] y 25 de julio de 2000 [*Tol 104736*]).

– *Se considera en situación asimilada a la de alta el trabajador desempleado que no cumple con sus obligaciones como consecuencia de un estado psicofísico consecuencia de la drogo-dependencia* (STS de 27 de mayo de 1998 [*Tol 47688*]).

– *Se considera en situación asimilada a la de alta los pensionistas de invalidez no contribu-tiva que hubieran figurado como afiliados a la Seguridad Social y cumplan el requisito de cotización* (STS de 26 de octubre de 1998 [*Tol 47664*]).

– *Se considera en situación asimilada a la de alta la persona con imposibilidad de trabajar e inscribirse como parado a causa de grave enfermedad* (STS de 23 de mayo de 2000 [*Tol 47277*]).

– *Se considera en situación asimilada a la de alta la persona declarada en situación de incapacidad permanente absoluta sin derecho a prestaciones* (STS de 17 de julio de 2000 [*Tol 46827*]).

– *Se considera en situación asimilada a la de alta el trabajador que en su vida laboral tiene un intervalo breve en términos relativos (menos de dos años seguidos) en el que no ha estado inscrito como demandante de empleo* (STS de 25 de julio de 2000 [*Tol 104736*]).

– *Se considera en situación asimilada a la de alta el trabajador desempleado que no cumple con sus obligaciones por encontrarse afectado por un alcoholismo crónico* (SSTS de 18 de junio de 2001 [*Tol 66199*] y 22 de febrero de 2017 [Rec. 2759/2015]).

– *No se considera situación asimilada a la de alta cuando se trata de un trabajador con co-tizaciones en España y Panamá que fallece estando trabajando y en alta en este último país con el que no existe Convenio de Seguridad Social a los efectos de prestaciones de viudedad* (STS de 18 de marzo de 2002 [*Tol 267744*]).

– *Causa derecho a pensión de viudedad del trabajador que acredita cotización suficiente en el Régimen General y al fallecer se encuentra en alta en el Régimen Especial Agrario, en el que también reunía carencia suficiente, pero tenía en descubierto cuotas correspondientes a 18 meses; y ello pues aunque el trabajador no estaba de alta en el Régimen General, cumple en el mismo de forma completa el período de carencia, y hay que entender que desde el momento en que el artículo 68.2 b) del Decreto 3772/1971 se remite al régimen en que se hubiera cotizado anteriormente se está dispensando del cumplimiento del requisito de alta* (STS de 1 de junio de 2004 [*Tol 463103*]).

– *En el reconocimiento del derecho a una pensión de viudedad debe considerarse en situa-ción asimilada a la de alta al sujeto causante que en la fecha de su fallecimiento tenía la condición de pensionista de invalidez, en su modalidad no contributiva, por las siguientes razones: 1) la concesión de una invalidez no contributiva autoriza, por sí misma y sin más exigencias, a tener por plenamente acreditada la situación de grave enfermedad, su condi-ción incapacitante y el justificado apartamiento del mundo del trabajo del que la percibe, con la consiguiente imposibilidad de cotizar; 2) la concurrencia de las citadas circunstancias permiten extender a los pensionistas de invalidez no contributiva la doctrina de asimilación al alta que el Tribunal Supremo ha aplicado a otras situaciones en que el alejamiento del sistema de protección se ha producido por similares circunstancias de infortunio o ajenas a la voluntad del causante; y 3) en los casos de invalidez no contributiva no se exige que se acredite que el perceptor de una pensión de tal clase deba permanecer luego inscrito como demandante de empleo para considerarle en situación asimilada al alta* (SSTS de 20 de diciembre de 2005 [*Tol 821456*] y 6 de junio de 2007 [*Tol 1116515*]).

*– Es situación asimilada a la de alta el período de noventa días posteriores a la baja en la Seguridad Social (STS de 19 de enero de 2010 [Tol 1790450]).*

*– Se considera en situación asimilada a la de alta al perceptor de subsidio por desempleo para excarcelados fallecido como consecuencia de un accidente de tráfico (STS de 7 de noviembre de 2018 [Tol 6932662]).*

*– No se considera situación asimilada a la de alta cuando transcurre más de un año desde la última baja en la Seguridad Social anterior al fallecimiento, no constando que el causante padeciese enfermedad o patologías que justifiquen que se hubiera apartado del mundo laboral durante un período de tiempo tan dilatado, y ello aunque la causa del fallecimiento fuera un suicidio (STS de 29 de octubre de 2024 [Rec. 3765/2022]).*

b) Los perceptores de los subsidios de incapacidad temporal, riesgo durante el embarazo, maternidad, paternidad o riesgo durante la lactancia natural, que cumplan el período de cotización que, en su caso, esté establecido.

*– El trabajador incapacitado que fallece estando pendiente de resolución del Instituto Nacional de la Seguridad Social, siempre que hubiera informe o dictamen-propuesta del Equipo de Valoración de Incapacidades, seguirá siendo protegido como trabajador y no como pensionista (SSTS de 18 de febrero de 1994 [Tol 233294], 10 de abril [Tol 235746] y 28 de septiembre de 1995 [Tol 235929 y 266532] y 5 de marzo de 1999 [Tol 45998 y 57173]).*

*– A efectos de protección por muerte y supervivencia, se consideran pensionistas a los de incapacidad permanente parcial del antiguo Reglamento de Accidentes de Trabajo de 22 de junio de 1956 (SSTS de 20 de diciembre de 1995 [Tol 235375 y 267497] y 1 de febrero de 1996 [Tol 235619]).*

c) Los titulares de pensiones contributivas de jubilación e incapacidad permanente.

*– El cónyuge viudo está legitimado para accionar judicialmente en reclamación de una base reguladora superior a la que tenía administrativamente el causante en su pensión de incapacidad permanente (STS de 26 de enero de 2004 [Tol 376985]).*

*– Una madre, beneficiaria de una pensión de vejez del Seguro Obligatorio de Vejez e Invalidez, es causante del derecho a prestación en favor de familiares, por aplicación transversal del principio de igualdad desde una perspectiva de género, para solventar una discriminación indirecta por razón de género (STS de 29 de enero de 2020 [Tol 7765717]).*

2. Se reputarán de derecho muertos a consecuencia de accidente de trabajo o de enfermedad profesional quienes tengan reconocida por tales contingencias una incapacidad permanente absoluta o la condición de gran inválido.

Si no se da el supuesto previsto en el párrafo anterior, deberá probarse que la muerte ha sido debida al accidente de trabajo o a la enfermedad profesional. En caso de accidente de trabajo dicha prueba solo se admitirá si el fallecimiento hubiera ocurrido dentro de los cinco años siguientes a la fecha del accidente. En caso de enfermedad profesional se admitirá tal prueba cualquiera que sea el tiempo transcurrido.

> – *La presunción de muerte a consecuencia de accidente de trabajo y enfermedad profesional no es aplicable al supuesto de incapacidad permanente total para la profesión habitual porque la Ley General de la Seguridad Social, a diferencia de lo que prevé respecto a la incapacidad permanente absoluta y la gran invalidez, no contempla el tránsito automático de la incapacidad permanente total consecuencia de contingencia profesional a las prestaciones por muerte y supervivencia consecuencia de enfermedad común* (STS de 21 de septiembre de 2011 [Tol 2256831]).

3. Los trabajadores que hubieran desaparecido con ocasión de un accidente, sea o no de trabajo, en circunstancias que hagan presumible su muerte y sin que se hayan tenido noticias suyas durante los noventa días naturales siguientes al del accidente, podrán causar las prestaciones por muerte y supervivencia, excepción hecha del auxilio por defunción. Los efectos económicos de las prestaciones se retrotraerán a la fecha del accidente, en las condiciones que reglamentariamente se determinen.

> – *En los supuestos de desaparición del trabajador en virtud de accidente que hace presumir su muerte (secuestro por banda terrorista) sin que se hayan vuelto a tener noticias suyas, habiéndose solicitado la prestación una vez transcurridos ciento ochenta días después de los noventa días siguientes a la desaparición, no es necesaria la previa declaración de fallecimiento exigida por el artículo 7.2 de la Orden de 31 de julio de 1972, pues vulnera la Ley General de la Seguridad Social que desarrolla* (STS de 15 de diciembre de 2004 [Tol 562534]).

**Artículo 218.** Auxilio por defunción. El fallecimiento del causante dará derecho a la percepción inmediata de un auxilio por defunción para hacer frente a los gastos de sepelio a quien los haya soportado. Se presumirá, salvo prueba en contrario, que dichos gastos han sido satisfechos por este orden: por el cónyuge superviviente, el sobreviviente de una pareja de hecho en los términos regulados en el artículo 221, los hijos y los parientes del fallecido que conviviesen con él habitualmente.

**Artículo 219.** *Pensión de viudedad del cónyuge superviviente.* 1. Tendrá derecho a la pensión de viudedad, con carácter vitalicio, salvo que se produzca alguna de las causas de extinción que legal o reglamentariamente se establezcan, el cónyuge superviviente de alguna de las personas a que se refiere el artículo 217.1, siempre que si el sujeto causante se encontrase en alta o en situación asimilada a la de alta en la fecha de su fallecimiento hubiera completado un período de cotización de quinientos días, dentro de los cinco años inmediatamente anteriores a la fecha del hecho causante de la pensión. En los supuestos en que esta se cause desde una situación de alta o de asimilada a la de alta sin obligación de cotizar, el período de cotización de quinientos días deberá estar comprendido dentro de los cinco años inmediatamente anteriores a la fecha en que cesó la obligación de cotizar. En cualquier caso, si la causa de la muerte fuera un accidente, sea o no de trabajo, o una enfermedad profesional, no se exigirá ningún período previo de cotización.

– *El beneficiario del derecho a la pensión de viudedad es el cónyuge supérstite, con independencia de su sexo* (SSTC 103/1983, de 22 de noviembre [Tol 79268] y 104/1983, de 23 de noviembre [Tol 79269], 144/1989, de 18 de septiembre [Tol 81593] y 58/1991, de 14 de marzo [Tol 80472]).

– *Como excepción a la necesidad de matrimonio para causar derecho a la pensión de viudedad existe como excepción la aplicación de la disposición adicional 10.ª de la Ley 30/1981, 7 de julio, que concedió una ficción matrimonial a quienes conviviendo no pudieron divorciarse del matrimonio anterior ni contraer nuevas nupcias porque el causante falleció antes de la entrada en vigor de la Ley 30/1981* (SSTC 177/1985, de 18 de diciembre [Tol 79546], 27/1986, de 19 de febrero [Tol 79574] y 39/1998, de 17 de febrero [Tol 253331] y SSTS de 25 de octubre de 1993 [Tol 234057] y 2 de diciembre de 1994 [Tol 232785]).

– *Para ser beneficiario del derecho a la pensión viudedad no basta con la convivencia more uxorio* (SSTC 184/1990, de 15 de noviembre [Tol 81857], 29/1991, de 14 de febrero [Tol 80443], 66/1994, de 28 de febrero [Tol 82474] y 39/1998, de 17 de febrero [Tol 253331] y SSTS de 20 de mayo [Tol 232883] y 29 de junio de 1992 [Tol 231890], 10 de noviembre de 1993 [Tol 233696] y 3 de mayo de 2007 [Tol 1107140]).

– *Para ser beneficiario de la pensión de viudedad es imprescindible haber contraído matrimonio en cualquiera de las formas previstas en el Código Civil* (STC 66/1994, de 28 de febrero [Tol 82474]).

– *En su configuración actual, la pensión de viudedad en el caso de matrimonio no tiene por estricta finalidad atender a una situación de necesidad o de dependencia económica, sino más bien compensar frente a un daño, cual es la falta o minoración de unos ingresos de los que participaba el cónyuge supérstite, y, en general, afrontar las repercusiones económicas causadas por la actualización de una contingencia (la muerte de uno de los cónyuges)* (STC 41/2013, de 14 de febrero [Tol 3244073]).

– *Es conforme a la Constitución española la previsión legal según la cual es necesario haber contraído matrimonio para poder acceder a la pensión de viudedad en caso de fallecimiento del cónyuge* (SSTC 92/2014, de 10 de junio [Tol 4422359], 93/2014, de 12 de junio [Tol 4422358], 115/2014, de 8 de julio [Tol 4471794] y 157/2014, de 6 de octubre [Tol 4530513]).

– *El requisito de estar en alta o situación asimilada al alta sigue siendo preciso, sin que en ningún caso pueda entenderse eliminado como en otras pensiones* (SSTS de 5 de febrero de 1993 [Tol 233278], 22 de febrero de 1994 [Tol 234197 y 267344], 21 de junio de 1995 [Tol 236253] y 4 de junio de 1996 [Tol 236381]).

– *La necesidad de que el período de cotización esté comprendido en los cinco años precedentes al hecho causante se justifica por la naturaleza de la contingencia protegida, que priva al beneficiario de unos ingresos de la unidad familiar con los viene contando de modo esencial* (STS de 15 de octubre de 1997 [Tol 238198]).

– *A los efectos de las prestaciones por muerte y supervivencia se considera accidente laboral la muerte por sobredosis, puesto que no es la etapa final de un lento proceso de drogadicción que acaba destruyendo o perturbando las funciones vitales de la persona, sino que es algo que, al margen de que el afectado sea o no drogadicto, le sobreviene por la cantidad o calidad de las sustancias introducidas en su organismo, produciéndose el fallecimiento en un período de tiempo corto tras la ingestión* (STS de 27 de mayo de 1998 [Tol 47688]).

– *La convivencia more uxorio no causa derecho a pensión de viudedad, ni siquiera cuando existe consentimiento presunto o propósito de contraer matrimonio* (STS de 19 de noviembre de 1998 [Tol 46991]).

– *En el caso de fallecimiento producido estando el trabajador en desempleo involuntario, sea o no perceptor de la prestación por desempleo, e inscrito como demandante de empleo, el período de cotización de quinientos días puede retrotraerse a los cinco años anteriores a la fecha de inicio de aquella situación* (STS de 25 de julio de 2000 [Tol 104736]).

– *Sólo tienen eficacia para el cumplimiento de período de carencia de las prestaciones por muerte y supervivencia las cotizaciones realizadas en un Estado extranjero no comunitario cuando así lo prevea la legislación española* (STS de 23 de diciembre de 2002 [Tol 241068]).

– *El derecho a la pensión de viudedad a favor de los varones surge con la entrada en vigor de la Constitución, y es aplicable la Ley 24/1972, que declara imprescriptible el derecho y puede ser reclamado por el viudo aunque el fallecimiento del causante hubiera acaecido bajo la vigencia de la Ley de Seguridad Social de 21 de abril de 1966, al ser una norma discriminatoria en cuanto obstaculizadora de su reconocimiento a los viudos* (STS de 12 de mayo de 2003 [Tol 308215]).

– *Una persona que ha estado unida al sujeto causante como consecuencia del matrimonio celebrado según el rito de la iglesia evangélica de Filadelfia sí tiene derecho a la correspondiente pensión de viudedad porque el matrimonio produce efectos civiles desde su celebración (artículo 61.1 del Código Civil), y ello aunque no esté inscrito en el Registro Civil (únicamente no los tendría si dicho matrimonio perjudicara los derechos adquiridos de buena fe* (STS de 15 de diciembre de 2004 [Tol 591364]).

– *Es aplicable la teoría del "paréntesis" en el cómputo del período de carencia exigido para que pueda causar derecho a una pensión de viudedad una persona que tiene determinados períodos en los que se encontraba en paro involuntario sin derecho a desempleo e inscrito como demandante de empleo; y ello porque la situación de paro involuntario no subsidiado siempre que exista una permanente inscripción como demandante de empleo se considera situación asimilada a la de alta y la Ley General de la Seguridad Social establece que en los supuestos en que se cause aquélla desde una situación de alta o asimilada al alta, sin obligación de cotizar, el período de cotización de quinientos días deberá estar comprendido dentro de un período ininterrumpido de cinco años inmediatamente anteriores a la fecha en que cesó la obligación de cotizar* (STS de 23 de diciembre de 2005 [Tol 821458]).

– *Deben considerarse incluidos en la unidad económica familiar los hijos privativos del cónyuge viudo nacidos con posterioridad al fallecimiento del causante de la pensión de viudedad, incluso cuando viva el padre de éstos y tenga obligación de alimentos, a efectos del reconocimiento de una cuantía de la pensión de viudedad del 70 por 100; puesto que aun cuando la pensión de viudedad fue causada por el cónyuge fallecido, pertenece al cónyuge supérstite y el requisito de exigido de tener cargas familiares debe ser exigido al beneficiario y la referencia a los hijos está realizada en relación al beneficiario y no al causante y tan hijos son unos como otros, los tenidos con el causante como los posteriores* (STS de 2 de octubre de 2008 [*Tol 1396170*]).

– *Es posible la integración de bases mínimas en el supuesto de un sujeto causante que fue perceptor del subsidio por desempleo para mayores de cincuenta y dos años* (STS de 21 de marzo de 2012 [*Tol 2522908*]) *o que procedía de situaciones de invalidez provisional y de desempleo* (STS de 13 de diciembre de 2012 [*Tol 2721750*]).

– *Se considera acreditado el requisito de estar en situación asimilada a la de alta cuando el causante al tiempo del óbito era perceptor de la renta activa de inserción* (STS de 5 de mayo de 2014 [*Tol 4365175*]).

También tendrá derecho a la pensión de viudedad el cónyuge superviviente aunque el causante, a la fecha de fallecimiento, no se encontrase en alta o en situación asimilada a la de alta, siempre que el mismo hubiera completado un período mínimo de cotización de quince años.

2. En los supuestos excepcionales en que el fallecimiento del causante derivara de enfermedad común, no sobrevenida tras el vínculo conyugal, se requerirá, además, que el matrimonio se hubiera celebrado con un año de antelación como mínimo a la fecha del fallecimiento o, alternativamente, la existencia de hijos comunes. No se exigirá dicha duración del vínculo matrimonial cuando en la fecha de celebración del mismo se acreditara un período de convivencia con el causante, en los términos establecidos en el artículo 221.2, que, sumado al de duración del matrimonio, hubiera superado los dos años.

– *En el supuesto de fallecimiento por enfermedad previa al matrimonio y antes de un año de la fecha de éste, se reconocerá derecho a pensión de viudedad por acreditación de convivencia anterior como pareja de hecho sin necesidad de que ésta estuviera inscrita en los registros públicos o constase en documento público* (SSTS de 20 de julio de 2010 [*Tol 1960426*], 3 de mayo [*Tol 2134021*], 15 de junio [*Tol 2248015*] y 21 y 29 de noviembre de 2011 [*Tol 2339844 y 2338081*], 21 y 28 de febrero de 2012 [*Tol 2498549 y 2496547*], 12 de noviembre de 2014 [*Tol 4556761*] y 9 de febrero de 2015 [*Tol 4763613*]).

– *El plazo de duración del vínculo matrimonial tras la convivencia de hecho es el de dos años que establece el la Ley General de la Seguridad Social, a contar desde que la pareja pudo contraer matrimonio* (SSTS de 25 de junio de 2013 [*Tol 3888558*], 30 de septiembre [*Tol 4556749*] y 15 de diciembre de 2014 [*Tol 4698038*], 20 de julio de 2015 [*Tol 5391000*], 16 de febrero de 2016 [*Tol 5662285*], 23 de enero de 2020 [*Tol 7792000*] y 26 de octubre de 2022 [*Tol 9274790*])

**Artículo 220. *Pensión de viudedad en supuestos de separación, divorcio o nulidad matrimonial*.** 1. En los casos de separación o divorcio, el derecho a la pensión de viudedad corresponderá a quien, concurriendo los requisitos en cada caso exigidos en el artículo 219, sea o haya sido cónyuge legítimo, en este último caso siempre que no hubiera contraído nuevas nupcias o hubiera constituido una pareja de hecho en los términos a que se refiere el artículo siguiente.

Asimismo, se requerirá que las personas divorciadas o separadas judicial-mente sean acreedoras de la pensión compensatoria a que se refiere el artículo 97 del Código Civil y esta quedara extinguida a la muerte del causante. En el supuesto de que la cuantía de la pensión de viudedad fuera superior a la pensión compensatoria, aquella se disminuirá hasta alcanzar la cuantía de esta última.

En todo caso, tendrán derecho a la pensión de viudedad las mujeres que, aun no siendo acreedoras de pensión compensatoria, pudieran acreditar que eran víctimas de violencia de género en el momento de la separación judicial o el divorcio mediante sentencia firme, o archivo de la causa por extinción de la responsabilidad penal por fallecimiento; en defecto de sentencia, a través de la orden de protección dictada a su favor o informe del Ministerio Fiscal que indique la existencia de indicios de ser víctima de violencia de género, así como por cualquier otro medio de prueba admitido en Derecho.

– *Tendrán derecho a la pensión de viudedad las mujeres que, aun no siendo acreedoras de pensión compensatoria, pudieran acreditar, mediante indicios que permitan establecer una conexión lógica y razonable entre los hechos de violencia y la presunción de que tal situación concurriera constante el matrimonio (SSTS de 30 de mayo [Rec. 1116/2021] y 17 de octubre de 2024 [Rec. 3336/2022] y 27 de junio de 2025 [Rec. 4252/2023]), que eran víctimas de violencia de género en el momento de la separación judicial o el divorcio mediante sentencia firme, o archivo de la causa por extinción de la responsabilidad penal por fallecimiento; en defecto de sentencia, a través de la orden de protección dictada a su favor o informe del Ministerio Fiscal que indique la existencia de indicios de violencia de género, así como por cualquier otro medio de prueba admitido en Derecho (STS de 26 de septiembre de 2017 [Tol 6403366]).*

– *Debe reconocerse el derecho a percibir la pensión al cónyuge divorciado tras procedimiento de separación en el que se le fijó a su favor y a cargo del cónyuge una pensión en concepto de alimentos, excluyéndose expresamente el concepto compensatorio y manteniéndose así tras dicho divorcio, pues la razón legal del requisito se halla en la dependencia económica, que concurre con independencia de la denominación de la pensión que abonaba el causante (SSTS de 29 y 30 de enero [Tol 4146191 y 4184084], 6 de mayo de 2014 [Tol 4438135], 3 de febrero de 2015 [Tol 4952323] y 12 de febrero de 2016 [Tol 5658227], 11 de marzo de 2020 [3567/2017] y 14 de octubre de 2020 [Rec. 3186/2018] y 11 de abril de 2023 [Tol 9517530]).*

– *Existe el derecho a percibir la pensión al cónyuge viudo separado judicialmente, al que la sentencia de separación reconoció pensión compensatoria, aunque nunca la haya percibido ni reclamado, porque el no haber reclamado el abono de la pensión compensatoria no supone la renuncia a la misma ni, en consecuencia, su extinción (STS de 1 de abril de 2014 [Tol 4264190]).*

– *Al aplicarse el artículo 174.2 de la Ley General de la Seguridad Social de 1994 debe estarse a la cuantía de la pensión compensatoria fijada en sentencia firme de separación o divorcio a favor del acreedor/a, aunque, de hecho, sin modificación judicial de las medidas, no se exigiera su importe o se percibiera en cuantía inferior o superior* (STS de 20 de abril de 2015 [*Tol 5186127*].

– *En un supuesto de pensión de viudedad por violencia de género anterior a la Ley orgánica 1/2004, de 28 de diciembre, de medidas de protección integral contra la violencia de género, el art. 174.2 de la LGSS de 1994 permitía reconocer pensión de viudedad a la víctima de violencia de género que se separó o divorció mediando esa circunstancia, y que en supuestos de separación o divorcio anteriores a la Ley orgánica 1/2004 la existencia de denuncias por actos constitutivos de violencia de género comporta un serio indicio de que la misma ha existido, sin que ello suponga estar ante un medio de prueba plena sino que ha de contextualizarse con el resto de la crónica judicial de lo acaecido* (STS de 20 de enero de 2016 [*Tol 5635159*].

– *Aun cuando expresamente la ley se refiere a la pensión compensatoria, la razón de dicho requisito se halla en la dependencia económica que concurre con independencia de la denominación de la pensión abonada por el fallecido, por ello se entiende concurrente el requisito cuando la cantidad se imputa genéricamente a cargas familiares y se continúa percibiendo por el cónyuge divorciado durante años, tras emanciparse la única hija del matrimonio, existiendo, pues, derecho a pensión de viudedad* (SSTS de 23 de febrero de 2016 [Rec. 2311/2014] y 21 de marzo de 2017 [Rec. 2935/2015]).

– *No tiene el carácter de pensión compensatoria la abonada en la modalidad de pago único y, en consecuencia, no se causa pensión de viudedad porque la muerte del causante no supone una pérdida económica para quien ya cobró su capital en efectivo o en especie* (SSTS de 21 de junio [Rec. 1177/2016] y 15 de noviembre de 2017 [*Tol 6449479*]).

– *Si el legislador ha anudado la pensión de viudedad al importe de la pensión compensatoria, sin distinguir, de ninguna manera, entre las diferentes fórmulas de pensión compensatoria, no cabe hacer distinciones no efectuadas por el legislador, de manera que, si el interesado es acreedor de pensión compensatoria, fuere cual fuere la fórmula utilizada, tendrá derecho a la pensión de viudedad en la cuantía de la pensión compensatoria, con más los complementos por mínimos, que pudieran corresponderle en su caso* (STS de 14 de octubre de 2020 [Rec. 3186/2018]).

– *Tiene derecho a pensión de viudedad la persona divorciada que percibe del causante una cantidad para pagar la hipoteca como sustitución de la pensión compensatoria* (STS de 14 de abril de 2021 [*Tol 8431382*]).

– *Una persona que no era perceptora de pensión compensatoria, tiene derecho a pensión de viudedad, con base en que en la sentencia de divorcio se decretó que el excónyuge tenía la obligación de abonar el 50 por 100 del importe de la cuota del préstamo hipotecario de la vivienda familiar, que se le había asignado* (SSTS de 14 de octubre de 2020 [Rec. 3186/2018], 14 de abril de 2021 [Rec. 4997/2018], 11 de abril de 2023 [Rec. 2973/2020] y 18 de julio de 2025 [Rec. 3117/2024]).

   2. Si, habiendo mediado divorcio, se produjera una concurrencia de beneficiarios con derecho a pensión, esta será reconocida en cuantía proporcional al tiempo vivido por cada uno de ellos con el causante, garantizándose, en todo caso, el 40 por ciento a favor del cónyuge superviviente o, en su caso, del que,

sin ser cónyuge, conviviera con el causante en el momento del fallecimiento y resultara beneficiario de la pensión de viudedad en los términos a que se refiere el artículo siguiente.

– *No existe inconstitucionalidad en el criterio proporcional (prorrata temporis) establecido para aquellos supuestos en los que concurren varios beneficiarios de la pensión de viudedad, sin que exista discriminación de la viuda supérstite que comparte su pensión de viudedad con otra beneficiaria (la anteriormente casada con el causante de la pensión cuyo matrimonio se disolvió o anuló) en relación con la viuda supérstite de un causante que no ha contraído anteriores nupcias, pues, sólo y exclusivamente en este último caso, la viuda percibe la totalidad de la pensión de viudedad (STC 186/2004, de 2 de noviembre [Tol 508776]).*

– *La distribución de la pensión de viudedad entre diversos beneficiarios con arreglo al tiempo vivido con el causante no modifica las prestaciones, sino que distribuye una sola entre varios beneficiarios, por lo que los mínimos garantizados afectan a la prestación y no a cada uno de los beneficiarios, de manera que el complemento por mínimos también será único, haya uno o más beneficiarios (SSTS de 30 de marzo [Tol 234513] y 27 de septiembre de 1994 [Tol 235248] y 20 de mayo [Tol 246513], 22 de octubre [Tol 241065] y 9 y 19 de diciembre de 2002 [Tol 240980 y 257242, y 241045 y 257251]).*

– *Cuando al fallecer el causante queden dos o más cónyuges supervivientes, debe partirse de que el derecho a la pensión de viudedad corresponde al cónyuge supérstite que al momento del hecho causante mantuviera su matrimonio constante y normal; de manera que para determinar el porcentaje de pensión que corresponde a los cónyuges históricos ha de aplicarse el tiempo proporcional de convivencia, computándose el tiempo en relación al período transcurrido desde aquél, mientras que al cónyuge viudo actual le correspondería la pensión en su totalidad, con independencia de su período de convivencia con el causante, siendo la pensión disminuida por la parte que le corresponde a los cónyuges históricos (SSTS de 21 de marzo [Tol 23260], 10 y 26 de abril de 1995 [Tol 266255 y 3733], 10 de noviembre de 1999 [Tol 46380], 21 de marzo [Tol 47099] y 3 de julio de 2000 [Rec. 2688/1999] y 27 de enero de 2004 [Tol 347161]).*

– *En los supuestos de divorcio sin posterior matrimonio de ninguno de los cónyuges, el importe de la pensión de viudedad será proporcional al tiempo de convivencia (SSTS de 14 y 23 de julio de 1999 [Tol 209282 y 299017] y 17 y 24 de enero [Tol 46763 y 47568], 6 de marzo [Tol 46073] y 5 de abril de 2000 [Tol 46005]).*

– *La distribución de la pensión de viudedad entre diversos beneficiarios con arreglo al tiempo vivido con el causante no modifica las prestaciones, sino que distribuye una sola entre varios beneficiarios, por lo que los mínimos garantizados afectan a la prestación y no a cada uno de los beneficiarios, de manera que el complemento por mínimos también será único, haya uno o varios beneficiarios (SSTS de 9 de diciembre de 2002 [Tol 240980 y 257242], 31 de mayo de 2005 [Tol 675556] y 17 de septiembre de 2008 [Tol 1383910]).*

– *La cuantía de la pensión de viudedad debe ser proporcional al tiempo convivencia en los supuestos de separación judicial y posterior reconciliación de los cónyuges separados, porque aun cuando el Código Civil (artículo 84) establece que la reconciliación pone término al procedimiento de separación, aquélla no tiene efectos retroactivos, de manera que dejará sin efecto ulterior las consecuencias de la separación judicial, pero sin que ello signifique la eliminación de la realidad material que consiste en el hecho de que durante el tiempo entre la separación y la reconciliación no hubo vida en común con el cónyuge fallecido, tal y como exige el artículo 174.2 de la Ley General de la Seguridad Social de 1994, puesto que la ausencia de vida en común es el efecto constitutivo, típico y más característico de la sentencia de separación matrimonial (artículo 83 del Código Civil)* (SSTS de 20 de enero [*Tol* 347162] y 15 de diciembre de 2004 [*Tol* 565087], 2 y 23 de febrero de 2005 [*Tol* 603018 y 603001], 28 de febrero [*Tol* 929190] y 2 y 26 de octubre [Rec. 1925/05 y *Tol* 1018541] y 28 de noviembre de 2006 [*Tol* 1038107], 24 de julio de 2007 [*Tol* 1143995], 28 y 29 de mayo [*Tol* 1343581 y 1333227] y 21 de julio de 2008 [*Tol* 1373062], 7 de febrero [Rec. 867/11] y 7 de diciembre de 2011 [*Tol* 2412401], 16 de julio [Rec. 3431/11] y 30 de octubre de 2012 [Rec. 212/12], 13 de marzo [*Tol* 6566179] y 12 de abril de 2018 [Rec. 1613/16] y 21 de julio de 2020 [Rec. 429/18]).

– *En los supuestos de convivencia marital anterior a la publicación de la Ley de Divorcio, con matrimonio celebrado al poco tiempo de su entrada en vigor, una vez divorciado el causante de su cónyuge histórico, se le reconocerá al cónyuge viudo, a efectos del cálculo de la pensión de viudedad, todo el tiempo de convivencia con el sujeto causante hasta la fecha del divorcio* (STS de 27 de enero de 2004 [*Tol* 347161]).

– *No puede computarse con el objetivo de aumentar el porcentaje de la pensión de viudedad calculado en el momento de la separación judicial la convivencia posterior a la misma, que se produce como consecuencia de su reconciliación, cuando no se ha comunicado al juez que decretó la inicial separación, porque en tal caso sólo existe una situación de hecho cuya significación no tiene carácter inequívoco en orden al restablecimiento del vínculo* (SSTS de 20 de enero [*Tol* 347162] y 15 de diciembre de 2004 [*Tol* 565087], 2 y 23 de febrero de 2005 [*Tol* 603018 y 603001], 28 de febrero [*Tol* 929190] y 26 de octubre [*Tol* 1018541] y 28 de noviembre de 2006 [*Tol* 1038107], 24 de julio de 2007 [*Tol* 1143995] y 28 y 29 de mayo [*Tol* 1343581 y 1333227], 21 de julio de 2008 [*Tol* 1373062], 7 de diciembre de 2011 [*Tol* 2412401] y 13 de marzo de 2018 [*Tol* 6566179]).

– *En el supuesto de pensión de viudedad reconocida con prorrata por el tiempo de convivencia con el causante, no cabe aplicar la prorrata al importe del complemento por mínimos porque éste tiene una naturaleza autónoma y, además, resulta de fijación anual, de suerte que en cada anualidad al Estado le corresponde determinar cuál es el mínimo legal que cualquier pensión de viudedad debe alcanzar* (STS de 11 de octubre de 2017 [*Tol* 6420732]).

– *En caso de pensión de viudedad con beneficiarios concurrentes, falleciendo el excónyuge, el cónyuge viudo recupera el derecho a percibir la pensión íntegra (acrecimiento impropio)* (SSTS de 9 de junio de 2021 [*Tol* 8473619] y 9 de febrero [*Tol* 8810632] y 26 de abril de 2022 [*Tol* 8961165]).

**3.** En caso de nulidad matrimonial, el derecho a la pensión de viudedad corresponderá al superviviente al que se le haya reconocido el derecho a la indemnización a que se refiere el artículo 98 del Código Civil, siempre que no hubiera contraído nuevas nupcias o hubiera constituido una pareja de hecho en los términos a que se refiere el artículo siguiente. Dicha pensión será reconocida en cuantía proporcional al tiempo vivido con el causante, sin perjuicio de los límites que puedan resultar por la aplicación de lo previsto en el apartado anterior en el supuesto de concurrencia de varios beneficiarios.

– *En caso de nulidad se exige que la persona que pretenda ser beneficiario de pensión de viudedad hubiera sido considerado por la sentencia judicial cónyuge de buena fe* (STS de 11 de febrero de 1994 [*Tol* 267358]).

*— En el supuesto de declararse la nulidad del matrimonio causante de la extinción se producirá la reanudación o rehabilitación de la pensión de viudedad extinguida; no se aplicará esta excepción en los supuestos de divorcio* (STS de 28 de julio de 2000 [Rec. 2190/1999]).

**Artículo 221.** *Pensión de viudedad de parejas de hecho.* 1. También tendrán derecho a la pensión de viudedad, con carácter vitalicio, salvo que se produzca alguna de las causas de extinción que legal o reglamentariamente se establezcan, quienes cumpliendo los requisitos establecidos en el artículo 219, se encuentren unidos al causante en el momento de su fallecimiento como pareja de hecho.

*Es posible el acceso a la pensión de viudedad por parte de la mujer que acredita todos los requisitos legalmente exigidos para tener derecho a la pensión de viudedad de parejas de hecho con excepción del de la unión y convivencia con el causante en el momento de su fallecimiento, al haber cesado la convivencia por la existencia de violencia de género, en primer lugar, porque la concurrencia de violencia de género debe eximir del cumplimiento de determinados requisitos que, no solo carecen de sentido cuando existe aquella violencia (la exigencia de la convivencia en el momento del fallecimiento a pesar de que la convivencia haya debido y tenido que cesar por la violencia ejercida contra la mujer), sino que exigir esa convivencia en tales circunstancias de violencia es radicalmente incompatible con la protección de la mujer víctima de malos tratos; y, en segundo lugar y, sobre todo, porque si las mujeres separadas y divorciadas víctimas de violencia de género pueden acceder a la pensión de viudedad, lo mismo debe poder suceder con las mujeres que forman uniones de hecho y que son igualmente víctimas de violencia de género* (SSTS de 14 de octubre de 2020 [Rec. 2753/2018], 13 de abril [Rec. 793/2020], 5 de julio [Rec. 1981/2020] y 4 de octubre de 2023 [Rec. 1352/2021], y 25 de enero de 2024 [Rec. 2490/2021]).

2. A efectos de lo establecido en este artículo, se reconocerá como pareja de hecho la constituida, con análoga relación de afectividad a la conyugal, por quienes, no hallándose impedidos para contraer matrimonio, no tengan vínculo matrimonial con otra persona ni constituida pareja de hecho, y acrediten, mediante el correspondiente certificado de empadronamiento, una convivencia estable y notoria con carácter inmediato al fallecimiento del causante y con una duración ininterrumpida no inferior a cinco años, salvo que existan hijos en común, en cuyo caso solo deberán acreditar la constitución de la pareja de hecho de conformidad con lo previsto en el párrafo siguiente.

*— Para causar derecho a pensión de viudedad no basta la inscripción en Registro de parejas de hecho, es preciso que los convivientes no tengan vínculo matrimonial con otra persona y que no estén impedidos para contraer matrimonio, por ello, no existe derecho a pensión de viudedad en el supuesto de una persona separada judicialmente, sin derecho a pensión compensatoria, que convive con otra persona divorciada* (STS de 2 de marzo de 2017 [Rec. 3134/2015]).

La existencia de pareja de hecho se acreditará mediante certificación de la inscripción en alguno de los registros específicos existentes en las comunidades autónomas o ayuntamientos del lugar de residencia o mediante documento público en el que conste la constitución de dicha pareja. Tanto la mencionada inscripción como la formalización del correspondiente documento público deberán haberse producido con una antelación mínima de dos años con respecto a la fecha del fallecimiento del causante.

– *Se descarta que resulte contrario al artículo 14 de la Constitución española el inciso "no tengan vínculo matrimonial con otra persona" del párrafo cuarto del artículo 174.3 de la Ley General de la Seguridad Social, como presupuesto para que se pueda ostentar la condición de pareja de hecho a los efectos de poder acceder a la pensión de viudedad regulada en dicho precepto* (STC 44/2014, 7 de abril [Tol 4236038]).

– *El apartado cuarto del artículo 174.3 de la Ley General de la Seguridad Social de 1994, en su inciso "La existencia de pareja de hecho se acreditará mediante certificación de la inscripción en alguno de los registros específicos existentes en las Comunidades Autónomas o Ayuntamientos del lugar de residencia o mediante documento público en el que conste la constitución de dicha pareja", no vulnera el derecho a la igualdad ante la ley* (SSTC 45/2014, de 7 de abril [Tol 4236043] y 51/2014, de 7 de abril [Tol 4236035]).

– *La exigencia de la constitución formal, ad solemnitatem, de la pareja de hecho con una antelación mínima a la fecha del fallecimiento del causante de la pensión exigida en el párrafo cuarto del artículo 174.3 de la Ley General de la Seguridad Social de 1994 no carece de una finalidad constitucionalmente legítima, en tanto que atiende a constatar, a través de un medio idóneo, necesario y proporcionado, el compromiso de convivencia entre los miembros de una pareja de hecho, permitiendo al legislador identificar una concreta situación de necesidad merecedora de protección a través de la pensión de viudedad del sistema de Seguridad Social* (STC 45/2014, de 7 de abril [Tol 4236043]).

*La norma 5.ª de la disposición 10.ª de la Ley 30/1981, 7 de julio, en su referencia a la concreta causa de extinción establecida en el artículo 101 del Código Civil de "vivir maritalmente con otra persona" es inconstitucional, puesto que incurre en una discriminación prohibida por el artículo 14 de la Constitución española al establecer dos sistemas de extinción de la pensión de viudedad diferentes, pese a la unidad de la misma* (STC 125/2003, de 19 de junio [Tol 285455]).

– *No procede el reconocimiento del derecho a pensión de viudedad a una persona por el fallecimiento de su pareja del mismo sexo con la que convivía "more uxorio" producido antes de la entrada en vigor de la Ley 13/2005, de 1 de julio, que reconoció el derecho a contraer matrimonio a las personas del mismo sexo, puesto que el objeto de dicha Ley no es eliminar una discriminación preexistente sino instaurar algo nuevo, eliminando una concepción que estimó anticuada acerca de la naturaleza de las relaciones de convivencia entre parejas de un mismo sexo, y construyendo con ello un nuevo marco de derechos y deberes que antes no tenían las parejas homosexuales, todo ello con un carácter constitutivo y novedoso, que por su propia naturaleza sólo tiene efectos ex nunc o carácter prospectivo y no retroactivo* (SSTS de 29 de abril de 2009 [Tol 1554048], 17 de junio de 2014 [Rec. 2098/2013], 21 de enero de 2015 [Rec. 160/2014] y 18 de octubre de 2016 [Rec. 1787/2015]).

– *La acreditación de la convivencia no debe realizarse exclusivamente a través del certificado de empadronamiento, que no puede calificarse de documento constitutivo, sino que es claro que la existencia de una pareja de hecho puede acreditarse de muy diferentes maneras o a través de muy diversos instrumentos probatorios que, por otra parte, pueden no ser exactamente coincidentes en todo el territorio español, dada la especificidad de determinadas Comunidades Autónomas a cuya normativa propia se refiere también el artículo 174.3 de la Ley General de la Seguridad Social de 1994* (SSTS de 25 de mayo [*Tol 1946567*], 24 de junio [*Tol 1944912*], 6 y 20 de julio [*Tol 1955101 y 1960426*], 14 y 20 de septiembre [*Tol 1969059 y 1966847*], 12 y 17 de noviembre [*Tol 2002768 y 2009211*] y 9 de diciembre de 2010 [*Tol 2024005*], 26 de enero [*Tol 2040570*], 15 de marzo [*Tol 2079177*], 14 y 15 de abril [*Tol 2108119 y 2110152 y 2123526*], 3 de mayo [*Tol 2134021*], 9 y 21 de junio [*Tol 2199966 y 2205884*], 6 y 21 de julio [*Tol 2227401 y 2265116*], 26 de septiembre [*Tol 2253312*], 4 de octubre [*Tol 2300482*], 8, 17 y 29 de noviembre [*Tol 2299938, 2367387 y 2367824*] y 20 y 26 de diciembre de 2011 [*Tol 2440683 y 2406373*], 9 de octubre [*Tol 2672990*] y 26 de noviembre de 2012 [*Tol 2714409*] y 19 de abril de 2016 [*Tol 5733193*]).

– *La acreditación del período de convivencia, complementario del matrimonial, puede llevarse a cabo por cualquiera de los medios probatorios admitidos en Derecho, sin que para ello sea necesario acudir a los medios concretos que exige el artículo 174.3 de la Ley General de la Seguridad Social de 1994 para el caso de que el derecho a la prestación se apoye exclusivamente en la situación de pareja de hecho sin ulterior matrimonio* (STS de 14 de junio de 2010 [*Tol 1921717*], 29 de noviembre de 2011 [*Tol 2367824*] y 15 de noviembre de 2017 [*Tol 6449519*]).

– *No existe derecho a pensión de viudedad desde la situación de pareja de hecho cuanto se trata de cónyuges separados judicialmente que se reconcilian y reanudan la convivencia sin comunicar al juzgado dicha situación, como consecuencia de la incompatibilidad de dicha situación con la subsistencia de vínculo matrimonial entre los cónyuges* (SSTS de 14 de junio [Rec. 2975/2009], 20 de julio [Rec. 3715/2009] y 17 de noviembre de 2010 [Rec. 911/2010], 25 de junio de 2013 [Rec. 2528/2012] y 30 de septiembre de 2014 [Rec. 2516/2013], 20 de julio de 2015 [Rec. 3078/2014] y 16 de febrero de 2016 [Rec. 33/2014]

– *La existencia de la pareja de hecho se acreditará mediante certificación de la inscripción en alguno de los registros específicos existentes en las Comunidades Autónomas o Ayuntamientos del lugar de residencia o mediante documento público en el que conste la constitución de dicha pareja* (SSTS de 20 de julio de 2010 [*Tol 1960426*], 3 de mayo [*Tol 2134021 y 2159478*], 15 de junio [*Tol 2248015*], 22 de noviembre [*Tol 2366825*] y 26 de diciembre de 2011 [*Tol 2406373*], 24 de mayo de 2012 [*Tol 265237*], 16 de julio de 2013 [*Tol 3906511*], 20 de mayo [*Tol 4430799*], 22 de septiembre [Rec. 759/2012, 1098/2012, 1752/2012, 1958/2012, 1980/2012 y 2563/2012] y 22 de octubre de 2014 [Rec. 1025/2012], 9 de febrero [*Tol 4763569, 4763762 y 4763804*], 10 de marzo [*Tol 4831646*] y 28 y 29 de abril [*Tol 5010195 y 5172216*], 12 de mayo [*Tol 5186129*], 23 de junio [*Tol 5412429*], 7 de julio [*Tol 5495411*] y 16 de diciembre de 2015 [Rec. 3453/2014], 23 de febrero [Rec. 3271/2014], 2, 29 y 30 de marzo [Rec. 3356/2014, 3151/2014 y 2689/2014], 11 de mayo [Rec. 2585/2014], 1 de junio [Rec. 207/2015], 20 y 21 de julio [Rec. 2988/2014 y 2713/2014], 8 de noviembre [Rec. 3469/2014] y 7 de diciembre de 2016 [Rec. 3765/2014], 12 de diciembre de 2017 [*Tol 6478247*], 21 de diciembre de 2023 [Rec. 2234/2022] y 25 y 29 de abril [Rec. 4220/2021, 1295/2022 y 5115/2022, y 1881/2022], 5 de junio de 2024 [Rec. 3216/2021], 25 de marzo de 2025 [Rec. 4803/2023 y 4398/2023] y 16 de octubre de 2025 [Rec. 1744/2023] y 21 de enero de 2026 [Rec. 9/2025]).

– *Para acreditar la existencia de la pareja de hecho no es eficaz la escritura de constitución de la comunidad de bienes sobre una vivienda* (STS de 13 de marzo de 2018 [*Tol 6554778*]).

3. Cuando la pareja de hecho constituida en los términos del apartado anterior se extinga por voluntad de uno o ambos convivientes, el posterior fallecimiento de uno de ellos solo dará derecho a pensión de viudedad con carácter vitalicio al superviviente cuando, además de concurrir los requisitos exigidos en cada caso en el artículo 219, no haya constituido una nueva pareja de hecho en los términos indicados en el apartado 2 ni contraído matrimonio.

Asimismo, se requerirá que la persona supérstite sea acreedora de una pensión compensatoria y que ésta se extinga con motivo de la muerte del causante. La pensión compensatoria deberá estar determinada judicialmente o mediante convenio o pacto regulador entre los miembros de la pareja otorgado en documento público, siempre que para fijar el importe de la pensión se haya tenido en cuenta la concurrencia en el perceptor de las mismas circunstancias relacionadas en el artículo 97 del Código Civil.

En el supuesto de que la cuantía de la pensión de viudedad fuera superior a la pensión compensatoria, aquella se disminuirá hasta alcanzar la cuantía de esta última.

En todo caso, tendrán derecho a la pensión de viudedad las mujeres que, aun no siendo acreedoras de pensión compensatoria, pudieran acreditar que eran víctimas de violencia de género en el momento de la extinción de la pareja de hecho mediante sentencia firme, o archivo de la causa por extinción de la responsabilidad penal por fallecimiento; en defecto de sentencia, a través de la orden de protección dictada a su favor o informe del Ministerio Fiscal que indique la existencia de indicios de ser víctima de violencia de género, así como por cualquier otro medio de prueba admitido en Derecho.

<small>Artículo 221 redactado por la Ley 21/2021, de 28 de diciembre, de garantía del poder adquisitivo de las pensiones y de otras medidas de refuerzo de la sostenibilidad financiera y social del sistema público de pensiones (BOE núm. 312, de 29 de diciembre de 2021).</small>

**Artículo 222.** *Prestación temporal de viudedad.* Cuando el cónyuge o la pareja de hecho superviviente no pueda acceder al derecho a pensión de viudedad por no acreditar, respectivamente, que su matrimonio con el causante ha tenido una duración de un año en los términos del artículo 219.2, o por la inexistencia de hijos comunes, o que su inscripción como pareja de hecho en alguno de los registros específicos existentes en las comunidades autónomas o ayuntamientos del lugar de residencia o su constitución mediante documento público se han producido con una antelación mínima de dos años respecto de la fecha del fallecimiento del causante, pero concurran el resto de requisitos

enumerados en el artículo 219, tendrá derecho a una prestación temporal en cuantía igual a la de la pensión de viudedad que le hubiera correspondido y con una duración de dos años.

Artículo 222 redactado por la Ley 21/2021, de 28 de diciembre, de garantía del poder adquisitivo de las pensiones y de otras medidas de refuerzo de la sostenibilidad financiera y social del sistema público de pensiones (BOE núm. 312, de 29 de diciembre de 2021).

**Artículo 223. *Compatibilidad y extinción de las prestaciones de viudedad*.** 1. La pensión de viudedad será compatible con cualesquiera rentas de trabajo.

La pensión de viudedad, causada en las condiciones establecidas en el segundo párrafo del artículo 219.1, incluido el supuesto de parejas de hecho, será incompatible con el reconocimiento de otra pensión de viudedad, en cualquiera de los regímenes de la Seguridad Social, salvo que las cotizaciones acreditadas en cada uno de los regímenes se superpongan, al menos, durante quince años.

– *Es incompatible la pensión de jubilación del Seguro Obligatorio de Vejez e Invalidez con la pensión de viudedad del Régimen General de la Seguridad Social (STS de 24 de octubre de 2003 [Tol 348536]).*

– *El derecho a la pensión de viudedad en el Régimen General de la Seguridad Social es incompatible con el derecho a la pensión de viudedad en el Régimen de Clases Pasivas causada por un pensionista de jubilación en el Régimen de Clases Pasivas calculada computando cotizaciones al Régimen General de la Seguridad Social (STS de 15 de marzo de 2018 [Tol 6566044]).*

2. El derecho a pensión de viudedad se extinguirá, en todo caso, cuando el beneficiario contraiga matrimonio o constituya una pareja de hecho en los términos regulados en el artículo 221, sin perjuicio de las excepciones establecidas reglamentariamente.

– *No es causa de extinción la convivencia extramatrimonial (STC 126/1994, de 25 de abril [Tol 82533], y SSTS de 14 de abril [Tol 234056] y 17 de junio de 1994 [Tol 2333846]).*

– *La convivencia more uxorio del cónyuge divorciado que ha desaparecido como consecuencia de la muerte del conviviente more uxorio en fecha anterior al fallecimiento del causante no es causa de extinción de la pensión de viudedad devengada, procediendo la distribución de la misma entre el cónyuge viudo y el divorciado en proporción al tiempo de convivencia (STS de 26 de mayo de 2004 [Tol 495710]).*

– *Si el artículo 223.2 de la Ley General de la Seguridad Social requiere, para que la pensión de viudedad se extinga, que el beneficiario constituya una pareja de hecho en los términos del artículo 221 de la Ley General de la Seguridad Social, cabe concluir, inequívocamente, que no sólo exige que la pareja se registre formalmente, sino también que haya convivido al menos cinco años ininterrumpidos; lo que, examinado desde la perspectiva del acceso a la pensión, determina que sea claro que sólo una pareja de hecho así constituida podría impedirlo, porque tal pareja de hecho es la única diseñada en el precepto y no resulta lógico y coherente que se puedan exigir requisitos distintos para el acceso al derecho que para su extinción, cuando el legislador, en ambos supuestos se remite al mismo precepto* (STS de 1 de abril de 2025 [Rec. 2729/2023]).

3. Lo previsto en el presente artículo resulta de aplicación a la prestación temporal de viudedad.

Artículo 223 redactado por la Ley 21/2021, de 28 de diciembre, de garantía del poder adquisitivo de las pensiones y de otras medidas de refuerzo de la sostenibilidad financiera y social del sistema público de pensiones (BOE núm. 312, 29 de diciembre de 2021).

**Artículo 224. Pensión de orfandad y prestación de orfandad.** 1. Tendrán derecho a la pensión de orfandad, en régimen de igualdad, cada uno de los hijos e hijas del causante o de la causante fallecida, cualquiera que sea la naturaleza de su filiación, siempre que, en el momento de la muerte, sean menores de veintiún años o estén incapacitados para el trabajo y que el causante se encontrase en alta o situación asimilada a la de alta, o fuera pensionista en los términos del artículo 217.1.c).

Será de aplicación, asimismo, a las pensiones de orfandad lo previsto en el segundo párrafo del artículo 219.1.

Tendrán derecho a la prestación de orfandad, en régimen de igualdad, cada uno de los hijos e hijas de la causante fallecida, cualquiera que sea la naturaleza de su filiación, cuando el fallecimiento se hubiera producido por violencia contra la mujer, en los términos en que se defina por la ley o por los instrumentos internacionales ratificados por España, y en todo caso cuando se deba a la comisión contra la mujer de alguno de los supuestos de violencias sexuales determinados por la Ley Orgánica de garantía integral de la libertad sexual, siempre que los hijos e hijas se hallen en circunstancias equiparables a una orfandad absoluta y no reúnan los requisitos necesarios para causar una pensión de orfandad. La cuantía de esta prestación será el 70 por ciento de su base reguladora, siempre que los rendimientos de la unidad familiar de convivencia, incluidas las personas huérfanas, dividido por el número de miembros que la componen, no superen en cómputo anual el 75 por ciento del Salario Mínimo Interprofesional vigente en cada momento, excluida la parte proporcional de las pagas extraordinarias.

Párrafo tercero redactado por la Ley orgánica 10/2022, de 6 de septiembre, de garantía integral de la libertad sexual (BOE núm. 215, 7 de septiembre de 2022).

En el supuesto de que hubiera más de una persona beneficiaria de esta prestación, el importe conjunto de las mismas podrá situarse en el 118 por ciento de la base reguladora, y nunca será inferior al mínimo equivalente a la pensión de viudedad con cargas familiares.

– *Es causa de extinción del derecho a la pensión de orfandad contraer matrimonio, sea cual sea la situación económica en que se encuentre, sin que ello suponga una vulneración del principio de igualdad de elección de solteros, separados o viudos* (STC 140/1992, de 13 de octubre [*Tol 80750*]).

– *Exigir un requisito temporal respecto a la filiación adoptiva vulnera el principio de igualdad de trato recogido en el artículo 14 de la Constitución española, pues no debe exigirse en la filiación por adopción una estabilidad que tampoco puede garantizar la filiación por naturaleza* (STC 46/1999, de 22 de marzo [*Tol 48471*]).

– *Se consideran huérfanos con derecho a pensión los hijos del causante habidos fuera del matrimonio, por no haber podido celebrarse éste, aunque no estén reconocidos oficialmente, si vivían a expensas del fallecido y notoriamente son reconocidos como tales* (STS de 11 de octubre de 1986).

– *Para ser considerados como huérfanos con derecho a pensión, los hijos mayores de dieciocho años deben tener reducida su capacidad de trabajo en un porcentaje valorado en un grado de incapacidad permanente absoluta* (SSTS de 28 de abril de 1999 [*Tol 47455 y 57150*], 19 de diciembre de 2000 [*Tol 72194*], 10 de noviembre de 2009 [Rec. 61/2009], 7 de diciembre de 2010 [*Tol 2026942*] y 2 de febrero de 2023 [*Tol 9448897*]).

– *La pensión de orfandad extinguida por contraer matrimonio no puede rehabilitarse como consecuencia de posterior separación en la que el beneficiario no percibe pensión de su cónyuge* (SSTS de 1 de marzo de 2004 [*Tol 376997*] y 30 de enero de 2007 [*Tol 1036722*]).

– *El menor acogido permanentemente no tiene derecho a la pensión de orfandad porque el artículo 175 de la LGSS sólo reconoce la pensión a los hijos por naturaleza y a los adoptados, pero no a los acogidos; no es posible reconocer la pensión a partir de una relación de acogimiento, que, por su naturaleza legal no es permanente, no rompe los vínculos del acogido con la familia por naturaleza y puede terminar por decisión de las personas que lo tienen acogido y a petición de los padres que tengan la patria potestad* (STS de 3 de noviembre de 2004 [*Tol 526729*]).

– *Debe admitirse el incremento de la cuantía de la pensión de orfandad con el porcentaje de la pensión de viudedad previsto para los supuestos de orfandad absoluta cuando se trata de un hijo extramatrimonial, como consecuencia de la inexistencia de cónyuge sobreviviente a la muerte del causante, y con el objeto de evitar el impacto negativo que otra interpretación tendría en la realidad familiar y en la cobertura de las necesidades de los hijos extramatrimoniales, y, en definitiva, eludir la discriminación indirecta por razón de la filiación* (SSTS de 9 de junio [*Tol 1369588*] y 24 de septiembre de 2008 [*Tol 1393229*]).

– *No procede el incremento de la pensión de orfandad en el supuesto de huérfano no absoluto cuya madre ya no era cónyuge supervivente del causante, al estar divorciada y no haber accedido a pensión de viudedad por falta de pensión compensatoria, porque tanto la pensión de viudedad como la de orfandad tienen carácter sustitutivo de las rentas en que los beneficiarios dejan de participar por la muerte del causante, viéndose así perjudicados por la desaparición de una de sus fuentes de ingresos; y si al cónyuge viudo no le fue en su día reconocida la pensión compensatoria se entiende que no ha sufrido desequilibrio económico ni perjuicio alguno y por tanto no devenga la pensión de viudedad, ni su hijo huérfano podrá beneficiarse nunca participando en una pensión de viudedad que no existe, y, en consecuencia, tampoco ha sufrido perjuicio alguno que justifique el incremento de su pensión previsto reglamentariamente* (STS de 10 de mayo de 2013 [Tol 3858036]); *y tampoco en el supuesto de huérfano de padre, sin que la madre tenga reconocida pensión de viudedad por no haber estado casada ni haber constituido pareja de hecho con el causante, puesto que la expresión orfandad "absoluta" sólo significa la falta de ambos progenitores o, en su caso, que a la ausencia de uno se añada que el otro sea desconocido o que el sobreviviente haya sido declarado responsable de violencia de género* (SSTS de 29 de enero [Tol 4218226], 2, 6 y 11 de febrero [Rec. 1088/2013 y Tol 4177379 y 4218679], 30 de abril [Tol 4331267], 12 de mayo [Rec. 2424/2013], 1 de julio [Tol 4481875] y 17 de diciembre de 2014 [Tol 4786726] y 14 de enero [Tol 4730299], 25 de febrero [Tol 5004191], 5 de mayo [Tol 5171985] y 13 de julio de 2015 [Tol 5412370], y 25 de mayo de 2021 [Tol 8454688]).

– *Procede el incremento para huérfanos absolutos cuando se trate de hijos extramatrimoniales y la madre supérstite no tiene derecho a pensión de viudedad por tratarse de convivencia que no figura inscrita en el registro de parejas de hecho, al tratarse de una situación diferente a la del hijo de cónyuge divorciado sin derecho a pensión de viudedad por no haber accedido a pensión compensatoria* (STS de 28 de junio de 2013 [Tol 3858018]).

– *Es asimilable al supuesto de orfandad absoluta, procediendo el incremento del porcentaje de la pensión de orfandad, el caso de una beneficiaria, huérfana de madre, cuyo padre, que no es beneficiario de la pensión de viudedad en relación a la causante y no cubre las necesidades económicas de su hija, que tiene la condición de discapacidad* (SSTS de 7 de septiembre de 2022 [Rec. 475/2019] y 30 de mayo de 2024 [Rec. 999/2022].

2. El derecho a la pensión de orfandad y al incremento previsto reglamentariamente para los casos de orfandad absoluta y, en su caso, a la prestación de orfandad, se suspenderá en el supuesto de adopción de los hijos e hijas de la causante fallecida como consecuencia de violencia sobre la mujer, cuando los rendimientos de la unidad de convivencia en que se integran, divididos por el número de miembros que la componen, incluidas las personas huérfanas adoptadas, superen en cómputo anual el 75 por ciento del Salario Mínimo Interprofesional vigente en cada momento, excluida la parte proporcional de las pagas extraordinarias.

Asimismo, cuando la muerte por violencia contra la mujer de la causante de la pensión o prestación de orfandad hubiera sido producida por un agresor distinto del progenitor de los hijos e hijas de la causante, se reconocerá el derecho a la pensión de orfandad con el incremento que correspondiese o, en su caso, la prestación de orfandad, cuando los rendimientos de la unidad de convivencia en que se integran no superen el mismo porcentaje establecido en el párrafo anterior. En otro caso, se suspenderá el derecho a su percibo.

En los supuestos anteriores, la suspensión tendrá efectos desde el día siguiente a aquél en que concurra la causa de la suspensión.

El derecho a la pensión o a la prestación se recuperará cuando los ingresos de la unidad de convivencia no superen los límites señalados anteriormente. La recuperación tendrá efectos desde el día siguiente a aquél en que se modifique la cuantía de los ingresos percibidos, siempre que se solicite dentro de los tres meses siguientes a la indicada fecha. En caso contrario, la pensión o prestación recuperada tendrá una retroactividad máxima de tres meses, a contar desde la solicitud.

En los casos en que se haya mantenido el percibo de la pensión o de la prestación de orfandad, aunque se haya constituido la adopción, la nueva pensión o prestación de orfandad que pudiese generarse como consecuencia del fallecimiento de una de las personas adoptantes, será incompatible con la pensión o prestación de orfandad que se venía percibiendo, debiendo optar por una de ellas.

A los efectos previstos en este artículo, se presumirá la orfandad absoluta cuando se hubiera producido abandono de la responsabilidad familiar del progenitor supérstite y se hubiera otorgado el acogimiento o tutela de la persona huérfana por violencia contra la mujer a favor de terceros o familiares, así como en otros supuestos determinados reglamentariamente.

Apartado 2 añadido por la Ley orgánica 2/2022, de 21 de marzo, de mejora de la protección de las personas huérfanas víctimas de la violencia de género (BOE núm. 69, 22 de marzo de 2022).

3. Podrá ser beneficiario de la pensión de orfandad o de la prestación de orfandad, siempre que en la fecha del fallecimiento del causante fuera menor de veinticinco años, el hijo del causante que no efectúe un trabajo lucrativo por cuenta ajena o propia, o cuando realizándolo, los ingresos que obtenga resulten inferiores, en cómputo anual, a la cuantía vigente para el salario mínimo interprofesional, también en cómputo anual.

Si el huérfano estuviera cursando estudios y cumpliera los veinticinco años durante el transcurso del curso escolar, la percepción de la pensión y la prestación de orfandad se mantendrá hasta el día primero del mes inmediatamente posterior al de inicio del siguiente al curso académico.

Apartado 3 renumerado por la Ley orgánica 2/2022, de 21 de marzo, de mejora de la protección de las personas huérfanas víctimas de la violencia de género (BOE núm. 69, 22 de marzo de 2022).

– *En los casos en que el hijo del causante no efectúe un trabajo lucrativo por cuenta ajena o propia o cuando realizándolo, los ingresos que obtenga en cómputo anual resulten inferio-*

*res en cómputo anual a la cuantía vigente para el salario mínimo interprofesional, también en cómputo anual, se podrá ser beneficiario de la pensión siempre que, en la fecha del fallecimiento del causante, sea menor de veinticinco años de edad* (SSTS de 18 de septiembre de 2014 [*Tol 4538558*]. 4 de marzo [*Tol 4839396*] y 22 de junio de 2015 [*Tol 5412321*], 23 de noviembre de 2016 [Rec. 3818/2015] y 7 de junio de 2018 [*Tol 6665795*]).

**4. La pensión de orfandad y la prestación de orfandad se abonará a quien tenga a su cargo a los beneficiarios según determinación reglamentaria.**

Apartado 4 renumerado por la Ley orgánica 2/2022, de 21 de marzo, de mejora de la protección de las personas huérfanas víctimas de la violencia de género (BOE núm. 69, 22 de marzo de 2022).

Artículo 224 redactado por la Ley 3/2019, de 1 de marzo, de mejora de la situación de orfandad de las hijas e hijos de víctimas de violencia de género y otras formas de violencia contra la mujer (BOE núm. 53, 2 de marzo de 2019).

– *En el supuesto de orfandad absoluta, la pensión de orfandad se incrementará con el porcentaje de la pensión de viudedad* (SSTS de 23 de febrero [*Tol 234427*] y 2 de diciembre de 1994 [*Tol 232785*]).

– *La pensión de viudedad no acrece la pensión de orfandad cuando sin haber cónyuge supérstite, sí que hay padre o madre* (SSTS de 23 de febrero [*Tol 234427*], 5 de abril [*Tol 234714*], 15 de julio [*Tol 234086*] y 2 de diciembre de 1994 [*Tol 232785*] y 10 de julio de 1995 [*Tol 235842*]).

– *No debe confundirse la fecha del hecho causante con la fecha de los efectos económicos de las prestaciones por muerte y supervivencia, pues estando claro que la primera se produce con la situación de necesidad acaecida con el fallecimiento del causante, la segunda dependerá del momento de su solicitud, partiendo de la premisa de la imprescriptibilidad de dichas prestaciones, y, por ello, la más completa autonomía con la que puede decidir la resolución a propósito de los requisitos para acceder a la pensión de orfandad, sin supeditación alguna a una reclamación acerca de la posible discapacidad del beneficiario, hace que no requiera esperar a su resultado para instar el reconocimiento de prestación que, si bien tiene como fecha del hecho causante la del fallecimiento, por el contrario, posee una fecha de efectos en función de la solicitud* (STS de 5 de abril de 2017 [|Rec. 238/2015]).

**Artículo 225. Compatibilidad de la pensión y prestación de orfandad.**
1. Sin perjuicio de lo previsto en el apartado 2 del artículo anterior, la pensión o prestación de orfandad será compatible con cualquier renta del trabajo de quien sea o haya sido cónyuge del causante, o del propio huérfano, así como, en su caso, con la pensión de viudedad que aquel perciba.

Será de aplicación a las pensiones de orfandad lo previsto, respecto de las pensiones de viudedad, en el segundo párrafo del artículo 223.1, salvo que el fallecimiento se hubiera producido como consecuencia de violencia contra la mujer, en los términos en que se defina por la ley o por los instrumentos internacionales ratificados por España, en cuyo caso será compatible con el reconocimiento de otra pensión de orfandad en cualquiera de los regímenes de Seguridad Social.

Rúbrica y apartado 1 redactados por la Ley 3/2019, de 1 de marzo, de mejora de la situación de orfandad de las hijas e hijos de víctimas de violencia de género y otras formas de violencia contra la mujer (BOE núm. 53, 2 de marzo de 2019).

– *La pensión de orfandad es incompatible con un puesto de trabajo en el sector público, en cuyo caso, el derecho a la pensión quedará en suspenso* (STC 99/1987, 11 de junio [*Tol 338841*]).

2. Los huérfanos incapacitados para el trabajo con derecho a pensión de orfandad, cuando perciban otra pensión de la Seguridad Social en razón a la misma incapacidad, podrán optar entre una u otra. Cuando el huérfano haya sido declarado incapacitado para el trabajo con anterioridad al cumplimiento de la edad de dieciocho años, la pensión de orfandad que viniera percibiendo será compatible con la de incapacidad permanente que pudiera causar, después de los dieciocho años, como consecuencia de unas lesiones distintas a las que dieron lugar a la pensión de orfandad, o en su caso, con la pensión de jubilación que pudiera causar en virtud del trabajo que realice por cuenta propia o ajena.

– *La pensión de orfandad en el supuesto de mayor de edad discapacitado es compatible con la pensión por jubilación cuando queda probado que la discapacidad le afecta desde la infancia, pues debe considerarse cumplido el requisito de estar incapacitado antes de los veintiún años de edad que permite la compatibilidad de prestaciones aunque el reconocimiento de dicha incapacidad sea posterior al cumplimiento de aquella edad* (SSTS de 14 de octubre de 2014 [*Tol 4568932*] y 6 de julio de 2015 [*Tol 5495390*]).

3. Reglamentariamente se determinarán los efectos de la concurrencia en los mismos beneficiarios de pensiones de orfandad causadas por el padre y la madre.

**Artículo 226.** *Prestaciones en favor de familiares*. 1. En las normas de desarrollo de esta ley se determinarán aquellos otros familiares o asimilados que, reuniendo las condiciones que para cada uno de ellos se establezcan y previa prueba de su dependencia económica del causante, tendrán derecho a pensión o subsidio por muerte de este, en la cuantía que respectivamente se fije.

– *Las prestaciones en favor de familiares se otorgan a familiares por consanguinidad del trabajador fallecido que no pueden acceder a las pensiones de viudedad* (STC 375/1993, 20 de diciembre [*Tol 82396*]).

*– Los ascendientes o descendientes que se encuentren separados de hecho no tienen derecho a las prestaciones a favor de familiares cuando no se han agotado los deberes de protección recíproca en el marco de la institución familiar (SSTS de 10 de febrero de 2004 [Tol 376860], 1 de febrero de 2017 [Rec. 3007/2015], 10 de julio [Rec. 1653/2018] y 27 de octubre de 2020 [Rec. 3893/2018] y 11 de abril de 2023 [Rec. 2654/2020]).*

*– Para ser beneficiario de una prestación en favor de familiares consecuencia del fallecimiento del causante es necesario que se acrediten los requisitos generales y específicos en la fecha del hecho causante, es decir, en el momento en que se produce el fallecimiento del causante, puesto que este se corresponde con la actualización de la contingencia protegida productora de la situación de necesidad, que afecta a personas que, por reunir los requisitos exigidos legalmente, se constituyen en sujetos causantes de la prestación (STS de 16 de diciembre de 2005 [Tol 816782]).*

*– Debe reconocerse el derecho a prestación en favor de familiares a la persona acogida familiarmente por su abuelo, cuando éste fallece, cuando todavía vive su madre, y aunque no existan noticias de su situación económica, al no tener el interesado la necesaria condición de ser huérfano de padre y madre; puesto que equiparar la orfandad total al hecho de acogimiento y la desatención de la madre biológica que vive y de cuya situación económica no hay noticias, sobrepasaría a letra y el espíritu de la normativa aplicable (SSTS de 10 de noviembre de 2006 [Tol 1018612] y 3 de marzo de 2009 [Tol 1474765]).*

*– Debe reconocerse el derecho a la nieta que convive con la madre —sin padre reconocido— que cuenta, como único medio de subsistencia, de una pensión de orfandad, cuyo derecho mantiene al tener reconocida una discapacidad del 65 por 100, que le proporciona unos ingresos insuficientes para cumplir con la obligación alimenticia que le viene impuesta respecto a su hija (STS de 20 de septiembre de 2011 [Tol 2265810]).*

*– No acreditan la condición de beneficiario quienes presentaron la demanda de divorcio pocos días antes de morir el causante y convivieron con él, junto con su cónyuge, hasta después del fallecimiento, firmando el convenio regulador con posterioridad (4 meses después del fallecimiento), renunciado a pensión compensatoria (STS de 21 de diciembre de 2016 [Rec. 2255/2015]).*

Será de aplicación a las prestaciones en favor de familiares lo establecido en el párrafo segundo del artículo 219.1.

2. En todo caso, se reconocerá derecho a pensión a los hijos o hermanos de beneficiarios de pensiones contributivas de jubilación e incapacidad permanente, en quienes se den, en los términos que se establezcan reglamentariamente, las siguientes circunstancias:

a) Haber convivido con el causante y a su cargo.

b) Ser mayores de cuarenta y cinco años y solteros, divorciados o viudos.

*La edad de cuarenta y cinco años es una exigencia que afecta por igual a mujeres y a hombres y que no implica ningún tipo de discriminación ni directa ni indirecta por razón de género (STS de 10 de junio de 2025 [Rec. 3047/2023]).*

c) Acreditar dedicación prolongada al cuidado del causante.

*No es posible el reconocimiento del derecho a prestación en favor de familiares cuando no consta que el solicitante hubiera dispensado cuidados a su padre durante su estancia en una residencia de mayores que permitiesen acreditar la permanencia de una relación directa, frecuente o habitual entre el solicitante y el causante; lo que impide poder tener por superado el requisito de la convivencia, ni siquiera en su interpretación más flexibilizadora (STS de 15 de julio de 2025 [Rec. 4994/2023]).*

## d) Carecer de medios propios de vida.

– *Los hijos y hermanos de beneficiarios de pensiones contributivas de jubilación o incapacidad permanente tienen el mismo derecho a la pensión en favor de familiares que las hijas y hermanas (SSTC 3/1993, de 14 de enero [Tol 82026], y 375/1993, de 20 de diciembre [Tol 82396]).*

– *No se puede obtener derecho a pensión en favor de familiares por analogía cuando hay separación de hecho, pues está vivo el vínculo matrimonial que obliga al auxilio mutuo (SSTS de 25 de junio de 1992 [Tol 232659], 23 de noviembre de 1993 [Tol 234047] y 6 de mayo de 1994 [Tol 233417]).*

– *El requisito de carencia de medios propios no significa que sea necesaria su condición de indigentes, sino que pueden tener una mínima capacidad económica que participa de forma secundaria en la economía de la unidad familiar (SSTS de 9 de noviembre de 1992 [Tol 31882] 9 y 19 de julio de 1993 [Tol 233400 y 234861], 27 de abril de 1994 [Tol 234678], 9 de diciembre de 1998 [Tol 72174] y 18 de enero [Tol 208951] y 16 de marzo de 1999 [Tol 46703]).*

– *En el caso de que el beneficiario de una prestación en favor de familiares sea titular de derecho a pensión pública o prestación periódica de la Seguridad Social, la incompatibilidad entre ambas prestaciones no se produce con su reconocimiento, sino en su disfrute, por lo que el beneficiario debe optar (SSTS de 9 y 19 de julio de 1993 [Tol 233400 y 234861]).*

– *La hija menor de 45 años de edad no tiene derecho a pensión en favor de familiares (STS de 17 de septiembre de 1993 [Tol 234357]).*

– *Se considera cumplido el requisito de inexistencia de familiares con obligación o posibilidad de prestar alimentos, en los supuestos en los que la madre, sobre la que pueda recaer la obligación de alimentos, tiene unos ingresos que divididos por el número de miembros de la unidad familiar da un cociente inferior al valor del salario mínimo interprofesional (SSTS de 19 de octubre de 1994 [Tol 233553] y 28 de octubre de 1995 [Tol 235463]).*

– *La madre casada, cuyo marido no está incapacitado, no tiene derecho a pensión en favor de familiares (STS de 24 de febrero de 1995 [Tol 237221]).*

– *En aplicación del criterio de que el módulo del salario mínimo interprofesional determina el mínimo vital de subsistencia, si el obligado a prestar alimentos, bien por tener ingresos inferiores a aquél, o bien, aun teniéndolos superiores, no puede suministrarlos al alimentista en cuantía igual o superior al salario mínimo interprofesional, tales alimentos no podrán ser suficientes para entender acreditado que la persona obligada a prestar alimentos tenga la posibilidad de prestarlos, ya que el alimentista, de carecer de otros ingresos, no alcanzaría con los posibles alimentos prestados por el pariente obligado al referido nivel vital de subsistencia (SSTS de 28 de octubre de 1995 [Tol 235463], 12 de marzo de 1997 [Tol 237331], 16 de marzo [Tol 46703] y 25 de junio de 1999 [Tol 48422], 27 de marzo de 2000 [Tol 47682], 8 de noviembre de 2006 [Tol 1018553], 7 de febrero [Tol 1324293], y 3 de noviembre de 2008 [Tol 1413288], y 12 de julio de 2022 [Tol 9141595]).*

*– Se cumple el requisito de carencia de medios propios de vida cuando las rentas del grupo familiar al que contribuía el trabajador fallecido no superan, excluida su contribución y ponderando el número de miembros de la unidad familiar, el importe del salario mínimo interprofesional para cada uno de ellos (SSTS de 28 de octubre de 1995 [Tol 235463], 12 de marzo de 1997 [Tol 237331], 9 de diciembre de 1998 [Tol 72174], 18 de enero [Tol 208951], 16 de marzo [Tol 46703] y 25 de junio de 1999 [Tol 47353], 3, 20 y 27 de marzo de 2000 [Tol 45835, 47012 y 47682], 17 de diciembre de 2002 [Tol 257248] y 7 de febrero [Tol 1324293] y 3 de noviembre de 2008 [Tol 1413288]).*

*– El requisito de carecer de medios propios de vida o subsistencia debe acreditarse en el momento del hecho causante (STS de 18 de noviembre de 1996 [Tol 236927]).*

*– Para tener derecho a pensión en favor de familiares es necesario que el beneficiario haya convivido con el causante y a su cargo, sea mayor de cuarenta y cinco años de edad, acredite dedicación prolongada a su cuidado y carezca de medios propios de vida (STS de 17 de septiembre de 2001 [Tol 226346] y 27 de marzo de 2015 [Tol 4952294]).*

*– El requisito de carecer de medios propios de vida o subsistencia no solo debe concurrir en el momento del reconocimiento de la prestación, sino durante todo el tiempo de su percepción (STS de 17 de diciembre de 2002 [Tol 257248]).*

*– El derecho a una pensión en favor de familiares (para hijos mayores de 45 años) queda suspendido cuando el beneficiario pasa a obtener medios suficientes de vida, existiendo la posible rehabilitación del derecho cuando aquél vuelva a carecer de medios de vida suficientes (STS de 21 de julio de 2009 [Tol 1602351]).*

*– Para la legislación civil (a la que remite de manera incondicionada la de Seguridad Social) entre los hermanos discurre una obligación de naturaleza alimenticia pero distinta al deber de prestarse alimentos en sentido propio y completo, y que, en concordancia con la jurisprudencia que viene postulando una interpretación restrictiva de la obligación de prestar alimentos, puesto que afirmar su existencia comporta el cierre del acceso a la prestación, debe concluirse que la obligación civil de prestarse mutuos auxilios que pesa sobre los hermanos no debe equipararse a la de alimentos cuando se trata del acceso a las prestaciones de Seguridad Social y que la existencia de hermanos convivientes no impide que surja el derecho a la prestación en favor de familiares, con independencia de su nivel de rentas (SSTS de 15 de octubre de 2015 [Tol 5606381] y 1 de junio de 2017 [Rec. 2751/2015]).*

3. La duración de los subsidios temporales por muerte y supervivencia será objeto de determinación en las normas de desarrollo de esta ley.

4. A efectos de estas prestaciones, quienes se encuentren en situación legal de separación tendrán, respecto de sus ascendientes o descendientes, los mismos derechos que los que les corresponderían de estar disuelto su matrimonio.

5. Será de aplicación a las pensiones en favor de familiares lo previsto para las pensiones de viudedad en el segundo párrafo del artículo 223.1.

**Artículo 227.** *Indemnización especial a tanto alzado.* 1. En el caso de muerte por accidente de trabajo o enfermedad profesional, el cónyuge superviviente, el sobreviviente de una pareja de hecho en los términos regulados en el artículo 221 y los huérfanos tendrán derecho a una indemnización a tanto alzado, cuya cuantía uniforme se determinará en las normas de desarrollo de esta ley.

En los supuestos de separación, divorcio o nulidad será de aplicación, en su caso, lo previsto en el artículo 220.

> – *Existe derecho a indemnización para el hijo extramatrimonial de un fallecido en accidente de trabajo y cuya madre carece de derecho a ella* (STC de 154/2006, de 22 de mayo [*Tol 940432*]).

> – *El concepto de vivir a expensas no significa que no existan ingresos o salario con que contribuya al sostenimiento familiar, sino que sea necesario completar los ingresos de la unidad familiar* (SSTS de 9 de noviembre de 1992 [*Tol 231882*], 9 y 19 de julio de 1993 [*Tol 233400 y 234861*], 27 de abril de 1994 [*Tol 234678*], 9 de diciembre de 1998 [*Tol 72174*] y 18 de enero [*Tol 208951*] y 16 de marzo de 1999 [*Tol 46703*]).

2. Cuando no existieran otros familiares con derecho a pensión por muerte y supervivencia, el padre o la madre que vivieran a expensas del trabajador fallecido, siempre que no tengan, con motivo de la muerte de este, derecho a las prestaciones a que se refiere el artículo anterior, percibirán la indemnización que se establece en el apartado 1 del presente artículo.

> – *Para acceder a la indemnización a tanto alzado por muerte consecuencia de accidente de trabajo es necesario que los padres vivieran a expensas del fallecido, entendido este último requisito como la carencia de ingresos inferiores a la cuantía del salario mínimo interprofesional vigente, incluida la parte proporcional de las pagas extraordinarias* (STS de 16 de mayo de 2003 [*Tol 276280*])

**Artículo 228. *Base reguladora de las prestaciones por muerte y supervivencia derivadas de contingencias comunes*.** Para el cálculo de la base reguladora en los supuestos de prestaciones derivadas de contingencias comunes se computará la totalidad de las bases por las que se haya efectuado la cotización durante el periodo establecido reglamentariamente anterior al mes previo al del hecho causante.

> – *No es aplicable la doctrina del "paréntesis" al cálculo de la base reguladora de una pensión de viudedad en relación a períodos sin obligación de cotizar como consecuencia de una situación de demanda de empleo* (STS de 20 de marzo de 2007 [*Tol 1079852*]).

La prestación de orfandad se calculará aplicando el porcentaje correspondiente a la base mínima de cotización de entre todas las existentes vigente en el momento del hecho causante.

Párrafo segundo añadido por la Ley 3/2019, de 1 de marzo, de mejora de la situación de
orfandad de las hijas e hijos de víctimas de violencia de género y otras formas de violencia
contra la mujer (BOE núm. 53, 2 de marzo de 2019).

**Artículo 229. *Límite de las cuantías de las pensiones*. 1.** La suma de
las cuantías de las pensiones por muerte y supervivencia no podrá exceder del
importe de la base reguladora que corresponda, conforme a lo previsto en el
artículo 161.2, en función de las cotizaciones efectuadas por el causante. Esta
limitación se aplicará a la determinación inicial de las expresadas cuantías,
pero no afectará a las revalorizaciones periódicas de las pensiones que procedan en lo sucesivo, conforme a lo previsto en el artículo 58.

**2.** A los efectos de la limitación establecida en este artículo, las pensiones
de orfandad tendrán preferencia sobre las pensiones a favor de otros familiares.
Asimismo, y por lo que respecta a estas últimas prestaciones, se establece el
siguiente orden de preferencia:

1.º Nietos y hermanos del causante, menores de dieciocho años o mayores
incapacitados.

2.º Padre y madre del causante.

3.º Abuelos y abuelas del causante.

4.º Hijos y hermanos del titular de una pensión contributiva de jubilación
o incapacidad permanente mayores de cuarenta y cinco años y que reúnan los
demás requisitos establecidos.

**3.** Sin perjuicio de lo previsto con carácter general en este artículo, el límite establecido podrá ser rebasado en caso de concurrencia de varias pensiones
de orfandad con una pensión de viudedad cuando el porcentaje a aplicar a la
correspondiente base reguladora para el cálculo de esta última sea superior al
52 por ciento, si bien, en ningún caso, la suma de las pensiones de orfandad
podrá superar el 48 por ciento de la base reguladora que corresponda.

Apartado 3 redactado por la Ley 6/2018, de 3 de julio, de presupuestos generales del Estado
para el año 2018 (BOE núm. 162, 4 de julio de 2018).

**Artículo 230. *Imprescriptibilidad*.** El derecho al reconocimiento de las
prestaciones por muerte y supervivencia, con excepción del auxilio por defunción, será imprescriptible, sin perjuicio de que los efectos de tal reconocimiento se produzcan a partir de los tres meses anteriores a la fecha en que se
presente la correspondiente solicitud.

– *En el caso de desaparición no derivada de accidente de trabajo los efectos económicos de-*
*ben retrotraerse a la fecha en que se declara al trabajador desaparecido como fallecido, pues*

*antes de los diez años de su desaparición no puede instarse la declaración de fallecimiento en los supuestos ordinarios* (STS de 11 de junio de 2013 [*Tol 3845983*]).

– *El derecho a la pensión de viudedad es imprescriptible, pero los efectos económicos de su reconocimiento sólo se retrotraen a los tres meses anteriores a la solicitud formulada con retraso* (SSTS de 24 de noviembre de 2016 [Rec. 1156/2015] y 25 de enero de 2017 [Rec. 2729/2015]).

– *El derecho a la pensión de viudedad será efectivo desde la fecha del fallecimiento del causante* (STS de 1 de junio de 2017 [Rec. 2637/2015]).

**Artículo 231.** *Impedimento para ser beneficiario de las prestaciones de muerte y supervivencia.* 1. Sin perjuicio de lo establecido en la disposición adicional primera de la Ley Orgánica 1/2004, de 28 de diciembre, de Medidas de Protección Integral contra la Violencia de Género, no podrá tener la condición de beneficiario de las prestaciones de muerte y supervivencia que hubieran podido corresponderle, quien fuera condenado por sentencia firme por la comisión de un delito doloso de homicidio en cualquiera de sus formas, cuando la víctima fuera el sujeto causante de la prestación.

2. La entidad gestora podrá revisar, por sí misma y en cualquier momento, la resolución por la cual hubiera reconocido el derecho a una prestación de muerte y supervivencia a quien fuera condenado por sentencia firme en el supuesto indicado, viniendo el mismo obligado a devolver las cantidades que, en su caso, hubiera percibido por tal concepto.

La facultad de revisión de oficio a que se refiere el párrafo anterior no estará sujeta a plazo, si bien la obligación de reintegro del importe de las prestaciones percibidas prescribirá en el plazo previsto en el artículo 55.3. En todo caso, la prescripción de esta obligación se interrumpirá cuando recaiga resolución judicial de la que se deriven indicios racionales de que el sujeto investigado es responsable de un delito doloso de homicidio, así como por la tramitación del proceso penal y de los diferentes recursos.

En el acuerdo de inicio del procedimiento de revisión del reconocimiento de la prestación a que se refiere este artículo se acordará, si no se hubiera producido antes, la suspensión cautelar de su percibo hasta la resolución firme que ponga fin a dicho procedimiento.

**Artículo 232.** *Suspensión cautelar del abono de las prestaciones de muerte y supervivencia, en determinados supuestos.* 1. La entidad gestora suspenderá cautelarmente el abono de las prestaciones de muerte y supervivencia que, en su caso, hubiera reconocido, cuando recaiga resolución judicial de la que se deriven indicios racionales de que el sujeto investigado es responsable de un delito doloso de homicidio en cualquiera de sus formas, si la víctima fuera el sujeto causante de la prestación, con efectos del día primero del mes siguiente a aquel en que le sea comunicada tal circunstancia.

Cuando la entidad gestora tenga conocimiento, antes o durante el trámite del procedimiento para el reconocimiento de la prestación de muerte y supervivencia, de que ha recaído contra el solicitante resolución judicial de la que deriven indicios racionales de criminalidad por la comisión del indicado delito, procederá a su reconocimiento si concurrieran todos los restantes requisitos para ello, con suspensión cautelar de su abono desde la fecha en que hubiera debido tener efectos económicos.

En los casos indicados en los dos párrafos precedentes, la suspensión cautelar se mantendrá hasta que recaiga sentencia firme u otra resolución firme que ponga fin al procedimiento penal, o determine la no culpabilidad del beneficiario.

Si el beneficiario de la prestación fuera finalmente condenado por sentencia firme por la comisión del indicado delito, procederá la revisión del reconocimiento y, en su caso, el reintegro de las prestaciones percibidas, de acuerdo con lo previsto en el artículo 231. Cuando recaiga sentencia absolutoria o resolución judicial firme que declare la no culpabilidad del beneficiario, se rehabilitará el pago de la prestación suspendida con los efectos que hubieran procedido de no haberse acordado la suspensión, una vez descontadas, en su caso, las cantidades satisfechas en concepto de obligación de alimentos conforme a lo dispuesto en el apartado 3.

2. No obstante, si recayera sentencia absolutoria en primera instancia y esta fuera recurrida, la suspensión cautelar se alzará hasta la resolución del recurso por sentencia firme. En este caso, si la sentencia firme recaída en dicho recurso fuese también absolutoria, se abonarán al beneficiario las prestaciones dejadas de percibir desde que se acordó la suspensión cautelar hasta que se alzó esta, con descuento de las cantidades que, en su caso, se hubieran satisfecho a terceros en concepto de obligación de alimentos conforme a lo dispuesto en el apartado 3. Por el contrario, si la sentencia firme recaída en el recurso resultara condenatoria, procederá la revisión del reconocimiento de la prestación así como la devolución de las prestaciones percibidas por el condenado, conforme a lo indicado en el apartado 1 de este artículo, incluidas las correspondientes al período en que estuvo alzada la suspensión.

3. Durante la suspensión del pago de una pensión de viudedad, acordada conforme a lo previsto en este artículo, se podrán hacer efectivas con cargo a la misma, hasta el límite del importe que le hubiera correspondido por tal concepto al beneficiario de dicha pensión, las obligaciones de alimentos a favor de los titulares de pensión de orfandad o en favor de familiares causada por la víctima del delito, siempre que dichos titulares hubieran de ser beneficiarios de los incrementos a que se refiere el artículo 233 si finalmente recayera sentencia firme condenatoria de aquel. La cantidad a percibir en concepto de alimentos por cada uno de los pensionistas de orfandad o en favor de familiares no podrá superar el importe que, en cada momento, le hubiera correspondido por dicho incremento.

**Artículo 233. *Incremento de las pensiones de orfandad y en favor de familiares, en determinados supuestos*.** 1. Cuando, a tenor de lo establecido en el artículo 231, el condenado por sentencia firme por la comisión de un delito doloso de homicidio en cualquiera de sus formas no pudiese adquirir la condición de beneficiario de la pensión de viudedad, o la hubiese perdido, los hijos del mismo que sean titulares de la pensión de orfandad causada por la víctima del delito tendrán derecho al incremento previsto reglamentariamente para los casos de orfandad absoluta.

Los titulares de la pensión en favor de familiares podrán, en esos mismos supuestos, ser beneficiarios del incremento previsto reglamentariamente, siempre y cuando no haya otras personas con derecho a pensión de muerte y supervivencia causada por la víctima.

2. Los efectos económicos del citado incremento se retrotraerán a la fecha de efectos del reconocimiento inicial de la pensión de orfandad o en favor de familiares, cuando no se hubiera reconocido previamente la pensión de viudedad a quien resulte condenado por sentencia firme. En otro caso, dichos efectos económicos se iniciarán a partir de la fecha en que hubiera cesado el pago de la pensión de viudedad, como consecuencia de la revisión de su reconocimiento por la entidad gestora conforme a lo previsto en el artículo 231 o, en su caso, a partir de la fecha de la suspensión cautelar contemplada en el artículo 232.

En todo caso, el abono del incremento de la pensión de orfandad o en favor de familiares por los períodos en que el condenado hubiera percibido la pensión de viudedad solo podrá llevarse a cabo una vez que este haga efectivo su reintegro, sin que la entidad gestora, de no producirse el reintegro, sea responsable subsidiaria ni solidaria del abono al pensionista de orfandad o en favor de familiares del incremento señalado, ni venga obligada a su anticipo.

De las cantidades que correspondan en concepto de incremento de la pensión de orfandad o en favor de familiares se descontará, en su caso, el importe que por alimentos hubiera percibido su beneficiario a cargo de la pensión de viudedad suspendida, conforme a lo dispuesto en el artículo 232.

3. Las hijas e hijos que sean titulares de la pensión de orfandad causada por la víctima de violencia contra la mujer, en los términos en los que se defina por la ley o por los instrumentos internacionales ratificados por España, tendrán derecho al incremento previsto reglamentariamente para los casos de orfandad absoluta.

En el supuesto de que hubiera más de una persona beneficiaria de esta pensión, el importe conjunto de las mismas podrá situarse en el 118 por ciento de la base reguladora, y nunca será inferior al mínimo equivalente a la pensión de viudedad con cargas familiares.

El incremento previsto reglamentariamente para los casos de orfandad absoluta alcanzará el 70 por ciento de la base reguladora, siempre que los rendimientos de la unidad familiar de convivencia, incluidas las personas huérfanas, dividido por el número de miembros que la componen, no superen en cómputo anual el 75 por ciento del Salario Mínimo Interprofesional vigente en cada momento, excluida la parte proporcional de las pagas extraordinarias.

> Apartado tercero añadido por la Ley 3/2019, de 1 de marzo, de mejora de la situación de orfandad de las hijas e hijos de víctimas de violencia de género y otras formas de violencia contra la mujer (BOE núm. 53, 2 de marzo de 2019).

**Artículo 234. *Abono de las pensiones de orfandad, en determinados supuestos*.** En el supuesto de que los hijos de quien fuera condenado por sentencia firme por la comisión de un delito doloso de homicidio en cualquiera de sus formas, en los términos señalados en el artículo 231, siendo menores de edad o mayores de edad con medidas de apoyo a su capacidad jurídica para percibir la pensión, fueran beneficiarios de pensión de orfandad causada por la víctima, dicha pensión no se abonará a la persona condenada.

En todo caso, la entidad gestora pondrá en conocimiento del Ministerio Fiscal la existencia de la pensión de orfandad, así como toda resolución judicial de la que se deriven indicios racionales de que el progenitor es responsable de un delito doloso de homicidio para que, en cumplimiento de lo dispuesto en el artículo 158 del Código Civil, proceda, en su caso, a instar la adopción de las medidas oportunas en relación con la persona física o institución tutelar del menor o, en su caso, curatelar de la persona mayor de edad a las que debe abonarse la pensión de orfandad. Adoptadas dichas medidas con motivo de dicha situación procesal, la entidad gestora, cuando así proceda, comunicará también al Ministerio Fiscal la resolución por la que se ponga fin al proceso y la firmeza o no de la resolución judicial en que se acuerde.

> Artículo 234 redactado por el Real Decreto-Ley 2/2023, de 16 de marzo, de medidas urgentes para la ampliación de derechos de los pensionistas, la reducción de la brecha de género y el establecimiento de un nuevo marco de sostenibilidad del sistema público de pensiones (BOE núm. 65, 17 de marzo de 2023).

## CAPÍTULO XV. Protección a la familia

**Artículo 235. *Periodos de cotización asimilados por parto.*** A efectos de las pensiones contributivas de jubilación y de incapacidad permanente, se computarán a favor de la trabajadora solicitante de la pensión un total de ciento doce días completos de cotización por cada parto de un solo hijo y de catorce días más por cada hijo a partir del segundo, este incluido, si el parto fuera múltiple, salvo que, por ser trabajadora o funcionaria en el momento del parto, se hubiera cotizado durante la totalidad de las dieciséis semanas o durante el tiempo que corresponda si el parto fuese múltiple.

> – *La cotización asimilada de ciento doce días por parto es aplicable a las pensiones del Seguro Obligatoria de Vejez e Invalidez, porque las mismas tienen un carácter que puede calificarse de contributivo (precisaban de prestación de servicios, inscripción, afiliación y cotización), diferenciadas de las que hoy no requieren ningún tipo de aportación al sistema, y es éste el de la contributividad el requisito que se impone, cumplido el cual no se excepciona ninguna de tales pensiones (SSTS de 21 de diciembre de 2009 [Tol 1781225] y 19 de enero [Tol 1790438], 18 de febrero [Tol 1808377], 2 y 26 de marzo [Tol 1808383 y 1840224], 7 de diciembre de 2010 [Tol 2028079] y 29 de enero de 2013 [Tol 3238992]).*

> – *Esta cotización asimilada sólo es de aplicación al Seguro Obligatoria de Vejez e Invalidez respecto de los nacimientos habidos antes del 1 de enero de 1967, fecha de la extinción del Seguro Obligatoria de Vejez e Invalidez como seguro social (SSTS de 12 y 14 de diciembre de 2011 [Tol 2400477 y 2441317], 23 de enero [Tol 2459578], 16 de mayo [Tol 2567016], 20 de julio [Tol 2651214], 15 de octubre [Tol 2685323] y 12 de diciembre de 2012 [Tol 2723735], 27 de febrero de 2013 [Tol 3406493] y 7 de julio de 2017 [Rec. 4240/2015]).*

> – *A efectos del subsidio por desempleo para mayores de cincuenta y cinco años, los períodos de cotización asimilados por parto han de tomarse en cuenta para comprobar si se cumplen los requisitos de carencia tanto de la pensión por jubilación cuanto del propio subsidio (STS de 23 de junio de 2022 [Tol 9102203]).*

> – *Las cotizaciones ficticias por parto deben equipararse en toda su extensión y a todos sus efectos con las cotizaciones reales, pero sin que tampoco sea posible atribuirles mayores*

*beneficios que las generados por las propias cotizaciones efectivamente realizadas por la tra-*
*bajadora; razón por la que sirven sin duda para contabilizar la carrera profesional total de la*
*trabajadora, con independencia del tiempo, momento o lugar en el que hubiere acontecido*
*el parto; son eficaces para alcanzar el periodo de carencia genérica de aquellas prestaciones*
*de seguridad social que no se encuentran sujetas a la exigencia de cotizaciones en un deter-*
*minado y concreto periodo temporal en la vida laboral de la trabajadora, para cuyo devengo*
*resulten aplicables conforme a las disposiciones legales en la materia, y, por ese mismo*
*motivo, a efectos de carencia específica, su efectividad queda condicionada, en igual medida*
*que las cotizaciones reales, a que las derivadas del parto abarquen los periodos temporales*
*legalmente exigidos con esa finalidad; y, en definitiva, a efectos de la pensión de jubilación,*
*el parto, o mejor dicho, el alcance de los ciento doce días de cotización que genera, debe de*
*estar necesariamente comprendido dentro de los quince años inmediatamente anteriores al*
*momento de causar el derecho* (STS de 19 de diciembre de 2023 [Rec. 3639/2020]).

**Artículo 236. *Beneficios por cuidado de hijos o menores*.** 1. Sin perjuicio
de lo dispuesto en el artículo anterior, se computará como periodo cotizado a
todos los efectos, salvo para el cumplimiento del período mínimo de cotización exigido, aquel en el que se haya interrumpido la cotización a causa de la
extinción de la relación laboral o de la finalización del cobro de prestaciones
por desempleo cuando tales circunstancias se hayan producido entre los nueve
meses anteriores al nacimiento, o los tres meses anteriores a la adopción o
acogimiento permanente de un menor, y la finalización del sexto año posterior
a dicha situación.

El período computable como cotizado será como máximo de doscientos
setenta días por hijo o menor adoptado o acogido, sin que en ningún caso
pueda ser superior a la interrupción real de la cotización.

Este beneficio solo se reconocerá a uno de los progenitores. En caso de
controversia entre ellos se otorgará el derecho a la madre.

2. En cualquier caso, la aplicación de los beneficios establecidos en este
artículo no podrá dar lugar a que el período de cuidado de hijo o menor, considerado como período cotizado, supere cinco años por beneficiario. Esta limitación se aplicará, de igual modo, cuando los mencionados beneficios concurran
con los contemplados en el artículo 237.1.

**Artículo 237. *Prestación familiar en su modalidad contributiva*.** 1. Los
períodos de hasta tres años de excedencia que los trabajadores, de acuerdo con
el artículo 46.3 del texto refundido de la Ley del Estatuto de los Trabajadores,
disfruten en razón del cuidado de cada hijo o menor en régimen de acogimiento permanente o de guarda con fines de adopción, tendrán la consideración de
periodo de cotización efectiva a efectos de las correspondientes prestaciones

de la Seguridad Social por jubilación, incapacidad permanente, muerte y supervivencia, maternidad y paternidad.

2. De igual modo, se considerarán efectivamente cotizados a los efectos de las prestaciones indicadas en el apartado anterior, los tres primeros años del período de excedencia que los trabajadores disfruten, de acuerdo con el artículo 46.3 del texto refundido de la Ley del Estatuto de los Trabajadores, en razón del cuidado de otros familiares, hasta el segundo grado de consanguinidad o afinidad, que, por razones de edad, accidente, enfermedad o discapacidad, no puedan valerse por sí mismos, y no desempeñen una actividad retribuida.

> Apartado 2 redactado por el Real Decreto-Ley 2/2023, de 16 de marzo, de medidas urgentes para la ampliación de derechos de los pensionistas, la reducción de la brecha de género y el establecimiento de un nuevo marco de sostenibilidad del sistema público de pensiones (BOE núm. 65, 17 de marzo de 2023).

3. Las cotizaciones realizadas durante los tres primeros años del período de reducción de jornada por cuidado de menor previsto en el primer párrafo del artículo 37.6 del texto refundido de la Ley del Estatuto de los Trabajadores, se computarán incrementadas hasta el 100 por cien de la cuantía que hubiera correspondido si se hubiera mantenido sin dicha reducción la jornada de trabajo, a efectos de las prestaciones señaladas en el apartado 1. Dicho incremento se referirá igualmente a los tres primeros años en los demás supuestos de reducción de jornada contemplados en el primer y segundo párrafo del mencionado artículo.

Las cotizaciones realizadas durante los períodos en que se reduce la jornada en el último párrafo del apartado 4, así como en el tercer párrafo del apartado 6 del artículo 37 del texto refundido de la Ley del Estatuto de los Trabajadores, se computarán incrementadas hasta el 100 por cien de la cuantía que hubiera correspondido si se hubiera mantenido sin dicha reducción la jornada de trabajo, a efectos de las prestaciones por jubilación, incapacidad permanente, muerte y supervivencia, nacimiento y cuidado de menor, riesgo durante el embarazo, riesgo durante la lactancia natural e incapacidad temporal.

> Apartado 3 redactado por el Real Decreto-Ley 2/2023, de 16 de marzo, de medidas urgentes para la ampliación de derechos de los pensionistas, la reducción de la brecha de género y el establecimiento de un nuevo marco de sostenibilidad del sistema público de pensiones (BOE núm. 65, 17 de marzo de 2023).

4. Cuando las situaciones de excedencia señaladas en los apartados 1 y 2 hubieran estado precedidas por una reducción de jornada en los términos

previstos en el artículo 37.6 del texto refundido de la Ley del Estatuto de los Trabajadores, a efectos de la consideración como cotizados de los períodos de excedencia que correspondan, las cotizaciones realizadas durante la reducción de jornada se computarán incrementadas hasta el 100 por cien de la cuantía que hubiera correspondido si se hubiera mantenido sin dicha reducción la jornada de trabajo.

CAPÍTULO XVI. Disposiciones comunes del Régimen General

*Sección 1.ª Mejoras voluntarias de la acción protectora del Régimen General*

**Artículo 238. *Mejoras de la acción protectora*.** 1. Las mejoras voluntarias de la acción protectora de este Régimen General podrán efectuarse a través de:
a) Mejora directa de las prestaciones.
b) Establecimiento de tipos de cotización adicionales.
2. La concesión de mejoras voluntarias por las empresas deberá ajustarse a lo establecido en esta sección y en las normas dictadas para su aplicación y desarrollo.

**Artículo 239. *Mejora directa de las prestaciones*.** Las empresas podrán mejorar directamente las prestaciones de este Régimen General, costeándolas a su exclusivo cargo. Excepcionalmente, y previa aprobación del Ministerio de Empleo y Seguridad Social, podrá establecerse una aportación económica a cargo de los trabajadores, siempre que se les faculte para acogerse o no, individual y voluntariamente, a las mejoras concedidas por los empresarios con tal condición.

No obstante el carácter voluntario para los empresarios de la implantación de las mejoras a que este artículo se refiere, cuando al amparo de las mismas un trabajador haya causado el derecho a la mejora de una prestación periódica, ese derecho no podrá ser anulado o disminuido si no es de acuerdo con las normas que regulan su reconocimiento.

> – *La fecha del hecho causante de una incapacidad permanente absoluta derivada de enfermedad a efectos de la determinación de la entidad responsable del pago de la cantidad prevista como mejora voluntaria de la Seguridad Social es la del dictamen del Equipo de Valoración de Incapacidades* (STS de 12 de mayo de 2006 [*Tol 956275*]).

**Artículo 240. *Modos de gestión de la mejora directa*.** 1. Las empresas, en las condiciones que reglamentariamente se determinen, podrán realizar la mejora de prestaciones a que se refiere el artículo anterior por sí mismas o a través de la Administración de la Seguridad Social, fundaciones laborales, montepíos y mutualidades de previsión social o entidades aseguradoras de cualquier clase.

2. Las fundaciones laborales legalmente constituidas para el cumplimiento de los fines que les sean propios gozarán del trato fiscal y de las demás exenciones concedidas, en los términos que las normas aplicables establezcan.

**Artículo 241. *Mejora por establecimiento de tipos de cotización adicionales*.** El Ministerio de Empleo y Seguridad Social, a instancia de los interesados, podrá aprobar cotizaciones adicionales efectuadas mediante el aumento del tipo de cotización al que se refiere el artículo 145, con destino a la revalorización de las pensiones u otras prestaciones periódicas ya causadas y financiadas con cargo al mismo o para mejorar las futuras.

*Sección 2.ª Disposiciones sobre seguridad y salud*
*en el trabajo en el Régimen General*

**Artículo 242. *Incumplimientos en materia de accidentes de trabajo*.** El incumplimiento por parte de las empresas de las órdenes de la Inspección de Trabajo y Seguridad Social y de las resoluciones de la autoridad laboral en materia de paralización de trabajos que no cumplan las normas de seguridad y salud se equiparará, respecto de los accidentes de trabajo que en tal caso pudieran producirse, a la falta de formalización de la protección por dicha contingencia de los trabajadores afectados, con independencia de cualquier otra responsabilidad o sanción a que hubiera lugar.

**Artículo 243. *Normas específicas para enfermedades profesionales*.** 1. Todas las empresas que hayan de cubrir puestos de trabajo con riesgo de enfermedades profesionales están obligadas a practicar un reconocimiento médico previo a la admisión de los trabajadores que hayan de ocupar aquellos y a realizar los reconocimientos periódicos que para cada tipo de enfermedad se establezcan en las normas que, al efecto, apruebe el Ministerio de Empleo y Seguridad Social.

2. Los reconocimientos serán a cargo de la empresa y tendrán el carácter de obligatorios para el trabajador, a quien abonará aquella, si a ello hubiera

lugar, los gastos de desplazamiento y la totalidad del salario que por tal causa pueda dejar de percibir.

3. Las indicadas empresas no podrán contratar trabajadores que en el reconocimiento médico no hayan sido calificados como aptos para desempeñar los puestos de trabajo de que se trate. Igual prohibición se establece respecto a la continuación del trabajador en su puesto de trabajo cuando no se mantenga la declaración de aptitud en los reconocimientos sucesivos.

4. Las disposiciones de aplicación y desarrollo determinarán los casos excepcionales en los que, por exigencias de hecho de la contratación laboral, se pueda conceder un plazo para efectuar los reconocimientos inmediatamente después de la iniciación del trabajo.

**Artículo 244.** *Responsabilidades por falta de reconocimientos médicos.*
1. Las entidades gestoras y las colaboradoras con la Seguridad Social están obligadas, antes de tomar a su cargo la protección por accidente de trabajo y enfermedad profesional del personal empleado en empresas con riesgo específico de esta última contingencia, a conocer el certificado del reconocimiento médico previo a que se refiere el artículo anterior, haciendo constar en la documentación correspondiente que tal obligación ha sido cumplida. De igual forma deberán conocer las entidades mencionadas los resultados de los reconocimientos médicos periódicos.

2. El incumplimiento por parte de la empresa de la obligación de efectuar los reconocimientos médicos previos o periódicos la constituirá en responsable directa de todas las prestaciones que puedan derivarse, en tales casos, de enfermedad profesional, tanto si la empresa estuviera asociada a una mutua colaboradora con la Seguridad Social, como si tuviera cubierta la protección de dicha contingencia en una entidad gestora.

3. El incumplimiento por las mutuas de lo dispuesto en el apartado 1 les hará incurrir en las siguientes responsabilidades:

a) Obligación de ingresar en el Fondo de Contingencias Profesionales de la Seguridad Social a que se refiere el artículo 97, el importe de las primas percibidas, con un recargo que podrá llegar al 100 por ciento de dicho importe.

b) Obligación de ingresar, con el destino antes fijado, una cantidad igual a la que equivalgan las responsabilidades a cargo de la empresa, en los supuestos a que se refiere el apartado anterior de este artículo, incluyéndose entre tales responsabilidades las que procedan de acuerdo con lo dispuesto en el artículo 164.

c) Anulación, en caso de reincidencia, de la autorización para colaborar en la gestión.

d) Cualesquiera otras responsabilidades que procedan de acuerdo con lo dispuesto en esta ley y en sus disposiciones de aplicación y desarrollo.

CAPÍTULO XVII. Disposiciones aplicables a determinados
trabajadores del Régimen General

*Sección 1.ª Trabajadores contratados a tiempo parcial*

**Artículo 245. *Protección social*.** 1. La protección social derivada de los contratos de trabajo a tiempo parcial se regirá por el principio de asimilación del trabajador a tiempo parcial al trabajador a tiempo completo y específicamente por lo establecido en este capítulo y en los artículos 269.2 y 270.1 con relación a la protección por desempleo.

2. Las reglas contenidas en esta sección se aplicarán a los trabajadores con contrato a tiempo parcial, de relevo a tiempo parcial y contrato fijo-discontinuo, de conformidad con lo establecido en los artículos 12 y 16 del texto refundido de la Ley del Estatuto de los Trabajadores, comprendidos en el campo de aplicación del Régimen General, incluidos los trabajadores a tiempo parcial o fijos discontinuos pertenecientes al Sistema Especial para Empleados de Hogar, sin perjuicio de las particularidades en función de cada modalidad de contrato.

> Apartado 2 redactado por el Real Decreto-Ley 11/2024, de 23 de diciembre, para la mejora de la compatibilidad de la pensión de jubilación con el trabajo (BOE núm. 309, 24 de diciembre de 2024).

**Artículo 246. *Cotización*.** 1. La base de cotización a la Seguridad Social y de las aportaciones que se recaudan conjuntamente con las cuotas de aquella será siempre mensual y estará constituida por las retribuciones efectivamente percibidas en función de las horas trabajadas, tanto ordinarias como complementarias.

2. La base de cotización así determinada no podrá ser inferior a las cantidades que reglamentariamente se determinen.

3. Las horas complementarias cotizarán a la Seguridad Social sobre las mismas bases y tipos que las horas ordinarias.

**Artículo 247. *Cómputo de los períodos de cotización*. 1.** Para los trabajadores a tiempo parcial, a efectos de acreditar los períodos de cotización necesarios para causar derecho a las prestaciones de jubilación, incapacidad permanente, muerte y supervivencia, incapacidad temporal y nacimiento y cuidado de menor se tendrán en cuenta los distintos períodos durante los cuales el trabajador haya permanecido en alta con un contrato a tiempo parcial, cualquiera que sea la duración de la jornada realizada en cada uno de ellos.

2. En relación con los trabajadores fijos-discontinuos, a efectos de acreditar los períodos de cotización necesarios para causar derecho a las prestaciones de jubilación, incapacidad permanente y muerte y supervivencia, se computará todo el período durante el cual hayan permanecido en situación de alta con un contrato fijo-discontinuo. Dicho periodo se multiplicará por un coeficiente de 1,5, sin que el número total de días computables como cotizados anualmente por el trabajador pueda superar el número de días naturales de cada año.

Para causar derecho a las prestaciones de incapacidad temporal y por nacimiento y cuidado de menor, a efectos de acreditar los períodos de cotización necesarios, se tendrán en cuenta los distintos períodos durante los cuales el trabajador haya estado en situación de alta con un contrato fijo-discontinuo.

Artículo 247 redactado por el Real Decreto-Ley 11/2024, de 23 de diciembre, para la mejora de la compatibilidad de la pensión de jubilación con el trabajo (BOE núm. 309, 24 de diciembre de 2024).

– *Las diferencias de trato en cuanto al cómputo de los períodos de carencia que siguen experimentando los trabajadores a tiempo parcial respecto a los trabajadores a jornada completa se encuentran desprovistas de una justificación razonable que guarde la debida proporcionalidad entre la medida adoptada, el resultado producido y la finalidad pretendida; por ello la regla segunda del apartado 1 de la disposición adicional 7.ª de la Ley General de la Seguridad Social de 1994, en su redacción dada por el Real Decreto-Ley 15/1998, de 27 de noviembre, de medidas urgentes para la mejora del mercado de trabajo, en relación con el trabajo a tiempo parcial y fomento de su estabilidad, vulnera el artículo 14 de la Constitución Española, tanto por lesionar el derecho a la igualdad, como también, a la vista de su predominante incidencia sobre el empleo femenino, por provocar una discriminación indirecta por razón de sexo (STC 61/2013, de 14 de marzo [Tol 3391491], 71 y 72/2013, de 8 de abril [Tol 3659968 y 3659967], y 116 y 117/2013, de 20 de mayo [Tol 3772870 y 3772869]).*

– *En el cálculo del período de cotización necesario para causar derecho a la prestación por incapacidad temporal derivada de enfermedad común cuando se trata de trabajadores contratados a tiempo parcial debe aplicarse la fórmula de los días teóricos prevista en la dispo-*

*sición adicional 7.ª de la Ley General de la Seguridad Social de 1994 y en el artículo 3.1 del Real Decreto 1131/2002, de 31 de octubre, puesto que no puede entenderse que contienen prescripción discriminatoria alguna sobre los trabajadores a tiempo parcial en relación con quienes presten servicios a tiempo completo y respecto a la prestación por incapacidad temporal (SSTS de 11 de junio de 2008 [Tol 1369604] y 23 de febrero de 2009 [Tol 1474772]).*

*– En el cálculo del período de carencia necesario para que un trabajador a tiempo parcial pueda acceder a una pensión por incapacidad permanente (absoluta) deben computarse los días-cuota, puesto que no es posible mantener que cada día trabajado es un día cotizado con independencia de que sea a tiempo parcial o a jornada completa, dado que el artículo 3.2 del Real Decreto 1131/2002, de 31 de octubre, establece expresamente que la multiplicación de las horas trabajadas por el coeficiente 1,5 se hace para hallar únicamente los días teóricos de cotización correspondientes a la jornada de trabajo (STS de 25 de junio de 2008 [Tol 1383927]).*

**Artículo 248. *Cuantía de las prestaciones económicas.*** 1. En la determinación de la base reguladora de las prestaciones económicas se tendrán en cuenta las siguientes reglas:

a) La base reguladora de las prestaciones de jubilación e incapacidad permanente se calculará conforme a la regla general.

*La determinación de la cuantía de las pensiones de incapacidad permanente derivada de enfermedad común causadas por trabajadores a tiempo parcial debe realizarse por la Administración de la Seguridad Social sin tomar en consideración el coeficiente de parcialidad y, en consecuencia, sin la reducción derivada del mismo (STC 155/2021, de 13 de septiembre [BOE núm. 251, 20 de octubre de 2021] y SSTS de 18 de enero de 2024 [Rec. 2231/2021] y 5 de marzo [Rec. 1238/2023], 9 de abril [Rec. 189/2023], 27 de mayo [Rec. 3173/2023], 10 de septiembre [Rec. 5385/2023] y 19 de noviembre de 2025 [Rec. 3811/2024]).*

b) La base reguladora diaria de la prestación por nacimiento y cuidado de menor será el resultado de dividir entre trescientos sesenta y cinco la suma de las bases de cotización acreditadas en la empresa en los doce meses naturales inmediatamente anteriores al mes previo al del hecho causante.

Si las bases de cotización acreditadas en la empresa con anterioridad al mes previo al del hecho causante se refieren a un período inferior a doce meses, la base reguladora diaria será el resultado de dividir la suma de las bases cotizadas acreditadas entre el número de días naturales a que esas cotizaciones correspondan.

En los supuestos en que la persona haya ingresado en la empresa en el mes anterior al del hecho causante o en el mismo mes de éste, para el cálculo de la base reguladora se tendrán en cuenta las reglas establecidas, respectivamente, en los párrafos primero y segundo del artículo 179.2.

No obstante, la prestación por nacimiento y cuidado de menor podrá reconocerse mediante resolución provisional conforme a lo previsto en el artículo 179.3.

c) La base reguladora diaria de la prestación por incapacidad temporal será el resultado de dividir la suma de las bases de cotización a tiempo parcial acreditadas desde la última alta, con un máximo de tres meses inmediatamente anteriores al mes previo al del hecho causante, entre el número de días naturales comprendidos en el período.

Para las personas con contrato fijo-discontinuo la base reguladora diaria de la prestación por incapacidad temporal será el resultado de dividir la suma de las bases de cotización acreditadas desde su alta en el correspondiente régimen a consecuencia del inicio de la prestación de servicios motivado por el último llamamiento, con un máximo de tres meses inmediatamente anteriores al mes previo al del hecho causante, entre el número de días naturales comprendidos en el período.

La prestación económica se abonará durante todos los días naturales en que la persona beneficiaria se encuentre en la situación de incapacidad temporal.

2. Cuando proceda la integración de períodos durante los que no haya habido obligación de cotizar, ésta se llevará a cabo con la base mínima de cotización de entre las aplicables en cada momento, correspondiente al número de horas contratadas en último término.

3. Para determinar el porcentaje aplicable a la base reguladora de las pensiones de jubilación y de incapacidad permanente derivada de enfermedad común, se tendrán en cuenta los distintos períodos durante los cuales el trabajador haya permanecido en alta con un contrato a tiempo parcial, cualquiera que sea la duración de la jornada realizada en cada uno de ellos.

En el caso de los trabajadores fijos discontinuos, todo el período durante el cual el trabajador haya estado en situación de alta con un contrato fijo-discontinuo se multiplicará por un coeficiente de 1,5, sin que el número total de días cotizados anualmente pueda superar el número de días naturales de cada año.

4. A los trabajadores que, conforme a lo previsto en el artículo 210.2, prolonguen su actividad con un contrato a tiempo parcial o fijo discontinuo se les reconocerá el complemento económico de la pensión de jubilación previsto en dicho artículo.

En el caso de los trabajadores a tiempo parcial, para alcanzar cada año completo cotizado se tendrán en cuenta los periodos de cotización establecidos en el artículo 247.1. En el caso de los trabajadores fijos discontinuos, se tendrán en cuenta los periodos de cotización aplicando lo previsto en el artículo 247.2.

> Artículo 248 redactado por el Real Decreto-Ley 11/2024, de 23 de diciembre, para la mejora de la compatibilidad de la pensión de jubilación con el trabajo (BOE núm. 309, 24 de diciembre de 2024).

*Sección 2.ª Trabajadores contratados para la formación y el aprendizaje*

**Artículo 249. *Acción protectora y cotización*.** 1. La acción protectora de la Seguridad Social del trabajador contratado para la formación y el aprendizaje comprenderá todas las contingencias, situaciones protegibles y prestaciones de aquella, incluido el desempleo.

Respecto a la protección por desempleo, resultará de aplicación lo establecido en el título III con las especialidades previstas en el artículo 290.

2. Los contratos suscritos conforme a lo dispuesto en el apartado anterior de este artículo estarán exentos de la cotización por formación profesional.

> Artículo 249 redactado por el Real Decreto-Ley 28/2018, de 28 de diciembre, para la revalorización de las pensiones públicas y otras medidas urgentes en materia social, laboral y de empleo (BOE núm. 314, 29 de diciembre de 2018).

*Sección 3.ª*

**Artículo 249 bis. *Cómputo de los periodos de cotización en contratos de corta duración*.** 1. A los exclusivos efectos de acreditar los periodos mínimos de cotización necesarios para causar derecho a las prestaciones de jubilación, incapacidad permanente, muerte y supervivencia, incapacidad temporal, maternidad y paternidad, y cuidado de menores afectados por cáncer u otra enfermedad grave, en los contratos de carácter temporal cuya duración efectiva sea igual o inferior a cinco días, regulados en el artículo 151 de esta ley, cada día de trabajo se considerará como 1,4 días de cotización, sin que en ningún caso pueda computarse mensualmente un número de días mayor que el que corresponda al mes respectivo.

2. Esta previsión no será de aplicación en los supuestos de contratos a tiempo parcial, de relevo a tiempo parcial y contrato fijo-discontinuo.

Sección 3.ª y artículo 249 bis añadidos por el Real Decreto-Ley 28/2018, de 28 de diciembre, para la revalorización de las pensiones públicas y otras medidas urgentes en materia social, laboral y de empleo (BOE núm. 314, 29 de diciembre de 2018).

## *Sección 4.ª Artistas en espectáculos públicos*

**Artículo 249 ter.** *Inactividad de artistas en espectáculos públicos incluidos en el Régimen General de la Seguridad Social.* 1. Los artistas en espectáculos públicos podrán continuar incluidos en el Régimen General de la Seguridad Social durante sus periodos de inactividad de forma voluntaria, siempre y cuando acrediten, al menos, veinte días en alta con prestación real de servicios en dicha actividad en los doce meses naturales anteriores a aquel en que soliciten dicha inclusión a la Tesorería General de la Seguridad Social, debiendo superar las retribuciones percibidas por esos días la cuantía de dos veces el salario mínimo interprofesional en cómputo mensual. Dicha inclusión deberá solicitarse a la Tesorería General de la Seguridad Social en cualquier momento y, de reconocerse, tendrá efectos desde el día primero del mes siguiente a la fecha de la solicitud.

Dicha inclusión no procederá cuando previamente se hubiera producido la baja de oficio prevista en el apartado 3.b) de este artículo y el solicitante no se encontrara al corriente en el pago de las cuotas debidas.

Apartado 1 redactado por el Real Decreto-Ley 8/2019, de 8 de marzo, de medidas urgentes de protección social y de lucha contra la precariedad laboral en la jornada de trabajo (BOE núm. 61, 12 de marzo de 2019).

2. La inclusión en el Régimen General a que se refiere el apartado anterior será incompatible con la inclusión del trabajador en cualquier otro Régimen del sistema de la Seguridad Social, con independencia de la actividad de que se trate.

3. Durante los períodos de inactividad, podrá producirse la baja en el Régimen General como artista:

a) A solicitud del trabajador, en cuyo caso los efectos de la baja tendrán lugar desde el día primero del mes siguiente al de la presentación de aquella ante la Tesorería General de la Seguridad Social.

b) De oficio por la Tesorería General de la Seguridad Social, por falta de abono de las cuotas correspondientes a períodos de inactividad durante dos mensualidades consecutivas.

Los efectos de la baja, en este supuesto, tendrán lugar desde el día primero del mes siguiente a la segunda mensualidad no ingresada, salvo que el trabajador se encuentre, en esa fecha, en situación de incapacidad temporal, maternidad, paternidad, riesgo durante el embarazo o riesgo durante la lactancia natural, en cuyo caso tales efectos tendrán lugar desde el día primero del mes siguiente a aquel en que finalice la percepción de la correspondiente prestación económica, de no haberse abonado antes las cuotas debidas.

Producida la baja en el Régimen General de la Seguridad Social en cualquiera de los supuestos a que se refiere este apartado, los artistas en espectáculos públicos podrán volver a solicitar la inclusión y consiguiente alta en el mismo, durante sus periodos de inactividad, en los términos y condiciones señalados en el apartado 1.

4. La cotización durante los periodos de inactividad se llevará a cabo de acuerdo con las siguientes reglas:

a) El propio trabajador será el sujeto responsable del cumplimiento de la obligación de cotizar y del ingreso de las cuotas correspondientes.

b) La cotización tendrá carácter mensual.

c) La base de cotización aplicable será la base mínima vigente en cada momento, por contingencias comunes, correspondiente al grupo 7 de la escala de grupos de cotización del Régimen General.

d) El tipo de cotización aplicable será el 11,50 por ciento.

5. Una vez efectuada la liquidación definitiva anual correspondiente a los artistas por contingencias comunes y desempleo, prevista en el artículo 32.5 del Reglamento general sobre cotización y liquidación de otros derechos de la Seguridad Social, aprobado por el Real Decreto 2064/1995, de 22 de diciembre, la Tesorería General de la Seguridad Social procederá a reintegrar el importe de las cuotas correspondientes a los días cotizados en situación de inactividad que se hubieran superpuesto, en su caso, con otros períodos cotizados por aquellos.

Si el artista con derecho al reintegro fuera deudor de la Seguridad Social por cuotas o por otros recursos del sistema, el crédito por el reintegro será aplicado al pago de las deudas pendientes con aquélla en la forma que legalmente proceda.

Los artistas en situación de inactividad incluidos en el Régimen General conforme a lo dispuesto en este artículo, no podrán realizar la opción contemplada en el artículo 32.5.c) párrafo segundo, del Reglamento general sobre cotización y liquidación de otros derechos de la Seguridad Social.

6. Durante los períodos de inactividad a que se refiere esta disposición, la acción protectora comprenderá las prestaciones económicas por maternidad, paternidad, incapacidad permanente y muerte y supervivencia derivadas de contingencias comunes, así como jubilación.

También quedará protegida, durante los periodos de inactividad, la situación de la trabajadora embarazada o en periodo de lactancia natural hasta que el hijo cumpla 9 meses, que no pueda continuar realizando la actividad laboral que dio lugar a su inclusión en el Régimen General como artista en espectáculos públicos a consecuencia de su estado, debiendo acreditarse dicha situación por la inspección médica del Instituto Nacional de la Seguridad Social. En estos supuestos se reconocerá a la trabajadora un subsidio equivalente al 100 por ciento de la base de cotización establecida en el apartado anterior.

El pago de dicha prestación será asumido mediante la modalidad de pago directo por el Instituto Nacional de la Seguridad Social.

Sección 4.ª y artículo 249 ter añadidos por el Real Decreto-Ley 26/2018, de 28 de diciembre, por el que se aprueban medidas de urgencia sobre la creación artística y la cinematografía (BOE núm. 314, 29 de diciembre de 2018).

**Artículo 249 quater.** *Compatibilidad de la pensión de jubilación con la actividad artística.* 1. El percibo del 100 por ciento del importe de la pensión de jubilación contributiva será compatible con la actividad artística en los términos del presente artículo:

a) Con el trabajo por cuenta ajena y por cuenta propia de las personas que desarrollen una actividad artística

A estos efectos, se entiende por actividad artística, la realizada por las personas que desarrollan actividades artísticas, sean dramáticas, de doblaje, coreográfica, de variedades, musicales, canto, baile, de figuración, de especialistas, de dirección artística, de cine, de orquesta, de adaptación musical, de escena, de realización, de coreografía, de obra audiovisual, artista de circo, artista de marionetas, magia, guionistas, y, en todo caso, la desarrollada por cualquier persona cuya actividad sea reconocida como artista intérprete o ejecutante del título I del libro segundo del texto refundido de la Ley de Propiedad Intelectual, aprobado por del Real Decreto Legislativo 1/1996, de 12 de abril, regularizando, aclarando y armonizando las disposiciones legales vigentes sobre la materia, o como artista, artista intérprete o ejecutante por los convenios colectivos que sean de aplicación en las artes escénicas, la actividad audiovisual y la musical, conforme al artículo 1. 2, párrafo 2.º del RD 1435/1985, de 1 de agosto, por el que se regula la relación laboral especial de las personas artistas que desarrollan su actividad en las artes escénicas, audiovisuales y musicales, así como de las personas que realizan actividades técnicas o auxiliares necesarias para el desarrollo de dicha actividad.

b) Con el trabajo por cuenta ajena y la actividad por cuenta propia desempeñada por autores de obras literarias, artísticas o científicas, tal como se definen en el capítulo I del título II del libro primero de la Ley de Propiedad Intelectual, aprobado por del Real Decreto Legislativo 1/1996, de 12 de abril, se perciban o no derechos de propiedad intelectual por dicha actividad, incluidos los generados por su transmisión a terceros y con independencia de que por la misma actividad perciban otras remuneraciones conexas.

2. El importe de la pensión de jubilación contributiva compatible con la actividad artística incluye el complemento para pensiones inferiores a la mínima y el complemento por maternidad o reducción de la brecha de género.

3. El beneficiario de la situación de compatibilidad tendrá la consideración de pensionista a todos los efectos.

4. No podrá acogerse a esta modalidad de compatibilidad el beneficiario de una pensión contributiva de jubilación de la Seguridad Social que, además de desarrollar la actividad artística, realice cualquier otro trabajo por cuenta ajena o por cuenta propia diferente a la indicada actividad que dé lugar a su inclusión en el campo de aplicación del Régimen General o de alguno de los regímenes especiales de la Seguridad Social.

De igual forma, se excluye del ámbito de este artículo cualquier modalidad de jubilación anticipada en tanto su titular no cumpla la edad ordinaria de jubilación que le corresponda de acuerdo con el artículo 205.1.a).

Apartado 4 redactado por el Real Decreto-Ley 2/2023, de 16 de marzo, de medidas urgentes para la ampliación de derechos de los pensionistas, la reducción de la brecha de género y el establecimiento de un nuevo marco de sostenibilidad del sistema público de pensiones (BOE núm. 65, 17 de marzo de 2023).

5. Como alternativa al régimen de compatibilidad previsto en este artículo, el beneficiario de una pensión contributiva de jubilación de la Seguridad Social en que concurran las circunstancias previstas en los apartados anteriores podrá optar por la aplicación del régimen jurídico previsto para cualesquiera otras

modalidades de compatibilidad entre pensión y trabajo, establecidas legal o reglamentariamente, cuando reúna los requisitos para ello.

De igual forma, el pensionista de jubilación en quien concurran las circunstancias previstas en este artículo también podrá optar por la suspensión del percibo de su pensión. En tal caso, el alta y la cotización a la Seguridad Social se realizará conforme a las normas que rijan en el régimen de Seguridad Social que corresponda en función de su actividad.

6. La prestación de incapacidad temporal causada durante la compatibilidad prevista en el presente artículo se extinguirá en la fecha en la que se cause baja en el régimen correspondiente de la Seguridad Social.

Artículo 249 quater añadido por el Real Decreto-Ley 1/2023, de 10 de enero, de medidas urgentes en materia de incentivos a la contratación laboral y mejora de la protección social de las personas artistas (BOE núm. 9, 11 de enero de 2023).

## CAPÍTULO XVIII. Sistemas Especiales para Empleados de Hogar y para Trabajadores por Cuenta Ajena Agrarios

### Sección 1.ª Sistema especial para empleados de hogar

**Artículo 250. Ámbito de aplicación**. 1. Quedarán comprendidos en este Sistema Especial para Empleados de Hogar los trabajadores sujetos a la relación laboral especial a que se refiere el artículo 2.1.b) del texto refundido de la Ley del Estatuto de los Trabajadores.

Quedarán excluidos de este sistema especial los trabajadores que presten servicios domésticos no contratados directamente por los titulares del hogar familiar, sino a través de empresas, de acuerdo con lo previsto en la disposición adicional decimoséptima de la Ley 27/2011, de 1 de agosto, sobre actualización, adecuación y modernización del sistema de Seguridad Social.

2. El régimen jurídico de este Sistema Especial será el establecido en este título II y en sus normas de aplicación y desarrollo, con las particularidades que en ellas se establezcan.

**Artículo 251. Acción protectora**. Los trabajadores incluidos en el Sistema Especial para Empleados de Hogar tendrán derecho a las prestaciones de la Seguridad Social en los términos y condiciones establecidos en este Régimen General de la Seguridad Social, con las siguientes peculiaridades:

a) El subsidio por incapacidad temporal, en caso de enfermedad común o accidente no laboral, se abonará a partir del noveno día de la baja en el trabajo, estando a cargo del empleador el abono de la prestación al trabajador desde los días cuarto al octavo de la citada baja, ambos inclusive.

b) El pago de subsidio por incapacidad temporal causado por los trabajadores incluidos en este sistema especial se efectuará directamente por la entidad a la que corresponda su gestión, no procediendo el pago delegado del mismo.

c) Con respecto a las contingencias profesionales del Sistema Especial para Empleados de Hogar, no será de aplicación el régimen de responsabilidades en orden a las prestaciones regulado en el artículo 167.

d) ...

> Letra d) suprimida por el Real Decreto-Ley 16/2022, de 6 de septiembre, para mejora de las condiciones de trabajo y de Seguridad Social de las personas trabajadoras al servicio del hogar (BOE núm. 216, 8 de septiembre de 2022).

*Sección 2.ª Sistema especial para trabajadores por cuenta ajena agrarios*

**Artículo 252. *Ámbito de aplicación.*** 1. Quedarán comprendidos en el Sistema Especial para Trabajadores por Cuenta Ajena Agrarios quienes realicen labores agrarias, sean propiamente agrícolas, forestales o pecuarias o sean complementarias o auxiliares de las mismas, en explotaciones agrarias, así como los empresarios a los que presten sus servicios en los términos que reglamentariamente se establezcan.

No obstante, no tendrán la consideración de labores agrarias las operaciones de manipulado, empaquetado, envasado y comercialización del plátano, a que se refiere el artículo 136.2.g), aunque para el mismo empresario presten servicios otros trabajadores dedicados a la obtención directa, almacenamiento y transporte a los lugares de acondicionamiento y acopio del propio producto y todo ello sin perjuicio de lo establecido respecto de su venta en el último párrafo del artículo 2.1 de la Ley 19/1995, de 4 de julio, de Modernización de las Explotaciones Agrarias.

2. El régimen jurídico de este Sistema Especial será el establecido en este título II y en sus normas de aplicación y desarrollo, con las particularidades que en ellas se establezcan.

**Artículo 253.** *Reglas de inclusión.* 1. La inclusión en el Sistema Especial para Trabajadores por Cuenta Ajena Agrarios establecido en el Régimen General, que se producirá como consecuencia y de forma simultánea al alta en dicho régimen, determinará la obligación de cotizar, tanto durante los períodos de actividad por la realización de labores agrarias como durante los períodos de inactividad en dichas labores, con la consiguiente alta en el Régimen General y con arreglo a lo dispuesto en los apartados siguientes.

A los efectos indicados en el párrafo anterior, se entenderá que existen períodos de inactividad dentro de un mes natural cuando el número de jornadas reales en él realizadas sea inferior al 76,67 por ciento de los días naturales en que el trabajador figure incluido en el sistema especial en dicho mes.

Sin perjuicio de lo señalado en el párrafo anterior, no existirán períodos de inactividad dentro del mes natural cuando el trabajador realice en él, para un mismo empresario, un mínimo de cinco jornadas reales semanales en cumplimiento de lo establecido en el convenio colectivo que resulte de aplicación.

2. Para quedar incluido en este sistema especial durante los períodos de inactividad serán requisitos necesarios que el trabajador haya realizado un mínimo de 30 jornadas reales en un período continuado de trescientos sesenta y cinco días y que solicite expresamente la inclusión dentro de los tres meses naturales siguientes al de la realización de la última de dichas jornadas.

Una vez cumplidos los requisitos señalados en el párrafo anterior, la inclusión en el sistema especial y la cotización durante los períodos de inactividad en las labores agrarias tendrán efectos a partir del día primero del mes siguiente a aquel en que se haya presentado la solicitud de inclusión.

3. A los efectos previstos en los apartados anteriores, se computarán todas las jornadas reales efectuadas por el trabajador en el período indicado, incluidas las prestadas en un mismo día para distintos empresarios.

A efectos del cumplimiento del requisito establecido en el apartado 2, se asimilarán a jornadas reales los días en que los trabajadores se encuentren en las situaciones de incapacidad temporal derivada de contingencias profesionales, maternidad, paternidad, riesgo durante el embarazo y riesgo durante la lactancia natural, procedentes de un período de actividad en este sistema especial; los períodos de percepción de prestaciones por desempleo de nivel contributivo en este sistema especial, así como los días en que aquellos se encuentren en alta en algún régimen de la Seguridad Social como consecuencia de programas de fomento de empleo agrario.

4. La exclusión del Sistema Especial para Trabajadores por Cuenta Ajena Agrarios durante los períodos de inactividad, con la consiguiente baja en el Régimen General, podrá producirse:

a) A solicitud del trabajador, en cuyo caso los efectos de la exclusión tendrán lugar desde el día primero del mes siguiente al de la presentación de aquella ante la Tesorería General de la Seguridad Social.

b) De oficio por la Tesorería General de la Seguridad Social, en los siguientes supuestos:

1.º Cuando el trabajador no realice un mínimo de 30 jornadas de labores agrarias en un período continuado de trescientos sesenta y cinco días, computados desde el siguiente a aquel en que finalice el período anterior.

Los efectos de la exclusión, en este supuesto, tendrán lugar desde el día primero del mes siguiente al de la notificación de la resolución por la que se acuerde aquella.

2.º Por falta de abono de las cuotas correspondientes a períodos de inactividad durante dos mensualidades consecutivas.

Los efectos de la exclusión, en este supuesto, tendrán lugar desde el día primero del mes siguiente a la segunda mensualidad no ingresada, salvo que el trabajador se encuentre, en esa fecha, en situación de incapacidad temporal, maternidad, paternidad, riesgo durante el embarazo o riesgo durante la lactancia natural, en cuyo caso tales efectos tendrán lugar desde el día primero del mes siguiente a aquel en que finalice la percepción de la correspondiente prestación económica, de no haberse abonado antes las cuotas debidas.

La exclusión a que se refiere este apartado no impedirá que, en caso de nuevos períodos de actividad en las labores agrarias, los trabajadores queden incluidos en el sistema especial durante los días en que presten sus servicios, con las consiguientes altas y bajas en el Régimen General y la cotización que corresponda por tales períodos.

5. De haberse procedido a la exclusión de este sistema especial durante los períodos de inactividad por alguna de las causas señaladas en el apartado anterior, procederá la reincorporación en él cuando los trabajadores por cuenta ajena agrarios cumplan los siguientes requisitos:

a) Haber realizado un mínimo de treinta jornadas reales dentro del período continuado de trescientos sesenta y cinco días anteriores a la fecha de efectos del reinicio de la cotización por períodos de inactividad.

Este requisito no será exigible cuando el trabajador solicite su reincorporación en el sistema especial tras haber quedado excluido del mismo voluntariamente, con ocasión del desempeño de otra actividad que hubiera determinado su alta en cualquier régimen de la Seguridad Social o de encontrarse en una situación asimilada a la de alta que hubiera resultado computable para acceder a cualquiera de las prestaciones comprendidas en la acción protectora a que se refiere el artículo 256. Para ello, deberá presentarse la solicitud correspondiente dentro de los tres meses siguientes a la fecha de efectos de la baja en la citada actividad o de la extinción de la situación asimilada antes señalada.

b) Estar al corriente en el ingreso de las cuotas correspondientes a períodos de inactividad.

Los efectos de la reincorporación en el sistema especial, a efectos de la cotización durante los períodos de inactividad, tendrán lugar:

1.º Cuando la exclusión se hubiera producido voluntariamente, desde el día primero del mes siguiente al de la presentación de la solicitud de reincorporación por parte del trabajador.

En el supuesto de que el trabajador provenga de una situación de alta por otra actividad o de una situación asimilada a la de alta y solicite su reincorporación dentro de los tres meses antes señalados, podrá optar porque sus efectos tengan lugar bien desde la fecha de efectos de la baja por esa otra actividad o de la extinción de dicha situación asimilada o bien desde el día primero del mes siguiente al de presentación de la solicitud.

2.º Cuando la exclusión se hubiera producido de oficio por incumplimiento del requisito relativo a la realización del mínimo de jornadas reales exigido, desde el día primero del mes siguiente al del cumplimiento de dicho requisito.

3.º Cuando la exclusión se hubiera producido de oficio por falta de ingreso de la cotización correspondiente a los períodos de inactividad, desde el día primero del mes siguiente al de la presentación de la solicitud de reincorporación salvo que el trabajador opte porque los efectos tengan lugar desde el día primero del mes de ingreso de las cuotas debidas.

**Artículo 254. *Afiliación, altas, bajas y variaciones de datos*.** La afiliación y las altas, bajas y variaciones de datos de los trabajadores agrarios por cuenta ajena se tramitarán en los términos, plazos y condiciones establecidos en los artículos 139 y 140 y en sus disposiciones de aplicación y desarrollo.

Sin perjuicio de lo previsto en el párrafo anterior, de contratarse a trabajadores eventuales o fijos discontinuos el mismo día en que comiencen su prestación de servicios, las solicitudes de alta podrán presentarse hasta las doce horas de dicho día, cuando no haya sido posible formalizarlas con anterioridad al inicio de dicha jornada. No obstante, si la jornada de trabajo finalizase antes de las doce horas, las solicitudes de alta deberán presentarse antes de la finalización de esa jornada.

**Artículo 255.** *Cotización.* 1. La cotización correspondiente a los trabajadores incluidos en el Sistema Especial para Trabajadores por Cuenta Ajena Agrarios y a los empresarios a los que presten sus servicios se ajustará a lo dispuesto para el Régimen General de la Seguridad Social, con las particularidades establecidas en los apartados siguientes.

2. Durante los períodos de actividad en las labores agrarias se aplicarán las siguientes reglas:

a) El empresario será el sujeto responsable del cumplimiento de la obligación de cotizar en los términos del artículo 142, debiendo comunicar, asimismo, las jornadas reales realizadas por sus trabajadores en el plazo que reglamentariamente se determine.

b) La cotización podrá efectuarse, a opción del empresario, por bases diarias, en función de las jornadas reales realizadas, o por bases mensuales. De no ejercitarse expresamente dicha opción, se aplicará la modalidad de bases mensuales de cotización.

La modalidad de cotización por bases mensuales resultará obligatoria para los trabajadores agrarios por cuenta ajena con contrato indefinido, sin incluir entre ellos a los que presten servicios con carácter fijo discontinuo, respecto a los cuales tendrá carácter opcional.

c) Las bases de cotización por contingencias comunes y profesionales se determinarán conforme a lo dispuesto en el artículo 147.

Cuando la cotización se efectúe por bases diarias, lo indicado en el párrafo anterior se entenderá referido a cada jornada real realizada, sin que pueda ser inferior a la base mínima diaria de cotización que se establezca en cada ejercicio por la Ley de Presupuestos Generales del Estado.

d) Los tipos de cotización aplicables, respecto a las contingencias comunes, serán los establecidos en la Ley de Presupuestos Generales del Estado correspondiente a cada ejercicio, y respecto a las contingencias profesionales, los establecidos para cada actividad económica, ocupación, o situación, en la tarifa de primas establecidas legalmente.

e) La cotización por desempleo, Fondo de Garantía Salarial y formación profesional se efectuará con arreglo a la base de cotización por contingencias profesionales.

Los tipos de cotización aplicables para la cotización por estos conceptos serán los siguientes:

1.º Para la contingencia de desempleo, los fijados en cada ejercicio por la correspondiente Ley de Presupuestos Generales del Estado.

2.º Para la cotización al Fondo de Garantía Salarial, el 0,10 por ciento, a cargo exclusivo del empresario.

3.º Para la cotización por formación profesional, el 0,18 por ciento, siendo el 0,15 por ciento a cargo del empresario y el 0,03 por ciento a cargo del trabajador.

3. Durante los períodos de inactividad en las labores agrarias se aplicarán las siguientes reglas:

a) El propio trabajador será el sujeto responsable del cumplimiento de la obligación de cotizar y del ingreso de las cuotas correspondientes.

b) La cotización tendrá carácter mensual y se calculará mediante la fórmula que se determine en la Ley de Presupuestos Generales del Estado correspondiente a cada ejercicio.

c) La base de cotización aplicable será la base mínima vigente en cada momento, por contingencias comunes, correspondiente al grupo 7 de la escala de grupos de cotización del Régimen General.

d) El tipo de cotización aplicable será el 11,50 por ciento.

4. Durante las situaciones de incapacidad temporal, riesgo durante el embarazo y riesgo durante la lactancia natural, así como de maternidad y paternidad causadas durante los períodos de actividad, se aplicarán las siguientes reglas:

a) El empresario deberá ingresar únicamente las aportaciones a su cargo.

Las aportaciones a cargo del trabajador serán ingresadas por la entidad que efectúe el pago directo de las prestaciones correspondientes a las situaciones indicadas.

b) Respecto de los trabajadores agrarios con contrato indefinido, la cotización durante las referidas situaciones se efectuará con arreglo a las normas generales del Régimen General.

c) Respecto de los trabajadores agrarios con contrato temporal y fijo discontinuo, resultará de aplicación lo establecido en la letra b) en cuanto a los días contratados en los que no hayan podido prestar sus servicios por encontrarse en alguna de las situaciones antes indicadas.

Respecto a los días en los que no esté prevista la prestación de servicios, estos trabajadores estarán obligados a ingresar la cotización correspondiente a los periodos de inactividad, excepto en los supuestos de percepción de los subsidios por maternidad y paternidad, que tendrán la consideración de períodos de cotización efectiva a efectos de las correspondientes prestaciones por jubilación, incapacidad permanente y muerte y supervivencia.

5. En este sistema especial no resultará de aplicación el incremento de la aportación empresarial a la cuota por contingencias comunes que para los contratos de trabajo temporales cuya duración efectiva sea inferior a siete días se prevé en el artículo 151.

**Artículo 256. *Acción protectora*.** 1. Los trabajadores incluidos en el Sistema Especial para Trabajadores por Cuenta Ajena Agrarios tendrán derecho a las prestaciones de la Seguridad Social en los términos y condiciones establecidos en el Régimen General de la Seguridad Social, con las peculiaridades que se señalan en los apartados siguientes.

2. Para el reconocimiento de las correspondientes prestaciones económicas será necesario que los trabajadores se hallen al corriente en el pago de las cotizaciones correspondientes a los períodos de inactividad, de cuyo ingreso son responsables.

> *Para alcanzar la carencia exigida para la prestación de incapacidad temporal por enfermedad común, deben computarse las cotizaciones realizadas por el propio beneficiario durante los periodos de inactividad* (STS de 7 de febrero de 2024 [Rec. 1534/2021]).

3. Durante los períodos de inactividad, la acción protectora del sistema especial comprenderá las prestaciones económicas por maternidad, paternidad, incapacidad permanente y muerte y supervivencia derivadas de contingencias comunes, así como jubilación.

4. Para el acceso a las modalidades de jubilación anticipada previstas en los artículos 207 y 208 y a efectos de acreditar el requisito del período mínimo de cotización efectiva establecido para ellas en tal artículo, será necesario que, en los últimos diez años cotizados, al menos seis correspondan a períodos de actividad efectiva en este sistema especial. A estos efectos, se computarán

también los períodos de percepción de prestaciones por desempleo de nivel contributivo en este sistema especial.

5. Durante la situación de incapacidad temporal derivada de enfermedad común y en los términos reglamentariamente establecidos, la cuantía de la base reguladora del subsidio no podrá ser superior al promedio mensual de la base de cotización correspondiente a los días efectivamente trabajados durante los últimos doce meses anteriores a la baja médica.

> *En el Sistema Especial para Trabajadores por Cuenta Ajena Agrarios, para alcanzar la carencia exigida para la prestación de incapacidad temporal por enfermedad común, deben computarse las cotizaciones realizadas por el propio beneficiario durante los periodos de inactividad, puesto que ninguna norma jurídica excluye que las cotizaciones durante los periodos de inactividad puedan computarse a efectos de reunir el periodo mínimo de cotización exigido para la prestación de incapacidad temporal derivada de enfermedad común iniciada durante un periodo de actividad, evitándose así la desprotección de estos trabajadores; teniendo en cuenta, sin embargo, que dichas cotizaciones del propio trabajador no implican que la base reguladora del subsidio pueda superar el promedio mensual de las cotizaciones por el trabajo efectivo, evitándose así que el subsidio por incapacidad temporal supere el salario efectivamente percibido por el trabajador antes de la baja médica* (SSTS de 7 de febrero [Rec. 1534/2021] y 4 y 26 de junio de 2024 [Rec. 3133/2021 y 947/2024])

6. La prestación económica por incapacidad temporal causada por los trabajadores incluidos en el sistema especial será abonada directamente por la entidad a la que corresponda su gestión, no procediendo el pago delegado de la misma, a excepción de los supuestos en que aquellos estén percibiendo la prestación contributiva por desempleo y pasen a la situación de incapacidad temporal, a que se refiere el artículo 283.2.

7. Para el cálculo de la base reguladora de las pensiones de incapacidad permanente derivada de contingencias comunes y de jubilación causadas por los trabajadores agrarios por cuenta ajena respecto de los periodos cotizados en este sistema especial solo se tendrán en cuenta los períodos realmente cotizados, no resultando de aplicación lo previsto en los artículos 197.4 y 209.1.b).

8. Respecto a la protección por desempleo, resultará de aplicación lo establecido en el título III con las particularidades previstas en la sección 1.ª del capítulo V de dicho título.

## CAPÍTULO XIX. Gestión

**Artículo 257. *Gestión y colaboración en la gestión*.** La gestión del Régimen General de la Seguridad Social, así como la colaboración en la gestión por parte de las mutuas colaboradoras con la Seguridad Social y empresas, se regirá por lo dispuesto en los capítulos V y VI del título I.

**Artículo 258. *Conciertos para la prestación de servicios administrativos y sanitarios*.** Para el mejor desempeño de sus funciones, los organismos de la Administración de la Seguridad Social, de acuerdo con sus respectivas competencias, podrán concertar con entidades públicas o privadas la mera prestación de servicios administrativos, sanitarios o de recuperación profesional.

Los conciertos que al efecto se establezcan serán aprobados por los departamentos ministeriales competentes y la compensación económica que en los mismos se estipule no podrá consistir en la entrega de un porcentaje de las cuotas de este Régimen General ni entrañar, en forma alguna, sustitución en la función gestora encomendada a aquellos organismos.

CAPÍTULO XX. Régimen financiero

**Artículo 259. *Sistema financiero*.** El sistema financiero del Régimen General de la Seguridad Social será el previsto en el artículo 110, con las particularidades que, en materia de accidentes de trabajo y enfermedades profesionales, se establecen en el artículo siguiente.

**Artículo 260. *Normas específicas en materia de accidentes de trabajo y enfermedades profesionales*.** 1. Las mutuas colaboradoras con la Seguridad Social y, en su caso, las empresas responsables constituirán en la Tesorería General de la Seguridad Social, hasta el límite de su respectiva responsabilidad, el valor actual del capital coste de las pensiones que, con arreglo a esta ley, se causen por incapacidad permanente o muerte debidas a accidente de trabajo o enfermedad profesional. El Ministerio de Empleo y Seguridad Social aprobará las tablas de mortalidad y la tasa de interés aplicables para la determinación de los valores aludidos.

> – *Las Mutuas están obligadas a constituir en la Tesorería General de la Seguridad Social, hasta el límite de su responsabilidad, el valor actual del capital-coste de las pensiones, así como los intereses de capitalización* (STS de 9 de octubre de 1992 [Tol 232336]).

2. En relación con la protección de accidentes de trabajo y enfermedades profesionales a que se refiere el presente artículo, el Ministerio de Empleo y Seguridad Social podrá establecer la obligación de las mutuas colaboradoras con

la Seguridad Social de reasegurar en la Tesorería General de la Seguridad Social el porcentaje de los riesgos asumidos que se determine, sin que, en ningún caso, pueda ser inferior al 10 por ciento ni superior al 30 por ciento. A tales efectos, se incluirán en la protección por reaseguro obligatorio exclusivamente las prestaciones de carácter periódico derivadas de los riesgos de incapacidad permanente y muerte y supervivencia que asuman respecto de sus trabajadores protegidos, correspondiendo a dicho Servicio Común, como compensación, el porcentaje de las cuotas satisfechas por las empresas asociadas por tales contingencias que se determine por el Ministerio de Empleo y Seguridad Social. Dicho reaseguro no se extenderá a prestaciones que fueren anticipadas por las mutuas colaboradoras con la Seguridad Social, sin perjuicio de sus derechos tanto a repetir frente al empresario responsable de tales prestaciones como, en caso de declaración de insolvencia del empresario, a ser reintegradas en su totalidad por las entidades de la Seguridad Social en funciones de garantía.

En relación con el exceso de pérdidas, no reaseguradas de conformidad con el párrafo anterior, las mutuas constituirán los oportunos depósitos o concertarán, facultativamente, reaseguros complementarios de los anteriores en las condiciones que se establezcan.

El Ministerio Empleo y Seguridad Social podrá disponer la sustitución de las obligaciones que se establecen en el presente apartado por la aplicación de otro sistema de compensación de resultados de la gestión de la protección por accidentes de trabajo y enfermedades profesionales.

> – *En la cobertura del accidente debe estarse a la fecha del mismo porque es el riesgo asegurado y lo mismo sucede con el reaseguro, pues si existía en la fecha del accidente de trabajo con un determinado contenido (indemnización por incapacidad permanente parcial), la entidad que asume el reaseguro debe cubrir por este concepto todas las consecuencias que deriven del accidente de trabajo con independencia de que para los accidentes posteriores a la fecha de entrada en vigor del Real Decreto 1993/1995, 7 de diciembre, se excluya la cobertura del reaseguro, de manera que es la producción del accidente de trabajo la que determina la aseguradora responsable aunque el efecto dañoso (incapacidad) aparezca con posterioridad* (SSTS de 1 [Tol 6553 y 45780] y 7 de febrero [Tol 46128], 14 [Tol 8099, 46559 y 208017], 21 [Tol 47101], 22 [Tol 23063 y 47183] y 27 de marzo [Tol 6560 y 47680], 3 [Tol 45899 y 57164] y 10 de abril [Tol 46336], 21 de septiembre [Tol 8117 y 47142], 20 de noviembre [Tol 104732] y 19 [Tol 72193] y 30 de diciembre de 2000 [Tol 26613 y 72206] y 17 [Tol 26560 y 72189], 18 [Tol 104729] y 22 de enero de 2001 [Tol 26583 y 72200]).

3. Las mutuas colaboradoras con la Seguridad Social o, en su caso, las empresas responsables de las prestaciones deberán ingresar en la Tesorería General de la Seguridad Social los capitales en la cuantía necesaria para cons-

tituir una renta cierta temporal durante veinticinco años, del 30 por ciento del salario de los trabajadores que mueran como consecuencia mediata o inmediata de accidente de trabajo o enfermedad profesional sin dejar ningún familiar con derecho a pensión.

CAPÍTULO XXI. Aplicación de las normas generales del sistema

**Artículo 261.** *Derecho supletorio*. En lo no previsto expresamente en el presente título se estará a lo dispuesto en el título I, así como en las disposiciones que se dicten para su aplicación y desarrollo.

## TÍTULO III. Protección por desempleo

CAPÍTULO I. Normas generales

**Artículo 262.** *Objeto de la protección*. 1. El presente título tiene por objeto regular la protección de la contingencia de desempleo en que se encuentren quienes, pudiendo y queriendo trabajar, pierdan su empleo o vean suspendido su contrato o reducida su jornada ordinaria de trabajo, en los términos previstos en el artículo 267.

> – No puede reconocerse derecho a prestación por desempleo al extranjero que no cuenta con las autorizaciones para residir y previa para trabajar, puesto que la Ley General de la Seguridad Social sólo reconoce el derecho la protección por desempleo a quienes pudiendo y queriendo trabajar pierden el empleo, y los extranjeros no residentes aunque quieran, no pueden trabajar legalmente puesto que no pueden obtener la pertinente autorización administrativa para ello, ya que ésta sólo se concede bien a extranjeros ya residentes en España, bien a quienes llegan a ella provistos del permiso de residencia y trabajo que se otorga en los países de origen a quienes integran el contingente anual (SSTS de 18 de marzo [*Tol* 1369830] y 12 de noviembre de 2008 [*Tol* 1413270]).

2. El desempleo será total cuando el trabajador cese, con carácter temporal o definitivo, en la actividad que venía desarrollando y sea privado, consiguientemente, de su salario.

A estos efectos, se entenderá por desempleo total el cese total del trabajador en la actividad por días completos, continuados o alternos, durante, al menos, una jornada ordinaria de trabajo, en virtud de suspensión temporal de contrato o reducción temporal de jornada, decididas por el empresario al amparo de lo establecido en el artículo 47 del texto refundido de la Ley del

Estatuto de los Trabajadores o de resolución judicial adoptada en el seno de un procedimiento concursal.

3. El desempleo será parcial cuando el trabajador vea reducida temporalmente su jornada diaria ordinaria de trabajo, entre un mínimo de un 10 y un máximo de un 70 por ciento, siempre que el salario sea objeto de análoga reducción.

> *Existe derecho a prestación de desempleo en el supuesto de un expediente de regulación de empleo temporal consecuencia de la COVID, aunque la reducción de jornada (75 por 100) es superior a la legal (70 por 100), sin ser prestación indebida que deba reintegrarse, pues el error imputable es exclusivo del Servicio Público de Empleo Estatal* (STS de 4 y 29 de abril [Rec. 1156/2023, y 858/2022, 1092/2023, 1158/2023 y 1159/2023], 30 de mayo [Rec. 1093/2023], 5 de julio [Rec. 3825/2021] y 24 de septiembre de 2024 [Rec. 3565/2023] y 27 de mayo [Rec. 4152/2023] y 21 de octubre de 2025 [Rec. 579/2024 y 686/2024]).

A estos efectos, se entenderá por reducción temporal de la jornada diaria ordinaria de trabajo, aquella que se decida por el empresario al amparo de lo establecido en el artículo 47 del texto refundido de la Ley del Estatuto de los Trabajadores o de resolución judicial adoptada en el seno de un procedimiento concursal, sin que estén comprendidas las reducciones de jornadas definitivas o que se extiendan a todo el período que resta de la vigencia del contrato de trabajo.

> – *La expresión "temporalmente" se refiere a la reducción de la jornada ordinaria de trabajo de al menos una tercera parte, y no a que la reducción de la jornada, para que genere la protección, sea de duración temporal o transitoria y no indefinida o definitiva* (STS de 14 de julio de 1997 [Tol 237678]).
>
> – *En los supuestos de desempleo por extinción de trabajo a tiempo parcial conservando otro del mismo tipo, la situación de desempleo por este trabajo se rige por sus propias reglas en cuanto a cotización y duración* (STS de 31 de mayo de 2000 [Rec. 2550/1999]).

**Artículo 263. *Niveles de protección*.** 1. La protección por desempleo se estructura en un nivel contributivo y en un nivel asistencial, ambos de carácter público y obligatorio.

2. El nivel contributivo tiene como objeto proporcionar prestaciones sustitutivas de las rentas salariales dejadas de percibir como consecuencia de la pérdida de un empleo anterior o de la suspensión del contrato o reducción de la jornada.

3. El nivel asistencial, complementario del anterior, garantiza la protección a los trabajadores desempleados que se encuentren en alguno de los supuestos incluidos en el artículo 274.

**Artículo 264.** *Personas protegidas.* 1. Estarán comprendidos en la protección por desempleo, siempre que tengan previsto cotizar por esta contingencia:

a) Los trabajadores por cuenta ajena incluidos en el Régimen General de la Seguridad Social.

> – *Para el cálculo de las rentas que impidan el acceso al derecho a subsidio por desempleo de trabajadores eventuales del campo han de ser tomadas en consideración las cantidades percibidas por pensión de viudedad, puesto que deben tenerse en cuenta todos los ingresos del solicitante cualquiera que fuera la fuente que los produce* (SSTS de 19 de julio de 2004 [Tol 515481] y 10 de noviembre de 2005 [Tol 781742]).

> – *Para reconocer el derecho a prestación por desempleo causada por un trabajador que prestaba servicios a un familiar debe valorarse la presunción iuris tantum de no laboralidad prevista en el Estatuto de los Trabajadores y la Ley General de la Seguridad Social, teniendo en cuenta la convivencia familiar o el salario percibido* (STS de 5 de noviembre de 2008 [Tol 1413292]).

> – *Una persona que tiene la condición de socio trabajador (junto a su cónyuge participaba en un 25 por 100 del capital social) y consejero delegado de una sociedad laboral, sin recibir retribución alguna por este último cargo, tiene derecho a la prestación por desempleo, puesto que la Ley 4/1997, de sociedades laborales, solo excluye de la protección por desempleo a los socios trabajadores cuando por su condición de administradores sociales, realicen funciones de dirección y gerencia de la sociedad siendo retribuidos por el desempeño de este cargo, estén o no vinculados, simultáneamente a la misma mediante relación laboral común o especial* (STS de 17 de febrero de 2009 [Tol 1494339]).

> – *Tiene derecho a la prestación por desempleo el trabajador en situación de pluriactividad que no pudo percibir las prestaciones cuando se activó el ERTE-COVID, pero luego cesa en la actividad autónoma y solo es asalariado al iniciarse su prórroga automática* (SSTS de 10 de junio [Rec. 3005/2023], 4 de julio [Rec. 5042/2023] y 12 de noviembre de 2025 [Rec. 3529/2024]).

b) Los trabajadores por cuenta ajena incluidos en los regímenes especiales de la Seguridad Social que protegen dicha contingencia, con las peculiaridades que se establezcan reglamentariamente.

c) Los trabajadores emigrantes que retornen a España y los liberados de prisión, en las condiciones previstas en este título.

d) Los funcionarios interinos, el personal eventual, así como el personal contratado en su momento en régimen de derecho administrativo al servicio de las administraciones públicas.

e) Los miembros de las corporaciones locales y los miembros de las Juntas Generales de los Territorios Históricos Forales, Cabildos Insulares Canarios y Consejos Insulares Baleares y los cargos representativos de las organizaciones sindicales constituidas al amparo de la Ley Orgánica 11/1985, de 2 de agosto, de Libertad Sindical, que ejerzan funciones sindicales de dirección, siempre que todos ellos desempeñen los indicados cargos con dedicación exclusiva o parcial y perciban por ello una retribución, en las condiciones previstas en este título para los trabajadores por cuenta ajena.

f) Los altos cargos de las administraciones públicas con dedicación exclusiva que sean retribuidos por ello y no sean funcionarios públicos, en las condiciones previstas en este título para los trabajadores por cuenta ajena, salvo que tengan derecho a percibir retribuciones, indemnizaciones o cualquier otro tipo de prestación compensatoria como consecuencia de su cese.

> – *De acuerdo con la normativa vigente, no puede reconocerse el derecho a percibir presta-ciones por desempleo a los alcaldes y concejales cuando cesan en el ejercicio de dicha fun-ción; y ello aun cuando cubrieran la carencia exigida para causar derecho a aquellas presta-ciones por haber cotizado durante todo el tiempo en que desempeñaron aquellas funciones públicas; y ello puesto que aun estando incluidos en el Régimen General de la Seguridad Social no puedan considerarse sujetos protegidos por la prestación por desempleo, dado que ni la Carta Europea ni la Ley de Bases de Régimen Local reconocen expresamente la protección por desempleo para los alcaldes y concejales, y además no pueden considerarse incluidos dentro de las previsiones de la Ley General de la Seguridad Social, ni existe previ-sión específica del Gobierno que los incluya* (STS de 25 de octubre de 2005 [Tol 781750]).

2. Las personas a que se refieren las letras e) y f) del apartado anterior están obligadas a cotizar por la contingencia de desempleo, así como las cor-poraciones locales y las Juntas Generales de los Territorios Históricos Forales, Cabildos Insulares Canarios y Consejos Insulares Baleares, las administraciones públicas y las organizaciones sindicales en los que dichas personas ejerzan sus cargos, a quienes serán de aplicación las obligaciones y derechos establecidos para los trabajadores y los empresarios respectivamente.

En los supuestos a los que se refiere el presente apartado, el tipo de coti-zación por desempleo será el establecido en cada momento con carácter gene-ral para la contratación de duración determinada a tiempo completo o parcial.

3. El Gobierno podrá ampliar la cobertura de la contingencia de desempleo a otros colectivos.

**Artículo 265.** *Acción protectora*. 1. La protección por desempleo com-prenderá las prestaciones siguientes:

a) En el nivel contributivo:

1.º Prestación por desempleo total o parcial.

2.º Abono de la aportación de la empresa correspondiente a las cotiza-ciones a la Seguridad Social durante la percepción de las prestaciones por desempleo, salvo en los supuestos previstos en el artículo 273.2.

b) En el nivel asistencial:

1.º Subsidio por desempleo.

2.º Abono, en su caso, de la cotización a la Seguridad Social correspondiente a la contingencia de jubilación durante la percepción del subsidio por desempleo, en los supuestos que se establecen en el artículo 280.

3.º Derecho a las prestaciones de asistencia sanitaria y, en su caso, a las prestaciones familiares, en las mismas condiciones que los trabajadores incluidos en algún régimen de Seguridad Social.

2. La acción protectora comprenderá, además, acciones específicas de formación, perfeccionamiento, orientación, reconversión e inserción profesional en favor de los trabajadores desempleados y aquellas otras que tengan por objeto el fomento del empleo estable. Todo ello sin perjuicio, en su caso, de las competencias de gestión de las políticas activas de empleo que se desarrollarán por la Administración General del Estado o por la Administración Autonómica correspondiente, de acuerdo con la normativa de aplicación.

3. Los trabajadores que provengan de los países miembros del Espacio Económico Europeo, o de los países con los que exista convenio de protección por desempleo, obtendrán las prestaciones por desempleo en la forma prevista en las normas de la Unión Europea o en los convenios correspondientes.

## CAPÍTULO II. Nivel contributivo

**Artículo 266.** *Requisitos para el nacimiento del derecho a las prestaciones.* Para tener derecho a las prestaciones por desempleo las personas comprendidas en el artículo 264 deberán reunir los requisitos siguientes:

a) Estar afiliadas a la Seguridad Social y en situación de alta o asimilada al alta en los casos que legal o reglamentariamente se determinen.

*– El trabajador que se encuentra en excedencia voluntaria en una empresa y es despedido por decisión de la nueva empresa en la que se hallaba prestando sus servicios durante aquel período de excedencia debe ser considerado en situación legal de desempleo, y ello porque el trabajador que se encuentra en situación de excedencia voluntaria no tiene reconocido el derecho a reingresar en la empresa hasta que no haya transcurrido el período por el que aquélla le fue concedida, y aun entonces sólo en el caso de que haya vacante de igual o similar categoría a la suya, lo que significa que no tiene derecho al reingreso más que al final del período de excedencia y siempre que se cumplan determinados factores; lo que significa que no se puede deducir que su situación de desempleado derivara de la decisión inicial de solicitar la excedencia y no se le puede exigir para destruir la condición de desempleado involuntario el previo intento de reincorporarse a la empresa cuando carece de todo derecho a ello, al no haber completado el período de excedencia; de manera que su condición de desempleado deriva del despido de que fue objeto por la segunda empresa para la que trabajó,*

*y en tal condición debe reconocerse la condición de desempleado* (SSTS de 24 de marzo de 2001 [*Tol 32166*] y 29 de diciembre de 2004 [*Tol 675488*]).

*La situación del trabajador excedente no readmitido injustamente desde la fecha en que debería haberse cumplido la obligación de readmitir es análoga a la del trabajador injustamente despedido a partir de la fecha del despido, por lo que la empresa debía de haberlo mantenido en alta en la Seguridad Social desde la fecha de efectos del despido, con la consecuencia que el demandante despedido tenía derecho a estar en alta en el Régimen General de la Seguridad Social al sobrevenir la contingencia o situación* (SSTS de 14 de marzo de 2019 [Rec. 2785/2017] y 26 de abril de 2022 [*Tol 8932609*]).

b) Tener cubierto el período mínimo de cotización a que se refiere el artículo 269.1, dentro de los seis años anteriores a la situación legal de desempleo o al momento en que cesó la obligación de cotizar.

Para el supuesto de que en el momento de la situación legal de desempleo se mantengan uno o varios contratos a tiempo parcial se tendrán en cuenta exclusivamente, a los solos efectos de cumplir el requisito de acceso a la prestación, los períodos de cotización en los trabajos en los que se haya perdido el empleo o se haya visto suspendido el contrato o reducida la jornada ordinaria de trabajo.

– *La teoría del "paréntesis" es aplicable a las situaciones de huelga, a efectos de las prestaciones por desempleo* (SSTC 48/1991, de 28 de febrero [*Tol 80462*], y 152 y 153/1991, de 8 de julio [*Tol 80564 y 80565*]).

– *El cómputo del período de seis años se retrotrae por el tiempo equivalente al que el trabajador hubiera permanecido en situación asimilada a la de alta* (STS de 25 de mayo de 1999 [*Tol 47611*]).

– *Los días consumidos por desempleo parcial por reducción de jornada, a efectos de la duración total, no se computará por días parciales, sino por días enteros* (SSTS de 3 de noviembre [*Tol 232921*] y 23 de diciembre de 1994 [*Tol 234850*], 6 y 28 de marzo [*Tol 237181, y 236203 y 237170*], 19 de mayo [*Tol 235848 y 266334*], 3 y 26 de julio [*Tol 235533 y 266274, y 235435 y 267251*] y 29 de noviembre de 1995 [*Tol 236166*] y 6 de febrero de 1997 [*Tol 237559*]).

– *Las cotizaciones anteriores a una situación de incapacidad permanente no computan como ocupación cotizada* (SSTS de 31 de enero de 1995 [*Tol 237122*] y 19 de febrero de 1996 [*Tol 236917*]).

– *No debe aplicarse la doctrina del paréntesis a la situación de excedencia voluntaria que se prolonga por un período de cinco años* (STS de 4 de abril de 2011 [*Tol 2123891*]).

– *Son computables todas las cotizaciones de los últimos seis años, aunque el beneficiario hubiera percibido pensión por incapacidad permanente total, sin que proceda descuento alguno en el período que legalmente corresponda* (STS de 11 de abril de 2013 [*Tol 3707155*]).

c) Encontrarse en situación legal de desempleo, acreditar disponibilidad para buscar activamente empleo y para aceptar colocación adecuada a través de la suscripción del acuerdo de actividad al que se refiere el artículo 3 de la Ley 3/2023, de 28 de febrero, de Empleo.

<small>Letra c) redactada por la Ley 3/2023, de 28 de febrero, de empleo (BOE núm. 51, 1 de marzo de 2023).</small>

d) No haber cumplido la edad ordinaria que se exija en cada caso para causar derecho a la pensión contributiva de jubilación, salvo que el trabajador no tuviera acreditado el período de cotización requerido para ello o se trate de supuestos de suspensión de contrato o reducción de jornada.

<small>– No existe derecho a prestación por desempleo cuando el desempleado acredita su acceso a la prestación por jubilación del Régimen de Clases Pasivas del Estado, pues no se da la situación de desprotección que establece la Ley General de la Seguridad Social cuando introduce la excepción de la edad (STS de 24 de junio de 2015 [Tol 5214701]).</small>

e) Estar inscrito como demandante de empleo en el servicio público de empleo competente.

**Artículo 267. *Situación legal de desempleo.*** 1. Se encontrarán en situación legal de desempleo los trabajadores que estén incluidos en alguno de los siguientes supuestos:

<small>– Cuando el trabajador que se encuentra en excedencia voluntaria desempeña en tal situación un nuevo trabajo y luego cesa en él contra su voluntad, si no ha transcurrido todavía el plazo inicial de la excedencia que le impide solicitar la reincorporación al primer trabajo en que le fue concedida, no existe obstáculo legal que para que pueda acceder a las prestaciones de desempleo conforme a los periodos de cotización que acredite; puesto que la solicitud de reingreso solo puede ejercitarse cuando haya terminado el plazo de la excedencia, de tal manera que no se puede pedir al trabajador una actuación que carece de toda efectividad cuando la empresa no está obligada a la readmisión, por lo que es inexigible el previo intento de reincorporación; lo que supone que el vínculo laboral con la anterior empresa se encuentra en situación de suspensión por mor de la excedencia peticionada y concedida por el empleador, de forma que el trabajador está en desempleo real por el cese en la segunda empresa, pero también por haber solicitado voluntariamente la excedencia en la empresa anterior, sin que hubiere transcurrido todavía el plazo inicial para solicitar el reingreso, y sin que tampoco conste dato alguno que permita sostener la concurrencia de una actuación fraudulenta por parte del demandante en orden a la obtención de las prestaciones por desempleo (SSTS de 24 de marzo de 2001 [Rec. 749/2000], 29 de diciembre de 2004 [Rec. 5582/2003], 5 de marzo de 2019 [Rec. 4645/2017] y 4 de julio de 2025 [Rec. 4513/2023]).</small>

a) Cuando se extinga su relación laboral:

1.º En virtud de despido colectivo, adoptado por decisión del empresario al amparo de lo establecido en el artículo 51 del texto refundido de la Ley del

Estatuto de los Trabajadores, o de resolución judicial adoptada en el seno de un procedimiento concursal.

> – *No es obstáculo al derecho a la percepción de la prestación por desempleo el hecho de que la autorización administrativa del expediente de regulación sea revocada posteriormente por sentencia judicial* (STS de 30 de noviembre de 1998 [Rec. 4522/1997]).

> – *En los supuestos de expediente de regulación de empleo, la declaración de la situación legal de desempleo corresponde al Instituto Nacional de Empleo, que no estaría vinculado por el expediente* (STS de 4 de noviembre de 1999 [Tol 45983]).

> – *En el supuesto de cese con carácter definitivo de la actividad de los socios trabajadores de Cooperativas de trabajo asociado como consecuencia de causas económicas, tecnológicas o de fuerza mayor, éstas deben ser constatadas por la autoridad laboral competente, puesto que dicha exigencia así se recoge en el Real Decreto 1043/1985, de 19 de junio, que debe considerarse vigente porque no fue derogado expresamente por la Ley General de la Seguridad Social y el posterior Real Decreto 32/1996, de 19 de enero, amplió su contenido, y, sin que el citado decreto exceda de su habilitación legal* (STS de 16 de mayo de 2005 [Tol 668435]).

2.º Por muerte, jubilación o incapacidad del empresario individual, cuando determinen la extinción del contrato de trabajo.

3.º Por despido y por la extinción del contrato por motivos inherentes a la persona trabajadora regulada en la disposición adicional tercera de la Ley 32/2006, de 18 de octubre, reguladora de la subcontratación en el Sector de la Construcción.

En el supuesto previsto en el artículo 111.1.b) de la Ley 36/2011, de 10 de octubre, reguladora de la jurisdicción social, durante la tramitación del recurso contra la sentencia que declare la improcedencia del despido el trabajador se considerará en situación legal de desempleo involuntario, con derecho a percibir las prestaciones por desempleo, siempre que se cumplan los requisitos exigidos en el presente título, por la duración que le corresponda conforme a lo previsto en los artículos 269 o 277.2 de la presente ley, en función de los períodos de ocupación cotizada acreditados.

> – *Es situación legal de desempleo el despido durante la suspensión del contrato* (STS de 4 de febrero de 1994 [Tol 233088]).

> – *Está en situación legal de desempleo la trabajadora excedente voluntaria que solicita el reingreso, le es denegado y presenta demanda por despido, y, en posterior conciliación se reconoce la improcedencia del despido, puesto que la empresa debía haberla mantenido de alta en la Seguridad Social desde la fecha de incumplimiento de la obligación de readmitir hasta la fecha de efectos del despido* (STS de 13 de julio de 2021 [Tol 8523909]).

4.º Por extinción del contrato por causas objetivas.

– *Cuando se reclama el despido por causas objetivas, los efectos se producen desde la fecha del despido, no desde la sentencia* (STS de 27 de octubre de 1997 [*Tol 237522*]).

– *Para acreditar la situación legal de desempleo basta la mera comunicación escrita del empresario del despido, aunque la causa del mismo sea dudosa* (STS de 27 de octubre de 2000 [*Tol 104737*]).

**5.º** Por resolución voluntaria por parte del trabajador, en los supuestos previstos en los artículos 40, 41.3, 49.1.m) y 50 del texto refundido de la Ley del Estatuto de los Trabajadores.

– *Si en relación con la declaración de despido improcedente se admite la acreditación y efectividad del acto de conciliación administrativo o judicial, por la misma razón se ha de aplicar igual regla a los supuestos de extinción del contrato de trabajo por voluntad del trabajador* (STS de 14 de julio de 1994 [*Tol 233122 y 267508*]).

– *Debe reconocerse derecho a prestación por desempleo al trabajador cuando se produce la extinción de su relación laboral consecuencia de una modificación sustancial de las condiciones de trabajo adoptada por la empresa al amparo del Estatuto de los Trabajadores por causas de carácter económico y productivo, y consistente en reducir temporalmente su jornada laboral; y ello, porque se trata de una voluntariedad en el cese en el trabajo meramente formal, pues nadie puede ser obligado a trabajar de forma distinta a la pactada en el contrato, y, en consecuencia, no impide el acceso a la protección por desempleo* (STS de 18 de septiembre de 2008 [*Tol 1396189*]).

**6.º** Por expiración del tiempo convenido en el contrato formativo o en el contrato de trabajo de duración determinada, por circunstancias de la producción o por sustitución de persona trabajadora, siempre que dichas causas no hayan actuado por denuncia del trabajador.

En el supuesto previsto en el artículo 147 de la Ley 36/2011, de 10 de octubre y sin perjuicio de lo señalado en el mismo, los trabajadores se entenderán en la situación legal de desempleo establecida en el párrafo anterior por finalización del último contrato temporal y la entidad gestora les reconocerá las prestaciones por desempleo si reúnen el resto de los requisitos exigidos.

– *Cuando el contrato temporal se ha hecho en fraude de ley, o por otra causa se ha convertido en indefinido, no es exigible al trabajador un conocimiento técnico y riguroso de los sistemas de contratación y su interpretación judicial y no es necesario que tenga que reclamar sistemáticamente toda extinción por llegada del término* (STS de 6 de marzo de 2001 [Rec. 1702/2000]).

– *En el supuesto de prestación de servicios bajo dos contratos a jornada parcial en la misma empresa, la extinción de uno de los contratos como consecuencia de expiración del término pactado da lugar a la percepción de la prestación contributiva, sin que sean de aplicación las previsiones legales en orden a los supuestos de reducción de jornada previstos en la Ley General de la Seguridad Social* (STS de 17 de mayo de 2004 [*Tol 487435*] y 21 de marzo de 2005 [*Tol 639713*]).

7.º Por resolución de la relación laboral durante el período de prueba a instancia del empresario, siempre que la extinción de la relación laboral anterior se hubiera debido a alguno de los supuestos contemplados en este apartado o haya transcurrido un plazo de tres meses desde dicha extinción.

*Es posible el reconocimiento de derecho a prestación contributiva cuando se ha extinguido el contrato por voluntad del empleador durante el período de prueba y antes del transcurso de 3 meses desde que el trabajador inició el disfrute de una excedencia voluntaria en su anterior empresa (STS de 5 de marzo de 2019 [Rec. 4645/17]).*

8.º Por extinción del contrato de trabajo de acuerdo con lo recogido en el artículo 11.2 del Real Decreto 1620/2011, de 14 de noviembre, por el que se regula la relación laboral de carácter especial del servicio del hogar familiar.

Párrafo 8.º añadido por el Real Decreto-Ley 16/2022, de 6 de septiembre, para mejora de las condiciones de trabajo y de Seguridad Social de las personas trabajadoras al servicio del hogar (BOE núm. 216, 8 de septiembre de 2022).

b) Cuando se suspenda el contrato:

1.º Por decisión del empresario al amparo de lo establecido en el artículo 47 del texto refundido de la Ley del Estatuto de los Trabajadores o en virtud de resolución judicial adoptada en el seno de un procedimiento concursal, en ambos casos en los términos del artículo 262.2 de esta ley.

*Está en situación legal de desempleo la persona a la que se ha suspendido su relación laboral en virtud de un expediente de regulación temporal de empleo por fuerza mayor cuando su empleadora, una Administración pública, no podía acogerse a dichas medidas (SSTS de 21 de septiembre de 2023 [Rec. 980/2021] y 26 de junio de 2024 [Rec. 114/2022]).*

2.º Por decisión de las trabajadoras víctimas de violencia de género o de violencia sexual al amparo de lo dispuesto en el artículo 45.1.n) del texto refundido de la Ley del Estatuto de los Trabajadores.

Ordinal 2.º redactado por la Ley orgánica 10/2022, de 6 de septiembre, de garantía integral de la libertad sexual (BOE núm. 215, 7 de septiembre de 2022).

c) Cuando se reduzca temporalmente la jornada ordinaria diaria de trabajo, por decisión del empresario al amparo de lo establecido en el artículo 47 del texto refundido de la Ley del Estatuto de los Trabajadores o en virtud de resolución judicial adoptada en el seno de un procedimiento concursal, en ambos casos en los términos del artículo 262.3 de esta ley.

*– Se encuentra en situación legal de desempleo el funcionario interino al que se le reduce la jornada en virtud del Decreto Ley 1/2012, de 5 de enero, de la Comunidad Valenciana (STS de 1 y 27 de julio de 2015 [Tol 5438792 y 5550498], 9, 14y 15 de septiembre [Tol 5505894,*

*5505460 y 5505809]* y 27 de octubre de 2015 [Rec. 2876/2014] y 17 de febrero [Rec. 670/2015] y 14 de marzo [Rec. 424/2015], 14, 22 y 28 de junio [Rec. 76/2015 y 292/2015, 666/2015 y 2411/2014, y 422/2015], 20 de julio [Rec. 290/2015] y 22 de septiembre de 2016 [Rec. 2411/2014 y 666/2015]).

– *En el supuesto de un contrato que es indefinido a tiempo parcial, una vez realizado el período de parcialidad convenido, no se genera situación legal de desempleo* (SSTS de 23 de junio de 2021 [*Tol 8503426*] y 22 de marzo de 2023 [Rec. 2586/2020]).

d) Durante los períodos de inactividad productiva de los trabajadores fijos-discontinuos.

– *Debe distinguirse entre los supuestos de "interrupción", que se produce en el período entre campañas, de los de "suspensión", que son los susceptibles de producirse por causas económicas, tecnológicas o por fuerza mayor en cualquier momento durante la plena actividad del contrato* (SSTS de 5 de febrero de 2003 [*Tol 265716 y 275510*]).

– *Son beneficiarios de la prestación por desempleo los trabajadores fijos discontinuos que dejan de prestar servicios por haber finalizado o haberse interrumpido la actividad intermitente o de temporada, pues existe desocupación aunque técnicamente no hay pérdida de un empleo preexistente* (STS de 29 de septiembre de 2004 [*Tol 515507*]).

e) Cuando los trabajadores retornen a España por extinguírseles la relación laboral en el país extranjero, siempre que no obtengan prestación por desempleo en dicho país y acrediten cotización suficiente antes de salir de España.

f) Cuando, en los supuestos previstos en los párrafos e) y f) del artículo 264.1, se produzca el cese involuntario y con carácter definitivo en los correspondientes cargos o cuando, aun manteniendo el cargo, se pierda con carácter involuntario y definitivo la dedicación exclusiva o parcial.

Apartado 1 redactado por el Real Decreto-Ley 32/2021, de 28 de diciembre, de medidas urgentes para la reforma laboral, la garantía de la estabilidad en el empleo y la transformación del mercado de trabajo (BOE núm. 313, 30 de diciembre de 2021).

2. No se considerará en situación legal de desempleo a los trabajadores que se encuentren en alguno de los siguientes supuestos:

– *No tiene la consideración de situación legal de desempleo, la situación del trabajador jubilado a tiempo parcial que concentra su actividad en un período temporal y se suspende el contrato de trabajo en otro período distinto* (SSTS de 4 y 11 de noviembre de 2020 [Rec. 3375/2018, y 3376/2018, 3385/2018, 3247/2018 y 3337/2018] y 10 de mayo de 2022 [*Tol 8972310*]).

– *No existe situación legal de desempleo cuando existiendo jubilación parcial y compactación de la jornada en un período continuado del año se produce un expediente de regulación temporal de empleo, con suspensión del contrato que afecta a un período en el que no había prestación de servicios de la persona jubilada parcial* (SSTS de 10 y 11 de mayo [*Tol 8972165 y 9872310*], 20 de julio [*Tol 9156206*] y 27 de octubre de 2022 [*Tol 9284335*]).

a) Cuando cesen voluntariamente en el trabajo, salvo lo previsto en el apartado 1.a) 5.º.

*En el supuesto de una empresa que tramita dos expedientes de regulación de empleo con suspensión de contratos de trabajo y el trabajador que estuvo adscrito al primero y solicita acogerse al segundo, no puede afirmarse que suspendiera su contrato laboral por su propia y exclusiva voluntad, puesto que la causa real suspensiva estuvo en la existencia de las causas económicas que sirvieron de base al acuerdo alcanzado en el expediente de regulación en el que se incluía al trabajador (STS de 23 de febrero de 2021 [Rec. 3647/2018]).*

b) Cuando, aun encontrándose en alguna de las situaciones previstas en el apartado 1, no acrediten su disponibilidad para buscar activamente empleo y para aceptar colocación adecuada, a través del acuerdo de actividad.

Letra b) redactada por la Ley 3/2023, de 28 de febrero, de empleo (BOE núm. 51, 1 de marzo de 2023).

c) Cuando, declarado improcedente o nulo el despido por sentencia firme y comunicada por el empleador la fecha de reincorporación al trabajo, no se ejerza tal derecho por parte del trabajador o no se hiciere uso, en su caso, de las acciones previstas en el artículo 279 de la Ley 36/2011, de 10 de octubre, reguladora de la jurisdicción social.

d) Cuando no hayan solicitado el reingreso al puesto de trabajo en los casos y plazos establecidos en la legislación vigente.

3. La acreditación de la situación legal de desempleo en los supuestos que se citan a continuación se realizará del modo siguiente:

a) Las situaciones legales de desempleo recogidas en los apartados 1.a) 1.º, 1.b) 1.º y 1.c) de este artículo, que se produzcan al amparo de lo establecido, respectivamente, en los artículos 51 y 47 del texto refundido de la Ley del Estatuto de los Trabajadores, se acreditarán mediante una de las siguientes formas:

1.º Comunicación escrita del empresario al trabajador en los términos establecidos en los artículos 51 o 47 del texto refundido de la Ley del Estatuto de los Trabajadores. La causa y fecha de efectos de la situación legal de desempleo deberá figurar en el certificado de empresa considerándose documento válido para su acreditación. La fecha de efectos de la situación legal de desempleo indicada en el certificado de empresa habrá de ser en todo caso coincidente con, o posterior a la fecha en que se comunique por el empresario a la autoridad laboral la decisión empresarial adoptada sobre el despido colectivo, o la suspensión de contratos, o la reducción de jornada. Se respetará el plazo establecido en el artículo 51.4 del texto refundido de la Ley del Estatuto de los Trabajadores para los despidos colectivos.

2.º Acta de conciliación administrativa o judicial o resolución judicial definitiva.

En los dos casos anteriores la acreditación de la situación legal de desempleo deberá completarse con la comunicación de la autoridad laboral a la entidad gestora de las prestaciones por desempleo, de la decisión del empresario adoptada al amparo de lo establecido en los artículos 51 o 47 del texto refundido de la Ley del Estatuto de los Trabajadores, en la que deberá constar la fecha en la que el empresario ha comunicado su decisión a la autoridad laboral, la causa de la situación legal de desempleo, los trabajadores afectados, si el desempleo es total o parcial, y en el primer caso si es temporal o definitivo. Si fuese temporal se deberá hacer constar el plazo por el que se producirá la suspensión o reducción de jornada, y si fuera parcial se indicará el número de horas de reducción y el porcentaje que esta reducción supone respecto a la jornada diaria ordinaria de trabajo.

b) La situación legal de desempleo prevista en los apartados 1.a).5.º y 1.b).2.º de este artículo cuando se refieren, respectivamente, a los supuestos de los artículos 49.1.m) y 45.1.n) del texto refundido de la Ley del Estatuto de los Trabajadores, se acreditará por comunicación escrita del empresario sobre la extinción o suspensión temporal de la relación laboral, junto con la orden de protección a favor de la víctima o, en su defecto, junto con cualquiera de los documentos a los que se refieren el artículo 23 de la Ley Orgánica 1/2004, de 28 de diciembre, de Medidas de Protección Integral contra la Violencia de Género, o el artículo 37 de la Ley Orgánica de garantía integral de la libertad sexual.

Letra b) redactada por la Ley orgánica 10/2022, de 6 de septiembre, de garantía integral de la libertad sexual (BOE núm. 215, 7 de septiembre de 2022).

c) La situación legal de desempleo prevista en el apartado 1.f) de este artículo se acreditará por certificación del órgano competente de la corporación local, Junta General del Territorio Histórico Foral, Cabildo Insular, Consejo Insular o Administración Pública o sindicato, junto con una declaración del titular del cargo cesado de que no se encuentra en situación de excedencia forzosa, ni en ninguna otra que le permita el reingreso a un puesto de trabajo.

**Artículo 268.** *Solicitud, nacimiento y conservación del derecho a las* *prestaciones.* 1. Las personas que cumplan los requisitos establecidos en el artículo 266 deberán solicitar a la entidad gestora competente el reconocimiento del derecho a las prestaciones que nacerá a partir de que se produzca la situación legal de desempleo, siempre que se solicite dentro del plazo de los quince días siguientes. La solicitud requerirá la inscripción como persona demandante de empleo. Asimismo, en la fecha de solicitud se deberá suscribir el acuerdo de actividad al que se refiere el artículo 3 de la Ley 3/2023, de 28 de febrero, de Empleo.

Párrafo primero redactado por la Ley 3/2023, de 28 de febrero, de empleo (BOE núm. 51, 1 de marzo de 2023).

– *El nacimiento del derecho a la prestación por desempleo consecuencia de despido por causas objetivas se producirá en la fecha del cese en el trabajo y no desde la resolución judicial que declara su procedencia* (SSTS de 27 de octubre [*Tol 237522*] y 10 de noviembre de 1997 [*Tol 237476*], 27 de enero de 1999 [*Tol 47404*], 22 de septiembre de 2000 [*Tol 8118 y 220223*] y 4 de octubre de 2004 [*Tol 515528*]).

– *En los supuestos de finalización de trabajo por cuenta ajena que da lugar a la situación legal de desempleo en los que el trabajador enlaza con un trabajo por cuenta propia, éste interrumpirá el plazo de solicitud, que volverá a iniciarse al finalizar el citado trabajo* (STS de 11 de julio de 2001 [*Tol 66146*]).

La inscripción como demandante de empleo deberá mantenerse durante todo el período de duración de la prestación como requisito necesario para la conservación de su percepción, suspendiéndose el abono, en caso de incumplirse dicho requisito, de acuerdo con lo establecido en el artículo 271.

2. Quienes acrediten cumplir los requisitos establecidos en el artículo 266, pero presenten la solicitud transcurrido el plazo de quince días a que se refiere el apartado 1, tendrán derecho al reconocimiento de la prestación a partir de la fecha de la solicitud, perdiendo tantos días de prestación como medien entre la fecha en que hubiera tenido lugar el nacimiento del derecho de haberse solicitado en tiempo y forma y aquella en que efectivamente se hubiese formulado la solicitud.

3. En el caso de que el período que corresponde a las vacaciones anuales retribuidas no haya sido disfrutado con anterioridad a la finalización de la relación laboral, o con anterioridad a la finalización de la actividad de temporada o campaña de los trabajadores fijos discontinuos, la situación legal de desempleo y el nacimiento del derecho a las prestaciones se producirá una

vez transcurrido dicho período, siempre que se solicite dentro del plazo de los quince días siguientes a la finalización del mismo.

El citado período deberá constar en el certificado de empresa a estos efectos.

4. En el supuesto de despido o extinción de la relación laboral, la decisión del empresario de extinguir dicha relación se entenderá, por sí misma y sin necesidad de impugnación, como causa de situación legal de desempleo. El ejercicio de la acción contra el despido o extinción no impedirá que se produzca el nacimiento del derecho a la prestación.

> – Es incompatible el percibo de prestaciones por desempleo y salarios de tramitación (STS de 28 de octubre de 2003 [*Tol 332279*]).
>
> – Si no se produce el doble y coincidente abono de la prestación por desempleo y los salarios de tramitación resulta imposible considerar indebidas las prestaciones por desempleo (SSTS de 26 de marzo de 2007 [*Tol 1076430*], 18 de mayo de 2011 [*Tol 2166735*] y 23 de enero [*Tol 3054758*] y 13 de mayo [*Tol 3773479*] y 18 de septiembre de 2013 [*Tol 3972137*]).

5. En las resoluciones recaídas en procedimientos de despido o extinción del contrato de trabajo:

a) Cuando el despido sea considerado improcedente y se opte por la indemnización, el trabajador continuará percibiendo las prestaciones por desempleo o, si no las estuviera percibiendo, comenzará a percibirlas con efectos desde la fecha del cese efectivo en el trabajo, siempre que se cumpla lo establecido en el apartado 1, tomando como fecha inicial para tal cumplimiento la del acta de conciliación o providencia de opción por la indemnización o, en su caso, la de la resolución judicial.

b) Cuando se produzca la readmisión del trabajador, mediante conciliación o sentencia firme, o aunque aquella no se produzca en el supuesto al que se refiere el artículo 284 de la Ley reguladora de la jurisdicción social, las cantidades percibidas por este en concepto de prestaciones por desempleo se considerarán indebidas por causa no imputable al trabajador.

En tal caso, la entidad gestora cesará en el abono de las prestaciones por desempleo y reclamará a la Tesorería General de la Seguridad Social las cotizaciones efectuadas durante la percepción de las prestaciones. El empresario deberá ingresar a la entidad gestora las cantidades percibidas por el trabajador, deduciéndolas de los salarios dejados de percibir que hubieran correspondido, con el límite de la suma de tales salarios.

A efectos de lo dispuesto en los párrafos anteriores, se aplicará lo establecido en el artículo 295.1, respecto al reintegro de prestaciones de cuyo pago sea directamente responsable el empresario, así como de la reclamación al trabajador si la cuantía de la prestación hubiera superado la del salario.

c) En los supuestos a que se refieren los artículos 281.2 y 286.1 de la Ley reguladora de la jurisdicción social, si el trabajador no estuviera percibiendo las prestaciones comenzará a percibirlas a partir del momento en que se declare extinguida la relación laboral.

En ambos casos, se estará a lo establecido en la letra a) de este apartado respecto a las prestaciones percibidas hasta la extinción de la relación laboral.

6. En los supuestos a los que se refiere el artículo 56 del texto refundido de la Ley del Estatuto de los Trabajadores el empresario deberá instar el alta y la baja del trabajador y cotizar a la Seguridad Social durante el período correspondiente a los salarios de tramitación que se considerará como de ocupación cotizada a todos los efectos.

En los supuestos a que se refiere el párrafo b) del apartado anterior, el empresario deberá instar el alta en la Seguridad Social con efectos desde la fecha del despido o extinción inicial, cotizando por ese período, que se considerará como de ocupación cotizada a todos los efectos.

**Artículo 269.** *Duración de la prestación por desempleo*. 1. La duración de la prestación por desempleo estará en función de los períodos de ocupación cotizada en los seis años anteriores a la situación legal de desempleo o al momento en que cesó la obligación de cotizar, con arreglo a la siguiente escala:

| Período de cotización (en días) | Período de prestación (en días) |
|---|---|
| Desde 360 hasta 539 | 120 |
| Desde 540 hasta 719 | 180 |
| Desde 720 hasta 899 | 240 |
| Desde 900 hasta 1.079 | 300 |
| Desde 1.080 hasta 1.259 | 360 |
| Desde 1.260 hasta 1.439 | 420 |
| Desde 1.440 hasta 1.619 | 480 |
| Desde 1.620 hasta 1.799 | 540 |
| Desde 1.800 hasta 1.979 | 600 |

| Período de cotización (en días) | Período de prestación (en días) |
|---|---|
| Desde 1.980 hasta 2.159 | 660 |
| Desde 2.160 | 720 |

El Gobierno podrá modificar esta escala previo informe al Consejo General del Servicio Público de Empleo Estatal, en función de la tasa de desempleo y las posibilidades del régimen de financiación.

2. A efectos de determinación del período de ocupación cotizada a que se refiere el apartado anterior, se tendrán en cuenta todas las cotizaciones que no hayan sido computadas para el reconocimiento de un derecho anterior, tanto de nivel contributivo como asistencial. No obstante, no se considerará como derecho anterior el que se reconozca en virtud de la suspensión de la relación laboral prevista en el artículo 45.1.n) del texto refundido de la Ley del Estatuto de los Trabajadores.

En el supuesto de que se hayan realizado trabajos a tiempo parcial durante los períodos a que hace referencia el apartado anterior, para determinar los períodos de cotización se estará a lo que se determine en la normativa reglamentaria de desarrollo.

> *El cálculo del porcentaje de parcialidad, como consecuencia de la redacción del artículo 211.3 de la Ley General de la Seguridad Social de 1994 realizada por el Real Decreto-Ley 20/2012, habrá de determinarse en función del promedio de las horas trabajadas durante el período de los últimos 180 días que determina el importe de la base reguladora, debiendo proyectarse ese porcentaje de parcialidad, no sobre la base reguladora, sino sobre los topes máximo y mínimo a que se refiere dicho precepto (SSTS de 27 diciembre de 2016 [Rec. 3132/2015], 16 de enero [Tol 6499037] y 22 de marzo de 2018 [Rec. 3068/2016], 9 de octubre de 2019 [Tol 7575341] y 29 de enero de 2024 [Rec. 4525/2022]).*

No se computarán las cotizaciones correspondientes al tiempo de abono de la prestación que efectúe la entidad gestora o, en su caso, la empresa, excepto cuando la prestación se perciba en virtud de la suspensión de la relación laboral prevista en el artículo 45.1.n) del texto refundido de la Ley del Estatuto de los Trabajadores, tal como establece el artículo 165.5 de esta ley.

> *– El sistema de prestaciones de desempleo descansa en el principio de que trabajo y cotización generan una prestación proporcionada, en la medida en que el desempleo viene a proporcionar una renta de sustitución que compensa la pérdida de ingresos derivada de la pérdida del empleo, lo que justifica la consecuente proporcionalidad de unos y otros periodos; por ello, nada impide que se admita la posibilidad de generar periodos de desempleo por el solo hecho de la cotización, no acompañado de la efectiva realización de una ocupación cotizada, pero estas excepcionales situaciones deberán estar contempladas de manera expresa en la Ley (STS de 16 de enero de 2007 [Rec. 435/2006]).*

– *Sólo ha de tenerse en cuenta para el cómputo de la duración del derecho a una prestación por desempleo consecuencia de un contrato a tiempo parcial el tiempo en que efectivamente se ha prestado la actividad laboral, puesto que la razón que legitima la percepción de una prestación de desempleo no es otra que la pérdida del trabajo u ocupación laboral; y ello aunque la correspondiente cotización por la contingencia de desempleo a la Seguridad Social y el alta en esta última se mantengan durante todo el año y que, también, se considere como día cotizado entero aquel en el que, solo parcialmente, se desarrolló la actividad laboral* (SSTS de 13 de febrero [*Tol 1044364*] y 16 de marzo de 2007 [*Tol 1072290*]).

– *No es posible computar el tiempo de percepción de un subsidio por desempleo (que forma parte del nivel asistencial de la protección por desempleo) con el objetivo de acreditar el período de carencia necesario para causar derecho a prestaciones por muerte y supervivencia* (STS de 12 de febrero de 2008 [*Tol 133259*]).

– *Cuando se trata de trabajadores eventuales cuyo salario diario incluye la parte proporcional de sábados, domingos, festivos y vacaciones, para calcular el periodo de ocupación cotizada deberán incrementarse los días de trabajo efectivo con el número de días retribuidos y cotizados* (SSTS de 4 de noviembre de 2008 [Rec. 2452/2007], 17 de diciembre de 2009 [*Tol 1781233*] y 22 de abril [*Tol 1854261*] y 12 de mayo de 2010 [*Tol 1890049*]).

– *No se genera derecho a prestación por desempleo durante el tiempo que el trabajador estuvo en situación de fuerza mayor consecuencia de la COVID, puesto que no computa como cotizado para una nueva prestación el tiempo durante el cual se percibe prestación por desempleo consecuencia de suspensión* (SSTS de 16 de noviembre de 2023 [Rec. 5326/2022], 30 de enero [Rec. 5428/2022, 5531/2022, 5751/2022, 5794/2022 y 691/2023] y 23 de febrero [Rec. 4839/2022, 606/2023 y 695/2023], 29 de abril [Rec. 602/2023, 794/23, 1129/2023 y 1753/2023], 30 de mayo [Rec. 1549/2023, 1293/2023 y 2526/2023], 4, 5, 6, 11, 12 y 26 de junio de 2024 [Rec. 3829/2023, 5315/2022, 1314/2023, 1518/2023 y 3452/2023, y 901/2023, 2421/2023, 3134/2023 y 4514/2023, 5718/2022, 2607/2023 y 2715/2023, 2917/2023, y 4017/2023] y 11 de septiembre de 2024 [Rec. 411/2023, 804/2023, 1374/2023, 2079/2023, 2494/2023, 3254/2023, 3737/2023, 4029/2023, 4421/2023, 4679/2023 y 5129/2023], 29 de enero [Rec. 3696/2023, 3703/23, 3976/2023, 4656/2023, 4733/2023, 5156/2023 y 5603/2023], 25 de marzo [Rec. 3731/2023, 3753/2023, 5003/2023, 5108/2023, 5483/2023, 526/2024, 527/2024, 739/2024, 817/2024 y 1733/2024), 22 de abril [Rec. 3118/2023, 3982/2023, 4455/2023, 4702/2023, 4742/2023, 4782/2023, 5069/2023, 5498/2023, 489/2024, 519/2024, 539/2024, 823/2024, 1459/2024, 1509/2024 y 1559/2024], 27 y 28 de mayo [Rec. 5442/2023 y 3712/2023], 24 de junio [Rec. 1261/2023, 5388/2023, 702/2024, 922/2024, 1372/2024, 1442/2024 y 1562/2024], 21 de octubre [Rec. 5484/2023, 658/2024, 961/2024 y 1364/2024], 12 y 25 de noviembre [Rec. 5418/2023 y 2813/2024, y Rec. 5004/2023 y 127/2024] y 3, 4, 9, 10 y 12 de diciembre de 2025 [Rec. 4942/2023, 431/2024 y 474/2024, 348/2024, 678/2024 y 772/2024, y 4282/2023] y 20 y 28 de enero de 2026 [Rec. 4589/2024, y 3667/2024 y 1172/2025]).

– *No cabe aplicar la doctrina del paréntesis para neutralizar el periodo no cotizado en el periodo de la excedencia voluntaria compensada derivada de un expediente de regulación de empleo* (STS de 21 de enero de 2026 [Rec. 179/2025]).

3. Cuando el derecho a la prestación se extinga por realizar el titular uno o varios trabajos de duración acumulada igual o superior a doce meses, sin reanudar entre ellos la prestación por desempleo, podrá optar, en el caso de que se le reconozca una nueva prestación, entre reabrir el derecho inicial

por el período que le restaba y las bases y tipos que le correspondían, o percibir la prestación generada por las nuevas cotizaciones efectuadas. Cuando el trabajador opte por la prestación anterior, las cotizaciones que generaron aquella prestación por la que no hubiera optado no podrán computarse para el reconocimiento de un derecho posterior, de nivel contributivo o asistencial.

> Apartado 3 redactado por el Real Decreto-Ley 2/2024, de 21 de mayo, por el que se adoptan medidas urgentes para la simplificación y mejora del nivel asistencial de la protección por desempleo, y para completar la transposición de la Directiva (UE) 2019/1158 del Parlamento Europeo y del Consejo, de 20 de junio de 2019, relativa a la conciliación de la vida familiar y la vida profesional de los progenitores y los cuidadores, y por la que se deroga la Directiva 2010/10/18/UE del Consejo (BOE núm. 124, 22 de mayo de 2024).

> – *En los supuestos de reapertura no cabe utilizar cuotas que dieron lugar al reconocimiento de prestaciones que se extinguieron por sanción, puesto que las cuotas ya fueron computadas para el reconocimiento de un derecho anterior, aunque el sujeto no llegara a disfrutar la de prestación* (SSTS de 23 y 25 de octubre [Tol 47553, y 23271 y 47629] y 29 de noviembre de 2000 [Tol 30739] y 7 y 31 de marzo [Tol 31982 y 32266] y 12 de julio de 2001 [Tol 66161]).

> – *A efectos de generar una nueva prestación por desempleo, y permitir la opción del beneficiario prevista en la Ley General de la Seguridad Social, cabe acumular, con el objetivo de acreditar el periodo necesario de trabajo continuado de doce meses, los sucesivos periodos de trabajo anteriores, por tiempo inferior a doce meses, durante los cuales se cotizó; puesto que, de la legislación aplicable, no resulta la prohibición de acumular periodos de trabajo cotizados inferiores a doce meses, no tenidos en cuenta al conceder la anterior prestación por desempleo, y no puede exigirse al beneficiario un requisito no previsto en la misma y en su perjuicio desconociendo la finalidad de la prestación de desempleo* (STS de 28 de enero de 2009 [Tol 1462912]).

4. El período que corresponde a las vacaciones, al que se refiere el artículo 268.3, se computará como período de cotización a los efectos previstos en el apartado 1 de este artículo y en el artículo 277.2, y durante dicho período se considerará al trabajador en situación asimilada a la de alta, de acuerdo con lo establecido en el artículo 166.1.

5. En el caso de desempleo parcial a que se refiere el artículo 262.3, la consunción de prestaciones generadas se producirá por horas y no por días. A tal fin, el porcentaje consumido será equivalente al de reducción de jornada decidida por el empresario, al amparo de lo establecido en el artículo 47 del texto refundido de la Ley del Estatuto de los Trabajadores o de resolución judicial adoptada en el seno de un procedimiento concursal.

**Artículo 270. *Cuantía de la prestación por desempleo*.** 1. La base reguladora de la prestación por desempleo será el promedio de la base por la que se haya cotizado por dicha contingencia durante los últimos ciento ochenta días del período a que se refiere el apartado 1 del artículo anterior.

*Cuando se cotiza por meses, la base reguladora de la prestación por desempleo se calculará en atención a las cotizaciones a la Seguridad Social de los últimos 180 días cotizados antes de la situación por desempleo (SSTS de 30 de enero de 2018 [Tol 6516371], 15 de enero de 2019 [Tol 7063709] y 7 de mayo de 2020 [Rec. 4270/2017]).*

En el cálculo de la base reguladora de la prestación por desempleo se excluirá la retribución por horas extraordinarias, con independencia de su inclusión en la base de cotización por dicha contingencia fijada en el artículo 19. A efectos de ese cálculo dichas retribuciones tampoco se incluirán en el certificado de empresa.

En el supuesto de que se hayan realizado trabajos a tiempo parcial, para determinar los períodos de cálculo de la base reguladora de las prestaciones por desempleo se estará a lo que se determine en la normativa reglamentaria de desarrollo.

2. La cuantía de la prestación se determinará aplicando a la base reguladora los siguientes porcentajes: el 70 por ciento durante los ciento ochenta primeros días y el 60 por ciento a partir del día ciento ochenta y uno.

*Apartado 2 redactado por la Ley 31/2022, de 23 de diciembre, de presupuestos generales del Estado para el año 2023 (BOE núm. 308, 24 de diciembre de 2022).*

3. La cuantía máxima de la prestación por desempleo será del 175 por ciento del indicador público de rentas de efectos múltiples, salvo cuando el trabajador tenga uno o más hijos a su cargo, en cuyo caso la cuantía será, respectivamente, del 200 por ciento o del 225 por ciento de dicho indicador.

La cuantía mínima de la prestación por desempleo será del 107 por ciento o del 80 por ciento del indicador público en rentas de efectos múltiples, según que el trabajador tenga o no, respectivamente, hijos a su cargo.

En caso de desempleo por pérdida de empleo a tiempo parcial o a tiempo completo, las cuantías máximas y mínimas de la prestación, contempladas en los párrafos anteriores, se determinarán teniendo en cuenta el indicador público de rentas de efectos múltiples calculado en función del promedio de las horas trabajadas durante el período de los últimos 180 días, a que se refiere el apartado 1, ponderándose tal promedio en relación con los días en cada empleo a tiempo parcial o completo durante dicho período.

A los efectos de lo previsto en este apartado, se tendrá en cuenta el indicador público de rentas de efectos múltiples mensual vigente en el momento del nacimiento del derecho, incrementado en una sexta parte.

4. Cuando el trabajador tenga dos contratos a tiempo parcial y pierda uno de ellos, la base reguladora de la prestación por desempleo será el promedio de las bases por las que se haya cotizado por dicha contingencia en ambos trabajos durante los ciento ochenta días del periodo a que se refiere el artículo 269.1, y las cuantías máxima y mínima a que se refiere el apartado anterior se determinarán teniendo en cuenta el indicador público de rentas de efectos múltiples en función de las horas trabajadas en ambos trabajos.

5. La prestación por desempleo parcial se determinará, según las reglas señaladas en los apartados anteriores, en proporción a la reducción de la jornada de trabajo.

6. En los supuestos de reducción de jornada previstos en los apartados 5, 6 y 8 del artículo 37 del texto refundido de la Ley del Estatuto de los Trabajadores, para el cálculo de la base reguladora, las bases de cotización se computarán incrementadas hasta el 100 por ciento de la cuantía que hubiera correspondido si se hubiera mantenido, sin reducción, el trabajo a tiempo completo o parcial.

Si la situación legal de desempleo se produce estando el trabajador en las situaciones de reducción de jornada citadas, las cuantías máxima y mínima a que se refieren los apartados anteriores se determinarán teniendo en cuenta el indicador público de rentas de efectos múltiples en función de las horas trabajadas antes de la reducción de la jornada.

> – *En el supuesto de trabajadora a quien les es reconocida la reducción de su jornada como consecuencia de la guarda legal de un hijo menor recién nacido, que extingue su contrato unos meses después de su reconocimiento, la base reguladora de su prestación por desempleo será el promedio de la base por la que haya cotizado los últimos ciento ochenta días anteriores a la fecha en que se comenzó a cotizar conforme al salario de la jornada reducida* (SSTS de 6 de abril [*Tol 515674*] y 2 y 23 de noviembre de 2004 [*Tol 519312, 526681 y 550653, y 520793*], 21 de febrero de 2005 [*Tol 603012*] y 31 de enero de 2006 [*Tol 839681*]).

> – *En el supuesto de trabajo a tiempo completo que sufre reducción de jornada por causas objetivas, declaradas judicialmente procedentes, la base reguladora se debe configurar tomando las bases de cotización de los últimos ciento ochenta días en que estuvo cotizando a tiempo completo* (STS de 7 de julio de 2022 [*Tol 9142559*]).

**Artículo 271. *Suspensión del derecho*.** 1. El derecho a la percepción de la prestación por desempleo se suspenderá por la entidad gestora en los siguientes casos:

a) Durante el periodo que corresponda por imposición de sanción por infracciones leves y graves en los términos establecidos en el texto refundido de la Ley sobre Infracciones y Sanciones en el Orden Social.

Si finalizado el período a que se refiere el párrafo anterior, el beneficiario de prestaciones no se encontrará inscrito como demandante de empleo o mantuviera suspendido el acuerdo de actividad, la reanudación de la prestación requerirá la previa acreditación de dicha inscripción y de la reactivación del acuerdo de actividad por parte del beneficiario, ante la entidad gestora, mediante cualquier medio válido en derecho.

b) Durante la situación de nacimiento, adopción, guarda con fines de adopción o acogimiento, en los términos previstos en el artículo 284.

c) Mientras el titular del derecho esté cumpliendo condena que implique privación de libertad. No se suspenderá el derecho si el titular solicita su continuidad acreditando que la suma de las rentas de su unidad familiar, dividida entre el número de miembros que la componen no exceda del salario mínimo interprofesional. A estos efectos, la unidad familiar se constituirá en los términos del artículo 275.

d) Mientras el titular del derecho realice un trabajo por cuenta ajena, a tiempo completo o a tiempo parcial, de duración inferior a doce meses, salvo en los supuestos y durante el periodo máximo previstos en el artículo 282.2 y 3 o mientras el titular del derecho realice un trabajo por cuenta propia de duración inferior a sesenta meses en el supuesto de trabajadores por cuenta propia que causen alta en el Régimen Especial de la Seguridad Social de los Trabajadores por Cuenta Propia o Autónomos o en el Régimen Especial de la Seguridad Social de los Trabajadores del Mar, o a veinticuatro meses, en el caso de actividades con alta en alguna mutualidad de previsión social alternativa al Régimen Especial de la Seguridad Social de los Trabajadores por Cuenta Propia o Autónomos.

e) En los supuestos a que se refiere el artículo 297 de la Ley reguladora de la jurisdicción social, mientras el trabajador continúe prestando servicios o no los preste por voluntad del empresario en los términos regulados en dicho artículo durante la tramitación del recurso. Una vez que se produzca la resolución definitiva se procederá conforme a lo establecido en el artículo 268.5.

f) En los supuestos de traslado de residencia al extranjero en los que el beneficiario declare que es para la búsqueda o realización de trabajo, perfeccionamiento profesional o cooperación internacional, por un período continuado inferior a doce meses, siempre que la salida al extranjero esté previamente comunicada y autorizada por la entidad gestora, sin perjuicio de la aplicación de lo previsto sobre la exportación de las prestaciones en las normas de la Unión Europea.

> – Con anterioridad a la publicación del Real Decreto-Ley 11/2013, de 2 de agosto, el incumplimiento de las obligaciones de comunicar ex ante (para la salida programada) o inmediatamente ex post (para una eventual circunstancia sobrevenida) genera automáticamente la suspensión o pérdida temporal ("baja") de la prestación de desempleo que corresponde a los días de estancia en el extranjero no comunicada: todos los días de estancia no comunicada si el incumplimiento ha sido total, o el exceso de días de estancia no comunicada, o no debidamente justificada, si el incumplimiento se refiere a una vuelta tardía; esta causa de suspensión de la prestación de desempleo no se menciona expresamente la Ley General de la Seguridad Social, pero responde a la razón de ser común que inspira a la mayor parte de dichas causas de suspensión de la protección, pues se trata casi siempre de situaciones temporales no prolongadas en las que el beneficiario no está a disposición de los servicios de empleo españoles para actividades formativas o de trabajo, pero que no alcanzan la entidad o la gravedad de las causas de extinción de la prestación establecidas en la Ley General de la Seguridad Social (SSTS de 18, 23, 24 y 30 de octubre de 2012 [Rec. 4325/2011, Tol 2724140, Tol 2722064 y 2707202], 17 de junio [Tol 3850434], 17 de septiembre [Tol 4082433], 22 y 23 de octubre [Tol 4103543 y 4082372] y 4 y 11 de noviembre de 2013 [Tol 4082062 y Rec. 1691/2012], 20 de enero [Tol 4124933], 27 de marzo [Tol 4225002], 8 de abril [Tol 4330643] y 3 de junio de 2014 [Tol 4430805] y 19 de enero [Tol 4763810], 15 de abril [Rec. 4366/2014], 29 de junio [Tol 5412373] y 21 de diciembre de 2015 [Tol 5645460], 27 de enero [Rec. 3856/2014], 2 y 14 de marzo [Tol 5678086 y 5688292], 7 de junio [Tol 5757211] y 25 de octubre de 2016 [Rec. 1633/2015] y 14 de marzo [Rec. 3871/2015], 6 de abril [Rec. 4201/2015] y 5 de julio de 2017 [Rec. 1554/2015]).

> – Debe distinguirse entre prestación "mantenida", cuando la salida al extranjero es por tiempo no superior a quince días naturales al año; prestación "extinguida", cuando se produce traslado de residencia al extranjero por más de noventa días; y prestación "suspendida", cuando la salida al extranjero por tiempo inferior a doce meses es para búsqueda de empleo o perfeccionamiento profesional o en el traslado de residencia por tiempo inferior a 90 días (STS de 6 de julio de 2016 [Rec. 341/2015]).

> – En el supuesto que ni se comunica la salida ni consta acreditada la duración del traslado no puede ser aplicada la doctrina conforme a la cual se produce una estancia inferior a quince días y, por ello, carente de efectos, sino ante una salida al extranjero no comunicada, lo que constituye una infracción sancionable (STS de 29 de abril de 2024 [Rec. 2579/2022]).

g) En los supuestos de estancia en el extranjero por un período, continuado o no, de hasta noventa días naturales como máximo durante cada año natural, siempre que la salida al extranjero esté previamente comunicada y autorizada por la entidad gestora.

No tendrá consideración de estancia ni de traslado de residencia la salida al extranjero por tiempo no superior a treinta días naturales por una sola vez cada año, sin perjuicio del cumplimiento de las obligaciones establecidas en el artículo 299.

h) Cuando los beneficiarios de las prestaciones por desempleo incumplan la obligación de presentar, en los plazos establecidos, los documentos que les sean requeridos por la entidad gestora, siempre que los mismos puedan afectar a la conservación del derecho a las prestaciones.

i) Durante los períodos en los que los beneficiarios no figuren inscritos como demandantes de empleo en el servicio público de empleo competente, salvo que se encuentren trabajando por cuenta ajena a jornada completa y compatibilizando la prestación o el subsidio como complemento de apoyo al empleo conforme a lo establecido en el artículo 282.3.

j) Durante los periodos en los que, de acuerdo con la comunicación del Servicio Público de Empleo competente, se incumpla o suspenda el acuerdo de actividad.

k) ...

Letra k) suprimida por el Real Decreto-Ley 3/2026, de 3 de febrero, para la revalorización de las pensiones públicas y otras medidas urgentes en materia de Seguridad Social (BOE núm. 31, 4 de febrero de 2026).

l) Cuando los trabajadores fijos-discontinuos que sean llamados a reiniciar su actividad no se reincorporen a su puesto de trabajo, salvo causa justificada.

2. La suspensión del derecho a la prestación supondrá la interrupción del abono de la misma y no afectará al período de su percepción, salvo en el supuesto previsto en el apartado 1.a), en el cual el período de percepción de la prestación se reducirá por tiempo igual al de la sanción impuesta.

– *Al término del trabajo que provocó la suspensión del derecho se vuelven a exigir los requisitos de involuntariedad e inimputabilidad, siendo necesario para la reanudación del derecho la solicitud en tiempo y forma* (STS de 24 de marzo de 1998 [*Tol 47574 y 48416*]).

3. La prestación por desempleo se reanudará:

a) De oficio por la entidad gestora, en los supuestos recogidos en el apartado 1.a) siempre que el período de derecho no se encuentre agotado.

b) Previa solicitud del interesado, en los supuestos recogidos en las letras b), c), d), e), f) y g) del apartado 1, siempre que se acredite que ha finalizado la causa de suspensión, que, en su caso, esa causa constituye situación legal de desempleo o inscripción como demandante de empleo en el caso de los trabajadores por cuenta propia.

Si tras el cese en el trabajo por cuenta propia el trabajador tuviera derecho a la protección por cese de actividad, podrá optar entre percibir esta o reabrir el derecho a la protección por desempleo suspendida.

El derecho a la reanudación nacerá a partir del término de la causa de suspensión siempre que se solicite en el plazo de los quince días siguientes, y el reconocimiento de la reanudación requerirá la inscripción como demandante de empleo y la reactivación del acuerdo de actividad a que se refiere el artículo 3 de la Ley 3/2023, de 28 de febrero, salvo en aquellos casos en los que la entidad gestora exija la suscripción de un nuevo acuerdo.

Si se presenta la solicitud transcurrido el plazo citado, se producirán los efectos previstos en el artículo 268.2.

En el caso de que el período que corresponde a las vacaciones anuales retribuidas no haya sido disfrutado, será de aplicación lo establecido en el artículo 268.3.

c) A partir de la fecha en que queda acreditado que cumple los requisitos legales establecidos para el mantenimiento del derecho, en los supuestos del apartado 1.h) y k).

d) A partir de la fecha de la inscripción como demandante de empleo, o reactivación del acuerdo de actividad, salvo que proceda el mantenimiento de la suspensión de la prestación o su extinción por alguna de las causas previstas en esta u otra norma, en los supuestos previstos en el apartado 1. i) y j).

e) Previa solicitud del interesado acreditando una nueva situación legal de desempleo, en el supuesto previsto en la letra l) del apartado 1. El derecho a la reanudación nacerá a partir del día siguiente al de la situación legal de desempleo siempre que se solicite en el plazo de los quince días hábiles siguientes. En caso contrario, se producirán los efectos previstos en el artículo 268.2.

El reconocimiento de la reanudación requerirá la inscripción como demandante de empleo y la reactivación del acuerdo de actividad a que se refiere el artículo 3 de la Ley 3/2023, de 28 de febrero, salvo en aquellos casos en los que la entidad gestora exija la suscripción de un nuevo acuerdo.

Artículo 271 redactado por el Real Decreto-Ley 2/2024, de 21 de mayo, por el que se adoptan medidas urgentes para la simplificación y mejora del nivel asistencial de la protección por desempleo, y para completar la transposición de la Directiva (UE) 2019/1158 del Parlamento Europeo y del Consejo, de 20 de junio de 2019, relativa a la conciliación de la vida familiar y la vida profesional de los progenitores y los cuidadores, y por la que se deroga la Directiva 2010/10/18/UE del Consejo (BOE núm. 124, 22 de mayo de 2024).

**Artículo 272.** *Extinción del derecho.* El derecho a la percepción de la prestación por desempleo se extinguirá en los casos siguientes:

a) Agotamiento del plazo de duración de la prestación.

b) Imposición de sanción en los términos previstos en el texto refundido de la Ley sobre Infracciones y Sanciones en el Orden Social, aprobado por el Real Decreto Legislativo 5/2000, de 4 de agosto.

> – *Debe considerarse causa de extinción del derecho a una prestación por desempleo la sanción consecuencia de la no comunicación por el beneficiario de la realización de un trabajo por cuenta ajena porque la obligación de comunicar las bajas en las prestaciones, salvo causa justificada, en el momento en que se produzcan situaciones determinantes de suspensión o extinción del derecho, exige que se haga de inmediato y en todo caso antes de que transcurra el tiempo que determina la percepción de una nueva mensualidad indebida, y esta percepción indebida por la falta de comunicación constituye el núcleo de la conducta que la Ley de Infracciones y Sanciones en el Orden Social tipifica como falta grave; y sobre todo si se tiene en cuenta que la entidad gestora no tiene otra forma de conocer la situación del nuevo empleo que la comunicación del beneficiario que accede al mismo, a no ser que indirectamente lo descubra por la falta de renovación de la demanda de empleo* (STS de 7 de diciembre de 2006 [Tol 1028410]).

> – *La falta de comunicación de rendimientos de tres planes de ahorro por parte del beneficiario de subsidio por desempleo determina la aplicación de los artículos 25.3 y 47.1 b) de la Ley de Infracciones y Sanciones en el Orden Social, que tipifican la ausencia de información sobre datos relevantes en el ámbito del percibo de la prestación como falta grave, a la que anuda la sanción de pérdida del derecho al subsidio* (STS de 19 de febrero de 2016 [Tol 5662247]); *y el mismo resultado tiene la no comunicación al SERPEE de un incremento de rentas procedente de la venta de acciones o de la venta o explotación de un inmueble, aunque se hiciese constar posteriormente en la declaración del impuesto sobre la renta de las personas físicas* (SSTS de 28 de septiembre de 2016 [Rec. 3002/2014], 9 de marzo de 2017 [Rec. 3503/2015], 6 de febrero de 2018 [Tol 6525830] y 27 de septiembre de 2022 [Tol 9252066]), *procedente de la aceptación de una herencia conforme a la cual se adjudica una parte de un bien inmueble* (SSTS de 10 de abril de 2019 [Tol 7239001] y 10 de febrero de 2022 [Rec. 4838/2018]), *de la obtención de un premio de lotería* (STS de 16 de julio de 2020 [Rec. 663/2020] y), *de la venta de un fondo de inversión* (STS de 14 de septiembre de 2021 [Tol 8600252]), *o de la venta de un inmueble* (STS de 19 de abril de 2022 [Tol 8916491]).

> – *No puede imponerse la sanción de extinción de la prestación o subsidio por desempleo cuando el beneficiario ha omitido la comunicación a la entidad gestora de la obtención de rendimientos económicos absolutamente insignificantes, que no han de tener la menor incidencia en el derecho al mantenimiento de la prestación, en tanto que sin tan siquiera dan lugar a la suspensión, al tratarse de una actividad absolutamente marginal y de nula relevancia económica que no resulta incompatible con su percepción* (SSTS de 23 de julio de 2020 [Rec. 600/2018] y 13 de enero de 2021 [Rec. 2863/18]).

c) Realización de un trabajo por cuenta ajena de duración igual o superior a doce meses, sin perjuicio del derecho de opción establecido en el artículo 269.3 o realización de un trabajo por cuenta propia, por tiempo igual o superior a sesenta meses en el supuesto de trabajadores por cuenta propia que causen alta en el Régimen Especial de la Seguridad Social de los Trabajadores por Cuenta Propia o Autónomos o en el Régimen Especial de la Seguridad Social de los Trabajadores del Mar, o a veinticuatro meses, en el caso de actividades con alta en alguna mutualidad de previsión social alternativa al Régimen Especial de la Seguridad Social de los Trabajadores por Cuenta Propia o Autónomos.

Letra c) redactada por el Real Decreto-Ley 2/2024, de 21 de mayo, por el que se adoptan medidas urgentes para la simplificación y mejora del nivel asistencial de la protección por desempleo, y para completar la transposición de la Directiva (UE) 2019/1158 del Parlamento Europeo y del Consejo, de 20 de junio de 2019, relativa a la conciliación de la vida familiar y la vida profesional de los progenitores y los cuidadores, y por la que se deroga la Directiva 2010/10/18/UE del Consejo (BOE núm. 124, 22 de mayo de 2024).

– *El supuesto de realización de trabajo de duración igual o superior a doce meses que no genera una nueva situación legal de desempleo porque la actividad no está protegida por la contingencia de desempleo, no se considera causa de extinción, puesto que no incentivaría la realización por el trabajador de tales trabajos, sino de suspensión* (SSTS de 18 y 24 de marzo [Tol 46863, 46867 y 120862, y 47574 y 4816] y 24 de junio de 1998 [Tol 47583 y 114929] y 21 de septiembre de 1999 [Tol 47138]).

– *No es necesario que se trata de un trabajo que dure interrumpidamente doce meses, pudiendo alcanzarse con varios y sucesivos trabajos* (STS de 30 de marzo de 2000 [Tol 47517]).

– *La extinción del derecho a las prestaciones por desempleo como consecuencia de la realización de un trabajo por cuenta propia por un período igual o superior a 24 meses debe aplicarse a situaciones posteriores a la Ley 45/2002, de 12 de diciembre* (STS de 18 de octubre de 2006 [Tol 1006704]).

– *El derecho a una prestación por desempleo suspendido como consecuencia del alta en el Régimen Especial de Trabajadores Autónomos con anterioridad a la entrada en vigor de la Ley 45/2002, de 12 de diciembre, puede ser reanudado en el tiempo no consumido hasta entonces, puesto que la normativa aplicable a las prestaciones por desempleo es la que rige en el momento en que el beneficiario pasa a la situación de desempleo, y en los supuestos producidos con anterioridad a la Ley 45/2002, de 12 de diciembre, no será aplicable el nuevo supuesto de extinción introducido en el artículo 213.1 d) de la Ley General de la Seguridad Social de 1994* (STS de 29 de marzo de 2007 [Tol 1076442]).

d) Cumplimiento, por parte del titular del derecho, de la edad ordinaria exigida en cada caso para causar derecho a la pensión contributiva de jubilación, con las salvedades establecidas en el artículo 266.d).

Letra d) redactada por el Real Decreto-Ley 2/2024, de 21 de mayo, por el que se adoptan medidas urgentes para la simplificación y mejora del nivel asistencial de la protección por desempleo, y para completar la transposición de la Directiva (UE) 2019/1158 del Parlamento Europeo y del Consejo, de 20 de junio de 2019, relativa a la conciliación de la vida familiar y la vida profesional de los progenitores y los cuidadores, y por la que se deroga la Directiva 2010/10/18/UE del Consejo (BOE núm. 124, 22 de mayo de 2024).

e) Pasar a ser pensionista de jubilación, o de incapacidad permanente en los grados de incapacidad permanente total, incapacidad permanente absoluta o gran incapacidad. No obstante, en estos casos, el beneficiario podrá optar por la prestación más favorable.

f) Traslado de residencia o estancia en el extranjero, salvo en los supuestos que sean causa de suspensión recogidos en las letras f) y g) del artículo 271.1.

g) Renuncia voluntaria al derecho.

h) Transcurso del plazo de seis años desde la fecha de baja de la prestación sin haber reanudado el derecho.

Letra h) añadida por el Real Decreto-Ley 2/2024, de 21 de mayo, por el que se adoptan medidas urgentes para la simplificación y mejora del nivel asistencial de la protección por desempleo, y para completar la transposición de la Directiva (UE) 2019/1158 del Parlamento Europeo y del Consejo, de 20 de junio de 2019, relativa a la conciliación de la vida familiar y la vida profesional de los progenitores y los cuidadores, y por la que se deroga la Directiva 2010/10/18/UE del Consejo (BOE núm. 124, 22 de mayo de 2024).

Artículo 272 redactado por la Ley 3/2023, de 28 de febrero, de empleo (BOE núm. 51, 1 de marzo de 2023).

**Artículo 273.** *Cotización durante la situación de desempleo*. 1. Durante el período de percepción de la prestación por desempleo, la entidad gestora ingresará las cotizaciones a la Seguridad Social, asumiendo la aportación empresarial y descontando de la cuantía de la prestación, incluidos los supuestos a que hace referencia el artículo 270.3, la aportación que corresponda al trabajador.

2. En los supuestos de reducción de jornada o suspensión del contrato, la entidad gestora ingresará únicamente la aportación del trabajador, una vez efectuado el descuento a que se refiere el apartado anterior.

Apartado 2 redactado por el Real Decreto-Ley 32/2021, de 28 de diciembre, de medidas urgentes para la reforma laboral, la garantía de la estabilidad en el empleo y la transformación del mercado de trabajo (BOE núm. 313, 30 de diciembre de 2021).

3. Cuando se haya extinguido la relación laboral, la cotización a la Seguridad Social no comprenderá las cuotas correspondientes a desempleo, accidentes de trabajo y enfermedades profesionales, Fondo de Garantía Salarial y formación profesional.

## CAPÍTULO III. Nivel asistencial

**Artículo 274. *Beneficiarios del subsidio por desempleo*.** 1. Serán beneficiarios del subsidio los desempleados que, cumpliendo los requisitos establecidos en el apartado 2, se encuentren en alguna de las siguientes situaciones:

a) Haber agotado la prestación por desempleo. En caso de ser menor de cuarenta y cinco años sin responsabilidades familiares se exigirá, además, que la prestación por desempleo agotada haya tenido una duración igual o superior a trescientos sesenta días.

b) Encontrarse en situación legal de desempleo sin tener cubierto el periodo mínimo de cotización para tener derecho a la prestación contributiva, siempre que hayan cotizado al menos noventa días.

En el caso de que en los seis meses anteriores a la solicitud se acrediten varias situaciones legales de desempleo, a efectos de determinación del período de ocupación cotizada para el reconocimiento de este subsidio, se estará a lo establecido en el artículo 269.2.

Podrán acceder a estos subsidios quienes mantengan uno o varios contratos a tiempo parcial, siempre que la suma de las jornadas trabajadas en dichos contratos sea inferior a una jornada completa y cumplan el resto de los requisitos.

2. Además, en la fecha de la solicitud del subsidio se exigirá no tener derecho a la prestación contributiva por desempleo, no encontrase en supuesto de incompatibilidad y carecer de rentas propias, o bien, alternativamente, acreditar responsabilidades familiares.

3. Serán beneficiarios del subsidio para trabajadores mayores de cincuenta y dos años quienes cumplan los requisitos establecidos en el artículo 280.

4. En todos los casos, el reconocimiento del derecho al subsidio exigirá la inscripción como demandante de empleo, así como la suscripción del acuerdo de actividad regulado en el artículo 3 de la Ley 3/2023, de 28 de febrero.

<small>Artículo 274 redactado por el Real Decreto-Ley 2/2024, de 21 de mayo, por el que se adoptan medidas urgentes para la simplificación y mejora del nivel asistencial de la protección por desempleo, y para completar la transposición de la Directiva (UE) 2019/1158 del Parlamento Europeo y del Consejo, de 20 de junio de 2019, relativa a la conciliación de la vida familiar y la vida profesional de los progenitores y los cuidadores, y por la que se deroga la Directiva 2010/10/18/UE del Consejo (BOE núm. 124, 22 de mayo de 2024).</small>

<small>– *Para acceder al subsidio por desempleo para mayores de cincuenta y dos años es necesario haber cotizado a lo largo de su vida laboral seis años a un régimen que contemple las protección por desempleo, incluidas las cotizaciones en países comunitarios* (SSTS de 8</small>

de octubre [*Tol 232477*] y 18 de noviembre de 1991 [*Tol 232846*], 15 y 29 de diciembre de 1992 [*Tol 232080 y 231772, y 231969*], 17 de diciembre de 1997 [*Tol 237858*], 7 de mayo [*Tol 46148*], 18 de junio [*Tol 120857*], 21 de septiembre [*Tol 23062 y 47137*] y 19 de octubre de 1998 [*Tol 46982 y 114926*] y 27 de febrero de 2003 [*Tol 265794 y 304412*]).

– *Es admisible la alegación sucesiva por distintos miembros de la unidad familiar si se encuentran en situación de desempleo, sin que lo impida el hecho de que la carga familiar ya hubiese sido alegada con anterioridad por otro familiar* (SSTS de 6 de febrero de 1992 [*Tol 231935*], 25 de marzo de 1993 [*Tol 233332*] y 18 de enero [*Tol 237040*] y 17 de mayo de 1995 [*Tol 236187 y 266498*]).

– *No es necesario que la inscripción como demandante de empleo tenga carácter ininterrumpido* (SSTS de 10 de marzo de 1992 [*Tol 232421*], 27 de febrero de 1997 [*Tol 237799*], 8 de julio de 1998 [*Tol 46225 y 72172*], 17 de abril de 2000 [*Tol 8106 y 46793*] y STS de 13 de abril de 2006 [*Tol 929166*]).

– *Al ser el subsidio por desempleo una prestación de carácter asistencial no debe prestarse a quien obtiene recursos equivalentes a una situación de empleo, pues se concedería una mejor situación económica al desempleado que al trabajador* (SSTS de 6 de noviembre de 1992 [*Tol 232517*] y 23 de diciembre de 1994 [*Tol 233422*]).

– *Para acceder al subsidio por desempleo para mayores de cincuenta y dos años se exige ocupación cotizada, no días-cuota, quedando excluida, por tanto, la parte proporcional de las pagas extraordinarias* (SSTS de 10 de mayo de 1993 [*Tol 234602*], 30 de diciembre de 1994 [*Tol 233940*] y 1 de febrero de 1995 [*Tol 237173*]).

– *Para acceder a un subsidio por desempleo se requiere carecer de rentas, de cualquier naturaleza, superiores en cómputo mensual, al 75 por 100 del salario mínimo interprofesional vigente, excluida la parte proporcional de las pagas extraordinarias* (SSTS de 8 de noviembre de 1993 [*Tol 233124*], 30 de mayo [*Tol 234311*], 3 y 28 de junio [*Tol 233195 y 267327, y 232909*] y 12 de julio de 1994 [*Tol 233568 y 267100*], 16 de enero [*Tol 237158*], 16 de mayo [*Tol 235321 y 266307*] y 18 de noviembre de 1995 [*Tol 235806 y 267367*] y 23 de julio de 2002 [*Tol 222841 y 266641*]).

– *A los efectos del derecho al subsidio por desempleo por responsabilidades familiares no existe convivencia en el supuesto de prestación de servicio militar por un hijo fuera de la localidad de residencia de la unidad familiar, puesto que tal prestación conlleva la obligación del Estado de atender a su subsistencia y necesidades elementales del hijo en tal situación* (STS de 31 de enero de 1995 [*Tol 237041*]).

– *No es posible el subsidio por desempleo para mayores de cincuenta y dos años para el supuesto del acceso a la pensión de vejez del Seguro Obligatorio de Vejez e Invalidez, dado que no se trata de una pensión de la Seguridad Social* (SSTS de 25 de julio [*Tol 236500 y 267275*], 2 de octubre [*Tol 235847 y 267174*] y 7 de diciembre de 1995 [*Tol 236810 y 267217*] y 29 de mayo de 1996 [*Tol 236432*]).

– *No es posible el subsidio por desempleo para mayores de cincuenta y dos años para el supuesto del acceso a la pensión de jubilación, en su modalidad no contributiva* (STS de 26 de febrero de 1996 [*Tol 236436*]).

– *Para acceder al subsidio por desempleo para trabajadores mayores de cincuenta y dos años de edad no es necesario el requisito de un año mínimo de cotización a la Seguridad Social española exigido en la normativa comunitaria para la pensión de jubilación* (SSTS de 17 de diciembre de 1997 [*Tol 237858*], 7 de mayo [*Tol 46148*], 18 de junio [*Tol 120857*], 21 de septiembre [*Tol 23062 y 47137*], 13 y 19 de octubre [*Tol 46536, y 46982 y 114926*], 19 de noviembre [*Tol 46990*] y 3 de diciembre de 1998 [*Tol 45929 y 57162*], 8 y 9 de febrero [*Tol 209206 y 46246*], 25 de marzo [*Tol 209038*], 7 de abril [*Tol 46142*], 27 y 29 de septiembre [*Tol 209071 y 47504*] y 28 de octubre de 1999 [*Tol 209095*], 23 de mayo de 2000 [*Tol 47267*] y 27 de febrero de 2003 [*Tol 265794 y 304412*]).

– *En el supuesto de subsidio por desempleo para trabajadores mayores de cincuenta y dos años de edad, en el cómputo del período de carencia específica de dos años para la pensión de jubilación no debe tenerse en cuenta el tiempo transcurrido en subsidio por desempleo e incapacidad temporal* (STS de 25 de mayo de 1999 [*Tol 47611*]).

– *El derecho al subsidio por desempleo no se reconocerá si la extinción de la prestación por desempleo se hubiera producido como consecuencia de sanción* (STS de 24 de enero de 2000 [*Tol 1974*]).

– *El requisito de ausencia de rentas de cualquier naturaleza se refiere exclusivamente al beneficiario* (STS de 28 de octubre de 2002 [*Tol 238327*]) *y no cabe sumar los ingresos del cónyuge, aunque exista sociedad de gananciales* (SSTS de 2 de diciembre de 2011 [*Tol 2396848*] y 2 de diciembre de 2014 [*Tol 4670639*]), *pues es irrelevante el régimen matrimonial* (STS de 24 de mayo de 1994 [Rec. 3646/1993]), *si los rendimientos de un bien inmueble correspondientes al cónyuge que reclama la prestación no alcanza el límite legal* (STS de 23 de mayo de 2003 [*Tol 305977*]).

– *Debe reconocerse el derecho al subsidio por desempleo para trabajadores mayores de cincuenta y dos años al desempleado que ha permanecido sin inscribirse como demandante de empleo en la oficina de empleo correspondiente durante un prolongado período de tiempo siempre que acredite su voluntad de trabajo, que quedará probada cuando se hubiera inscrito varios meses antes como demandante de empleo, que se considera tiempo suficiente para dar ocasión de que se le ofrezca un nuevo trabajo que hubiera debido aceptar* (SSTS de 14 de febrero de 2005 [*Tol 598587*] y 20 de junio de 2007 [*Tol 1143943*]).

– *Deben computarse los períodos de cotización realizados por el beneficiario en Suiza a efectos del reconocimiento del derecho a subsidio por desempleo para mayores de cincuenta y dos años de edad porque el Convenio Europeo de Seguridad Social (que es posterior al Convenio hispano-suizo y como acuerdo multilateral, suscrito por Suiza y España, sustituye al convenio bilateral) es aplicable en orden a la totalización de los períodos de cotización realizados en diferentes países europeos a efectos de las prestaciones por desempleo* (SSTS de 12 de abril de 2006 [*Tol 929162*] y 5 de febrero de 2007 [*Tol 1038535*]).

– *Un trabajador español que ha retornado a su país de origen y percibido prestaciones de desempleo en la cuantía y por el tiempo por el que le fue reconocido su derecho de conformidad con las previsiones de la legislación de Alemania y por un período superior a trescientos sesenta días, no tiene derecho a reclamar el subsidio de desempleo para mayores de cincuenta y dos años fundado en el solo hecho de haber estado asegurado y cotizado en aquel país comunitario, puesto que sólo se reconoce la protección asistencial de desempleo cuando el trabajador emigrante procede de países del Espacio Económico Europeo o asimilados (países con los que no exista convenios de protección por desempleo)* (SSTS de 14 de octubre [*Tol 1407891*] y 26 de diciembre de 2008 [*Tol 1441017*], 23 y 29 de enero [*Tol 1460247 y 1453841*], 21 de abril [*Tol 1564494*], 19 de mayo [*Tol 1554050*] y 10 de noviembre de 2009 [*Tol 1748974*] y 7 de febrero de 2012 [*Tol 2481523*]).

– *Es aplicable la teoría del "paréntesis" para el cómputo del período de cotización exigido para el reconocimiento del derecho a un subsidio por desempleo para desempleados mayores de cincuenta y dos años solicitado por un trabajador que retorna del extranjero tras cesar voluntariamente en su trabajo, puesto que el mismo debe considerarse en situación asimilada a la de alta, en aplicación de la Ley General de la Seguridad Social, que declara en situación legal de desempleo a los trabajadores que retornen a España por extinguírseles la relación laboral en el extranjero, sin exigir el mandato legal que esa extinción contractual se haya producido por causas ajenas a la voluntad del trabajador* (STS de 28 de abril de 2009 [*Tol 1530439*]).

– *En la determinación del periodo de carencia específica de dos años exigido como requisito necesario para acceder a la pensión por jubilación no debe aplicarse la doctrina del "paréntesis" en el caso de que exista un periodo significativo de tiempo de ausencia de inscripción como demandante de empleo en periodo de cómputo* (STS de 15 de enero de 2010 [*Tol 1792676*]).

– *Puede reconocerse el derecho a este subsidio al desempleado que tras haber permanecido largo tiempo de alta en el Régimen Especial de la Seguridad Social de los Trabajadores por Cuenta Propia o Autónomos permanece luego ininterrumpidamente inscrito como demandante de empleo* (STS de 8 de julio de 2011 [*Tol 2240770*]).

– *Es admisible el cómputo de cotizaciones ficticias para la protección por jubilación en Francia a efectos del cumplimiento de requisito de carencia de este subsidio* (STS de 16 de septiembre de 2011 [*Tol 2266841*]).

– *En el supuesto de perceptor de prestaciones por desempleo en Suiza, sin ulterior cotización en España, no puede considerarse como período de seguro a los efectos de desempleo el tiempo de suscripción de convenio especial con la Seguridad Social* (STS de 24 de enero de 2012 [*Tol 2460005*]).

– *Es posible el reconocimiento del derecho a este subsidio al trabajador ingresado en prisión a la fecha de la solicitud del subsidio* (SSTS de 10 de diciembre de 2012 [*Tol 2720692 y 2728807*]).

– *Tiene derecho a subsidio por desempleo al trabajador que ha prestado servicios en un buque de bandera extracomunitaria, al tener dicha situación encaje en el artículo 215.1.1 c) de la Ley General de la Seguridad Social de 1994, pues el trabajador que ha prestado servicios como tripulante en un buque de bandera de país no perteneciente al Espacio Económico Europeo durante un dilatado período de tiempo, y que por cierre de la línea que cubría dicho buque, ha visto extinguida su relación laboral y regresado a España con carácter permanente debe considerarse como emigrante retornado* (SSTS de 17 de diciembre de 2012 [*Tol 3013515*] y 21 de enero [*Tol 3011714*] y 19 de febrero [*Tol 3248610*] y 17 de septiembre de 2013 [*Tol 3966093*]).

– *El agotamiento de la renta activa de inserción se equipara al del subsidio por desempleo para permitir el acceso al disfrute del subsidio para mayores de cincuenta y cinco años, conforme a lo previsto en el artículo 215.1.3 de la LGSS de 2014* (SSTS de 27 de marzo [Rec. 2966/2017] y 23 de octubre de 2019 [*Tol 7569473*], 7 de mayo [Rec. 279/2018] y 2, 10 y 16 de diciembre de 2020 [Rec. 2904/2018, 1889/2018 y 3051/2018] y 23 de noviembre de 2021 [*Tol 8690268*]).

– *Las interrupciones superiores a 90 días en la inscripción como demandante de empleo, en quienes al acontecer la situación protegida no alcanzaban los cincuenta y dos años, no permiten acceder al subsidio por desempleo, salvo circunstancias que pongan de manifiesto su voluntad de trabajar y de buscar empleo* (STS de 13 de noviembre de 2024 [Rec. 5145/2022]).

**Artículo 275.** *Carencia de rentas y responsabilidades familiares.* 1. Se entenderá cumplido el requisito de carencia de rentas propias en la fecha de la solicitud del alta inicial o de las prórrogas o reanudaciones del subsidio cuando las rentas de cualquier naturaleza de la persona solicitante o beneficiaria durante el mes natural anterior a dichas fechas no superen el 75 por ciento del salario mínimo interprofesional, excluida la parte proporcional de dos pagas extraordinarias.

    – *La especificación que realiza el artículo 18 del Real Decreto 625/1985, 2 de abril, sobre la carencia de rentas es aplicable única y exclusivamente a la determinación de la carga familiar pero no al derecho del trabajador en situación de desempleo* (SSTS de 6 de noviembre de 1992 [*Tol 232517*], 4 de mayo de 1993 [*Tol 233509*], 6 y 24 de mayo de 1994 [*Tol 233384, y 233571 y 267487*], 30 de mayo [*Tol 11160, 47523 y 221266*] y 27 de julio de 2000 [Rec. 1894/1999] y 28 de octubre de 2002 [*Tol 238327*]).

    – *En el cómputo de rentas salariales del sujeto se incluyen las pagas extraordinarias aunque no se muevan en el umbral mínimo del salario mínimo interprofesional* (STC 98/1996, 10 de junio [*Tol 83032*] y SSTS de 19 de julio [*Tol 233978*], 23 de octubre [*Tol 233944*] y 8 de noviembre de 1993 [*Tol 233124*], y 16 de mayo [*Tol 235321 y 266307*] y 18 de noviembre de 1995 [*Tol 235806 y 267367*]).

    – *La carencia de rentas se refiere al propio beneficiario* (STS de 28 de octubre de 2002 [*Tol 238327*]).

    – *El tope cuantitativo de ingresos del 75 por 100 del salario mínimo interprofesional está referido en exclusiva al beneficiario solicitante y no está condicionado al número de miembros que integran la unidad familiar* (STS de 19 de enero de 2021 [Rec. 2070/18]).

2. Se entenderá cumplido el requisito de responsabilidades familiares en la fecha de la solicitud del alta inicial o de las prórrogas o reanudaciones del subsidio cuando la suma de las rentas obtenidas durante el mes natural anterior a dichas fechas por el conjunto de la unidad familiar, incluida la persona solicitante o beneficiaria, dividida entre el número de miembros que la componen, no supere el 75 por ciento del salario mínimo interprofesional, excluida la parte proporcional de dos pagas extraordinarias.

    – *En la composición de la renta de la unidad familiar ha de incluirse como divisor al miembro con ingresos superiores al 75 por 100 del salario mínimo interprofesional* (SSTS de 30 de mayo [*Tol 11160, 47523 y 221266*] y 27 de julio de 2000 [Rec. 1894/1999], 28 de octubre de 2002 [*Tol 4972796*], 26 de abril de 2010 [*Tol 1187453*], 2 de marzo de 2015 [*Tol 4952229*], 20 de julio de 2016 [Rec. 2234/2015], 13 de julio de 2017 [Rec. 3634/2015], 19 de enero de 2021 [*Tol 8301687*] y 27 de septiembre de 2022 [*Tol 9262179*]).

    – *En el límite de ingresos de la unidad familiar no deben incluirse las pensiones por alimentos de los hijos a cargo del otro progenitor en el que caso de que resulten impagadas, al tratarse de una renta que no se ha obtenido efectivamente* (STS de 29 de septiembre de 2025 [Rec. 2756/2024])

3. A los efectos previstos en este artículo se entenderá por unidad familiar la compuesta por la persona solicitante o beneficiaria, su cónyuge o pareja de hecho y los hijos e hijas menores de veintiséis años, o mayores con discapacidad, o menores acogidos y acogidas o en guarda con fines de adopción o acogimiento, que convivan o dependan económicamente de la persona solicitante o beneficiaria.

Se considerará pareja de hecho la constituida con análoga relación de afectividad a la conyugal por quienes, no hallándose impedidos para contraer matrimonio, no tengan vínculo matrimonial, ni constituida pareja de hecho con otra persona y acrediten mediante certificación de la inscripción en alguno de los registros específicos existentes en las Comunidades Autónomas o Ayuntamientos del lugar de residencia, en su caso, o documento público en el que conste la constitución de dicha pareja. Tanto la mencionada inscripción como la formalización del correspondiente documento público deberán haberse producido con una antelación mínima de dos años con respecto a la fecha de la solicitud del subsidio. No se exigirá el requisito de inscripción en un registro de parejas de hecho, ni constitución de dicha pareja en documento público, en el caso de que se tengan hijos o hijas comunes.

– *El requisito de carencia de rentas solo opera respecto del solicitante, siendo irrelevante el régimen matrimonial* (STS de 24 de mayo de 1994 [Rec. 3646/1993]).

*El cumplimiento del servicio militar supone la ruptura de la convivencia* (STS de 31 de enero de 1995 [Tol 237041]).

– *El requisito de tener cargas o responsabilidades familiares significa tener a cargo al cónyuge, hijos menores de 26 años o mayores incapacitados o menores acogidos, incluidos los hijos privativos del cónyuge* (STS de 23 de septiembre de 1997 [Tol 237893]).

– *Existen responsabilidades familiares en el supuesto de un trabajador de nacionalidad marroquí, aunque las circunstancias de la emigración le obligue a estar físicamente separado de sus familiares a cargo, pues sigue existiendo la necesidad de proveer de alimentos a los mismos* (SSTS de 11 de abril [Tol 15705] y 3 de mayo de 2000 [Rec. 331/1999]).

– *En el supuesto de separación de hecho, no declarada judicialmente, a efectos de reconocimiento del derecho a un subsidio por desempleo, subsiste la unidad familiar y, por tanto, deben computarse los ingresos de los dos cónyuges que la forman; y ello porque, aun cuando no existe convivencia, en términos jurídicos una familia sigue subsistiendo con todos sus derechos y obligaciones mientras no se produzca la separación legal o la disolución matrimonio, de conformidad con lo previsto en el Código Civil, con todas las consecuencias que ello acarrea tanto en el terreno de las relaciones personales como en las de carácter patrimonial* (STS de 11 de octubre de 2005 [Tol 739359]).

– *El nieto del interesado está excluido de la unidad familiar a los efectos del cumplimiento del requisito de responsabilidades familiares exigido para el reconocimiento del derecho a un subsidio por desempleo, con excepción del nieto que se encontrara en régimen de acogimiento familiar simple o permanente* (STS de 5 de diciembre de 2008 [Tol 1432355]).

*– Para el cálculo de la renta de la unidad familiar no ha de tomarse en consideración los ingresos de la pareja de hecho del solicitante del subsidio por desempleo* (SSTS de 17 de octubre de 2018 [*Tol 6921885*], 27 de abril de 2022 [*Tol 8932821*] y 24 de septiembre [Rec. 2058/2024] y 3 de diciembre de 2025 [Rec. 2716/2024]) *o de la renta activa de inserción* (STS de 15 de octubre de 2019 [*Tol 7591771*]).

4. Se considerarán como rentas o ingresos computables cualesquiera bienes, derechos o rendimientos derivados del trabajo, del capital mobiliario o inmobiliario, de las actividades económicas y los de naturaleza prestacional contributiva o no contributiva, públicas o privadas. También se considerarán rentas las pensiones alimenticias y las compensatorias, acordadas en caso de separación, divorcio, nulidad matrimonial o en procesos de adopción de medidas paternofiliales cuando no exista convivencia entre los progenitores.

Además, son rentas los incrementos patrimoniales derivados de actos inter vivos o mortis causa, las plusvalías o ganancias patrimoniales, así como los rendimientos que puedan deducirse del montante económico del patrimonio, aplicando a su valor el 100 por ciento del tipo de interés legal del dinero vigente, con la excepción de la vivienda habitualmente ocupada por el trabajador y de los bienes cuyas rentas hayan sido computadas, todo ello en los términos que se establezcan reglamentariamente.

Las rentas se computarán por su rendimiento íntegro o bruto. El rendimiento que procede de las actividades empresariales, profesionales, agrícolas, ganaderas o artísticas, se computará por la diferencia entre los ingresos y los gastos necesarios para su obtención.

*– Se considera renta los frutos o intereses derivados de las indemnizaciones por extinción de contrato de trabajo* (SSTS de 13 y 27 de marzo [*Tol 237227 y 237267*], 5 y 25 de abril [*Tol 237012 y 266234, y 237105*], 10 de mayo [*Tol 237002*], 1, 2 y 6 de junio [*Tol 236538 y 266362, 235483 y 266241, y 236021 y 266519*] y 4 de julio de 1995 [*Tol 236434 y 266470*]).

*– Los rendimientos de capital mobiliario que deben tomarse en cuenta son los del año anterior, salvo que el interesado acreditase que han disminuido o desaparecido* (STS de 23 de marzo de 1995 [*Tol 237285*]).

*– Un incremento esporádico de la renta de la unidad familiar por un período de corta duración no debe determinar la pérdida completa del derecho del subsidio* (SSTS de 13 de mayo de 1997 [*Tol 237588*], 17 de junio [*Tol 46814*] y 24 de septiembre de 1998 [*Tol 47589*] y 27 de enero de 2000 [*Tol 47674*]).

*– Puesto que la legislación aplicable a esta prestación de Seguridad Social establece la reducción de la cuantía de la renta percibida con deducciones de los gastos del interesado, y la deducción del mínimo personal y familiar prevista en la legislación sobre el Impuesto sobre la Renta de las Personas Físicas tiene su razón de ser en materia tributaria, como indicador de la capacidad contributiva, no siendo esta deducción funcional en el cómputo del requisito*

*de carencia de rentas, en el que se trata no de aquilatar la capacidad del contribuyente, sino de valorar sus medios de vida a efectos del abono de un subsidio de nivel asistencial, establecido con propósito de atender a necesidades de subsistencia (SSTS de 31 de mayo de 1996 [Tol 235443], 21 de noviembre de 2007 [Tol 1245257] y 27 de julio de 2010 [Tol 196857]).*

*– A efectos del cumplimiento del requisito de carencia de rentas para el reconocimiento del derecho a un subsidio por desempleo para mayores de cincuenta y dos años deben computarse los rendimientos obtenidos por la inversión en valores mobiliarios durante el año inmediatamente anteriores a la fecha de la solicitud de aquel subsidio (STS de 27 de enero de 2005 [Tol 598561]).*

*– En el supuesto de separación de hecho, no declarada judicialmente, a efectos de reconocimiento del derecho a un subsidio por desempleo, subsiste la unidad familiar y, por tanto, deben computarse los ingresos de los dos cónyuges que la forman; y ello porque, aun cuando no existe convivencia, en términos jurídicos una familia sigue subsistiendo con todos sus derechos y obligaciones mientras no se produzca la separación legal o la disolución matrimonio, de conformidad con lo previsto en el Código Civil, con todas las consecuencias que ello acarrea tanto en el terreno de las relaciones personales como en las de carácter patrimonial (STS de 11 de octubre de 2005 [Tol 739359]).*

*– Para el reconocimiento del derecho a un subsidio por desempleo la percepción de cantidades procedentes del rescate de un plan de pensiones debe ser imputada al ejercicio en el que se rescata el importe de éste, puesto que la legislación fiscal aplicable no permite la división de los rendimientos irregulares en tantos períodos impositivos como número de años en que la renta se ha generado, sino que el total percibido debe declararse en el año de su ingreso (STS de 11 de octubre de 2005 [Tol 739416]).*

*– Las plusvalías o ganancias patrimoniales consecuencia de la enajenación de bienes inmuebles han de estimarse como rentas o ingresos computables a efectos del cumplimiento de los requisitos exigidos para el reconocimiento o mantenimiento del derecho a un subsidio por desempleo (STS de 27 de marzo de 2007 [Tol 1079870]).*

*– Para el reconocimiento del derecho a un subsidio por desempleo la percepción de cantidades procedentes del rescate de un plan de pensiones debe ser imputada al ejercicio en el que se rescata el importe de éste, puesto que la legislación fiscal aplicable no permite la división de los rendimientos irregulares en tantos períodos impositivos como número de años en que la renta se ha generado, sino que el total percibido debe declararse en el año de su ingreso (SSTS de 18 de abril (Tol 1076431) y 2 de julio de 2007 [Tol 1124421]).*

*– La indemnización consecuencia del despido derivado de expediente de regulación de empleo cuya cuantía es superior a la establecida en el artículo 51.8 del Estatuto de los Trabajadores computa para el cálculo del requisito de carencia de rentas exigido para causar derecho a subsidio por desempleo en la cuantía excedente del importe de la indemnización legal, en aplicación de lo previsto en la disposición transitoria 3.ª.1, párrafo segundo, de la Ley 45/2002, de 12 de diciembre (STS de 3 de diciembre de 2008 [Tol 1432343]).*

*– El nieto del interesado está excluido de la unidad familiar a los efectos del cumplimiento del requisito de responsabilidades familiares exigido para el reconocimiento del derecho a un subsidio por desempleo, con excepción del nieto que se encontrara en régimen de acogimiento familiar simple o permanente (STS de 5 de diciembre de 2008 [Tol 1432355]).*

*– A efectos del reconocimiento del derecho a un subsidio por desempleo para mayores de cincuenta y dos años de edad, no debe considerarse renta computable el abono en el abono que haga la empresa, directamente o a través de una aseguradora, del importe destinado al pago del convenio especial que el trabajador suscriba con la Tesorería General de la Seguridad*

*Social, una vez finalizada la percepción de la prestación por desempleo previa* (SSTS de 9 de junio de 2009 [*Tol 1567126*] y 7 de marzo de 2012 [*Tol 2501876*]).

*– A efectos de cuantificar el umbral de rentas que condiciona el acceso al subsidio por desempleo, en el caso de terminación del contrato derivada de despido colectivo pactado, por indemnización legal debe entenderse la establecida con carácter obligatorio (20 días de salario por año de servicios), sin que pueda puede considerarse como tal la superior acordada o la del despido improcedente* (STS de 3 de junio [Rec. 3283/2023] y 4, 9, 10 y 11 de diciembre de 2025 [Rec. 3403/2024, 5538/2024, 4329/2024, y 3404/2024).

2. Se entenderá cumplido el requisito de responsabilidades familiares en la fecha de la solicitud del alta inicial o de las prórrogas o reanudaciones del subsidio cuando la suma de las rentas obtenidas durante el mes natural anterior a dichas fechas por el conjunto de la unidad familiar, incluida la persona solicitante o beneficiaria, dividida entre el número de miembros que la componen, no supere el 75 por ciento del salario mínimo interprofesional, excluida la parte proporcional de dos pagas extraordinarias.

3. A los efectos previstos en este artículo se entenderá por unidad familiar la compuesta por la persona solicitante o beneficiaria, su cónyuge o pareja de hecho y los hijos e hijas menores de veintiséis años, o mayores con discapacidad, o menores acogidos y acogidas o en guarda con fines de adopción o acogimiento, que convivan o dependan económicamente de la persona solicitante o beneficiaria.

Se considerará pareja de hecho la constituida con análoga relación de afectividad a la conyugal por quienes, no hallándose impedidos para contraer matrimonio, no tengan vínculo matrimonial, ni constituida pareja de hecho con otra persona y acrediten mediante certificación de la inscripción en alguno de los registros específicos existentes en las Comunidades Autónomas o Ayuntamientos del lugar de residencia, en su caso, o documento público en el que conste la constitución de dicha pareja. Tanto la mencionada inscripción como la formalización del correspondiente documento público deberán haberse producido con una antelación mínima de dos años con respecto a la fecha de la solicitud del subsidio. No se exigirá el requisito de inscripción en un registro de parejas de hecho, ni constitución de dicha pareja en documento público, en el caso de que se tengan hijos o hijas comunes.

4. Se considerarán como rentas o ingresos computables cualesquiera bienes, derechos o rendimientos derivados del trabajo, del capital mobiliario o inmobiliario, de las actividades económicas y los de naturaleza prestacional contributiva o no contributiva, públicas o privadas. También se considerarán

rentas las pensiones alimenticias y las compensatorias, acordadas en caso de separación, divorcio, nulidad matrimonial o en procesos de adopción de medidas paternofiliales cuando no exista convivencia entre los progenitores.

Además, son rentas los incrementos patrimoniales derivados de actos inter vivos o mortis causa, las plusvalías o ganancias patrimoniales, así como los rendimientos que puedan deducirse del montante económico del patrimonio, aplicando a su valor el 100 por ciento del tipo de interés legal del dinero vigente, con la excepción de la vivienda habitualmente ocupada por el trabajador y de los bienes cuyas rentas hayan sido computadas, todo ello en los términos que se establezcan reglamentariamente.

Las rentas se computarán por su rendimiento íntegro o bruto. El rendimiento que procede de las actividades empresariales, profesionales, agrícolas, ganaderas o artísticas, se computará por la diferencia entre los ingresos y los gastos necesarios para su obtención.

5. No se consideran rentas o ingresos computables:

a) El importe de las cuotas destinadas a la financiación del convenio especial con la Administración de la Seguridad Social percibidas por la persona solicitante o beneficiaria.

b) El importe correspondiente a la indemnización legal prevista en el texto refundido de la Ley del Estatuto de los Trabajadores para cada uno de los supuestos de extinción del contrato de trabajo, con independencia de que su pago sea único o periódico. En todo caso, a los efectos previstos en este artículo, se computará como renta el exceso que sobre dicha cantidad pueda haberse pactado.

> A efectos de cuantificar el umbral de rentas que condiciona el acceso al subsidio por desempleo, en el caso de terminación del contrato derivada de despido colectivo pactado, por indemnización legal debe entenderse la establecida con carácter obligatorio (20 días de salario por año de servicios), sin que pueda puede considerarse como tal la superior acordada o la del despido improcedente (STS de 20 de enero de 2026 [Rec. 4578/2024]).

c) El importe de las percepciones económicas obtenidas por asistencia a acciones de formación profesional o en el trabajo o para realizar prácticas académicas externas que formen parte del plan de estudios, obtenidas por la persona solicitante o beneficiaria o por cualquier otro miembro de la unidad familiar.

d) A efectos de reanudaciones y prórrogas del subsidio, las rentas derivadas del trabajo por cuenta ajena a tiempo completo o a tiempo parcial devengadas por la persona beneficiaria, durante el periodo de percepción del complemento de apoyo al empleo.

e) Las rentas del trabajo y las prestaciones públicas percibidas por la persona solicitante que no se mantengan en la fecha de la solicitud.

> – El importe correspondiente a la indemnización legal que en cada caso concreto proceda por la extinción del contrato de trabajo no tendrá la consideración de renta (STS de 30 de enero de 1995 [Tol 237142]).
>
> – No es computable el incremento patrimonial por la venta de bienes muebles a efectos del cumplimiento del requisito de carecer de rentas (SSTS de 17 de septiembre de 2001 [Tol 66053], 7 y 26 de febrero [Tol 135106 y 267741, y 246508], 23 de marzo [Tol 163142] y 18 de junio de 2002 [Tol 201948] y 30 de enero de 2003 [Tol 254079 y 266633]).
>
> – Se exceptúan del cómputo de rentas las subvenciones para la adquisición de la vivienda (STS de 19 de abril de 2002 [Tol 246515]).
>
> – Están excluidos del cómputo de renta los rendimientos de capital inmobiliario consecuencia de una sociedad de gananciales (STS de 23 de mayo de 2003 [Tol 305977]).
>
> – No se considera renta las cantidades percibidas como «beneficios asistenciales» (STS de 20 de enero de 2004 [Tol 348786]).
>
> – No es computable el incremento patrimonial por la venta de valores inmobiliarios (STS de 8 de noviembre de 2004 [Tol 515788]).
>
> – Quedan fuera del concepto de renta la adquisición o adjudicación de una herencia y sólo se valorarán las rentas producidas por el patrimonio heredado a raíz de su adquisición (SSTS de 28 de septiembre de 2012 [Tol 2667597], 21 de octubre de 2020 [Rec. 2489/2018] y 10 de febrero [Tol 8820211] y 1 de junio de 2022 [Tol 9009767]).
>
> – Un premio obtenido en un concurso no se computa por su totalidad, sino conforme a la regla establecida, como fruto o renta, en la Ley General de la Seguridad Social (STS de 16 de julio de 2014 [Tol 4495557]).
>
> – En el supuesto de rescate de un plan de pensiones por el beneficiario de un subsidio por desempleo las únicas rentas o ingresos computables serán los rendimientos, plusvalías o beneficios que haya podido generar el plan de pensiones durante el tiempo en que subsistió, sin que quepa imputar como renta o ingreso su importe total, porque, en realidad, con el rescate del plan de pensiones, no ha ingresado en su patrimonio nada que no tuviera ya, sino que ha sustituido un elemento patrimonial (el plan de pensiones) por otro (el dinero obtenido por el rescate de dicho plan) (STS de 3 de febrero de 2016 [Rec. 2576/2014])
>
> – Queda exento lo percibido por indemnización derivada de la extinción del contrato hasta el límite legal, con independencia de la forma de su abono, del tiempo del mismo y del tratamiento fiscal de la indemnización (STS de 3 de octubre de 2023 [Rec. 4058/2020]).

6. A los efectos de determinar si se cumplen los requisitos de carencia de rentas, o de responsabilidades familiares, en la solicitud de alta inicial, reanudación y de las prórrogas del subsidio, el interesado suscribirá una declaración responsable en la que deberá hacer constar todas las rentas e ingresos obtenidos durante el mes natural anterior tanto por él, como, en su caso, por el resto

de los miembros de su unidad familiar. Dicha declaración será posteriormente contrastada con los datos que consten en sus declaraciones tributarias.

La ocultación de rentas a la entidad gestora por parte de los solicitantes que, de haberlas tenido en cuenta, hubieran supuesto la denegación de la solicitud de reanudación o de prórroga implicará que el importe correspondiente al derecho reconocido en base a la misma sea declarado indebidamente percibido por la persona trabajadora, por lo que se le reclamará conforme a lo establecido en el artículo 295. Dicho periodo, indebidamente percibido, además, se entenderá como consumido a todos los efectos.

7. Los requisitos de carencia de rentas y, en su caso, de existencia de responsabilidades familiares deberán concurrir en la fecha de la solicitud del subsidio, así como en la fecha de la solicitud de sus prórrogas o reanudaciones.

– *La carencia de rentas debe mantenerse con ocasión de la concesión de prórrogas y reanudaciones tras la suspensión de la prestación por realización de un trabajo de duración inferior a doce meses* (SSTS de 21 de marzo [*Tol 237282*], 6 y 30 de noviembre [*Tol 235895 y 266602, y 235798 y 267119*] y 4 de diciembre de 1995 [*Tol 235798 y 267046*], 27 de enero [*Tol 237045*] y 29 de abril de 1996 [*Tol 235810*] y 22 de diciembre de 1997 [*Tol 237670*]).

– *Es posible que los requisitos exigidos se reúnan después de las fechas previstas cuando los posibles beneficiarios no los cumplan, sin perjuicio de la caducidad del derecho* (SSTS de 23 de abril [*Tol 66262*] y 3 de julio de 2001 [*Tol 129075*]).

– *Los beneficiarios deben comunicar sin dilación a la entidad gestora todos los cambios en su situación económica que puedan ser relevantes para la suspensión o extinción del derecho, teniendo en cuenta el criterio de cómputo por promedio anual; y en la hipótesis de contratación temporal de trabajo de un miembro de la unidad familiar, la comunicación inmediata a cargo del beneficiario ha de llevarse a cabo como regla general, con la excepción de los supuestos de previsión de tiempo muy breve de duración del contrato o de escasa cuantía de la retribución pactada, en los que la comunicación a la entidad gestora resulte manifiestamente superflua* (STS de 29 de octubre de 2003 [*Tol 434587*]).

– *A partir de la entrada en vigor de la Ley 45/2002, de 12 de diciembre, se han alterado de manera sustancial los presupuestos legales que sustentaban la doctrina jurisprudencial del cómputo anual de las rentas familiares a efectos del mantenimiento del derecho a un subsidio por desempleo, porque en la nueva regulación el legislador establece a cargo de la entidad gestora un control o seguimiento constante de las situaciones de necesidad que dan lugar a la percepción del subsidio, permitiendo a cambio que los beneficiarios recuperen inmediatamente el derecho al subsidio cuando se reproduce la situación de necesidad tras la desaparición de la percepción de rentas esporádicas; de manera que lo lógico es proceder al cómputo mensual o en unidades temporales reducidas de las rentas del conjunto de la unidad familiar, en lugar de al cómputo anual al ser más adecuado para alcanzar un propósito de ajuste entre situación de necesidad y acción protectora, no comportando ya, en los supuestos de obtención de rentas o ingresos esporádicos ("por tiempo inferior a doce meses"), la consecuencia inaceptable de pérdida del derecho que llevaba consigo la extinción de la prestación asistencial en la legislación anterior* (SSTS de 8 de febrero de 2006 [*Tol 862892*], 28 de octubre de 2010 [*Tol 1996660*], 28 de mayo de 2013 [*Tol 3773318*] y 3 de febrero de 2015 [*Tol 4763564*]).

Artículo 275 redactado por el Real Decreto-Ley 2/2024, de 21 de mayo, por el que se adoptan medidas urgentes para la simplificación y mejora del nivel asistencial de la protección por desempleo, y para completar la transposición de la Directiva (UE) 2019/1158 del Parlamento Europeo y del Consejo, de 20 de junio de 2019, relativa a la conciliación de la vida familiar y la vida profesional de los progenitores y los cuidadores, y por la que se deroga la Directiva 2010/10/18/UE del Consejo (BOE núm. 124, 22 de mayo de 2024).

**Artículo 276. *Solicitudes, nacimiento y prórroga del derecho al subsidio*.** 1. El derecho al subsidio por desempleo nace a partir del día siguiente al del hecho causante siempre que se solicite en los quince días hábiles siguientes a la fecha del mismo. Solicitado fuera de dicho plazo, pero dentro de los seis meses siguientes a la fecha del hecho causante, nacerá el día de presentación de la solicitud.

Si el subsidio por desempleo se solicitara una vez transcurridos los seis meses desde la fecha del hecho causante, la solicitud será denegada, salvo que en el último día de este plazo el solicitante se encontrara realizando trabajos por cuenta propia o ajena, o percibiendo la prestación por incapacidad temporal o por nacimiento y cuidado de menor, en cuyo caso se ampliará el plazo de solicitud hasta los quince días hábiles siguientes a la finalización del trabajo o extinción de la prestación.

Se considerará fecha del hecho causante del subsidio la del agotamiento de la prestación contributiva por desempleo si se accede al subsidio por esta circunstancia, y, la de la última situación legal de desempleo si se accede por acreditar cotizaciones insuficientes para el acceso a la prestación contributiva.

En caso de que con posterioridad a la fecha del hecho causante se hubiera trabajado por cuenta propia o ajena, para acceder al subsidio será necesario que el cese en el último trabajo sea, respectivamente, involuntario o con situación legal de desempleo.

2. A los efectos de que se produzca la prórroga del subsidio hasta su duración máxima prevista en el artículo 277, cada vez que se hayan devengado tres meses de su percepción, los beneficiarios deberán presentar una solicitud de prórroga, acompañada de la documentación acreditativa del mantenimiento de los requisitos de acceso. Dicha solicitud deberá presentarse en el plazo de los quince días hábiles siguientes a la finalización del periodo trimestral. Presentada en dicho plazo, el subsidio se prorrogará desde el día siguiente a la fecha de agotamiento del período de derecho trimestral.

En otro caso, el derecho a la prórroga tendrá efectividad a partir del día de su solicitud, siempre que esta se presente dentro de los seis meses siguientes a la fecha del agotamiento del periodo trimestral. Si la prórroga se solicita fuera de este plazo de seis meses, la solicitud será denegada, salvo que, en el último día de este plazo, el solicitante se encontrara realizando trabajos por cuenta propia o ajena, en cuyo caso se ampliará el plazo de solicitud hasta los quince días hábiles siguientes a la finalización del trabajo. En este caso se exigirá que el último cese previo al reconocimiento de la prórroga sea involuntario o constituya situación legal de desempleo.

Artículo 276 redactado por el Real Decreto-Ley 2/2024, de 21 de mayo, por el que se adoptan medidas urgentes para la simplificación y mejora del nivel asistencial de la protección por desempleo, y para completar la transposición de la Directiva (UE) 2019/1158 del Parlamento Europeo y del Consejo, de 20 de junio de 2019, relativa a la conciliación de la vida familiar y la vida profesional de los progenitores y los cuidadores, y por la que se deroga la Directiva 2010/10/18/UE del Consejo (BOE núm. 124, 22 de mayo de 2024).

**Artículo 277. *Duración del subsidio*.** 1. En los supuestos contemplados en el artículo 274.1.a), la duración máxima del subsidio por desempleo se determinará en función de la edad de la persona solicitante en la fecha de agotamiento de la prestación por desempleo, la acreditación de responsabilidades familiares y la duración de la prestación por desempleo agotada, con arreglo a la siguiente tabla:

| Acreditación responsabilidades familiares | Edad en la fecha de agotamiento de la prestación | Duración de la prestación por desempleo agotada | Duración máxima del subsidio |
|---|---|---|---|
| Indiferente. | <45 | >= 360 días | 6 meses. |
|  | >45 | >= 120 días |  |
| Sí. | Indiferente | >= 120 días | 24 meses. |
|  |  | >=180 días | 30 meses. |

Quienes hubieran accedido al subsidio sin acreditar responsabilidades familiares, podrán hacerlo posteriormente, siempre que dicha acreditación y la solicitud de ampliación del subsidio tenga lugar dentro del plazo de los doce meses siguientes a la fecha del hecho causante del subsidio. En este caso, se ampliará la duración máxima del subsidio inicialmente reconocido hasta la que corresponda en función de la duración de la prestación contributiva agotada.

2. En los supuestos contemplados en el artículo 274.1.b), la duración máxima del subsidio se determinará en función del periodo de ocupación cotizado y de la acreditación de responsabilidades familiares, con arreglo a la siguiente tabla:

| Periodo mínimo de ocupación cotizada | Acreditación de responsabilidades familiares | Duración máxima del subsidio |
|---|---|---|
| 90 días. | Indiferente. | 3 meses. |
| 120 días. | Indiferente. | 4 meses. |
| 150 días. | Indiferente. | 5 meses. |
| 180 días. | Indiferente. | 6 meses. |
|  | Sí. | 21 meses. |

Las cotizaciones que sirvieron para el nacimiento del subsidio no podrán ser tenidas en cuenta para el reconocimiento de un futuro derecho a la prestación o al subsidio por desempleo.

Quienes hubieran accedido al subsidio por acreditar seis meses de cotización sin responsabilidades familiares, podrán hacerlo posteriormente, siempre que dicha acreditación y la solicitud de ampliación del subsidio tenga lugar dentro del plazo de doce meses siguiente a la fecha del hecho causante del subsidio. En este caso, se ampliará la duración máxima del subsidio inicialmente reconocido hasta los veintiún meses.

3. En todos los casos el subsidio se reconocerá por periodos trimestrales, prorrogables hasta agotar la duración máxima.

Artículo 277 redactado por el Real Decreto-Ley 2/2024, de 21 de mayo, por el que se adoptan medidas urgentes para la simplificación y mejora del nivel asistencial de la protección por desempleo, y para completar la transposición de la Directiva (UE) 2019/1158 del Parlamento Europeo y del Consejo, de 20 de junio de 2019, relativa a la conciliación de la vida familiar y la vida profesional de los progenitores y los cuidadores, y por la que se deroga la Directiva 2010/10/18/UE del Consejo (BOE núm. 124, 22 de mayo de 2024).

**Artículo 278. *Cuantía del subsidio*.** La cuantía del subsidio será igual a los siguientes porcentajes del indicador público de rentas de efectos múltiples mensual vigente en cada momento: el 95 por ciento durante los ciento ochenta primeros días, el 90 por ciento desde el día ciento ochenta y uno al día trescientos sesenta, y el 80 por ciento a partir del día trescientos sesenta y uno.

– *En el supuesto de pérdida de un empleo a tiempo parcial, la cuantía del subsidio debe percibirse en proporción a las horas trabajadas a tiempo parcial y a tiempo completo* (SSTS de 20 de diciembre de 2002 [*Tol 241053 y 258251*]).

Artículo 278 redactado por el Real Decreto-Ley 2/2024, de 21 de mayo, por el que se adoptan medidas urgentes para la simplificación y mejora del nivel asistencial de la protección por desempleo, y para completar la transposición de la Directiva (UE) 2019/1158 del Parlamento Europeo y del Consejo, de 20 de junio de 2019, relativa a la conciliación de la vida familiar y la vida profesional de los progenitores y los cuidadores, y por la que se deroga la Directiva 2010/10/18/UE del Consejo (BOE núm. 124, 22 de mayo de 2024).

**Artículo 279. *Suspensión, reanudación y extinción del derecho al subsidio*.** 1. Una vez reconocido un periodo trimestral del subsidio previsto en el artículo 274.1, este se suspenderá por las causas previstas en el artículo 271 y se reanudará en la forma y plazos previstos en el mismo, siempre que el beneficiario acredite que mantiene el cumplimiento de los requisitos de acceso.

En el caso de que, en la fecha en que finalice la situación que supuso la suspensión del subsidio, el interesado no cumpla el requisito exigido de carencia de rentas o el de responsabilidades familiares, podrá solicitar su reanudación cuando lo cumpla, siempre que dicha solicitud se presente dentro del plazo de los seis meses siguientes a la fecha de finalización de la causa de suspensión. En este caso, la reanudación tendrá efectos desde la fecha de la solicitud, sin días consumidos.

Salvo en el supuesto de que el trabajador se hubiera encontrado en la situación prevista en el último párrafo del artículo 276.2, no procederá la reanudación del subsidio si la solicitud, cumpliendo todos los requisitos exigidos para su reconocimiento, se presenta fuera del plazo de los seis meses siguientes a la fecha en que finalizó la situación específica que implicó su suspensión sin que, a los efectos del cómputo de dicho plazo puedan acumularse, a la primera, otras situaciones de suspensión.

> – La reanudación del subsidio por desempleo suspendido no es automática e incondicionada, pues es necesario el mantenimiento de la inscripción como demandante de empleo o la suscripción del compromiso de actividad; para que el subsidio se reanude cuando el contrato de trabajo (que provoca su suspensión) finaliza es preciso que lo haga por motivo constitutivo de situación legal de desempleo, lo que no sucede cuando finaliza por libre dimisión del trabajador; y no tiene derecho a reanudar la percepción de subsidio por desempleo quien desiste del periodo de prueba, por motivos privados y el primer día de trabajo (STS de 15 de febrero de 2017 [Rec. 1810/2015]).

> – En el supuesto de inexistencia de ocultación o mala fe del beneficiario de un exceso de rentas, se producirá la suspensión del derecho al subsidio y la cantidad a reintegrar será la del mes en el que se produce el exceso de rentas (SSTS de 23 de enero de 2019 [Tol 7083250] y 15 de julio de 2021 [Tol 8539179]).

> – Es aplicable la suspensión del derecho a un subsidio por desempleo para desempleados mayores de cincuenta y dos años desde la aceptación de una herencia y hasta un máximo de doce meses (STS de 10 de diciembre de 2020 [Rec. 8848/2018]).

2. El subsidio previsto en el artículo 274.1 se extinguirá por las causas previstas en el artículo 272, excepto la regulada en su letra h), así como por el

transcurso de seis meses desde el agotamiento de la prórroga trimestral o desde la finalización de la situación específica que implicó su suspensión, salvo, en ambos casos, en el supuesto de que el trabajador se encuentre en esa fecha en la situación prevista en el último párrafo del artículo 276.2, en cuyo caso se extinguirá por el transcurso del plazo de los quince días hábiles siguientes a la finalización del trabajo sin haber solicitado la prórroga o reanudación acreditando cumplir todos los requisitos para su reconocimiento

– *En el supuesto de concesión de subsidio por desempleo por haberse acreditado la existencia de responsabilidades familiares y posterior suspensión de su disfrute como consecuencia de la realización de un trabajo de seis meses de duración, es correcta la actuación de la entidad gestora rechazando la petición de reanudación del derecho, al no acreditarse en ese momento la existencia de responsabilidades familiares, puesto que no se trata de una revisión del primer acto declarativo del derecho al subsidio por desempleo (STS de 28 de mayo de 1996 [Tol 235682]).*

– *La falta de comunicación de la percepción puntual de ingresos que provoca la superación del límite de rentas no puede suponer la extinción del derecho al subsidio cuando se trate de un percibo que aparece reflejado tributariamente (STS de 30 de abril de 2014 [Tol 4417604]).*

– *Se produce la extinción del derecho a subsidio por desempleo como consecuencia de la no puesta en conocimiento de la entidad gestora del incremento de renta derivado de la venta de un inmueble (SSTS de 23 de noviembre de 2021 [Tol 8690252] y 19 de abril de 2022 [Tol 8916491]).*

3. El subsidio para trabajadores mayores de 52 años previsto en el artículo 274.3 se suspenderá, reanudará y extinguirá conforme a lo previsto en el artículo 280.

– *Cuando el beneficiario de un subsidio por desempleo para mayores de cincuenta y dos años omite el deber de información de variación de ingresos al ente gestor se produce la extinción del derecho al mismo como consecuencia de sanción (STS de 22 de febrero de 2016 [Rec. 994/2014]).*

Artículo 279 redactado por el Real Decreto-Ley 2/2024, de 21 de mayo, por el que se adoptan medidas urgentes para la simplificación y mejora del nivel asistencial de la protección por desempleo, y para completar la transposición de la Directiva (UE) 2019/1158 del Parlamento Europeo y del Consejo, de 20 de junio de 2019, relativa a la conciliación de la vida familiar y la vida profesional de los progenitores y los cuidadores, y por la que se deroga la Directiva 2010/10/18/UE del Consejo (BOE núm. 124, 22 de mayo de 2024).

**Artículo 280. *Beneficiarios del subsidio por desempleo para mayores de cincuenta y dos años*.** 1. Podrán acceder al subsidio para mayores de cincuenta y dos años los trabajadores que, en la fecha en que se encuentren en el supuesto previsto en el artículo 274.1 tengan cumplida dicha edad y además en la fecha del hecho causante del subsidio establecido en el artículo 276.1, acrediten todos los requisitos, salvo la edad, para acceder a cualquier tipo de pensión contributiva de jubilación en el sistema de la Seguridad Social, hayan cotizado efectivamente en España por desempleo durante al menos seis años a lo largo de su vida laboral, sin que a estos efectos resulte de aplicación el artículo 235, y cumplan los requisitos establecidos en el apartado 2.

*Cuando el solicitante es beneficiario de una pensión por incapacidad permanente total es posible el reconocimiento del derecho al subsidio por desempleo para mayores de cincuenta y dos años considerando las cotizaciones anteriores a la declaración de dicha prestación* (SSTS de 29 y 30 de septiembre [Rec. 3628/2023 y 5128/2023, y 4435/2023], 11 de noviembre [Rec. 5048/2023] y 3 de diciembre de 2025 [Rec. 34/2024]).

Las personas que, en la fecha en que se encontraron en el supuesto previsto en el artículo 274.1, cumplieran todos los requisitos establecidos en el primer párrafo de este apartado, salvo el de tener cumplida la edad de cincuenta y dos años, podrán solicitar el acceso a este subsidio a partir de la fecha en que cumplan dicha edad, siempre que cumplan el resto de requisitos establecidos en el párrafo primero y que hayan permanecido inscritos ininterrumpidamente como demandantes de empleo en los servicios públicos de empleo desde la fecha del agotamiento de la prestación contributiva o de la situación legal de desempleo, hasta la fecha de la solicitud. En este supuesto se considerará como fecha del hecho causante la del cumplimiento de la edad de cincuenta y dos años.

A los efectos previstos en este precepto, las personas que hayan percibido o agotado la Renta Activa de Inserción regulada en el Real Decreto 1369/2006, de 24 de noviembre, por el que se regula el programa de renta activa de inserción para desempleados con especiales necesidades económicas y dificultad para encontrar empleo, la prestación por cese de actividad regulada en el título V o el subsidio extraordinario por desempleo previsto en la disposición adicional vigésima séptima de esta ley, no se asimilan a quienes se encuentren en la situación prevista en el artículo 274.1.

Se entenderá cumplido el requisito de inscripción ininterrumpida cuando cada una de las posibles interrupciones haya tenido una duración inferior a noventa días naturales, no computándose los períodos que correspondan a la realización de actividad por cuenta propia o ajena. En este último caso, el trabajador no podrá acceder al subsidio cuando el cese en el último trabajo fuera voluntario.

También podrán solicitar el subsidio para trabajadores mayores de cincuenta y dos años quienes cumplan todos los requisitos previstos en el primer párrafo de este apartado en la fecha en la que tengan derecho a reanudar cualquier subsidio, así como quienes, reuniendo dichos requisitos, cumplan la edad de cincuenta y dos años durante la percepción de cualquiera de los subsidios previstos en el artículo 274. En este supuesto se considerará como fecha del hecho causante la de la reanudación del subsidio.

> *No debe reconocerse el derecho al subsidio por desempleo para mayores de cincuenta y dos años cuando desde que se agotó la prestación de desempleo al recibir la misma en un solo pago y hasta la fecha de la solicitud del subsidio, consta que la trabajadora estuvo de alta en el Régimen Especial de la Seguridad Social de los Trabajadores por Cuenta Propia o Autónomos, régimen en el que causó baja, sin que consten las causas de la misma en orden a determinar si el cese en esa última actividad fue involuntaria, lo que impide apreciar si cumple los requisitos legalmente establecidos para acceder al subsidio solicitado (STS de 8 de mayo de 2025 [Rec. 3111/2023]).*

2. Para acceder al subsidio para mayores de cincuenta y dos años los trabajadores deberán acreditar, en la fecha de presentación de la solicitud, que carecen de rentas propias, en los términos previstos en el artículo 275.1.

El cumplimiento del requisito de carencia de rentas propias deberá mantenerse durante todo el tiempo de percepción del subsidio.

3. El derecho al subsidio por desempleo nacerá a partir del día siguiente al del hecho causante, siempre que se solicite en el plazo de quince días hábiles siguientes a la fecha del mismo. Solicitado fuera de dicho plazo, el derecho el subsidio nacerá el día de presentación de la solicitud.

4. La cuantía del subsidio por desempleo para trabajadores mayores de cincuenta y dos años será igual al 80 por ciento del indicador público de rentas de efectos múltiples mensual vigente en cada momento.

5. El subsidio para trabajadores mayores de cincuenta y dos años se suspenderá por las causas previstas en el artículo 271 y se reanudará en la forma y plazos previstos en el mismo.

Asimismo, el subsidio para trabajadores mayores de cincuenta y dos años se suspenderá por las siguientes causas:

a) Cuando se cumplan doce meses desde la fecha de nacimiento del derecho o de su última reanudación, en el supuesto de que el interesado no haya presentado la declaración anual de rentas prevista en el apartado 8 dentro del plazo establecido en el mismo.

b) En la fecha en que se deje de cumplir el requisito de carencia de rentas propias, si dicho incumplimiento tiene una duración inferior a doce meses.

El derecho se reanudará, en el supuesto previsto en la letra a) anterior, a partir de la fecha en que se solicite la misma aportando la declaración anual de rentas que acredite el mantenimiento de los requisitos, y en el supuesto previsto en la letra b), a partir de la fecha en que de nuevo se cumpla el requisito de carencia de rentas, siempre que en este caso, la solicitud de reanudación se presente dentro del plazo de los quince días hábiles siguientes al de dicho cumplimiento. En caso contrario, el subsidio se reanudará a partir de la fecha de su solicitud.

Procederá la denegación de la reanudación solicitada una vez transcurridos doce meses desde la fecha de efectos de la suspensión del subsidio.

Este plazo de doce meses se ampliará por el periodo equivalente a aquél durante el cual se realicen trabajos por cuenta propia o ajena. En este caso se exigirá que el último cese previo a la reanudación sea involuntario o constituya situación legal de desempleo.

6. El subsidio se extinguirá por las causas previstas en el artículo 272, excepto la regulada en la letra h) de dicho artículo, así como por el incumplimiento del requisito de carencia de rentas durante un periodo igual o superior a doce meses. Igualmente se producirá la extinción del subsidio por el transcurso de doce meses desde la fecha de efectos de su suspensión sin haberse reanudado, salvo lo previsto en el último párrafo del apartado anterior.

7. Los beneficiarios del subsidio para mayores de cincuenta y dos años vendrán obligados a comunicar a la entidad gestora cualquier incremento en sus rentas que pudieran afectar al mantenimiento de su derecho, en el momento en que dicha circunstancia se produzca.

8. Sin perjuicio de lo previsto en el apartado anterior, para mantener la percepción del subsidio para trabajadores mayores de cincuenta y dos años los beneficiarios deberán presentar ante la entidad gestora una declaración anual de sus rentas, acompañada de la documentación acreditativa que corresponda.

Dicha declaración se deberá presentar cada vez que transcurran doce meses desde la fecha del nacimiento del derecho o desde la fecha de su última reanudación, en el plazo de los quince días hábiles siguientes a aquel en el que se cumpla el período señalado.

Cuando, con ocasión de la tramitación de la declaración anual de rentas, el beneficiario comunique o la entidad gestora detecte que, durante algún periodo dentro de los doce meses anteriores, se han dejado de cumplir los requisitos de carencia de rentas, se procederá a la suspensión del subsidio por el periodo durante el que se hayan dejado de reunir dichos requisitos, regularizando los periodos e importes percibidos.

Si el incumplimiento de los requisitos durante algún periodo dentro de los doce meses anteriores a la fecha en la que se ha de presentar la declaración anual de rentas no fuera comunicado por el beneficiario en el momento de producirse ni con ocasión de la primera declaración anual de rentas tras producirse dicha circunstancia, ni hubiera podido ser detectado durante la tramitación de esta primera declaración anual de rentas por la entidad gestora, una vez constatado por ésta, procederá a la regularización del derecho por el periodo que corresponda por incumplimiento de los requisitos, así como al inicio del correspondiente procedimiento sancionador por no comunicar la concurrencia de una causa de suspensión del derecho en el momento de producirse.

9. La entidad gestora cotizará por la contingencia de jubilación durante la percepción del subsidio por desempleo para trabajadores mayores de cincuenta y dos años.

Las cotizaciones efectuadas conforme a lo previsto en el párrafo anterior tendrán efecto para el cálculo de la base reguladora de la pensión de jubilación y porcentaje aplicable a aquella en cualquiera de sus modalidades, así como para completar el tiempo necesario para el acceso a la jubilación anticipada. En ningún caso dichas cotizaciones tendrán validez y eficacia jurídica para acreditar el período mínimo de cotización exigido en el artículo 205.1.b), que, de conformidad con lo dispuesto en el apartado 1, ha debido quedar acreditado en la fecha de solicitud del subsidio regulado en este artículo.

> – *En ningún caso dichas cotizaciones tendrán validez y eficacia jurídica para acreditar el período mínimo de cotización exigido, que ha debido quedar acreditado en el momento de la solicitud del subsidio por desempleo para mayores de cincuenta y cinco años* (SSTS de 23 de mayo de 2000 [*Tol 47267*], 29 de junio de 2004 [*Tol 515768*], 17 de enero de 2005 [*Tol 603034*] y 15 de marzo de 2016 [*Tol 5688676*]).

A efectos de determinar la cotización se tomará como base de cotización el 125 por cien de la base mínima de cotización en el Régimen General de la Seguridad Social, vigente en cada momento.

En caso de percibir el complemento de apoyo al empleo, la base por la que deberá cotizarse se reducirá en proporción a la jornada trabajada.

El Gobierno podrá extender a otros colectivos de trabajadores lo dispuesto en este apartado.

Artículo 280 redactado por el Real Decreto-Ley 2/2024, de 21 de mayo, por el que se adoptan medidas urgentes para la simplificación y mejora del nivel asistencial de la protección por desempleo, y para completar la transposición de la Directiva (UE) 2019/1158 del Parlamento Europeo y del Consejo, de 20 de junio de 2019, relativa a la conciliación de la vida familiar y la vida profesional de los progenitores y los cuidadores, y por la que se deroga la Directiva 2010/10/18/UE del Consejo (BOE núm. 124, 22 de mayo de 2024).

CAPÍTULO IV. Régimen de las prestaciones

**Artículo 281.** *Automaticidad del derecho a las prestaciones.* La entidad gestora competente pagará las prestaciones por desempleo en los supuestos de incumplimiento de las obligaciones de afiliación, alta y de cotización, sin perjuicio de las acciones que pueda adoptar contra la empresa infractora y la responsabilidad que corresponda a esta por las prestaciones abonadas.

**Artículo 282.** *Incompatibilidades.* 1. La prestación y el subsidio por desempleo serán incompatibles con el trabajo por cuenta propia aunque su realización no implique la inclusión obligatoria en alguno de los regímenes de la Seguridad Social o en alguna mutualidad de previsión social alternativa al Régimen Especial de la Seguridad Social de los Trabajadores por Cuenta Propia o Autónomos.

Con carácter general, la prestación y el subsidio por desempleo, serán incompatibles con la obtención de prestaciones contributivas de carácter económico de la Seguridad Social, salvo que éstas hubieran sido compatibles con el trabajo que originó la prestación o el subsidio.

2. La prestación por desempleo será incompatible con el trabajo por cuenta ajena, excepto cuando éste se realice a tiempo parcial y se haya solicitado la compatibilidad por el trabajador, en cuyo caso se deducirá del importe de la prestación, la parte proporcional al tiempo trabajado. Si la compatibilidad se solicita dentro de los quince días hábiles siguientes a la fecha de inicio de la relación laboral, se aplicará desde dicha fecha. En caso contrario se aplicará desde la fecha de la solicitud, siempre que ésta se presente antes de que transcurran doce meses desde la fecha de inicio de la relación laboral.

La deducción a que se refiere el párrafo anterior se efectuará además de cuando el trabajador esté percibiendo la prestación por desempleo como consecuencia de la pérdida de un trabajo a tiempo completo o parcial y obtenga un nuevo trabajo a tiempo parcial, cuando tenga varios contratos a tiempo parcial y pierda uno de ellos.

3. Para quienes accedan al subsidio por desempleo manteniendo uno o varios contratos a tiempo parcial así como para quienes siendo beneficiarios del mismo inicien una relación laboral a tiempo completo o parcial, el subsidio se compatibilizará como complemento de apoyo al empleo conforme a lo previsto en este artículo.

La cuantía del complemento de apoyo al empleo se determinará, cada trimestre, en función de la jornada pactada al inicio de la compatibilización y del trimestre en que se encuentre en cada momento el perceptor del complemento de apoyo respecto al inicio del subsidio conforme a la siguiente tabla:

| Trimestre en que se encuentre el perceptor respecto al inicio del subsidio | CAE. Empleo a tiempo completo (% IPREM) | CAE. Empleo a tiempo parcial >= 75% de la jornada (% IPREM) | CAE. Empleo a tiempo parcial <75% y >=50% de la jornada (% IPREM) | CAE. Empleo a tiempo parcial <50% de la jornada (% IPREM) |
|---|---|---|---|---|
| En el 1 trimestre. | 80 | 75 | 70 | 60 |
| En el 2 trimestre. | 60 | 50 | 45 | 40 |
| En el 3 trimestre. | 40 | 35 | 30 | 25 |
| En el 4 trimestre. | 30 | 25 | 20 | 15 |
| En el 5 trimestre y siguientes. | 20 | 15 | 10 | 5 |

Las situaciones de pluriempleo y modificaciones de jornada sobrevenidas tras la determinación de la cuantía del complemento de apoyo al empleo no producirán ningún efecto sobre la misma.

El complemento de apoyo al empleo se percibirá mientras se mantenga la relación laboral que lo originó. Durante su percepción, con independencia del porcentaje aplicado, se consumirán tantos días de la duración del subsidio como los días percibidos en concepto de complemento de apoyo al empleo.

Su duración máxima será de ciento ochenta días, que podrán percibirse en uno o sucesivos periodos de compatibilidad, con el límite del número de días que restasen por percibir de la duración máxima del subsidio reconocido. Llegado al límite anterior o agotada la duración máxima del subsidio, este quedará suspendido por realización de un trabajo por cuenta ajena y sujeto a las condiciones generales de reanudación por esta causa o extinguido por agotamiento, respectivamente.

La extinción o suspensión de la relación laboral, o la interrupción de la actividad fija discontinua que haya originado el complemento de apoyo al empleo, deberá ser comunicada a la entidad gestora por el beneficiario, en el plazo de los quince días hábiles siguientes, e implicará la suspensión del subsidio, que podrá reanudarse sin compatibilidad previa solicitud del interesado siempre que acredite situación legal de desempleo e inscripción como demandante de empleo y que cumpla los requisitos de carencia de rentas o de responsabilidades familiares.

No obstante, si en la fecha de extinción o suspensión de dicha relación laboral, o de interrupción de la actividad, se mantuviera otra, se podrá seguir percibiendo el complemento de apoyo al empleo según lo regulado en este apartado, previo ajuste de su cuantía considerando la jornada ordinaria de trabajo pactada y el trimestre en que se encuentre el subsidio en el momento de surtir efectos la variación.

No se podrá compatibilizar el subsidio con el desempeño de un empleo por cuenta ajena cuando la contratación sea efectuada por:

a) Empresas que tengan autorizado expediente de regulación de empleo en el momento de la contratación.

b) Empresas en las que el desempleado beneficiario del subsidio haya trabajado en los últimos doce meses anteriores.

Tampoco se aplicará la compatibilidad prevista en este apartado respecto de las relaciones laborales suspendidas en virtud de expediente de regulación de empleo o del Mecanismo RED, ni cuando se trate de contrataciones que afecten al cónyuge, ascendientes, descendientes y demás parientes por consanguinidad o afinidad, o en su caso por adopción, hasta el segundo grado inclusive, del empresario o de quienes ostenten cargos de dirección o sean miembros de los órganos de administración de las entidades o de las empresas que revistan la forma jurídica de sociedad, así como las que se produzcan con estos últimos.

4. La prestación y el subsidio serán compatibles con la percepción de cualquier tipo de rentas mínimas, salarios sociales o ayudas análogas de asistencia

social concedidas por cualquier Administración Pública, y con la percepción de las prestaciones económicas no contributivas de la Seguridad Social, excepto la de jubilación.

5. La prestación y el subsidio serán compatibles con la realización de prácticas formativas, prácticas académicas externas incluidas en programas de formación profesional o programas de formación en el trabajo.

6. Las prestaciones y el subsidio por desempleo regulados en el título III y en las disposiciones adicionales quincuagésima séptima y quincuagésima octava, son incompatibles con las medidas de protección social previstas en la disposición adicional cuadragésima primera y cuadragésima sexta de la misma, dirigidas, respectivamente, a las personas trabajadoras afectadas por el Mecanismo RED y por expedientes de regulación temporal de empleo autorizados con base en lo previsto en el artículo 47.5 y 6 del texto refundido de la Ley del Estatuto de los Trabajadores.

7. Cuando así lo establezca algún programa de fomento al empleo destinado a colectivos con dificultad de inserción en el mercado de trabajo, se podrá compatibilizar la percepción de la prestación contributiva por desempleo pendiente de percibir con el trabajo por cuenta propia, en cuyo caso la entidad gestora podrá abonar al trabajador el importe mensual de la prestación en la cuantía y duración que se determinen, sin incluir la cotización a la Seguridad Social.

Artículo 282 redactado por el Real Decreto-Ley 2/2024, de 21 de mayo, por el que se adoptan medidas urgentes para la simplificación y mejora del nivel asistencial de la protección por desempleo, y para completar la transposición de la Directiva (UE) 2019/1158 del Parlamento Europeo y del Consejo, de 20 de junio de 2019, relativa a la conciliación de la vida familiar y la vida profesional de los progenitores y los cuidadores, y por la que se deroga la Directiva 2010/10/18/UE del Consejo (BOE núm. 124, 22 de mayo de 2024).

**Artículo 283. *Prestación por desempleo e incapacidad temporal*.** 1. Cuando el trabajador se encuentre en situación de incapacidad temporal derivada de contingencias comunes y durante la misma se extinga su contrato, seguirá percibiendo la prestación por incapacidad temporal en cuantía igual a la prestación por desempleo hasta que se extinga dicha situación, pasando entonces a la situación legal de desempleo en el supuesto de que la extinción se haya producido por alguna de las causas previstas en el artículo 267.1 y a percibir, si reúne los requisitos necesarios, la prestación por desempleo contributivo que le corresponda de haberse iniciado la percepción de la misma en la fecha de extinción del contrato de trabajo, o el subsidio por desempleo. En tal caso, se descontará del período de percepción de la prestación por desempleo, como ya consumido, el tiempo que hubiera permanecido en la situación de incapacidad temporal a partir de la fecha de la extinción del contrato de trabajo.

La entidad gestora de las prestaciones por desempleo efectuará las cotizaciones a la Seguridad Social conforme a lo previsto en el artículo 265.1.a) 2.º, asumiendo en este caso la aportación que corresponde al trabajador en su totalidad por todo el período que se descuente como consumido, incluso cuando no se haya solicitado la prestación por desempleo y sin solución de continuidad se pase a una situación de incapacidad permanente o jubilación, o se produzca el fallecimiento del trabajador que dé derecho a prestaciones de muerte y supervivencia.

Cuando el trabajador se encuentre en situación de incapacidad temporal derivada de contingencias profesionales y durante la misma se extinga su contrato de trabajo, seguirá percibiendo la prestación por incapacidad temporal, en cuantía igual a la que tuviera reconocida, hasta que se extinga dicha situación, pasando entonces, en su caso, a la situación legal de desempleo en el supuesto de que la extinción se haya producido por alguna de las causas previstas en el artículo 267.1, y a percibir, si reúne los requisitos necesarios, la correspondiente prestación por desempleo sin que, en este caso, proceda descontar del período de percepción de la misma el tiempo que hubiera permanecido en situación de incapacidad temporal tras la extinción del contrato, o el subsidio por desempleo.

2. Cuando el trabajador esté percibiendo la prestación de desempleo total y pase a la situación de incapacidad temporal que constituya recaída de un proceso anterior iniciado durante la vigencia de un contrato de trabajo, percibirá la prestación por esta contingencia en cuantía igual a la prestación por desempleo. En este caso, y en el supuesto de que el trabajador continuase en situación de incapacidad temporal una vez finalizado el período de duración establecido inicialmente para la prestación por desempleo, seguirá percibiendo la prestación por incapacidad temporal en la misma cuantía en la que la venía percibiendo.

Cuando el trabajador esté percibiendo la prestación de desempleo total y pase a la situación de incapacidad temporal que no constituya recaída de un proceso anterior iniciado durante la vigencia de un contrato de trabajo, percibirá la prestación por esta contingencia en cuantía igual a la prestación por desempleo. En este caso, y en el supuesto de que el trabajador continuase en situación de incapacidad temporal una vez finalizado el período de duración establecido inicialmente para la prestación por desempleo, seguirá percibiendo la prestación por incapacidad temporal en cuantía igual al 80 por ciento del indicador público de rentas de efectos múltiples mensual.

El período de percepción de la prestación por desempleo no se ampliará por la circunstancia de que el trabajador pase a la situación de incapacidad temporal. Durante dicha situación, la entidad gestora de las prestaciones por desempleo continuará satisfaciendo las cotizaciones a la Seguridad Social conforme a lo previsto en el artículo 265.1.a).2.º

> *El período de percepción de la prestación por desempleo no se ampliará por la circunstancia de que el trabajador pase a la situación de incapacidad temporal* (SSTS de 22 de noviembre de 2023 [Rec. 3230/2020] y 15 de octubre de 2024 [Rec. 3302/2022]).

3. Lo establecido en los apartados anteriores será de aplicación a los trabajadores fijos discontinuos durante los periodos de inactividad productiva.

> Apartado 3 añadido por el Real Decreto-Ley 2/2024, de 21 de mayo, por el que se adoptan medidas urgentes para la simplificación y mejora del nivel asistencial de la protección por desempleo, y para completar la transposición de la Directiva (UE) 2019/1158 del Parlamento Europeo y del Consejo, de 20 de junio de 2019, relativa a la conciliación de la vida familiar y la vida profesional de los progenitores y los cuidadores, y por la que se deroga la Directiva 2010/18/UE del Consejo (BOE núm. 124, 22 de mayo de 2024).

**Artículo 284. *Prestación por desempleo y nacimiento y cuidado de menor*.** 1. Cuando el trabajador se encuentre en situación de nacimiento, adopción, guarda con fines de adopción o acogimiento y durante las mismas pase a estar incluido en alguno de los supuestos previstos en el artículo 267.1 seguirá percibiendo la correspondiente prestación hasta que se extingan dichas situaciones, pasando entonces a la situación legal de desempleo y a percibir, si reúne los requisitos necesarios, la prestación por desempleo. En este caso no se descontará del período de percepción de la prestación por desempleo de nivel contributivo el tiempo que hubiera permanecido en situación de nacimiento, adopción, guarda con fines de adopción o acogimiento.

2. Cuando el trabajador esté percibiendo la prestación por desempleo total y pase a la situación de nacimiento, adopción, guarda con fines de adopción o acogimiento percibirá la prestación por estas últimas contingencias en la cuantía que corresponda.

En este supuesto se le suspenderá la prestación por desempleo y la cotización a la Seguridad Social prevista en el artículo 265.1.a).2.º y pasará a percibir la prestación correspondiente a su situación, gestionada directamente por su entidad gestora. Una vez extinguida esta, se reanudará la prestación por desempleo, en los términos recogidos en el artículo 271.4.b) por la duración que restaba por percibir y la cuantía que correspondía en el momento de la suspensión.

Artículo 284 redactado por el Real Decreto-Ley 2/2024, de 21 de mayo, por el que se adoptan medidas urgentes para la simplificación y mejora del nivel asistencial de la protección por desempleo, y para completar la transposición de la Directiva (UE) 2019/1158 del Parlamento Europeo y del Consejo, de 20 de junio de 2019, relativa a la conciliación de la vida familiar y la vida profesional de los progenitores y los cuidadores, y por la que se deroga la Directiva 2010/10/18/UE del Consejo (BOE núm. 124, 22 de mayo de 2024).

**Artículo 285. *Subsidio por desempleo de mayores de 52 años y jubilación*.** Cuando el trabajador perciba el subsidio por desempleo previsto en el artículo 274.4 y alcance la edad ordinaria que le permita acceder a la pensión contributiva de jubilación, los efectos económicos de la citada pensión se retrotraerán a la fecha de efectos de la extinción del subsidio por alcanzar dicha edad. Para ello será necesario que la solicitud de la jubilación se produzca en el plazo de los tres meses siguientes a la resolución firme de extinción. En otro caso, tendrá una retroactividad máxima de tres meses desde la solicitud.

Artículo 285 redactado por el Real Decreto-Ley 8/2019, de 8 de marzo, de medidas urgentes de protección social y de lucha contra la precariedad laboral en la jornada de trabajo (BOE núm. 61, 12 de marzo de 2019).

CAPÍTULO V. Disposiciones especiales aplicables a determinados colectivos

*Sección 1.ª Trabajadores incluidos en el sistema especial para trabajadores por cuenta ajena agrarios*

**Artículo 286. *Normas aplicables*.** 1. Los trabajadores incluidos en el Sistema Especial para Trabajadores por Cuenta Ajena Agrarios están obligados a cotizar por la contingencia de desempleo y tienen derecho a la protección por desempleo conforme a lo establecido con carácter general en este título, con las especialidades establecidas en esta sección.

No cotizarán por la contingencia de desempleo, ni tendrán derecho a las prestaciones por desempleo por los periodos de actividad correspondientes, el cónyuge, los descendientes, ascendientes y demás parientes, por consanguinidad o afinidad hasta el segundo grado inclusive y, en su caso, por adopción, del titular de la explotación agraria en la que trabajen siempre que convivan con este, salvo que se demuestre su condición de asalariados.

> Apartado 1 redactado por el Real Decreto-Ley 2/2024, de 21 de mayo, por el que se adoptan medidas urgentes para la simplificación y mejora del nivel asistencial de la protección por desempleo, y para completar la transposición de la Directiva (UE) 2019/1158 del Parlamento Europeo y del Consejo, de 20 de junio de 2019, relativa a la conciliación de la vida familiar y la vida profesional de los progenitores y los cuidadores, y por la que se deroga la Directiva 2010/10/18/UE del Consejo (BOE núm. 124, 22 de mayo de 2024).

2. La cotización a la Seguridad Social durante la percepción de las prestaciones se regirá por lo dispuesto en el artículo 289.

**Artículo 287. *Protección por desempleo de los trabajadores agrarios eventuales*.** 1. Para tener derecho a las prestaciones por desempleo reguladas en este título, los trabajadores por cuenta ajena eventuales agrarios deberán reunir los requisitos establecidos en el artículo 266. Sin embargo, si de forma inmediatamente anterior figuraron de alta en Seguridad Social como trabajadores autónomos o por cuenta propia, el período mínimo de cotización necesario para el acceso a la prestación por desempleo será de setecientos veinte días, aplicándose, a partir de ese período, la escala prevista en el artículo 269.1.

2. Lo previsto en el apartado anterior se aplicará con independencia de que el trabajo en el que se acredite situación legal de desempleo sea o no eventual agrario, si el mayor número de cotizaciones al desempleo acreditadas corresponden a dicho trabajo eventual agrario.

3. Las cotizaciones por jornadas reales que hayan sido computadas para el reconocimiento de las prestaciones por desempleo de carácter general o del subsidio establecido en el artículo 274.1.b) no podrán computarse para el reconocimiento del subsidio por desempleo en favor de los trabajadores agrarios eventuales establecido en el Real Decreto 5/1997, de 10 de enero, ni para el reconocimiento de la renta agraria regulada en el Real Decreto 426/2003, de 11 de abril; y las computadas para reconocer el citado subsidio o la renta agraria, no podrán computarse para obtener prestaciones por desempleo de carácter general.

4. Si el trabajador eventual agrario reúne los requisitos para obtener la protección por desempleo de nivel contributivo o asistencial regulada en este título, así como para acceder al subsidio por desempleo establecido en el Real Decreto 5/1997, de 10 de enero, o la renta agraria, regulada en el Real Decreto

426/2003, de 11 de abril, podrá optar por uno de los dos derechos, aplicándose la regla siguiente:

Si solicita el subsidio por desempleo regulado en el Real Decreto 5/1997, de 10 de enero, o la renta agraria establecida en el Real Decreto 426/2003, de 11 de abril, todas las jornadas reales cubiertas en el Sistema Especial para Trabajadores por Cuenta Ajena Agrarios, cualquiera que sea su número, se tendrán en cuenta para acreditar los requisitos establecidos, respectivamente, en los artículos 2.1.c) y 2.1.d) de los citados reales decretos. Las cotizaciones por desempleo anteriores a la fecha del reconocimiento de dicho subsidio o renta agraria, que no se hayan computado para la obtención de tales derechos, podrán computarse para el reconocimiento de un derecho posterior, de nivel contributivo o asistencial.

Artículo 287 redactado por el Real Decreto-Ley 2/2024, de 21 de mayo, por el que se adoptan medidas urgentes para la simplificación y mejora del nivel asistencial de la protección por desempleo, y para completar la transposición de la Directiva (UE) 2019/1158 del Parlamento Europeo y del Consejo, de 20 de junio de 2019, relativa a la conciliación de la vida familiar y la vida profesional de los progenitores y los cuidadores, y por la que se deroga la Directiva 2010/10/18/UE del Consejo (BOE núm. 124, 22 de mayo de 2024).

**Artículo 288. *Protección por desempleo de los trabajadores agrarios eventuales residentes en Andalucía y Extremadura*.** 1. Los trabajadores por cuenta ajena eventuales agrarios, incluidos en el Sistema Especial para Trabajadores por Cuenta Ajena Agrarios y residentes en las Comunidades Autónomas de Andalucía y Extremadura, tendrán derecho a la protección regulada en el artículo anterior.

2. Asimismo tendrán derecho al subsidio por desempleo regulado por el Real Decreto 5/1997, de 10 de enero, por el que se regula el subsidio por desempleo en favor de los trabajadores eventuales incluidos en el Régimen Especial Agrario de la Seguridad Social, y por el apartado siguiente o bien a la renta agraria regulada por el Real Decreto 426/2003, de 11 de abril, por el que se regula la renta agraria para los trabajadores eventuales incluidos en el Régimen Especial Agrario de la Seguridad Social residentes en las Comunidades Autónomas de Andalucía y Extremadura, cuando en el momento de producirse su situación de desempleo acrediten su condición de trabajadores eventuales agrarios y reúnan los requisitos exigidos en dichas normas, con las particularidades que se señalan a continuación:

a) Las referencias al Régimen Especial Agrario de la Seguridad Social y al censo de dicho régimen se entenderán hechas al Régimen General de la Seguridad Social y a la inclusión en el Sistema Especial para Trabajadores por Cuenta Ajena Agrarios.

b) Las referencias a las jornadas reales cotizadas se entenderán hechas al número efectivo de jornadas reales trabajadas mientras el trabajador permanece incluido en el Sistema Especial para Trabajadores por Cuenta Ajena Agrarios. Para computar dichas jornadas, si se mantiene el alta y la cotización en su modalidad mensual, en un mes completo se computarán veintitrés jornadas reales trabajadas y por periodos en alta y cotizados inferiores al mes se aplicará esa equivalencia para determinar las jornadas reales trabajadas que correspondan.

c) La entidad gestora abonará directamente a la Tesorería General de la Seguridad Social la cotización al Régimen General de la Seguridad Social dentro del Sistema Especial para Trabajadores por Cuenta Ajena Agrarios durante el período de percepción del subsidio agrario o de la renta agraria, aplicando al tope mínimo de cotización vigente en cada momento el tipo de cotización que corresponda a los periodos de inactividad.

3. Solo podrán ser beneficiarios del subsidio por desempleo regulado en el Real Decreto 5/1997, de 10 de enero, aquellos desempleados que, reuniendo los requisitos exigidos en el mismo, hayan sido beneficiarios de dicho subsidio en alguno de los tres años naturales inmediatamente anteriores a la fecha de solicitud del mismo.

Las personas trabajadoras en la fecha de solicitud del subsidio deberán suscribir un acuerdo de actividad en los términos a que se refiere el artículo 3 de la Ley 3/2023, de 28 de febrero, de Empleo.

Párrafo segundo redactado por la Ley 3/2023, de 28 de febrero, de empleo (BOE núm. 51, 1 de marzo de 2023).

**Artículo 289. *Cotización durante la percepción de las prestaciones.*** 1. La cotización a la Seguridad Social durante la percepción de la prestación por desempleo de nivel contributivo o del subsidio por desempleo de nivel asistencial se abonará por la entidad gestora directamente a la Tesorería General de la Seguridad Social, en los términos establecidos en este artículo.

2. Durante la percepción de la prestación por desempleo de nivel contributivo, la base de cotización a la Seguridad Social de aquellos trabajadores por los que exista obligación legal de cotizar será la establecida, con carácter

general, en la correspondiente Ley de Presupuestos Generales del Estado tanto en los supuestos de extinción de la relación laboral como en los de suspensión de esta y de reducción de jornada, calculada en función de las bases correspondientes a los períodos de actividad.

El tipo de cotización será el correspondiente a los períodos de inactividad, a que se refiere el artículo 255.3.

Durante la percepción de la prestación por desempleo, el 73,50 por ciento de la aportación del trabajador a la Seguridad Social correrá a cargo de la entidad gestora, siendo el 26,50 por ciento restante a cargo del trabajador y descontándose de la cuantía de la prestación.

3. Durante la percepción del subsidio por desempleo del artículo 274, la base de cotización a la Seguridad Social será el tope mínimo de cotización vigente en cada momento en el Régimen General.

El tipo de cotización será el correspondiente a los períodos de inactividad y se cotizará exclusivamente por la contingencia de jubilación en los casos en los que así venga establecido en el artículo 280, aplicando a la cuota el coeficiente reductor que se determine por el Ministerio de Empleo y Seguridad Social.

Durante la percepción de los subsidios por desempleo en los que le corresponda cotizar por jubilación, la entidad gestora tendrá a su cargo la parte de cotización que se establezca, por los días que se perciban de subsidio, conforme a la base y el tipo indicados en el párrafo anterior, correspondiendo el resto de la cotización al trabajador, que será descontado de la cuantía del subsidio y se abonará a la Tesorería General de la Seguridad Social, en su totalidad, por la entidad gestora.

4. Durante los períodos en los que la entidad gestora esté obligada a cotizar, los beneficiarios a los que se haya reconocido el derecho a la percepción de la prestación o de los subsidios por desempleo o de la renta agraria, en los términos establecidos en los artículos anteriores, deberán permanecer en el Sistema Especial para Trabajadores por Cuenta Ajena Agrarios.

5. En el caso de los trabajadores agrarios eventuales cuando para la obtención de la prestación se hayan computado cotizaciones efectuadas a distintos regímenes o sistemas de la Seguridad Social, la cotización a la Seguridad Social durante la percepción de las prestaciones se efectuará al régimen o sistema en el que se acredite un mayor período cotizado.

*Sección 2.ª Otros colectivos*

**Artículo 290. *Trabajadores contratados para la formación y aprendizaje*. 1.** La cotización por la contingencia de desempleo en el contrato para la formación y el aprendizaje se efectuará por la cuota fija resultante de aplicar a la base mínima correspondiente a las contingencias de accidentes de trabajo y enfermedades profesionales el mismo tipo de cotización y distribución entre empresario y trabajador establecidos para el contrato en prácticas.

2. Para determinar la base reguladora y la cuantía de la prestación por desempleo se aplicará lo establecido en el artículo 270 de esta ley.

**Artículo 291. *Trabajadores del Régimen Especial de la Seguridad Social de los Trabajadores del Mar*.** Sin perjuicio de lo establecido en el artículo 19 de esta ley, a las bases de cotización para desempleo en el Régimen Especial de la Seguridad Social de los Trabajadores del Mar les será también de aplicación lo dispuesto en el artículo 11 de la Ley 47/2015, de 21 de octubre, reguladora de la protección social de las personas trabajadoras del sector marítimo-pesquero.

**Artículo 292. *Militares profesionales de tropa y marinería*. 1.** Los militares profesionales de tropa y marinería que mantienen una relación de servicios de carácter temporal se encontrarán en situación legal de desempleo, a efectos de la protección correspondiente, cuando finalice el compromiso que tengan suscrito o se resuelva el mismo por causas independientes de su voluntad.

2. La prestación o el subsidio por desempleo serán compatibles con la asignación de reservista de especial disponibilidad. No obstante, el importe de esa asignación se computará como renta a efectos del subsidio por desempleo en los términos indicados en el artículo 275.2.

3. Los militares profesionales de tropa y marinería que pasen a encontrarse en situación de desempleo, serán objeto de un seguimiento activo e individualizado por parte del Ministerio de Defensa, en colaboración con el Ministerio de Empleo y Seguridad Social, con el objeto de facilitarles una rápida integración en el mercado laboral.

## CAPÍTULO VI. Régimen financiero y gestión de las prestaciones

**Artículo 293. *Financiación*.** 1. La acción protectora regulada en este título se financiará mediante la cotización de empresarios y trabajadores y la aportación del Estado.

2. La cuantía de la aportación del Estado será cada año la fijada en la correspondiente Ley de Presupuestos Generales del Estado.

**Artículo 294. *Entidad gestora*.** 1. Corresponde al Servicio Público de Empleo Estatal gestionar las funciones y servicios derivados de las prestaciones de protección por desempleo y declarar el reconocimiento, suspensión, extinción y reanudación de las prestaciones, sin perjuicio de las atribuciones reconocidas a los órganos competentes de la Administración laboral en materia de sanciones.

> – *Se consideran como actos de gestión los que supongan causa de suspensión o extinción del derecho a prestaciones por desempleo* (SSTS de 6 de octubre de 1995 [*Tol 235743 y 266567*]).

> – *El Instituto Nacional de Empleo tiene capacidad para suspender o extinguir el derecho al subsidio por desempleo de oficio cuando el trabajador no lo solicite por haber dejado de reunir los requisitos exigidos para su mantenimiento* (STS de 22 de diciembre de 1997 [*Tol 237670*]).

> – *La función de reconocimiento, suspensión, reanudación y extinción del derecho a prestaciones por desempleo, incluye el reintegro de prestaciones indebidamente percibidas* (STS de 21 de marzo de 2001 [*Tol 32137*]).

> – *El Servicio Público de Empleo Estatal, en su condición de entidad gestora de las prestaciones por desempleo en sus niveles contributivo y asistencial, es titular del beneficio de asistencia jurídica gratuita* (SSTS de 24 de noviembre de 2021 [*Tol 8690267, 8704787 y 8757817*]).

> – *Entre las competencias del Servicio Público de Empleo Estatal se incluye la gestión y el control de las prestaciones por desempleo* (STS de 25 de noviembre de 2021 [*Tol 8690257 y 9704787*]).

2. Las empresas colaborarán con la entidad gestora asumiendo el pago delegado de la prestación por desempleo en los supuestos y en las condiciones que reglamentariamente se determinen.

**Artículo 295. *Reintegro de pagos indebidos*.** 1. Corresponde a la entidad gestora competente declarar y exigir la devolución de las prestaciones indebidamente percibidas por los trabajadores y el reintegro de las prestaciones de cuyo pago sea directamente responsable el empresario.

– *El Instituto Nacional de Empleo tiene facultad, tanto en vía voluntaria como ejecutiva, de reclamar a los trabajadores la devolución sin que ello implique revisión unilateral, así como de suspender o extinguir el derecho a la prestación* (SSTS de 11 de diciembre de 1991 [Rec. 883/1991], 2 de junio de 1994 [*Tol 267007*], 21 de marzo [*Tol 237282*], 28 de junio [*Tol 236739 y 266360*] y 11 de diciembre de 1995 [*Tol 235714 y 267347*], 29 de abril de 1996 [*Tol 235810*], 25 y 30 de mayo [*Tol 8120, 47350 y 220235 y 11159, 47797, 47523 y 221266*] y 19 de junio de 2000 [*Tol 208021*] y 21 de marzo de 2001 [*Tol 32137*]).

– *El Instituto Nacional de Empleo no debe acudir al procedimiento general de revisión previsto en el artículo 145 de la Ley de Procedimiento Laboral como consecuencia de las especiales condiciones y circunstancias que rodean las prestaciones por desempleo (entre otras, la duración determinada y generalmente no dilata en el tiempo, la práctica imposibilidad de que la entidad gestora pueda recuperar la prestación indebidamente pagada como consecuencia de las circunstancias económicas del beneficiario, o los altos niveles de fraude existentes* (STS de 21 de enero de 2004 [*Tol 346951*]).

– *En el supuesto de reintegro de prestación por desempleo indebida, que fue reconocida a partir del cese en despido que luego fue declarado improcedente con opción por la readmisión, produciéndose una posterior declaración de extinción de la relación laboral con reconocimiento de indemnización y sin salarios de tramitación, por haberlos satisfecho ya la empresa, es al empresario, y no al trabajador, al que corresponde la responsabilidad de reintegrar a la entidad gestora el importe de la prestación, sin perjuicio de las acciones que a dicho empresario puedan incumbir para reclamar del trabajador las cantidades que aquél no descontó a éste de los salarios de tramitación* (STS de 9 de marzo de 2009 [*Tol 1494339*]).

– *Existe un supuesto de reintegro de prestaciones indebidas por desempleo cuando el derecho a la prestación por desempleo fue reconocido en la fecha del despido improcedente declarado con posterioridad como improcedente en sentencia que también declaró extinguida la relación laboral como consecuencia de la insolvencia de la empresa y, además, el trabajador percibió los salarios por tramitación abonados por el fondo de garantía salarial, no habiendo comunicado a la entidad gestora dicha situación, puesto que el hecho de que el trabajador hubiera ocultado intencionada o involuntariamente a la entidad gestora la percepción de aquellos salarios de tramitación, privó a ésta de la facultad de controlar el curso de la prestación* (SSTS de 22 de junio de 2009 [*Tol 1584743*], 1 de febrero [*Tol 2061331*], 21 de marzo [*Tol 2087990*] y 19 de septiembre de 2011 [*Tol 2266928*], 2 de julio de 2013 [*Tol 3858034*], 2 de marzo de 2015 [*Tol 4800110*] y 23 de febrero [Rec. 4389/2018] y 19 de abril de 2022 [*Tol 8916277*]).

– *Aunque es cierto que incumbe al trabajador la obligación de poner en conocimiento de la entidad gestora la existencia del instrumento legal, del título en virtud de cual se declara el derecho al cobro de los salarios de tramitación, la consecuencia legal que haya de desprenderse de tal incumplimiento no debe extenderse a la devolución de prestaciones correspondientes al periodo en el que realmente no existía la incompatibilidad porque, por un lado, ciertamente en tal periodo, a diferencia del anterior incompatible, no se produjo una percepción indebida de la prestación, sino el incumplimiento de la referida obligación legal de comunicar esa situación; y por otro, cumplida la finalidad de la norma de impedir la compatibilidad de las dos percepciones, parece desajustada con la propia regulación legal la devolución íntegra de la totalidad de la prestación, cuando durante el percibo de la prestación en la que no incide esa incompatibilidad existía realmente la inicial situación de desempleo protegida de la que derivó aquella única prestación* (SSTS de 1 de febrero [*Tol 2061331*], 21 de marzo [*Tol 2087990*] y 19 de septiembre de 2011 [*Tol 2266928*], 14 de abril de 2015 [*Tol 5003627*] y 29 de enero de 2024 [Rec. 4999/2022]).

*– Revocar un subsidio por desempleo por detectar que se ha obtenido sin suministrar datos exactos se subsume en la excepción legal que permite a la entidad gestora revisar sus propios actos sin necesidad de acudir a los Tribunales o de sujetarse al plazo de un año desde que se hubiera dictado la resolución reconociendo el derecho* (STS de 10 de octubre de 2017 [Tol 6420666]).

*– El límite para la exigencia del reintegro de prestación por desempleo indebidamente percibida es la cuantía de las pensiones no contributivas, que ha de respetarse en todo caso* (STS de 21 de diciembre de 2016 [Rec. 2433/2015]).

*– Cuando un beneficiario ha percibido una prestación de importe superior a la que le correspondía, al haberse reconocido inicialmente por el Instituto Nacional de la Seguridad Social y en la posterior sentencia judicial firme deja sin efecto la resolución del Instituto Nacional de la Seguridad Social en los términos en los que inicialmente la reconoce en vía administrativa* (SSTS de 2 de febrero de 2021 [Rec. 1891/2018] y 7 de mayo de 2025 [Rec. 184/2022]).

Transcurrido el respectivo plazo fijado para el reintegro de las prestaciones indebidamente percibidas o de responsabilidad empresarial sin haberse efectuado el mismo, corresponderá a la Tesorería General de la Seguridad Social proceder a su recaudación en vía ejecutiva de conformidad con las normas reguladoras de la gestión recaudatoria de la Seguridad Social, devengándose el recargo y el interés de demora en los términos y condiciones establecidos en esta ley.

2. Para el ejercicio de esta competencia la entidad gestora podrá concertar los servicios que considere convenientes con la Tesorería General de la Seguridad Social o con cualquiera de las administraciones públicas.

3. La entidad gestora podrá conceder la compensación parcial, así como el fraccionamiento de pago para el reintegro de las prestaciones por desempleo indebidamente percibidas, en los términos y condiciones que se establezcan reglamentariamente, a solicitud del sujeto responsable del mismo, que deberá ser presentada con anterioridad al inicio de su recaudación en vía ejecutiva. Tanto la compensación parcial como el fraccionamiento del pago comprenderán el principal de la deuda, así como el recargo que fuera exigible en la fecha de su solicitud. Además, el fraccionamiento del pago devengará intereses, desde el momento de su concesión hasta la fecha de pago, conforme al interés de demora que se encuentre vigente en cada momento durante su duración.

Artículo 295 redactado por el Real Decreto-Ley 2/2024, de 21 de mayo, por el que se adoptan medidas urgentes para la simplificación y mejora del nivel asistencial de la protección por desempleo, y para completar la transposición de la Directiva (UE) 2019/1158 del Parlamento Europeo y del Consejo, de 20 de junio de 2019, relativa a la conciliación de la vida familiar y la vida profesional de los progenitores y los cuidadores, y por la que se deroga la Directiva 2010/10/18/UE del Consejo (BOE núm. 124, 22 de mayo de 2024).

**Artículo 296.** *Pago de las prestaciones.* 1. La entidad gestora deberá dictar resolución motivada, reconociendo o denegando el derecho a las prestaciones por desempleo, en el plazo de los quince días siguientes a la fecha en que se hubiera formulado la solicitud en tiempo y forma.

2. El pago de la prestación será efectuado por la entidad gestora o por la propia empresa, en los supuestos y en las condiciones que reglamentariamente se determinen.

3. Cuando así lo establezca algún programa de fomento del empleo, la entidad gestora podrá abonar de una sola vez el valor actual del importe, total o parcial, de la prestación por desempleo de nivel contributivo a que tenga derecho el trabajador y que esté pendiente por percibir.

Asimismo, podrá abonar a través de pagos parciales el importe de la prestación por desempleo de nivel contributivo a que tenga derecho el trabajador para subvencionar la cotización del mismo a la Seguridad Social.

> – No impide el pago único de las prestaciones por desempleo el alta del trabajador en el Régimen Especial de Trabajadores Autónomos antes de solicitarlo, siempre que la petición fuera posterior a la situación legal de desempleo (STS de 20 de septiembre de 2004 [Tol 502478]).
>
> – El pago único de una prestación por desempleo que tiene por destino la incorporación del beneficiario de la misma a una cooperativa no deberá alcanzar el contenido íntegro de la prestación por desempleo, sino sólo a la cantidad necesaria para que el beneficiario pudiera adquirir la condición de socio de la cooperativa y el resto de la capitalización de la prestación estará destinado a atender los futuros devengos y cotizaciones del trabajador a la Seguridad Social, cuyo abono se realiza trimestralmente por la entidad gestora previa la presentación por los trabajadores de las correspondientes documentos acreditativos de la cotización; y todo sin que el hecho de que posteriormente se modificaran los estatutos de la cooperativa cambiando el plazo en el que los socios debían pagar la totalidad de los títulos suscritos con la misma (STS de 4 de octubre de 2007 [Tol 1174942]).
>
> – El pago único de una prestación por desempleo que tiene por destino la incorporación del beneficiario de la misma a una cooperativa no deberá alcanzar el contenido íntegro de la prestación por desempleo, sino sólo a la cantidad necesaria para que el beneficiario pudiera adquirir la condición de socio de la cooperativa y el resto de la capitalización de la prestación estará destinado a atender los futuros devengos y cotizaciones del trabajador a la Seguridad Social, cuyo abono se realiza trimestralmente por la entidad gestora previa la presentación por los trabajadores de las correspondientes documentos acreditativos de la cotización; y todo sin que el hecho de que posteriormente se modificaran los estatutos de la cooperativa cambiando el plazo en el que los socios debían pagar la totalidad de los títulos suscritos con la misma (SSTS de 16 de enero [Tol 1245263] y 8 de octubre de 2008 [Tol 1401129]).
>
> – Una trabajadora no puede utilizar la modalidad de pago único de la prestación por desempleo con el objeto de incorporarse como socia trabajadora a la cooperativa en la que cesó como trabajadora por cuenta ajena para causar derecho a la prestación contributiva, puesto que la finalidad de la disposición transitoria 4.ª de la Ley 45/2002, de 12 de diciem-

bre (*norma aplicable al caso, que posteriormente ha sido modificada por el Real Decreto 1413/2005, de 25 de noviembre*) *era la de fomentar el empleo del trabajador en paro, facilitando la colocación como socio trabajador al permitirle capitalizar la prestación con el fin de destinarla a cubrir la aportación de capital y cuotas de seguridad social que ha de tener en el nuevo trabajo, y dicha finalidad no se cumple cuando la pérdida del empleo generador de la situación legal de desempleo que se protege con la prestación, proviene de la misma cooperativa o sociedad laboral a la que inmediatamente se accede como socio, dado que supondría el acceso a este beneficio en los casos en los que hay una continuidad esencial en la prestación de servicios en la entidad, con independencia de que formalmente se haya producido la extinción de un contrato de trabajo, el acceso a la situación legal de desempleo y la inmediata reincorporación a aquélla para trabajar con un título jurídico distinto, como es el de socio* (STS de 19 de febrero de 2008 [Tol 1324276]).

– Una antelación de cuatro días entre la constitución formal de la sociedad laboral y la presentación de la solicitud del pago único, desde la perspectiva finalista del estímulo al autoempleo, no justifica su denegación cuando el beneficiario estaba realmente desempleado y tanto el comienzo de las actividades de la sociedad laboral como su inscripción, igual que la del socio/trabajador, en Seguridad Social fue posterior a la petición del pago único (STS de 15 de octubre de 2009 [Tol 174506]).

– Puede solicitarse el pago único de la prestación por desempleo por un trabajador que se da de alta en el Régimen Especial de la Seguridad Social de los Trabajadores por Cuenta Propia o Autónomos en el período correspondiente a las vacaciones retribuidas y no disfrutadas, aun cuando en el momento de la solicitud resten todavía al trabajador días de vacaciones retribuidas y no disfrutadas como consecuencia de la extinción contractual, puesto que la necesaria situación legal de desempleo se ha producido desde la fecha de la extinción de la relación laboral (STS de 10 de diciembre de 2010 [Tol 2026534]).

– Es posible el pago único de la prestación por desempleo cuando se constituye una sociedad mercantil de responsabilidad limitada y la posición jurídica del beneficiario de la prestación en esa sociedad determina su obligada alta en el Régimen Especial de Trabajadores Autónomos (STS de 21 de junio de 2016 [Rec. 3805/2014]).

– No es justificable la denegación del pago único de la prestación por desempleo, desde la perspectiva de finalista del estímulo al autoempleo, cuando el solicitante había sido despedido, estaba realmente desempleado, tenía reconocida la prestación en pago periódico y trataba de continuar, como trabajador autónomo, la misma actividad y en el mismo local que la empresa que le despidió (STS de 5 de abril de 2017 [Rec. 694/2016]).

– La persona que ostenta una nacionalidad extranjera, aunque esté casada con otra de nacionalidad española y amparada por el Real Decreto 2407/2007, tiene derecho a capitalizar la prestación por desempleo en las condiciones previstas por el Real Decreto-Ley 4/2008 (STS de 17 de mayo de 2022 [Tol 8972143]).

**4.** Cuando así lo establezca algún programa de fomento de empleo para facilitar la movilidad geográfica, la entidad gestora podrá abonar el importe de un mes de la duración de las prestaciones por desempleo o de tres meses de la duración del subsidio por desempleo, pendientes por percibir, a los beneficiarios de las mismas para ocupar un empleo que implique cambio de la localidad de residencia.

**Artículo 297.** *Control de las prestaciones.* 1. Corresponde a la entidad gestora controlar el cumplimiento de lo establecido en este título y comprobar las situaciones de fraude que puedan cometerse sin perjuicio de las facultades de los servicios competentes en cuanto a inspección y control en orden a la sanción de las infracciones que pudieran cometerse en la percepción de las prestaciones por desempleo.

2. La entidad gestora podrá exigir a los trabajadores cuya relación laboral se haya extinguido de acuerdo con lo dispuesto en los párrafos 3.º, 4.º y 5.º del artículo 267.1.a), acreditación de haber percibido la indemnización legal correspondiente.

En el caso de que la indemnización no se hubiera percibido, ni se hubiera interpuesto demanda judicial en reclamación de dicha indemnización o de impugnación de la decisión extintiva, o cuando la extinción de la relación laboral no lleve aparejada la obligación de abonar una indemnización al trabajador, se reclamará la actuación de la Inspección de Trabajo y Seguridad Social a los efectos de comprobar la involuntariedad del cese en la relación laboral.

3. La entidad gestora podrá suspender el abono de las prestaciones por desempleo cuando se aprecien indicios suficientes de fraude en el curso de las investigaciones realizadas por los órganos competentes en materia de lucha contra el fraude.

4. La Administración tributaria colaborará con la entidad gestora de las prestaciones por desempleo, en los términos establecidos en el artículo 95 de la Ley 58/2003, de 17 de diciembre, General Tributaria, facilitándole la información tributaria necesaria para el cumplimiento de sus funciones en materia de gestión y control de las prestaciones y subsidios por desempleo.

CAPÍTULO VII. Régimen de obligaciones, infracciones y sanciones

**Artículo 298.** *Obligaciones de los empresarios.* Son obligaciones de los empresarios:

a) Cotizar por la aportación empresarial a la contingencia de desempleo.

b) Ingresar las aportaciones propias y las de sus trabajadores en su totalidad, siendo responsables del cumplimiento de la obligación de cotizar.

c) Proporcionar la documentación e información que reglamentariamente se determinen a efectos del reconocimiento, suspensión, extinción o reanudación del derecho a las prestaciones.

d) Entregar al trabajador el certificado de empresa, en el tiempo y forma que reglamentariamente se determinen.

e) Abonar a la entidad gestora competente las prestaciones satisfechas por esta a los trabajadores cuando la empresa hubiese sido declarada responsable de la prestación por haber incumplido sus obligaciones en materia de afiliación, alta o cotización.

f) Proceder, en su caso, al pago delegado de las prestaciones por desempleo.

g) Comunicar la readmisión del trabajador despedido en el plazo de cinco días desde que se produzca e ingresar en la entidad gestora competente las prestaciones satisfechas por esta a los trabajadores en los supuestos regulados en el artículo 268.5.

h) Comunicar, con carácter previo a que se produzcan, las variaciones realizadas en el calendario, o en el horario inicialmente previsto para cada uno de los trabajadores afectados, en los supuestos de aplicación de medidas de suspensión de contratos o de reducción de jornada previstas en el artículo 47 del texto refundido de la Ley del Estatuto de los Trabajadores.

**Artículo 299.** *Obligaciones de los trabajadores, solicitantes y beneficiarios de prestaciones por desempleo.* Son obligaciones de los trabajadores y de los solicitantes y beneficiarios de prestaciones por desempleo:

a) Cotizar por la aportación correspondiente a la contingencia de desempleo.

b) Proporcionar la documentación e información que reglamentariamente se determinen a efectos del reconocimiento, suspensión, extinción o reanudación del derecho a las prestaciones y comunicar a los servicios públicos de empleo autonómicos y a la entidad gestora, el domicilio y, en su caso, el cambio del domicilio, facilitado a efectos de notificaciones, en el momento en que este se produzca.

Sin perjuicio de lo anterior, cuando no quedara garantizada la recepción de las comunicaciones en el domicilio facilitado por el solicitante o beneficiario de las prestaciones, este estará obligado a proporcionar a los servicios públicos de empleo autonómicos y a la entidad gestora los datos que precisen para que la comunicación se pueda realizar por medios electrónicos.

c) Inscribirse como persona demandante de empleo, mantener la inscripción, suscribir y cumplir las exigencias del acuerdo de actividad en los términos a que se refiere el artículo 3 de la Ley 3/2023, de 28 de febrero.

d) Comparecer, cuando haya sido previamente requerido, ante la entidad gestora, los servicios públicos de empleo o las agencias de colocación cuando desarrollen actividades en el ámbito de colaboración con aquellos.

e) Buscar activamente empleo y participar en acciones de mejora de la ocupabilidad que se determinen por los servicios públicos de empleo competentes, en su caso, dentro de un itinerario de inserción.

Las personas beneficiarias de prestaciones acreditarán ante el Servicio Público de Empleo Estatal, el Instituto Social de la Marina y los servicios públicos de empleo autonómicos, cuando sean requeridos para ello, las actuaciones que han efectuado dirigidas a la búsqueda activa de empleo, su reinserción laboral o a la mejora de su ocupabilidad. Esta acreditación se efectuará en la forma en que estos organismos determinen en el marco de la mutua colaboración. La no acreditación tendrá la consideración de incumplimiento del acuerdo de actividad.

f) Participar en los programas de empleo, o en acciones de promoción, formación o reconversión profesionales, que determinen los servicios públicos de empleo, o las agencias de colocación cuando desarrollen actividades en el ámbito de colaboración con aquellos y aceptar la colocación adecuada que le sea ofrecida por los servicios públicos de empleo o por dichas agencias

g) Devolver a los servicios públicos de empleo, o, en su caso, a las agencias de colocación cuando desarrollen actividades en el ámbito de colaboración con aquellos, en el plazo de cinco días, el correspondiente justificante de haber comparecido en el lugar y fecha indicados para cubrir las ofertas de empleo facilitadas por los mismos.

h) Solicitar la baja en las prestaciones por desempleo cuando se produzcan situaciones de incompatibilidad, suspensión o extinción del derecho o se dejen de reunir los requisitos exigidos para su percepción, en el momento de la producción de dichas situaciones.

i) Comunicar las situaciones de interrupción de la actividad fija discontinua suspensión o extinción de la relación laboral que originó el complemento de apoyo al empleo.

j) Reintegrar las prestaciones indebidamente percibidas.

k) ....

Letra k) suprimida por el Real Decreto-Ley 3/2026, de 3 de febrero, para la revalorización de las pensiones públicas y otras medidas urgentes en materia de Seguridad Social (BOE núm. 31, 4 de febrero de 2026).

2. A estos efectos tendrán la consideración de beneficiarios de prestaciones por desempleo los trabajadores desempleados durante el plazo de quince días hábiles de solicitud de las prórrogas del subsidio por desempleo establecida en el artículo 276.2, así como durante la suspensión cautelar o definitiva de la prestación o subsidio por desempleo como consecuencia de un procedimiento sancionador o de lo establecido en el artículo 271.1.h).

Artículo 299 redactado por el Real Decreto-Ley 2/2024, de 21 de mayo, por el que se adoptan medidas urgentes para la simplificación y mejora del nivel asistencial de la protección por desempleo, y para completar la transposición de la Directiva (UE) 2019/1158 del Parlamento Europeo y del Consejo, de 20 de junio de 2019, relativa a la conciliación de la vida familiar y la vida profesional de los progenitores y los cuidadores, y por la que se deroga la Directiva 2010/10/18/UE del Consejo (BOE núm. 124, 22 de mayo de 2024).

**Artículo 300.** *Acuerdo de actividad*. A los efectos previstos en este título, se entenderá por acuerdo de actividad el así definido en el artículo 3 de la Ley 3/2023, de 28 de febrero, de Empleo.

Artículo 300 redactado por la Ley 3/2023, de 28 de febrero, de empleo (BOE núm. 51, 1 de marzo de 2023).

**Artículo 301.** *Colocación adecuada*. A los efectos previstos en este título, se entenderá por colocación adecuada la así definida en el artículo 3 de la Ley 3/2023, de 28 de febrero, de Empleo.

Artículo 301 redactado por la Ley 3/2023, de 28 de febrero, de empleo (BOE núm. 51, 1 de marzo de 2023).

*No es causa justificada de negativa o rechazo por el trabajador alegar circunstancias personales como el cuidado de hijo sin poder acudir a guardería (STS de 8 de febrero de 1995 [Tol 237085]).*

**Artículo 302.** *Infracciones y sanciones*. En materia de infracciones y sanciones, se estará a lo dispuesto en este título y en el texto refundido de la Ley sobre Infracciones y Sanciones en el Orden Social, aprobado por el Real Decreto Legislativo 5/2000, de 4 de agosto.

**Artículo 303.** *Impugnación de actos*. 1. Las decisiones de la entidad gestora competente, relativas al reconocimiento, denegación, suspensión o extinción de cualquiera de las prestaciones por desempleo, serán recurribles ante los órganos jurisdiccionales del orden social.

2. También serán recurribles ante los órganos jurisdiccionales del orden social las resoluciones de la entidad gestora relativas a:

a) La exigencia de devolución de las prestaciones indebidamente percibidas y al reintegro de las prestaciones de cuyo pago sea directamente responsable el empresario, a que se refieren los artículos 268.5.b) y 295.1 de esta ley, a excepción de las actuaciones en materia de gestión recaudatoria conforme a lo establecido en el artículo 3.f) de la Ley 36/2011, de 10 de octubre, reguladora de la jurisdicción social.

b) El abono de la prestación por desempleo en su modalidad de pago único, establecido en el artículo 296.3 de esta ley.

c) La imposición de sanciones a los trabajadores conforme a lo establecido en el artículo 48.5 del texto refundido de la Ley sobre Infracciones y Sanciones en el Orden Social.

3. En los supuestos contemplados en los apartados anteriores será requisito necesario para formular demanda que los interesados interpongan reclamación previa ante la entidad gestora, en los términos establecidos en el artículo 71 de la Ley reguladora de la jurisdicción social.

CAPÍTULO VIII. Derecho supletorio

**Artículo 304. *Derecho supletorio*.** En lo no previsto expresamente en el presente título se estará a lo dispuesto en los títulos I y II.

### TÍTULO IV. Régimen Especial de la Seguridad Social de los Trabajadores por Cuenta Propia o Autónomos

CAPÍTULO I. Campo de aplicación

**Artículo 305. *Extensión*.** 1. Estarán obligatoriamente incluidas en el campo de aplicación del Régimen Especial de la Seguridad Social de los Trabajadores por Cuenta Propia o Autónomos las personas físicas mayores de dieciocho años que realicen de forma habitual, personal, directa, por cuenta propia y fuera del ámbito de dirección y organización de otra persona, una actividad económica o profesional a título lucrativo, den o no ocupación a trabajadores por cuenta ajena, en los términos y condiciones que se determinen en esta ley y en sus normas de aplicación y desarrollo.

> – *La exigencia de que la actividad por cuenta propia no esté sujeta a contrato de trabajo significa una definición negativa de la misma, aquella en que no se da el rasgo de ajenidad al controlar el trabajador autónomo su propia organización productiva* (SSTS de 16 de julio de 1984 y 22 de diciembre de 1989).

– *La habitualidad no es confundible con periodicidad y, salvo excepciones, no se compagina en los subagentes de seguros, cuya labor es secundaria o complementaria de otra principal que constituye el núcleo central de la actividad productiva, con la que el trabajador completa sus ingresos, lo que significa su exclusión del campo de aplicación del Régimen Especial de Trabajadores Autónomos* (STS de 21 de diciembre de 1987).

– *No está incluido en el Régimen Especial de Trabajadores Autónomos la persona que sustituye al titular de una oficina de farmacia para permitir su actuación como Inspector Municipal durante sus períodos de ausencia* (STS de 23 de mayo de 1995 [Rec. 7572/1990]).

– *Puesto que el trabajador autónomo se define como aquel que realiza de forma habitual, personal y directa una actividad económica a título lucrativo, aunque utilice el servicio remunerado de otras personas, la mera titularidad de una licencia de auto-taxi comprende tal concepto, aunque sea conducido por distinta persona* (SSTS de 15 de marzo [Tol 236186] y 4 de junio de 1996 [Rec. 3684/1995] y 23 de marzo de 1998 [Rec. 394/1992]).

– *Están incluidos en el Régimen Especial de Trabajadores Autónomos los titulares de farmacia en los casos de trabajo personal, habitual y directo* (STS de 16 de abril de 1996 [Rec. 4062/1991]).

– *La licencia fiscal es un documento que habilita para el ejercicio de una actividad pero que, por sí solo, no supone el desarrollo real de la misma, que es lo que efectivamente determina la inclusión en el campo de aplicación del Régimen Especial de Trabajadores Autónomos* (STS de 4 de mayo de 1996 [Rec. 4805/1993]).

– *Se presume, salvo prueba en contrario realizada por el propio titular, la condición de trabajador autónomo a la persona que ostente la titularidad de un establecimiento abierto al público como propietario, usufructuario, arrendatario u otro concepto* análogo (SSTS de 4 de junio de 1996 [Rec. 3684/1995] y 23 de marzo de 1998 [Rec. 394/1992]).

– *El concepto de habitualidad como requisito necesario para la incorporación de los subagentes de seguros al Régimen Especial de Trabajadores Autónomos quedará cumplido cuando los ingresos obtenidos de la actividad que desarrollan superen la cuantía del salario mínimo interprofesional en un año natural* (SSTS de 29 de octubre de 1997 [Tol 224866] y 29 de abril de 2002 [Tol 202032 y 202034]).

– *Los socios de sociedades civiles que no adoptan la forma mercantil de sociedad, que se obligan a poner en común bienes o industria, con ánimo de partir entre sí las ganancias y a aportar una prestación de servicios están incluidos en el Régimen Especial de Trabajadores Autónomos, aun cuando este tipo de sociedad no esté expresamente citada en la normativa del régimen especial* (STS de 25 de noviembre de 1997 [Tol 237509]).

– *La opción establecida en la Ley 30/1995, 8 de noviembre, no viene configurada como alternativa obligatoria entre el alta en el Régimen Especial de Trabajadores Autónomos o la Mutualidad correspondiente, sino como una opción voluntaria por el uno o el otro, sin que ello suponga la prohibición de permanencia en los dos* (STS de 25 de enero de 2000 [Tol 47336]).

– *Es obligatorio el alta en el Régimen General y en el Régimen Especial de Trabajadores Autónomos de un graduado social que compatibiliza el ejercicio libre de su profesión con trabajo por cuenta ajena también como graduado social, pues aquél requiere estar colegiado* (SSTS de 26 de octubre [Tol 47398] y 19 de diciembre de 2000 [Tol 72195] y 21 de marzo de 2001 [Tol 32136]).

– *La habitualidad de los agentes de seguros es inherente a su profesión, pues se presupone por imperativo legal y sólo si el propio contrato de agencia reduce en buena medida las funciones o actividades a desarrollar por el agente, de forma tal que ponga de manifiesto que se limita a la realización de tareas que exijan una dedicación escasa o de poca relevancia podría declararse la no concurrencia del requisito de habitualidad, sin que sea necesario acudir, para su inclusión en el Régimen Especial de Trabajadores Autónomos, al criterio del rendimiento económico (SSTS de 14 de febrero [Tol 191874], 10 de junio [Tol 201876], 10 de julio [Tol 222775] y 19 de noviembre de 2002 [Tol 241040] y 13 de diciembre de 2004 [Tol 556877]).*

*– No debe mantenerse el alta en el Régimen Especial de Trabajadores Autónomos de un trabajador por cuenta propia (vendedor ambulante) cuyos ingresos anuales son inferiores a la cuantía del salario mínimo interprofesional porque el concepto de habitualidad como requisito necesario para la incorporación a aquel régimen especial sólo queda cumplido cuando los ingresos obtenidos de la actividad desarrollada por cuenta propia superan la cuantía del salario mínimo interprofesional en un año natural (STS de 20 de marzo de 2007 [Tol 1072271].*

*– Cabe la posibilidad de que un farmacéutico "regente" (quien por el plazo máximo de 24 meses asume las funciones y responsabilidades profesionales del titular de la oficina en casos de fallecimiento, incapacitación o ausencia del propietario) o un farmacéutico "sustituto" (quien asume las funciones y responsabilidades profesionales del titular o regente en circunstancias excepcionales y limitadas en el tiempo establecidas legalmente) cause alta tanto en el RGSS como en el Régimen Especial de Trabajadores Autónomos (STS de 16 de febrero de 2014 [Tol 4740430]).*

2. A los efectos de esta ley se declaran expresamente comprendidos en este régimen especial:

a) Los trabajadores incluidos en el Sistema Especial para Trabajadores por Cuenta Propia Agrarios.

b) Quienes ejerzan las funciones de dirección y gerencia que conlleva el desempeño del cargo de consejero o administrador, o presten otros servicios para una sociedad de capital, a título lucrativo y de forma habitual, personal y directa, siempre que posean el control efectivo, directo o indirecto, de aquella. Se entenderá, en todo caso, que se produce tal circunstancia, cuando las acciones o participaciones del trabajador supongan, al menos, la mitad del capital social.

*– Quedan incluidos en el Régimen Especial de Trabajadores Autónomos los socios que constituyan parte de los órganos de administración de la sociedad y que bajo tal condición realizan las funciones de gerencia y dirección de la sociedad, a título lucrativo y de forma personal, habitual y directa, sin estar sujetos a contrato de trabajo, dado que faltarían manifiestamente las notas esenciales de ajenidad y de inserción en el círculo disciplinario, organicista y rector de otra persona (SSTS de 20 de septiembre de 1987, 29 de septiembre y 21 de diciembre de 1988, 21 de marzo, 29 de junio y 14 de diciembre de 1990, y 25 de febrero [Tol 193729], 8 y 11 de abril [Tol 192982 y 194092] y 27 de mayo de 1997 [Tol 195173]).*

*– Quedan encuadrados en el Régimen General todos aquellos socios y administradores de sociedades mercantiles capitalistas o de responsabilidad limitada que no posean más del 50 por 100 del capital social de las mismas (SSTS de 9 de diciembre de 1996 [Tol 192290] y 29 de enero de 1997 [Tol 238156]).*

– *Está excluido del Régimen Especial de Trabajadores Autónomos el administrador que trabaja para la sociedad con una participación accionarial de, al menos, la mitad del capital social* (STS de 2 de julio de 2001 [*Tol 31919*]).

– *No está incluido en el Régimen General de la Seguridad Social la persona que desempeña solidariamente el cargo de administrador de una sociedad y a la que se le otorgan, entre otros, los poderes de representar a la sociedad a todos los niveles, público y privado, administrar en los más amplios términos toda clase de bienes, vender, comprar, dar o recibir pago o compensación, ceder, permutar, extinguir dominios, adquirir y enajenar bienes muebles e inmuebles y derechos de todas clases, celebrar y suscribir toda clase de contratos, ratificarlos, prorrogarlos o renovarlos, rescindirlos o anularlos, concertar préstamos, incluso de naturaleza hipotecaria, con garantía de bienes inmuebles, operar con entidades de crédito, librar, girar, aceptar, avalar, negociar, endosar cobrar, protestar toda clase de títulos valores, nombrar y despedir personal, facultades. Todos estos amplios poderes responden al ejercicio de las funciones de dirección y gestión de la totalidad del negocio, más propias de un verdadero empresario* (STS de 21 de abril de 2004 [*Tol 615698*]).

– *El administrador de una sociedad de responsabilidad limitada que es titular de la mayoría de su capital social (90 ó 100 por 100) y no percibe remuneración alguna por sus funciones debe ser encuadrado en el Régimen Especial de Trabajadores Autónomos porque cumple el requisito de realizar una actividad de carácter lucrativo, que tiene un significado más amplio que la expresión "servicios retribuidos", puesto que quien dispone de control de una sociedad mercantil capitalista y lleva a cabo las funciones de dirección y gerencia que conlleva el cargo de administrador desarrolla una actividad encaminada a obtener beneficios, no como retribución directa, sino como atribución patrimonial propia de la actividad empresarial* (SSTS de 7 de mayo de 2004 [Rec. 1683/2003] y 24 de enero de 2005 [*Tol 591417*]).

Se presumirá, salvo prueba en contrario, que el trabajador posee el control efectivo de la sociedad cuando concurra alguna de las siguientes circunstancias:

1.º Que, al menos, la mitad del capital de la sociedad para la que preste sus servicios esté distribuido entre socios con los que conviva y a quienes se encuentre unido por vínculo conyugal o de parentesco por consanguinidad, afinidad o adopción, hasta el segundo grado.

– *Existe control efectivo de la sociedad cuando las acciones o participaciones del trabajo supongan, al menos, la mitad del capital social* (SSTS de 5, 7 y 24 de marzo [*Tol 237757, 237930 y 237997*], 4 de abril [Rec. 2464/1996] y 15 de julio de 1997 [Rec. 2672/1992] y 5 y 24 de febrero de 1998 [*Tol 45990*]).

– *En este supuesto faltaría la nota de ajenidad, dado que el fruto o resultado de su trabajo, o al menos la parte principal del mismo, acaba ingresando, por vía de beneficio o por vía de incremento del activo de la empresa, en el propio patrimonio del trabajador* (STS de 29 de enero de 1997 [*Tol 238156*]).

– *Está encuadrado en el Régimen Especial de Trabajadores Autónomos el administrador único de una sociedad anónima que posee el 77 por 100 del capital social* (STS de 30 de enero de 1997 [*Tol 237835*]).

– *Están incluidos en el Régimen General los administradores societarios con participación del 20 por 100 del capital social* (STS de 18 de febrero de 1997 [*Tol 238176*]).

– *Están incluidos en el Régimen General los administradores societarios con participación del 25 por 100 del capital social* (SSTS de 4 y 14 de marzo de 1997 [*Tol* 237934 y 238206, y 237406]).

– *Están incluidos en el Régimen General los administradores societarios con participación accionarial equivalente al 40 por 100 del capital social, dado que dicha participación, aunque importante, no es decisiva para marcar el signo de la voluntad social* (STS de 3 de julio de 1997 [*Tol* 237489]).

– *Está incluido en el Régimen Especial de Trabajadores Autónomos el administrador de una sociedad que no es titular personal de acción alguna de la empresa, pero que sí lo es su cónyuge en el porcentaje del 50 por 100 a través del régimen matrimonial de gananciales* (STS de 26 de enero de 1998 [*Tol* 47631]).

– *Cuando el socio está unido por vínculo conyugal con otro partícipe de la sociedad, ostentando ambos el 50 por 100 del capital social y conviviendo en la misma vivienda, de acuerdo con la presunción establecida en la disposición adicional 27ª de la Ley General de la Seguridad Social, debe afirmarse que tiene el control efectivo de la sociedad, salvo que dicha presunción sea destruida* (STS de 26 de julio de 2004 [*Tol* 515664]).

2.º Que su participación en el capital social sea igual o superior a la tercera parte del mismo.

3.º Que su participación en el capital social sea igual o superior a la cuarta parte del mismo, si tiene atribuidas funciones de dirección y gerencia de la sociedad.

En los supuestos en que no concurran las circunstancias anteriores, la Administración podrá demostrar, por cualquier medio de prueba, que el trabajador dispone del control efectivo de la sociedad.

c) Los socios industriales de sociedades regulares colectivas y de sociedades comanditarias a los que se refiere el artículo 1.2.a) de la Ley 20/2007, de 11 de julio, del Estatuto del trabajo autónomo.

d) Los comuneros de las comunidades de bienes y los socios de sociedades civiles irregulares, salvo que su actividad se limite a la mera administración de los bienes puestos en común, a los que se refiere el artículo 1.2.b) de la Ley 20/2007, de 11 de julio.

e) Los socios trabajadores de las sociedades laborales cuando su participación en el capital social junto con la de su cónyuge y parientes por consanguinidad, afinidad o adopción hasta el segundo grado con los que convivan alcance, al menos, el 50 por ciento, salvo que acrediten que el ejercicio del control efectivo de la sociedad requiere el concurso de personas ajenas a las relaciones familiares.

f) Los trabajadores autónomos económicamente dependientes a los que se refiere la Ley 20/2007, de 11 de julio.

g) Quienes ejerzan una actividad por cuenta propia, en las condiciones establecidas en el apartado 1, que requiera la incorporación a un colegio profesional, sin perjuicio de lo previsto en la disposición adicional decimoctava.

h) Los miembros del Cuerpo Único de Notarios.

i) Los miembros del Cuerpo de Registradores de la Propiedad, Mercantiles y de Bienes Muebles, así como los del Cuerpo de Aspirantes.

j) Las personas incluidas en el ámbito de aplicación de la Ley 55/2003, de 16 de diciembre, del Estatuto Marco del personal estatutario de los servicios de salud, que presten servicios, a tiempo completo, en los servicios de salud de las diferentes comunidades autónomas o en los centros dependientes del Instituto Nacional de Gestión Sanitaria, por las actividades complementarias privadas que realicen y que determinen su inclusión en el sistema de la Seguridad Social, sin perjuicio de lo previsto en la disposición adicional decimoctava.

k) El cónyuge y los parientes del trabajador por cuenta propia o autónomo que, conforme a lo señalado en el artículo 12.1 y en el apartado 1 de este artículo, realicen trabajos de forma habitual y no tengan la consideración de trabajadores por cuenta ajena.

> *Tiene derecho a prestación por desempleo el trabajador menor de 30 años que presta servicios a su padre en virtud de contrato de trabajo y que no convive con el mismo* (SSTS de 12 de noviembre de 2019 [*Tol 7615670*], 24 de marzo de 2021 [*Tol 8397279*] y 11 de mayo de 2022 [*Tol 8976293*]).

l) Los socios trabajadores de las cooperativas de trabajo asociado dedicados a la venta ambulante que perciban ingresos directamente de los compradores.

m) Quienes ejerzan por cuenta propia cualquiera de las actividades artísticas a que se refiere el artículo 249 quater.1.

> Letra m) añadida por el Real Decreto-Ley 1/2023, de 10 de enero, de medidas urgentes en materia de incentivos a la contratación laboral y mejora de la protección social de las personas artistas (BOE núm. 9, 11 de enero de 2023).

n) Cualesquiera otras personas que, por razón de su actividad, sean objeto de inclusión mediante norma reglamentaria, conforme a lo dispuesto en el artículo 7.1.b).

> Letra n) renumerada por el Real Decreto-Ley 1/2023, de 10 de enero, de medidas urgentes en materia de incentivos a la contratación laboral y mejora de la protección social de las personas artistas (BOE núm. 9, 11 de enero de 2023).

**Artículo 306.** *Exclusiones.* 1. Estarán excluidos de este régimen especial los trabajadores por cuenta propia o autónomos a que se refiere el artículo anterior cuando por razón de su actividad marítimo-pesquera deban quedar comprendidos en el Régimen Especial de la Seguridad Social de los Trabajadores del Mar.

2. No estarán comprendidos en el sistema de Seguridad Social los socios, sean o no administradores, de sociedades de capital cuyo objeto social no esté constituido por el ejercicio de actividades empresariales o profesionales, sino por la mera administración del patrimonio de los socios.

CAPÍTULO II. Afiliación, cotización y recaudación

**Artículo 307. *Afiliación, altas, bajas y variaciones de datos.*** Las personas trabajadoras autónomas están obligadas a solicitar su afiliación al sistema de la Seguridad Social y a comunicar sus altas, bajas y variaciones de datos en el Régimen Especial de los Trabajadores por Cuenta Propia o Autónomos en los términos, plazos y condiciones establecidos en esta ley y en sus disposiciones de aplicación y desarrollo.

> Artículo 307 redactado por el Real Decreto-Ley 13/2022, de 26 de julio, por el que se establece un nuevo sistema de cotización para los trabajadores por cuenta propia o autónomos y se mejora la protección por cese de actividad (BOE núm. 179, 27 de julio de 2022).

**Artículo 308. *Cotización y recaudación.*** 1. Las personas trabajadoras por cuenta propia o autónomas incluidas en este régimen especial de acuerdo con lo establecido en el artículo 305, cotizarán en función de los rendimientos anuales obtenidos en el ejercicio de sus actividades económicas, empresariales o profesionales, en los términos señalados en los párrafos a), b) y c) de este apartado.

A efectos de determinar la base de cotización en este régimen especial se tendrán en cuenta la totalidad de los rendimientos netos obtenidos por los referidos trabajadores, durante cada año natural, por sus distintas actividades profesionales o económicas, aunque el desempeño de algunas de ellas no determine su inclusión en el sistema de la Seguridad Social y con independencia de que las realicen a título individual o como socios o integrantes de cualquier tipo de entidad, con o sin personalidad jurídica, siempre y cuando no deban figurar por ellas en alta como trabajadores por cuenta ajena o asimilados a estos.

En este sentido, la Ley de Presupuestos Generales del Estado establecerá anualmente una tabla general y una tabla reducida de bases de cotización para este régimen especial. Ambas tablas se dividirán en tramos consecutivos de importes de rendimientos netos mensuales. A cada uno de dichos tramos de rendimientos netos se asignará una base de cotización mínima mensual y una base de cotización máxima mensual.

En el caso de la tabla general de rendimientos, el tramo 1 tendrá como límite inferior de rendimientos el importe de la base mínima de cotización establecida para el Régimen General de la Seguridad Social.

La cotización a que se refiere este apartado se determinará en los términos siguientes:

a) La base de cotización para todas las contingencias y situaciones amparadas por la acción protectora de este régimen especial se determinará durante cada año natural conforme a las siguientes reglas, así como a las demás condiciones que se determinen reglamentariamente:

1.ª Las personas trabajadoras por cuenta propia o autónomas deberán elegir la base de cotización mensual que corresponda en función de su previsión del promedio mensual de sus rendimientos netos anuales dentro de la tabla general de bases fijada en la respectiva Ley de Presupuestos Generales del Estado.

2.ª Cuando prevean que el promedio mensual de sus rendimientos netos anuales pueda quedar por debajo del importe de aquellos que determinen la base mínima del tramo 1 de la tabla general establecida para cada ejercicio en este régimen especial, las personas trabajadoras por cuenta propia o autónomas deberán elegir una base de cotización mensual inferior a aquella, dentro de la tabla reducida de bases que se determinará al efecto, anualmente en la Ley de Presupuestos Generales del Estado.

3.ª Las personas trabajadoras por cuenta propia o autónomas deberán cambiar su base de cotización, en los términos que se determinen reglamentariamente, a fin de ajustar su cotización anual a las previsiones que vayan teniendo de sus rendimientos netos anuales, pudiendo optar a tal efecto por cualquiera de las bases de cotización comprendidas en las tablas a que se refieren las reglas 1.ª y 2.ª, excepto en los supuestos a que se refieren las reglas 4.ª y 5.ª

4.ª Los familiares de las personas trabajadoras por cuenta propia o autónomas incluidas en este régimen especial al amparo de lo establecido en el artículo 305.2.k), así como las personas trabajadoras por cuenta propia o autónomas incluidas en este régimen especial al amparo de lo establecido en las letras b) y e) del artículo 305.2 de esta ley no podrán elegir una base de cotización mensual inferior a aquella que determine la correspondiente Ley de Presupuestos Generales del Estado como base de cotización mínima para contingencias comunes para los trabajadores incluidos en el Régimen General de la Seguridad Social del grupo de cotización 7. A tal efecto, en el procedimiento de regularización a que se refiere el apartado c) del presente artículo, la base de cotización definitiva no podrá ser inferior a dicha base mínima.

Para la aplicación de esta base de cotización mínima bastará con haber figurado noventa días en alta en este régimen especial, en cualquiera de los supuestos contemplados en las referidas letras, durante el período a regularizar al que se refiere la letra c).

5.ª En los supuestos de alta de oficio en este régimen especial, durante el período comprendido entre la fecha del alta y el último día del mes natural inmediatamente anterior a la fecha de efectos del alta, así como durante el período comprendido entre el inicio de la actividad por cuenta propia y el mes en el que se solicite el alta, de formularse esta solicitud a partir del mes siguiente al del inicio de la actividad, la base de cotización mensual aplicable será la base mínima del tramo 1 de la tabla general a que se refiere la regla 1.ª, establecida en cada ejercicio, salvo que, en las altas de oficio efectuadas a propuesta de la Inspección de Trabajo y Seguridad Social, esta hubiese fijado expresamente otra base de cotización mensual superior. En los períodos indicados no resultará de aplicación el procedimiento de regularización a que se refiere el párrafo c) de este apartado 1.

> Regla 5.ª redactada por el Real Decreto-Ley 14/2022, de 1 de agosto, de medidas de sostenibilidad económica en el ámbito del transporte, en materia de becas y ayudas al estudio, así como de medidas de ahorro, eficiencia energética y de reducción de la dependencia energética del gas natural (BOE núm. 184, de 2 de agosto de 2022).

6.ª Las bases de cotización mensuales elegidas dentro de cada año conforme a lo indicado en las reglas 1.ª a 5.ª tendrán carácter provisional, hasta que se proceda a su regularización en los términos del párrafo c).

b) La cotización mensual en este régimen especial se obtendrá mediante la aplicación, a la base de cotización determinada conforme al párrafo a), de los tipos de cotización que la Ley de Presupuestos Generales del Estado establezca cada año para financiar las contingencias comunes y profesionales de la Seguridad Social, la protección por cese de actividad y la formación profesional de las personas trabajadoras por cuenta propia o autónomas incluidas en el mismo.

La falta de ingreso de la cotización dentro de plazo reglamentario determinará su reclamación junto con los recargos e intereses que correspondan, en los términos previstos en los artículos 28 y siguientes de esta ley y en sus disposiciones de aplicación y desarrollo.

c) La regularización de la cotización en este régimen especial, a efectos de determinar las bases de cotización y las cuotas mensuales definitivas del correspondiente año, se efectuará en función de los rendimientos anuales una vez obtenidos y comunicados telemáticamente por la correspondiente Administración tributaria a partir del año siguiente, respecto a cada persona trabajadora por cuenta propia o autónoma, conforme a las siguientes reglas:

1.ª Los importes económicos que determinarán las bases de cotización y las cuotas mensuales definitivas estarán constituidos por los rendimientos computables procedentes de todas las actividades económicas, empresariales o profesionales, ejercidas por la persona trabajadora por cuenta propia o autónoma en cada ejercicio, a título individual o como socio o integrante de cualquier tipo de entidad en los términos establecidos en el presente artículo.

El rendimiento computable de cada una de las actividades ejercidas por la persona trabajadora por cuenta propia o autónoma se calculará de acuerdo con lo previsto en las normas del Impuesto sobre la Renta de las Personas Físicas para el cálculo del rendimiento neto, en los términos previstos en el presente artículo.

Para las actividades económicas que determinen el rendimiento neto por el método de estimación directa, el rendimiento computable será el rendimiento neto, incrementado en el importe de las cuotas de la Seguridad Social y aportaciones a mutualidades alternativas del titular de la actividad.

Para las actividades económicas que determinen el rendimiento neto por el método de estimación objetiva, el rendimiento computable será el rendimiento neto previo minorado en el caso de actividades agrícolas, forestales y ganaderas y el rendimiento neto previo en el resto de supuestos.

Para los rendimientos de actividades económicas imputados al contribuyente por entidades en atribución de rentas, el rendimiento computable imputado a la persona trabajadora por cuenta propia o autónoma será, para el método de estimación directa, el rendimiento neto y, para el método de estimación objetiva, en el caso de actividades agrícolas, forestales y ganaderas, el rendimiento neto minorado, y el rendimiento neto previo en el resto de los supuestos.

En el caso de los trabajadores por cuenta propia o autónomos a los que se refiere el artículo 305.2.b), se computarán en los términos que se determinen reglamentariamente, la totalidad de los rendimientos íntegros, dinerarios o en especie, derivados de la participación en los fondos propios de aquellas entidades en las que reúna, en la fecha de devengo del Impuesto sobre Sociedades, una participación igual o superior al 33 % del capital social o teniendo la condición de administrador, una participación igual o superior al 25%, así como la totalidad de los rendimientos de trabajo derivados de su actividad en dichas entidades.

Del mismo modo se computarán, de manera adicional a los rendimientos que pudieran obtener de su propia actividad económica, los rendimientos íntegros de trabajo o capital mobiliario, dinerarios o en especie, derivados de su condición de socios trabajadores de las cooperativas de trabajo asociado que hayan optado por su inclusión en el Régimen Especial de Trabajadores Autónomos en virtud de lo establecido en el artículo 14.

En el caso de las personas trabajadoras por cuenta propia o autónomas a los que se refiere el artículo 305.2, c), d) y e) se computarán además la totalidad de los rendimientos íntegros de trabajo o capital mobiliario, dinerarios o en especie, derivados de su condición de socios o comuneros en las entidades a las que se refiere dicho artículo.

2.ª A los rendimientos indicados en la regla anterior se les aplicará una deducción por gastos genéricos del 7 por ciento, salvo en el caso de las personas trabajadoras por cuenta propia o autónomas incluidos en este régimen especial al amparo de lo establecido en las letras b) y e) del artículo 305.2 de esta ley, en que la deducción será del 3 por ciento.

Para la aplicación del último porcentaje indicado del 3 por ciento bastará con haber figurado noventa días en alta en este régimen especial, en cualquiera de los supuestos contemplados en las referidas letras, durante el período a regularizar.

3.ª Una vez fijado el importe de los rendimientos, se distribuirá proporcionalmente en el período a regularizar y se determinarán las bases de cotización mensuales definitivas y se procederá a regularizar la cotización provisional mensual efectuada por cada persona trabajadora por cuenta propia o autónoma en el año anterior, en los términos que se establezcan reglamentariamente, siempre y cuando su base de cotización definitiva no esté comprendida entre la base de cotización mínima y la máxima correspondiente al tramo en el que estén comprendidos sus rendimientos.

4.ª Si la cotización provisional efectuada fuese inferior a la cuota correspondiente a la base mínima de cotización del tramo en el que estén comprendidos sus rendimientos, el trabajador por cuenta propia deberá ingresar la diferencia entre ambas cotizaciones hasta el último día del mes siguiente a aquel en que se le notifique el resultado de la regularización, sin aplicación de interés de demora ni recargo alguno de abonarse en ese plazo.

Si la cotización provisional efectuada fuese superior a la cuota correspondiente a la base máxima del tramo en el que estén comprendidos sus rendimientos, la Tesorería General de la Seguridad Social procederá a devolver de oficio la diferencia entre ambas cotizaciones, sin aplicación de interés alguno, antes del 30 de abril del ejercicio siguiente a aquel en que la correspondiente Administración tributaria haya comunicado los rendimientos computables a la Tesorería General de la Seguridad Social.

Sin perjuicio de lo indicado en los párrafos anteriores, determinada la base de cotización definitiva, las deudas generadas por las cuotas no ingresadas en período voluntario calculadas de acuerdo con las bases de cotización provisionales no serán objeto de devolución o modificación alguna. Con independencia de lo anterior, conforme a lo establecido en el primer párrafo si la base de cotización definitiva fuese superior al importe de la base de cotización provisional por la que se generó deuda, la diferencia deberá ser ingresada conforme a lo indicado en dicho primer párrafo.

En ningún caso serán objeto de devolución los recargos e intereses.

> Regla 4.ª redactada por el Real Decreto-Ley 14/2022, de 1 de agosto, de medidas de sostenibilidad económica en el ámbito del transporte, en materia de becas y ayudas al estudio, así como de medidas de ahorro, eficiencia energética y de reducción de la dependencia energética del gas natural (BOE núm. 184, de 2 de agosto de 2022).

5.ª La base de cotización definitiva para aquellas personas trabajadoras por cuenta propia o autónomas que no hubiesen presentado la declaración del Impuesto de la Renta de las Personas Físicas ante la correspondiente Administración tributaria o que, habiéndola presentado, no hayan declarado ingresos a efectos de la determinación de los rendimientos netos cuando resulte de aplicación el régimen de estimación directa, será la base mínima de cotización para contingencias comunes para los trabajadores incluidos en el Régimen General de la Seguridad Social del grupo de cotización 7.

6.ª En caso de que la correspondiente Administración tributaria efectúe modificaciones posteriores en los importes de los rendimientos anuales de la persona trabajadora por cuenta propia o autónoma que se han computado para la regularización, ya sea como consecuencia de actuaciones de oficio o a solicitud del trabajador, este podrá, en su caso, solicitar la devolución de lo ingresado indebidamente.

En el caso de que la modificación posterior de los importes de los rendimientos anuales determine que los mismos sean superiores a los aplicados en la regularización, se pondrá en conocimiento del Organismo Estatal Inspección de Trabajo y Seguridad Social a efecto de que el mismo establezca, en su caso, la correspondiente regularización y determine los importes a ingresar, en los términos establecidos en el marco de la colaboración administrativa regulada en el artículo 141 de la Ley 40/2015, de 1 de octubre, de Régimen Jurídico del Sector Público.

A tal efecto la correspondiente Administración tributaria comunicará dichas modificaciones tanto a la Tesorería General de la Seguridad Social como al Organismo Estatal Inspección de Trabajo y Seguridad Social, a través de medios telemáticos.

En los supuestos de este apartado, no se modificará, en caso alguno, el importe de las prestaciones de Seguridad Social causadas cuya cuantía será, por tanto, definitiva, resultando de aplicación lo establecido en el artículo 309.

2. Sin perjuicio de lo dispuesto en los apartados anteriores de este artículo y de las especialidades reguladas en los artículos siguientes, en materia de cotización, liquidación y recaudación se aplicarán a este régimen especial las normas establecidas en el capítulo III del título I, y en sus disposiciones de aplicación y desarrollo.

> – *En el supuesto de agotamiento de la prestación por incapacidad temporal reconocida al trabajador autónomo no subsistirá la obligación de cotizar, pues esta situación no impide la baja en el Régimen Especial de Trabajadores Autónomos y pone fin a la obligación de cotizar, salvo que quiera mantenerse por el trabajador* (STS de 16 de junio de 1998 [Tol 46729]).

Artículo 308 redactado por el Real Decreto-Ley 13/2022, de 26 de julio, por el que se establece un nuevo sistema de cotización para los trabajadores por cuenta propia o autónomos y se mejora la protección por cese de actividad (BOE núm. 179, 27 de julio de 2022).

**Artículo 309. *Cotización en los supuestos de reconocimiento de una prestación económica de la Seguridad Social con anterioridad a la regula-***

*rización anual.* 1. Quedarán excluidas de la regularización prevista en la letra c) del artículo 308.1. las cotizaciones correspondientes a los meses cuyas bases de cotización hubiesen sido tenidas en cuenta para el cálculo de la base reguladora de cualquier prestación económica del sistema de la Seguridad Social reconocida con anterioridad a la fecha en que se hubiese realizado dicha regularización.

Igualmente, quedarán excluidas de la regularización las bases de cotización posteriores a las referidas en el párrafo anterior hasta el mes en que se produzca el hecho causante.

En consecuencia, las bases de cotización a las que se ha hecho referencia en los párrafos anteriores adquirirán carácter definitivo respecto de esos meses, sin que proceda la revisión del importe de las prestaciones causadas.

Del mismo modo, durante los períodos en que las personas trabajadoras por cuenta propia o autónomas perciban prestaciones por incapacidad temporal, riesgo durante el embarazo, riesgo durante la lactancia natural, nacimiento y cuidado de menor y ejercicio corresponsable del cuidado del lactante, así como por cese de actividad o para la sostenibilidad de la actividad de las personas trabajadoras por cuenta propia o autónomas en su modalidad cíclica o sectorial, en aquellos supuestos en los que deban permanecer en alta en este régimen especial, la base de cotización mensual aplicada adquirirá carácter definitivo y, en consecuencia, no será objeto de la regularización prevista en la letra c) del artículo 308.1.

2. En la situación de incapacidad temporal con derecho a prestación económica, transcurridos sesenta días en dicha situación desde la baja médica, corresponderá hacer efectivo el pago de las cuotas, por todas las contingencias, a la mutua colaboradora con la Seguridad Social o, en su caso, al Servicio Público de Empleo Estatal.

Artículo 309 redactado por el Real Decreto-Ley 13/2022, de 26 de julio, por el que se establece un nuevo sistema de cotización para los trabajadores por cuenta propia o autónomos y se mejora la protección por cese de actividad (BOE núm. 179, 27 de julio de 2022).

**Artículo 310.** *Cotización en supuestos de compatibilidad de jubilación y trabajo por cuenta propia.* 1. Durante la realización de un trabajo por cuenta propia compatible con la pensión de jubilación, en los términos establecidos en el artículo 214, las personas trabajadoras por cuenta propia o autónomas cotizarán a este régimen especial únicamente por incapacidad temporal y por contingencias profesionales, conforme a lo previsto en este capítulo, si bien quedarán sujetos a una cotización especial de solidaridad del 9 por ciento sobre su base de cotización por contingencias comunes, no computable a efectos de prestaciones.

2. También estarán sujetos a una cotización de solidaridad del 9 por ciento sobre la base mínima de cotización del tramo 1 de la tabla general a la que se refiere la regla 1.ª del artículo 308.1 los pensionistas de jubilación que compatibilicen la pensión con una actividad económica o profesional por cuenta propia estando incluidos en una mutualidad alternativa al citado régimen especial al amparo de lo establecido en la disposición adicional decimoctava, la cual no será computable a efectos de prestaciones.

La cuota correspondiente se deducirá mensualmente del importe de la pensión.

Artículo 310 redactado por el Real Decreto-Ley 13/2022, de 26 de julio, por el que se establece un nuevo sistema de cotización para los trabajadores por cuenta propia o autónomos y se mejora la protección por cese de actividad (BOE núm. 179, 27 de julio de 2022).

**Artículo 310 bis.** *Cotización de los perceptores de pensión de jubilación cuando realicen actividades artísticas.* Durante la realización de un trabajo por cuenta propia compatible con la pensión de jubilación, en los términos establecidos en el artículo 249 quater, las personas estarán obligadas a solicitar el alta y cotizar en este régimen especial únicamente por contingencias profesionales y quedarán sujetas a una cotización especial de solidaridad del 9 por ciento sobre su base de cotización por contingencias comunes, no computable a efectos de prestaciones.

Artículo 310 bis añadido por el Real Decreto-Ley 1/2023, de 10 de enero, de medidas urgentes en materia de incentivos a la contratación laboral y mejora de la protección social de las personas artistas (BOE núm. 9, 11 de enero de 2023).

**Artículo 311.** *Cotización al régimen especial a partir de la edad de jubilación.* Los trabajadores incluidos en este régimen especial quedarán exentos de cotizar a la Seguridad Social, salvo, por incapacidad temporal y por contingencias profesionales, una vez hayan alcanzado la edad de acceso a la pensión de jubilación que en cada caso resulte de aplicación según lo establecido en el artículo 205.1.a).

Artículo 311 redactado por la Ley 21/2021, de 28 de diciembre, de garantía del poder adquisitivo de las pensiones y de otras medidas de refuerzo de la sostenibilidad financiera y social del sistema público de pensiones (BOE núm. 312, de 29 de diciembre de 2021).

**Artículo 312. ...**

Artículo 312 derogado por el Real Decreto-Ley 13/2022, de 26 de julio, por el que se establece un nuevo sistema de cotización para los trabajadores por cuenta propia o autónomos y se mejora la protección por cese de actividad (BOE núm. 179, 27 de julio de 2022).

**Artículo 313.** *Cotización en supuestos de pluriactividad.* 1. Las personas trabajadoras por cuenta propia o autónomas que, en razón de un trabajo por cuenta ajena desarrollado simultáneamente, coticen en régimen de pluriactividad, teniendo en cuenta tanto las cotizaciones efectuadas en este régimen especial como las aportaciones empresariales y las correspondientes al trabajador en el régimen de Seguridad Social que corresponda por su actividad por cuenta ajena, tendrán derecho al reintegro del 50 por ciento del exceso en que sus cotizaciones por contingencias comunes superen la cuantía que se establezca a tal efecto por la Ley de Presupuestos Generales del Estado para cada ejercicio, con el tope del 50 por ciento de las cuotas ingresadas en este régimen especial en razón de su cotización por las contingencias comunes.

En tales supuestos, la Tesorería General de la Seguridad Social procederá a abonar el reintegro que en cada caso corresponda en un plazo máximo de cuatro meses desde la regularización prevista en el artículo 308.1.c) salvo cuando concurran especialidades en la cotización que impidan efectuarlo en ese plazo o resulte necesaria la aportación de datos por parte del interesado, en cuyo caso el reintegro se realizará con posterioridad al mismo.

Artículo 313 redactado por el Real Decreto-Ley 13/2022, de 26 de julio, por el que se establece un nuevo sistema de cotización para los trabajadores por cuenta propia o autónomos y se mejora la protección por cese de actividad (BOE núm. 179, 27 de julio de 2022).

**Artículo 313 bis.** *Cotización de los artistas con bajos ingresos integrados en el Régimen Especial de la Seguridad Social de los Trabajadores por Cuenta Propia o Autónomos.* 1. La base de cotización por contingencias comunes de los artistas de bajos ingresos integrados en el Régimen Especial de la Seguridad Social de los Trabajadores por Cuenta Propia o Autónomos se determinará por la Ley de Presupuestos Generales del Estado.

A estos efectos, se considerarán como artistas autónomos de bajos ingresos aquellos cuyos rendimientos netos durante cada ejercicio determinados conforme a lo establecido en el artículo 308.1.c), sean iguales o inferiores a los establecidos en la disposición adicional primera del Real Decreto-Ley 5/2022, de 22 de marzo, por el que se adapta el régimen de la relación laboral de carácter especial de las personas dedicadas a las actividades artísticas, así como a las actividades técnicas y auxiliares necesarias para su desarrollo, y se mejoran las condiciones laborales del sector.

La base de cotización establecida conforme a los párrafos anteriores resultará de aplicación, en los términos establecidos en el artículo 308.1.a), una vez solicitada expresamente por el trabajador autónomo, a través de los procedimientos automatizados que establezca específicamente la Tesorería General de la Seguridad Social. Dicha base de cotización se aplicará con los mismos efectos temporales a los establecidos con carácter general para los cambios de base de cotización del Régimen Especial de Trabajadores por Cuenta Propia o Autónomos en función de la fecha de solicitud de dicha base de cotización, salvo que esta solicitud se haya realizado junto con la solicitud de alta, en cuyo caso se aplicará desde la fecha de efectos de esta.

2. Cuando en el procedimiento de regularización de cuotas previsto en el artículo 308.1.c) se compruebe que el promedio de los rendimientos netos mensuales efectivamente obtenidos es igual o inferior al promedio mensual de los rendimientos a que se refiere el párrafo segundo del apartado 1, no se procederá a la citada regularización de cuotas, salvo que el Organismo Estatal Inspección de Trabajo y Seguridad Social verifique la falta de condición de artista del trabajador autónomo en el periodo anual de que se trate, en cuyo caso se procederá a la regularización de cuotas hasta la base mínima de cotización del tramo 1 de la tabla reducida de bases de cotización establecida para este régimen especial. A tal efecto, la Tesorería General de la Seguridad Social suministrará la información oportuna al citado Organismo Estatal.

Cuando en el citado procedimiento de regularización de cuotas se compruebe que el promedio de los rendimientos netos mensuales efectivamente obtenidos es superior al promedio mensual de los rendimientos a que se refiere el párrafo segundo del apartado 1, se procederá a dicha regularización de cuotas conforme a lo establecido en el artículo 308.1.c).

3. El plazo reglamentario de ingreso de las cuotas será el establecido con carácter general, salvo que el interesado solicite expresamente, a través de los procedimientos automatizados que establezca la Tesorería General de la Seguridad Social, que el plazo de ingreso de las cuotas sea trimestral, de forma que las cuotas correspondientes a los meses de enero, febrero y marzo se ingresen en el mes de abril; las cuotas correspondientes a los meses de abril, mayo y junio, se ingresen en el mes de julio; las cuotas correspondientes a los meses

de julio, agosto y septiembre, se ingresen en el mes de octubre; y las cuotas correspondientes a los meses de octubre, noviembre y diciembre, se ingresen en el mes de enero del año siguiente.

Las solicitudes presentadas en cada trimestre natural surtirán efectos a partir del primer mes del trimestre natural posterior.

Artículo 313 bis añadido por el Real Decreto-Ley 1/2023, de 10 de enero, de medidas urgentes en materia de incentivos a la contratación laboral y mejora de la protección social de las personas artistas (BOE núm. 9, 11 de enero de 2023).

## CAPÍTULO III. Acción protectora

### Sección 1.ª Contingencias protegibles

**Artículo 314. *Alcance de la acción protectora*.** La acción protectora de este régimen especial será la establecida en el artículo 42, con excepción de la protección por desempleo y las prestaciones no contributivas.

Las prestaciones y beneficios se reconocerán en los términos y condiciones que se determinan en el presente título y en sus disposiciones de aplicación y desarrollo.

En todo caso, para el reconocimiento y abono de las prestaciones, los trabajadores incluidos en este régimen especial han de cumplir el requisito de estar al corriente en el pago de las cotizaciones previsto en el artículo 47.

**Artículo 315. *Cobertura de la incapacidad temporal*.** La cobertura de la contingencia por incapacidad temporal en este régimen especial tendrá carácter obligatorio, salvo que se tenga cubierta dicha contingencia en razón de la actividad realizada en otro régimen de la Seguridad Social. En este supuesto, podrá acogerse voluntariamente a la cobertura de dicha contingencia, así como, en su caso, renunciar a ella en los términos establecidos reglamentariamente.

Lo previsto en el párrafo anterior se entiende sin perjuicio de las excepciones establecidas en la disposición adicional vigésima octava respecto a los socios de cooperativas que dispongan de un sistema intercooperativo de prestaciones sociales, complementario al sistema público, y a los miembros de institutos de vida consagrada de la Iglesia Católica.

Artículo 315 redactado por el Real Decreto-Ley 13/2022, de 26 de julio, por el que se establece un nuevo sistema de cotización para los trabajadores por cuenta propia o autónomos y se mejora la protección por cese de actividad (BOE núm. 179, 27 de julio de 2022).

– *Los sujetos incluidos en el Régimen Especial de Trabajadores Autónomos pueden cobrar la prestación económica por incapacidad temporal de forma automática, sin necesidad previa de solicitud, y, únicamente, con esa mera presentación en la entidad gestora o colaboradora de los correspondientes partes de baja y confirmación de la misma, conforme al principio de "oficialidad"* (SSTS de 12 de febrero [Tol 234994] y 20 de septiembre de 1993 [Tol 233410], 26 de octubre de 2004 [Tol 528101] y 5 de diciembre de 2005 [Tol 796188]).

– *El agotamiento del período de duración máxima de incapacidad temporal en el Régimen Especial de Trabajadores Autónomos debe llevar a dar de alta o calificar la incapacidad permanente consecuente, sin que sea posible la denominada "incapacidad permanente no definitiva" que aplicaba el Instituto Nacional de la Seguridad Social para aquellos casos en que agotado el plazo máximo de duración de la incapacidad temporal el trabajador autónomo seguía de baja médica y no había existido recuperación de la capacidad de trabajo, con el fin de evitar interregnos vacíos de protección* (STS de 24 de diciembre de 1996 [Tol 236896]).

– *La prestación por incapacidad temporal en el Régimen Especial de Trabajadores Autónomos se otorgará en los mismos términos y condiciones establecidas en el Régimen General* (STS de 24 de marzo de 1998 [Tol 47314]).

– *Es contrario a los principios de eficacia y utilidad de las cotizaciones realizadas en orden al reconocimiento de prestaciones en el Régimen Especial de Trabajadores Autónomos y al de proporcionalidad que el defecto inicial de estar al corriente en el pago de las cuotas (en la primera baja) se prolongue indefinidamente sin posibilidad de acceso a la prestación por incapacidad temporal, una vez cumplidos los requisitos necesarios (segunda baja)* (SSTS de 18 de febrero de 1999 [Tol 46858] y 26 de junio de 2006 [Tol 986962]).

– *Para ser sujeto causante de la prestación por incapacidad temporal en el Régimen Especial de Trabajadores Autónomos es necesario encontrarse al corriente en el pago de las cuotas* (SSTS de 3 de julio de 2001 [Tol 66036], 28 de abril de 2004 [Rec. 2874/2003] y 10 de febrero [Tol 1530462], 22 de abril [Tol 1564510] y 23 de julio de 2009 [Tol 1602359] y 19 de febrero de 2013 [Tol 3266175]).

– *No basta el agotamiento del período máximo de incapacidad temporal sin curación para que proceda la declaración de incapacidad permanente si las dolencias del trabajador autónomo no comportan ningún grado de incapacidad permanente* (SSTS de 29 de mayo [Tol 32242] y 12 de julio de 2001 [Tol 129059]).

– *No se considera situación asimilada a la de alta, a efectos de la prestación por incapacidad temporal en el Régimen Especial de Trabajadores Autónomos, el período de noventa días posteriores a la fecha de la baja en el régimen especial* (SSTS de 26 de octubre de 2001 [Tol 178967] y 20 de enero de 2003 [Tol 257234]).

– *Es lógicamente posible y congruente con el propio concepto de incapacidad temporal, que unas dolencias incapaciten para el ejercicio del trabajo que se desarrolla en un régimen y las mismas dolencias premian la realización de la actividad profesional, objeto del otro; y bajo esta perspectiva, negar doblemente afiliado el derecho a compatibilizar el percibo de la prestación de incapacidad temporal en el Régimen Especial de Trabajadores Autónomos con el trabajo por cuenta ajena significaría situar a un trabajador, que ejerce una pluriactividad, por la que está en alta y cotiza, en estado de clara desprotección, siendo semejante conclusión contraria al espíritu y finalidad de la acción protectora de la Seguridad Social y al efecto útil de las cotizaciones exigidas respecto de quienes figuran afiliados y en alta en los diferentes regímenes de la Seguridad Social* (STS de 19 de febrero de 2002 [Tol 191876]).

– *La mera permanencia en la situación de alta en el Régimen Especial de Trabajadores Autónomos no es causa de denegación de la prestación por incapacidad temporal a un tra-*

*bajador por cuenta ajena que se halle dado de baja en su trabajo como consecuencia de un proceso de enfermedad común, cuando no se ha llevado a cabo ningún trabajo por cuenta propia durante el período de baja por enfermedad en aquel trabajo dependiente* (STS de 7 de abril de 2004 [*Tol* 443709]).

– *No causará derecho a prestación por incapacidad temporal en el ámbito del Régimen Especial de Trabajadores Autónomos el trabajador que no cumple el requisito de estar al corriente en el pago de las cuotas de dicho régimen especial en la fecha del hecho causante* (SSTS de 26 de abril [*Tol* 443727], 4 de mayo [*Tol* 443729] y 30 de septiembre de 2004 [*Tol* 515799]).

– *En el supuesto de aplazamiento del pago de cuotas al Régimen Especial de Trabajadores Autónomos concedido con posterioridad al hecho causante de una incapacidad temporal no resuelve la situación del trabajador por cuenta propia que no se encuentra al corriente en el pago de las cuotas, y, por tanto, no puede acceder a la prestación económica correspondiente* (STS de 4 de mayo de 2004 [*Tol* 443729]).

– *La presentación extemporánea de la "declaración de actividad" sobre la persona que gestiona el establecimiento mercantil únicamente puede dar lugar a la suspensión cautelar del subsidio por incapacidad temporal en el Régimen Especial de Trabajadores Autónomos, pero no puede comportar, de reunirse los requisitos precisos para lucrarlo, la pérdida del subsidio correspondiente al período anterior a la presentación de dicha declaración* (STS de 15 de febrero de 2005 [*Tol* 619714]).

– *No debe reconocerse la prestación por incapacidad temporal en el Régimen Especial de Trabajadores Autónomos cuando el trabajador no se encuentra en situación de alta o asimilada, aun cuando se trate de una recaída de un proceso anterior, puesto que es en la fecha en la que se produce la segunda baja en la que ha de analizarse si cumple los requisitos generales para acceder a la prestación económica y no en la inicial que dio origen a la primera prestación* (STS de 27 de junio de 2006 [*Tol* 986969]).

**Artículo 316.** *Cobertura de las contingencias profesionales.* 1. La cobertura de las contingencias profesionales será obligatoria y se llevará a cabo con la misma entidad, gestora o colaboradora, con la que se haya formalizado la cobertura de la incapacidad temporal y determinará la obligación de efectuar las correspondientes cotizaciones, en los términos previstos en el artículo 308.

Por las contingencias indicadas, se reconocerán las prestaciones que, por las mismas, se conceden a los trabajadores incluidos en el Régimen General de la Seguridad Social, en las condiciones que reglamentariamente se establezcan.

<small>Apartado 1 redactado por el Real Decreto-Ley 28/2018, de 28 de diciembre, para la revalorización de las pensiones públicas y otras medidas urgentes en materia social, laboral y de empleo (BOE núm. 314, 29 de diciembre de 2018).</small>

2. Se entenderá como accidente de trabajo del trabajador autónomo el ocurrido como consecuencia directa e inmediata del trabajo que realiza por su propia cuenta y que determina su inclusión en el campo de aplicación de este régimen especial. Se entenderá, a idénticos efectos, por enfermedad profesio-

nal la contraída a consecuencia del trabajo ejecutado por cuenta propia, que esté provocada por la acción de los elementos y sustancias y en las actividades que se especifican en la lista de enfermedades profesionales con las relaciones de las principales actividades capaces de producirlas, anexa al Real Decreto 1299/2006, de 10 de noviembre, por el que se aprueba el cuadro de enfermedades profesionales en el sistema de la Seguridad Social y se establecen criterios para su notificación y registro.

También se entenderá como accidente de trabajo el sufrido al ir o al volver del lugar de la prestación de la actividad económica o profesional. A estos efectos se entenderá como lugar de la prestación el establecimiento en donde el trabajador autónomo ejerza habitualmente su actividad siempre que no coincida con su domicilio y se corresponda con el local, nave u oficina declarado como afecto a la actividad económica a efectos fiscales.

> Apartado 2 redactado por la Ley 6/2017, de 24 de octubre, de reformas urgentes del trabajo autónomo (BOE núm. 257, 25 de octubre de 2017).

3. Lo previsto en este artículo se entiende sin perjuicio de lo establecido en el artículo 317, respecto de las personas trabajadoras por cuenta propia o autónomas económicamente dependientes, en el artículo 326 respecto de los trabajadores del sistema especial para trabajadores por cuenta propia agrarios, en la disposición adicional vigésima octava, respecto de los socios de cooperativas que dispongan de un sistema intercooperativo de prestaciones sociales, complementario al sistema público, y de los miembros de institutos de vida consagrada de la Iglesia Católica.

> Apartado 3 redactado por el Real Decreto-Ley 13/2022, de 26 de julio, por el que se establece un nuevo sistema de cotización para los trabajadores por cuenta propia o autónomos y se mejora la protección por cese de actividad (BOE núm. 179, 27 de julio de 2022).

**Artículo 317. *Acción protectora de los trabajadores autónomos económicamente dependientes*.** Los trabajadores autónomos económicamente dependientes tienen incluida obligatoriamente, dentro del ámbito de la acción protectora de la Seguridad Social, la cobertura de la incapacidad temporal y de los accidentes de trabajo y enfermedades profesionales.

A los efectos de esta cobertura, se entenderá por accidente de trabajo toda lesión corporal del trabajador autónomo económicamente dependiente que sufra con ocasión o por consecuencia de la actividad profesional, considerándose también accidente de trabajo el que sufra el trabajador al ir o volver del lugar de la prestación de la actividad, o por causa o consecuencia de la misma. Salvo prueba en contrario, se presumirá que el accidente no tiene relación con el trabajo cuando haya ocurrido fuera del desarrollo de la actividad profesional de que se trate.

Artículo 317 redactado por el Real Decreto-Ley 28/2018, de 28 de diciembre, para la revalorización de las pensiones públicas y otras medidas urgentes en materia social, laboral y de empleo (BOE núm. 314, 29 de diciembre de 2018).

*Sección 2.ª Disposiciones en materia de prestaciones*

**Artículo 318. *Normas aplicables*.** Será de aplicación a este régimen especial:

a) En materia de protección por nacimiento y cuidado de menor, lo dispuesto en el capítulo VI del título II, excepto el artículo 179.1 y 2.

La prestación económica por nacimiento y cuidado de menor consistirá en un subsidio equivalente al 100 por ciento de una base reguladora cuya cuantía diaria será el resultado de dividir la suma de las bases de cotización acreditadas a este régimen especial durante los seis meses inmediatamente anteriores al mes previo al del hecho causante entre ciento ochenta.

De no haber permanecido en alta en el régimen especial durante la totalidad del referido período de seis meses, la base reguladora será el resultado de dividir las bases de cotización al régimen especial acreditadas en los seis meses inmediatamente anteriores al mes previo al del hecho causante entre los días en que el trabajador haya estado en alta en dicho régimen dentro de ese período.

Los períodos durante los que el trabajador por cuenta propia tendrá derecho a percibir el subsidio por nacimiento y cuidado de menor serán coincidentes, en lo relativo tanto a su duración como a su distribución, con los períodos de descanso laboral establecidos para los trabajadores por cuenta ajena. Los trabajadores de este régimen especial podrán igualmente percibir el subsidio por nacimiento y cuidado de menor en régimen de jornada parcial, en los términos y condiciones que se establezcan reglamentariamente.

Letra a) redactada por el Real Decreto-Ley 13/2022, de 26 de julio, por el que se establece un nuevo sistema de cotización para los trabajadores por cuenta propia o autónomos y se mejora la protección por cese de actividad (BOE núm. 179, 27 de julio de 2022).

– *Es situación asimilada a la de alta, a efectos de prestación por maternidad, el período de noventa días siguientes a la fecha de la baja en el Régimen Especial de Trabajadores Autó-*

*nomos* (SSTS de 29 de abril [*Tol 246510*] y 10 de diciembre de 2002 [*Tol 240989*], 26 de enero de 2005 [*Tol 603038*] y 25 de junio de 2008 [*Tol 1383924*]).

– *No se considera en situación asimilada a la de alta a la trabajadora por cuenta propia que causó baja voluntaria en el Régimen Especial de Trabajadores Autónomos antes del momento del hecho causante, aunque hubiera permanecido en situación de incapacidad temporal desde fecha anterior a la baja en el régimen especial hasta el momento del parto* (SSTS de 5 de diciembre de 2003 [*Tol 434562*], 25 de enero de 2007 [*Tol 1036724*] y 24 de febrero de 2009 [*Tol 1486350*]).

– *Debe admitirse la existencia de situación asimilada a la de alta a efectos de la prestación por maternidad en el Régimen Especial de Trabajadores Autónomos en el supuesto de la baja producida dentro de los noventa días naturales anteriores al hecho causante* (SSTS de 5 de diciembre de 2008 [*Tol 1441014*] y 21 de abril [*Tol 1514399*], 12 de mayo [*Tol 1547568*] y 22 de junio de 2009 [*Tol 1577527*]).

– *A efectos de la prestación de maternidad es situación asimilada al alta la de la trabajadora en los noventa días siguientes a la baja en el sistema incluso tras la promulgación del Real Decreto 295/2009, pues es obvio que dicha norma reglamentaria no contempla las particularidades de los trabajadores del Régimen Especial de Trabajadores Autónomos, y ello en base al principio de especialidad normativa en cuyo despliegue se produce una aplicación preferente de la norma especial sobre la general* (STS de 10 de junio de 2014 [*Tol 4443524*]).

– *A efectos de la prestación de maternidad es situación asimilada al alta la de la trabajadora en los noventa días siguientes a la baja en el sistema incluso tras la promulgación del Real Decreto 295/2009, pues es obvio que dicha norma reglamentaria no contempla las particularidades de los trabajadores del Régimen Especial de Trabajadores Autónomos, y ello en base al principio de especialidad normativa en cuyo despliegue se produce una aplicación preferente de la norma especial sobre la general, así como también cuanto entre la extinción de la incapacidad temporal alta médica y el inicio de la situación de maternidad no haya solución de continuidad, bien por producirse el alta médica por incapacidad temporal y el inicio del descanso por maternidad el mismo día, bien por tener lugar ésta al día siguiente de aquélla* (SSTS de 10 de junio de 2014 [Rec. 2546/2013] y 19 de diciembre de 2016 [Rec. 602/2015]).

– *Existe el derecho a la prestación por maternidad de un trabajador por cuenta propia incluido en el Régimen Especial de Trabajadores Autónomos casado con otro varón, al que se le reconoció derecho a prestación por paternidad, por ser padres de dos menores que nacieron en un hospital de California mediante técnicas de reproducción asistida y que figuran como progenitores en las inscripciones de los menores del Registro Civil Consular de Los Ángeles (EEUU), constando en el libro de familia español ambos como progenitores* (STS de 30 de noviembre de 2016 [Rec. 3219/2015]).

**b)** En materia de corresponsabilidad en el cuidado del lactante, riesgo durante el embarazo, riesgo durante la lactancia natural y cuidado de menores afectados por cáncer u otra enfermedad grave, lo dispuesto, respectivamente, en los capítulos VII, VIII, IX y X del título II, en los términos y condiciones que se establezcan reglamentariamente.

Letra b) redactada por el Real Decreto-Ley 6/2019, de 1 de marzo, de medidas urgentes para garantía de la igualdad de trato y de oportunidades entre mujeres y hombres en el empleo y la ocupación (BOE núm. 57, 7 de marzo de 2019).

– *La prestación por riesgo durante el embarazo quedará extinguida como consecuencia del fraude consistente en el cambio de las bases de cotización (desde la mínima a la máxima) en el período inmediatamente anterior al hecho causante de la prestación* (STS de 31 de mayo de 2022 [*Tol 9009997*]).

c) En materia de incapacidad permanente, lo dispuesto en los artículos 194, apartados 2 y 3; 195 excepto el apartado 2; 197, apartados 1, 2 y 3; y 200.

Asimismo, será de aplicación lo previsto en el último párrafo del apartado 2 y el apartado 4 del artículo 196. A efectos de determinar el importe mínimo de la pensión y del cálculo del complemento a que se refieren, respectivamente, dichos apartados se tomará en consideración como base mínima de cotización la vigente en cada momento en el Régimen General, cualquiera que sea el régimen con arreglo a cuyas normas se reconozcan las pensiones de incapacidad permanente total y de gran incapacidad.

– *Se considera en situación de incapacidad permanente el trabajador autónomo que estuviera inhabilitado para realizar todas o las fundamentales tareas de su respectiva profesión* (STC 184/1993, de 31 de mayo [*Tol 82207*]).

– *La contingencia de incapacidad permanente protegida por el Régimen Especial de Trabajadores Autónomos es la que hubiera sobrevenido a quien la padece cuando ya ostentase la condición de trabajador por cuenta propia y no la que hubiera tenido su origen con anterioridad a su afiliación a la Seguridad Social* (SSTS de 26 de diciembre de 1984 y 4 de febrero de 1985).

– *Se considera profesión habitual la actividad inmediata y anterior desempeñada por el interesado y por la que estaba dado de alta en el Régimen Especial de Trabajadores Autónomos al producirse la incapacidad permanente* (SSTS de 5 de octubre de 1988 y 6 de julio de 1989).

– *A efectos del cómputo del período de cotización exigido para causar derecho a las pensiones por incapacidad permanente en el Régimen Especial de Trabajadores Autónomos se tendrán en cuenta las pagas extraordinarias, aunque sólo en aquellas situaciones posteriores al 1 de enero de 1986, a razón de sesenta días por año* (SSTS de 3 de marzo de 1992 [*Tol 231832*], 17 de abril de 1997 [*Tol 238087*] y 20 de junio de 2002 [*Tol 220228*]).

– *En el Régimen Especial de Trabajadores Autónomos se exige la necesidad de que se acrediten los requisitos para que se califique la incapacidad permanente tras el agotamiento de una incapacidad temporal de la misma forma que en el Régimen General* (SSTS de 16 de noviembre de 1992 [Rec. 68/1992], 14 de diciembre de 1994 [*Tol 233168*], 12 de mayo [*Tol 236988 y 266344*], 19 de junio [*Tol 235965 y 266765*], y 29 de diciembre de 1995 [*Tol 236866*]).

– *Las cotizaciones efectuadas con posterioridad al reconocimiento por el Instituto Nacional de la Seguridad Social de una incapacidad permanente total derivada de enfermedad común sin derecho a prestaciones tienen validez a los efectos del cumplimiento del período de carencia exigido, cuando se ha continuado en alta y cotizando al Régimen Especial de Trabajadores Autónomos* (SSTS de 29 de noviembre de 1993 [Tol 234545] y 10 de mayo [Rec. 2873/1994] y 13 de octubre de 1995 [Tol 236595 y 267132]).

– *No es necesario que el trabajador autónomo tenga cumplidos cuarenta y cinco años para acceder a las prestaciones por incapacidad permanente, incluso si la incapacidad se hubiera originado antes de la fecha de entrada en vigor del Real Decreto 9/1991, 11 de enero, siempre que se mantenga su efecto invalidante después de la misma* (SSTS de 23 de junio [Rec. 3420/1994] y 6 de octubre de 1995 [Tol 235755]).

– *Cuando el derecho a la pensión por incapacidad permanente es consecuencia de la aplicación del cómputo recíproco de cuotas y aquél hubiera sido reconocido por el Régimen Especial de Trabajadores Autónomos, las lagunas de cotización no serán complementadas con las bases mínimas vigentes correspondientes a los trabajadores mayores de dieciocho años* (SSTS de 26 de junio de 1996 [Tol 236638], 13 de diciembre de 2001 [Rec. 695/2001] y 24 de enero de 2011 [Tol 2041913]).

– *Los artículos 61 y 76 de la Orden de 24 de septiembre de 1970 quedaron modificados por la Orden de 18 de enero de 1996, y, por tanto, es aplicable su artículo 13.2, que ordena que la fecha del hecho causante de las pensiones por incapacidad permanente desde la situación de alta o asimilada a la de alta deberá situarse en la fecha del dictamen-propuesta del Equipo de Valoración de Incapacidades o, en su caso, en la fecha en que se haya extinguido la incapacidad temporal, trasladando los efectos económicos de la misma a la fecha de la resolución administrativa, y, en determinados supuestos, a la fecha extintiva de la incapacidad temporal* (SSTS de 5 de marzo [Rec. 2619/2000] y 21 de septiembre de 2001 [Rec. 247/2001] y 21 de julio de 2016 [Rec. 3885/2014]).

– *En el Régimen Especial de Trabajadores Autónomos no basta el agotamiento del período máximo de incapacidad temporal sin curación para que proceda la declaración de incapacidad permanente, si las dolencias del trabajador autónomo no comportan ningún grado de incapacidad permanente* (SSTS de 29 de mayo [Tol 32242] y 12 de julio de 2001 [Tol 129059]).

– *A efectos del cómputo del período de carencia necesario para causar prestación por incapacidad permanente en el Régimen Especial de Trabajadores Autónomos tienen validez las cotizaciones adeudadas y objeto de aplazamiento debidamente autorizado* (SSTS de 23 de diciembre de 2002 [Tol 241066 y 257253]).

– *La Ley General de la Seguridad Social intenta cubrir el vacío de recursos económicos provocado por las circunstancias que enumera al dificultar la obtención de empleo, y en el caso de un trabajador de la minería del carbón jubilado al que se le reconoce una pensión por incapacidad permanente total derivada de silicosis en el Régimen Especial de Trabajadores Autónomos ese vacío es inexistente porque las pensiones de jubilación a las que no es preciso renunciar por su compatibilidad con la pensión por incapacidad tienen como razón de ser suplir la falta de rentas procedentes del trabajo, en su totalidad, motivada por la edad* (STS de 26 de enero de 2004 [Tol 377027]).

– *Un trabajador pensionista de jubilación en el Régimen Especial de Trabajadores Autónomos al que se le reconoce una pensión por incapacidad permanente total consecuencia de enfermedad profesional en el Régimen Especial de la Minería del Carbón no tiene derecho al incremento del 20 por 100 de la cuantía de la pensión por incapacidad permanente al ser mayor de 55 años porque al tratarse de un supuesto de compatibilidad de pensiones ya no se cumple uno de los requisitos exigidos para causar derecho al citado incremento, como es la falta de recursos económicos provocada por las dificultades que la edad del pensionista producen en la obtención de un futuro empleo* (SSTS de 26 de enero de 2004 [*Tol 377027*] y 13 de abril de 2005 [*Tol 639695 y 647884*]).

– *En el cálculo de la base reguladora de una prestación por incapacidad permanente en el Régimen Especial de Trabajadores Autónomos no es aplicable la doctrina del "paréntesis"* (STS de 11 de octubre de 2004 [*Tol 515722*]).

– *Un trabajador incluido en el Régimen Especial de Trabajadores Autónomos no tiene derecho a prestación por incapacidad permanente parcial cuando el hecho causante de la misma se produce antes de la nueva regulación establecida por la disposición adicional 34.ª de la Ley General de la Seguridad Social y, posteriormente, por el Real Decreto 1273/2003, de 10 de octubre, porque las normas aplicables en dicho momento (Decreto 2530/1970, de 20 de agosto, y Orden de 24 de septiembre de 1970) impedían el acceso a dicha prestación* (SSTS de 15 de febrero de 2005 [*Tol 598565*] y 28 de febrero [*Tol 1073491*] y 19 de septiembre de 2007 [*Tol 1161272*] y 15 de septiembre de 2009 [*Tol 1634607*]).

– Está protegida la incapacidad permanente parcial para la profesión habitual sólo cuando sea consecuencia de contingencias profesionales (SSTS de 15 de febrero de 2005 [Rec. 1137/2004], 28 de febrero de 2007 [Rec. 3219/2005], 15 de septiembre de 2009 [Rec. 3557/2008], 23 de diciembre de 2011 [Rec. 1018/2011] y 29 de marzo [Rec. 3756/2014] y 18 de octubre de 2016 [Rec. 2367/2015]).

– *Para la declaración de una incapacidad permanente total sufrida por un trabajador incluido en el Régimen Especial de Trabajadores Autónomos, cuando el origen de la misma es consecuencia de una enfermedad no contraída en el desarrollo de su profesión habitual, sino de una anterior, que tiene la calificación de enfermedad profesional debe tenerse en cuenta la profesión realizada por el trabajador en el momento de contraer la enfermedad profesional (asbestosis), dada la especial naturaleza de esta patología, y en su carácter insidioso latente y larga evolución* (STS de 18 de enero de 2007 [*Tol 1038530*]).

– *No tienen derecho al complemento por mínimos de las pensiones contributivas los trabajadores autónomos con edad comprendida entre los sesenta y sesenta y cuatro años cuando hayan sido declarados en situación de incapacidad permanente total para su profesión habitual antes de la vigencia del Real Decreto 463/2003, de 25 de abril, sobre reconocimiento del incremento de la pensión de incapacidad permanente total para la profesión habitual para los trabajadores por cuenta propia, puesto que la legislación aplicable solo ha reconocido dicho complemento a quienes tenían una incapacidad permanente total cualificada, hasta que la Ley 2/2008, de 23 de diciembre, de presupuestos generales del Estado para el año 2009 y el Real Decreto 2127/2008, de 26 de diciembre, sobre revalorización de las pensiones del sistema de la Seguridad Social y de otras prestaciones sociales públicas para el ejercicio 2009, han introducido la novedad de un complemento por mínimos para incapaces permanentes totales cuando se trata de "titular con edad entre sesenta y sesenta y cuatro años"* (SSTS de 21 de diciembre de 2009 [*Tol 177616*] y 4 de febrero [*Tol 1808391*] y 19 de mayo [*Tol 1885264*] y 20 de diciembre de 2010 [*Tol 2035075*]).

– *No es posible el reconocimiento del incremento del 20 por 100 en la cuantía de la pensión por incapacidad permanente total cuando no se acredita que el pensionista no ostenta la titularidad de un establecimiento mercantil o industrial ni de una explotación agraria o marítimo-pesquera como propietario, arrendatario, usufructuario u otro concepto análogo*

(SSTS de 15 de julio de 2015 [*Tol 5495484*]. 5 de julio de 2016 [Rec. 379/2015], 16 de febrero de 2017 [Rec. 2535/2015] y 19 de noviembre de 2024 [Rec. 2348/2021]).

– *La fecha de efectos económicos de la prestación por incapacidad permanente total de una trabajadora afiliada al Régimen Especial de Trabajadores Autónomos sin proceso previo de incapacidad temporal, cuando, ante la denegación en vía administrativa de la incapacidad, ha seguido en alta en el Régimen Especial de Trabajadores Autónomos, sin que conste acreditado la realización de trabajo efectivo, ha de fijarse en la fecha del reconocimiento del Equipo de Valoración de Incapacidades* (SSTS de 23 de julio de 2015 [*Tol 5536955*], 4 de mayo [Rec. 1848/2014] y 22 de junio de 2016 [Rec. 353/2015]).

– *El trato diferenciado de exigir una disminución no inferior al 50 por 100 de su rendimiento normal para reconocer el derecho a incapacidad permanente parcial a un trabajador autónomo se justifica en el hecho de que la regulación del Real Decreto 1273/2003 prevalece sobre la establecida para la incapacidad permanente parcial en la Ley General de la Seguridad Social* (STS de 18 de octubre de 2016 [Rec. 2367/2015]).

– *No es posible admitir que se acredita el requisito de encontrarse en situación de asimilada al alta en la fecha del hecho causante, cuando, tras su baja en el Régimen Especial de la Seguridad Social de los Trabajadores por Cuenta Propia o Autónomos, el interesado permanece cinco años ininterrumpidos sin inscripción como demandante de empleo, pues se evidencia con toda nitidez la clara voluntad de apartarse voluntariamente del mundo laboral* (STS de 24 de septiembre de 2024 [Rec. 4005/2021]).

**d) En materia de jubilación, lo dispuesto en los artículos 205; 206 y 206 bis; 208; 209, excepto la letra b) del apartado 1; 210; 213, 214, 249 quater y la disposición transitoria trigésima cuarta.**

**Lo dispuesto en el artículo 215 será de aplicación en los términos y condiciones que se establezcan reglamentariamente.**

Letra d) redactada por el Real Decreto-Ley 1/2023, de 10 de enero, de medidas urgentes en materia de incentivos a la contratación laboral y mejora de la protección social de las personas artistas (BOE núm. 9, 11 de enero de 2023).

– *No es posible la integración de las "lagunas de cotización" derivadas de períodos en que no existió obligación de cotizar para realizar el cómputo de la base reguladora de la pensión de jubilación en el Régimen Especial de Trabajadores Autónomos* (SSTS de 16 de marzo de 1992 [*Tol 232610*] y 23 de octubre de 1993 [*Tol 233903*]).

– *En el Régimen Especial de Trabajadores Autónomos no es de aplicación la bonificación de cotización en virtud de la edad del trabajador en 1 de enero de 1967 prevista en la disposición transitoria 2.ª de la Orden de 18 de enero de 1967, sin que suponga trasgresión del artículo 14 de la Constitución española* (SSTS de 12 de junio de 1992 [*Tol 232543*], 10 de marzo [*Tol 234575*], 23 de octubre [*Tol 233903*] y 29 de diciembre de 1993 [*Tol 232955*], 22 de noviembre de 1995 [*Tol 236177* y *233685*] y 13 de octubre de 2003 [*Tol 332328*]).

– *En el momento de determinar el porcentaje aplicable sobre la base reguladora de la pensión de jubilación en el Régimen Especial de Trabajadores Autónomos se han de computar únicamente los días naturales de cotización y no los denominados "días-cuota" que corresponden a las pagas o gratificaciones extraordinarias incluidas en las correspondientes bases de cotización* (SSTS de 24 de enero [*Tol 237043*] y 4 de julio de 1995 [*Tol 236697 y 266523*]).

– *Las cotizaciones efectuadas al Retiro Obrero (en último extremo, mil ochocientos días) se acreditarán en el Régimen Especial de Trabajadores Autónomos únicamente para completar, cuando no es suficiente, el período mínimo de cotización exigido, pero no para otros efectos como el de incrementar el porcentaje aplicable a la base reguladora prevista para la pensión de jubilación* (STS de 19 de junio de 1996 [*Tol 236373*]).

– *Para el reconocimiento de la asimilación de los periodos de actividad religiosa anteriores a la afiliación a la Seguridad Social a la cotización a efectos de incrementar la pensión por jubilación reconocida correspondiente a la verdadera cotización no exige el requisito de haber cumplido sesenta y cinco años de edad, puesto que la legislación aplicable (Reales Decretos 487/1998, de 27 de marzo, y 2665/1998, de 11 de diciembre) determina que basta con cumplir la exigencia de acreditar períodos de actividad religiosa para el reconocimiento del incremento de la pensión y no menciona en forma alguna la exigencia de edad* (STS de 13 de octubre de 2008 [*Tol 1407916*]).

– *Debe estarse, por una parte, a las reglas específicas ex artículo 4.1 del Real Decreto 2665/1998 para la determinación de la parte de la pensión a capitalizar y, por otra parte, a las reglas generales de la normativa de la Seguridad Social para determinar la cuantía del capital coste que debe abonar el interesado como obligación derivada de los años de ejercicio sacerdotal o religioso que le hayan sido reconocidos como cotizados a la Seguridad Social, en lo que estas últimas disposiciones resulten compatibles con la finalidad de esta normativa especial* (STS de 15 de diciembre de 2009 [*Tol 1776173*]).

e) En materia de muerte y supervivencia, lo dispuesto en los artículos 219, 220, 221, 222, 223, 224, 225; 226, apartados 4 y 5; 227, apartado 1, párrafo segundo; 229; 231; 232; 233; y 234.

– *Las prestaciones por muerte y supervivencia del Régimen Especial de Trabajadores Autónomos serán reconocidas en los mismos términos que el Régimen General, siempre que los hechos causantes se hubieran producido a partir de la entrada en vigor del Real Decreto 9/1991, 11 de enero* (SSTS de 2 y 10 de abril de 1996 [*Tol 236783 y 235338*] y 25 de febrero [*Tol 238234*] y 18 de julio de 1997 [*Tol 237730*]).

– *Se considera en situación asimilada a la de alta al trabajador autónomo que cursa su baja en el Régimen Especial de Trabajadores Autónomos y se inscribe como demandante de empleo* (STS de 23 de febrero de 1998 [*Tol 47246*]).

– *Se considera en situación asimilada a la de alta el trabajador autónomo que se encuentra dentro de los 90 días siguientes al cese voluntario en el Régimen Especial de Trabajadores Autónomos* (STS de 9 de diciembre de 1999 [*Tol 46311*]).

– *Para causar derecho a las prestaciones por muerte y supervivencia en el Régimen Especial de Trabajadores Autónomos no será necesario que el sujeto causante se encuentre al corriente en el pago de las cuotas cuando cumpla los requisitos de afiliación, alta y período de carencia, permitiéndose que en los casos de descubiertos de cuotas pueda regularizarse la situación si no fueran necesarias para cubrir el período de carencia exigido y se ingresaran en el plazo improrrogable de 30 días naturales a partir de su requerimiento* (SSTS de 16 de enero de 2001 [*Tol 72187*], 26 de febrero de 2008 [*Tol 1330856*], 18 de julio de 2011 [*Tol 2239132*] y 9 de marzo de 2017 [Rec. 1727/2015]).

– *Para causar derecho a una pensión de viudedad en el Régimen Especial de Trabajadores Autónomos es necesario que el causante cumpla el requisito de alta o situación asimilada cuando no acredita un período de quince años cotizados* (STS de 23 de marzo de 2006 [Tol 948991]).

– *Para causar derecho a una pensión de viudedad en el Régimen Especial de Trabajadores Autónomos es necesario que el interesado se encuentre en la fecha del hecho causante en situación de alta o asimilada a la misma, tal y como establecen los artículos 124 y 174 de la Ley General de la Seguridad Social de 1994; pues no es posible una aplicación de la reiterada doctrina del Tribunal Supremo sobre la flexibilización del concepto de situación asimilada a la de alta que, en último término, suponga la desaparición de un requisito exigido legalmente* (STS de 30 de junio de 2008 [Tol 1369573]).

f) Las normas sobre protección a la familia contenidas en el capítulo XV del título II.

g) Lo dispuesto en el artículo 163.

Letra g) añadida por la Ley 11/2020, de 30 de diciembre, de presupuestos generales del Estado para el año 2021 (BOE núm. 341, 31 de diciembre de 2020).

**Artículo 319. *Efectos de las cuotas anteriores al alta*.** 1. Cuando, reuniéndose los requisitos para estar incluidos en este régimen especial, no se hubiera solicitado la preceptiva alta en los términos reglamentariamente previstos, las cotizaciones exigibles correspondientes a períodos anteriores a la formalización del alta producirán efectos respecto a las prestaciones, una vez hayan sido ingresadas con los recargos que legalmente procedan.

2. Sin perjuicio de las sanciones administrativas que procedan por su ingreso fuera de plazo, las referidas cotizaciones darán también lugar al devengo de intereses, que serán exigibles desde la correspondiente fecha en que debieron ser ingresadas, de conformidad con el tipo de interés legal del dinero vigente en el momento del pago.

**Artículo 320. *Base reguladora en los supuestos de cotización reducida y de cotización con 65 o más años de edad*.** 1. Conforme a lo previsto en el artículo 38 ter de la Ley 20/2007, de 11 de julio, del Estatuto del trabajo autónomo, la aplicación de la cuota reducida en él regulada no afectará a la determinación de la cuantía de las prestaciones del sistema de la Seguridad Social que puedan causar las personas trabajadoras por cuenta propia o autónomas que se hubieran beneficiado de dicha cuota, para cuyo cálculo se aplicará el importe de la base mínima vigente del tramo 1 de la tabla general de bases a que se refiere la regla 1.ª del artículo 308.1.a) de esta ley.

2. Por los períodos de actividad en los que los trabajadores incluidos en este régimen especial no hayan efectuado cotizaciones, en los términos previstos en el artículo 311, a efectos de determinar la base reguladora de las prestaciones excluidas de cotización, las bases de cotización correspondientes a las mensualidades de cada ejercicio económico exentas de cotización serán equivalentes al resultado de incrementar, el promedio de las bases de cotización del año natural inmediatamente anterior en el porcentaje de variación media conocida del Índice de Precios de Consumo en el último año indicado, sin que las bases así calculadas puedan ser inferiores a la cuantía de la base mínima de cotización del tramo 1 de la tabla general de bases a que se refiere la regla 1.ª del artículo 308.1.a), fijada anualmente en la Ley de Presupuestos Generales del Estado.

Artículo 320 redactado por el Real Decreto-Ley 13/2022, de 26 de julio, por el que se establece un nuevo sistema de cotización para los trabajadores por cuenta propia o autónomos y se mejora la protección por cese de actividad (BOE núm. 179, 27 de julio de 2022).

**Artículo 321.** *Nacimiento y cuantía de la prestación de incapacidad temporal.* 1. Para los trabajadores incluidos en este régimen especial, el nacimiento de la prestación económica por incapacidad temporal a que pudieran tener derecho se producirá, en los términos y condiciones que reglamentariamente se establezcan, a partir del cuarto día de la baja en la correspondiente actividad, salvo que el subsidio se hubiese originado a causa de un accidente de trabajo o enfermedad profesional, en cuyo caso la prestación nacerá a partir del día siguiente al de la baja.

2. Los porcentajes aplicables a la base reguladora para la determinación de la cuantía de la prestación económica por incapacidad temporal derivada de contingencias comunes serán los vigentes en el Régimen General respecto a los procesos derivados de las indicadas contingencias.

Artículo 321 redactado por el Real Decreto-Ley 28/2018, de 28 de diciembre, para la revalorización de las pensiones públicas y otras medidas urgentes en materia social, laboral y de empleo (BOE núm. 314, 29 de diciembre de 2018).

**Artículo 322.** *Cuantía de la pensión de jubilación.* La cuantía de la pensión de jubilación en este régimen especial se determinará aplicando a la base reguladora el porcentaje procedente de acuerdo con la escala establecida para el Régimen General, en función exclusivamente de los años de cotización efectiva del beneficiario.

En los supuestos en que en el período que haya de tomarse para el cálculo de la base reguladora aparecieran, con posterioridad a la extinción de la prestación económica por cese de actividad, períodos durante los cuales no hubiese existido obligación de cotizar, se integrarán las lagunas de cotización de los siguientes seis meses de cada uno de dichos períodos con la base mínima de la tabla general de este régimen especial.

> Artículo 322 redactado por el Real Decreto-Ley 2/2023, de 16 de marzo, de medidas urgentes para la ampliación de derechos de los pensionistas, la reducción de la brecha de género y el establecimiento de un nuevo marco de sostenibilidad del sistema público de pensiones (BOE núm. 65, 17 de marzo de 2023).

## CAPÍTULO IV. Sistema Especial para Trabajadores por Cuenta Propia Agrarios

**Artículo 323. *Ámbito de aplicación*.** 1. Quedarán comprendidos en este sistema especial los trabajadores por cuenta propia agrarios, mayores de 18 años, que reúnan los requisitos establecidos en el artículo siguiente.

2. El régimen jurídico de este sistema especial se ajustará a lo dispuesto en este título y en sus normas de aplicación y desarrollo, con las particularidades que en ellos se establezcan.

**Artículo 324. *Reglas de inclusión*.** 1. Quedarán incluidos en este sistema especial los trabajadores a que se refiere el artículo anterior que reúnan los siguientes requisitos:

a) Ser titulares de una explotación agraria y obtener, al menos, el 50 por ciento de su renta total de la realización de actividades agrarias u otras complementarias, siempre que la parte de renta procedente directamente de la actividad agraria realizada en su explotación no sea inferior al 25 por ciento de su renta total y el tiempo de trabajo dedicado a actividades agrarias o complementarias de las mismas, sea superior a la mitad de su tiempo de trabajo total.

b) Que los rendimientos anuales netos obtenidos de la explotación agraria por cada titular de la misma no superen la cuantía equivalente al 75 por ciento del importe, en cómputo anual, de la base máxima de cotización al Régimen General de la Seguridad Social vigente en el ejercicio en que se proceda a su comprobación.

c) La realización de labores agrarias de forma personal y directa en tales explotaciones agrarias, aun cuando ocupen trabajadores por cuenta ajena, siempre que no se trate de más de dos trabajadores que coticen con la modalidad de bases mensuales o, de tratarse de trabajadores que coticen con la modalidad de bases diarias, a las que se refiere el artículo 255, que el número total de jornadas reales efectivamente realizadas no supere las quinientas cuarenta y seis en un año, computado desde el 1 de enero al 31 de diciembre de cada año. El número de jornadas reales se reducirá proporcionalmente en función del número de días de alta del trabajador por cuenta propia agrario en este Sistema Especial durante el año natural de que se trate.

Las limitaciones en la contratación de trabajadores por cuenta ajena a que se refiere el párrafo anterior se entienden aplicables por cada explotación agraria. En el caso de que en la explotación agraria existan dos o más titulares, en alta todos ellos en el Sistema Especial para trabajadores por cuenta propia agrarios del Régimen Especial de los Trabajadores por Cuenta Propia o Autónomos, se añadirá al número de trabajadores o jornales previstos en el párrafo anterior un trabajador más con cotización por bases mensuales, o doscientos setenta y tres jornales al año, en caso de trabajadores con cotización por jornadas reales, por cada titular de la explotación agraria, excluido el primero.

Para determinar el cumplimiento de los requisitos establecidos en las letras a) y b) se podrá tomar en consideración la media simple de las rentas totales y de los rendimientos anuales netos de los tres ejercicios económicos inmediatamente anteriores a aquel en que se efectúe su comprobación, con la excepción del ejercicio o ejercicios afectados por circunstancias excepcionales tenidas en cuenta en aplicación de la normativa reguladora del Impuesto sobre la Renta de las Personas Físicas, en estos casos se tendrá en cuenta el ejercicio o ejercicios inmediatamente anteriores no afectados por tales circunstancias.

Apartado 1 redactado por la Ley 30/2022, de 23 de diciembre, por la que se regulan el sistema de gestión de la Política Agrícola Común y otras materias conexas (BOE núm. 308, 24 de diciembre de 2022).

2. A los efectos previstos en este sistema especial, se entiende por explotación agraria el conjunto de bienes y derechos organizados por su titular en el ejercicio de la actividad agraria, y que constituye en sí misma unidad técnico-económica, pudiendo la persona titular o titulares de la explotación serlo por su condición de propietaria, arrendataria, aparcera, cesionaria u otro concepto análogo, de las fincas o elementos materiales de la respectiva explotación agraria.

A este respecto se entiende por actividad agraria el conjunto de trabajos que se requiere para la obtención de productos agrícolas, ganaderos y forestales.

A los efectos previstos en este sistema especial, se considerará actividad agraria la venta directa por parte de la agricultora o agricultor de la producción propia sin transformación o la primera transformación de los mismos cuyo producto final esté incluido en el anexo I del artículo 38 del Tratado de Funcionamiento de la Unión Europea, dentro de los elementos que integren la explotación, en mercados municipales o en lugares que no sean establecimientos comerciales permanentes, considerándose también actividad agraria toda aquella que implique la gestión o la dirección y gerencia de la explotación.

Asimismo, se considerarán actividades complementarias la participación y presencia de la persona titular, como consecuencia de elección pública, en instituciones de carácter representativo, así como en órganos de representación de carácter sindical, cooperativo o profesional, siempre que estos se hallen vinculados al sector agrario.

Igualmente tendrán la consideración de actividades complementarias las actividades de transformación de los productos de su explotación y venta directa de los productos transformados, siempre y cuando no sea la primera especificada en el apartado anterior, así como las relacionadas con la conservación del espacio natural y protección del medio ambiente, el turismo rural o agroturismo, al igual que las cinemáticas y artesanales realizadas en su explotación.

Apartado 2 redactado por la Ley 30/2022, de 23 de diciembre, por la que se regulan el sistema de gestión de la Política Agrícola Común y otras materias conexas (BOE núm. 308, 24 de diciembre de 2022).

3. La incorporación a este sistema especial afectará, además de al titular de la explotación agraria, a su cónyuge y parientes por consanguinidad o afinidad hasta el tercer grado inclusive que no tengan la consideración de trabajadores por cuenta ajena, siempre que sean mayores de dieciocho años y realicen la actividad agraria de forma personal y directa en la correspondiente explotación familiar.

4. Los hijos del titular de la explotación agraria, menores de treinta años, aunque convivan con él, podrán ser contratados por aquel como trabajadores por cuenta ajena, en los términos previstos en el artículo 12.

5. Los interesados, en el momento de solicitar su incorporación al Sistema Especial para Trabajadores por Cuenta Propia Agrarios, deberán presentar de-

claración justificativa de la acreditación de los requisitos establecidos en los apartados anteriores para la inclusión en el mismo. La validez de dicha inclusión estará condicionada a la posterior comprobación por parte de la Tesorería General de la Seguridad Social de la concurrencia efectiva de los mencionados requisitos. La acreditación y posterior comprobación se efectuará en la forma y plazos que reglamentariamente se determinen.

**Artículo 325.** *Especialidades en materia de cotización.* La incorporación al Sistema Especial para Trabajadores por Cuenta Propia Agrarios previsto en el artículo anterior determinará la aplicación de las normas de cotización al Régimen Especial de los Trabajadores por Cuenta Propia o Autónomos contenidas en los artículos 308 y siguientes, con las especialidades que se indican a continuación:

a) Respecto de las contingencias de cobertura obligatoria, si el trabajador optase por una base de cotización hasta el 120 por ciento de la base mínima del tramo 1 de la tabla general a que se refiere la regla 1.ª del artículo 308.1.a), el tipo de cotización aplicable será del 18,75 por ciento.

Si, en cambio, el trabajador optase por una base de cotización igual o superior a la señalada en el párrafo anterior, sobre la cuantía que exceda de aquella se aplicará el tipo de cotización vigente en cada momento en este régimen especial para las contingencias comunes.

Los tipos de cotización indicados anteriormente resultarán de aplicación, asimismo, a las bases de cotización definitivas que resulten del procedimiento de regularización a la que se refiere la letra c) del artículo 308.1.

b) Respecto de las contingencias de cobertura voluntaria, la cuota se determinará aplicando, tanto sobre la cuantía completa de la base de cotización provisional, como sobre la definitiva, los siguientes tipos de cotización:

Para la cobertura de la incapacidad temporal y de la protección por cese de actividad, se aplicarán los tipos establecidos en las correspondientes Leyes de Presupuestos Generales del Estado.

Para la cobertura de las contingencias de accidentes de trabajo y enfermedades profesionales, se aplicarán los tipos de cotización establecidos para cada actividad económica, ocupación o situación en la tarifa de primas establecidas legalmente, sin perjuicio de lo que las Leyes de Presupuestos Generales del Estado puedan establecer, en particular, respecto de la protección por incapacidad permanente y muerte y supervivencia derivadas de dichas contingencias profesionales, conforme a lo dispuesto en los artículos 19.3 y 326.

c) Las personas trabajadoras por cuenta propia o autónomas acogidos a la protección por contingencias profesionales o por cese de actividad tendrán una reducción de 0,5 puntos porcentuales en la cotización por la cobertura de incapacidad temporal derivada de contingencias comunes.

Cuando no se haya optado por dar cobertura a la totalidad de las contingencias de accidente de trabajo y enfermedades profesionales, deberá efectuarse una cotización adicional para la financiación de las prestaciones previstas en los capítulos VIII y IX del Título II en los términos que, en su caso, puedan prever las Leyes de Presupuestos Generales del Estado.

Artículo 325 redactado por el Real Decreto-Ley 13/2022, de 26 de julio, por el que se establece un nuevo sistema de cotización para los trabajadores por cuenta propia o autónomos y se mejora la protección por cese de actividad (BOE núm. 179, 27 de julio de 2022).

**Artículo 326. *Cobertura de la incapacidad temporal y de las contingencias profesionales.*** De conformidad con lo previsto en la disposición adicional tercera de la Ley 20/2007, de 11 de julio, del Estatuto del trabajo autónomo, la cobertura de la incapacidad temporal y de las contingencias de accidente de trabajo y enfermedad profesional tendrá carácter voluntario en este sistema especial, sin perjuicio de lo que las Leyes de Presupuestos Generales del Estado puedan establecer, en particular, respecto de la protección por incapacidad permanente y muerte y supervivencia derivadas de dichas contingencias profesionales.

### TÍTULO V. Protección por cese de actividad

#### CAPÍTULO I. Disposiciones generales

**Artículo 327. *Objeto y ámbito de aplicación.*** 1. El sistema específico de protección por el cese de actividad forma parte de la acción protectora del sistema de la Seguridad Social, es de carácter obligatorio y tiene por objeto dispensar a las personas trabajadoras por cuenta propia o autónomas, afiliadas a la Seguridad Social y en alta en el Régimen Especial de Trabajadores por Cuenta Propia o Autónomos o en el Régimen Especial de los Trabajadores del Mar, las prestaciones y medidas establecidas en esta ley ante la situación de cese la actividad que originó el alta en el régimen especial, no obstante poder y querer ejercer una actividad económica o profesional a título lucrativo.

El cese de actividad podrá ser definitivo o temporal.

El cese temporal podrá ser total, que comporta la interrupción de todas las actividades que puedan originar el alta en el régimen especial en el que la persona trabajadora por cuenta propia o autónoma figure encuadrada, en los supuestos regulados en el artículo 331, o parcial, cuando se produzca una reducción de la actividad en los términos previstos en esta ley.

2. La protección por cese de actividad alcanzará también a los socios trabajadores de las cooperativas de trabajo asociado que hayan optado por su encuadramiento como trabajadores por cuenta propia en el régimen especial que corresponda, así como a los trabajadores autónomos que ejerzan su actividad profesional conjuntamente con otros en régimen societario o bajo cualquier otra forma jurídica admitida en derecho, siempre que, en ambos casos, cumplan con los requisitos regulados en este título con las peculiaridades contempladas, respectivamente, en los artículos 335 y 336.

Artículo 327 redactado por el Real Decreto-Ley 13/2022, de 26 de julio, por el que se establece un nuevo sistema de cotización para los trabajadores por cuenta propia o autónomos y se mejora la protección por cese de actividad (BOE núm. 179, 27 de julio de 2022).

**Artículo 328.** *Régimen jurídico*. 1. La protección por cese de actividad se rige por lo dispuesto en esta ley y en sus normas de desarrollo, así como, supletoriamente, por las normas que regulan el régimen especial de la Seguridad Social de encuadramiento.

2. Las condiciones y supuestos específicos por los que se rija el sistema de protección de los trabajadores por cuenta propia incluidos en el Sistema Especial de Trabajadores por Cuenta Propia Agrarios se desarrollarán reglamentariamente.

**Artículo 329.** *Acción protectora*. 1. El sistema de protección por cese de actividad comprende las prestaciones siguientes:

a) La prestación económica por cese, temporal o definitivo, de la actividad.

La prestación señalada se regirá exclusivamente por esta ley y las disposiciones que la desarrollen y complementen.

b) El abono de la cotización a la Seguridad Social del trabajador autónomo al régimen correspondiente. A tales efectos, el órgano gestor se hará cargo de la cuota que corresponda durante la percepción de las prestaciones económicas por cese de actividad. La base de cotización durante ese período corresponde a la base reguladora de la prestación por cese de actividad en los términos establecidos en el artículo 339, sin que, en ningún caso, la base de cotización pueda ser inferior al importe de la base mínima o base única de cotización prevista en el correspondiente régimen.

En los supuestos previstos en los epígrafes 4.º y 5.º del apartado 1.a) del artículo 331, el órgano gestor se hará cargo del 50 por ciento de la cuota que corresponda durante la percepción de la prestación económica, siendo el otro 50 por ciento a cargo del trabajador. El órgano gestor abonará a la persona trabajadora autónoma, junto con la prestación por cese de la actividad, el importe de la cuota que le corresponda, siendo la persona trabajadora autónoma la responsable del ingreso de la totalidad de las cotizaciones a la Seguridad Social.

En los supuestos previstos en el artículo 331.1.d), no existirá la obligación de cotizar a la Seguridad Social, estando a lo previsto en el artículo 21.5 de la Ley Orgánica 1/2004, de 28 de diciembre, de Medidas de Protección Integral contra la Violencia de Género, y en el artículo 38.5 de la Ley Orgánica de garantía integral de la libertad sexual.

> Párrafo tercero redactado por la Ley orgánica 10/2022, de 6 de septiembre, de garantía integral de la libertad sexual (BOE núm. 215, 7 de septiembre de 2022).

> Artículo 329 redactado por el Real Decreto-Ley 13/2022, de 26 de julio, por el que se establece un nuevo sistema de cotización para los trabajadores por cuenta propia o autónomos y se mejora la protección por cese de actividad (BOE núm. 179, 27 de julio de 2022).

**Artículo 330. *Requisitos para el nacimiento del derecho a la protección*.** 1. El derecho a la protección por cese de actividad se reconocerá a las personas trabajadoras por cuenta propia o autónomas en las que concurran los requisitos siguientes:

a) Estar afiliadas y en alta en el Régimen Especial de Trabajadores por Cuenta Propia o Autónomos o en el Régimen Especial de los Trabajadores del Mar, en su caso.

b) Tener cubierto el período mínimo de cotización por cese de actividad a que se refiere el artículo 338.

c) Encontrarse en situación legal de cese de actividad, suscribir el acuerdo de actividad al que se refiere el artículo 3 de la Ley 3/2023, de 28 de febrero, de Empleo, y acreditar activa disponibilidad para la reincorporación al mercado de trabajo a través de las actividades formativas, de orientación profesional y de promoción de la actividad emprendedora a las que pueda convocarle el servicio público de empleo de la correspondiente Comunidad Autónoma, o en su caso el Instituto Social de la Marina.

Letra c) redactada por la Ley 3/2023, de 28 de febrero, de empleo (BOE núm. 51, 1 de marzo de 2023).

d) En el supuesto de cese definitivo, no haber cumplido la edad ordinaria para causar derecho a la pensión contributiva de jubilación, salvo que el trabajador autónomo no tuviera acreditado el período de cotización requerido para ello.

e) Hallarse al corriente en el pago de las cuotas a la Seguridad Social. No obstante, si en la fecha de cese de actividad no se cumpliera este requisito, el órgano gestor invitará al pago al trabajador autónomo para que en el plazo improrrogable de treinta días naturales ingrese las cuotas debidas. La regularización del descubierto producirá plenos efectos para la adquisición del derecho a la protección.

– *El trabajador autónomo económicamente dependiente debe encontrarse al corriente en el pago de las cotizaciones para causar derecho a la prestación por cese de actividad* (STS de 27 de octubre de 2015 [*Tol 5567229*]).

f) Para causar derecho al cese previsto en el artículo 331.1.a).4.º y 5.º, la persona trabajadora autónoma no podrá ejercer otra actividad salvo lo previsto en el apartado 3 del artículo 342.

Letra f) redactada por el Real Decreto-Ley 14/2022, de 1 de agosto, de medidas de sostenibilidad económica en el ámbito del transporte, en materia de becas y ayudas al estudio, así como de medidas de ahorro, eficiencia energética y de reducción de la dependencia energética del gas natural (BOE núm. 184, de 2 de agosto de 2022).

2. Cuando la persona trabajadora por cuenta propia o autónoma tenga a uno o más trabajadores a su cargo y concurra alguna de las causas del artículo 331.1, será requisito previo al cese de actividad el cumplimiento de las garantías, obligaciones y procedimientos regulados en la legislación laboral.

La misma regla será aplicable en el caso de la persona trabajadora autónoma profesional que ejerza su actividad profesional conjuntamente con otros, con independencia de que hayan cesado o no el resto de los profesionales, así como en el supuesto de las cooperativas a que hace referencia el artículo 335 cuando se produzca el cese definitivo de la actividad.

Artículo 330 redactado por el Real Decreto-Ley 13/2022, de 26 de julio, por el que se establece un nuevo sistema de cotización para los trabajadores por cuenta propia o autónomos y se mejora la protección por cese de actividad (BOE núm. 179, 27 de julio de 2022).

## Artículo 331. *Situación legal de cese de actividad*. 1. Sin perjuicio de las peculiaridades previstas en el capítulo siguiente, se encontrarán en situación legal de cese de actividad todos aquellos trabajadores autónomos que cesen en el ejercicio de su actividad por alguna de las causas siguientes:

a) Por la concurrencia de motivos económicos, técnicos, productivos u organizativos determinantes de la inviabilidad de proseguir la actividad económica o profesional.

En caso de establecimiento abierto al público se exigirá el cierre del mismo durante la percepción del subsidio o bien su transmisión a terceros. No obstante, el autónomo titular del inmueble donde se ubica el establecimiento podrá realizar sobre el mismo los actos de disposición o disfrute que correspondan a su derecho, siempre que no supongan la continuidad del autónomo en la actividad económica o profesional finalizada.

Se entenderá que existen motivos económicos, técnicos, productivos u organizativos cuando concurra alguna de las circunstancias siguientes:

1.º Pérdidas derivadas del desarrollo de la actividad en un año completo, superiores al 10 por ciento de los ingresos obtenidos en el mismo periodo, excluido el primer año de inicio de la actividad.

*Las prestaciones por incapacidad temporal percibidas en el período de referencia no son computables para fijar la existencia de pérdidas en la actividad profesional, porque aunque el concepto de incapacidad temporal tenga cabida contable, en forma alguna sería computable a los efectos de la prestación por cese de actividad, porque ninguna relación guarda con los ingresos de la actividad empresarial del trabajador autónomo, que es a lo que atiende la Ley, puesto que lo se está analizando no es realmente el nivel de rentas del trabajador autónomo sino, simplemente, si concurre una causa económica que pueda calificarse como situación legal de cese de actividad, y tal concepto solo se define por los ingresos y pérdidas habidas en el ejercicio de esa actividad profesional (STS de 14 de marzo de 2018 [Tol 6559005]).*

2.º Ejecuciones judiciales o administrativas tendentes al cobro de las deudas reconocidas por los órganos ejecutivos, que comporten al menos el 30 por ciento de los ingresos del ejercicio económico inmediatamente anterior.

3.º La declaración judicial de concurso que impida continuar con la actividad, en los términos de la Ley 22/2003, de 9 de julio, Concursal.

4.º La reducción del 60 por ciento de la jornada de la totalidad de las personas en situación de alta con obligación de cotizar de la empresa o suspensión temporal de los contratos de trabajo de al menos del 60 por ciento del número de personas en situación de alta con obligación de cotizar de la empresa siempre que los dos trimestres fiscales previos a la solicitud presentados ante la Administración tributaria, el nivel de ingresos ordinarios o ventas haya experimentado una reducción del 75 por ciento de los registrados en los mismos periodos del ejercicio o ejercicios anteriores y los rendimientos netos mensuales del trabajador autónomo durante esos trimestres, por todas las actividades económicas, empresariales o profesionales, que desarrolle, no alcancen la cuantía del salario mínimo interprofesional o la de la base por la que viniera cotizando, si esta fuera inferior.

En estos casos no será necesario el cierre del establecimiento abierto al público o su transmisión a terceros.

5.º En el supuesto de trabajadores autónomos que no tengan trabajadores asalariados, el mantenimiento de deudas exigibles con acreedores cuyo importe supere el 150 por ciento de los ingresos ordinarios o ventas durante los dos trimestres fiscales previos a la solicitud, y que estos ingresos o ventas supongan a su vez una reducción del 75 por ciento respecto del registrado en los mismos períodos del ejercicio o ejercicios anteriores. A tal efecto no se computarán las deudas que por incumplimiento de sus obligaciones con la Seguridad Social o con la Administración tributaria mantenga.

Se exigirá igualmente que los rendimientos netos mensuales del trabajador autónomo durante esos trimestres, por todas las actividades económicas o profesionales que desarrolle, no alcancen la cuantía del salario mínimo interprofesional o la de la base por la que viniera cotizando, si esta fuera inferior. A tal efecto no se computarán las deudas que por incumplimiento de sus obligaciones con la Seguridad Social o con la Administración tributaria mantenga.

En estos casos no será necesario el cierre del establecimiento abierto al público o su transmisión a terceros.

Letra a) redactada por el Real Decreto-Ley 13/2022, de 26 de julio, por el que se establece un nuevo sistema de cotización para los trabajadores por cuenta propia o autónomos y se mejora la protección por cese de actividad (BOE núm. 179, 27 de julio de 2022).

b) Por fuerza mayor, determinante del cese temporal o definitivo de la actividad económica o profesional.

Se entenderá que existen motivos de fuerza mayor en el cese temporal parcial cuando la interrupción de la actividad de la empresa afecte a un sector o centro de trabajo, exista una declaración de emergencia adoptada por la autoridad pública competente y se produzca una caída de ingresos del 75 por ciento de la actividad de la empresa con relación al mismo periodo del año anterior y los ingresos mensuales del trabajador autónomo no alcance el salario mínimo interprofesional o el importe de la base por la que viniera cotizando si esta fuera inferior.

Letra b) redactada por el Real Decreto-Ley 13/2022, de 26 de julio, por el que se establece un nuevo sistema de cotización para los trabajadores por cuenta propia o autónomos y se mejora la protección por cese de actividad (BOE núm. 179, 27 de julio de 2022).

c) Por pérdida de la licencia administrativa, siempre que la misma constituya un requisito para el ejercicio de la actividad económica o profesional y no venga motivada por la comisión de infracciones penales.

d) La violencia de género o la violencia sexual determinante del cese temporal o definitivo de la actividad de la trabajadora autónoma.

Letra d) redactada por la Ley orgánica 10/2022, de 6 de septiembre, de garantía integral de la libertad sexual (BOE núm. 215, 7 de septiembre de 2022).

e) Por divorcio o separación matrimonial, mediante resolución judicial, en los supuestos en que el autónomo ejerciera funciones de ayuda familiar en el negocio de su excónyuge o de la persona de la que se ha separado, en función de las cuales estaba incluido en el correspondiente Régimen de la Seguridad Social.

2. En ningún caso se considerará en situación legal de cese de actividad:

a) A aquellos que cesen o interrumpan voluntariamente su actividad, salvo en el supuesto previsto en el artículo 333.1.b).

b) A los trabajadores autónomos previstos en el artículo 333 que tras cesar su relación con el cliente y percibir la prestación por cese de actividad, vuelvan a contratar con el mismo cliente en el plazo de un año, a contar desde el momento en que se extinguió la prestación, en cuyo caso deberán reintegrar la prestación recibida.

**Artículo 332. *Acreditación de la situación legal de cese de actividad*.** 1. Las situaciones legales de cese de actividad de los trabajadores autónomos se acreditarán mediante declaración jurada del solicitante, en la que se consignará el motivo o motivos concurrentes y la fecha de efectos del cese, a la que acompañará los documentos que seguidamente se establecen, sin perjuicio de aportarse, si aquel lo estima conveniente, cualquier medio de prueba admitido legalmente:

1.1 Los motivos económicos, técnicos, productivos u organizativos se acreditarán mediante los documentos contables, profesionales, fiscales, administrativos o judiciales que justifiquen la falta de viabilidad de la actividad.

a) Salvo en los supuestos previstos en los epígrafes b) y c), se deberán aportar los documentos que acrediten el cierre del establecimiento en los términos establecidos en el artículo 331.1.a), la baja en el Censo tributario de empresarios, profesionales y retenedores y la baja en el régimen especial de la Seguridad Social en el que estuviera encuadrado el solicitante. En el caso de que la actividad requiriera el otorgamiento de autorizaciones o licencias administrativas, se acompañará la comunicación de solicitud de baja correspondiente y, en su caso, la concesión de la misma, o bien el acuerdo de su retirada.

Sin perjuicio de los documentos señalados en el párrafo anterior, la concurrencia de motivos económicos se considerará acreditada mediante la aportación, en los términos que reglamentariamente se establezcan, de la documentación contable que confeccione el trabajador autónomo, en la que se registre el nivel de pérdidas exigido en los términos del artículo 331.1.a).1.º, así como mediante las declaraciones del Impuesto sobre el Valor Añadido, del Impuesto sobre la Renta de las Personas Físicas y demás documentos preceptivos que, a su vez, justifiquen las partidas correspondientes consignadas en las cuentas aportadas. En todo caso, las partidas que se consignen corresponderán a conceptos admitidos en las normas que regulan la contabilidad.

El trabajador autónomo podrá formular su solicitud aportando datos estimados de cierre, al objeto de agilizar la instrucción del procedimiento, e incorporará los definitivos con carácter previo al dictado de la resolución.

b) En los supuestos previstos en el artículo 331.1.a).4.º, deberá aportarse comunicación a la autoridad laboral de la decisión de adoptar la medida, así como de los documentos contables en el que se registren el nivel de perdidas exigidos, y las declaraciones del Impuesto sobre el Valor Añadido, del Impuesto sobre la Renta de las Personas Físicas y demás documentos preceptivos que, a su vez, justifiquen los ingresos del trabajador autónomo y las partidas correspondientes consignadas en las cuentas aportadas.

En estos casos no procederá la baja en el régimen especial de la Seguridad Social.

c) En los supuestos previstos en el artículo 331.1.a).5.º, deberán aportarse los documentos contables en el que se registren el nivel de perdidas exigidos, y las declaraciones del Impuesto sobre el Valor Añadido, del Impuesto sobre la Renta de las Personas Físicas y demás documentos preceptivos que, a su vez, justifiquen los ingresos del trabajador autónomo y las partidas correspondientes consignadas en las cuentas aportadas.

En estos casos no procederá la baja en el régimen especial de la Seguridad Social.

También deberán aportarse los acuerdos singulares de refinanciación de la deuda reflejados en escritura pública con los acreedores, individual o conjuntamente, cuya duración sea igual o superior al tiempo del derecho del percibo de la prestación por cese de actividad, y donde se justifiquen tales acuerdos, así como los actos y negocios realizados entre el trabajador autónomo y los acreedores que suscriban los mismos.

1.2 La fuerza mayor determinante del cese definitivo o temporal total de la actividad económica o profesional se acreditará mediante documentación que acredite la existencia de la misma y la imposibilidad del ejercicio de la actividad ya sea de forma definitiva o temporal.

Si el cese es definitivo deberá aportar la solicitud de baja en el Censo tributario de empresarios, profesionales y retenedores y la baja en el régimen especial de la Seguridad Social en el que estuviera encuadrado el solicitante. En el caso de que la actividad requiriera el otorgamiento de autorizaciones o licencias administrativas, se acompañará la comunicación de solicitud de baja correspondiente y, en su caso, la concesión de la misma, o bien el acuerdo de su retirada.

Si el cese es temporal parcial, deberá aportarse además de los documentos que acrediten la existencia de la fuerza mayor, el acuerdo de la administración pública competente al que hace referencia el artículo 331.1.b).

En el cese temporal total y parcial no procederá la baja en el régimen especial de la Seguridad Social.

1.3 La pérdida de la licencia administrativa que habilitó el ejercicio de la actividad mediante resolución correspondiente.

1.4 La violencia de género o la violencia sexual, por la declaración escrita de la solicitante de haber cesado o interrumpido su actividad económica o profesional, a la que se adjuntará cualquiera de los documentos a los que se refieren el artículo 23 de la Ley Orgánica 1/2004, de 28 de diciembre, de Medidas de Protección Integral contra la Violencia de Género o el artículo 37 de la Ley Orgánica de garantía integral de la libertad sexual.

De tratarse de una trabajadora autónoma económicamente dependiente, aquella declaración podrá ser sustituida por la comunicación escrita del cliente del que dependa económicamente en la que se hará constar el cese o la interrupción de la actividad. Tanto la declaración como la comunicación han de contener la fecha a partir de la cual se ha producido el cese o la interrupción.

Apartado 1.4 redactado por la Ley orgánica 10/2022, de 6 de septiembre, de garantía integral de la libertad sexual (BOE núm. 215, 7 de septiembre de 2022).

1.5 El divorcio o acuerdo de separación matrimonial de los familiares incursos en la situación prevista en el artículo 331.1.e) se acreditará mediante la correspondiente resolución judicial, a la que acompañarán la documentación correspondiente en la que se constate la pérdida de ejercicio de las funciones de ayuda familiar directa en el negocio, que venían realizándose con anterioridad a la ruptura o separación matrimoniales.

2. Reglamentariamente se desarrollará la documentación a presentar por los trabajadores autónomos con objeto de acreditar la situación legal de cese de actividad prevista en este artículo.

Artículo 332 redactado por el Real Decreto-Ley 13/2022, de 26 de julio, por el que se establece un nuevo sistema de cotización para los trabajadores por cuenta propia o autónomos y se mejora la protección por cese de actividad (BOE núm. 179, 27 de julio de 2022).

CAPÍTULO II. Situación legal de cese de actividad en supuestos especiales

**Artículo 333. *Trabajadores autónomos económicamente dependientes*.**
1. Se encontrarán en situación legal de cese de actividad los trabajadores autónomos económicamente dependientes que, sin perjuicio de lo previsto en el primer apartado del artículo 331, cesen su actividad por extinción del contrato suscrito con el cliente del que dependan económicamente, en los siguientes supuestos:

a) Por la terminación de la duración convenida en el contrato o conclusión de la obra o servicio.

b) Por incumplimiento contractual grave del cliente, debidamente acreditado.

c) Por rescisión de la relación contractual adoptada por causa justificada por el cliente, de acuerdo con lo establecido en la Ley 20/2007, de 11 de julio.

d) Por rescisión de la relación contractual adoptada por causa injustificada por el cliente, de acuerdo con lo establecido en la Ley 20/2007, de 11 de julio.

e) Por muerte, incapacidad o jubilación del cliente, siempre que impida la continuación de la actividad.

2. La situación legal de cese de actividad establecida en el apartado 1 será también de aplicación a los trabajadores autónomos que carezcan del reconocimiento de económicamente dependientes, siempre que su actividad cumpla las condiciones establecidas en el artículo 11 de la Ley 20/2007, de 11 de julio, y en el artículo 2 del Real Decreto 197/2009, de 23 de febrero, por el que se desarrolla el Estatuto del trabajo autónomo en materia de contrato del trabajador autónomo económicamente dependiente y su registro y se crea el Registro Estatal de asociaciones profesionales de trabajadores autónomos.

3. Sin perjuicio de lo previsto en el artículo 332.1, las situaciones legales de cese de actividad de los trabajadores autónomos económicamente dependientes, así como de los mencionados en el apartado 2, se acreditarán a través de los siguientes medios:

a) La terminación de la duración convenida en contrato o conclusión de la obra o servicio, mediante su comunicación ante el registro correspondiente del servicio público de empleo con la documentación que así lo justifique.

b) El incumplimiento contractual grave del cliente, mediante comunicación por escrito del mismo en la que conste la fecha a partir de la cual tuvo lugar el cese de la actividad, mediante el acta resultante de la conciliación previa, o mediante resolución judicial.

c) La causa justificada del cliente, a través de comunicación escrita expedida por este en un plazo de diez días desde su concurrencia, en la que deberá hacerse constar el motivo alegado y la fecha a partir de la cual se produce el cese de la actividad del trabajador autónomo. En el caso de no producirse la comunicación por escrito, el trabajador autónomo podrá solicitar al cliente que cumpla con dicho requisito, y si transcurridos diez días desde la solicitud el cliente no responde, el trabajador autónomo económicamente dependiente podrá acudir al órgano gestor informando de dicha situación, aportando copia de la solicitud realizada al cliente y solicitando le sea reconocido el derecho a la protección por cese de actividad.

d) La causa injustificada, mediante comunicación expedida por el cliente en un plazo de diez días desde su concurrencia, en la que deberá hacerse constar la indemnización abonada y la fecha a partir de la cual tuvo lugar el cese de la actividad, mediante el acta resultante de la conciliación previa o mediante resolución judicial, con independencia de que la misma fuese recurrida por el cliente. En el caso de no producirse la comunicación por escrito, el trabajador autónomo podrá solicitar al cliente que cumpla con dicho requisito, y si transcurridos diez días desde la solicitud el cliente no responde, el trabajador autónomo económicamente dependiente podrá acudir al órgano gestor informando de dicha situación, aportando copia de la solicitud realizada al cliente y solicitando le sea reconocido el derecho a la protección por cese de actividad.

e) La muerte, la incapacidad o la jubilación del cliente, mediante certificación de defunción del Registro Civil, o bien resolución de la entidad gestora correspondiente acreditativa del reconocimiento de la pensión de jubilación o incapacidad permanente.

4. Reglamentariamente se desarrollará la documentación a presentar por los trabajadores autónomos con objeto de acreditar la situación legal de cese de actividad prevista en este artículo.

**Artículo 334.** *Trabajadores autónomos por su condición de socios de sociedades de capital.* 1. La situación legal de cese de la actividad de los trabajadores autónomos incluidos en el Régimen Especial de los Trabajadores por Cuenta Propia o Autónomos por aplicación del artículo 305. 2.b), se producirá cuando cesen involuntariamente en el cargo de consejero o administrador de la sociedad o en la prestación de servicios a la misma y la sociedad haya incurrido en pérdidas en los términos previstos en el artículo 331.1.a).1.º o bien haya disminuido su patrimonio neto por debajo de las dos terceras partes de la cifra del capital social.

2. El cese de actividad de los socios de las entidades capitalistas se acreditará mediante el acuerdo adoptado en junta, por el que se disponga el cese en el cargo de administrador o consejero junto con el certificado emitido por el Registro Mercantil que acredite la inscripción del acuerdo. En el supuesto de cese en la prestación de servicios se requerirá la aportación del documento que lo acredite así como el acuerdo de la Junta de reducción del capital por pérdidas.

En ambos casos se requerirá la acreditación de la situación de pérdidas o de disminución del patrimonio neto en los términos establecidos en el apartado 1.

**Artículo 335. *Socios trabajadores de cooperativas de trabajo asociado*.**
1. Se considerarán en situación legal de cese de actividad los socios trabajadores de cooperativas de trabajo asociado que se encuentren en alguno de los siguientes supuestos:

a) Los que hubieren cesado, con carácter definitivo o temporal, en la prestación de trabajo y, por tanto, en la actividad desarrollada en la cooperativa, perdiendo los derechos económicos derivados directamente de dicha prestación por alguna de las siguientes causas:

1.º Por expulsión improcedente de la cooperativa.

2.º Por causas económicas, técnicas, organizativas, productivas o de fuerza mayor.

3.º Por finalización del período al que se limitó el vínculo societario de duración determinada.

4.º Por causa de violencia de género o violencia sexual, en las socias trabajadoras.

Ordinal 4.º redactado por la Ley orgánica 10/2022, de 6 de septiembre, de garantía integral de la libertad sexual (BOE núm. 215, 7 de septiembre de 2022).

5.º Por pérdida de licencia administrativa de la cooperativa.

b) Los aspirantes a socios en período de prueba que hubieran cesado en la prestación de trabajo durante el mismo por decisión unilateral del Consejo Rector u órgano de administración correspondiente de la cooperativa.

2. La declaración de la situación legal de cese de actividad de los socios trabajadores de cooperativas de trabajo asociado se efectuará con arreglo a las siguientes normas:

a) En el supuesto de expulsión del socio será necesaria la notificación del acuerdo de expulsión por parte del Consejo Rector de la cooperativa u órgano de administración correspondiente, indicando su fecha de efectos, y en todo caso el acta de conciliación judicial o la resolución definitiva de la jurisdicción competente que declare expresamente la improcedencia de la expulsión.

b) En el caso de cese definitivo o temporal de la actividad por motivos económicos, técnicos, organizativos o de producción, en los términos expresados en el artículo 331.1.a). No se exigirá el cierre de establecimiento abierto al público en los casos en los que no cesen la totalidad de los socios trabajadores de la cooperativa de trabajo asociado.

Tales causas se acreditarán mediante la aportación, por parte de la sociedad cooperativa, de los documentos a que se refiere el artículo 332.1.a). Asimismo, se deberá acreditar certificación literal del acuerdo de la asamblea general del cese definitivo o temporal de la prestación de trabajo y de actividad de los socios trabajadores.

c) En el supuesto de finalización del período al que se limitó el vínculo societario de duración determinada, será necesaria certificación del Consejo Rector u órgano de administración correspondiente de la baja en la cooperativa por dicha causa y su fecha de efectos.

d) En el caso de violencia de género o violencia sexual, por la declaración escrita de la solicitante de haber cesado o interrumpido su prestación de trabajo en la sociedad cooperativa, a la que se adjuntará cualquiera de los documentos a los que se refieren el artículo 23 de la Ley Orgánica 1/2004, de 28 de diciembre, de Medidas de Protección Integral contra la Violencia de Género, o el artículo 37 de la Ley Orgánica de garantía integral de la libertad sexual. La declaración ha de contener la fecha a partir de la cual se ha producido el cese o la interrupción.

> Letra d) redactada por la Ley orgánica 10/2022, de 6 de septiembre, de garantía integral de la libertad sexual (BOE núm. 215, 7 de septiembre de 2022).

e) En el caso de cese durante el período de prueba será necesaria comunicación del acuerdo de no admisión por parte del Consejo Rector u órgano de administración correspondiente de la cooperativa al aspirante.

3. No estarán en situación legal de cese de actividad los socios trabajadores de las cooperativas de trabajo asociado que, tras cesar definitivamente en la prestación de trabajo, y por tanto, en la actividad desarrollada en la cooperativa, y haber percibido la prestación por cese de actividad, vuelvan a ingresar en la misma sociedad cooperativa en un plazo de un año, a contar desde el momento en que se extinguió la prestación. Si el socio trabajador reingresa en la misma sociedad cooperativa en el plazo señalado, deberá reintegrar la prestación percibida.

4. Los socios trabajadores que se encuentren en situación legal de cese de actividad deberán solicitar el reconocimiento del derecho a las prestaciones al órgano gestor del artículo 346, salvo lo establecido en el apartado 3 de dicho

artículo y hasta el último día del mes siguiente a la declaración de la situación legal de cese de actividad, en los términos expresados en el apartado 2.

En caso de presentar la solicitud fuera del indicado plazo se estará a lo dispuesto en las normas de carácter general de este título.

**Artículo 336. *Trabajadores autónomos que ejercen su actividad profesional conjuntamente*.** Se considerarán en situación legal de cese de actividad los trabajadores autónomos profesionales que hubieren cesado, con carácter definitivo o temporal en la profesión desarrollada conjuntamente con otros, por alguna de las siguientes causas:

a) Por la concurrencia de motivos económicos, técnicos, productivos u organizativos a que se refiere el artículo 331.1.a), y determinantes de la inviabilidad de proseguir con la profesión, con independencia de que acarree o no el cese total de la actividad de la sociedad o forma jurídica en la que estuviera ejerciendo su profesión.

No se exigirá el cierre de establecimiento abierto al público en los casos en los que no cesen la totalidad de los profesionales de la entidad, salvo en aquellos casos en los que el establecimiento esté a cargo exclusivamente del profesional. No obstante, en este caso no podrá declararse la situación legal de cese de actividad cuando el trabajador autónomo, tras cesar en su actividad y percibir la prestación por cese de actividad, vuelva a ejercer la actividad profesional en la misma entidad en un plazo de un año, a contar desde el momento en que se extinguió la prestación. En caso de incumplimiento de esta cláusula, deberá reintegrar la prestación percibida.

b) Por fuerza mayor, determinante del cese temporal o definitivo de la profesión.

c) Por pérdida de la licencia administrativa, siempre que la misma constituya un requisito para el ejercicio de la actividad económica o profesional y no venga motivada por la comisión de infracciones penales.

d) La violencia de género o violencia sexual determinante del cese temporal o definitivo de la profesión de la trabajadora autónoma.

> Letra d) redactada por la Ley orgánica 10/2022, de 6 de septiembre, de garantía integral de la libertad sexual (BOE núm. 215, 7 de septiembre de 2022).

e) Por divorcio o acuerdo de separación matrimonial, mediante la correspondiente resolución judicial, en los supuestos en que el autónomo divorciado o separado ejerciera funciones de ayuda familiar en el negocio de su excónyuge o de la persona de la que se ha separado, en función de las cuales estaba incluido en el correspondiente régimen de la Seguridad Social, y que dejan de ejercerse a causa de la ruptura o separación matrimoniales.

## CAPÍTULO III. Régimen de la protección

**Artículo 337. *Solicitud y nacimiento del derecho a la protección por cese de actividad.*** 1. Los trabajadores autónomos que cumplan los requisitos establecidos en el artículo 330 deberán solicitar a la mutua colaboradora con la Seguridad Social a la que se encuentren adheridos o a la entidad gestora con la que tengan cubierta la protección dispensada por contingencias derivadas de accidentes de trabajo y enfermedades profesionales, el reconocimiento del derecho a la protección por cese de actividad.

2. El reconocimiento de la situación legal de cese de actividad se podrá solicitar hasta el último día del mes siguiente al que se produjo el cese de actividad. No obstante, en las situaciones legales de cese de actividad causadas por motivos económicos, técnicos, productivos u organizativos, de fuerza mayor, por violencia de género, violencia sexual, por voluntad del cliente, fundada en causa justificada y por muerte, incapacidad y jubilación del cliente, el plazo comenzará a computar a partir de la fecha que se hubiere hecho constar en los correspondientes documentos que acrediten la concurrencia de tales situaciones.

> Apartado 2 redactado por la Ley orgánica 10/2022, de 6 de septiembre, de garantía integral de la libertad sexual (BOE núm. 215, 7 de septiembre de 2022).

3. Cuando el trabajador autónomo económicamente dependiente haya finalizado su relación con el cliente principal, para tener derecho al percibo de la prestación, no podrá tener actividad con otros clientes a partir del día en que inicie el cobro de la prestación.

> *Cuando el trabajador autónomo ha cesado en su actividad el último día del mes y el cese con el cliente tuvo lugar el mismo día de la baja en el Régimen Especial de la Seguridad Social de los Trabajadores por Cuenta Propia o Autónomos, siendo éste el último día por el que trabajó y cotizó al sistema de Seguridad Social, una vez vencido este día es cuando tiene efecto la baja en el sistema, siendo entonces cuando se causa la situación protegida al pasar a estar ya sin actividad alguna, y siendo al vencimiento del último día del mes natural cuando se causa la situación legal de cese de actividad* (STS de 4 de junio de 2024 [Rec. 3613/2021]).

4. El reconocimiento de la situación legal de cese de actividad se podrá solicitar hasta el último día del mes siguiente al que se produjo el cese de actividad. No obstante, en las situaciones legales de cese de actividad causadas por motivos económicos, técnicos, productivos u organizativos, de fuerza mayor, por violencia de género, por voluntad del cliente fundada en causa justificada y por muerte, incapacidad y jubilación del cliente, el plazo comenzará a computar a partir de la fecha que se hubiere hecho constar en los correspondientes documentos que acrediten la concurrencia de tales situaciones.

5. En caso de presentación de la solicitud una vez transcurrido el plazo fijado en el apartado anterior, y siempre que el trabajador autónomo cumpla con el resto de los requisitos legalmente previstos, se descontarán del período de percepción los días que medien entre la fecha en que debería haber presentado la solicitud y la fecha en que la presentó.

6. El órgano gestor se hará cargo de la cuota de Seguridad Social que le corresponda durante el periodo de percepción de la prestación, siempre que se hubiere solicitado en el plazo previsto en el apartado 4. En otro caso, el órgano gestor se hará cargo a partir del día primero del mes siguiente al de la solicitud.

Cuando el trabajador autónomo económicamente dependiente haya finalizado su relación con el cliente principal, en el supuesto de que, en el mes posterior al hecho causante, tuviera actividad con otros clientes, el órgano gestor estará obligado a cotizar a partir de la fecha de inicio de la prestación.

Artículo 337 redactado por el Real Decreto-Ley 13/2022, de 26 de julio, por el que se establece un nuevo sistema de cotización para los trabajadores por cuenta propia o autónomos y se mejora la protección por cese de actividad (BOE núm. 179, 27 de julio de 2022).

**Artículo 338. *Duración de la prestación económica*.** 1. La duración de la prestación por cese de actividad estará en función de los períodos de cotización efectuados dentro de los cuarenta y ocho meses anteriores a la situación legal de cese de actividad de los que, al menos, doce meses deben estar comprendidos en los veinticuatro meses inmediatamente anteriores a dicha situación de cese con arreglo a la siguiente escala:

Párrafo primero redactado por el Real Decreto-Ley 13/2022, de 26 de julio, por el que se establece un nuevo sistema de cotización para los trabajadores por cuenta propia o autónomos y se mejora la protección por cese de actividad (BOE núm. 179, 27 de julio de 2022).

| Período de cotización<br>–<br>Meses | Período de la protección<br>–<br>Meses |
|---|---|
| De doce a diecisiete | 4 |
| De dieciocho a veintitrés | 6 |
| De veinticuatro a veintinueve | 8 |
| De treinta a treinta y cinco | 10 |
| De treinta y seis a cuarenta y dos | 12 |
| De cuarenta y tres a cuarenta y siete | 16 |
| De cuarenta y ocho en adelante | 24 |

Apartado 1 redactado por el Real Decreto-Ley 28/2018, de 28 de diciembre, para la revalorización de las pensiones públicas y otras medidas urgentes en materia social, laboral y de empleo (BOE núm. 314, 29 de diciembre de 2018).

2...

Apartado 2 suprimido por el Real Decreto-Ley 28/2018, de 28 de diciembre, para la revalorización de las pensiones públicas y otras medidas urgentes en materia social, laboral y de empleo (BOE núm. 314, 29 de diciembre de 2018).

3. El trabajador autónomo al que se le hubiere reconocido el derecho a la protección económica por cese de actividad podrá volver a solicitar un nuevo reconocimiento, siempre que concurran los requisitos legales y hubieren transcurrido dieciocho meses desde el reconocimiento del último derecho a la prestación.

4. A efectos de determinar los períodos de cotización a que se refieren los apartados 1 y 2:

a) Se tendrán en cuenta exclusivamente las cotizaciones por cese de actividad efectuadas al régimen especial correspondiente.

b) Se tendrán en cuenta las cotizaciones por cese de actividad que no hubieren sido computadas para el reconocimiento de un derecho anterior de la misma naturaleza.

c) Los meses cotizados se computarán como meses completos.

d) Las cotizaciones que generaron la última prestación por cese de actividad no podrán computarse para el reconocimiento de un derecho posterior.

e) En el Régimen Especial de los Trabajadores del Mar, los períodos de veda obligatoria aprobados por la autoridad competente no se tendrán en cuenta para el cómputo del período de doce meses continuados e inmediatamente anteriores a la situación legal de cese de actividad, siempre y cuando en esos períodos de veda no se hubiera percibido la prestación por cese de actividad.

**Artículo 339. *Cuantía de la prestación económica por cese de la actividad*.** 1. La base reguladora de la prestación económica por cese de actividad será el promedio de las bases por las que se hubiere cotizado durante los doce meses continuados e inmediatamente anteriores a la situación legal de cese.

En el Régimen Especial de los Trabajadores del Mar la base reguladora se calculará sobre la totalidad de la base de cotización por esta contingencia, sin aplicación de los coeficientes correctores de cotización, y además, los períodos de veda obligatoria aprobados por la autoridad competente no se tendrán en cuenta para el computo del período de doce meses continuados e inmediatamente anteriores a la situación legal de cese de actividad, siempre y cuando en esos períodos de veda no se hubiera percibido la prestación por cese de actividad.

2. La cuantía de la prestación, durante todo su período de disfrute, se determinará aplicando a la base reguladora el 70 por ciento, salvo en los supuestos previstos en los epígrafes 4.º y 5.º del articulo 331.1.a) y en los supuestos de suspensión temporal parcial debidas a fuerza mayor, donde la cuantía de la prestación será del 50 por ciento.

3. La cuantía máxima de la prestación por cese de actividad será del 175 por ciento del indicador público de rentas de efectos múltiples, salvo cuando el trabajador autónomo tenga uno o más hijos a su cargo, en cuyo caso la cuantía será, respectivamente, del 200 por ciento o del 225 por ciento de dicho indicador.

La cuantía mínima de la prestación por cese de actividad será del 107 por ciento o del 80 por ciento del indicador público de rentas de efectos múltiples, según el trabajador autónomo tenga hijos a su cargo, o no.

Lo dispuesto en este apartado no se aplicará a los supuestos previstos en los epígrafes 4.º y 5.º del apartado 1.a) del artículo 331 ni a los supuestos de suspensión temporal parcial debidas a fuerza mayor previstos en el artículo 331.1.b).

4. A efectos de calcular las cuantías máxima y mínima de la prestación por cese de actividad, se entenderá que se tienen hijos a cargo, cuando estos sean menores de veintiséis años, o mayores con una discapacidad en grado igual o superior al 33 por ciento, carezcan de rentas de cualquier naturaleza iguales o

superiores al salario mínimo interprofesional excluida la parte proporcional de las pagas extraordinarias, y convivan con el beneficiario.

A los efectos de la cuantía máxima y mínima de la prestación por cese de actividad, se tendrá en cuenta el indicador público de rentas de efectos múltiples mensual, incrementado en una sexta parte, vigente en el momento del nacimiento del derecho.

> Artículo 339 redactado por el Real Decreto-Ley 13/2022, de 26 de julio, por el que se establece un nuevo sistema de cotización para los trabajadores por cuenta propia o autónomos y se mejora la protección por cese de actividad (BOE núm. 179, 27 de julio de 2022).

**Artículo 340. *Suspensión del derecho a la protección*.** 1. El derecho a la protección por cese de actividad se suspenderá por el órgano gestor en los siguientes supuestos:

a) Durante el período que corresponda por imposición de sanción por infracción leve o grave, en los términos establecidos en el texto refundido de la Ley sobre Infracciones y Sanciones en el Orden Social.

b) Durante el cumplimiento de condena que implique privación de libertad.

c) Durante el período de realización de un trabajo por cuenta propia o por cuenta ajena, salvo en los supuestos de cese de actividad previsto en los epígrafes 4.º y 5.º del artículo 331.1.a), o de cese temporal parcial de la actividad derivado de fuerza mayor, que serán compatible con la actividad que causa el cese, en los términos previstos en el artículo 342.1, y sin perjuicio de la extinción del derecho a la protección por cese de actividad en el supuesto establecido en el artículo 341.1.c).

> Letra c) redactada por el Real Decreto-Ley 13/2022, de 26 de julio, por el que se establece un nuevo sistema de cotización para los trabajadores por cuenta propia o autónomos y se mejora la protección por cese de actividad (BOE núm. 179, 27 de julio de 2022).

2. La suspensión del derecho comportará la interrupción del abono de la prestación económica y de la cotización sin afectar al período de su percepción, salvo en el supuesto previsto en la letra a) del apartado anterior, en el que el período de percepción se reducirá por tiempo igual al de la suspensión producida.

> Apartado 2 redactado por el Real Decreto-Ley 28/2018, de 28 de diciembre, para la revalorización de las pensiones públicas y otras medidas urgentes en materia social, laboral y de empleo (BOE núm. 314, 29 de diciembre de 2018).

3. La protección por cese de actividad se reanudará previa solicitud del interesado, siempre que este acredite que ha finalizado la causa de suspensión y que se mantiene la situación legal de cese de actividad.

El derecho a la reanudación nacerá a partir del término de la causa de suspensión, siempre que se solicite en el plazo de los quince días siguientes.

El reconocimiento de la reanudación dará derecho al disfrute de la correspondiente prestación económica pendiente de percibir, así como a la cotización, a partir del primer día del mes siguiente al de la solicitud de la reanudación. En caso de presentarse la solicitud transcurrido el plazo citado, se estará a lo previsto en el artículo 337.3.

**Artículo 341. *Extinción del derecho a la protección*.** 1. El derecho a la protección por cese de actividad se extinguirá en los siguientes casos:

a) Por agotamiento del plazo de duración de la prestación.

b) Por imposición de las sanciones en los términos establecidos en el texto refundido de la Ley sobre Infracciones y Sanciones en el Orden Social.

c) Por realización de un trabajo por cuenta ajena o propia durante un tiempo igual o superior a doce meses, en este último caso siempre que genere derecho a la protección por cese de actividad como trabajador autónomo.

d) Por cumplimiento de la edad de jubilación ordinaria o, en el caso de los trabajadores por cuenta propia encuadrados en el Régimen Especial de los Trabajadores del Mar, edad de jubilación teórica, salvo cuando no se reúnan los requisitos para acceder a la pensión de jubilación contributiva. En este supuesto la prestación por cese de actividad se extinguirá cuando el trabajador autónomo cumpla con el resto de requisitos para acceder a dicha pensión o bien se agote el plazo de duración de la protección.

e) Por reconocimiento de pensión de jubilación o de incapacidad permanente, sin perjuicio de lo establecido en el artículo 342.1.

> Letra e) redactada por el Real Decreto-Ley 13/2022, de 26 de julio, por el que se establece un nuevo sistema de cotización para los trabajadores por cuenta propia o autónomos y se mejora la protección por cese de actividad (BOE núm. 179, 27 de julio de 2022).

f) Por traslado de residencia al extranjero, salvo en los casos que reglamentariamente se determinen.

g) Por renuncia voluntaria al derecho.

h) Por fallecimiento del trabajador autónomo.

2. Cuando el derecho a la prestación se extinga en los casos de la letra c) del apartado anterior, el trabajador autónomo podrá optar, en el caso de que se le reconozca una nueva prestación, entre reabrir el derecho inicial por el período que le restaba y las bases y tipos que le correspondían, o percibir la prestación generada por las nuevas cotizaciones efectuadas. Cuando el trabajador autónomo opte por la prestación anterior, las cotizaciones que generaron aquella prestación por la que no hubiera optado no podrán computarse para el reconocimiento de un derecho posterior.

**Artículo 342.** *Incompatibilidades*. 1. La percepción de la prestación económica por cese de actividad es incompatible con el trabajo por cuenta propia, aunque su realización no implique la inclusión obligatoria en el Régimen Especial de la Seguridad Social de los Trabajadores por Cuenta Propia o Autónomos o en el Régimen Especial de la Seguridad Social de los Trabajadores del Mar, así como con el trabajo por cuenta ajena, salvo que la percepción de prestación por cese de actividad venga determinada por lo dispuesto en los epígrafes 4.º y 5.º del artículo 331.1.a), o por cese temporal parcial de la actividad derivado de fuerza mayor, que serán compatibles con la actividad que cause el cese, siempre que los rendimientos netos mensuales obtenidos durante la percepción de la prestación no sean superiores a la cuantía del salario mínimo interprofesional o al importe de la base por la que viniera cotizando, si esta fuera inferior.

Párrafo primero redactado por el Real Decreto-Ley 13/2022, de 26 de julio, por el que se establece un nuevo sistema de cotización para los trabajadores por cuenta propia o autónomos y se mejora la protección por cese de actividad (BOE núm. 179, 27 de julio de 2022).

La incompatibilidad con el trabajo por cuenta propia establecida en el párrafo anterior tendrá como excepción los trabajos agrarios sin finalidad comercial en las superficies dedicadas a huertos familiares para el autoconsumo, así como los dirigidos al mantenimiento en buenas condiciones agrarias y medioambientales previsto en la normativa de la Unión Europea para las tierras agrarias. Esta excepción abarcará asimismo a los familiares colaboradores incluidos en el Régimen Especial de la Seguridad Social de los Trabajadores por Cuenta Propia o Autónomos que también sean perceptores de la prestación económica por cese de actividad. Esta excepción será desarrollada mediante norma reglamentaria.

Será asimismo incompatible con la obtención de pensiones o prestaciones de carácter económico del sistema de la Seguridad Social, salvo que estas hubieran sido compatibles con el trabajo que dio lugar a la prestación por cese de actividad, así como con las medidas de fomento del cese de actividad reguladas por normativa sectorial para diferentes colectivos, o las que pudieran regularse en el futuro con carácter estatal.

2. Por lo que se refiere a los trabajadores por cuenta propia incluidos en el Régimen Especial de los Trabajadores del Mar, la prestación por cese de actividad será incompatible con la percepción de las ayudas por paralización de la flota.

3. En los supuestos en los que el trabajador autónomo se encuentre en situación de pluriactividad, en el momento del hecho causante de la prestación por cese de actividad, la prestación por cese será compatible con la percepción de la remuneración por el trabajo por cuenta ajena que se venía desarrollando, siempre y cuando de la suma de la retribución mensual media de los últimos cuatro meses inmediatamente anteriores al nacimiento del derecho y la prestación por cese de actividad, resulte una cantidad media mensual inferior al importe del salario mínimo interprofesional vigente en el momento del nacimiento del derecho.

Apartado 3 añadido por el Real Decreto-Ley 14/2022, de 1 de agosto, de medidas de sostenibilidad económica en el ámbito del transporte, en materia de becas y ayudas al estudio, así como de medidas de ahorro, eficiencia energética y de reducción de la dependencia energética del gas natural (BOE núm. 184, de 2 de agosto de 2022).

**Artículo 343. *Cese de actividad, incapacidad temporal, maternidad y paternidad*.** 1. En el supuesto en que el hecho causante de la protección por cese de actividad se produzca mientras el trabajador autónomo se encuentre en situación de incapacidad temporal, este seguirá percibiendo la prestación por incapacidad temporal en la misma cuantía que la prestación por cese de actividad hasta que la misma se extinga, en cuyo momento pasará a percibir, siempre que reúna los requisitos legalmente establecidos, la prestación económica por cese de actividad que le corresponda. En tal caso, se descontará del período de percepción de la prestación por cese de actividad, como ya consumido, el tiempo que hubiera permanecido en la situación de incapacidad temporal a partir de la fecha de la situación legal de cese de actividad.

2. En el supuesto en que el hecho causante de la protección por cese de actividad se produzca cuando el trabajador autónomo se encuentre en situa-

ción de maternidad o paternidad, se seguirá percibiendo la prestación por maternidad o por paternidad hasta que las mismas se extingan, en cuyo momento se pasará a percibir, siempre que reúnan los requisitos legalmente establecidos, la prestación económica por cese de actividad que les corresponda.

3. Si durante la percepción de la prestación económica por cese de actividad el trabajador autónomo pasa a la situación de incapacidad temporal que constituya recaída de un proceso previo iniciado con anterioridad a la situación legal de cese en la actividad, percibirá la prestación por esta contingencia en cuantía igual a la prestación por cese en la actividad. En este caso, y en el supuesto de que el trabajador autónomo continuase en situación de incapacidad temporal una vez finalizado el período de duración establecido inicialmente para la prestación por cese en la actividad, seguirá percibiendo la prestación por incapacidad temporal en la misma cuantía en la que la venía percibiendo.

Cuando el trabajador autónomo esté percibiendo la prestación por cese en la actividad y pase a la situación de incapacidad temporal que no constituya recaída de un proceso anterior iniciado anteriormente, percibirá la prestación por esta contingencia en cuantía igual a la prestación por cese en la actividad. En este caso, y en el supuesto de que el trabajador autónomo continuase en situación de incapacidad temporal una vez finalizado el período de duración establecido inicialmente para la prestación por cese en la actividad, seguirá percibiendo la prestación por incapacidad temporal en cuantía igual al 80 por ciento del indicador público de rentas de efectos múltiples mensual.

El período de percepción de la prestación por cese de actividad no se ampliará como consecuencia de que el trabajador autónomo pase a la situación de incapacidad temporal. Durante dicha situación el órgano gestor de la prestación se hará cargo de las cotizaciones a la Seguridad Social, en los términos previstos en el artículo 329.1.b) hasta el agotamiento del período de duración de la prestación al que el trabajador autónomo tuviere derecho.

4. Si durante la percepción de la prestación económica por cese de actividad la persona beneficiaria se encuentra en situación de maternidad o paternidad pasará a percibir la prestación que por estas contingencias le corresponda. Una vez extinguida esta, el órgano gestor, de oficio, reanudará el abono de la prestación económica por cese de actividad hasta el agotamiento del período de duración a que se tenga derecho.

CAPÍTULO IV. Régimen financiero y gestión de las prestaciones

**Artículo 344. *Financiación, base y tipo de cotización*.** 1. La protección por cese de actividad se financiará exclusivamente con cargo a la cotización por dicha contingencia. La fecha de efectos de la cobertura se determinará reglamentariamente.

2. La base de cotización por cese de actividad se corresponderá con la base de cotización del Régimen Especial de los Trabajadores por Cuenta Propia o Autónomos que hubiere elegido, como propia, el trabajador autónomo con arreglo a lo establecido en las normas de aplicación, o bien la que le corresponda como trabajador por cuenta propia en el Régimen Especial de los Trabajadores del Mar.

3. El tipo de cotización correspondiente a la protección de la Seguridad Social por cese de actividad, aplicable a la base determinada en el apartado anterior, se establecerá de conformidad con lo dispuesto en el artículo 19. No obstante, al objeto de mantener la sostenibilidad financiera del sistema de protección, la Ley de Presupuestos Generales del Estado de cada ejercicio establecerá el tipo de cotización aplicable al ejercicio al que se refieran de acuerdo con las siguientes reglas:

a) El tipo de cotización expresado en tanto por cien será el que resulte de la siguiente fórmula:

$$TCt = G/BC*100$$

Siendo:

$t$ = año al que se refieran los Presupuestos Generales del Estado en el que estará en vigor el nuevo tipo de cotización.

$TCt$ = tipo de cotización aplicable para el año t.

$G$ = suma del gasto por prestaciones de cese de actividad de los meses comprendidos desde 1 de agosto del año t-2 hasta el 31 de julio del año t-1

$BC$ = suma de las bases de cotización por cese de actividad de los meses comprendidos desde 1 de agosto del año t-2 hasta el 31 de julio del año t-1.

b) No obstante lo anterior, no corresponderá aplicar el tipo resultante de la fórmula, manteniéndose el tipo vigente, cuando:

1.º Suponga incrementar el tipo de cotización vigente en menos de 0,5 puntos porcentuales.

2.º Suponga reducir el tipo de cotización vigente en menos de 0,5 puntos porcentuales, o cuando siendo la reducción del tipo mayor de 0,5 puntos porcentuales las reservas de esta prestación a las que se refiere el artículo 346.2 previstas al cierre del año t–1 no superen el gasto presupuestado por la prestación de cese de actividad para el año t.

c) En todo caso, el tipo de cotización a fijar anualmente no podrá ser inferior al 0,7 por ciento ni superior al 4 por ciento.

Cuando el tipo de cotización a fijar en aplicación de lo previsto en este apartado exceda del 4 por ciento, se procederá necesariamente a revisar al alza todos los períodos de carencia previstos en el artículo 338.1 de esta ley, que quedarán fijados en la correspondiente Ley de Presupuestos Generales del Estado. Dicha revisión al alza será al menos de dos meses.

4. La Autoridad Independiente de Responsabilidad Fiscal podrá emitir opinión, conforme a lo dispuesto en el artículo 23 de la Ley Orgánica 6/2013, de 14 de noviembre, de creación de la Autoridad Independiente de Responsabilidad Fiscal, respecto a la aplicación por el Ministerio de Trabajo, Migraciones y Seguridad Social de lo previsto en los apartados anteriores, así como respecto a la sostenibilidad financiera del sistema de protección por cese de actividad.

Artículo 344 redactado por el Real Decreto-Ley 28/2018, de 28 de diciembre, para la revalorización de las pensiones públicas y otras medidas urgentes en materia social, laboral y de empleo (BOE núm. 314, 29 de diciembre de 2018).

**Artículo 345. *Recaudación*.** 1. La cuota de protección por cese de actividad se recaudará por la Tesorería General de la Seguridad Social conjuntamente con la cuota o las cuotas del Régimen Especial de los Trabajadores por Cuenta Propia o Autónomos, o del Régimen Especial de los Trabajadores del Mar, liquidándose e ingresándose de conformidad con las normas reguladoras de la gestión recaudatoria de la Seguridad Social para dichos regímenes especiales.

2. Las normas reguladoras de la recaudación de cuotas, tanto en vía voluntaria como ejecutiva, serán de aplicación a la cotización por cese en la actividad a la Seguridad Social para los regímenes señalados.

**Artículo 346. *Órgano gestor*.** 1. Salvo lo establecido en el artículo anterior y en el apartado 3 de este artículo, corresponde a las mutuas colaboradoras con la Seguridad Social la gestión de las funciones y servicios derivados de la protección por cese de actividad, sin perjuicio de las competencias atribuidas a los órganos competentes en materia de sanciones por infracciones en el orden social y de las competencias de dirección y tutela atribuidas al Ministerio de Empleo y Seguridad Social en el artículo 98.1.

A tal fin, la gestión de la prestación por cese de actividad corresponderá a la mutua con quien el trabajador autónomo haya formalizado el documento de adhesión, mediante la suscripción del anexo correspondiente. El procedimiento de formalización de la protección por cese de actividad, su periodo de vigencia y efectos se regirán por las normas de aplicación a la colaboración de las mutuas en la gestión de la Seguridad Social.

2. El resultado positivo anual que las mutuas obtengan de la gestión del sistema de protección se destinará a la constitución de una Reserva de Estabilización por Cese de Actividad, cuyo nivel mínimo de dotación equivaldrá al 5 por ciento de las cuotas ingresadas durante el ejercicio por esta contingencia, que podrá incrementarse voluntariamente hasta alcanzar el 25 por ciento de las mismas cuotas, que constituirá el nivel máximo de dotación, y cuya finalidad será atender los posibles resultados negativos futuros que se produzcan en esta gestión.

Una vez dotada con cargo al cierre del ejercicio la Reserva de Estabilización en los términos establecidos, el excedente se ingresará en la Tesorería General de la Seguridad Social, con destino a la dotación de una Reserva Complementaria de Estabilización por Cese de Actividad, cuya finalidad será asimismo la cancelación de los déficits que puedan generar las mutuas después de aplicada su reserva de cese de actividad, y la reposición de la misma hasta el nivel mínimo señalado, de acuerdo con lo establecido en el artículo 95.4.

En ningún caso será de aplicación el sistema de responsabilidad mancomunada establecido para los empresarios asociados.

3. En el supuesto de trabajadores autónomos que tengan cubierta la protección dispensada a las contingencias derivadas de accidentes de trabajo y enfermedades profesionales con una entidad gestora de la Seguridad Social, la tramitación de la solicitud y la gestión de la prestación por cese de actividad corresponderá:

a) En el ámbito del Régimen Especial de la Seguridad Social de los Trabajadores del Mar, al Instituto Social de la Marina.

b) En el ámbito del Régimen Especial de los Trabajadores por Cuenta Propia o Autónomos, al Servicio Público de Empleo Estatal.

4. El Consejo del Trabajo Autónomo podrá recabar del órgano gestor la información que estime pertinente en relación con el sistema de protección

por cese de actividad y proponer al Ministerio de Empleo y Seguridad Social aquellas medidas que se estimen oportunas para el mejor funcionamiento del mismo.

El órgano gestor presentará al Consejo del Trabajo Autónomo un informe anual sobre la evolución del sistema de protección por cese de actividad. El Consejo podrá recabar cuanta información complementaria estime pertinente en relación con dicho sistema.

### CAPÍTULO V. Régimen de obligaciones, infracciones y sanciones

**Artículo 347. *Obligaciones de los trabajadores autónomos*.** Son obligaciones de los trabajadores autónomos solicitantes y beneficiarios de la protección por cese de actividad:

a) Solicitar a la misma mutua colaboradora con la Seguridad Social a la que se encuentren adheridos la cobertura de la protección por cese de actividad.

b) Cotizar por la aportación correspondiente a la protección por cese de actividad.

c) Proporcionar la documentación e información que resulte necesaria a los efectos del reconocimiento, suspensión, extinción o reanudación de la prestación.

d) Solicitar la baja en la prestación por cese de actividad cuando se produzcan situaciones de suspensión o extinción del derecho o se dejen de reunir los requisitos exigidos para su percepción, en el momento en que se produzcan dichas situaciones.

e) No trabajar por cuenta propia o ajena durante la percepción de la prestación.

f) Reintegrar las prestaciones indebidamente percibidas.

Artículo 347 redactado por el Real Decreto-Ley 13/2022, de 26 de julio, por el que se establece un nuevo sistema de cotización para los trabajadores por cuenta propia o autónomos y se mejora la protección por cese de actividad (BOE núm. 179, 27 de julio de 2022).

**Artículo 348. *Reintegro de prestaciones indebidamente percibidas*.** Sin perjuicio de lo dispuesto en el artículo 47.3 del texto refundido de la Ley sobre Infracciones y Sanciones en el Orden Social, aprobado por el Real Decreto Legislativo 5/2000, de 4 de agosto, en el supuesto de que se incumpla lo dispuesto en los artículos 347.1.e), 331.2.b), 335.3 y en el párrafo segundo del artículo 336.a) de esta ley, será aplicable para el reintegro de prestaciones indebidamente percibidas lo establecido en el artículo 55 de esta ley y en el artículo 80 del Reglamento General de Recaudación de la Seguridad Social, aprobado por el Real Decreto 1415/2004, de 11 de junio, correspondiendo al órgano gestor la declaración como indebida de la prestación.

**Artículo 349. *Infracciones*.** En materia de infracciones y sanciones se estará a lo dispuesto en esta ley y en el texto refundido de la Ley sobre Infracciones y Sanciones en el Orden Social.

**Artículo 350. *Jurisdicción competente y reclamación previa*.** 1. Los órganos jurisdiccionales del orden social serán los competentes para conocer de las decisiones del órgano gestor relativas al reconocimiento, suspensión o extinción de las prestaciones por cese de actividad, así como al pago de las mismas. El interesado podrá formular reclamación previa ante el órgano gestor antes de acudir al órgano jurisdiccional del orden social competente. La resolución del órgano gestor habrá de indicar expresamente la posibilidad de presentar reclamación, el órgano ante el que se debe interponer, así como el plazo para su interposición.

2. Cuando se formule reclamación previa contra las resoluciones de las mutuas colaboradoras con la Seguridad Social en materia de prestaciones por cese de actividad, antes de su resolución, emitirá informe vinculante una comisión paritaria en la que estarán representadas las mutuas colaboradoras con la Seguridad Social, las asociaciones representativas de los trabajadores autónomos y la Administración de la Seguridad Social. Actuará como presidente de la comisión el representante de la Administración de la Seguridad Social y como secretario no miembro de la misma una persona al servicio de la mutua competente para resolver. Podrá formar parte de la comisión, como asesor con voz pero sin voto, un Letrado de la Administración de la Seguridad Social integrado en el Servicio Jurídico de la Administración de la Seguridad Social.

La mutua competente para resolver remitirá a la comisión, para que esta se pronuncie al efecto, la propuesta motivada de resolución de la reclamación previa. El secretario levantará acta de cada sesión dejando constancia de los acuerdos adoptados, debiendo realizar, asimismo, las comunicaciones entre la comisión y la mutua competente. Las mutuas deberán prestar el apoyo financiero y administrativo preciso para el funcionamiento de la comisión suscribiendo los convenios que resulten oportunos. Mediante resolución del

Secretario de Estado de la Seguridad Social se establecerá la determinación de la composición, organización y demás extremos precisos para el adecuado funcionamiento de dicha comisión, aplicándose, en lo no previsto, lo establecido para el funcionamiento de los órganos colegiados en la Ley 40/2015, de 1 de octubre, de Régimen Jurídico del Sector Público.

El resto de reclamaciones previas serán resueltas por el mismo órgano gestor que emitió la resolución impugnada.

> Artículo 350 redactado por el Real Decreto-Ley 28/2018, de 28 de diciembre, para la revalorización de las pensiones públicas y otras medidas urgentes en materia social, laboral y de empleo (BOE núm. 314, 29 de diciembre de 2018).

## TÍTULO VI. Prestaciones no contributivas

### CAPÍTULO I. Prestaciones familiares en su modalidad no contributiva

#### Sección 1.ª Prestaciones

**Artículo 351. *Enumeración*.** Las prestaciones familiares de la Seguridad Social, en su modalidad no contributiva, consistirán en:

a) Una asignación económica por cada hijo menor de dieciocho años de edad y afectado por una discapacidad en un grado igual o superior al 33 por ciento, o mayor de dicha edad cuando el grado de discapacidad sea igual o superior al 65 por ciento, a cargo del beneficiario, cualquiera que sea la naturaleza legal de la filiación, así como por los menores a su cargo en régimen de acogimiento familiar permanente o guarda con fines de adopción, que cumplan los mismos requisitos.

El causante no perderá la condición de hijo o de menor a cargo por el mero hecho de realizar un trabajo lucrativo por cuenta propia o ajena siempre que continúe viviendo con el beneficiario de la prestación y que los ingresos anuales del causante, en concepto de rendimientos del trabajo, no superen el 100 por cien del salario mínimo interprofesional, también en cómputo anual.

Tal condición se mantendrá aunque la afiliación del causante como trabajador suponga su encuadramiento en un régimen de Seguridad Social distinto a aquel en el que esté afiliado el beneficiario de la prestación.

> – *Se considera hijo a cargo o sujeto causante de la protección familiar al menor de dieciocho años y al mayor de dicha edad afectado por una minusvalía del, al menos, un sesenta y cinco por ciento* (STS de 7 de julio de 1999 [*Tol 72170*]).

> *– Se considera hijo a cargo aquel que con una minusvalía del 66 por 100 trabaja en un centro especial dependiente de una asociación de ayuda para personas con disminución psíquica, percibiendo una retribución del 75 por 100 del salario mínimo interprofesional, porque la exclusión de dicho concepto no se extiende a quien se encuentra en aquella situación, pues por debajo de la cuantía citada cualquier ingreso no asegura el mínimo vital indispensable y hace que quien lo alcanza haya de entenderse que vive a expensas de otro (STS de 19 de noviembre de 2003 [Tol 339296].*

b) Una prestación económica de pago único a tanto alzado por nacimiento o adopción de hijo, en supuestos de familias numerosas, monoparentales y en los casos de madres o padres con discapacidad.

> Letra b) redactada por la Ley 19/2021, de 20 de diciembre, por la que se establece el ingreso mínimo vital (BOE núm. 304, 21 de diciembre de 2021).

c) Una prestación económica de pago único por parto o adopción múltiples.

> Artículo 351 redactado por el Real Decreto-Ley 30/2020, de 29 de septiembre, de medidas sociales en defensa del empleo (BOE núm. 259, 30 de septiembre de 2020).

### *Sección 2.ª Asignación económica por hijo o menor a cargo*

**Artículo 352. *Beneficiarios.*** 1. Tendrán derecho a la asignación económica por hijo o menor a cargo quienes:
a) Residan legalmente en territorio español.

> *Debe reconocerse el derecho a prestación por hijo a cargo a un trabajador marroquí residente en España cuyos hijos residen en Marruecos, puesto que el requisito de tener hijos a cargo no tiene como finalidad fomentar la convivencia, muchas veces imposible de hecho, sino proveer la subsistencia de personas con nulos o escasísimos recursos económicos (SSTS de 21 de enero de 2003 [Tol 231045, 241059 y 257237]).*

b) Tengan a su cargo hijos o menores en régimen de acogimiento familiar permanente o guarda con fines de adopción en quienes concurran las circunstancias señaladas en la letra a) del artículo anterior y que residan en territorio español.

En los casos de separación judicial o divorcio, el derecho al percibo de la asignación se conservará para el padre o la madre por los hijos o menores que tenga a su cargo.

c) No tengan derecho, ni el padre ni la madre, a prestaciones de esta misma naturaleza en cualquier otro régimen público de protección social.

2. Serán, asimismo, beneficiarios de la asignación que, en su caso y en razón de ellos, hubiera correspondido a sus padres:

a) Los huérfanos de padre y madre, menores de dieciocho años y que sean personas con discapacidad en un grado igual o superior al 33 por ciento o mayores de dicha edad y que sean personas con discapacidad en un grado igual o superior al 65 por ciento.

– *Cuando el beneficiario es el propio huérfano (absoluto), que actúa como carga familiar, se aplica el plazo de prescripción general de cinco años previsto en la Ley General de la Seguridad Social y no la regla de imprescriptibilidad propia de las prestaciones por muerte y supervivencia* (STS de 15 de marzo de 2004 [Tol 377009]).

– *El reconocimiento de una asignación económica por hijo a cargo, cuando éste es huérfano absoluto mayor de 18 años y con un grado de minusvalía igual o superior al 65 por 100, debe llevarse a cabo con independencia de que la producción o reconocimiento de la discapacidad se hubiera producido en vida de cualquiera de sus padres o después de haber fallecido ambos, porque el causante de la prestación es el hijo y no los padres, que, se convierten en beneficiarios y perceptores de la prestación por estar a su cargo el hijo causante* (SSTS de 4 de julio [Tol 1143940] y 27 de noviembre de 2007 [Tol 1292560]).

b) Quienes no sean huérfanos y hayan sido abandonados por sus padres, siempre que concurran en ellos las circunstancias señaladas en la letra a) del artículo 351 y no se encuentren en régimen de acogimiento familiar permanente o guarda con fines de adopción.

c) Los hijos con discapacidad mayores de dieciocho años respecto de los que no se haya establecido ninguna medida de apoyo a su capacidad para ser beneficiarios de asignaciones del sistema de la Seguridad Social serán beneficiarios de las asignaciones que debido a ellos corresponderían a sus padres.

Letra c) redactada por el Real Decreto-Ley 2/2023, de 16 de marzo, de medidas urgentes para la ampliación de derechos de los pensionistas, la reducción de la brecha de género y el establecimiento de un nuevo marco de sostenibilidad del sistema público de pensiones (BOE núm. 65, 17 de marzo de 2023).

Apartado 2 redactado por la Ley 19/2021, de 20 de diciembre, por la que se establece el ingreso mínimo vital (BOE núm. 304, 21 de diciembre de 2021).

Artículo 352 redactado por el Real Decreto-Ley 20/2020, de 29 de mayo, por el que se establece el ingreso mínimo vital (BOE núm. 154, 1 de junio de 2020).

**Artículo 353.** *Cuantía de las asignaciones.* 1. La cuantía de la asignación económica a que se refiere el artículo 351.a) se fijará, en su importe anual, en la correspondiente ley de presupuestos generales del Estado.

2. En dicha Ley, además de la cuantía general, se establecerá otra cuantía específica en el supuesto de hijo a cargo mayor de dieciocho años, con un grado de discapacidad igual o superior al 75 por ciento y que, como consecuencia de pérdidas anatómicas o funcionales, necesite el concurso de otra

persona para realizar los actos más esenciales de la vida, tales como vestirse, desplazarse, comer o análogos.

Artículo 353 redactado por el Real Decreto-Ley 20/2020, de 29 de mayo, por el que se establece el ingreso mínimo vital (BOE núm. 154, 1 de junio de 2020).

**Artículo 354. *Determinación del grado de discapacidad y de la necesidad del concurso de otra persona*.** El grado de discapacidad, a efectos del reconocimiento de las asignaciones por hijo o menor a cargo, así como la situación de dependencia y la necesidad del concurso de otra persona a que se refiere el apartado 2 del artículo anterior se determinarán mediante la aplicación del baremo aprobado por el Gobierno mediante real decreto.

Artículo 354 redactado por el Real Decreto-Ley 30/2020, de 29 de septiembre, de medidas sociales en defensa del empleo (BOE núm. 259, 30 de septiembre de 2020).

**Artículo 355. *Declaración y efectos de las variaciones familiares*.** 1. Todo beneficiario estará obligado a declarar cuantas variaciones se produzcan en su familia, siempre que estas deban ser tenidas en cuenta a efectos del nacimiento, modificación o extinción del derecho.

En ningún caso será necesario acreditar documentalmente aquellos hechos o circunstancias, tales como el importe de las pensiones y subsidios, que la Administración de la Seguridad Social deba conocer por sí directamente.

Apartado 1 redactado por el Real Decreto-Ley 30/2020, de 29 de septiembre, de medidas sociales en defensa del empleo (BOE núm. 259, 30 de septiembre de 2020).

*Los efectos de la pérdida o suspensión del derecho a la prestación familiar por hijo a cargo consecuencia de la variación de ingresos se fijarán en el día 1 de enero del año siguiente a aquel en que se tuvieron dichos ingresos* (STS de 3 de octubre de 2019 [*Tol* 7548514]).

2. Cuando se produzcan las variaciones a que se refiere el apartado anterior, surtirán efecto:

a) En caso de nacimiento del derecho, a partir del día primero del trimestre natural inmediatamente siguiente a la fecha en que se haya solicitado el reconocimiento del mismo.

b) En caso de extinción del derecho, a partir del último día del trimestre natural dentro del cual se haya producido la variación de que se trate.

**Artículo 356. *Devengo y abono*.** 1. Las asignaciones económicas por hijo o menor a cargo se devengarán en función de las mensualidades a que, dentro de cada ejercicio económico, tenga derecho el beneficiario.

*Cuando el hijo afectado por una discapacidad superior al 65 por 100 realiza actividades laborales que generan ingresos superiores al salario mínimo interprofesional desaparece la asignación, y esa novación debe surtir efectos, si no antes, a partir del inicio del trimestre natural inmediatamente posterior (SSTS de 3 de octubre de 2019 [Rec. 4205/2017] y 23 de septiembre de 2020 [Rec. 1110/2018]).*

2. El abono de las asignaciones económicas por hijo o menor a cargo se efectuará con la periodicidad que se establezca en las normas de desarrollo de esta ley.

*Sección 3.ª Prestación económica por nacimiento o adopción de hijo en supuestos de familias numerosas, monoparentales y de madres o padres con discapacidad*

Título redactado por el Real Decreto-Ley 30/2020, de 29 de septiembre, de medidas sociales en defensa del empleo (BOE núm. 259, 30 de septiembre de 2020).

**Artículo 357. *Prestación y beneficiarios*.** 1. En los casos de nacimiento o adopción de hijo en España en una familia numerosa o que, con tal motivo, adquiera dicha condición, en una familia monoparental o en los supuestos de madres o padres que tengan reconocido un grado de discapacidad igual o superior al 65 por ciento se tendrá derecho a una prestación económica del sistema de la Seguridad Social en la cuantía y en las condiciones que se establecen en esta sección.

2. A los efectos de la consideración como familia numerosa, se estará a lo dispuesto en la Ley de Protección a las Familias Numerosas.

Se entenderá por familia monoparental la constituida por un solo progenitor con el que convive el hijo nacido o adoptado y que constituye el sustentador único de la familia.

3. A efectos de la consideración de beneficiario de la prestación, será necesario que el padre, la madre o, en su defecto, la persona que reglamentariamente se establezca, reúna los requisitos establecidos en las letras a) y c) del artículo 352.1 y, además, no perciba ingresos anuales, de cualquier naturaleza, superiores a la cuantía que anualmente establezca la correspondiente Ley de Presupuestos Generales del Estado.

Dicha cuantía contemplará un incremento del 15 por ciento por cada hijo a cargo, a partir del segundo, este incluido.

A los exclusivos efectos de la determinación del límite de ingresos, se considerará a cargo el hijo menor de dieciocho años, o mayor de dicha edad afectado por una discapacidad en un grado igual o superior al 65 por ciento, así como por los menores a cargo en régimen de acogimiento familiar permanente o guarda con fines de adopción.

No obstante lo anterior, si se trata de personas que forman parte de familias numerosas de acuerdo con lo establecido en la Ley 40/2003, de 18 de noviembre, de Protección a las Familias Numerosas, también tendrán derecho a la prestación si sus ingresos anuales no son superiores al importe que a tales efectos establezca la Ley de Presupuestos Generales del Estado para los supuestos en que concurran tres hijos a cargo según la citada ley, incrementándose en la cuantía que igualmente establezca dicha Ley por cada hijo a partir del cuarto, este incluido.

En el supuesto de convivencia de ambos progenitores, si la suma de los ingresos percibidos por ambos superase los límites de ingresos establecidos en los párrafos anteriores, no se reconocerá la condición de beneficiario a ninguno de ellos.

Los límites de ingresos anuales a que se refiere este apartado se actualizarán anualmente en la Ley de Presupuestos Generales del Estado, respecto de la cuantía establecida en el ejercicio anterior, al menos, en el mismo porcentaje que en dicha Ley se establezca como incremento general de las pensiones contributivas de la Seguridad Social.

Artículo 357 redactado por el Real Decreto-Ley 30/2020, de 29 de septiembre, de medidas sociales en defensa del empleo (BOE núm. 259, 30 de septiembre de 2020).

**Artículo 358.** *Cuantía de la prestación*. 1. La prestación por nacimiento o adopción de hijo, regulada en la presente sección, consistirá en un pago único de 1.000 euros.

2. En los casos en que los ingresos anuales percibidos, de cualquier naturaleza, superen el límite establecido en el artículo 357.3 pero sean inferiores al resultado de sumar a dicho límite el importe de la prestación, la cuantía de esta última será igual a la diferencia entre los ingresos percibidos por el beneficiario y el resultado de la indicada suma.

No se reconocerá la prestación en los supuestos en que la diferencia a que se refiere el párrafo anterior sea inferior al importe establecido en la Ley de Presupuestos Generales del Estado.

Apartado 2 redactado por el Real Decreto-Ley 30/2020, de 29 de septiembre, de medidas sociales en defensa del empleo (BOE núm. 259, 30 de septiembre de 2020).

*Sección 4.ª Prestación por parto o adopción múltiples*

**Artículo 359. *Beneficiarios*.** Serán beneficiarios de la prestación económica por parto o adopción múltiples producidos en España las personas, padre o madre o, en su defecto, quien reglamentariamente se establezca, que reúnan los requisitos establecidos en las letras a) y c) del artículo 352.1.

Se entenderá que existe parto o adopción múltiple cuando el número de nacidos o adoptados sea igual o superior a dos.

Artículo 359 redactado por el Real Decreto-Ley 30/2020, de 29 de septiembre, de medidas sociales en defensa del empleo (BOE núm. 259, 30 de septiembre; correc. núm. 272, 14 de octubre de 2020).

*En los supuestos de adopción múltiple realizadas con anterioridad a la Ley 52/2003, de 10 de diciembre, no se causa derecho a prestación familiar de pago único porque la legislación aplicable en dicho momento sólo contemplaba el supuesto concreto del parto múltiple* (SSTS de 24 de junio de 2004 [*Tol 484362*] y 27 de febrero de 2007 [*Tol 1050875*]).

**Artículo 360. *Cuantía*.** La cuantía de la prestación económica por parto o adopción múltiples será la siguiente:

| Número de hijos nacidos o adoptados | Número de veces el salario mínimo interprofesional |
|:---:|:---:|
| 2 | 4 |
| 3 | 8 |
| 4 y más | 12 |

*Sección 5.ª Disposiciones comunes*

**Artículo 361. *Incompatibilidades*.** 1. En el supuesto de que en el padre y la madre concurran las circunstancias necesarias para tener la condición de beneficiarios de las prestaciones reguladas en el presente capítulo, el derecho a percibirlas solo podrá ser reconocido en favor de uno de ellos.

2. Las prestaciones reguladas en el presente capítulo serán incompatibles con la percepción, por parte del padre o la madre, de cualquier otra prestación análoga establecida en los restantes regímenes públicos de protección social.

En los supuestos en que uno de los padres esté incluido, en razón de la actividad desempeñada o por su condición de pensionista, en un régimen público de Seguridad Social, la prestación correspondiente será reconocida por dicho régimen.

> *La asignación económica por hijo a cargo es compatible con la pensión de orfandad del Seguro Obligatorio de Vejez e Invalidez (STS de 13 de febrero de 2001 [Tol 32054]).*

3. La percepción de las asignaciones económicas por hijo a cargo será incompatible con la condición, por parte del hijo, de pensionista de incapacidad o jubilación en la modalidad no contributiva.

> Apartado 3 redactado por el Real Decreto-Ley 30/2020, de 29 de septiembre, de medidas sociales en defensa del empleo (BOE núm. 259, 30 de septiembre de 2020).

> *La asignación generada por un hijo a cargo afectado por una discapacidad igual o superior al 65 ó 75 por 100 es incompatible con la condición, por parte del propio hijo discapacitado, de beneficiario de las pensiones de invalidez o jubilación, en su modalidad no contributiva (STS de 15 de junio de 2010 [Tol 1918025]).*

**Artículo 362. *Revalorización*.** A las prestaciones familiares en la modalidad no contributiva reguladas en este capítulo les será de aplicación el criterio de revalorización establecido en el artículo 58.

CAPÍTULO II. Pensiones no contributivas

*Sección 1.ª Incapacidad no contributiva*

**Artículo 363. *Beneficiarios*.** 1. Tendrán derecho a la pensión de incapacidad no contributiva las personas que cumplan los siguientes requisitos:

a) Ser mayor de dieciocho y menor de sesenta y cinco años de edad.

b) Residir legalmente en territorio español y haberlo hecho durante cinco años, de los cuales dos deberán ser inmediatamente anteriores a la fecha de solicitud de la pensión.

c) Estar afectadas por una discapacidad o por una enfermedad crónica, en un grado igual o superior al 65 por ciento.

> – *Es posible la presunción de existencia de discapacidad por reconocimiento previo de incapacidad permanente absoluta, siempre que aquél se hubiera producido mediante la correspondiente resolución del Instituto Nacional de la Seguridad Social o, en su caso, sentencia judicial firme que así lo declarase, y sin que el reconocimiento de grado de incapacidad permanente absoluta pueda sustituir la detallada aplicación del baremo que determina el porcentaje de invalidez no contributiva, puesto que los órganos judiciales no pueden optar por el sistema de valoración o calificación por baremo (SSTS de 2 de diciembre de 1997 [Tol 237451], 23 de noviembre de 1998 [Tol 23069 y 47557], 28 de mayo de 2001 [Tol 66313],*

6 de abril de 2006 [*Tol 945581*], 13 de febrero [*Tol 1044367*] y 19 de julio de 2007 [*Tol 1161700*] y 5 de noviembre de 2008 [*Tol 1407876*]).

– *No debe modificarse el grado de minusvalía declarado a efectos de pensión de invalidez no contributiva cuando aquél fue reconocido por el baremo establecido en la Orden de 8 de marzo de 1984, que posteriormente fue modificado por el Real Decreto 1971/1999, de 23 de diciembre, cuya aplicación supondría un grado de minusvalía insuficiente para mantener el derecho a la pensión; y únicamente tendría efectos la nueva calificación del grado de minusvalía si ésta fuera consecuencia de una agravación o mejora de la minusvalía objeto de revisión, producida en el tiempo transcurrido entre las dos normas reglamentarias* (SSTS de 6 de abril de 2004 [*Tol 421613*], 17 de enero [*Tol 565135*], 6 de julio [*Tol 698519*], 30 de septiembre [*Tol 739365*] y 25 de octubre de 2005 [*Tol 781703*] y 15 de febrero [*Tol 1092931*], 17 de julio [*Tol 1138602*] y 14 de noviembre de 2007 [*Tol 1214629*]).

– *Son aplicables las reglas en materia de valoración de las deficiencias del aparato visual recogidas en el anexo I del RD 1971/1999* (SSTS de 5 de abril [Rec. 2772/2015] y 30 de mayo de 2017 [Rec. 125/2015]).

**d) Carecer de rentas o ingresos suficientes. Se considerará que existen rentas o ingresos insuficientes cuando la suma, en cómputo anual, de los mismos sea inferior al importe, también en cómputo anual, de la prestación a que se refiere el apartado 1 del artículo siguiente.**

– *Existen rentas o ingresos insuficientes cuando los que disponga o se prevea que va a disponer el interesado en cómputo anual, de enero a diciembre, sean inferiores a la cuantía, también en cómputo anual, de las pensiones no contributivas de la Seguridad Social que se fije en la correspondiente Ley de presupuestos generales del Estado* (SSTS de 16 de julio [*Tol 234455*] y 30 de diciembre de 1994 [*Tol 235221*], 8 de junio de 1995 [*Tol 266434*], 17 de marzo de 1997 [*Tol 238096*] y 16 de diciembre de 2002 [*Tol 241020 y 257247*]).

– *El límite de acumulación de ingresos establecido para el supuesto en el que el interesado no pertenece a una unidad familiar supone la exigencia de que aquél no disponga de rentas o ingresos, en cómputo anual, superiores a la cuantía, también anual, de las pensiones no contributivas de la Seguridad Social fijada en la correspondiente Ley de presupuestos generales del Estado* (SSTS de 30 de diciembre de 1994 [*Tol 235221*] y 8 de junio de 1995 [*Tol 266434*]).

– *El límite de ingresos necesario para causar derecho a pensión no contributiva debe calificarse como "umbral de pobreza"* (STS de 18 de marzo de 1997 [*Tol 238096*]).

– *La naturaleza y finalidad de las pensiones no contributivas es la superación de un nivel mínimo de ingresos por debajo del cual se estima que existe una situación de pobreza que debe ser remediada por el conjunto de la sociedad* (STS de 10 de mayo de 2000 [Rec. 385/1999]).

– *En el momento de calcular el límite de acumulación de recursos de una unidad económica familiar para el reconocimiento de una pensión de invalidez no contributiva debe tenerse en cuenta no sólo el importe de la pensión no contributiva, sino también el complemento de ayuda de tercera persona, puesto que no es lo mismo la situación de quien está impedido para la realización de los actos más esenciales de la vida (que da lugar al complemento económico) de quien pese a su invalidez puede por sí realizar dichos actos, ya que a primera situación conlleva más gastos para la familia* (SSTS de 24 de enero de 2002 [*Tol 239209*],

23 de junio de 2004 [*Tol 510056*], 28 de febrero de 2005 [*Tol 603008*] y 11 de octubre de 2023 [Rec. 1379/2021]).

– *La finalidad que se infiere de los artículos 363.1 d) y 369.1 de la Ley General de la Seguridad Social exige como requisito la carencia de rentas e ingresos, y estas normas deben interpretarse en el sentido de hacer referencia a ingresos reales, de forma que no pueden computarse ingresos hipotéticos carentes de efectividad práctica porque solamente los ingresos reales permiten atender las necesidades del beneficiario, lo que concuerda con la finalidad institucional de las prestaciones no contributivas de la Seguridad Social, cuyo objeto es asegurar a los ciudadanos que se encuentran en estado de necesidad unas prestaciones mínimas de carácter uniforme para atender a las necesidades básicas de subsistencia ante una situación de insuficiencia de recursos* (SSTS de 18 de octubre de 2022 [Rec. 2433/2019] y 7 de febrero de 2023 [*Tol 9416154*]).

– *No tienen la consideración como renta o retribución en especie las cotizaciones abonadas por el Servicio Público de Empleo Estatal para la contingencia de jubilación durante la percepción del subsidio por desempleo, porque la cotización patronal no es una atribución patrimonial del empresario (o de la entidad gestora que lo sustituye en el caso del desempleo) en favor del trabajador, sino en favor de un organismo estatal, la Tesorería General de la Seguridad Social, como lo es igualmente la cuota obrera, y ambas son figuras parafiscales, que discurren en paralelo al sistema tributario y, aunque la legislación reguladora de las prestaciones de Seguridad Social tome como referencia las cotizaciones realizadas a numerosos efectos (carencia y cálculo de la base reguladora esencialmente), y ello es así porque lo dispone la norma sobre prestaciones aplicable en el momento del hecho causante, no porque el trabajador tenga alguna titularidad sobre algún derecho consolidado en un fondo formado por tales cotizaciones a cuyo reintegro tenga derecho al producirse ese hecho causante y conforme a lo estipulado en el momento de realizar la cotización, y si la cotización no constituye una atribución patrimonial, en ese caso no puede hablarse de que el trabajador reciba en virtud de la misma "bienes y derechos", siendo por tanto irrelevante la calificación adjetiva de su naturaleza como prestacional; y, por tanto, no puede ser considerada como renta ni computada para determinar el importe de la misma para dilucidar el acceso o la cuantificación de una pensión no contributiva de incapacidad o de jubilación* (STS de 24 de septiembre de 2025 [Rec. 1749/2024]).

Aunque el solicitante carezca de rentas o ingresos propios, en los términos señalados en el párrafo anterior, si convive con otras personas en una misma unidad económica, únicamente se entenderá cumplido el requisito de carencia de rentas o ingresos suficientes cuando la suma de los de todos los integrantes de aquella sea inferior al límite de acumulación de recursos obtenido conforme a lo establecido en los apartados siguientes.

– *La referencia a la unidad familiar opera de forma negativa, pues en el supuesto de que el interesado en la pensión no contributiva careciera de bienes o ingresos, pero sí los tuviera la unidad familiar superando los límites legales que la ley establece no procederá el reconocimiento del derecho a dicha pensión, pues lo que el legislador pretende para estos casos es que sea la familia, de tener ingresos suficientes, la que cubra las necesidades del interesado, al ser los primeros obligados* (SSTS de 16 de julio de 1994 [*Tol 234455*] y 8 de junio de 1995 [*Tol 236990 y 266434*]).

– *El criterio de acumulación de rentas o ingresos de la unidad familiar sólo es utilizable en el caso de que se carezca de medios económicos propios* (STS de 30 de diciembre de 1994 [*Tol 235221*]).

– *No se causa derecho a la pensión no contributiva cuando el beneficiario disfruta de rentas superiores al importe de dicha pensión, y ello aunque la unidad familiar no superase el límite de acumulación de ingresos previsto legalmente. La pensión de viudedad se considera renta a efectos de aquel derecho* (STS de 8 de junio de 1995 [*Tol 236990 y 266434*]).

– *En los supuestos de convivencia en una misma unidad económica, la situación de los restantes miembros de la unidad familiar sólo se tiene cuenta cuando, cumplido el requisito de carencia de rentas por parte del solicitante, hay que aplicar el límite de acumulación por existir ingresos de otros miembros de la unidad familiar* (SSTS de 17 de marzo de 1997 [*Tol 238096*] y 16 de diciembre de 2002 [*Tol 241020 y 257247*]).

– *Los ingresos de todos los miembros convivientes en una unidad económica sólo podrán tenerse en cuenta cuando el solicitante carezca de rentas o ingresos propios* (STS de 7 de noviembre de 2002 [*Tol 230182 y 258254*]).

– *En el cálculo de la renta de la unidad económica de convivencia, los ingresos obtenidos por el/la hijo/a casado/a a régimen de gananciales han de computarse por mitad* (SSTS de 11 de junio de 2003 [*Tol 649516*] y 30 de enero [*Tol 1038522*] y 26 de abril de 2007 [*Tol 1076436*]).

– *En el supuesto de una unidad económica familiar compuesta por el solicitante de la pensión de jubilación no contributiva y sus cónyuge, hija, nieto, yerno y consuegro, teniendo en cuenta que el yerno tiene sociedad de gananciales con su hija, en el momento de calcular el límite de acumulación de ingresos necesario para causar derecho a la pensión no contributiva, los ingresos del yerno deben dividirse por el número de miembros que constituyen su propia familia (titular, esposa, hijo de ellos y padre del primero)* (STS de 8 de febrero de 2005 [*Tol 591413*]).

Los beneficiarios de la pensión de incapacidad no contributiva que sean contratados por cuenta ajena, se establezcan por cuenta propia o se acojan a los programas de renta activa de inserción para trabajadores desempleados de larga duración mayores de cuarenta y cinco años recuperarán automáticamente, en su caso, el derecho a dicha pensión cuando, respectivamente, se les extinga su contrato, dejen de desarrollar su actividad laboral o cesen en el programa de renta activa de inserción, a cuyo efecto, no obstante lo previsto en el apartado 5, no se tendrán en cuenta, en el cómputo anual de sus rentas, las que hubieran percibido en virtud de su actividad laboral por cuenta ajena, propia o por su integración en el programa de renta activa de inserción en el ejercicio económico en que se produzca la extinción del contrato, el cese en la actividad laboral o en el citado programa.

2. Los límites de acumulación de recursos, en el supuesto de unidad económica, serán equivalentes a la cuantía, en cómputo anual, de la pensión, más

el resultado de multiplicar el 70 por ciento de dicha cifra por el número de convivientes, menos uno.

3. Cuando la convivencia, dentro de una misma unidad económica, se produzca entre el solicitante y sus descendientes o ascendientes en primer grado, los límites de acumulación de recursos serán equivalentes a dos veces y media la cuantía que resulte de aplicar lo dispuesto en el apartado 2.

4. Existirá unidad económica en todos los casos de convivencia de un beneficiario con otras personas, sean o no beneficiarias, unidas con aquel por matrimonio o por lazos de parentesco de consanguinidad hasta el segundo grado.

– *Del propio concepto de unidad económica se deduce que entre los integrantes de aquélla debe existir un cierto grado de dependencia económica; y a diferencia de lo que se establece en otras prestaciones de la Seguridad Social en las que también se tiene en cuenta el requisito de convivencia y el de la dependencia económica, en las pensiones no contributivas no se establecen expresamente requisitos como el de que no queden familiares con obligación y posibilidades de prestarles alimentos, según la legislación civil, para poder computar, en su caso, como integrante de la unidad económica de convivencia a alguno de los parientes (STS de 17 de marzo de 1997 [Tol 238096]).*

– *Existe convivencia en el supuesto del hijo que carece de rentas y depende económicamente de su padre, teniendo el mismo domicilio familiar, aunque eventualmente por motivos justificados resida en un centro de rehabilitación (STS de 14 de octubre de 1999 [Tol 15712 y 46596]).*

– *No existe razón para excluir como miembro de la unidad de convivencia al nieto de la beneficiaria que con ella convive realmente por la mera circunstancia de no acreditarse que el nieto menor se encuentra bajo la guarda y custodia de sus abuelos (SSTS de 17 de enero [Tol 1963 y 46762] y 26 de enero de 2000 [Tol 1978 y 47374]).*

– *Está excluida de la unidad económica familiar la hija casada con quien percibe ingresos procedentes de un trabajo por cuenta ajena, aunque ambos residan en el mismo domicilio de solicitante (STS de 23 de septiembre de 2002 [Tol 222845 y 238338]).*

– *En el supuesto de un solicitante de pensión de jubilación no contributiva que habita con dos hermanos en una misma residencia de ancianos no puede calificarse de unidad económica familiar porque no existe integración de los mismos en un hogar familiar ni interdependencia económica entre los hermanos, porque no comparten ingresos y gastos ni disponibilidades y necesidades comunes, puesto que cada uno de ellos entrega una aportación económica a la residencia de ancianos, sin trasvase directo de ingresos entre los residentes, dado que la entidad gestiona solidariamente el total de los ingresos de todos los residentes sin que exista intervención alguna de éstos (STS de 9 de febrero de 2005 [Tol 598589]).*

– *A la hora de determinar el cumplimiento o no del requisito de carencia de rentas la presunción de vigencia de la sociedad legal de gananciales mientras subsista el vínculo matrimonial, aunque exista separación de hecho, constituye una presunción legal que el juez debe aplicar en los supuestos que corresponda sin necesidad de que haya sido alegada ni acreditada por las partes (SSTS de 15 de junio de 2011 [Tol 2189123] y 29 de abril de 2015 [Tol 5172005]).*

5. A efectos de lo establecido en los apartados anteriores, se considerarán como ingresos o rentas computables, cualesquiera bienes y derechos, derivados tanto del trabajo como del capital, así como los de naturaleza prestacional.

No obstante, no se computarán los rendimientos obtenidos por el ejercicio de actividades artísticas a las que se refiere el artículo 249 quater, en tanto no excedan del importe del salario mínimo interprofesional en cómputo anual. Los rendimientos que excedan de esta cuantía se tomarán en cuenta a efectos de la consideración de las rentas o ingresos anuales a que se refiere el artículo 364.2.

Cuando el solicitante o los miembros de la unidad de convivencia en que esté inserto dispongan de bienes muebles o inmuebles, se tendrán en cuenta sus rendimientos efectivos. Si no existen rendimientos efectivos, se valorarán según las normas establecidas para el Impuesto sobre la Renta de las Personas Físicas, con la excepción, en todo caso, de la vivienda habitualmente ocupada por el beneficiario. Tampoco se computarán las asignaciones periódicas por hijos a cargo.

Apartado 5 redactado por el Real Decreto-Ley 1/2023, de 10 de enero, de medidas urgentes en materia de incentivos a la contratación laboral y mejora de la protección social de las personas artistas (BOE núm. 9, 11 de enero de 2023).

– *Para la determinación de los ingresos o rentas del beneficiario deben computarse las cantidades percibidas en su forma bruta y no neta* (SSTS de 18 de febrero de 1994 [*Tol 267482*] y 31 de mayo de 1996 [*Tol 235443*]).

– *El artículo 144 de la Ley General de la Seguridad Social de 1994 no señala cuál es la forma en que deben computarse los ingresos, pues se está remitiendo exclusivamente a los ingresos efectivos y únicamente en el supuesto de que éstos no existieran, pese a que se disponga de bienes muebles o inmuebles, atiende para su tasación a los efectos de la posible valoración o traducción a ingresos efectivos a las normas del impuesto sobre la renta de las personas físicas; pues la Ley General de la Seguridad Social acude en primer término a los rendimientos efectivos que produzcan los bienes muebles o inmuebles de la unidad de convivencia y es exclusivamente cuando no existan esos ingresos, y a los únicos efectos de su valoración o cuantificación, que se realiza a través de la tasación, cuando acude a las normas fiscales, que tienen en cuenta ese descuento como gasto para generar los ingresos, pero no puede irse a esa normativa cuando los ingresos ya se hicieron efectivos* (SSTS de 6 de marzo de 1998 [*Tol 72162 y 46068*] y 10 de diciembre de 2002 [*Tol 257244*]).

– *De las rentas e ingresos computables están excluidos el alojamiento y la manutención en un centro de rehabilitación proporcionado al hijo de un beneficiario de pensión no contributiva* (STS de 14 de octubre de 1999 [*Tol 15712 y 46596*]).

– *El alojamiento y la comida prestada por un centro penitenciario a un beneficiario de pensión no contributiva, cuando no consta que además le suministre trabajo suficientemente retribuido o compensado, no debe considerarse como renta o ingreso computable a los efectos del límite de suficiencia exigido legalmente* (STS de 14 de diciembre de 1999 [*Tol 209293*]).

– *De las rentas de capital mobiliario de naturaleza ganancial habrán de entenderse que cada cónyuge es beneficiario de la mitad del importe de las mismas* (STS de 10 de mayo de 2000 [Rec. 3851/1999]).

– *Están excluidos del cómputo de rentas los créditos realizados por causas ajenas a la voluntad del beneficiario, aunque se hubieran reclamado judicialmente* (SSTS de 22 de mayo de 2000 [Tol 47192] y 23 de septiembre de 2003 [Tol 222845 y 238338]).

– *A efectos del reconocimiento de derecho a una pensión no contributiva en el supuesto de enajenación de unas acciones efectuada por uno de los miembros de la unidad de convivencia en la que se halla situado el demandante de la prestación debe computarse como renta la diferencia entre lo percibido por aquella venta y lo que se había abonado en su día por la adquisición de las mismas, y no el producto de dicha enajenación, puesto que se trata de un supuesto en el que aquellas acciones no produjeron rendimientos efectivos sino que fueron vendidas y, en tal caso, es necesario acudir a la legislación tributaria* (STS de 27 de enero de 2005 [Tol 649697]).

– *Deben computarse como rentas o ingresos propios las percepciones económicas que un beneficiario de pensión de invalidez no contributiva ingresado en prisión reciba como consignación por alimentos, a efectos de la posible suspensión o reducción de aquella pensión* (SSTS de 30 de enero [Tol 1369852] y 15 de julio de 2008 [Tol 1369546]).

– *Está excluida del cómputo de rentas a efectos del reconocimiento del derecho a una pensión de jubilación no contributiva la subvención concedida por una Administración autónomica (Junta de Extremadura) para la adquisición de la vivienda habitual, como consecuencia de la aplicación de las normas previstas para el cómputo de rentas a efectos del reconocimiento del derecho a un subsidio por desempleo recogidas en el artículo 215 de la Ley General de la Seguridad Social de 1994* (STS de 6 de abril de 2009 [Tol 1564499]).

– *Una indemnización económica percibida como consecuencia de accidente de circulación no es computable a efectos de la determinación del límite de ingresos exigido para el reconocimiento del derecho a una pensión de jubilación no contributiva, puesto que dentro de los conceptos incluidos en los ingresos o rentas computables por la Ley General de la Seguridad Social no tiene encaje la indemnización percibida como víctima de un accidente de tráfico, que en ningún caso puede considerarse como una renta: y aunque se trata de un ingreso, no es derivado del trabajo ni del capital, como tampoco tiene naturaleza prestacional sino indemnizatoria, sino que la indemnización que percibe la víctima de un accidente de circulación tiene la finalidad de reparar los daños y perjuicios causados* (STS de 30 de abril de 2009 [Tol 1554068]).

– *Deben computarse como rentas o ingresos propios las percepciones económicas que un beneficiario de pensión de invalidez no contributiva ingresado en prisión reciba como consignación por alimentos, a efectos de la posible suspensión o reducción de aquella pensión, siempre que se respete el límite del 25 por 100 de la pensión establecido en la Ley General de la Seguridad Social* (SSTS de 29 de septiembre de 2010 [Tol 1990673] y 17 de enero de 2011 [Tol 2042586]).

– *Quedan fuera del concepto de renta la adquisición o adjudicación de una herencia y sólo se valorarán las rentas producidas por el patrimonio heredado a raíz de su adquisición* (STS de 28 de septiembre de 2012).

– *A efectos de la carencia de rentas no deben computarse los ingresos hipotéticos que nunca ha llegado a percibir el solicitante de una Seguridad Social extranjera (pensión reconocida por un país extranjero que no se ha percibido, y, por tanto, es una pensión cuya virtualidad real es inexistente)* (STS de 18 de octubre de 2022 [Tol 9274648]).

6. Las rentas o ingresos propios, así como los ajenos computables, por razón de convivencia en una misma unidad económica, la residencia en territorio español y el grado de discapacidad o de enfermedad crónica condicionan tanto el derecho a pensión como la conservación de la misma y, en su caso, la cuantía de aquella.

**Artículo 364.** *Cuantía de la pensión.* 1. La cuantía de la pensión de incapacidad no contributiva se fijará, en su importe anual, en la correspondiente Ley de Presupuestos Generales del Estado.

> – *La cuantía de las pensiones no contributivas queda fijada en la correspondiente ley de presupuestos generales del Estado* (SSTS de 17 de enero de 2000 [Tol 1963 y 46762]).
>
> – *La pensión no contributiva debe ser minorada en igual cuantía que la parte que le corresponda al beneficiario en la titularidad de rentas del capital mobiliario de naturaleza ganancial* (STS de 10 de mayo de 2000 [Rec. 3851/1999]).

Cuando en una misma unidad económica concurra más de un beneficiario con derecho a pensión de esta misma naturaleza, la cuantía de cada una de las pensiones vendrá determinada en función de las siguientes reglas:

a) Al importe referido en el primer párrafo de este apartado se le sumará el 70 por ciento de esa misma cuantía, tantas veces como número de beneficiarios, menos uno, existan en la unidad económica.

b) La cuantía de la pensión para cada uno de los beneficiarios será igual al cociente de dividir el resultado de la suma prevista en la letra anterior por el número de beneficiarios con derecho a pensión.

2. Las cuantías resultantes de lo establecido en el apartado anterior, calculadas en cómputo anual, son compatibles con las rentas o ingresos anuales de los que, en su caso, disponga cada beneficiario, siempre que los mismos no excedan del 35 por ciento del importe, en cómputo anual, de la pensión no contributiva. En otro caso, se deducirá del importe de dicha pensión la cuantía de las rentas o ingresos que excedan de tal porcentaje, salvo lo dispuesto en el artículo 366.

3. En los casos de convivencia del beneficiario o beneficiarios con personas no beneficiarias, si la suma de los ingresos o rentas anuales de la unidad económica más la pensión o pensiones no contributivas, calculadas conforme a lo dispuesto en los dos apartados anteriores, superara el límite de acumulación de recursos establecidos en los apartados 2 y 3 del artículo anterior, la pensión

o pensiones se reducirán para no sobrepasar el mencionado límite, disminuyendo en igual cuantía cada una de las pensiones.

> Si existe convivencia del beneficiario con personas que no lo son, en el caso de que la suma de ingresos o rentas anuales de la unidad económica más la pensión no contributiva obtenida superara el límite de acumulación de recursos, la cuantía de la pensión se reducirá para no sobrepasar a aquél, disminuyendo, en igual cuantía, la pensión (STS de 17 de enero de 2000 [Tol 46762]).

4. No obstante lo establecido en los apartados 2 y 3 de este artículo, la cuantía de la pensión reconocida será, como mínimo, del 25 por ciento del importe de la pensión a que se refiere el apartado 1.

> Para acceder a la cuantía mínima de la pensión no contributiva será necesario, en cualquier caso, no superar el límite de acumulación de recursos (STS de 11 de julio de 2002 [Tol 266630]).

5. A efectos de lo dispuesto en los apartados anteriores, son rentas o ingresos computables los que se determinan como tales en el apartado 5 del artículo anterior.

6. Las personas que, cumpliendo los requisitos señalados en el apartado 1, a), b) y d) del artículo anterior, estén afectadas por una discapacidad o enfermedad crónica en un grado igual o superior al 75 por ciento y que, como consecuencia de pérdidas anatómicas o funcionales, necesiten el concurso de otra persona para realizar los actos más esenciales de la vida, tales como vestirse, desplazarse, comer o análogos, tendrán derecho a un complemento equivalente al 50 por ciento del importe de la pensión a que se refiere el primer párrafo del apartado 1.

**Artículo 365. *Efectos económicos de las pensiones*.** Los efectos económicos del reconocimiento del derecho a las pensiones de incapacidad no contributiva se producirán a partir del día primero del mes siguiente a aquel en que se presente la solicitud.

> – Los efectos económicos del derecho a las pensiones no contributivas se producirán a partir del día primero del mes siguiente a aquel en que se hubiera presentado la solicitud del derecho (SSTS de 29 de enero de 1996 [Tol 237056] y 18 de marzo de 1999 [Tol 22658 y 46868]).
> – La fecha de efectos económicos de la pensión de invalidez no contributiva no atiende a la fecha de la solicitud de revisión de grado de discapacidad, sino que lo es a partir del día primero del mes siguiente a aquel en que se hubiera presentado la solicitud de la pensión (STS de 2 de febrero de 2023 [Tol 9438063]).

**Artículo 366.** *Compatibilidad de las pensiones.* Las pensiones de incapacidad en su modalidad no contributiva no impedirán el ejercicio de aquellas
actividades, sean o no lucrativas, compatibles con el estado del inválido, y que
no representen un cambio en su capacidad de trabajo.

En el caso de personas que con anterioridad al inicio de una actividad
lucrativa vinieran percibiendo pensión de incapacidad en su modalidad no contributiva, durante los cuatro años siguientes al inicio de la actividad, la suma
de la cuantía de la pensión de incapacidad y de los ingresos obtenidos por la
actividad desarrollada no podrá ser superior, en cómputo anual, al importe,
también en cómputo anual, de la suma del indicador público de renta de efectos múltiples, excluidas las pagas extraordinarias y la pensión de incapacidad
no contributiva vigentes en cada momento. En caso de exceder de dicha cuantía, se minorará el importe de la pensión en la cuantía que resulte necesaria
para no sobrepasar dicho límite. Esta reducción no afectará al complemento
previsto en el artículo 364.6.

> – *Existe incompatibilidad entre la percepción simultánea durante el mismo período de tiem-
> po de la pensión de invalidez no contributiva y de la renta activa de inserción* (SSTS de 22 de
> marzo de 2018 [Rec. 1229/2016] y 27 de abril de 2022 [*Tol 8931659*]).
>
> – *El derecho a las pensiones no contributivas es incompatible con la renta activa de inser-
> ción* (SSTS de 22 de marzo de 2018 [Rec. 1229/2016], 27 de abril de 2022 [*Tol 8932659*]
> y 26 de enero de 2023 [*Tol 9437920*]

**Artículo 367.** *Calificación.* 1. Podrán ser constitutivas de incapacidad las
deficiencias, previsiblemente permanentes, de carácter físico o psíquico, con-
génitas o no, que anulen o modifiquen la capacidad física, psíquica o sensorial
de quienes las padecen. El grado de discapacidad o de la enfermedad crónica
padecida, a efectos del reconocimiento de la pensión de incapacidad no contributiva, se determinará mediante la aplicación de un baremo, aprobado por
el Gobierno, en el que serán objeto de valoración tanto los factores físicos,
psíquicos o sensoriales de la persona presuntamente con discapacidad, como
los factores sociales complementarios.

> – *La variación del grado de discapacidad solamente puede llevarse a cabo cuando se pro-
> duzca una mejoría o agravación en el cuadro incapacitante valorado, o en aquellos supues-
> tos en los que se advierta un error de diagnóstico inicial; y la simple modificación de la
> legislación reguladora de los baremos a tener en cuenta para el reconocimiento de situacio-
> nes de discapacidad no es suficiente para llevar a cabo la modificación de las situaciones
> discapacitantes ya admitidas, en tanto en cuanto no se produzcan las circunstancias legal-
> mente establecidas para que se produzca la alteración de la reconocida discapacidad, y ello
> aunque supusiese alcanzar un grado de discapacidad inferior que supondría la exclusión de*

*la percepción de la pensión no contributiva* (SSTS de 6 de abril de 2004 [*Tol 421613*] y 9 de febrero de 2021 [*Tol 8329293*]).

*– La fecha de efectos del reconocimiento del grado de discapacidad será la fecha de la solicitud de dicho reconocimiento y no la fecha en la que se diagnosticó la enfermedad* (SSTS de 15 de noviembre de 2017 [*Tol 6449484*] y 16 de febrero [Rec. 2378/2019] y 3 de marzo de 2021 [Rec. 2301/2019]).

2. Asimismo, la situación de dependencia y la necesidad del concurso de una tercera persona a que se refiere el artículo 364.6, se determinará mediante la aplicación de un baremo que será aprobado por el Gobierno.

3. Las pensiones de incapacidad pasarán a denominarse pensiones de jubilación cuando sus beneficiarios cumplan la edad de sesenta y cinco años. La nueva denominación no implicará modificación alguna respecto de las condiciones de la prestación que viniesen percibiendo.

**Artículo 368. *Obligaciones de los beneficiarios*.** Los perceptores de las pensiones de incapacidad no contributiva estarán obligados a comunicar a la entidad que les abone la prestación cualquier variación de su situación de convivencia, estado civil, residencia y cuantas puedan tener incidencia en la conservación o la cuantía de aquellas.

En todo caso, el beneficiario deberá presentar, en el primer trimestre de cada año, una declaración de los ingresos de la respectiva unidad económica de la que forme parte, referida al año inmediato precedente.

*– Si los beneficiarios de pensión no contributiva incumplieran estas obligaciones y, en consecuencia, se derivara una percepción indebida de prestación de la Seguridad Social, el interesado deberá reintegrar las cantidades indebidamente percibidas desde el día primero del mes siguiente a aquel en que hubiera variado la situación, conforme a lo previsto en la Ley General de la Seguridad Social y mediante el procedimiento reglamentariamente regulado* (STS de 3 de octubre de 2001 [*Tol 66041* y *238580*]).

*– La entidad gestora tiene facultades para reclamar el reintegro de una pensión no contributiva sin acudir a la vía judicial, aunque se facilitaran los datos correctos y puntuales por parte del beneficiario, puesto que debe entenderse que los actos de gestión ordinaria no están sometidos al artículo 145 de la Ley de Procedimiento Laboral* (STS de 21 de octubre de 2009 [*Tol 1746472*]).

*Sección 2.ª Jubilación en su modalidad no contributiva*

**Artículo 369. *Beneficiarios*.** 1. Tendrán derecho a la pensión de jubilación en su modalidad no contributiva las personas que, habiendo cumplido sesenta y cinco años de edad, carezcan de rentas o ingresos en cuantía superior a los límites establecidos en el artículo 363, residan legalmente en territorio español y lo hayan hecho durante diez años entre la edad de dieciséis años y la edad de devengo de la pensión, de los cuales dos deberán ser consecutivos e inmediatamente anteriores a la solicitud de la prestación.

> – *La pensión de jubilación es aquella que se otorga a los ciudadanos mayores de sesenta y cinco años de edad que no hayan cotizado nunca o el tiempo necesario a la Seguridad Social para alcanzar el derecho a la misma pensión en el nivel contributivo* (STS de 17 de marzo de 1997 [*Tol 238096*]).
>
> – *Para acreditar la residencia se requiere la obtención de permiso de residencia en España y no basta con el mero empadronamiento* (STS de 3 de abril de 2019 [*Tol 7235774*]).

2. Las rentas e ingresos propios, así como los ajenos computables por razón de convivencia en una misma unidad económica, y la residencia en territorio español condicionan tanto el derecho a pensión como la conservación de la misma y, en su caso, su cuantía.

**Artículo 370.** *Cuantía de la pensión*. Para la determinación de la cuantía de la pensión de jubilación en su modalidad no contributiva, se estará a lo dispuesto para la pensión de incapacidad en el artículo 364.

**Artículo 371.** *Efectos económicos del reconocimiento del derecho*. Los efectos económicos del reconocimiento del derecho a la pensión de jubilación en su modalidad no contributiva se producirán a partir del día primero del mes siguiente a aquel en que se presente la solicitud.

**Artículo 372.** *Obligaciones de los beneficiarios*. Los perceptores de la pensión de jubilación en su modalidad no contributiva estarán obligados al cumplimiento de lo establecido para la pensión de incapacidad no contributiva en el artículo 368.

CAPÍTULO III. Disposiciones comunes a las prestaciones no contributivas

**Artículo 373.** *Gestión*. 1. La gestión de las prestaciones no contributivas se efectuará por las siguientes entidades gestoras:

a) El Instituto Nacional de la Seguridad Social, con excepción de las que se mencionan en la letra b) siguiente.

b) El Instituto de Mayores y Servicios Sociales, las pensiones no contributivas de incapacidad y jubilación.

> *No están legitimados pasivamente para soportar pretensión (y posible condena en caso de incumplimiento de sus obligaciones) otros órganos o entidades de la Seguridad Social dife-*

*rentes al Instituto de Migraciones y Servicios Sociales* (SSTS de 3 de febrero [*Tol 237066*] y 23 de abril de 1996 [*Tol 235588*]).

2. Sin perjuicio de lo establecido en la letra b) del apartado anterior, las pensiones no contributivas de incapacidad y jubilación podrán ser gestionadas, en su caso, por las comunidades autónomas estatutariamente competentes, a las que hubiesen sido transferidos los servicios del instituto citado en aquella.

> *La gestión de las pensiones no contributivas de jubilación e invalidez corresponde al Instituto de Migraciones y Servicios Sociales o a los órganos competentes de las Comunidades Autónomas a las que se hubieran transferido las funciones y servicios de aquél en su territorio o que tuvieran establecido un concierto con el Gobierno a estos efectos* (STS de 23 de abril de 1996 [*Tol 235588*]).

3. El Gobierno podrá celebrar con las comunidades autónomas a las que no les hubieran sido transferidos los servicios del Instituto de Mayores y Servicios Sociales los oportunos conciertos para que puedan gestionar las pensiones no contributivas de la Seguridad Social.

4. Las pensiones de incapacidad y jubilación en su modalidad no contributiva quedarán incluidas en el Registro de Prestaciones Sociales Públicas que se regula en el artículo 72.

A tal fin, las entidades y organismos que gestionen las pensiones de incapacidad y jubilación aludidas vendrán obligados a comunicar al Instituto Nacional de la Seguridad Social los datos que, referentes a las pensiones que hubiesen concedido, se establezcan reglamentariamente.

**Disposición adicional primera.** *Normas aplicables a los regímenes especiales.* 1. Al Régimen Especial de la Seguridad Social para la Minería del Carbón le será de aplicación lo previsto en los artículos 146.4; 151; 152; 153; 161.4; los capítulos VI, VII, VIII, IX y X del título II; los artículos 194, apartados 2 y 3; 195, excepto el apartado 2; 197; 200; 205; 206 y 206 bis; 207; 208; 209; 210; 213; 214; 215; 219; 220; 221; 222; 223; 224; 225; 226, apartados 4 y 5; 227, apartado 1, segundo párrafo; 229; 231; 232; 233; 234; y capítulos XV y XVII del título II.

> Párrafo primero redactado por la Ley 21/2021, de 28 de diciembre, de garantía del poder adquisitivo de las pensiones y de otras medidas de refuerzo de la sostenibilidad financiera y social del sistema público de pensiones (BOE núm. 312, de 29 de diciembre de 2021; correc. BOE núm. 95, de 21 de abril de 2022).

También será de aplicación en dicho régimen lo previsto en el último párrafo del apartado 2 y en el apartado 4 del artículo 196. A efectos de determinar el importe mínimo de la pensión y del cálculo del complemento a que se refieren, respectivamente, dichos apartados, se tomará en consideración como base mínima de cotización la vigente en cada momento en el Régimen General, cualquiera que sea el régimen con arreglo a cuyas normas se reconozcan las pensiones de incapacidad permanente total y de gran incapacidad.

*– En las prestaciones derivadas de silicosis la base reguladora que se toma es la de la fecha de diagnóstico de la enfermedad aunque el trabajador de la minería del carbón hubiera cesado en la empresa o se hubiera jubilado y el salario a computar es el que le habría correspondido de haber cotizado en activo, o, de no ser posible, la base normalizada de su categoría profesional fijada a la fecha de manifestarse la enfermedad para la categoría profesional que ostentase (SSTS de 31 de enero de 1992 [Tol 232484] y 27 de septiembre [Tol 233988], 29 de octubre [Tol 235041] y 2 de noviembre de 1993 [Tol 233473]).*

*– La base reguladora de la pensión de jubilación del Régimen Especial de la Minería del Carbón se forma con las bases de cotización normalizadas y no por los salarios reales (SSTS de 17 de mayo [Tol 233519] y 11 de junio de 1993 [Tol 233558]).*

*– En caso de enfermedad profesional se considerarán inválidos permanentes en el Régimen Especial de la Minería del Carbón, en los grados de incapacidad absoluta o gran invalidez, quienes hayan sido declarados como tales en virtud de la situación asimilada a la de alta especialmente establecida para aquella contingencia, en razón de haber ocupado puestos de trabajo que ofrezcan riesgos de la enfermedad de que se trate, siempre que el último de dichos puestos haya dado lugar, en su día, a la inclusión en el régimen especial (SSTS de 3 de junio [Tol 235376 y 266279] y 7 de julio de 1995 [Tol 236869 y 266305]).*

*– Cuando un pensionista del Régimen Especial de la Minería del Carbón fallece sin efectuar la opción por la nueva cuantía a tuviera derecho, sus beneficiarios podrán solicitar dicha cuantía siempre y cuando el causante hubiera alcanzado la edad de jubilación en la fecha de su muerte (SSTS de 5 de octubre de 1995 [Tol 235745] y 5 de febrero de 1996 [Tol 235828]).*

*– El beneficiario de una indemnización a tanto alzado consecuencia de incapacidad permanente total para la profesión habitual en el Régimen Especial de la Minería del Carbón no puede solicitar su conversión en pensión de jubilación (STS de 3 de mayo de 2002 [Tol 220222]).*

*– En el Régimen Especial de la Minería del Carbón existe incompatibilidad entre las pensiones de incapacidad permanente total y de gran invalidez consecuencia, ambas, de accidente de trabajo (STS de 18 de julio de 2003 [Tol 348525]).*

*– La bonificación de edad para acceder a la pensión de jubilación en el Régimen Especial de la Minería del Carbón no se aplica cuando el trabajador es pensionista por incapacidad permanente total del Régimen General (STS de 16 de septiembre de 2003 [Rec. 3522/2002]).*

*– En los supuestos de transformación de una pensión por incapacidad permanente total consecuencia de silicosis en el Régimen Especial de la Minería del Carbón no es posible una posterior revisión por agravación con el objetivo de alcanzar el grado de incapacidad permanente absoluta (STS de 3 de febrero de 2005 [Tol 598572]).*

– *Para que la silicosis de segundo grado quede equiparada al tercero y, en consecuencia, sea considerada como constitutiva de incapacidad permanente absoluta, es necesario que concurra con afecciones tuberculosis que permanezcan activas* (STS de 4 de mayo de 2006 [Tol 945582]).

– *No son aplicables los coeficientes reductores de la edad previstos para acceder al derecho a la pensión por jubilación en el Régimen Especial de la Minería del Carbón a un trabajador que habiendo estado previamente incluido en aquel régimen especial es declarado en situación de incapacidad permanente en el Régimen General; y ello porque expresamente se establece que los pensionistas por invalidez permanente total para la profesión habitual del Régimen Especial de la Minería del Cabrón serán considerados en situación asimilada a la de alta al exclusivo efecto de poder causar la pensión de jubilación de dicho régimen, y no en otro régimen de la Seguridad Social, de acuerdo con las normas que se establezcan al respecto (artículo 22.1 de la Orden de 3 de abril de 1973, en la redacción de la Orden de 10 de marzo de 1977), siendo una de las mismas la que regula la aplicación de coeficientes reductores en la edad de jubilación* (STS de 18 de septiembre de 2007 [Tol 1156906]).

– *La base reguladora de una pensión por incapacidad permanente consecuencia de silicosis declarada tras la jubilación en el Régimen Especial de la Seguridad Social de la Minería del Carbón debe ser equivalente al promedio de los salarios de los trabajadores de igual categoría que el incapacitado permanente al tiempo de diagnosticarse la silicosis, puesto que es el criterio que parece el mejor para lograr el fin perseguido, que no es otro que el salario computable, la base reguladora, se aproxime, cuanto más mejor, al que realmente habría cobrado el beneficiario de estar en activo* (STS de 24 de febrero de 2009 [Tol 1474768]).

– *Es admisible la aplicación de coeficiente reductor a una actividad de encargado de cantera en mina, a cielo abierto, de carbonato cálcico* (STS de 23 de junio de 2014 [Tol 4462439]).

– *En el supuesto de pensión por jubilación de un minero migrante, a la hora de determinar la prorrata temporis que ha de abonar la Seguridad Social española, deben aplicarse las siguientes premisas: en el cálculo de la pensión se han de incluir no solo las cotizaciones correspondientes a las bonificaciones por edad, sino también las ficticias, conforme a jurisprudencia comunitaria; para la prorrata solo ha de tenerse en cuenta el número máximo de días de cotización precisos para acceder a la prestación por jubilación en España* (SSTS de 11 de febrero [Tol 4764018] y 27 de mayo de 2015 [Tol 5200595], 23 de junio de 2016 [Tol 5777128]), 27 de febrero de 2018 [Tol 6538297], 27 de febrero de 2019 [Rec. 554/2017] y 6 de octubre de 2021 [Tol 8628188]).

**2.** Sin perjuicio de lo previsto en la Ley 47/2015, de 21 de octubre, reguladora de la protección social de las personas trabajadoras del sector marítimo-pesquero, y en particular respecto de la acción protectora en el capítulo IV del título I de dicha ley, serán de aplicación al Régimen Especial de la Seguridad Social de los Trabajadores del Mar las siguientes disposiciones de esta ley:

– *Las cotizaciones teóricas por edad no tienen la consideración de cotizaciones ficticias sino de cotizaciones presumidas como si realmente se hubieran efectuado dada la dificultad para probar su existencia por haberse producido en épocas remotas; por ello deben tenerse en cuenta como cotizadas a efectos de aplicar el principio pro rata temporis para causar derecho a pensión de jubilación en el Régimen Especial de Trabajadores del Mar, al tratarse de un trabajador del mar que ha prestado sus servicios por cuenta ajena en otros países comunitarios además de España* (SSTS de 26 de junio [Tol 32203], 9 de octubre [Tol 129036] y 15 de noviembre de 2001 [*Tol 129092*], 28 de mayo [*Tol 202026*], 21 de octubre [*Tol 226059*] y 13 de noviembre de 2002 [*Tol 231010*], 16 de mayo [*Tol 276341*] y 24 de junio de 2003 [*Tol 64930*], 8 de marzo [*Tol 434674*] y 22 de diciembre de 2004 [*Tol 556887*], 14 de abril [*Tol 639688*] y 18 de julio de 2005 [*Tol 739392*], 21 de noviembre de 2006 [*Tol 1018531*], 17 de julio [*Tol 1161288*] y 11 de diciembre de 2007 [*Tol 1288694*], 14 de mayo [*Tol 1343579*], 3 de junio [*Tol 1343616*], 18 de julio [*Tol 1383921*] y 30 de septiembre de 2008 [*Tol 1393235*] y 29 de abril de 2009 [*Tol 1567349*]).

*– Los coeficientes reductores de jubilación no se aplican a la incapacidad permanente a efectos del incremento del veinte por ciento por la edad de cincuenta y cinco años en el Régimen Especial de Trabajadores del Mar* (STS de 12 de marzo de 2002 [*Tol 267743*]).

*– En el supuesto de trabajadores del mar con cotizaciones en España y Holanda deberán aplicarse las bases medias y computarse a efectos de la pensión efectiva española el período de abono de cotización por edad a 1 de agosto de 1970* (STS de 16 de junio de 2004 [*Tol 515728*]).

*– No es posible acceder a una pensión por jubilación anticipada en el Régimen Especial de Trabajadores del Mar cuando el beneficiario se encuentra en situación de incapacidad permanente, porque la exoneración de la falta del requisito de estar en alta para causar la pensión de jubilación sólo es operante a partir de los sesenta y cinco años y la situación de incapacidad permanente no es una situación de alta ni está asimilada a ella* (STS de 31 de mayo de 2007 [*Tol 1124391*]).

a) A los trabajadores por cuenta ajena, lo dispuesto en los artículos 146.4; 151; 152; 153 y capítulos XV y XVII del título II.

b) A los trabajadores por cuenta propia, lo dispuesto en los artículos 306.2; 308; 309; 310; 311 y 313, así como en el capítulo XV del título II.

Apartado 2 redactado por el Real Decreto-Ley 13/2022, de 26 de julio, por el que se establece un nuevo sistema de cotización para los trabajadores por cuenta propia o autónomos y se mejora la protección por cese de actividad (BOE núm. 179, 27 de julio de 2022).

3. No obstante lo indicado en los apartados anteriores, lo dispuesto en el artículo 210.3, en lo que se refiere a la reducción del 0,50 por 100 prevista en su segundo inciso, así como el requisito de edad previsto en el artículo 215.2.a) y la escala de edades incluida en la disposición transitoria décima, no será de aplicación a los trabajadores a que se refiere la disposición transitoria primera de la Ley 47/2015, de 21 de octubre, reguladora de la protección social de las personas trabajadoras del sector marítimo-pesquero.

4. El Instituto Nacional de la Seguridad Social ejercerá a través de su inspección médica las competencias previstas en el artículo 170, apartados 1, 2 y 3, y en el artículo 174, apartado 1, tanto respecto de los trabajadores incluidos en el Régimen General como de los comprendidos en alguno de los regímenes especiales del sistema de la Seguridad Social.

Apartado 4 redactado por el Real Decreto-Ley 2/2023, de 16 de marzo, de medidas urgentes para la ampliación de derechos de los pensionistas, la reducción de la brecha de género y el establecimiento de un nuevo marco de sostenibilidad del sistema público de pensiones (BOE núm. 65, 17 de marzo de 2023).

**Disposición adicional segunda.** *Protección de los trabajadores emigrantes*. 1. El Gobierno adoptará las medidas necesarias para que la acción protectora de la Seguridad Social se extienda a los españoles que se trasladen a un país extranjero por causas de trabajo y a los familiares que tengan a su cargo o bajo su dependencia.

A tal fin, el Gobierno proveerá cuanto fuese necesario para garantizar a los emigrantes la igualdad o asimilación con los nacionales del país de recepción en materia de Seguridad Social, directamente o a través de los organismos intergubernamentales competentes, así como mediante la ratificación de convenios internacionales de trabajo, la adhesión a convenios multilaterales y la celebración de tratados y acuerdos con los estados receptores.

En los casos en que no existan convenios o, por cualquier causa o circunstancia, estos no cubran determinadas prestaciones de la Seguridad Social, el Gobierno, mediante las disposiciones correspondientes, extenderá su acción protectora en la materia tanto a los emigrantes como a sus familiares residentes en España.

> – *La suscripción de convenio especial con la Seguridad Social es requisito necesario para que computen las cotizaciones, especialmente cuando no existe convenio bilateral entre España y el país extranjero* (STC 77/1995, 22 de mayo [Tol 82816]).
> – *Mediante convenio especial el trabajador emigrante puede mantener la protección de la Seguridad Social española en los casos en que en el país extranjero no se contemplen las mismas prestaciones* (STS de 18 de marzo de 2002 [Tol 267744]).

2. Los accidentes que se produzcan durante el viaje de salida o de regreso de los emigrantes en las operaciones realizadas por la Dirección General de Migraciones, o con su intervención, tendrán la consideración de accidentes de trabajo, siempre que concurran las condiciones que reglamentariamente se determinen, a cuyo efecto dicho centro directivo establecerá con la Administración de la Seguridad Social los correspondientes conciertos para la protección de esta contingencia. Las prestaciones económicas que correspondan por el accidente, conforme a lo dispuesto en el presente apartado, serán compatibles con cualesquiera otras indemnizaciones o prestaciones a que el mismo pudiera dar derecho.

Igual consideración tendrán las enfermedades que tengan su causa directa en el viaje de ida o de regreso.

**Disposición adicional tercera.** *Inclusión en el Régimen General de la Seguridad Social de los funcionarios públicos y de otro personal de nuevo ingreso.* 1. Con efectos de 1 de enero de 2011, el personal que se relaciona en el artículo 2.1 del texto refundido de la Ley de Clases Pasivas del Estado, aprobado por el Real Decreto Legislativo 670/1987, de 30 de abril, excepción hecha del comprendido en la letra i), estará obligatoriamente incluido, a los exclusivos efectos de lo dispuesto en dicha norma y en sus disposiciones de desarrollo, en el Régimen General de la Seguridad Social siempre que el acceso a la condición de que se trate se produzca a partir de aquella fecha.

2. La inclusión en el Régimen General de la Seguridad Social del personal a que se refiere el apartado anterior respetará, en todo caso, las especificidades de cada uno de los colectivos relativas a la edad de jubilación forzosa, así como, en su caso, las referidas a los tribunales médicos competentes para la declaración de incapacidad o inutilidad del funcionario.

En particular, la inclusión en el Régimen General de la Seguridad Social del personal militar de carácter no permanente tendrá en cuenta las especificidades previstas respecto de las contingencias no contempladas por figuras equivalentes en la acción protectora de dicho Régimen.

Además, la citada inclusión respetará para el personal de las Fuerzas Armadas y Fuerzas y Cuerpos de la Seguridad del Estado, con las adaptaciones que sean precisas, el régimen de las pensiones extraordinarias previsto en la normativa de Clases Pasivas del Estado.

3. El personal incluido en el ámbito personal de cobertura del Régimen de Clases Pasivas a 31 de diciembre de 2010 que, con posterioridad a dicha fecha y sin solución de continuidad, ingrese, cualquiera que sea el sistema de acceso, o reingrese, en otro Cuerpo que hubiera motivado en dicha fecha su encuadramiento en el Régimen de Clases Pasivas, continuará incluido en dicho régimen.

4. Continuarán rigiéndose por la normativa reguladora del Régimen de Clases Pasivas del Estado los derechos pasivos que, en propio favor o en el de sus familiares, cause el personal comprendido en la letra i) del artículo 2.1 del texto refundido de la Ley de Clases Pasivas del Estado.

**Disposición adicional cuarta.** *Consideración de los servicios prestados en segundo puesto o actividad a las Administraciones Públicas.* En los supuestos de compatibilidad entre actividades públicas, autorizada al amparo de la Ley 53/1984, de 26 de diciembre, de Incompatibilidades del Personal al Servicio de las Administraciones Públicas, los servicios prestados en el segundo puesto o actividad no podrán ser computados a efectos de pensiones del sistema de la Seguridad Social, en la medida en que rebasen las prestaciones correspondientes a cualquiera de los puestos compatibilizados, desempeñados en régimen de jornada ordinaria. La cotización podrá adecuarse a esta situación en la forma que reglamentariamente se determine.

**Disposición adicional quinta.** *Régimen de Seguridad Social de los asegurados que presten servicios en la Administración de la Unión Europea.* El asegurado que hubiera estado comprendido en el ámbito personal de cobertura del sistema de la Seguridad Social que pase a prestar servicios en la Administración de la Unión Europea y que opte por ejercer el derecho que le concede el artículo 11, apartado 2, del anexo VIII del Estatuto de los Funcionarios de la Unión Europea, aprobado por el Reglamento (CEE, EURATOM, CECA) número 259/1968, del Consejo, de 29 de febrero de 1968, causará baja automática, si no se hubiera producido con anterioridad, en el citado sistema y se extinguirá la obligación de cotizar al mismo una vez se haya realizado la transferencia a la Unión Europea a que se refiere el citado Estatuto.

Sin perjuicio de lo establecido en el párrafo anterior, el interesado podrá, no obstante, continuar protegido por el sistema español de Seguridad Social si hubiera suscrito con anterioridad, o suscribiese posteriormente y en los plazos reglamentarios, el correspondiente convenio especial, de cuya acción protectora quedarán excluidas en todo caso la pensión de jubilación y las prestaciones por muerte y supervivencia.

No obstante lo señalado en los párrafos anteriores, si cesando su prestación de servicios en la Administración de la Unión Europea el interesado retornara a España, realizara una actividad laboral por cuenta ajena o propia que diera ocasión a su nueva inclusión en el sistema de la Seguridad Social y ejercitara el derecho que le confiere el artículo 11, apartado 1, del anexo VIII del citado Estatuto de los Funcionarios de la Unión Europea, una vez producido el correspondiente ingreso en la Tesorería General de la Seguridad Social, al momento de causar derecho a la pensión de jubilación o a las prestaciones por muerte y supervivencia en dicho sistema se le computará el tiempo que hubiera permanecido al servicio de la Unión Europea.

**Disposición adicional sexta.** *Estancias de formación, prácticas, colaboración o especialización.* 1. Las ayudas dirigidas a titulados académicos con objeto de subvencionar estancias de formación, prácticas, colaboración o especialización que impliquen la realización de tareas en régimen de prestación de servicios, deberán establecer en todo caso la cotización a la Seguridad Social como contratos formativos, supeditándose a la normativa laboral si obliga a la contratación laboral de sus beneficiarios, o a los convenios o acuerdos colectivos vigentes en la entidad de adscripción si establecen mejoras sobre el supuesto de aplicación general.

2. Las administraciones públicas competentes llevarán a cabo planes específicos para la erradicación del fraude laboral, fiscal y a la Seguridad Social asociado a las becas que encubren puestos de trabajo.

**Disposición adicional séptima.** *Régimen de la asistencia sanitaria de los funcionarios procedentes del extinguido Régimen Especial de Funcionarios de la Administración Local.* La cobertura de la asistencia sanitaria de los funcionarios procedentes del extinguido Régimen Especial de Funcionarios de la Administración Local, así como del personal procedente de esta última, que vinieran percibiendo la prestación del Sistema Nacional de Salud y con cargo a las corporaciones, instituciones o entidades que integran la Administración Local, queda a todos los efectos sometida al régimen jurídico y económico aplicable a la contingencia comprendida en la acción protectora del Régimen General de la Seguridad Social.

**Disposición adicional octava.** *Gestión de las prestaciones económicas por maternidad y por paternidad.* La gestión de las prestaciones económicas por maternidad y por paternidad reguladas en la presente ley corresponderá directa y exclusivamente a la entidad gestora correspondiente.

**Disposición adicional novena.** *Instituto Social de la Marina.* 1. El Instituto Social de la Marina continuará llevando a cabo las funciones y servicios que tiene encomendados en relación con la gestión del Régimen Especial de la Seguridad Social de los Trabajadores del Mar, sin perjuicio de los demás que le atribuyen sus leyes reguladoras y otras disposiciones vigentes en la materia.

2. De acuerdo con lo establecido en los artículos 74 y 104, los recursos económicos y la titularidad del patrimonio del Instituto Social de la Marina, se adscriben a la Tesorería General de la Seguridad Social, que asimismo, asumirá el pago de las obligaciones de dicho Instituto.

Las cuentas representativas del neto patrimonial del Instituto Social de la Marina se traspasarán a la Tesorería General para ser incluidas en el balance de este servicio común.

**Disposición adicional décima.** *Ingresos por venta de bienes y servicios prestados a terceros.* 1. No tendrán la naturaleza de recursos de la Seguridad Social los que resulten de las siguientes atenciones, prestaciones o servicios:

a) Los ingresos a los que se refieren los artículos 16.3 y 83 de la Ley 14/1986, de 25 de abril, General de Sanidad, procedentes de la asistencia sanitaria prestada por el Instituto Nacional de Gestión Sanitaria a los usuarios sin derecho a la asistencia sanitaria de la Seguridad Social, así como en los supuestos de seguros obligatorios privados y en todos aquellos supuestos, asegurados o no, en que aparezca un tercero obligado al pago.

b) Venta de productos, materiales de desecho o subproductos sanitarios o no sanitarios, no inventariables, resultantes de la actividad de los centros sanitarios en los supuestos en que puedan realizarse tales actividades con arreglo a la Ley General de Sanidad, el texto refundido de la Ley de garantías y uso racional de los medicamentos y productos sanitarios, aprobado por el Real Decreto Legislativo 1/2015, de 24 de julio, y demás disposiciones sanitarias.

c) Ingresos procedentes del suministro o prestación de servicios de naturaleza no estrictamente asistencial.

d) Ingresos procedentes de convenios, ayudas o donaciones finalistas o altruistas, para la realización de actividades investigadoras y docentes, la promoción de trasplantes, donaciones de sangre o de otras actividades similares. No estarán incluidos los ingresos que correspondan a programas especiales financiados en los presupuestos de los departamentos ministeriales.

e) En general, todos los demás ingresos correspondientes a atenciones o servicios sanitarios que no constituyan prestaciones de la Seguridad Social.

2. El Ministerio de Sanidad, Servicios Sociales e Igualdad fijará el régimen de precios y tarifas de tales atenciones, prestaciones y servicios, tomando como base sus costes estimados.

3. Destino de los ingresos:

551 TR DE LA LEY GENERAL DE LA SEGURIDAD SOCIAL D.A. 12.ª

a) Los ingresos a que se refieren los apartados anteriores generarán crédito por el total de su importe y se destinarán a cubrir gastos de funcionamiento, excepto retribuciones de personal, y de inversión de reposición de las instituciones sanitarias, así como a atender los objetivos sanitarios y asistenciales correspondientes.

No obstante, los ingresos derivados de contratos o convenios de colaboración para actividades investigadoras podrán generar crédito por el total de su importe y se destinarán a cubrir todos los gastos previstos para su realización. En el caso de que toda o parte de la generación de crédito afectase al capítulo I, el personal investigador no adquirirá por este motivo ningún derecho laboral al finalizar la actividad investigadora.

b) La distribución de tales fondos respetará el destino de los procedentes de ayudas o donaciones.

c) Dichos recursos serán reclamados por el Instituto Nacional de Gestión Sanitaria, en nombre y por cuenta de la Administración General del Estado, para su ingreso en el Tesoro Público. El Tesoro Público, por el importe de las generaciones de crédito aprobadas por el titular del Ministerio de Sanidad, Servicios Sociales e Igualdad, procederá a realizar las transferencias correspondientes a las cuentas que la Tesorería General de la Seguridad Social tenga abiertas, a estos efectos, para cada centro sanitario.

**Disposición adicional undécima.** *Competencias en materia de autorizaciones de gastos.* Las competencias que corresponden al Ministerio de Empleo y Seguridad Social en materia de autorizaciones de gastos serán ejercidas por el Ministerio de Sanidad, Servicios Sociales e Igualdad en relación con la gestión del Instituto Nacional de Gestión Sanitaria.

A su vez, y en relación con la gestión del Instituto de Mayores y Servicios Sociales, corresponderán al Ministerio de Sanidad, Servicios Sociales e Igualdad las competencias en materia de autorización de gastos de aquellas partidas que se financien con aportaciones finalistas del Presupuesto del Estado.

**Disposición adicional duodécima.** *Transferencia del Instituto Nacional de la Seguridad Social a las comunidades autónomas en relación a asegurados en otro Estado y que residen en España.* Anualmente, el Instituto Nacional de la Seguridad Social transferirá a las comunidades autónomas el saldo neto positivo obtenido en el ejercicio inmediato anterior y resultante de la diferencia, en el ámbito nacional, entre el importe recaudado en concepto de cuotas globales por la cobertura de la asistencia sanitaria a los miembros de la familia de un trabajador asegurado en otro Estado que residen en territorio español, así como a los titulares de pensión y miembros de su familia asegurados en otro Estado que residan en España, y el importe abonado a otros Estados por los familiares de un trabajador asegurado en España que residan en el territorio de otro Estado, así como por los titulares de pensión y sus familiares asegurados en España que residan en el territorio de otro Estado, todo ello al amparo de la normativa internacional.

La distribución entre comunidades autónomas del saldo neto obtenido conforme al apartado anterior se realizará de forma proporcional al número de residentes asegurados procedentes de otros Estados y al período de residencia en cada una de las comunidades autónomas, con cobertura sanitaria en base a certificado emitido por el organismo asegurador y debidamente inscrito en el Instituto Nacional de la Seguridad Social.

**Disposición adicional decimotercera.** *Régimen jurídico del convenio especial a suscribir en determinados expedientes de despido colectivo.* 1. En el convenio especial a que se refiere el artículo 51.9 del texto refundido de la Ley del Estatuto de los Trabajadores, las cotizaciones abarcarán el periodo comprendido entre la fecha en que se produzca el cese en el trabajo o, en su caso, en que cese la obligación de cotizar por extinción de la prestación por desempleo contributivo, y la fecha en la que el trabajador cumpla la edad a que se refiere el artículo 205.1.a), en los términos establecidos en los apartados siguientes.

2. A tal efecto, las cotizaciones por el referido periodo se determinarán aplicando al promedio de las bases de cotización del trabajador, en los últimos seis meses de ocupación cotizada, el tipo de cotización previsto en la normativa reguladora del convenio especial. De la cantidad resultante se deducirá la cotización, a cargo del Servicio Público de Empleo Estatal, correspondiente al periodo en el que el trabajador pueda tener derecho a la percepción del subsidio de desempleo, cuando corresponda cotizar por la contingencia de jubilación, calculándola en función de la base y tipo aplicable en la fecha de suscripción del convenio especial.

Las cotizaciones correspondientes al convenio serán a cargo del empresario hasta la fecha en que el trabajador cumpla los sesenta y tres años, salvo en los casos de expedientes de despido colectivo por causas económicas, en los que dicha obligación se extenderá hasta el cumplimiento, por parte del trabajador, de los sesenta y un años.

Dichas cotizaciones se ingresarán en la Tesorería General de la Seguridad Social, bien de una sola vez, dentro del mes siguiente al de la notificación por parte del citado servicio común de la cantidad a ingresar, bien de manera fraccionada garantizando el importe pendiente mediante aval solidario o a través de la sustitución del empresario en el cumplimiento de la obligación por parte de una entidad financiera o aseguradora, previo consentimiento de la Tesorería General de la Seguridad Social, en los términos que establezca el Ministerio de Empleo y Seguridad Social.

A partir del cumplimiento por parte del trabajador de la edad de sesenta y tres o, en su caso, sesenta y un años, las aportaciones al convenio especial serán obligatorias y a su exclusivo cargo, debiendo ser ingresadas, en los términos previstos en la normativa reguladora del convenio especial, hasta el cumplimiento de la edad a que se refiere el artículo 205.1.a), o hasta la fecha en que, en su caso, acceda a la pensión de jubilación anticipada, sin perjuicio de lo previsto en el apartado 4.

3. En caso de fallecimiento del trabajador o de reconocimiento de una pensión de incapacidad permanente durante el período de cotización correspondiente al empresario, este tendrá derecho al reintegro de las cuotas que, en su caso, se hubieran ingresado por el convenio especial correspondientes al período posterior a la fecha en que tuviera lugar el fallecimiento o el reconocimiento de la pensión, previa regularización anual y en los términos que reglamentariamente se establezcan.

4. Si durante el período de cotización a cargo del empresario el trabajador realizase alguna actividad por la que se efectúen cotizaciones al sistema de la Seguridad Social, las cuotas coincidentes con las correspondientes a la actividad realizada, hasta la cuantía de estas últimas, se aplicarán al pago del convenio especial durante el período a cargo del trabajador recogido en el último párrafo del apartado 2, en los términos que reglamentariamente se determinen y sin perjuicio del derecho del empresario al reintegro de las cuotas que procedan, de existir remanente en la fecha en que aquel cause la pensión de jubilación.

5. Los reintegros a que se refieren los apartados 3 y 4 devengarán el interés legal del dinero vigente en la fecha en que se produzca su hecho causante, calculado desde el momento en que tenga lugar hasta la propuesta de pago.

A tal efecto, el hecho causante del reintegro tendrá lugar en la fecha del fallecimiento del trabajador o en aquella en la que este hubiera causado pensión de incapacidad permanente para los supuestos previstos en el apartado 3, y en la fecha en que el trabajador hubiera causado pensión de jubilación, para el supuesto previsto en el apartado 4.

6. En lo no previsto en los apartados precedentes, este convenio especial se regirá por lo dispuesto en las normas reglamentarias reguladoras del convenio especial en el sistema de la Seguridad Social.

**Disposición adicional decimocuarta.** *Régimen jurídico de los convenios especiales de los cuidadores no profesionales de las personas en situación de dependencia.* 1. A partir del 1 de abril de 2019, los convenios especiales que se suscriban según lo previsto en el Real Decreto 615/2007, de 11 de mayo, por el que se regula la Seguridad Social de los cuidadores de las personas en situación de dependencia, se regirán íntegramente por lo dispuesto en dicho real decreto.

2. Estos convenios especiales surtirán efectos desde la fecha de reconocimiento de la prestación económica regulada en el artículo 18 de la Ley 39/2006, de 14 de diciembre, de promoción de la autonomía personal y atención a las personas en situación de dependencia, siempre y cuando se solicite dentro de los 90 días naturales siguientes a esa fecha. Transcurrido dicho plazo, surtirán efectos desde la fecha en que se haya solicitado su suscripción.

3. Las cuotas a la Seguridad Social y por Formación Profesional establecidas cada año en función de lo previsto en el artículo 4 del Real Decreto 615/2007, de 11 de mayo, serán abonadas conjunta y directamente por el Instituto de Mayores y Servicios Sociales (IMSERSO) a la Tesorería General de la Seguridad Social.

4. Lo establecido en esta disposición no afecta al rango del Real Decreto 615/2007, de 11 de mayo, que podrá ser modificado mediante norma de igual rango.

Disposición adicional decimocuarta redactada por el Real Decreto-Ley 6/2019, de 1 de marzo, de medidas urgentes para garantía de la igualdad de trato y de oportunidades entre mujeres y hombres en el empleo y la ocupación (BOE núm. 57, 7 de marzo de 2019).

**Disposición adicional decimoquinta.** *Comisión de seguimiento del Sistema Especial para Trabajadores por Cuenta Ajena Agrarios.* Una comisión, constituida por representantes de la Administración de la Seguridad Social, del Ministerio de Empleo y Seguridad Social y de otros departamentos ministeriales con competencias económicas o en el medio rural, agricultura y ganadería, junto con representantes de las organizaciones empresariales y sindicales más representativas de empleadores y trabajadores de ámbito estatal, velará porque los beneficios en la cotización aplicables en el Sistema Especial para Trabajadores por Cuenta Ajena Agrarios incentiven la estabilidad en el empleo, la mayor duración de los contratos, y la mayor utilización de los contratos fijos discontinuos, así como para evitar un incremento de costes perjudicial para la competitividad y el empleo de las explotaciones agrarias.

Esta comisión analizará, a partir del uno de enero de 2017, las cotizaciones efectivas y el cumplimiento de los criterios generales de separación de fuentes de financiación. Asimismo, revisará las reducciones establecidas en la disposición transitoria decimoctava en el supuesto de que los tipos de cotización generales se hayan modificado, al objeto de cumplir los objetivos expresados en el párrafo anterior.

**Disposición adicional decimosexta.** *Cónyuge del titular de la explotación agraria.* Las referencias al cónyuge del titular de la explotación agraria contenidas en el capítulo IV del título IV de esta ley se entenderán también realizadas a la persona ligada de forma estable con aquel por una relación de afectividad análoga a la conyugal una vez que se regule, en el ámbito del campo de aplicación del sistema de la Seguridad Social y de los regímenes que conforman el mismo, el alcance del encuadramiento de la pareja de hecho del empresario o del titular del negocio industrial o mercantil o de la explotación agraria o marítimo-pesquera.

**Disposición adicional decimoséptima.** *Adecuación del Régimen Especial de la Seguridad Social de los Trabajadores por Cuenta Propia o Autónomos.* De acuerdo con lo previsto en la disposición adicional novena de la Ley 27/2011, de 1 de agosto, sobre actualización, adecuación y modernización del sistema de Seguridad Social, al objeto de hacer converger la intensidad de la acción protectora de los trabajadores por cuenta propia con la de los trabajadores por cuenta ajena, las bases medias de cotización del Régimen Especial de la Seguridad Social de los Trabajadores por Cuenta Propia o Autónomos experimentarán un crecimiento al menos similar al de las medias del Régimen General.

Las previsiones en materia de cotización del citado régimen especial recogidas en las Leyes de Presupuestos Generales del Estado se debatirán, con carácter previo, en el marco del diálogo social.

Se tendrá en cuenta la posibilidad, prevista en los artículos 25.3 y 27.2.c) de la Ley del Estatuto del trabajo autónomo, de establecer exenciones, reducciones o bonificaciones en las cotizaciones de la Seguridad Social para determinados colectivos de trabajadores autónomos que, por su naturaleza, tienen especiales dificultades para aumentar su capacidad económica y de generación de rentas, o para aquellos sectores profesionales que de forma temporal puedan sufrir recortes importantes en sus ingresos habituales.

Disposición adicional decimoséptima redactada por el Real Decreto-Ley 13/2022, de 26 de julio, por el que se establece un nuevo sistema de cotización para los trabajadores por cuenta propia o autónomos y se mejora la protección por cese de actividad (BOE núm. 179, 27 de julio de 2022).

**Disposición adicional decimoctava.** *Encuadramiento de los profesionales colegiados*. 1. Quienes ejerzan una actividad por cuenta propia, en las condiciones establecidas en esta ley y en el Decreto 2530/1970, de 20 de agosto, por el que se regula el régimen especial de la Seguridad Social de los trabajadores por cuenta propia o autónomos, que requiera la incorporación a un colegio profesional cuyo colectivo no hubiera sido integrado en el Régimen Especial de la Seguridad Social de los Trabajadores por Cuenta Propia o Autónomos, se entenderán incluidos en el campo de aplicación del mismo, debiendo solicitar, en su caso, la afiliación y, en todo caso, el alta en dicho régimen en los términos reglamentariamente establecidos.

Si el inicio de la actividad por el profesional colegiado se hubiera producido entre el 10 de noviembre de 1995 y el 31 de diciembre de 1998, el alta en el citado régimen especial, de no haber sido exigible con anterioridad a esta última fecha, deberá solicitarse durante el primer trimestre de 1999 y surtirá efectos desde el día primero del mes en que se hubiere formulado la correspondiente solicitud. De no formularse esta en el mencionado plazo, los efectos de las altas retrasadas serán los reglamentariamente establecidos, fijándose como fecha de inicio de la actividad el 1 de enero de 1999.

No obstante lo establecido en los párrafos anteriores, quedan exentos de la obligación de alta en dicho régimen especial los colegiados que opten o hubieren optado por incorporarse a la mutualidad de previsión social que pudiera tener establecida el correspondiente colegio profesional, siempre que la citada mutualidad sea alguna de las constituidas con anterioridad al 10 de noviembre de 1995 al amparo del apartado 2 del artículo 1 del Reglamento de Entidades de Previsión Social, aprobado por el Real Decreto 2615/1985, de 4 de diciembre. Si el interesado, teniendo derecho, no optara por incorporarse a la mutualidad correspondiente, no podrá ejercitar dicha opción con posterioridad.

2. Quedarán exentos de la obligación de alta prevista en el primer párrafo del apartado anterior los profesionales colegiados que hubieran iniciado su actividad con anterioridad al 10 de noviembre de 1995, cuyos colegios profesionales no tuvieran establecida en tal fecha una mutualidad de las amparadas en el apartado 2 del artículo 1 del citado Reglamento de Entidades de Previsión Social, y que no hubieran sido incluidos antes de la citada fecha en este régimen especial. No obstante, los interesados podrán voluntariamente optar, por una sola vez y durante 1999, por solicitar el alta en el mencionado régimen especial, la cual tendrá efectos desde el día primero del mes en que se formule la solicitud.

Los profesionales colegiados que hubieran iniciado su actividad con anterioridad al 10 de noviembre de 1995 y estuvieran integrados en tal fecha en una mutualidad de las mencionadas en el apartado anterior, deberán solicitar el alta en dicho régimen especial en caso de que decidan no permanecer incorporados en la misma en el momento en que se lleve a término la adaptación prevenida en el apartado 3 de la disposición transitoria quinta de la Ley 30/1995, de 8 de noviembre, de Ordenación y Supervisión de los Seguros Privados. Si la citada adaptación hubiese tenido lugar antes del 1 de enero de 1999, mantendrá su validez la opción ejercitada por el interesado al amparo de lo establecido en la mencionada disposición transitoria.

3. En cualquiera de los supuestos contemplados en los apartados anteriores, la inclusión en el citado régimen especial se llevará a cabo sin necesidad de mediar solicitud previa de los órganos superiores de representación de los respectivos colegios profesionales.

4. Las mutualidades de previsión social autorizadas para actuar como alternativas al Régimen Especial de la Seguridad Social de los Trabajadores por Cuenta Propia o Autónomos, desde el 1 de marzo de 2021, deberán poner a

disposición de la Tesorería General de la Seguridad Social antes de finalizar el mes natural siguiente a la situación de alta o de baja, de forma telemática, una relación de los profesionales colegiados integrados en las mismas como alternativas al citado régimen especial en la que se indique expresamente la fecha en que quedó incluido cada uno de ellos, cuál es su actividad profesional y, en su caso, la fecha de baja en la mutualidad por cese de actividad.

Apartado 4 añadido por la Ley 11/2020, de 30 de diciembre, de presupuestos generales del Estado para el año 2021 (BOE núm. 341, 31 de diciembre de 2020).

**Disposición adicional decimonovena.** *Ámbito de protección de las mutualidades de previsión social alternativas al Régimen Especial de la Seguridad Social de los Trabajadores por Cuenta Propia o Autónomos.* 1. Las mutualidades de previsión social que, en virtud de lo establecido en la disposición adicional decimoctava son alternativas al alta en el Régimen Especial de la Seguridad Social de los Trabajadores por Cuenta Propia o Autónomos con respecto a profesionales colegiados, deberán ofrecer a sus afiliados, mediante el sistema de capitalización individual y la técnica aseguradora bajo los que operan, de forma obligatoria, las coberturas de jubilación; incapacidad permanente; incapacidad temporal, incluyendo maternidad, paternidad y riesgo durante el embarazo; y fallecimiento que pueda dar lugar a viudedad y orfandad.

2. Las prestaciones que se otorguen por las mutualidades en su condición de alternativas al citado régimen especial, cuando adopten la forma de renta, habrán de alcanzar en el momento de producirse cualquiera de las contingencias cubiertas a que se refiere el apartado anterior, un importe no inferior al 60 por ciento de la cuantía mínima inicial que para la respectiva clase de pensión rija en el sistema de la Seguridad Social o, si resultara superior, el importe establecido para las pensiones no contributivas de la Seguridad Social. Si tales prestaciones adoptaran la forma de capital, este no podrá ser inferior al importe capitalizado de la cuantía mínima establecida para caso de renta.

Se considerará, asimismo, que se cumple con la obligación de cuantía mínima de la prestación, si las cuotas a satisfacer por el mutualista, cualesquiera que sean las contingencias contratadas con la mutualidad alternativa, de entre las obligatorias a que se refiere el apartado 1, equivalen al 80 por ciento de la cuota mínima que haya de satisfacerse con carácter general en este régimen especial.

559 TR DE LA LEY GENERAL DE LA SEGURIDAD SOCIAL **D.A. 20.ª**

3. Las aportaciones y cuotas que los mutualistas satisfagan a las mutualidades en su condición de alternativas al mencionado régimen especial, en la parte que tenga por objeto la cobertura de las contingencias cubiertas por el mismo, serán deducibles con el límite de la cuota máxima por contingencias comunes que esté establecida, en cada ejercicio económico, en dicho régimen especial.

**Disposición adicional vigésima.** *Coeficientes reductores de la edad de jubilación de los miembros del Cuerpo de la Ertzaintza*. 1. La edad ordinaria exigida para el acceso a la pensión de jubilación conforme al artículo 205.1.a), se reducirá en un período equivalente al que resulte de aplicar el coeficiente reductor del 0,20 a los años completos efectivamente trabajados como miembros del Cuerpo de la Ertzaintza o como integrantes de los colectivos que quedaron incluidos en el mismo.

La aplicación de la reducción de la edad de jubilación prevista en el párrafo anterior en ningún caso dará ocasión a que el interesado pueda acceder a la pensión de jubilación con una edad inferior a los sesenta años, o a la de cincuenta y nueve años en los supuestos en que se acrediten treinta y cinco o más años de actividad efectiva y cotización en el Cuerpo de la Ertzaintza, o en los colectivos que quedaron incluidos en el mismo, sin cómputo de la parte proporcional correspondiente por pagas extraordinarias, por el ejercicio de la actividad a que se refiere el párrafo anterior.

2. El período de tiempo en que resulte reducida la edad de jubilación del trabajador, de acuerdo con lo establecido en el apartado anterior, se computará como cotizado al exclusivo efecto de determinar el porcentaje aplicable a la correspondiente base reguladora para calcular el importe de la pensión de jubilación.

Tanto la reducción de la edad como el cómputo, a efectos de cotización, del tiempo en que resulte reducida aquella, que se establecen en el apartado anterior, serán de aplicación a los miembros del Cuerpo de la Ertzaintza que hayan permanecido en situación de alta por dicha actividad hasta la fecha en que se produzca el hecho causante de la pensión de jubilación.

Asimismo, mantendrán el derecho a estos mismos beneficios quienes habiendo alcanzado la edad de acceso a la jubilación que en cada caso resulte de la aplicación de lo establecido en el apartado 1 de esta disposición adicional cesen en su actividad como miembro de dicho cuerpo pero permanezcan en alta por razón del desempeño de una actividad laboral diferente, cualquiera que sea el régimen de la Seguridad Social en el que por razón de esta queden encuadrados.

3. En relación con el colectivo al que se refiere esta disposición procederá aplicar un tipo de cotización adicional sobre la base de cotización por contingencias comunes, tanto para la empresa como para el trabajador. Estos tipos de cotización se ajustarán a la situación del colectivo de activos y pasivos.

4. El sistema establecido en la presente disposición adicional será de aplicación después de que en la Comisión Mixta de Cupo se haga efectivo un acuerdo de financiación por parte del Estado de la cuantía anual correspondiente a las cotizaciones recargadas que se deban implantar como consecuencia de la pérdida de cotizaciones por el adelanto de la edad de jubilación y por el incremento en las prestaciones en los años en que se anticipe la edad de jubilación, en cuantía equiparable a la que la Administración del Estado abona en los casos de jubilación anticipada de los miembros de los Cuerpos y Fuerzas de Seguridad del Estado en el Régimen de Clases Pasivas.

**Disposición adicional vigésima bis.** *Coeficientes reductores de la edad de jubilación de los miembros del Cuerpo de Mossos d'Esquadra.* 1. La edad ordinaria exigida para el acceso a la pensión de jubilación conforme al artículo 205.1.a), se reducirá en un período equivalente al que resulte de aplicar el coeficiente reductor del 0,20 a los años completos efectivamente trabajados como miembros del Cuerpo de Mossos d'Esquadra.

La aplicación de la reducción de la edad de jubilación prevista en el párrafo anterior en ningún caso dará ocasión a que el interesado pueda acceder a la pensión de jubilación con una edad inferior a los sesenta años, o a la de cincuenta y nueve años en los supuestos en que se acrediten treinta y cinco o más años de actividad efectiva y cotización en el Cuerpo de Mossos d'Esquadra sin cómputo de la parte proporcional correspondiente por pagas extraordinarias, por el ejercicio de la actividad a que se refiere el párrafo anterior.

2. El período de tiempo en que resulte reducida la edad de jubilación del trabajador, de acuerdo con lo establecido en el apartado anterior, se computará como cotizado al exclusivo efecto de determinar el porcentaje aplicable a la correspondiente base reguladora para calcular el importe de la pensión de jubilación.

Tanto la reducción de la edad como el cómputo, a efectos de cotización, del tiempo en que resulte reducida aquélla, que se establecen en el apartado anterior, serán de aplicación a los miembros del Cuerpo de Mossos d'Esquadra que hayan permanecido en situación de alta por dicha actividad hasta la fecha en que se produzca el hecho causante de la pensión de jubilación.

Asimismo, mantendrán el derecho a estos mismos beneficios quienes habiendo alcanzado la edad de acceso a la jubilación que en cada caso resulte de la aplicación de lo establecido en el apartado 1 de esta disposición adicional cesen en su actividad como miembro de dicho cuerpo, pero permanezcan en alta por razón del desempeño de una actividad laboral diferente, cualquiera que sea el régimen de la Seguridad Social en el que por razón de ésta queden encuadrados.

3. En relación con el colectivo al que se refiere esta disposición, procederá aplicar un tipo de cotización adicional sobre la base de cotización por contingencias comunes, tanto para la empresa como para el trabajador.

4. El sistema establecido en la presente disposición adicional será de aplicación a partir de la entrada en vigor de esta ley y, en ejercicios posteriores, en el marco de la Comisión Bilateral Generalidad-Estado se ajustarán los tipos de cotización y se actualizará el cálculo de la transferencia nominativa con la que la Administración General del Estado financiará a la Generalitat de Catalunya el coste de la jubilación anticipada de la Policía de la Generalitat-Mossos d'Esquadra.

> Disposición adicional vigésima bis añadida por la Ley 22/2021, de 28 de diciembre, de presupuestos generales del Estado para el año 2022 (BOE núm. 312, 29 de diciembre de 2021; correc. BOE núm. 125, 26 de mayo de 2022).

**Disposición adicional vigésima ter.** *Coeficientes reductores de la edad de jubilación de los miembros de la Policía Foral de Navarra.* 1. La edad ordinaria exigida para el acceso a la pensión de jubilación conforme al artículo 205.1.a), se reducirá en un período equivalente al que resulte de aplicar el coeficiente reductor del 0,20 a los años completos efectivamente trabajados como miembros de la Policía Foral de Navarra.

La aplicación de la reducción de la edad de jubilación prevista en el párrafo anterior, en ningún caso dará ocasión a que el interesado pueda acceder a la pensión de jubilación con una edad inferior a los sesenta años, o a la de cincuenta y nueve años en los supuestos en que se acrediten treinta y cinco o más años de actividad efectiva y cotización en de la Policía Foral de Navarra sin cómputo de la parte proporcional correspondiente por pagas extraordinarias, por el ejercicio de la actividad a que se refiere el párrafo anterior.

2. El período de tiempo en que resulte reducida la edad de jubilación del trabajador, de acuerdo con lo establecido en el apartado anterior, se computará como cotizado al exclusivo efecto de determinar el porcentaje aplicable a la correspondiente base reguladora para calcular el importe de la pensión de jubilación.

Tanto la reducción de la edad como el cómputo, a efectos de cotización, del tiempo en que resulte reducida aquélla, que se establecen en el apartado anterior, serán de aplicación a los miembros de la Policía Foral de Navarra que hayan permanecido en situación de alta por dicha actividad hasta la fecha en que se produzca el hecho causante de la pensión de jubilación.

Asimismo, mantendrán el derecho a estos mismos beneficios quienes habiendo alcanzado la edad de acceso a la jubilación que en cada caso resulte de la aplicación de lo establecido en el apartado 1 de esta disposición adicional cesen en su actividad como miembro de dicho cuerpo pero permanezcan en alta por razón del desempeño de una actividad laboral diferente, cualquiera que sea el régimen de la Seguridad Social en el que por razón de ésta queden encuadrados.

3. En relación con el colectivo al que se refiere esta disposición, procederá aplicar un tipo de cotización adicional sobre la base de cotización por contingencias comunes, tanto para la empresa como para el trabajador.

4. El sistema establecido en la presente disposición adicional será de aplicación después de que en la Comisión Coordinadora Estado-Navarra se haga efectivo un acuerdo de financiación por parte del Estado de la cuantía anual correspondiente a las cotizaciones recargadas que se deban implantar como consecuencia de la pérdida de cotizaciones por el adelanto de la edad de jubilación y por el incremento en las prestaciones en los años en que se anticipe la edad de jubilación.

Disposición adicional vigésima ter añadida por la Ley 22/2021, de 28 de diciembre, de presupuestos generales del Estado para el año 2022 (BOE núm. 312, 29 de diciembre de 2021).

**Disposición adicional vigésima primera.** *Cómputo de períodos cotizados a los Montepíos de las Administraciones Públicas de Navarra*. 1. A efectos de las pensiones de incapacidad permanente, jubilación y muerte y supervivencia del sistema de la Seguridad Social, en cualquiera de sus regímenes, se computarán los períodos cotizados por los trabajadores a alguno de los Montepíos de las Administraciones Públicas de Navarra, siempre que tales períodos no se superpongan a otros cotizados en el citado sistema, tanto para acreditar los períodos de carencia en cada caso exigidos para la adquisición del derecho a pensión, como para determinar, en su caso, el porcentaje por años de cotización para el cálculo de la misma. Cuando para el cálculo de la base reguladora de la correspondiente pensión hubieran de tomarse en cuenta períodos que sean objeto de dicho cómputo, la determinación de las bases de cotización a considerar se llevará a cabo, partiendo de las retribuciones reales de los trabajadores en esos períodos, aplicando las normas de cotización vigentes en cada momento en el ámbito del Régimen General de la Seguridad Social.

No obstante lo señalado en el párrafo anterior, no se computarán en ningún caso los períodos cotizados a los expresados Montepíos cuando por los mismos, acumulados en su caso a otros, se haya reconocido derecho a pensión en tales Montepíos.

2. Lo establecido en la presente disposición será aplicable con carácter retroactivo, siendo revisables, a instancia de parte, los expedientes que en su día fueron resueltos por la correspondiente entidad gestora de la Seguridad Social, si bien los efectos económicos de dichas revisiones solo se producirán a partir del día primero del mes siguiente al de la fecha de la correspondiente solicitud.

3. El cómputo que se regula en los párrafos anteriores se realizará en tanto en cuanto por la Comunidad Foral de Navarra se proceda en igual sentido en relación con los períodos de cotización acreditados en el sistema de la Seguridad Social, en aplicación de lo previsto al respecto, a partir de la Ley Foral 13/1993, de 30 de diciembre, en las sucesivas Leyes Forales de Presupuestos Generales de Navarra y en el artículo 30 de la Ley Foral 10/2003, de 5 de marzo, sobre régimen transitorio de los derechos pasivos del personal funcionario de los Montepíos de las Administraciones Públicas de Navarra.

La presente disposición no será de aplicación en relación al Régimen Especial de la Seguridad Social de los Funcionarios Civiles del Estado, al Régimen Especial de la Seguridad Social de las Fuerzas Armadas y al Régimen Especial de la Seguridad Social del personal al servicio de la Administración de Justicia.

**Disposición adicional vigésima segunda.** *Informe sobre la adecuación y suficiencia de las pensiones del sistema de la Seguridad Social.* El Gobierno elaborará quinquenalmente, desde la aprobación de la Ley 23/2013, de 23 de diciembre, reguladora del Factor de Sostenibilidad y del Índice de Revalorización del Sistema de Pensiones de la Seguridad Social, un estudio, para su presentación en el Congreso de los Diputados y en el ámbito del diálogo social con las organizaciones sindicales y empresariales, sobre los efectos de las medidas adoptadas en dicha norma en la suficiencia y adecuación de las pensiones de la Seguridad Social.

**Disposición adicional vigésima tercera.** *Bonificaciones de cuotas de la Seguridad Social y de aportaciones de recaudación conjunta en determinadas relaciones laborales de carácter especial y reducciones respecto de trabajadores de determinados ámbitos geográficos...*

Disposición adicional vigésima tercera derogada por el Real Decreto-Ley 1/2023, de 10 de enero, de medidas urgentes en materia de incentivos a la contratación laboral y mejora de la protección social de las personas artistas (BOE núm. 9, 11 de enero de 2023).

**Disposición adicional vigésima cuarta.** *Aplicación de los beneficios en la cotización en el Sistema Especial para Empleados de Hogar...*

Disposición adicional vigésima cuarta derogada por el Real Decreto-Ley 16/2022, de 6 de septiembre, para mejora de las condiciones de trabajo y de Seguridad Social de las personas trabajadoras al servicio del hogar (BOE núm. 216, 8 de septiembre de 2022).

**Disposición adicional vigésima quinta.** *Asimilación a un grado de discapacidad igual o superior al 65 por ciento por resolución judicial.* A efectos de la aplicación de esta ley, sin perjuicio de poder acreditarse el grado de discapacidad, en grado igual o superior al 65 por ciento, mediante el certificado emitido por el Instituto de Mayores y Servicios Sociales o por el órgano competente de la comunidad autónoma, se entenderá que están afectadas por una discapacidad, en un grado igual o superior al 65 por ciento, aquellas personas para las que, como medida de apoyo a su capacidad jurídica y mediante resolución judicial, se haya nombrado un curador con facultades de representación plenas para todos los actos jurídicos.

Disposición adicional vigésima quinta redactada por el Real Decreto-Ley 2/2023, de 16 de marzo, de medidas urgentes para la ampliación de derechos de los pensionistas, la reducción de la brecha de género y el establecimiento de un nuevo marco de sostenibilidad del sistema público de pensiones (BOE núm. 65, 17 de marzo de 2023).

**Disposición adicional vigésima sexta.** *Cónyuges de titulares de establecimientos familiares.* En aquellos supuestos en que quede acreditado que uno de los cónyuges ha desempeñado, durante el tiempo de duración del matrimonio, trabajos a favor del negocio familiar sin que se hubiese cursado el alta en la Seguridad Social en el régimen que correspondiese, el juez que conozca del proceso de separación, divorcio o nulidad comunicará tal hecho a la Inspección de Trabajo y Seguridad Social, al objeto de que por esta se lleven a cabo las actuaciones que procedan. Las cotizaciones no prescritas que, en su caso, se realicen por los períodos de alta que se reconozcan surtirán todos los efectos previstos en el ordenamiento, para causar las prestaciones de Seguridad Social. El importe de tales cotizaciones será imputado al negocio familiar y, en consecuencia, su abono correrá por cuenta del titular del mismo.

**Disposición adicional vigésima séptima.** *Subsidio extraordinario por desempleo...*

Disposición adicional vigésima séptima derogada por el Real Decreto-Ley 2/2024, de 21 de mayo, por el que se adoptan medidas urgentes para la simplificación y mejora del nivel asistencial de la protección por desempleo, y para completar la transposición de la Directiva (UE) 2019/1158 del Parlamento Europeo y del Consejo, de 20 de junio de 2019, relativa a la conciliación de la vida familiar y la vida profesional de los progenitores y los cuidadores, y por la que se deroga la Directiva 2010/10/18/UE del Consejo (BOE núm. 124, 22 de mayo de 2024).

**Disposición adicional vigésima octava.** *Excepciones a la cobertura obligatoria de todas las contingencias en el Régimen Especial de la Seguridad Social de los Trabajadores por Cuenta Propia o Autónomos.* 1. La cobertura de la contingencia por incapacidad temporal, por cese de actividad y de formación profesional, no resultará obligatoria en el caso de socios de cooperativas incluidos en el Régimen Especial de la Seguridad Social de los Trabajadores por Cuenta Propia o Autónomos que dispongan de un sistema intercooperativo de prestaciones sociales, complementario al sistema público, que cuente con la autorización de la Seguridad Social para colaborar en la gestión de la prestación económica de incapacidad temporal y otorgue la protección por las citadas contingencias, con un alcance al menos equivalente al regulado para el Régimen Especial de la Seguridad Social de los Trabajadores por Cuenta Propia o Autónomos.

2. La cobertura de la contingencia por incapacidad temporal, de las contingencias de accidente de trabajo y enfermedad profesional, por el cese de actividad y formación profesional, no resultará exigible en el caso de los miembros de institutos de vida consagrada de la Iglesia Católica, incluidos en el Régimen Especial de la Seguridad Social de los Trabajadores por Cuenta Propia

o Autónomos al amparo del Real Decreto 3325/1981, de 29 de diciembre, y de la Orden TAS/820/2004, de 12 de marzo.

> Disposición adicional vigésima octava redactada por el Real Decreto-Ley 13/2022, de 26 de julio, por el que se establece un nuevo sistema de cotización para los trabajadores por cuenta propia o autónomos y se mejora la protección por cese de actividad (BOE núm. 179, 27 de julio de 2022).

**Disposición adicional vigésima novena.** *Convenio especial para los afectados por la crisis.* Quienes acrediten, a la fecha de entrada en vigor de la norma reglamentaria que desarrolle esta modalidad de convenio, una edad entre los 35 y 43 años así como una laguna de cotización de al menos tres años entre el 2 de octubre de 2008 y el 1 de julio de 2018, podrán suscribir convenio especial con la Tesorería General de la Seguridad Social para la recuperación de un máximo de dos años en el periodo antes descrito.

Dichas cotizaciones computarán exclusivamente a los efectos de incapacidad permanente, jubilación y muerte y supervivencia, llevándose a cabo en los términos que se determine reglamentariamente.

> Disposición adicional vigésima novena añadida por el Real Decreto-Ley 28/2018, de 28 de diciembre, para la revalorización de las pensiones públicas y otras medidas urgentes en materia social, laboral y de empleo (BOE núm. 314, 29 de diciembre de 2018).

**Disposición adicional trigésima.** *Aplicación del nuevo artículo 249 bis del texto refundido de la Ley General de la Seguridad Social, aprobado por Real Decreto Legislativo 8/2015, de 30 de octubre.* Lo dispuesto en los artículos 151 y 249 bis de este texto refundido, conforme a lo establecido por el Real Decreto-Ley para la revalorización de las pensiones públicas y otras medidas urgentes en materia social, laboral y de empleo, solo será de aplicación a los contratos de carácter temporal cuya duración sea igual o inferior a cinco días cuya prestación de servicios se inicie a partir de 1 de enero de 2019.

> Disposición adicional trigésima añadida por el Real Decreto-Ley 28/2018, de 28 de diciembre, para la revalorización de las pensiones públicas y otras medidas urgentes en materia social, laboral y de empleo (BOE núm. 314, 29 de diciembre de 2018).

**Disposición adicional trigésima primera.** *Devolución de cuotas en supuestos de variación de datos de empresas y trabajadores.* Cuando se solicite fuera de plazo reglamentario una variación de los datos aportados con anterioridad o una corrección de los mismos, tanto de empresarios como de trabajadores, y proceda la devolución de las cuotas ingresadas, únicamente se tendrá derecho al reintegro del importe que corresponda a las tres mensualidades anteriores a la fecha de la solicitud.

Disposición adicional trigésima primera añadida por el Real Decreto-Ley 35/2020, de 22 de diciembre, de medidas urgentes para de apoyo al sector turístico, la hostelería y el comercio y en materia tributaria (BOE núm. 334, 23 de diciembre de 2020).

**Disposición adicional trigésima segunda.** *Financiación de la acción protectora de la Seguridad Social en cumplimiento del principio de separación de fuentes consagrado en el Pacto de Toledo.* 1. En aras de hacer efectiva la separación de fuentes de financiación en cumplimiento de la recomendación primera del Pacto de Toledo, y de acuerdo con lo dispuesto en el artículo 109.1.a) de esta ley, la Ley de Presupuestos Generales del Estado contemplará anualmente una transferencia del Estado al Presupuesto de la Seguridad Social para la financiación de los beneficios y exenciones en cotización a la Seguridad Social de determinados regímenes y colectivos, el coste del reconocimiento de la prestación anticipada de jubilación por aplicación de coeficientes reductores cuando no se haya previsto cotización adicional, el coste de la integración de los periodos no cotizados en la determinación de la base reguladora y de la cuantía de las prestaciones del sistema, las reducciones legalmente establecidas en la cotización a la Seguridad Social, el coste de la pensión de jubilación anticipada involuntaria en edades inferiores a la edad ordinaria de jubilación, así como el incremento de la cuantía de las prestaciones contributivas sujetas a límites de ingresos.

Asimismo, y de conformidad con lo dispuesto en el inciso final del artículo 109.2, en la Ley de Presupuestos Generales del Estado se fijará, todos los años, el importe de las prestaciones que serán financiadas con una transferencia del Estado a la Seguridad Social, entre las que se incluirá la prestación contributiva de nacimiento y cuidado de menor, el complemento de pensiones contributivas para la reducción de la brecha de género, las pensiones y subsidios en favor de familiares, así como la prestación de orfandad cuando la causante hubiera fallecido como consecuencia de violencia contra la mujer.

2. Cualquiera otra transferencia del Estado al Presupuesto de la Seguridad Social destinada a la financiación de las prestaciones contributivas y no contributivas del Sistema de Seguridad Social deberá contar con informe previo del Ministerio de Hacienda y Función Pública para poder ser incorporado a la Ley de Presupuestos Generales del Estado.

Disposición adicional trigésima segunda redactada por la Ley 21/2021, de 28 de diciembre, de garantía del poder adquisitivo de las pensiones y de otras medidas de refuerzo de la sostenibilidad financiera y social del sistema público de pensiones (BOE núm. 312, de 29 de diciembre de 2021; correc. BOE núm. 95, de 21 de abril de 2022).

**Disposición adicional trigésima tercera.** *Modificación de la competencia territorial de órganos provinciales de las entidades gestoras y servicios comunes de la Seguridad Social.* 1. La competencia de las Direcciones Provinciales de las entidades gestoras y servicios comunes de la Seguridad Social y de las unidades dependientes de las mismas se podrá extender a procedimientos y actuaciones correspondientes a ámbitos territoriales diferentes al de su demarcación provincial, en las condiciones y términos establecidos mediante Resolución del máximo órgano de dirección de la entidad o servicio común, que habrá de ser objeto de publicación en el Boletín Oficial del Estado.

2. En los supuestos de extensión de la competencia territorial acordada de conformidad con lo establecido en el apartado anterior, a efectos de impugnaciones y recursos, se entenderá que el acto administrativo se ha adoptado por el órgano o unidad territorial al que le hubiere correspondido dictarlo de no haberse producido la extensión competencial referida.

Disposición adicional trigésima tercera añadida por el Real Decreto-Ley 2/2021, de 26 de enero, de refuerzo y consolidación de medidas sociales en defensa del empleo (BOE núm. 23, 27 de enero de 2021).

**Disposición adicional trigésima cuarta.** *Habilitación a los autorizados del Sistema RED.* Conforme a lo previsto en el artículo 131 de esta ley, los autorizados para actuar a través del Sistema de remisión electrónica de datos en el ámbito de la Seguridad Social (Sistema RED) estarán habilitados para efectuar por medios electrónicos las solicitudes y demás trámites relativos a la afiliación de los trabajadores, a los aplazamientos en el pago de deudas, a las moratorias en el pago de cotizaciones y a las devoluciones de ingresos indebidos con la Seguridad Social correspondientes a los sujetos responsables del cumplimiento de la obligación de cotizar en cuyo nombre actúen.

Los autorizados a los que se refiere esta disposición también podrán facilitar a la Administración de la Seguridad Social, a través del Sistema RED y previo consentimiento de los interesados, el teléfono móvil de los trabajadores o asimilados a ellos que causen alta en cualquiera de los regímenes del sistema de la Seguridad Social. En tal consentimiento deberá incluirse de manera expresa la autorización para el uso del teléfono móvil como medio de identificación fehaciente de aquellos, así como la aceptación por su parte del envío de comunicaciones y avisos por la Administración de la Seguridad Social.

Disposición adicional trigésima cuarta añadida por el Real Decreto-Ley 2/2021, de 26 de enero, de refuerzo y consolidación de medidas sociales en defensa del empleo (BOE núm. 23, 27 de enero de 2021).

**Disposición adicional trigésima quinta.** *Convenios del Instituto Nacional de la Seguridad Social o del Instituto Social de la Marina con las Comunidades Autónomas y con el Instituto Nacional de Gestión Sanitaria.* El Instituto Nacional de la Seguridad Social o del Instituto Social de la Marina incluirán en los correspondientes convenios que suscriba con las Comunidades Autónomas y, en su caso, con el Instituto Nacional de Gestión Sanitaria, objetivos específicos relacionados con el acceso electrónico a la historia clínica de los trabajadores previsto en el artículo 71.3 de la presente ley, así como con el intercambio de información y el seguimiento de dichos accesos.

Disposición adicional trigésima quinta añadida por el Real Decreto-Ley 2/2021, de 26 de enero, de refuerzo y consolidación de medidas sociales en defensa del empleo (BOE núm. 23, 27 de enero de 2021).

**Disposición adicional trigésima sexta.** *Financiación del complemento de pensiones contributivas para la reducción de la brecha de género.* La financiación del complemento de pensiones contributivas para la reducción de la brecha de género del artículo 60, se realizará mediante una transferencia del Estado al presupuesto de la Seguridad Social.

Disposición adicional trigésima sexta añadida por el Real Decreto-Ley 3/2021, de 2 de febrero, por el que se adoptan medidas para la reducción de la brecha de género y otras materias en los ámbitos de la Seguridad Social y económico (BOE núm. 29, 3 de febrero de 2021).

**Disposición adicional trigésima séptima.** *Alcance temporal de las acciones positivas para la reducción de la brecha de género en las pensiones contributivas.* 1. A los efectos de esta ley, se entiende por brecha de género de las pensiones de jubilación el porcentaje que representa la diferencia entre el importe medio de las pensiones de jubilación contributiva causadas en un año por las mujeres respecto del importe de las pensiones causadas por los hombres.

El derecho al reconocimiento del complemento de pensiones contributivas, para la reducción de la brecha de género, previsto en el artículo 60 se mantendrá en tanto la brecha de género de las pensiones de jubilación, causadas en el año anterior, sea superior al 5 por ciento.

2. Además del complemento por brecha de género del artículo 60, en el marco del diálogo social, se podrán fijar con carácter temporal otras medidas de acción positiva para el cálculo de las prestaciones en favor de las mujeres.

3. Con el objetivo de garantizar la adecuación de la medida de corrección introducida para la reducción de la brecha de género en pensiones el Gobierno de España, en el marco del diálogo social, deberá realizar una evaluación periódica, cada cinco años, de sus efectos.

4. Una vez que la brecha de género de las pensiones de jubilación de un año sea igual o inferior al 5 por ciento, el Gobierno remitirá a las Cortes Generales un proyecto de ley para derogar el artículo 60 y las demás medidas que hayan podido ser adoptadas en dicha materia, previa consulta con los interlocutores sociales.

Disposición adicional trigésima séptima redactada por el Real Decreto-Ley 2/2023, de 16 de marzo, de medidas urgentes para la ampliación de derechos de los pensionistas, la reducción de la brecha de género y el establecimiento de un nuevo marco de sostenibilidad del sistema público de pensiones (BOE núm. 65, 17 de marzo de 2023).

**Disposición adicional trigésima octava.** *Gastos de manutención y gastos y pluses de distancia por desplazamiento de los músicos.* Uno. En la base de cotización al Régimen General de la Seguridad Social de los músicos sujetos a la relación laboral especial de los artistas en espectáculos públicos, regulada por el Real Decreto 1435/1985, de 1 de agosto, cuando se desplacen a realizar actuaciones mediante contratos de menos de cinco días, se computarán los gastos de manutención y los gastos y pluses de distancia por el desplazamiento de aquellos desde su domicilio a la localidad donde se celebre el espectáculo, en los mismos términos y condiciones establecidas para los conceptos regulados en los párrafos a) y b) del artículo 147.2 de esta ley.

Dos. En caso de que se haya producido un pronunciamiento judicial firme que tenga causa en procedimientos sancionadores y de liquidación de cuotas a la Seguridad Social antes de la entrada en vigor de la Ley 14/2021, de 11 de octubre, por la que se modifica el Real Decreto Ley 17/2020, de 5 de mayo, por la que se aprueban medidas de apoyo al sector cultural y de carácter tributario para hacer frente al impacto económico y social del COVID-2019, se procederá a la condonación de la deuda siempre y cuando no hayan transcurrido más de

5 años desde la fecha de levantamiento del Acta de la Inspección de Trabajo y Seguridad Social.

Disposición adicional trigésima octava redactada por la Ley 24/2022, de 25 de noviembre, para el reconocimiento efectivo del tiempo de prestación del servicio social de la mujer en el acceso a la pensión de jubilación parcial (BOE núm. 284, 26 de noviembre de 2022).

**Disposición adicional trigésima novena.** *Seguimiento de la revalorización de las pensiones y garantía de mantenimiento de poder adquisitivo de las pensiones.* Con el objetivo de preservar el mantenimiento del poder adquisitivo de las pensiones y garantizar la suficiencia económica de los pensionistas, el Gobierno y las organizaciones empresariales y sindicales más representativas realizarán, en el marco del diálogo social, una evaluación periódica, cada cinco años, de los efectos de la revalorización anual de la que se dará traslado a la Comisión de Seguimiento y Evaluación de los Acuerdos del Pacto de Toledo. En caso de que se observase alguna desviación, dicha evaluación incorporará una propuesta de actuación para preservar el mantenimiento del poder adquisitivo de las pensiones.

Disposición adicional trigésima novena añadida por la Ley 21/2021, de 28 de diciembre, de garantía del poder adquisitivo de las pensiones y de otras medidas de refuerzo de la sostenibilidad financiera y social del sistema público de pensiones (BOE núm. 312, de 29 de diciembre de 2021).

**Disposición adicional cuadragésima.** *Pensión de viudedad de parejas de hecho en supuestos excepcionales.* Con carácter excepcional, se reconocerá derecho a la pensión de viudedad, con efectos de entrada en vigor de la presente Disposición, cuando, habiéndose producido el fallecimiento de uno de los miembros de la pareja de hecho con anterioridad a la misma, concurran las siguientes circunstancias:

a) Que a la muerte del causante, reuniendo éste los requisitos de alta y cotización a que se refiere el artículo 219 del texto refundido de la Ley General de la Seguridad Social, no se hubiera podido causar derecho a pensión de viudedad.

b) Que el beneficiario pueda acreditar en el momento de fallecimiento del causante la existencia de pareja de hecho, en los términos establecidos en el apartado 2 del artículo 221.

c) Que el beneficiario no tenga reconocido derecho a pensión contributiva de la Seguridad Social.

d) Para acceder a la pensión regulada en la presente Disposición, la correspondiente solicitud deberá ser presentada en el plazo improrrogable de los doce meses siguientes a la entrada en vigor de la misma. La pensión reconocida tendrá efectos económicos desde el día primero del mes siguiente a la solicitud, siempre que se cumplan todos los requisitos previstos en esta Disposición.

Disposición adicional cuadragésima añadida por la Ley 21/2021, de 28 de diciembre, de garantía del poder adquisitivo de las pensiones y de otras medidas de refuerzo de la sostenibilidad financiera y social del sistema público de pensiones (BOE núm. 312, de 29 de diciembre de 2021).

**Disposición adicional cuadragésima primera.** *Medidas de protección social de las personas trabajadoras afectadas por la aplicación del Mecanismo RED de Flexibilidad y Estabilización del Empleo, regulado en el artículo 47 bis del texto refundido de la Ley del Estatuto de los Trabajadores.* 1. Cuando, conforme a lo establecido en el artículo 47 bis del texto refundido de la Ley del Estatuto de los Trabajadores, por acuerdo del Consejo de Ministros, se active el Mecanismo RED de Flexibilidad y Estabilización del Empleo, y las empresas afectadas obtengan autorización de la autoridad laboral para su aplicación, podrán reducir la jornada de trabajo o suspender los contratos de trabajo de las personas trabajadoras, y estas acceder a la prestación regulada en esta disposición, en los términos y condiciones establecidos en la misma.

Podrán acceder a esta prestación del Mecanismo RED las personas trabajadoras por cuenta ajena, cuando se suspenda temporalmente su contrato de trabajo o se reduzca temporalmente su jornada ordinaria de trabajo, siempre que su salario sea objeto de análoga reducción, sin que sea necesario acreditar un periodo mínimo de cotización previo a la Seguridad Social.

Asimismo, podrán acceder a dicha prestación las personas que tengan la condición de socias trabajadoras de cooperativas de trabajo asociado y de sociedades laborales incluidas en el Régimen General de la Seguridad Social o en algunos de los regímenes especiales que protejan la contingencia de desempleo

En todos los casos se requerirá que el inicio de la relación laboral o societaria en la empresa autorizada a aplicar el Mecanismo RED de Flexibilidad y Estabilización del Empleo sea anterior a la fecha del Acuerdo del Consejo de Ministros que declare la activación del mismo.

Esta prestación será incompatible con la percepción de prestaciones o subsidios por desempleo, con la prestación por cese de actividad y con la renta activa de inserción, regulada por el Real Decreto 1369/2006, de 24 de noviembre.

Asimismo, es incompatible con la obtención de otras prestaciones económicas de la Seguridad Social, salvo que estas hubieran sido compatibles con el trabajo en el que se aplica el Mecanismo RED de Flexibilidad y Estabilización del Empleo.

Las personas trabajadoras no podrán percibir, de forma simultánea, prestaciones derivadas de dos o más Mecanismos RED de Flexibilidad y Estabilización del Empleo.

2. El procedimiento para la solicitud y el reconocimiento del derecho a esta prestación se desarrollará reglamentariamente, mediante orden de la persona titular del Ministerio de Trabajo y Economía Social, de conformidad con las siguientes reglas:

a) La empresa deberá formular la solicitud, en representación de las personas trabajadoras, en el modelo establecido al efecto en la página web o sede electrónica del Servicio Público de Empleo Estatal.

En dicha solicitud constarán los datos de todas las personas trabajadoras que pudieran resultar afectadas por la aplicación del Mecanismo RED, que sean necesarios para el reconocimiento del derecho. En todo caso se hará constar la naturaleza de la medida aprobada por la Autoridad Laboral y, en caso de reducción de jornada, el porcentaje máximo de reducción autorizado.

b) El plazo para la presentación de esta solicitud será de un mes, a computar desde la fecha de la notificación de la resolución de la autoridad laboral, en la que se autorice la aplicación del Mecanismo RED de Flexibilidad y Estabilización del Empleo o desde la del certificado del silencio administrativo.

En caso de presentación fuera de plazo, el derecho nacerá el día de la solicitud. En este supuesto, la empresa deberá abonar a la persona trabajadora el importe que hubiese percibido en concepto de prestación del mecanismo RED desde el primer día en que se hubiese aplicado la medida de reducción de jornada o suspensión del contrato.

c) El acceso a la prestación requerirá la inscripción de la persona trabajadora ante el servicio público de empleo competente.

3. La base reguladora de la prestación será el promedio de las bases de cotización en la empresa en la que se aplique el mecanismo por contingencias

de accidentes de trabajo y enfermedades profesionales, excluidas las retribuciones por horas extraordinarias, correspondientes a los 180 días inmediatamente anteriores a la fecha de inicio de aplicación de la medida a la persona trabajadora.

En caso de no acreditar 180 días de ocupación cotizada en dicha empresa, la base reguladora se calculará en función de las bases correspondientes al periodo inferior acreditado en la misma.

4. La cuantía de la prestación se determinará aplicando a la base reguladora, calculada de conformidad con el apartado anterior, el porcentaje del 70 por ciento, durante toda la vigencia de la medida.

No obstante, la cuantía máxima mensual a percibir será la equivalente al 225 por ciento del indicador público de rentas de efectos múltiples mensual vigente en el momento del nacimiento del derecho incrementado en una sexta parte.

En caso de que la relación laboral sea a tiempo parcial, la cuantía máxima contemplada en el párrafo anterior se determinará teniendo en cuenta el indicador público de rentas de efectos múltiples calculado en función del promedio de las horas trabajadas durante el período a que se refiere el apartado 3.

5. Durante la aplicación de las medidas de suspensión o reducción, la empresa ingresará la aportación de la cotización que le corresponda, debiendo la entidad gestora ingresar únicamente la aportación de la persona trabajadora, previo descuento de su importe de la cuantía de su prestación.

6. La prestación será incompatible con la realización de trabajo por cuenta propia o por cuenta ajena a tiempo completo. Será compatible con la realización de otro trabajo por cuenta ajena a tiempo parcial. En este caso, de su cuantía no se deducirá la parte proporcional al tiempo trabajado.

7. La duración de la prestación se extenderá, como máximo, hasta la finalización del período de aplicación del Mecanismo RED en la empresa.

8. El acceso a esta prestación no implicará el consumo de las cotizaciones previamente efectuadas a ningún efecto.

El tiempo de percepción de la prestación no se considerará como consumido de la duración en futuros accesos a la protección por desempleo.

El tiempo de percepción de la prestación no tendrá la consideración de periodo de ocupación cotizado, a los efectos de lo previsto en el artículo 269.1. No obstante, el período de seis años a que se refiere dicho precepto se retrotraerá por el tiempo equivalente al que el trabajador hubiera percibido la citada prestación.

En el caso de reducción de jornada, se entenderá como tiempo de percepción de prestación el que resulte de convertir a día a jornada completa el número de horas no trabajadas en el periodo temporal de referencia.

9. La prestación se suspenderá cuando la relación laboral se suspenda por una causa distinta de la aplicación del Mecanismo.

10. La prestación se extinguirá si se causa baja en la empresa por cualquier motivo. Igualmente se extinguirá por imposición de sanción, en los términos previstos en el texto refundido de la Ley sobre Infracciones y Sanciones en el Orden Social.

11. Corresponde al Servicio Público de Empleo Estatal gestionar las funciones y servicios derivados de la prestación regulada en esta disposición y declarar el reconocimiento, suspensión, extinción y reanudación de estas prestaciones, sin perjuicio de las atribuciones reconocidas a los órganos competentes de la Administración laboral en materia de sanciones.

Igualmente, corresponde a la entidad gestora competente declarar y exigir la devolución de las prestaciones indebidamente percibidas por las personas trabajadoras y el reintegro de las prestaciones de cuyo pago sea directamente responsable el empresario.

Cuando se trate de trabajadores por cuenta ajena incluidos dentro Régimen Especial de la Seguridad Social de los Trabajadores del Mar, las competencias a las que se refiere este apartado corresponderán al Instituto Social de la Marina.

12. Transcurrido el respectivo plazo fijado para el reintegro de las prestaciones indebidamente percibidas o de responsabilidad empresarial sin haberse efectuado el mismo, corresponderá a la Tesorería General de la Seguridad Social proceder a su recaudación en vía ejecutiva de conformidad con las normas reguladoras de la gestión recaudatoria de la Seguridad Social, devengándose el recargo y el interés de demora en los términos y condiciones establecidos en esta ley.

13. Frente a las resoluciones de la entidad gestora relativas a esta prestación, podrá la persona trabajadora formular reclamación previa, en el plazo de los treinta días hábiles siguientes a la notificación de la resolución, en los términos previstos en el artículo 71 de la Ley 36/2011, de 10 de octubre, reguladora de la jurisdicción social.

14. La prestación regulada en esta disposición se financiará con cargo al Fondo RED de Flexibilidad y Estabilización del Empleo.

Disposición adicional cuadragésima primera añadida por el Real Decreto-Ley 32/2021, de 28 de diciembre, de medidas urgentes para la reforma laboral, la garantía de la estabilidad en el empleo y la transformación del mercado de trabajo (BOE núm. 313, 30 de diciembre de 2021).

**Disposición adicional cuadragésima segunda.** *Actuaciones del Servicio Público de Empleo Estatal y de la Tesorería General de la Seguridad Social para la simplificación de actuaciones administrativas.* Al objeto de reducir las cargas administrativas de las empresas, reglamentariamente se establecerá por el Servicio Público de Empleo Estatal y la Tesorería General de la Seguridad Social, un procedimiento único a través del cual las empresas puedan comunicar, a ambas entidades, el inicio y finalización de los períodos de suspensión temporal de contratos de trabajo y reducción temporal de jornada de trabajo de los trabajadores afectados por un expediente de regulación temporal de empleo.

A través de dicho procedimiento las empresas deberán poder comunicar esta información de tal forma que la misma surta efecto para el desarrollo de la totalidad de las competencias de ambas entidades.

Disposición adicional cuadragésima segunda añadida por el Real Decreto-Ley 32/2021, de 28 de diciembre, de medidas urgentes para la reforma laboral, la garantía de la estabilidad en el empleo y la transformación del mercado de trabajo (BOE núm. 313, 30 de diciembre de 2021).

**Disposición adicional cuadragésima tercera.** *Cotización a la Seguridad Social de los contratos formativos en alternancia.* 1. Respecto de los contratos para la formación en alternancia a los que se refiere el artículo 11.2 del texto refundido de la Ley del Estatuto de los Trabajadores, aprobado por el Real Decreto Legislativo 2/2015, de 23 de octubre, cuando se celebren a tiempo completo, el empresario estará obligado a cotizar a la Seguridad Social por la totalidad de las contingencias de la Seguridad Social, en los siguientes términos:

1.º Cuando la base de cotización mensual por contingencias comunes, determinada conforme a las reglas establecidas en el Régimen de la Seguridad Social que corresponda, no supere la base mínima mensual de cotización de dicho Régimen, el empresario ingresará mensualmente en la Seguridad Social, las cuotas únicas que determine para cada ejercicio la correspondiente Ley de

Presupuestos Generales del Estado, siendo la cuota por contingencias comunes a cargo del empresario y del trabajador, y la cuota por contingencias profesionales a cargo exclusivo del empresario. Igualmente, ingresará las cuotas únicas correspondientes al Fondo de Garantía Salarial, que serán a su exclusivo cargo, así como las correspondientes a desempleo y por formación profesional, que serán a cargo del empresario y del trabajador, en las cuantías igualmente fijadas en la correspondiente Ley de Presupuestos Generales del Estado.

2.º Cuando la base de cotización mensual por contingencias comunes, determinada conforme a las reglas establecidas en el Régimen de la Seguridad Social que corresponda, supere la base mínima mensual de cotización de dicho Régimen, la cuota a ingresar estará constituida por el resultado de sumar las cuotas únicas a las que se refiere el ordinal anterior y las cuotas resultantes de aplicar los tipos de cotización que correspondan al importe que exceda la base de cotización anteriormente indicada de la base mínima.

2. La base de cotización a efecto de prestaciones será la base mínima mensual de cotización en el Régimen General de la Seguridad Social, salvo que el importe de la base de cotización a que se refiere el ordinal 2.º del apartado anterior sea superior, en cuyo caso se aplicará esta.

3. A los contratos formativos en alternancia a tiempo parcial les resultarán de aplicación las normas de cotización indicadas en esta disposición para los contratos formativos en alternancia a tiempo completo.

4. A los contratos formativos en alternancia les resultarán de aplicación los beneficios en la cotización a la Seguridad Social que, a la entrada en vigor de esta disposición, estén establecidos para los contratos para la formación y el aprendizaje.

Disposición adicional cuadragésima tercera añadida por el Real Decreto-Ley 32/2021, de 28 de diciembre, de medidas urgentes para la reforma laboral, la garantía de la estabilidad en el empleo y la transformación del mercado de trabajo (BOE núm. 313, 30 de diciembre de 2021).

**Disposición adicional cuadragésima cuarta.** *Beneficios en la cotización a la Seguridad Social aplicables a los expedientes de regulación temporal de empleo y al Mecanismo RED.* 1. Durante la aplicación de los expedientes de regulación temporal de empleo a los que se refieren los artículos 47 y 47 bis del texto refundido de la Ley del Estatuto de los Trabajadores, las empresas podrán acogerse voluntariamente, siempre y cuando concurran las condiciones y requisitos incluidos en esta disposición adicional, a las exenciones en la cotización a la Seguridad Social sobre la aportación empresarial por contingencias comunes y por conceptos de recaudación conjunta a que se refiere el artículo 153.bis, que se indican a continuación:

a) El 20 por ciento a los expedientes de regulación temporal de empleo por causas económicas, técnicas, organizativas o de producción a los que se refieren los artículos 47.1 y 47.4 del texto refundido de la Ley del Estatuto de los Trabajadores.

b) El 90 por ciento a los expedientes de regulación temporal de empleo por causa de fuerza mayor temporal a los que se refiere el artículo 47.5 del texto refundido de la Ley del Estatuto de los Trabajadores.

c) El 90 por ciento a los expedientes de regulación temporal de empleo por causa de fuerza mayor temporal determinada por impedimentos o limitaciones en la actividad normalizada de la empresa, a los que se refiere el artículo 47.6 del texto refundido de la Ley del Estatuto de los Trabajadores.

d) En los expedientes de regulación temporal de empleo a los que resulte de aplicación el Mecanismo RED de Flexibilidad y Estabilización del Empleo en su modalidad cíclica, a los que se refiere al artículo 47 bis. 1. a) del texto refundido de la Ley del Estatuto de los Trabajadores:

1.º El 60 por ciento, desde la fecha en que se produzca la activación, por acuerdo del Consejo de Ministros, hasta el último día del cuarto mes posterior a dicha fecha de activación.

2.º El 30 por ciento, durante los cuatro meses inmediatamente siguientes a la terminación del plazo al que se refiere el párrafo 1.º anterior.

3.º El 20 por ciento, durante los cuatro meses inmediatamente siguientes a la terminación del plazo al que se refiere el párrafo 2.º anterior.

e) El 40 por ciento a los expedientes de regulación temporal de empleo a los que resulte de aplicación el Mecanismo RED de Flexibilidad y Estabilización del Empleo en su modalidad sectorial, a los que se refiere al artículo 47.bis.1.b) del texto refundido de la Ley del Estatuto de los Trabajadores.

Las exenciones previstas en letras a), d) y e) de este apartado resultarán de aplicación exclusivamente en el caso de que las empresas desarrollen las acciones formativas a las que se refiere la disposición adicional vigesimoquinta del texto refundido de la Ley del Estatuto de los Trabajadores.

Las exenciones reguladas en esta disposición se aplicarán respecto de las personas trabajadoras afectadas por las suspensiones de contratos o reducciones de jornada, en alta en los códigos de cuenta de cotización de los centros de trabajo afectados.

El Consejo de Ministros, atendiendo a las circunstancias que concurran en la coyuntura macroeconómica general o en la situación en la que se encuentre determinado sector o sectores de la actividad, podrá impulsar las modificaciones legales necesarias para modificar los porcentajes de las exenciones en la cotización a la Seguridad Social reguladas en esta disposición, así como establecer la aplicación de exenciones a la cotización debida por los trabajadores reactivados, tras los períodos de suspensión del contrato o de reducción de la jornada, en el caso de los expedientes de regulación temporal de empleo a los que se refiere el artículo 47 bis.1.a) de la Ley del Estatuto de los Trabajadores.

2. Las exenciones en la cotización a que se refiere esta disposición adicional no tendrán efectos para las personas trabajadoras, manteniéndose la consideración del período en que se apliquen como efectivamente cotizado a todos los efectos.

3. Para la aplicación de estas exenciones no resultará de aplicación lo establecido en los apartados 1 y 3 del artículo 20.

4. Las exenciones reguladas en esta disposición adicional, que se financiarán con aportaciones del Estado, serán a cargo de los presupuestos de la Seguridad Social, de las mutuas colaboradoras con la Seguridad Social, del Servicio Público de Empleo Estatal y del Fondo de Garantía Salarial, respecto a las exenciones que correspondan a cada uno de ellos.

5. Estas exenciones en la cotización se aplicarán por la Tesorería General de la Seguridad Social a instancia de la empresa, previa comunicación de la identificación de las personas trabajadoras y periodo de la suspensión o reducción de jornada y previa presentación de declaración responsable, respecto de cada código de cuenta de cotización, en el que figuren de alta las personas trabajadoras adscritas a los centros de trabajo afectados, y mes de devengo. Esta declaración hará referencia tanto a la existencia como al mantenimiento de la vigencia de los expedientes de regulación temporal de empleo y al cumplimiento de los requisitos establecidos para la aplicación de estas exenciones. La declaración hará referencia a haber obtenido, en su caso, la correspondiente resolución de la autoridad laboral emitida de forma expresa o por silencio administrativo.

Para que la exención resulte de aplicación estas declaraciones responsables se deberán presentar antes de solicitarse el cálculo de la liquidación de cuotas correspondiente al periodo de devengo de cuotas sobre el que tengan efectos dichas declaraciones.

6. Junto con la comunicación de la identificación de las personas trabajadoras y período de suspensión o reducción de jornada se realizará, en los supuestos a los que se refieren las letras a), d) y e) del apartado 1, una declaración responsable sobre el compromiso de la empresa de realización de las acciones formativas a las que se refiere esta disposición.

Para que la exención resulte de aplicación, esta declaración responsable se deberá presentar antes de solicitarse el cálculo de la liquidación de cuotas correspondiente al periodo de devengo de las primeras cuotas sobre las que tengan efectos dichas declaraciones. Si la declaración responsable se efectuase en un momento posterior a la última solicitud del cálculo de la liquidación de cuotas dentro del período de presentación en plazo reglamentario correspondiente, estas exenciones únicamente se aplicarán a las liquidaciones que se presenten con posterioridad, pero no a los períodos ya liquidados.

7. Las comunicaciones y declaraciones responsables a las que se refieren los apartados anteriores se deberán realizar, mediante la transmisión de los datos que establezca la Tesorería General de la Seguridad Social, a través del Sistema de remisión electrónica de datos en el ámbito de la Seguridad Social (Sistema RED), regulado en la Orden ESS/484/2013, de 26 de marzo.

8. La Tesorería General de la Seguridad Social comunicará al Servicio Público de Empleo Estatal la relación de personas trabajadoras por las que las empresas se han aplicado las exenciones, conforme a lo establecido en las letras a), d) y e) del apartado 1.

El Servicio Público de Empleo Estatal, por su parte, verificará la realización de las acciones formativas a las que se refiere la disposición adicional vigesimoquinta del texto refundido de la Ley del Estatuto de los Trabajadores, conforme a todos los requisitos establecidos en la misma y en la presente disposición.

Cuando no se hayan realizado las acciones formativas a las que se refiere este artículo, según la verificación realizada por el Servicio Público de Empleo Estatal, la Tesorería General de la Seguridad Social informará de tal circunstancia a la Inspección de Trabajo y Seguridad Social para que ésta inicie los expedientes sancionadores y liquidatorios de cuotas que correspondan, respecto de cada una de las personas trabajadoras por las que no se hayan realizado dichas acciones.

En el supuesto de que la empresa acredite la puesta a disposición de las personas trabajadoras de las acciones formativas no estará obligada al reintegro de las exenciones a las que se refieren las letras a), d) y e) del apartado 1, cuando la persona trabajadora no las haya realizado.

9. Las empresas que se hayan beneficiado de las exenciones conforme a lo establecido en las letras a), d) y e) del apartado 1, que incumplan las obligaciones de formación a las que se refieren estas letras deberán ingresar el importe de las cotizaciones de cuyo pago resultaron exoneradas respecto de cada trabajador en el que se haya incumplido este requisito, con el recargo y los intereses de demora correspondientes, según lo establecido en las normas recaudatorias de la Seguridad Social, previa determinación por la Inspección de Trabajo y Seguridad Social del incumplimiento de estas obligaciones y de los importes a reintegrar.

10. Las exenciones en la cotización reguladas en la presente disposición adicional estarán condicionadas al mantenimiento en el empleo de las personas trabajadoras afectadas durante un mínimo de seis meses y un máximo de dos años siguientes a la finalización del periodo de vigencia del expediente de regulación temporal de empleo.

Las empresas que incumplan este compromiso deberán reintegrar el importe de las cotizaciones de cuyo pago resultaron exoneradas en relación a la persona trabajadora respecto de la cual se haya incumplido este requisito, con el recargo y los intereses de demora correspondientes, según lo establecido en las normas recaudatorias de la Seguridad Social, previa comprobación del incumplimiento de este compromiso y la determinación de los importes a reintegrar por la Inspección de Trabajo y Seguridad Social.

No se considerará incumplido este compromiso cuando el contrato de trabajo se extinga por despido disciplinario declarado como procedente, dimisión, muerte, jubilación o incapacidad permanente total, absoluta o gran incapacidad de la persona trabajadora. Tampoco se considera incumplido por el fin del llamamiento de las personas con contrato fijo-discontinuo, cuando este no suponga un despido sino una interrupción del mismo.

En particular, en el caso de contratos temporales, no se entenderá incumplido este requisito cuando el contrato se haya formalizado de acuerdo con lo previsto en el artículo 15 del Estatuto de los Trabajadores y se extinga por finalización de su causa, o cuando no pueda realizarse de forma inmediata la actividad objeto de contratación.

Apartado 10 redactado por el Real Decreto-Ley 1/2025, de 28 de enero, por el que se adoptan medidas urgentes en materia económica, de transporte, de Seguridad Social, y para hacer frente a situaciones de vulnerabilidad (BOE núm. 25, 29 de enero de 2025).

Disposición adicional cuadragésima cuarta redactada por el Real Decreto-Ley 1/2023, de 10 de enero, de medidas urgentes en materia de incentivos a la contratación laboral y mejora de la protección social de las personas artistas (BOE núm. 9, 11 de enero de 2023).

**Disposición adicional cuadragésima quinta.** *Actuación de la Inspección de Trabajo y Seguridad Social.* 1. Corresponde a la Inspección de Trabajo y Seguridad Social, en el ejercicio de sus competencias, la vigilancia del cumplimiento de los requisitos y de las obligaciones establecidas en relación a las exenciones en las cotizaciones de la Seguridad Social.

A tales efectos, la Inspección de Trabajo y Seguridad Social desarrollará acciones de control sobre la correcta aplicación de las exenciones en el pago de las cuotas de la Seguridad Social, pudiendo iniciarse en caso de incumplimiento de la normativa los correspondientes expedientes sancionadores y liquidatarios de cuotas.

En particular, vigilará la veracidad, inexactitud u omisión de datos o declaraciones responsables proporcionadas por las empresas o por cualquier otra información que haya sido utilizada para el cálculo de las correspondientes liquidaciones de cuotas, y sobre la indebida existencia de actividad laboral durante los períodos comunicados por la empresa de suspensión de la relación laboral o reducción de la jornada de trabajo, en los que se hayan aplicado exenciones en la cotización.

Apartado 1 renumerado por la Ley 12/2022, de 30 de junio, de regulación para el impulso de los planes de pensiones de empleo, por la que se modifica el texto refundido de la Ley de Regulación de los Planes y Fondos de Pensiones, aprobado por Real Decreto Legislativo 1/2002, de 29 de noviembre (BOE núm. 157, 1 de julio de 2022).

2. Sin perjuicio de las competencias que tiene atribuidas la Inspección de Trabajo y Seguridad Social en relación con la vigilancia en el cumplimiento de la normativa en materia de seguridad social, que incluye la correcta aplicación de las reducciones a que se refiere la Disposición adicional 47.ª, la Tesorería General de la Seguridad Social realizará sus funciones de control en la cotización de estas contribuciones empresariales y de las reducciones en la cotización u otros beneficios que se apliquen las empresas por tales contribuciones, en el marco de sus competencias en materia de gestión y control de la

cotización y de la recaudación de las cuotas y demás recursos de financiación del sistema de la Seguridad Social.

Apartado 2 añadido por la Ley 12/2022, de 30 de junio, de regulación para el impulso de los planes de pensiones de empleo, por la que se modifica el texto refundido de la Ley de Regulación de los Planes y Fondos de Pensiones, aprobado por Real Decreto Legislativo 1/2002, de 29 de noviembre (BOE núm. 157, 1 de julio de 2022).

Disposición adicional cuadragésima quinta añadida por el Real Decreto-Ley 32/2021, de 28 de diciembre, de medidas urgentes para la reforma laboral, la garantía de la estabilidad en el empleo y la transformación del mercado de trabajo (BOE núm. 313, 30 de diciembre; correc. BOE núm. 16, 19 de enero de 2021).

**Disposición adicional cuadragésima sexta.** *Protección social de las personas trabajadoras en los expedientes de regulación temporal de empleo por fuerza mayor.* Las personas trabajadoras afectadas por expedientes de regulación temporal de empleo autorizados con base en lo previsto en el artículo 47.5 y 6 del Estatuto de los Trabajadores se beneficiarán, en el ámbito de las prestaciones contributivas por desempleo vinculadas a dichos expedientes, de las medidas siguientes:

a) La cuantía de la prestación se determinará aplicando a la base reguladora el porcentaje del 70 por ciento, durante toda la vigencia de la medida. No obstante, serán de aplicación las cuantías máximas y mínimas previstas en el artículo 270.3.

b) El acceso a esta prestación no implicará el consumo de las cotizaciones previamente efectuadas a ningún efecto.

c) Las personas afectadas tendrán derecho al reconocimiento de la prestación contributiva por desempleo, aunque carezcan del período de ocupación cotizada mínimo necesario para ello.

Disposición adicional cuadragésima sexta añadida por el Real Decreto-Ley 2/2022, de 22 de febrero, por el que se adoptan medidas urgentes para la protección de los trabajadores autónomos, para la transición hacia los mecanismos estructurales de defensa del empleo, y para la recuperación económica y social de la isla de la Palma, y se prorrogan determinadas medidas para hacer frente a situaciones de vulnerabilidad social y económica (BOE núm. 46, 23 de febrero de 2022).

**Disposición adicional cuadragésima séptima.** *Reducciones de cuotas de las contribuciones empresariales a los planes de empleo.* 1. Por las contribuciones empresariales satisfechas mensualmente a los planes de pensiones, en su modalidad de sistema de empleo, en el marco del texto refundido de la Ley de Regulación de Planes y Fondos de Pensiones, y a los instrumentos de modalidad de empleo propios de previsión social establecidos por la legislación de las Comunidades Autónomas con competencia exclusiva en materia de mutualidades no integradas en la Seguridad Social, las empresas tendrán derecho a una reducción de las cuotas empresariales a la Seguridad Social por contingencias comunes, exclusivamente por el incremento en la cuota que derive directamente de la aportación empresarial al plan de pensiones en los términos dispuestos en el párrafo siguiente.

El importe máximo de estas contribuciones a las que se aplicará una reducción del cien por ciento es el que resulte de multiplicar por trece la cuota resultante de aplicar a la base mínima diaria de cotización del grupo 8 del Régimen General de la Seguridad Social para contingencias comunes, el tipo general de cotización a cargo de la empresa para la cobertura de dichas contingencias.

2. Estas reducciones de cuotas se aplicarán por la Tesorería General de la Seguridad Social a instancia de la empresa, previa comunicación de la identificación de las personas trabajadoras, periodo de liquidación e importe de las contribuciones empresariales efectivamente realizadas.

Para que la reducción de cuotas resulte de aplicación estas comunicaciones se deberán presentar, de conformidad con lo establecido en el artículo 147.3, antes de solicitarse el cálculo de la liquidación de cuotas correspondiente.

Las referidas comunicaciones se deberán realizar mediante la transmisión de los datos que establezca la Tesorería General de la Seguridad Social, a través del Sistema de remisión electrónica de datos en el ámbito de la Seguridad Social (Sistema RED), regulado en la Orden ESS/484/2013, de 26 de marzo.

3. Para la obtención de estas reducciones de cuotas la empresa deberá de encontrarse al corriente de pago en las cuotas de la Seguridad Social en los términos establecidos en el artículo 20, con excepción de lo indicado en su apartado 1.

Disposición adicional cuadragésima séptima añadida por la Ley 12/2022, de 30 de junio, de regulación para el impulso de los planes de pensiones de empleo, por la que se modifica el texto refundido de la Ley de Regulación de los Planes y Fondos de Pensiones, aprobado por Real Decreto Legislativo 1/2002, de 29 de noviembre (BOE núm. 157, 1 de julio de 2022).

**Disposición adicional cuadragésima octava.** *Prestación para la sostenibilidad de la actividad de las personas trabajadoras autónomas de un sector de actividad afectado por el Mecanismo RED de Flexibilidad y Estabilización del Empleo en su modalidad cíclica, regulado en el artículo 47 bis del texto refundido de la Ley del Estatuto de los Trabajadores.* Uno. Podrán causar derecho a la prestación para la sostenibilidad de la actividad regulada en esta disposición, las personas trabajadoras autónomas que desarrollen su actividad en un sector afectado por el Acuerdo del Consejo de Ministros que active el Mecanismo RED en su modalidad cíclica, previsto en el artículo 47 bis del texto refundido de la Ley del Estatuto de los Trabajadores.

Dos. Son requisitos para causar derecho a esta prestación los siguientes:

1. Comunes a todos los trabajadores autónomos:

1.1 Estar de alta en el régimen especial al que se encuentre adscrita la actividad.

1.2 Estar al corriente en el pago de obligaciones tributarias y de Seguridad Social.

1.3 No prestar servicios por cuenta ajena o por cuenta propia en otra actividad no afectada por el mecanismo RED o, siéndolo, no haber adoptado las medidas previstas en el artículo 47 bis del texto refundido de la Ley del Estatuto de los Trabajadores salvo lo dispuesto en al apartado cuarto de esta disposición adicional sobre incompatibilidades.

> Punto 1.3 redactado por el Real Decreto-Ley 14/2022, de 1 de agosto, de medidas de sostenibilidad económica en el ámbito del transporte, en materia de becas y ayudas al estudio, así como de medidas de ahorro, eficiencia energética y de reducción de la dependencia energética del gas natural (BOE núm. 184, de 2 de agosto de 2022).

1.4 No percibir una prestación de cese de actividad o para la sostenibilidad de la actividad.

1.5 No haber cumplido la edad ordinaria para causar derecho a la pensión contributiva de jubilación, salvo que el trabajador autónomo no tuviera acreditado el período de cotización requerido para ello.

2. En los supuestos de trabajadores autónomos, trabajadores autónomos por su condición de socios de sociedades de capital, trabajadores de cooperativas de trabajo asociado o trabajadores autónomos que ejercen su actividad profesional conjuntamente, cuyas empresas tengan trabajadores asalariados, se exigirá igualmente:

2.1 Resolución de la autoridad laboral autorizando la aplicación del mecanismo RED para los trabajadores de la empresa.

2.2 Que la adopción de las medidas del mecanismo RED afecte al 75 por ciento de las personas en situación de alta con obligación de cotizar de la empresa.

2.3 Que se produzca una reducción de ingresos ordinarios o ventas durante los dos trimestres fiscales previos a la solicitud presentados ante la Administración tributaria del 75 por ciento respecto de los registrados en los mismos periodos del ejercicio o ejercicios anteriores.

2.4 Que los rendimientos netos mensuales del trabajador autónomo durante los dos trimestres fiscales anteriores a la solicitud de la prestación, por todas las actividades económicas, empresariales o profesionales que desarrolle, no alcancen la cuantía del salario mínimo interprofesional o el de la base por la que viniera cotizando, si esta fuera inferior.

2.5 Cumplir la empresa con las obligaciones laborales adquiridas como consecuencia de la adopción de medidas al amparo del Mecanismo RED y estar al corriente en el pago de salarios de los trabajadores.

3. En los supuestos de trabajadores autónomos, trabajadores autónomos por su condición de socios de sociedades de capital, trabajadores de cooperativas de trabajo asociado o trabajadores autónomos que ejercen su actividad profesional conjuntamente, cuyas empresas no tengan trabajadores asalariados, se exigirá igualmente:

3.1 Que se produzca una reducción de ingresos ordinarios o ventas durante los dos trimestres fiscales previos a la solicitud presentados ante la Administración tributaria del 75 por ciento respecto de los registrados en los mismos periodos del ejercicio o ejercicios anteriores.

3.2 Que los rendimientos netos mensuales del trabajador autónomo durante los dos trimestres fiscales anteriores a la solicitud de la prestación, por todas las actividades económicas o profesionales que desarrolle, no alcancen la cuantía del salario mínimo interprofesional o el de la base por la que viniera cotizando, si esta fuera inferior.

Tres. Acción protectora.

El sistema de protección para la sostenibilidad de la actividad comprende las prestaciones siguientes:

1. Una prestación económica determinada aplicando a la base reguladora el 50 por ciento.

La base reguladora de la prestación económica será la correspondiente a la base prevista en el tramo 3 de la tabla reducida aplicable a las personas trabajadoras autónomas.

2. El abono por la entidad gestora de la prestación del 50 por ciento de la cotización a la Seguridad Social del trabajador autónomo al régimen correspondiente calculada sobre la base reguladora de la prestación, siendo a cargo del trabajador el otro 50 por ciento. La entidad gestora abonará a la persona

trabajadora autónoma junto con esta prestación el importe de la cuota que le corresponda, siendo la persona trabajadora autónoma la responsable del ingreso de la totalidad de las cotizaciones a la Seguridad Social.

Cuatro. Incompatibilidades:

1. El percibo de esta prestación es incompatible con la percepción de una prestación de desempleo, de mecanismo RED, de cese de actividad, con la renta activa de inserción regulada por el Real Decreto 1369/2006, de 24 de noviembre, o con cualquier otra prestación del sistema de Seguridad Social, distinta de las anteriores, salvo que fueran compatibles con el trabajo.

2. Las personas trabajadoras no podrán percibir, de forma simultánea, prestaciones derivadas de dos o más Mecanismos RED de Flexibilidad y Estabilización del Empleo, ya sea como consecuencia del trabajo por cuenta propia como por el trabajo por cuenta ajena, en caso de concurrir el derecho a causar dos prestaciones podrá elegir la más beneficiosa.

3. Es incompatible con otro trabajo por cuenta propia o por cuenta ajena. En los supuestos en los que el trabajador autónomo se encuentre en situación de pluriactividad, en el momento del hecho causante de la prestación para la sostenibilidad de la actividad, esta prestación será compatible con la percepción de la remuneración por el trabajo por cuenta ajena que se venía desarrollando, siempre y cuando de la suma de la retribución mensual media de los últimos cuatro meses inmediatamente anteriores al nacimiento del derecho y la prestación por cese de actividad, resulte una cantidad media mensual inferior al importe del salario mínimo interprofesional vigente en el momento del nacimiento del derecho.

Punto 4.3 redactado por el Real Decreto-Ley 14/2022, de 1 de agosto, de medidas de sostenibilidad económica en el ámbito del transporte, en materia de becas y ayudas al estudio, así como de medidas de ahorro, eficiencia energética y de reducción de la dependencia energética del gas natural (BOE núm. 184, de 2 de agosto de 2022).

Cinco. Extinción.

1. El derecho a la protección se extinguirá en los siguientes casos:

1.1 Causar derecho a una prestación del sistema de la Seguridad Social.

1.2 Transcurso del plazo previsto para la percepción de la prestación.

1.3 Aumento de los ingresos de la empresa o del trabajador autónomo por encima de los límites establecidos.

1.4 La prestación se extinguirá si se causa baja en el RETA por cualquier motivo. Igualmente se extinguirá por imposición de sanción, en los términos previstos en el texto refundido de la Ley sobre Infracciones y Sanciones en el Orden Social, aprobado por el Real Decreto Legislativo 5/2000, de 4 de agosto.

2. Los trabajadores autónomos con trabajadores asalariados verán extinguida su prestación, además de en los supuestos previstos en el apartado anterior, por los siguientes motivos:

2.1 Incumplimiento de las obligaciones adquiridas al adoptar el mecanismo RED.

2.2 La pérdida por la empresa de los beneficios a la Seguridad Social como consecuencia de la aplicación de lo dispuesto en la disposición adicional cuadragésima cuarta.

Seis. Duración.

1. En los supuestos de trabajadores autónomos, trabajadores autónomos por su condición de socios de sociedades de capital, trabajadores de cooperativas de trabajo asociado o trabajadores autónomos que ejercen su actividad profesional conjuntamente, cuyas empresas tengan trabajadores asalariados, la duración de la prestación será de tres meses, con posibilidad de prórroga con carácter trimestral, sin que en ningún caso pueda exceder de un año, incluida la prórroga.

2. En el caso de trabajadores autónomos, trabajadores autónomos por su condición de socios de sociedades de capital, trabajadores de cooperativas de trabajo asociado o trabajadores autónomos que ejercen su actividad profesional conjuntamente cuyas empresas no tengan trabajadores asalariados, la duración de la prestación será la que figure en la solicitud sin que pueda exceder de seis meses. Excepcionalmente podrá otorgarse tres prórrogas de dos meses hasta un máximo de seis meses, de forma que en ningún caso esta prestación podrá tener una duración superior a un año.

Siete. Suspensión.

El derecho al sistema de protección para la sostenibilidad de la actividad se suspenderá en los siguientes supuestos:

1. Durante el período que corresponda por imposición de sanción por infracción leve o grave, en los términos establecidos en el texto refundido de la Ley sobre Infracciones y Sanciones en el Orden Social.

2. Durante el cumplimiento de condena que implique privación de libertad.

El derecho a la percepción se reanudará previa solicitud del interesado, siempre que este acredite que ha finalizado la causa de suspensión y que se mantienen los requisitos.

El derecho a la reanudación nacerá a partir del término de la causa de suspensión, siempre que se solicite en el plazo de los quince días siguientes.

En caso de presentarse la solicitud transcurrido el plazo citado, la reanudación de la percepción tendrá efectos del primer día del mes siguiente a la solicitud.

Ocho. Obligaciones.

1. El trabajador autónomo con trabajadores por cuenta ajena perceptor de esta prestación deberá incorporarse a la actividad cuando se acuerde el levantamiento de las medidas adoptada en el mecanismo RED, y mantenerse en el desarrollo de la actividad al menos seis meses consecutivos.

2. También deberá mantenerse al corriente en las cotizaciones a la Seguridad Social de los trabajadores de la empresa.

3. El trabajador autónomo sin trabajadores por cuenta ajena perceptor de esta prestación, deberá incorporarse a la actividad cuando finalice el derecho a la prestación, y mantenerse en el desarrollo de la actividad al menos seis meses consecutivos.

Nueve. El acceso a esta prestación no implicará el consumo de las cotizaciones realizadas al sistema de protección por cese de actividad ni se considerará como consumido a efectos de la duración en futuros accesos a la misma.

El tiempo de percepción de esta prestación tendrá la consideración de alta a efectos de poder acreditar el requisito de alta previsto en el artículo 330.1.a), y las cotizaciones efectuadas durante la percepción de la prestación se tendrán en cuenta para el reconocimiento de un derecho posterior.

Diez. Prestación para la sostenibilidad de la actividad de las personas trabajadoras autónomas e incapacidad temporal.

La percepción de la prestación por incapacidad temporal es incompatible con la percepción de la prestación para la sostenibilidad de la actividad de las personas trabajadoras autónomas. El tiempo en que se perciba la prestación por incapacidad temporal se descontará del tiempo de acceso a esta prestación.

Once. Prestación por nacimiento y cuidado de menor.

1. En el supuesto de que el hecho causante del acceso a esta prestación se produzca cuando el trabajador autónomo se encuentre en situación de nacimiento, adopción, guarda con fines de adopción o acogimiento familiar, se seguirá percibiendo la prestación por nacimiento y cuidado de menor hasta que

las mismas se extingan, en cuyo momento se pasará a percibir esta prestación, siempre que reúnan los requisitos legalmente establecidos.

2. Si durante la percepción de esta prestación económica la persona beneficiaria se encontrase en situación de nacimiento, adopción, guarda con fines de adopción o acogimiento familiar, pasará a percibir la prestación por nacimiento y cuidado de menor. Una vez extinguida la prestación por nacimiento y cuidado de menor, el órgano gestor, de oficio, reanudará el abono de la prestación para la sostenibilidad de la actividad de las personas trabajadoras autónomas hasta el agotamiento del período de duración a que se tenga derecho.

Doce. Trabajadores autónomos económicamente dependientes. Los trabajadores autónomos económicamente dependientes podrán causar derecho a la prestación para la sostenibilidad de la actividad de las personas trabajadoras autónomas siempre que no presten servicios en otras empresas y la empresa para la que preste servicios se haya acogido a alguna de las medidas del 47 bis del texto refundido de la Ley del Estatuto de los Trabajadores.

En todo caso se exigirá que se produzca una reducción de ingresos ordinarios o ventas durante los dos trimestres fiscales previos a la solicitud presentada ante la Administración tributaria del 50 por ciento respecto de los registrados en los mismos periodos del ejercicio o ejercicios anteriores, y que los rendimientos netos mensuales por todas las actividades económicas o profesionales que desarrolle, durante dicho período, no alcancen la cuantía del salario mínimo interprofesional o el de la base por la que viniera cotizando, si esta fuera inferior.

Trece. Órgano gestor.

El órgano gestor de la prestación será la mutua colaboradora o el Instituto Social de la Marina.

Catorce. Solicitud de la adopción de medidas por los trabajadores autónomos, autónomos por su condición de socios de sociedades de capital, trabajadores de cooperativas de trabajo asociado o trabajadores autónomos que ejercen su actividad profesional conjuntamente cuyas empresas tengan trabajadores asalariados.

Los trabajadores autónomos a los que hace referencia este apartado que hayan solicitado la adopción del mecanismo RED en su modalidad cíclica prevista en el artículo 47 bis del texto refundido de la Ley del Estatuto de los Trabajadores de al menos el 75 por ciento de la plantilla de la empresa, deberán solicitar a la autoridad laboral su inclusión en las medidas para poder tener acceso a esta prestación.

El informe que deba emitir la Inspección de Trabajo de conformidad con el artículo 47 bis del texto refundido de la Ley del Estatuto de los Trabajadores analizará la situación de estos trabajadores autónomos.

Quince. Solicitud de la prestación.

1. Los trabajadores autónomos, trabajadores autónomos por su condición de socios de sociedades de capital, trabajadores de cooperativas de trabajo asociado o trabajadores autónomos que ejercen su actividad profesional conjuntamente cuyas empresas tengan trabajadores asalariados y hayan solicitado la adopción del mecanismo RED en su modalidad cíclica previstas en el artículo 47 bis del texto refundido de la Ley del Estatuto de los Trabajadores, podrán solicitar esta prestación dentro del plazo de quince días a contar del día siguiente a la recepción de la resolución de la Autoridad Laboral autorizando la misma ante la Mutua colaboradora con la que tenga cubierta la protección de cese de actividad o el Instituto Social de la Marina. Los efectos económicos serán desde la fecha de la solicitud.

No obstante, si la solicitud se presentara transcurrida el plazo previsto en el apartado anterior los efectos de económicos se producirán a partir del día primero del mes siguiente a la solicitud.

La solicitud deberá ir acompañada de la resolución de la autoridad laboral donde se haga constar el trabajador o los trabajadores autónomos que están afectados y el período en el que se producirá la reducción de la actividad o suspensión, así como del porcentaje de afectación de la plantilla que debe ser de al menos el 75 por ciento de los trabajadores de la empresa.

Presentada la solicitud las mutuas colaboradoras o el Instituto Social de la Marina recabarán los datos necesarios de la empresa o de las administraciones públicas para comprobar la concurrencia de los requisitos exigidos.

2. Los trabajadores autónomos, trabajadores autónomos por su condición de socios de sociedades de capital, trabajadores de cooperativas de trabajo asociado o trabajadores autónomos que ejercen su actividad profesional conjuntamente cuyas empresas no tengan trabajadores asalariados deberán presentar la solicitud a la mutua o al Instituto Social de la Marina, con una autorización para que la entidad gestora de la prestación pueda comprobar la concurrencia de los requisitos exigidos.

La entidad gestora de la prestación dará traslado de las resoluciones reconociendo la prestación a la Inspección de Trabajo y Seguridad Social.

Presentada la solicitud las mutuas colaboradoras o el Instituto Social de la Marina recabarán los datos necesarios de la empresa o del trabajador o de las administraciones públicas para comprobar la concurrencia de los requisitos exigidos.

Los efectos de la solicitud se producirán a partir del día primero del mes siguiente a la solicitud.

3. Los trabajadores autónomos económicamente dependiente deberán presentar la solicitud a la mutua o al Instituto Social de la Marina. La solicitud deberá ir acompañada de la resolución de la autoridad laboral donde se haga constar el trabajador o los trabajadores autónomos económicamente dependientes que están afectados.

Asimismo, deberá presentar los documentos contables en el que se registren la reducción de ingresos ordinarios o ventas exigido, y las declaraciones del Impuesto sobre el Valor Añadido, del Impuesto sobre la Renta de las Personas Físicas y demás documentos preceptivos que, a su vez, justifiquen los rendimientos netos mensuales y las partidas correspondientes consignadas en las cuentas aportadas.

Presentada la solicitud las mutuas colaboradoras o el Instituto Social de la Marina recabarán los datos necesarios de la empresa o de las administraciones públicas para comprobar la concurrencia de los requisitos exigidos

Los efectos de la solicitud se producirán a partir del día primero del mes siguiente a la solicitud.

Dieciséis. Reintegro de prestaciones indebidamente percibidas.

Sin perjuicio de lo dispuesto en el artículo 47.3 del texto refundido de la Ley sobre Infracciones y Sanciones en el Orden Social, en el supuesto de que se incumpla lo dispuesto en las disposiciones que regulen esta prestación, será aplicable para el reintegro de prestaciones indebidamente percibidas lo establecido en el artículo 55 del texto refundido de la Ley General de la Seguridad Social y en el artículo 80 del Reglamento General de Recaudación de la Seguridad Social, aprobado por el Real Decreto 1415/2004, de 11 de junio, correspondiendo al órgano gestor la declaración como indebida de la prestación.

Diecisiete. Infracciones.

En materia de infracciones y sanciones se estará a lo dispuesto en esta ley y en el texto refundido de la Ley sobre Infracciones y Sanciones en el Orden Social.

Dieciocho. Jurisdicción competente y reclamación previa.

Los órganos jurisdiccionales del orden social serán los competentes para conocer de las decisiones del órgano gestor relativas al reconocimiento, suspensión o extinción de esta prestación, así como al pago de las mismas. El interesado deberá formular reclamación previa ante el órgano gestor antes de acudir al órgano jurisdiccional del orden social competente. La resolución del órgano gestor habrá de indicar expresamente la posibilidad de presentar reclamación, el órgano ante el que se debe interponer, así como el plazo para su interposición.

Diecinueve. Financiación.

Esta protección por cese de actividad se financiará con cargo a la cotización por dicha contingencia.

Disposición adicional cuadragésima octava añadida por el Real Decreto-Ley 13/2022, de 26 de julio, por el que se establece un nuevo sistema de cotización para los trabajadores por cuenta propia o autónomos y se mejora la protección por cese de actividad (BOE núm. 179, 27 de julio de 2022).

**Disposición adicional cuadragésima novena.** *Prestación para la sostenibilidad de la actividad de las personas trabajadoras autónomas de un sector de actividad afectado por el Mecanismo RED de Flexibilidad y Estabilización del Empleo en su modalidad sectorial, regulado en el artículo 47 bis del texto refundido de la Ley del Estatuto de los Trabajadores.* Uno. Podrán causar derecho a la prestación para la sostenibilidad de la actividad regulada en esta disposición, las personas trabajadoras autónomas que desarrollen su actividad en un sector afectado por el Acuerdo del Consejo de Ministros que active el Mecanismo RED en su modalidad sectorial, previsto en el artículo 47 bis del texto refundido de la Ley del Estatuto de los Trabajadores.

Dos. Son requisitos para causar derecho a esta prestación los siguientes:

1. Comunes a todos los trabajadores autónomos:

1.1 Estar de alta en el régimen especial al que se encuentre adscrita la actividad.

1.2 Tener cubierto el periodo mínimo de cotización por cese de actividad a que se refiere el artículo 338.

1.3 Estar al corriente en el pago de obligaciones tributarias y de Seguridad Social.

1.4 No prestar servicios por cuenta ajena o por cuenta propia en otra actividad no afectada por el mecanismo RED o siéndolo no haber adoptado las medidas previstas en el artículo 47 bis del texto refundido de la Ley del Estatuto de los Trabajadores salvo lo dispuesto en el apartado cuatro de esta Disposición adicional sobre incompatibilidades.

> Punto 1.4 redactado por el Real Decreto-Ley 14/2022, de 1 de agosto, de medidas de sostenibilidad económica en el ámbito del transporte, en materia de becas y ayudas al estudio, así como de medidas de ahorro, eficiencia energética y de reducción de la dependencia energética del gas natural (BOE núm. 184, de 2 de agosto de 2022).

1.5 No percibir una prestación de cese de actividad o para la sostenibilidad de la actividad.

1.6 El acceso a la prestación requerirá la suscripción del compromiso de actividad al que se refiere el artículo 300.

1.7 No haber cumplido la edad ordinaria para causar derecho a la pensión contributiva de jubilación, salvo que el trabajador autónomo no tuviera acreditado el período de cotización requerido para ello.

2. En los supuestos de trabajadores autónomos, trabajadores autónomos por su condición de socios de sociedades de capital, trabajadores de cooperativas de trabajo asociado o trabajadores autónomos que ejercen su actividad profesional conjuntamente, cuyas empresas tengan trabajadores asalariados, se exigirá igualmente:

2.1 Resolución de la autoridad laboral autorizando la aplicación del mecanismo RED en su modalidad sectorial para los trabajadores de la empresa.

2.2 Que la adopción de las medidas del mecanismo RED afecte al 75 por ciento de la plantilla de la empresa.

2.3 Que se produzca una reducción de ingresos ordinarios o ventas durante los dos trimestres fiscales previos a la solicitud presentados ante la Administración tributaria del 75 por ciento respecto de los registrados en los mismos periodos del ejercicio o ejercicios anteriores.

2.4 Que los rendimientos netos mensuales del trabajador autónomo durante los dos trimestres fiscales anteriores a la solicitud de la prestación, por todas las actividades económicas, empresariales o profesionales que desarrolle, no alcancen la cuantía del salario mínimo interprofesional o el de la base por la que viniera cotizando, si esta fuera inferior.

2.5 Cumplir la empresa con las obligaciones laborales adquiridas como consecuencia de la adopción de medidas al amparo del Mecanismo RED y estar al corriente en el pago de salarios de los trabajadores.

2.6 Presentar a la entidad gestora de la prestación un proyecto de inversión y actividad a desarrollar.

2.7 Participar en el plan de recualificación presentado a la autoridad laboral para los trabajadores por cuenta ajena.

3. En los supuestos de trabajadores autónomos, trabajadores autónomos por su condición de socios de sociedades de capital, trabajadores de cooperativas de trabajo asociado o trabajadores autónomos que ejercen su actividad profesional conjuntamente, cuyas empresas no tengan trabajadores asalariados, se exigirá igualmente:

3.1 Que se produzca una reducción de ingresos ordinarios o ventas durante los dos trimestres fiscales previos a la solicitud presentados ante la Administración tributaria del 75 por ciento respecto de los registrados en los mismos periodos del ejercicio o ejercicios anteriores.

3.2 Que los rendimientos netos mensuales del trabajador autónomo durante los dos trimestres fiscales anteriores a la solicitud de la prestación, por todas las actividades económicas, empresariales o profesionales que desarrolle, no alcancen la cuantía del salario mínimo interprofesional o el de la base por la que viniera cotizando, si esta fuera inferior.

3.3 Presentar a la entidad gestora de la prestación un proyecto de inversión y actividad a desarrollar.

3.4 Participar en un plan de recualificación que deberá ser presentado a la entidad gestora de la prestación.

Tres. Acción protectora. El sistema de protección para la sostenibilidad de la actividad comprende las prestaciones siguientes:

1. Una prestación económica de pago único, calculada teniendo en cuenta que:

1.1 En los supuestos de trabajadores autónomos, trabajadores autónomos por su condición de socios de sociedades de capital, trabajadores de cooperativas de trabajo asociado o trabajadores autónomos que ejercen su actividad profesional conjuntamente, cuyas empresas tengan trabajadores asalariados, la cuantía de la prestación será el 70 por ciento de la base reguladora y su determinación estará vinculada al tiempo de duración del mecanismo RED y en ningún caso podrá exceder de la que le corresponda atendiendo a lo previsto en el artículo 338.1.

1.2 En los supuestos de trabajadores autónomos, trabajadores autónomos por su condición de socios de sociedades de capital, trabajadores de cooperativas de trabajo asociado o trabajadores autónomos que ejercen su actividad profesional conjuntamente, cuyas empresas no tengan trabajadores asalariados, la cuantía de la prestación será el 70 por ciento de la base reguladora teniendo en cuenta los periodos de cotización de conformidad con lo previsto en el artículo 338.

1.3 La base reguladora de la prestación económica será el promedio de las bases de cotización de los doce meses continuados e inmediatamente anteriores al acuerdo del Consejo de Ministros.

2. El abono por la entidad gestora de la prestación del 50 por ciento de la cotización a la Seguridad Social del trabajador autónomo al régimen correspondiente calculada sobre la base reguladora de la prestación, siendo a cargo del trabajador el otro 50 por ciento. La entidad gestora abonará a la persona trabajadora autónoma, junto con la prestación por cese de la actividad, el importe de la cuota que le corresponda, siendo la persona trabajadora autónoma la responsable del ingreso de la totalidad de las cotizaciones a la Seguridad Social.

Cuatro. Incompatibilidades.

1. El percibo de esta prestación es incompatible con la percepción de una prestación de desempleo, de mecanismo RED, de cese de actividad, con la renta activa de inserción regulada por el Real Decreto 1369/2006, de 24 de noviembre, o con cualquier otra prestación del sistema de Seguridad Social, distintas de las anteriores, salvo que fueran compatibles con el trabajo.

2. Las personas trabajadoras no podrán percibir, de forma simultánea, prestaciones derivadas de dos o más Mecanismos RED de Flexibilidad y Estabilización del Empleo, ya sea como consecuencia del trabajo por cuenta propia como por el trabajo por cuenta ajena, en caso de concurrir el derecho a causar dos prestaciones podrá elegir la más beneficiosa.

3. Es incompatible con otro trabajo por cuenta propia o por cuenta ajena. En los supuestos en los que el trabajador autónomo se encuentre en situación de pluriactividad, en el momento del hecho causante de la prestación por cese de actividad, la prestación por cese será compatible con la percepción de la remuneración por el trabajo por cuenta ajena que se venía desarrollando, siem-

pre y cuando de la suma de la retribución mensual media de los últimos cuatro meses inmediatamente anteriores al nacimiento del derecho y la prestación para la sostenibilidad de la actividad en cómputo mensual resulte una cantidad media mensual inferior al importe del salario mínimo interprofesional vigente en el momento del nacimiento del derecho.

Punto 3 redactado por el Real Decreto-Ley 14/2022, de 1 de agosto, de medidas de sostenibilidad económica en el ámbito del transporte, en materia de becas y ayudas al estudio, así como de medidas de ahorro, eficiencia energética y de reducción de la dependencia energética del gas natural (BOE núm. 184, de 2 de agosto de 2022).

Cinco. Obligaciones.

1. El trabajador autónomo con trabajadores por cuenta ajena perceptor de esta prestación deberá incorporarse a la actividad cuando se acuerde el levantamiento de las medidas adoptada en el mecanismo RED al menos a uno de los trabajadores de la empresa, y mantenerse en el desarrollo de la actividad al menos seis meses consecutivos.

2. Se mantiene la obligación de cotizar el 50 por ciento por todas las contingencias, incluido el cese de actividad.

3. También deberá mantenerse al corriente en las cotizaciones a la Seguridad Social, tanto de las propias, como la de los trabajadores o asimilados, de su empresa.

4. Invertir el importe de la prestación en una actividad económica o profesional como trabajadores autónomos o destinar el 100 por ciento de su importe a realizar una aportación al capital social de una entidad mercantil de nueva constitución o constituida en el plazo máximo de doce meses anteriores a la aportación, siempre que vayan a poseer el control efectivo de la misma, conforme a lo previsto en el texto refundido de la Ley General de la Seguridad Social y a ejercer en ella una actividad, encuadrados como trabajadores por cuenta propia en el régimen especial de la Seguridad Social correspondiente por razón de su actividad.

Seis. Prestación para la sostenibilidad de la actividad de las personas trabajadoras autónomas e incapacidad temporal. La percepción de la prestación por incapacidad temporal es incompatible con la percepción de la prestación para la sostenibilidad de la actividad de las personas trabajadoras autónomas. El tiempo en que se perciba la prestación por incapacidad temporal se descontará del tiempo de acceso a esta prestación.

Siete. Prestación por nacimiento y cuidado de menor.

1. En el supuesto de que el hecho causante del acceso a esta prestación se produzca cuando el trabajador autónomo se encuentre en situación de nacimiento, adopción, guarda con fines de adopción o acogimiento familiar, se seguirá percibiendo la prestación por nacimiento y cuidado de menor hasta que las mismas se extingan, en cuyo momento se pasará a percibir esta prestación, siempre que reúnan los requisitos legalmente establecidos.

2. Si durante la percepción de esta prestación económica la persona beneficiaria se encontrase en situación de nacimiento, adopción, guarda con fines de adopción o acogimiento familiar, pasará a percibir la prestación por nacimiento y cuidado de menor. Una vez extinguida la prestación por nacimiento y cuidado de menor, el órgano gestor, de oficio, reanudará el abono de la prestación para la sostenibilidad de la actividad de las personas trabajadoras autónomas hasta el agotamiento del período de duración a que se tenga derecho.

Ocho. Trabajadores autónomos económicamente dependientes.

Los trabajadores autónomos económicamente dependientes podrán causar derecho a la prestación para la sostenibilidad de la actividad de las personas trabajadoras autónomas siempre que no presten servicios en otras empresas y la empresa para la que preste servicios se haya acogido a alguna de las medidas del 47 bis del texto refundido de la Ley del Estatuto de los Trabajadores para el mecanismo RED en su modalidad sectorial.

El trabajador autónomo deberá estar incluido en el plan de recualificación de las personas afectadas que la empresa deberá presentar a la autoridad laboral de conformidad con lo dispuesto en el artículo 47 bis.3 del texto refundido de la Ley del Estatuto de los Trabajadores.

En todo caso se exigirá que se produzca una reducción de ingresos ordinarios o ventas durante los dos trimestres fiscales previos a la solicitud presentados ante la Administración tributaria del 50 por ciento respecto de los registrados en los mismos periodos del ejercicio o ejercicios anteriores, y que los rendimientos netos mensuales por todas las actividades económicas o profesionales que desarrolle, durante dicho período, no alcancen la cuantía del salario mínimo interprofesional o el de la base por la que viniera cotizando, si esta fuera inferior.

La prestación económica del trabajador autónomo económicamente dependiente se regirá por lo dispuesto en el texto refundido de la Ley General de la Seguridad Social.

Nueve. Órgano gestor.

El órgano gestor de la prestación será la mutua colaboradora o el Instituto Social de la Marina.

**Diez.** Solicitud de la adopción de medidas por los trabajadores autónomos, autónomos por su condición de socios de sociedades de capital, trabajadores de cooperativas de trabajo asociado o trabajadores autónomos que ejercen su actividad profesional conjuntamente cuyas empresas tengan trabajadores asalariados.

Los trabajadores autónomos a los que hace referencia este apartado que hayan solicitado la adopción del mecanismo RED en su modalidad sectorial previstas en el artículo 47 bis del texto refundido de la Ley del Estatuto de los Trabajadores de al menos el 75 por ciento de la plantilla de la empresa, deberán solicitar a la autoridad laboral su inclusión en las medidas para poder tener acceso a esta prestación.

El informe que deba emitir la Inspección de Trabajo de conformidad con el artículo 47 bis del texto refundido de la Ley del Estatuto de los Trabajadores analizará la situación de estos trabajadores autónomos.

**Once.** Solicitud de la prestación.

1. Los trabajadores autónomos, trabajadores autónomos por su condición de socios de sociedades de capital, trabajadores de cooperativas de trabajo asociado o trabajadores autónomos que ejercen su actividad profesional conjuntamente cuyas empresas tengan trabajadores asalariados y hayan solicitado la adopción del mecanismo RED en su modalidad sectorial previstas en el artículo 47 bis del texto refundido de la Ley del Estatuto de los Trabajadores, podrán solicitar esta prestación dentro del plazo de quince días a contar del día siguiente a la recepción de la resolución de la Autoridad Laboral autorizando la misma ante la Mutua colaboradora con la que tenga cubierta la protección de cese de actividad o el Instituto Social de la Marina. Los efectos económicos serán desde la fecha de la solicitud.

No obstante, si la solicitud se presentara transcurrida el plazo previsto en el apartado anterior los efectos de económicos se producirán a partir del día primero del mes siguiente a la solicitud.

La solicitud deberá ir acompañada de la resolución de la autoridad laboral donde se haga constar el trabajador o los trabajadores autónomos que están afectados y el período en el que se producirá la reducción de la actividad o suspensión, así como del porcentaje de afectación de la plantilla que debe ser de al menos el 75 por ciento de los trabajadores de la empresa.

Junto a la solicitud se acompañarán el proyecto de inversión y actividad a desarrollar, así como el plan de recualificación en el que participará.

Presentada la solicitud las mutuas colaboradoras o el Instituto Social de la Marina recabarán los datos necesarios de la empresa o de las administraciones públicas para comprobar la concurrencia de los requisitos exigidos.

2. Los trabajadores autónomos, trabajadores autónomos por su condición de socios de sociedades de capital, trabajadores de cooperativas de trabajo asociado o trabajadores autónomos que ejercen su actividad profesional conjuntamente cuyas empresas no tengan trabajadores asalariados deberán presentar la solicitud a la mutua o al Instituto Social de la Marina con una autorización para que la entidad gestora de la prestación pueda comprobar la concurrencia de los requisitos exigidos.

La entidad gestora de la prestación dará traslado de las resoluciones reconociendo la prestación a la Inspección de Trabajo y Seguridad Social.

Presentada la solicitud las mutuas colaboradoras o el Instituto Social de la Marina recabarán los datos necesarios de la empresa o del trabajador o de las administraciones públicas para comprobar la concurrencia de los requisitos exigidos.

3. Los trabajadores autónomos económicamente dependientes podrán solicitar esta prestación dentro del plazo de quince días a contar del día siguiente a la recepción de la resolución de la Autoridad Laboral autorizando las medidas previstas en el artículo 47 bis ante la Mutua colaboradora con la que tenga cubierta la protección de cese de actividad o el Instituto Social de la Marina. Los efectos económicos de la solicitud serán desde la fecha de la solicitud.

La solicitud del trabajador autónomo deberá ir acompañada de la solicitud y el plan de recualificación de las personas afectadas que la empresa deberá presentar a la autoridad laboral de conformidad con lo dispuesto en el artículo 47 bis.3 del texto refundido de la Ley del Estatuto de los Trabajadores donde deberá estar incluido el trabajador autónomo económicamente dependiente.

Asimismo, deberá presentar los documentos contables en el que se registren la reducción de ingresos ordinarios o ventas exigido, y las declaraciones del Impuesto sobre el Valor Añadido, del Impuesto sobre la Renta de las Personas Físicas y demás documentos preceptivos que, a su vez, justifiquen los rendimientos netos mensuales y las partidas correspondientes consignadas en las cuentas aportadas.

Presentada la solicitud las mutuas colaboradoras o el Instituto Social de la Marina, recabarán los datos necesarios de la empresa o del trabajador o de las administraciones públicas para comprobar la concurrencia de los requisitos exigidos.

Doce. Reintegro de prestaciones indebidamente percibidas.

Sin perjuicio de lo dispuesto en el artículo 47.3 del texto refundido de la Ley sobre Infracciones y Sanciones en el Orden Social, será aplicable para el reintegro de prestaciones indebidamente percibidas lo establecido en el artículo 55 del texto refundido de la Ley General de la Seguridad Social y en el artículo 80 del Reglamento General de Recaudación de la Seguridad Social, correspondiendo al órgano gestor la declaración como indebida de la prestación.

Trece. Infracciones.

En materia de infracciones y sanciones se estará a lo dispuesto en esta ley y en el texto refundido de la Ley sobre Infracciones y Sanciones en el Orden Social.

Catorce. Jurisdicción competente y reclamación previa.

Los órganos jurisdiccionales del orden social serán los competentes para conocer de las decisiones del órgano gestor relativas al reconocimiento, suspensión o extinción de esta prestación, así como al pago de estas. El interesado deberá formular reclamación previa ante el órgano gestor antes de acudir al órgano jurisdiccional del orden social competente. La resolución del órgano gestor habrá de indicar expresamente la posibilidad de presentar reclamación, el órgano ante el que se debe interponer, así como el plazo para su interposición.

Quince. Esta protección por cese de actividad se financiará con cargo a la cotización por dicha contingencia.

Disposición adicional cuadragésima novena añadida por el Real Decreto-Ley 13/2022, de 26 de julio, por el que se establece un nuevo sistema de cotización para los trabajadores por cuenta propia o autónomos y se mejora la protección por cese de actividad (BOE núm. 179, 27 de julio de 2022).

**Disposición adicional quincuagésima.** *Observatorio para el análisis y seguimiento de la prestación por cese de actividad por causas económicas, así como de la integración de períodos sin obligación de cotizar de los trabajadores autónomos.* En un plazo de tres meses desde el 1 de abril de 2023 y con el objetivo de mejorar la eficacia y cobertura de la prestación por cese de actividad por causas económicas de los trabajadores autónomos regulada en el artículo 331, así como de la integración de períodos sin obligación de cotizar regulada en el artículo 322, mediante orden ministerial, se creará un observatorio para el análisis y seguimiento de su funcionamiento integrado por representantes de la Secretaría de Estado de Seguridad Social y Pensiones, de las organizaciones empresariales y sindicales más representativas, así como de las asociaciones de autónomos. A tales efectos, de forma periódica, propondrá aquellas medidas tendentes a la adaptación de la regulación y cobertura de los trabajadores autónomos por esta contingencia.

Disposición adicional quincuagésima redactada por el Real Decreto-Ley 2/2023, de 16 de marzo, de medidas urgentes para la ampliación de derechos de los pensionistas, la reducción de la brecha de género y el establecimiento de un nuevo marco de sostenibilidad del sistema público de pensiones (BOE núm. 65, 17 de marzo de 2023).

**Disposición adicional quincuagésima primera.** *Prestación especial por desempleo de las personas trabajadoras sujetas a la relación laboral especial de los artistas que desarrollan su actividad en las artes escénicas, audiovisuales y musicales, así como de las personas que realizan actividades técnicas y auxiliares necesarias para el desarrollo de dicha actividad.* 1. Las personas trabajadoras sujetas a la relación laboral especial de las personas dedicadas a las actividades artísticas, así como a las actividades técnicas y auxiliares necesarias para su desarrollo, tendrán derecho a la prestación por desempleo especial regulada en la presente disposición, en los términos y condiciones establecidas en la misma.

2. Podrán acceder a esta prestación las personas a las que se refiere el apartado anterior que reúnan las condiciones siguientes:

a) No tener derecho a la prestación contributiva por desempleo regulada en el título III, con la salvedad prevista en el apartado 3.

b) Cumplir todos los requisitos establecidos en el artículo 266, excepto el previsto en su letra b).

c) Acreditar sesenta días de alta con prestación real de servicios en la actividad artística en los dieciocho meses anteriores a la situación legal de desempleo o al momento en que cesó la obligación de cotizar, que no hayan sido computadas para el reconocimiento de un derecho anterior.

Alternativamente, se podrá acceder cuando se acrediten cotizaciones en el Régimen General de la Seguridad Social, por alta con prestación real de servicios en la actividad artística o por regularizaciones anuales ya realizadas, durante un periodo mínimo de 180 días, dentro de los seis años anteriores a la situación legal de desempleo o al momento en que cesó la obligación de cotizar, que no hayan sido computadas para el reconocimiento de un derecho anterior.

3. Quienes tengan suspendida la prestación contributiva por desempleo regulada en el título III y además acrediten la actividad y cotizaciones en el sector artístico previstas en los apartados 2.b) y c) de esta disposición, podrán optar por percibir la prestación especial generada por las nuevas cotizaciones efectuadas, en cuyo caso la prestación contributiva quedará extinguida.

4. Sin perjuicio de lo dispuesto en el apartado 2.c), no podrán computarse para el reconocimiento de un derecho posterior las cotizaciones acreditadas en los seis años anteriores a la fecha de la situación legal de desempleo o al momento en que cesó la obligación de cotizar, incluyendo las correspondientes a posibles regularizaciones que pudieran efectuarse con posterioridad a dicho reconocimiento, hayan sido o no computadas para el acceso a la prestación especial.

5. Si la prestación especial se solicita dentro del plazo de los quince días siguientes a la fecha de la situación legal de desempleo en la actividad artística, el derecho nacerá el día siguiente al de dicha situación legal de desempleo. La solicitud requerirá la inscripción como demandante de empleo, así como la suscripción del compromiso de actividad al que se refiere el artículo 300.

Quien acredite cumplir los requisitos exigidos, pero presente la solicitud transcurrido el plazo de quince días a que se refiere el párrafo anterior, tendrá derecho al reconocimiento de la prestación a partir de la fecha de la solicitud, perdiendo tantos días de prestación como medien entre la fecha en que hubiera tenido lugar el nacimiento del derecho de haberse solicitado en tiempo y forma y aquella en que efectivamente se hubiese formulado la solicitud.

6. La duración de la prestación por desempleo prevista en esta disposición será de 120 días.

7. La cuantía de esta prestación especial será igual al 80 por ciento del Indicador Público de Renta de Efectos Múltiples (IPREM) mensual vigente en cada momento, salvo cuando la media diaria de las bases de cotización correspondientes a los últimos sesenta días de prestación real de servicios en la actividad artística sea superior a 60 euros, en cuyo caso será igual al 100 por ciento del IPREM.

8. Durante el período de percepción de la prestación por desempleo especial prevista en esta disposición, la entidad gestora cotizará por la contingen-

cia de jubilación. La base de cotización coincidirá con la base de cotización mínima vigente en cada momento, por contingencias comunes, correspondiente al grupo 7 de la escala de grupos de cotización del Régimen General de la Seguridad Social.

9. Una vez extinguida esta prestación especial, el trabajador podrá obtener de nuevo su reconocimiento cuando vuelva a encontrarse en situación legal de desempleo, reúna los requisitos exigidos al efecto y haya transcurrido un año, al menos, desde la fecha de dicha extinción.

10. La prestación especial quedará extinguida si su titular accede a la protección por desempleo de nivel contributivo o asistencial prevista en el título III de este texto refundido o al Programa de Renta Activa de Inserción regulado en el Real Decreto 1369/2006, de 24 de noviembre.

11. El agotamiento de la prestación regulada en esta disposición no constituye un supuesto de acceso a los subsidios previstos en la letra a) del apartado 1 del artículo 274 ni al subsidio para trabajadores mayores de cincuenta y dos años previsto en el artículo 280 de este texto refundido. Dicho agotamiento, tampoco dará derecho a acceder a la Renta Activa de Inserción en los supuestos en los que para ello se exige agotar una prestación o subsidio por desempleo. No obstante, en el caso de haber percibido la prestación especial tras haber agotado una prestación contributiva, se podrá acceder al subsidio por agotamiento de ésta, siempre que se solicite en el plazo de doce meses siguientes a dicho agotamiento.

12. Esta prestación será incompatible con el trabajo por cuenta propia, aunque su realización no implique la inclusión obligatoria en alguno de los regímenes de la Seguridad Social, o por cuenta ajena o con cualquier otra prestación, renta mínima, renta de inclusión, salario social o ayudas análogas concedidas por cualquier Administración Pública. No obstante lo anterior, sí será compatible con la percepción de derechos de propiedad intelectual y derechos de imagen.

En lo no previsto en esta disposición, serán de aplicación a la prestación especial regulada en la misma, las normas contenidas en el título III de este texto refundido, a excepción del capítulo III.

Disposición adicional quincuagésima primera añadida por el Real Decreto-Ley 1/2023, de 10 de enero, de medidas urgentes en materia de incentivos a la contratación laboral y mejora de la protección social de las personas artistas (BOE núm. 9, 11 de enero de 2023).

**Disposición adicional quincuagésima segunda.** *Inclusión en el sistema de Seguridad Social de alumnos que realicen prácticas formativas o prácticas académicas externas incluidas en programas de formación.* 1. La realización de prácticas formativas en empresas, instituciones o entidades incluidas en programas de formación y la realización de prácticas académicas externas al amparo de la respectiva regulación legal y reglamentaria, determinará la inclusión en el sistema de la Seguridad Social de las personas que las realicen en los términos de esta disposición adicional.

Las prácticas a que se refiere el párrafo anterior comprenden:

a) Las realizadas por alumnos universitarios, tanto las dirigidas a la obtención de titulaciones oficiales de grado y máster, doctorado, como las dirigidas a la obtención de un título propio de la universidad, ya sea un máster de formación permanente, un diploma de especialización o un diploma de experto.

b) Las realizadas por alumnos de formación profesional, siempre que las mismas no se presten en el régimen de formación profesional intensiva.

c) Las realizadas por alumnos de Enseñanzas Artísticas Superiores, enseñanzas artísticas profesionales y enseñanzas deportivas del sistema educativo.

Letra c) añadida por el Real Decreto-Ley 8/2023, de 27 de diciembre, por el que se adoptan medidas para afrontar las consecuencias económicas y sociales derivadas de los conflictos en Ucrania y Oriente Próximo, así como para paliar los efectos de la sequía (BOE núm. 310, 28 de diciembre de 2023).

2. Las personas que realicen las prácticas a que se refiere el apartado 1 quedarán comprendidas como asimiladas a trabajadores por cuenta ajena en el Régimen General de la Seguridad Social, excluidos los sistemas especiales del mismo, salvo que la práctica o formación se realice a bordo de embarcaciones, en cuyo caso la inclusión se producirá en el Régimen Especial de la Seguridad Social de los Trabajadores del Mar.

3. La acción protectora será la correspondiente al régimen de Seguridad Social aplicable, con la exclusión de la protección por desempleo, de la cobertura del Fondo de Garantía Salarial y por Formación Profesional. En el supuesto de las prácticas no remuneradas se excluirá también la protección por la prestación de incapacidad temporal derivada de contingencias comunes.

Las prestaciones económicas por nacimiento y cuidado de menor, riesgo durante el embarazo y riesgo durante la lactancia natural, se abonarán por la entidad gestora o, en su caso, por la mutua colaboradora, mediante pago directo de la misma.

Las prestaciones que correspondan por la situación de incapacidad temporal derivada de contingencias comunes o profesionales se abonarán en todo caso mediante pago delegado.

4. El cumplimiento de las obligaciones a la Seguridad Social se ajustará a las siguientes reglas:

a) En el caso de las prácticas formativas remuneradas, el cumplimiento de las obligaciones de Seguridad Social corresponderá a la entidad u organismo que financie el programa de formación, que asumirá a estos efectos la condición de empresario. En el supuesto de que el programa esté cofinanciado por dos o más entidades u organismos, tendrá la condición de empresario aquel al que corresponda hacer efectiva la respectiva contraprestación económica.

Las altas y las bajas en la Seguridad Social se practicarán de acuerdo con la normativa general de aplicación.

b) En el caso de las prácticas formativas no remuneradas, el cumplimiento de las obligaciones de Seguridad Social corresponderá a la empresa, institución o entidad en la que se desarrollen aquellos, salvo que en el convenio o acuerdo de cooperación que, en su caso, se suscriba para su realización se disponga que tales obligaciones corresponderán al centro de formación responsable de la oferta formativa. Quien asuma la condición de empresario deberá comunicar los días efectivos de prácticas a partir de la información que facilite el centro donde se realice la práctica formativa.

Por la entidad que resulte responsable conforme a lo indicado en el párrafo anterior se solicitará de la Tesorería General de la Seguridad Social la asignación de un código de cuenta de cotización específico para este colectivo de personas.

Las altas y las bajas en la Seguridad Social se practicarán de acuerdo con la normativa general de aplicación salvo las excepciones previstas en la presente norma, efectuándose el alta al inicio de las prácticas formativas y la baja a la finalización de estas, sin perjuicio de que para la cotización a la Seguridad social y su acción protectora se tengan en cuenta exclusivamente los días en que se realicen dichas prácticas. A estos efectos, el plazo para comunicar a la Tesorería General de la Seguridad Social dicha alta y baja será de diez días naturales desde el inicio o finalización de las prácticas.

5. La cotización a la Seguridad Social, tanto en el caso de las prácticas formativas remuneradas como en el de las no remuneradas, se ajustará a las siguientes previsiones:

a) En ambos casos, están expresamente excluida la cotización finalista del Mecanismo de Equidad Intergeneracional.

b) A las cuotas por contingencias comunes les resultará de aplicación una reducción del 95 por ciento sin que les sea de aplicación otros beneficios en la cotización distintos a esta reducción. A estas reducciones de cuotas les resultará de aplicación lo establecido en el artículo 20 de esta ley, a excepción de lo establecido en su apartado 1.

c) La entidad que asuma la condición de empresa a efecto de las obligaciones con la Seguridad, conforme a lo establecido en las letras a) y b) del apartado 4, adquiere la condición de sujeto obligado y responsable del ingreso de la totalidad de las cuotas.

6. La cotización en el supuesto de prácticas formativas remuneradas se ajustará a las siguientes previsiones:

a) Se efectuará aplicando las reglas de cotización correspondientes a los contratos formativos en alternancia, establecidas en la respectiva Ley de Presupuestos Generales del Estado y en sus normas de aplicación y desarrollo, a excepción de lo establecido en el ordinal 2.º del apartado 1 de la disposición adicional cuadragésima tercera.

b) La base de cotización mensual aplicable a efectos de prestaciones será la base mínima de cotización vigente en cada momento respecto del grupo de cotización 7, salvo en aquellos meses en los que el alta no se extienda a la totalidad de los mismos, en los que la base de cotización a efectos de prestaciones será la parte proporcional de dicha base mínima.

7. La cotización en el supuesto de prácticas formativas no remuneradas se ajustará a las siguientes previsiones:

a) Consistirá en una cuota empresarial por cada día de prácticas formativas por contingencias comunes y por contingencias profesionales, que tendrá en cuenta la exclusión de la cobertura de la incapacidad temporal derivada de contingencias comunes, que serán establecidas para cada ejercicio en la correspondiente Ley de Presupuestos Generales del Estado, sin que pueda superarse la cuota máxima por contingencias comunes y profesionales que se determine, igualmente, en dicha ley.

b) La base de cotización mensual aplicable a efectos de prestaciones será el resultado de multiplicar la base mínima de cotización vigente en cada momento respecto del grupo de cotización 8, por el número de días de prácticas formativas realizadas en el mes natural con el límite, en todo caso, del importe de la base mínima de cotización mensual correspondiente al grupo de cotización 7.

c) El plazo reglamentario de ingreso de las cuotas correspondiente a los meses de enero, febrero y marzo será el mes de abril; el de las cuotas correspondientes a los meses de abril, mayo y junio, será el mes de julio; el de las cuotas correspondientes a los meses de julio, agosto y septiembre, será el mes de octubre; y el de las cuotas correspondientes a los meses de octubre, noviembre y diciembre, será el mes de enero.

Hasta el penúltimo día natural de cada uno de los meses que, conforme a lo indicado en el párrafo anterior, se constituyen como plazo reglamentario de ingreso de cuotas, las entidades que asumen la condición de empresa deberán comunicar a la Tesorería General de la Seguridad Social el número de días en que se haya realizado cualquier de prácticas y programas formativos no remunerados, realizados por las personas asimiladas a trabajadores por cuenta ajena a que se refiere este apartado, durante los tres meses inmediatamente anteriores.

d) En el caso de las personas que no hayan realizado día alguno de prácticas o programas formativos no remunerados en un determinado mes, se deberá informar expresamente de tal circunstancia. En cualquier caso, la empresa deberá solicitar de la Tesorería General de la Seguridad Social la liquidación de cuotas correspondiente a los tres meses inmediatamente anteriores, hasta el penúltimo día natural del respectivo plazo de ingreso.

Cuando la persona que realice las practicas se encuentre en una situación de incapacidad temporal derivada de contingencias profesionales, nacimiento y cuidado de menor, riesgo durante el embarazo o durante la lactancia natural, la empresa deberá indicar a la Tesorería General de la Seguridad Social, los días previstos de realización de la práctica formativa.

En el supuesto de que la empresa no comunique los datos necesarios para la determinación de la cuota a ingresar conforme a lo establecido en el último párrafo de la letra c) anterior, o en los dos párrafos anteriores, en el plazo establecido en esta disposición, el importe de la deuda del período mensual al que se refiera la misma será el importe resultante de multiplicar la suma de las cuotas a las que se refiere el primer párrafo de la letra a) por el número de días de alta en el mes de que se trate, con el límite mensual al que se refiere el citado primer párrafo. En estos supuestos el número de días de alta a efectos de prestaciones serán dichos días.

e) A efectos de prestaciones, cada día de prácticas formativas no remuneradas será considerado como 1,61 días cotizados, sin que pueda sobrepasarse, en ningún caso, el número de días del mes correspondiente. Las fracciones de día que pudieran resultar del coeficiente anterior se computaran como un día completo.

8. Las personas a las que hace referencia la presente disposición que, con anterioridad a su fecha de entrada en vigor, se hubieran encontrado en la situación indicada en la misma, podrán suscribir un convenio especial, por una única vez, en el plazo, términos y condiciones que determine el Ministerio de Inclusión, Seguridad Social y Migraciones, que les posibilite el cómputo de la cotización por los periodos de formación o realización de prácticas no laborales y académicas realizados antes de esa fecha de entrada en vigor, hasta un máximo de cinco años.

Apartado 8 redactado por el Real Decreto-Ley 5/2023, de 28 de junio, por el que se adoptan y prorrogan determinadas medidas de respuesta a las consecuencias económicas y sociales de la Guerra de Ucrania, de apoyo a la reconstrucción de la isla de La Palma y a otras situaciones de vulnerabilidad; de trasposición de Directivas de la Unión Europea en materia de modificaciones estructurales de sociedades mercantiles y conciliación de la vida familiar y la vida profesional de los progenitores y los cuidadores; y de ejecución y cumplimiento del Derecho de la Unión Europea (BOE núm. 154, 29 de junio de 2023).

9. Las administraciones públicas competentes llevarán a cabo planes específicos para la erradicación del fraude a la Seguridad Social asociado a las prácticas formativas que encubren puestos de trabajo.

10. En un plazo de tres meses a computar desde el 1 de abril de 2023 y con el objetivo de mejorar la eficacia de las medidas reguladas en esta disposición, mediante orden ministerial se creará un observatorio para el análisis y seguimiento de su aplicación y efectividad de las medidas adoptadas, que estará integrado por representantes del Ministerio de Educación y Formación profesional, del Ministerio de Universidades, de la Secretaría de Estado de Seguridad Social y Pensiones y de las organizaciones empresariales y sindicales más representativas. A tales efectos, de forma periódica, propondrá aquellas medidas tendentes a la adaptación de la regulación y cobertura de los alumnos que realicen prácticas formativas o prácticas académicas externas incluidas en los programas de formación.

11. No estarán comprendidas en el ámbito de aplicación de esta disposición adicional las personas que durante la realización de las prácticas a las que se refiere el apartado 1 figuren en alta en cualquiera de los regímenes del

sistema de Seguridad Social por el desempeño de otra actividad, en situación asimilada a la de alta con obligación de cotizar, o durante la cual el periodo tenga la consideración de cotizado a efectos de prestaciones, o tengan la condición de pensionistas de jubilación o de incapacidad permanente de la Seguridad Social, tanto en su la modalidad contributiva como no contributiva.

La situación asimilada regulada en esta disposición adicional no afectará al derecho a la percepción de las prestaciones del sistema de la Seguridad Social. Asimismo, dicha inclusión no dará lugar a la modificación del título por el que se tuviera derecho a la prestación por asistencia sanitaria salvo la asistencia sanitaria derivada de contingencias profesionales.

Apartado 11 añadido por el Real Decreto-Ley 8/2023, de 27 de diciembre, por el que se adoptan medidas para afrontar las consecuencias económicas y sociales derivadas de los conflictos en Ucrania y Oriente Próximo, así como para paliar los efectos de la sequía (BOE núm. 310, 28 de diciembre de 2023).

Disposición adicional quincuagésima segunda añadida por el Real Decreto-Ley 2/2023, de 16 de marzo, de medidas urgentes para la ampliación de derechos de los pensionistas, la reducción de la brecha de género y el establecimiento de un nuevo marco de sostenibilidad del sistema público de pensiones (BOE núm. 65, 17 de marzo de 2023).

**Disposición adicional quincuagésima tercera.** *Pensiones mínimas e indicadores de suficiencia en cumplimiento de la recomendación 15 del Pacto de Toledo.* 1. Desde el año 2027, la cuantía mínima de la pensión de jubilación contributiva para un titular mayor de 65 años con cónyuge a cargo, una vez revalorizada según lo dispuesto en el artículo 58.2, y que servirá de cuantía de referencia, no podrá ser inferior al umbral de la pobreza calculado para un hogar compuesto por dos adultos.

Para la determinación de dicho umbral de la pobreza se multiplicará por 1,5 el umbral de la pobreza correspondiente a un hogar unipersonal en los términos concretados para España en el último dato disponible de la Encuesta de Condiciones de Vida del Instituto Nacional de Estadística, actualizada hasta el año correspondiente de acuerdo con el crecimiento medio interanual de esa renta en los últimos ocho años.

2. La brecha existente entre la cuantía de referencia y el umbral de la pobreza calculado para un hogar de dos adultos, se reducirá progresivamente, de acuerdo con la siguiente escala:

– El 1 de enero de 2024 la cuantía de referencia se incrementará adicionalmente en el porcentaje necesario para reducir en un 20 por ciento la brecha que exista.

– El 1 de enero de 2025 la cuantía de referencia se incrementará adicionalmente en el porcentaje necesario para reducir en un 30 por ciento la brecha que exista.

– El 1 de enero de 2026 la cuantía de referencia se incrementará adicionalmente en el porcentaje necesario para reducir en un 50 por ciento la brecha que exista.

– El 1 de enero de 2027 la cuantía de referencia se incrementará adicionalmente, si ello fuese necesario, hasta alcanzar el umbral de pobreza calculado para un hogar de dos adultos.

3. La cuantía mínima de la pensión de viudedad con cargas familiares, las de pensiones contributivas con cónyuge a cargo, excepto la de incapacidad permanente total de menores de 60 años, serán desde el año 2024 iguales a la cuantía de referencia del apartado 1.

4. El resto de las cuantías mínimas de las pensiones contributivas, una vez revalorizadas, se incrementarán adicionalmente cada año y en el mismo periodo en un porcentaje equivalente al 50 por ciento de los porcentajes resultantes del apartado 2.

5. Las pensiones no contributivas, una vez revalorizadas conforme dispone el artículo 62, se incrementarán adicionalmente cada año, en el mismo período y por el mismo procedimiento previsto en el apartado 2, pero con la referencia de multiplicar por 0,75 el umbral de la pobreza de un hogar unipersonal.

6. La determinación de las cuantías a las que se refieren los apartados anteriores se efectuarán por las respectivas leyes presupuestos generales del Estado para cada año.

7. En cumplimiento de la recomendación 15 del Pacto de Toledo de 2020, el Gobierno realizará un seguimiento continuo de la evolución de las pensiones mínimas y de las pensiones no contributivas. A partir de este análisis, y con periodicidad anual, elevará un informe a la citada Comisión del Pacto de Toledo en el que evaluará el impacto de estas prestaciones en la reducción de la pobreza, con particular atención a la dimensión de género, y propondrá en su caso la revisión de los parámetros que inciden en la capacidad de estas prestaciones de eliminar la pobreza y dignificar el nivel de vida de sus perceptores.

Disposición adicional quincuagésima tercera añadida por el Real Decreto-Ley 2/2023, de 16 de marzo, de medidas urgentes para la ampliación de derechos de los pensionistas, la reducción de la brecha de género y el establecimiento de un nuevo marco de sostenibilidad del sistema público de pensiones (BOE núm. 65, 17 de marzo de 2023).

**Disposición adicional quincuagésima cuarta.** *Garantía de servicios a personas beneficiarias del nivel asistencial.* Las personas beneficiarias del subsidio por desempleo tendrán garantizado, en todo caso, el acceso al itinerario o plan personalizado adecuado a su perfil, previsto en el artículo 56.1.c) de la Ley 3/2023, de 28 de febrero, y dentro del marco del acuerdo de actividad previsto en el artículo 3 de la precitada Ley.

> Disposición adicional quincuagésima cuarta añadida por el Real Decreto-Ley 2/2024, de 21 de mayo, por el que se adoptan medidas urgentes para la simplificación y mejora del nivel asistencial de la protección por desempleo, y para completar la transposición de la Directiva (UE) 2019/1158 del Parlamento Europeo y del Consejo, de 20 de junio de 2019, relativa a la conciliación de la vida familiar y la vida profesional de los progenitores y los cuidadores, y por la que se deroga la Directiva 2010/10/18/UE del Consejo (BOE núm. 124, 22 de mayo de 2024).

**Disposición adicional quincuagésima quinta.** *Evaluación financiera y de mejora de la empleabilidad.* En el marco de la evaluación de la política de empleo establecida en el Título VI de la Ley 3/2023, de 28 de febrero, se llevará a cabo una evaluación específica de la eficacia e impacto del nivel asistencial de la protección por desempleo en la mejora de la empleabilidad de las personas beneficiarias de esta.

> Disposición adicional quincuagésima quinta añadida por el Real Decreto-Ley 2/2024, de 21 de mayo, por el que se adoptan medidas urgentes para la simplificación y mejora del nivel asistencial de la protección por desempleo, y para completar la transposición de la Directiva (UE) 2019/1158 del Parlamento Europeo y del Consejo, de 20 de junio de 2019, relativa a la conciliación de la vida familiar y la vida profesional de los progenitores y los cuidadores, y por la que se deroga la Directiva 2010/10/18/UE del Consejo (BOE núm. 124, 22 de mayo de 2024).

**Disposición adicional quincuagésima sexta.** *Acceso extraordinario a la prestación contributiva por desempleo de las personas trabajadoras transfronterizas en las ciudades autónomas de Ceuta y Melilla.* Los trabajadores residentes en el Reino de Marruecos que hayan desempeñado su última relación laboral en las ciudades de Ceuta y Melilla, amparados por autorización de trabajo para trabajadores transfronterizos, podrán acceder a la protección por desempleo de nivel contributivo sin necesidad de acreditar residencia en España, siempre que reúnan todos los requisitos establecidos en la legislación aplicable y en las condiciones que se establezcan reglamentariamente.

> Disposición adicional quincuagésima sexta añadida por el Real Decreto-Ley 2/2024, de 21 de mayo, por el que se adoptan medidas urgentes para la simplificación y mejora del nivel asistencial de la protección por desempleo, y para completar la transposición de la

Directiva (UE) 2019/1158 del Parlamento Europeo y del Consejo, de 20 de junio de 2019, relativa a la conciliación de la vida familiar y la vida profesional de los progenitores y los cuidadores, y por la que se deroga la Directiva 2010/10/18/UE del Consejo (BOE núm. 124, 22 de mayo de 2024).

**Disposición adicional quincuagésima séptima.** *Acceso al subsidio por desempleo de emigrantes retornados.* 1. Serán beneficiarios del subsidio por desempleo regulado en esta disposición los trabajadores españoles que acrediten su condición de emigrantes retornados mediante el Certificado de Emigrante retornado expedido por el Área o Dependencia de Trabajo e Inmigración de la Delegación o Subdelegación del Gobierno de la provincia correspondiente al domicilio en el que ha fijado su residencia en España, así como el cumplimiento de los siguientes requisitos:

a) Estar desempleados y no tener derecho a la prestación por desempleo de nivel contributivo.

b) Estar inscritos como demandantes de empleo y haber suscrito el acuerdo de actividad regulado en el artículo 3 de la Ley 3/2023 de 28 de febrero.

c) Haber retornado de países no pertenecientes al Espacio Económico Europeo, o con los que no exista convenio sobre protección por desempleo.

d) Haber trabajado en los citados países, como mínimo, doce meses en los últimos seis años desde su última salida de España. Los hijos o nietos de emigrantes españoles que por primera vez vayan a fijar su residencia permanente en España, han de haber ejercicio la nacionalidad española durante la realización de los doce meses de trabajo.

e) No haber obtenido prestaciones por desempleo en el país de emigración.

f) Carecer de rentas en los términos establecidos en el artículo 275.

2. La fecha del hecho causante para acceder al subsidio regulado en esta disposición es aquella en la que la persona retorna a España para fijar su residencia de forma permanente.

3. A los efectos de solicitudes, nacimiento y prórroga del derecho a este subsidio resultará de aplicación lo previsto en el artículo 276.

4. La duración máxima del subsidio será de dieciocho meses y su cuantía se determinará de acuerdo con lo previsto en el artículo 278.

5. Este subsidio es incompatible con el trabajo por cuenta propia, aunque no implique la inclusión obligatoria en alguno de los regímenes de la Seguridad Social o en alguna mutualidad de previsión social alternativa. Este subsidio aplicará el régimen de compatibilidad establecido en el artículo 282.3

6. El subsidio regulado en esta disposición se suspenderá, reanudará y extinguirá conforme a lo previsto en el artículo 279.1 y 2.

7. En lo no previsto expresamente en esta disposición se estará a lo establecido en el título III.

Disposición adicional quincuagésima séptima añadida por el Real Decreto-Ley 2/2024, de 21 de mayo, por el que se adoptan medidas urgentes para la simplificación y mejora del nivel asistencial de la protección por desempleo, y para completar la transposición de la Directiva (UE) 2019/1158 del Parlamento Europeo y del Consejo, de 20 de junio de 2019, relativa a la conciliación de la vida familiar y la vida profesional de los progenitores y los cuidadores, y por la que se deroga la Directiva 2010/10/18/UE del Consejo (BOE núm. 124, 22 de mayo de 2024).

**Disposición adicional quincuagésima octava.** *Acceso al subsidio por desempleo por las personas víctimas de violencia de género o sexual.* 1. Serán beneficiarias del subsidio por desempleo regulado en esta disposición las personas víctimas de violencia de género o sexual, que, además, reúnan los requisitos siguientes:

a) No tener derecho a la prestación por desempleo de nivel contributivo.

b) No haber sido beneficiarias de tres derechos al programa de renta activa de inserción regulados en el Real Decreto 1369/2006, de 24 de noviembre, aunque no se hubieran disfrutado por el periodo de duración máxima de la renta, salvo que, desde la fecha del nacimiento del primero de los derechos hasta la de la solicitud del subsidio regulado en esta disposición, hubieran transcurrido tres o más años.

c) Estar inscritas como demandantes de empleo y haber suscrito el acuerdo de actividad regulado en el artículo 3 de la Ley 3/2023, de 28 de febrero.

d) Carecer de rentas propias en los términos previstos en el artículo 275.1, salvo en el supuesto de que se tenga cónyuge, pareja de hecho y/o hijos menores de veintiséis años, o mayores con discapacidad, o menores acogidos y acogidas o en guarda con fines de adopción o acogimiento, en cuyo caso, se deberá cumplir el requisito de tenencia de responsabilidades familiares conforme a lo establecido en los apartados 2 y 3 del mismo artículo.

2. Tendrán consideración de víctimas de violencia de género y sexual las personas a las que se refiere, respectivamente, el artículo 1.1 y 4 de la Ley Orgánica 1/2004, de 28 de diciembre, de Medidas de Protección Integral contra la Violencia de Género, y el artículo 3.1 y 2 de la Ley Orgánica 10/2022, de 6 de septiembre, de garantía integral de la libertad sexual.

3. Las situaciones de violencia de género o sexual que dan lugar al reconocimiento del subsidio por desempleo se acreditarán, respectivamente, conforme a lo establecido en el artículo 23 de la Ley Orgánica 1/2004, de 28 de diciembre, de Medidas de Protección Integral contra la Violencia de Género, y según lo dispuesto en el artículo 37 de la Ley Orgánica 10/2022, de 6 de septiembre, de garantía integral de la libertad sexual.

4. La fecha del hecho causante para acceder al subsidio regulado en esta disposición es aquella en que se emita por la Administración competente el correspondiente informe que acredite ser víctima de violencia de violencia de género o sexual, aquella en que se emita el informe del Ministerio Fiscal, o la de la notificación a la persona interesada de la correspondiente sentencia o resolución judicial.

5. A los efectos de solicitudes, nacimiento y prórroga del derecho a este subsidio resultará de aplicación lo previsto en el artículo 276.

6. La cuantía del subsidio previsto en esta disposición se determinará de acuerdo con lo previsto en el artículo 278.

7. La duración máxima del subsidio, en este supuesto, será de treinta meses, salvo que la persona hubiera sido beneficiaria con anterioridad de uno o dos derechos al programa de Renta Activa de Inserción regulada en el Real Decreto 1369/2006, de 24 de noviembre, en cuyo caso, la duración máxima será de veinte y de diez meses, respectivamente.

8. El subsidio regulado en esta disposición se suspenderá, reanudará y extinguirá conforme a lo previsto en el artículo 279.1 y 2.

9. Este subsidio es incompatible con el trabajo por cuenta propia, aunque no implique la inclusión obligatoria en alguno de los regímenes de la Seguridad Social o en alguna mutualidad de previsión social alternativa. A este subsidio se le aplicará el régimen de compatibilidad establecido en el artículo 282.3.

10. Las personas que hayan agotado la duración máxima del subsidio que en cada caso corresponda por ser víctimas de violencia de género o sexual, podrán acceder de nuevo al mismo si lo solicitan, acreditando cumplir los requisitos exigidos, una vez transcurridos tres o más años desde el nacimiento del primer derecho a la renta activa de inserción como víctima de violencia de género o sexual o desde el nacimiento del derecho al subsidio regulado en esta disposición, en caso de no haber percibido previamente la renta activa de inserción como víctima de violencia de género o sexual.

11. Lo previsto en esta disposición resultará de aplicación a las víctimas de violencia ejercida por sus padres o por sus hijos. En este supuesto, la situación de violencia se acreditará mediante sentencia o cualquier otra resolución judicial que acuerde una medida cautelar a favor de la víctima, o bien por el informe del Ministerio Fiscal.

12. En lo no previsto expresamente en esta disposición se estará a lo establecido en el título III.

> Disposición adicional quincuagésima octava añadida por el Real Decreto-Ley 2/2024, de 21 de mayo, por el que se adoptan medidas urgentes para la simplificación y mejora del nivel asistencial de la protección por desempleo, y para completar la transposición de la Directiva (UE) 2019/1158 del Parlamento Europeo y del Consejo, de 20 de junio de 2019, relativa a la conciliación de la vida familiar y la vida profesional de los progenitores y los cuidadores, y por la que se deroga la Directiva 2010/10/18/UE del Consejo (BOE núm. 124, 22 de mayo de 2024).

**Disposición adicional quincuagésima novena.** *Régimen de compatibilidad aplicable a las prestaciones por desempleo.* 1. No obstante lo previsto en el artículo 282, las prestaciones contributivas por desempleo nacidas a partir del 1 de abril de 2025 cuyo periodo reconocido de derecho fuera superior a doce meses, una vez devengados los primeros nueve meses, serán compatibles con el trabajo por cuenta ajena a tiempo completo y a tiempo parcial en la misma forma, condiciones y efectos previstos para el subsidio por desempleo en el apartado 3 del citado artículo, con las particularidades previstas en esta disposición.

El beneficiario podrá desistir de la aplicación de la compatibilidad presentando solicitud al efecto. Si dicha solicitud se presenta en el plazo de los quince días hábiles siguientes a la efectividad del complemento de apoyo al empleo por inicio de la relación laboral o por inicio del décimo mes de devengo de la prestación manteniendo uno o varios contratos a tiempo parcial, la prestación quedará suspendida por realizar un trabajo por cuenta ajena a tiempo completo o a tiempo parcial desde la fecha de inicio de dicho trabajo o desde el inicio del décimo mes de devengo. Solicitada fuera de dicho plazo, la prestación se suspenderá desde la fecha en que se solicite. En ambos casos, una vez suspendida la prestación, quedará sujeta a las condiciones generales de reanudación por colocación, sin posibilidad de compatibilizar la misma, a partir de entonces, con el trabajo a tiempo parcial conforme a lo previsto en el artículo 282.2

2. No obstante lo previsto en el artículo 282, las prestaciones contributivas por desempleo nacidas antes del 1 de abril de 2025, cuyo periodo de derecho fuera superior a doce meses, a partir de dicha fecha, y una vez devengados los primeros nueve meses, serán compatibles con el trabajo por cuenta ajena a tiempo completo, en la misma forma, condiciones y efectos previstos para el subsidio por desempleo en el apartado 3 del citado artículo, con las particularidades previstas en esta disposición, y previa solicitud del beneficiario. Presentada la solicitud en el plazo de los quince días hábiles siguientes al inicio de la relación laboral, se percibirá el complemento de apoyo al empleo desde el inicio de la relación laboral. Presentada la solicitud fuera de dicho plazo, producirá efectos desde la fecha de presentación de la solicitud.

3. La cuantía y duración del complemento de apoyo al empleo aplicable a las prestaciones contributivas, se determinará de acuerdo con la tabla siguiente:

| Mes de prestación en el que se percibe el complemento de apoyo al empleo | CAE. Empleo a tiempo completo (% IPREM) | CAE. Empleo a tiempo parcial>= 75% de la jornada (% IPREM) | CAE. Empleo a tiempo parcial < 75% y >= 50% de la jornada (% IPREM) | CAE. Empleo a tiempo parcial < 50% de la jornada (% IPREM) | Duración máxima |
|---|---|---|---|---|---|
| 10.º | 80 | 75 | 70 | 60 | 30 |
| 11.º | 80 | 75 | 70 | 60 | 60 |
| 12.º | 80 | 75 | 70 | 60 | 90 |
| 13.º a 15.º | 80 | 75 | 70 | 60 | 180 |
| 16.º a 18.º | 60 | 50 | 45 | 40 | 180 |
| 19.º a 21.º | 40 | 35 | 30 | 25 | 180 |
| 22.º a 24.º | 30 | 25 | 20 | 15 | 180 |

Para la determinación de la duración máxima se tendrá en cuenta el mes de prestación en que se inicie la compatibilización. La cuantía del complemento de apoyo al empleo se determinará, cada mes a partir del decimotercer mes, en función de la jornada pactada al inicio de la compatibilización y del mes en que se encuentre en cada momento el perceptor del complemento de apoyo conforme a la tabla anterior.

4. El acceso al subsidio previsto en el artículo 274.1.a) o en el artículo 280 como consecuencia del agotamiento de prestaciones por desempleo reconocidas a partir de 1 de abril de 2025, se entenderá, a efectos de determinación de la cuantía inicial del complemento de apoyo al empleo, como una continuación de la citada prestación. Así, para quien acceda a estos subsidios después de haber agotado una prestación por desempleo de más de doce meses, la cuantía del complemento de apoyo al empleo por compatibilidad con empleo a tiempo completo y a tiempo parcial se determinará de acuerdo con la tabla del artículo 282.3, considerándose como referencia temporal el número de meses transcurridos en cada momento a partir del decimotercer mes de prestación.

5. La prestación contributiva por desempleo será incompatible con el trabajo por cuenta ajena cuando el salario bruto mensual sea superior al 375 por ciento del IPREM en la forma que se establezca reglamentariamente.

6. El complemento de apoyo al empleo como compatibilidad de la prestación contributiva tendrá a todos los efectos naturaleza jurídica de prestación por desempleo de nivel contributivo.

7. Durante el periodo de percepción del complemento de apoyo al empleo por colocación a tiempo completo compatible con la prestación y el subsidio por desempleo, la entidad gestora no ingresará cotizaciones a la Seguridad Social. Cuando este complemento sea compatible con una colocación a tiempo parcial, la entidad gestora cotizará reduciendo la base de cotización de forma proporcional al tiempo trabajado.

Disposición adicional quincuagésima novena añadida por el Real Decreto-Ley 2/2024, de 21 de mayo, por el que se adoptan medidas urgentes para la simplificación y mejora del nivel asistencial de la protección por desempleo, y para completar la transposición de la Directiva (UE) 2019/1158 del Parlamento Europeo y del Consejo, de 20 de junio de 2019, relativa a la conciliación de la vida familiar y la vida profesional de los progenitores y los cuidadores, y por la que se deroga la Directiva 2010/10/18/UE del Consejo (BOE núm. 124, 22 de mayo de 2024).

**Disposición adicional sexagésima.** *Seguimiento de los convenios celebrados entre las mutuas colaboradoras con la Seguridad Social y los Servicios Públicos de Salud, así como de evaluación de la incapacidad temporal.* En el plazo de 3 meses, se creará una comisión estatal para la vigilancia y el control de la ejecución de los convenios de los servicios públicos de salud con las mutuas, así como para evaluar el funcionamiento operativo de los mismos, estudiar y proponer la adopción de medidas necesarias para mejorar su efectividad e impulsar su aplicación. Además, dicha comisión procederá al análisis de la incapacidad temporal por contingencias comunes, incluyendo el seguimiento de las causas, la incidencia y duración de los procesos; procediéndose a estudiar el impacto que la respuesta del Sistema Nacional de Salud, en cada uno de los ámbitos, tiene en los procesos de incapacidad temporal; y establecer líneas de actuación dirigidas a proteger la salud de las personas trabajadoras y así reducir el número de procesos y su duración, incluido el seguimiento y evaluación de dichas actuaciones.

Dicha comisión estará integrada por el Gobierno, por medio de representantes de la Secretaría de Estado de Seguridad Social y pensiones, y por representantes de las organizaciones empresariales y sindicales más representativas a nivel estatal.

Igualmente, en cada Comunidad Autónoma se constituirá una comisión de seguimiento de los convenios para la mejora en la gestión de la incapacidad temporal y de asistencia sanitaria entre la respectiva Consejería competente en materia de Sanidad, las Mutuas Colaboradoras de la Seguridad Social y el Instituto Nacional de la Seguridad Social, de la que formarán parte cada uno de los agentes sociales que tengan representación en las comisiones ejecutivas del Instituto Nacional de Seguridad Social en ese territorio.

> Disposición adicional sexagésima añadida por el Real Decreto-Ley 11/2024, de 23 de diciembre, para la mejora de la compatibilidad de la pensión de jubilación con el trabajo (BOE núm. 309, 24 de diciembre de 2024).

**Disposición adicional sexagésima primera. Tarifa de primas para la cotización a la Seguridad Social por accidentes de trabajo y enfermedades profesionales.** 1. La cotización a la Seguridad Social de los empresarios, cualquiera que sea el régimen de encuadramiento y, en su caso, de las personas trabajadoras por cuenta propia incluidas en el Régimen Especial de la Seguridad Social de los Trabajadores del Mar y en el Sistema Especial para Trabajadores por Cuenta Propia Agrarios, establecido en el Régimen Especial de la Seguridad Social de los Trabajadores por Cuenta Propia o Autónomos, por las contingencias de accidentes de trabajo y enfermedades profesionales se llevará a cabo, a partir del 1 de enero de 2026, en función de la correspondiente actividad económica, ocupación o situación, mediante la aplicación de la siguiente tarifa:

*Tarifa para la cotización por accidentes de trabajo y enfermedades profesionales*

Cuadro I

| Códigos CNAE-2025 y título de la actividad económica | | Tipos de cotización | | |
|---|---|---|---|---|
| | | IT | IMS | Total |
| 01 | Agricultura, ganadería, caza y servicios relacionados con las mismas (Excepto 0113, 0119, 0129 y 0130). | 1,50 | 1,10 | 2,60 |
| 0113 | Cultivo de hortalizas, raíces y tubérculos. | 1,00 | 1,00 | 2,00 |
| 0119 | Otros cultivos no perennes. | 1,00 | 1,00 | 2,00 |
| 0129 | Otros cultivos perennes. | 2,25 | 2,90 | 5,15 |
| 0130 | Propagación de plantas. | 1,15 | 1,10 | 2,25 |
| 014 | Producción ganadera (Excepto 0147). | 1,80 | 1,50 | 3,30 |
| 0147 | Avicultura. | 1,25 | 1,15 | 2,40 |
| 015 | Producción agrícola combinada con la producción ganadera. | 1,60 | 1,20 | 2,80 |
| 016 | Actividades de apoyo a la agricultura, a la ganadería y de preparación posterior a la cosecha (Excepto 0163). | 1,60 | 1,20 | 2,80 |
| 0163 | Actividades de preparación posterior a la cosecha y tratamiento de semillas para reproducción. | 1,50 | 1,15 | 2,65 |
| 017 | Caza, captura de animales y servicios relacionados. | 1,80 | 1,50 | 3,30 |
| 02 | Silvicultura y explotación forestal. | 2,25 | 2,90 | 5,15 |
| 03 | Pesca y acuicultura (Excepto v, w, 0322 y 0330). | 3,05 | 3,35 | 6,40 |
| v | Grupo segundo de cotización del Régimen especial del Mar. | 2,10 | 2,00 | 4,10 |
| w | Grupo tercero de cotización del Régimen especial del Mar. | 1,65 | 1,70 | 3,35 |
| 0322 | Acuicultura en agua dulce. | 3,05 | 3,20 | 6,25 |
| 0330 | Actividades de apoyo a la pesca y la acuicultura. | 2,25 | 2,90 | 5,15 |
| 05 | Extracción de antracita, hulla, y lignito (Excepto y). | 2,30 | 2,90 | 5,20 |
| y | Trabajos habituales en interior de minas. | 3,45 | 3,70 | 7,15 |
| 06 | Extracción de crudo de petróleo y gas natural. | 2,30 | 2,90 | 5,20 |
| 07 | Extracción de minerales metálicos. | 2,30 | 2,90 | 5,20 |
| 08 | Otras industrias extractivas (Excepto 0811). | 2,30 | 2,90 | 5,20 |
| 0811 | Extracción de piedra ornamental, piedra caliza, yeso, pizarra y otras piedras. | 3,45 | 3,70 | 7,15 |
| 09 | Actividades de apoyo a las industrias extractivas. | 2,30 | 2,90 | 5,20 |
| 10 | Industria alimentaria (Excepto 101, 102, 106, 107 y 108). | 1,60 | 1,60 | 3,20 |
| 101 | Procesado y conservación de carne y elaboración de productos cárnicos. | 2,00 | 1,90 | 3,90 |

| Códigos CNAE-2025 y título de la actividad económica | | Tipos de cotización | | |
|---|---|---|---|---|
| | | IT | IMS | Total |
| 102 | Procesado y conservación de pescados, crustáceos y moluscos. | 1,80 | 1,50 | 3,30 |
| 106 | Fabricación de productos de molinería, almidones y productos amiláceos. | 1,70 | 1,60 | 3,30 |
| 107 | Fabricación de productos de panadería y pastas alimenticias. | 1,05 | 0,90 | 1,95 |
| 108 | Fabricación de otros productos alimenticios. | 1,05 | 0,90 | 1,95 |
| 11 | Fabricación de bebidas. | 1,60 | 1,60 | 3,20 |
| 12 | Industria del tabaco. | 1,00 | 0,80 | 1,80 |
| 13 | Industria textil (Excepto 1391). | 1,00 | 0,85 | 1,85 |
| 1391 | Fabricación de tejidos de punto. | 0,80 | 0,70 | 1,50 |
| 14 | Confección de prendas de vestir (Excepto 1424). | 0,80 | 0,70 | 1,50 |
| 1424 | Confección de prendas de vestir de cuero y peletería. | 1,50 | 1,10 | 2,60 |
| 15 | Industria del cuero y productos relacionados de otros materiales. | 1,50 | 1,10 | 2,60 |
| 16 | Industria de la madera y del corcho, excepto muebles; cestería y espartería (Excepto 1624, 1626, 1627 y 1628). | 2,25 | 2,90 | 5,15 |
| 1624 | Fabricación de envases y embalajes de madera. | 2,10 | 2,00 | 4,10 |
| 1626 | Fabricación de combustibles sólidos a partir de biomasa vegetal. | 2,10 | 2,00 | 4,10 |
| 1627 | Acabado de productos de madera. | 2,20 | 2,70 | 4,90 |
| 1628 | Fabricación de otros productos de madera, artículos de corcho, cestería y espartería. | 2,10 | 2,00 | 4,10 |
| 17 | Industria del papel (Excepto 171). | 1,00 | 1,05 | 2,05 |
| 171 | Fabricación de pasta papelera, papel y cartón. | 2,00 | 1,50 | 3,50 |
| 18 | Artes gráficas y reproducción de soportes grabados. | 1,00 | 1,00 | 2,00 |
| 19 | Coquerías y refino de petróleo. | 1,45 | 1,90 | 3,35 |
| 20 | Industria química (Excepto 204 y 206). | 1,60 | 1,40 | 3,00 |
| 204 | Fabricación de artículos de lavado, limpieza y abrillantamiento. | 1,50 | 1,20 | 2,70 |
| 206 | Fabricación de fibras artificiales y sintéticas. | 1,50 | 1,20 | 2,70 |
| 21 | Fabricación de productos farmacéuticos. | 1,30 | 1,10 | 2,40 |
| 22 | Fabricación de productos de caucho y plásticos. | 1,75 | 1,25 | 3,00 |
| 23 | Fabricación de otros productos minerales no metálicos (Excepto 231, 232, 2331, 234 y 237). | 2,10 | 2,00 | 4,10 |
| 231 | Fabricación de vidrio y productos de vidrio. | 1,60 | 1,50 | 3,10 |
| 232 | Fabricación de productos cerámicos refractarios. | 1,60 | 1,50 | 3,10 |

| Códigos CNAE-2025 y título de la actividad económica | | Tipos de cotización | | |
|---|---|---|---|---|
| | | IT | IMS | Total |
| 2331 | Fabricación de azulejos y baldosas de cerámica. | 1,60 | 1,50 | 3,10 |
| 234 | Fabricación de otros productos cerámicos. | 1,60 | 1,50 | 3,10 |
| 237 | Corte, tallado y acabado de la piedra. | 2,75 | 3,35 | 6,10 |
| 24 | Metalurgia. | 2,00 | 1,85 | 3,85 |
| 25 | Fabricación de productos metálicos, excepto maquinaria y equipo. | 2,00 | 1,85 | 3,85 |
| 26 | Fabricación de productos informáticos, electrónicos y ópticos. | 1,50 | 1,10 | 2,60 |
| 27 | Fabricación de material y equipo eléctrico (Excepto 279). | 1,60 | 1,20 | 2,80 |
| 279 | Fabricación de otro material y equipo eléctrico. | 1,65 | 1,25 | 2,90 |
| 28 | Fabricación de maquinaria y equipo n.c.o.p. | 2,00 | 1,85 | 3,85 |
| 29 | Fabricación de vehículos de motor, remolques y semirremolques. | 1,60 | 1,20 | 2,80 |
| 30 | Fabricación de otro material de transporte (Excepto 3091 y 3092). | 2,00 | 1,85 | 3,85 |
| 3091 | Fabricación de motocicletas. | 1,60 | 1,20 | 2,80 |
| 3092 | Fabricación de bicicletas y de vehículos para personas con discapacidad. | 1,60 | 1,20 | 2,80 |
| 31 | Fabricación de muebles. | 2,00 | 1,85 | 3,85 |
| 32 | Otras industrias manufactureras (Excepto 321 y 322). | 1,60 | 1,20 | 2,80 |
| 321 | Fabricación de artículos de joyería, bisutería y similares. | 1,00 | 0,85 | 1,85 |
| 322 | Fabricación de instrumentos musicales. | 1,00 | 0,85 | 1,85 |
| 33 | Reparación, mantenimiento e instalación de maquinaria y equipos (Excepto 3313 y 3314). | 2,00 | 1,85 | 3,85 |
| 3313 | Reparación y mantenimiento de equipos electrónicos y ópticos. | 1,50 | 1,10 | 2,60 |
| 3314 | Reparación y mantenimiento de equipos eléctricos. | 1,60 | 1,20 | 2,80 |
| 35 | Suministro de energía eléctrica, gas, vapor y aire acondicionado. | 1,80 | 1,50 | 3,30 |
| 36 | Captación, depuración y distribución de agua. | 2,10 | 1,60 | 3,70 |
| 37 | Recogida y tratamiento de aguas residuales. | 2,10 | 1,60 | 3,70 |
| 38 | Actividades de recogida, tratamiento y eliminación de residuos. | 2,10 | 1,60 | 3,70 |
| 39 | Actividades de descontaminación y otros servicios de gestión de residuos. | 2,10 | 1,60 | 3,70 |
| 41 | Construcción de edificios. | 3,35 | 3,35 | 6,70 |
| 42 | Ingeniería civil. | 3,35 | 3,35 | 6,70 |
| 43 | Actividades de construcción especializada (Excepto 436). | 3,35 | 3,35 | 6,70 |

| Códigos CNAE-2025 y título de la actividad económica | | Tipos de cotización | | |
|---|---|---|---|---|
| | | IT | IMS | Total |
| 436 | Actividades de intermediación para servicios de construcción especializada. | 1,00 | 1,05 | 2,05 |
| 46 | Comercio al por mayor (Excepto 4618, 4623, 4624, 4632, 4638, 4671, 4672, 4673, 4682, 4683, 4684, 4687, 4689 y 4690). | 1,40 | 1,20 | 2,60 |
| 4618 | Actividades de intermediarios del comercio al por mayor de otros productos específicos. | 1,00 | 1,05 | 2,05 |
| 4623 | Comercio al por mayor de animales vivos. | 1,80 | 1,50 | 3,30 |
| 4624 | Comercio al por mayor de cueros y pieles. | 1,80 | 1,50 | 3,30 |
| 4632 | Comercio al por mayor de carne, productos cárnicos; pescado y productos del pescado. | 1,70 | 1,45 | 3,15 |
| 4638 | Comercio al por mayor de otros alimentos. | 1,60 | 1,40 | 3,00 |
| 4671 | Comercio al por mayor de vehículos de motor. | 1,00 | 1,05 | 2,05 |
| 4672 | Comercio al por mayor de repuestos y accesorios de vehículos de motor. | 1,00 | 1,05 | 2,05 |
| 4673 | Comercio al por mayor de motocicletas, y repuestos y accesorios de motocicletas. | 1,70 | 1,20 | 2,90 |
| 4682 | Comercio al por mayor de metales y minerales metálicos. | 1,80 | 1,50 | 3,30 |
| 4683 | Comercio al por mayor de madera, materiales de construcción y aparatos sanitarios. | 1,80 | 1,50 | 3,30 |
| 4684 | Comercio al por mayor de equipos y suministros de ferretería, fontanería y calefacción. | 1,80 | 1,55 | 3,35 |
| 4687 | Comercio al por mayor de chatarra y productos de desecho. | 1,80 | 1,55 | 3,35 |
| 4689 | Otro comercio al por mayor especializado n.c.o.p. | 1,45 | 1,25 | 2,70 |
| 4690 | Comercio al por mayor no especializado. | 1,80 | 1,55 | 3,35 |
| 47 | Comercio al por menor (Excepto 473, 4781, 4782 y 4783). | 0,95 | 0,70 | 1,65 |
| 473 | Comercio al por menor de combustible para la automoción. | 1,00 | 0,85 | 1,85 |
| 4781 | Comercio al por menor de vehículos de motor. | 1,00 | 1,05 | 2,05 |
| 4782 | Comercio al por menor de repuestos y accesorios de vehículos de motor. | 1,00 | 1,05 | 2,05 |
| 4783 | Comercio al por menor de motocicletas, y repuestos y accesorios de motocicletas. | 1,70 | 1,20 | 2,90 |
| 49 | Transporte terrestre y por tubería (Excepto 494). | 1,80 | 1,50 | 3,30 |
| 494 | Transporte de mercancías por carretera y servicios de mudanza. | 2,00 | 1,70 | 3,70 |
| 50 | Transporte marítimo y por vías navegables interiores. | 2,00 | 1,85 | 3,85 |
| 51 | Transporte aéreo. | 1,90 | 1,70 | 3,60 |

| Códigos CNAE-2025 y título de la actividad económica | | Tipos de cotización | | |
|---|---|---|---|---|
| | | IT | IMS | Total |
| 52 | Depósito, almacenamiento y actividades auxiliares del transporte (Excepto x, 5221 y 5232). | 1,80 | 1,50 | 3,30 |
| x | Carga y descarga; estiba y desestiba. | 3,35 | 3,35 | 6,70 |
| 5221 | Actividades auxiliares del transporte terrestre. | 1,00 | 1,10 | 2,10 |
| 5232 | Actividades de intermediación para el transporte de pasajeros. | 1,00 | 0,85 | 1,85 |
| 53 | Actividades postales y de mensajería (Excepto 5330). | 1,00 | 0,75 | 1,75 |
| 5330 | Servicios de intermediación para las actividades postales y de mensajería. | 1,00 | 1,05 | 2,05 |
| 55 | Servicios de alojamiento. | 0,80 | 0,70 | 1,50 |
| 56 | Servicios de comidas y bebidas. | 0,80 | 0,70 | 1,50 |
| 58 | Edición. | 0,65 | 1,00 | 1,65 |
| 59 | Producción cinematográfica, de vídeo y de programas de televisión, grabación de sonido y edición musical. | 0,80 | 0,70 | 1,50 |
| 60 | Actividades de programación, radiodifusión, agencias de noticias y otras actividades de distribución de contenidos (Excepto 6039). | 0,80 | 0,70 | 1,50 |
| 6039 | Otras actividades de distribución de contenidos. | 0,80 | 0,85 | 1,65 |
| 61 | Telecomunicaciones. | 0,80 | 0,70 | 1,50 |
| 62 | Programación, consultoría y otras actividades relacionadas con la informática. | 0,80 | 0,70 | 1,50 |
| 63 | Infraestructura informática, tratamiento de datos, hosting y otras actividades de servicios de información. | 0,65 | 1,00 | 1,65 |
| 64 | Servicios financieros, excepto seguros y fondos de pensiones. | 0,80 | 0,70 | 1,50 |
| 65 | Seguros, reaseguros y planes de pensiones, excepto seguridad social obligatoria. | 0,80 | 0,70 | 1,50 |
| 66 | Actividades auxiliares a los servicios financieros y a los seguros. | 0,80 | 0,70 | 1,50 |
| 68 | Actividades inmobiliarias. | 0,65 | 1,00 | 1,65 |
| 69 | Actividades jurídicas y de contabilidad. | 0,80 | 0,70 | 1,50 |
| 70 | Actividades de las sedes centrales y consultoría de gestión empresarial. | 0,80 | 0,70 | 1,50 |
| 71 | Servicios técnicos de arquitectura e ingeniería; ensayos y análisis técnicos. | 0,65 | 1,00 | 1,65 |
| 72 | Investigación y desarrollo. | 0,80 | 0,70 | 1,50 |
| 73 | Actividades de publicidad, estudios de mercado, relaciones públicas y comunicación (Excepto 7330). | 0,90 | 0,80 | 1,70 |

| Códigos CNAE-2025 y título de la actividad económica | | Tipos de cotización | | |
|---|---|---|---|---|
| | | IT | IMS | Total |
| 7330 | Relaciones públicas y comunicación. | 0,80 | 0,70 | 1,50 |
| 74 | Otras actividades profesionales, científicas y técnicas (Excepto 742). | 0,90 | 0,85 | 1,75 |
| 742 | Actividades de fotografía. | 0,80 | 0,70 | 1,50 |
| 75 | Actividades veterinarias. | 1,50 | 1,10 | 2,60 |
| 77 | Actividades de alquiler. | 1,00 | 1,00 | 2,00 |
| 78 | Actividades relacionadas con el empleo (Excepto x y781). | 1,55 | 1,20 | 2,75 |
| x | Carga y descarga; estiba y desestiba. | 3,35 | 3,35 | 6,70 |
| 781 | Actividades de las agencias de colocación. | 0,95 | 1,00 | 1,95 |
| 79 | Actividades de agencias de viajes, operadores turísticos, servicios de reservas y actividades relacionadas. | 0,80 | 0,70 | 1,50 |
| 80 | Servicios de investigación y seguridad. | 1,40 | 2,20 | 3,60 |
| 81 | Servicios a edificios y actividades de jardinería (Excepto 811). | 2,10 | 1,50 | 3,60 |
| 811 | Servicios integrales a edificios e instalaciones. | 1,00 | 0,85 | 1,85 |
| 82 | Actividades administrativas de oficina y otras actividades auxiliares a las empresas (Excepto 8220 y 8292). | 1,00 | 1,05 | 2,05 |
| 8220 | Actividades de los centros de llamadas. | 0,80 | 0,70 | 1,50 |
| 8292 | Actividades de envasado y empaquetado. | 1,80 | 1,50 | 3,30 |
| 84 | Administración pública y defensa; seguridad social obligatoria (Excepto 842). | 0,65 | 1,00 | 1,65 |
| 842 | Prestación de servicios a la comunidad en general. | 1,40 | 2,20 | 3,60 |
| 85 | Educación. | 0,80 | 0,70 | 1,50 |
| 86 | Actividades sanitarias (Excepto 869). | 0,80 | 0,70 | 1,50 |
| 869 | Otras actividades sanitarias. | 0,95 | 0,80 | 1,75 |
| 87 | Asistencia en establecimientos residenciales. | 0,80 | 0,70 | 1,50 |
| 88 | Actividades de servicios sociales sin alojamiento. | 0,80 | 0,70 | 1,50 |
| 90 | Actividades de creación artística y artes escénicas. | 0,80 | 0,70 | 1,50 |
| 91 | Actividades de bibliotecas, archivos, museos y otras actividades culturales (Excepto 914). | 0,80 | 0,70 | 1,50 |
| 914 | Actividades de los jardines botánicos, parques zoológicos y reservas naturales. | 1,75 | 1,20 | 2,95 |
| 92 | Actividades de juegos de azar y apuestas. | 0,80 | 0,70 | 1,50 |
| 93 | Actividades deportivas, recreativas y de entretenimiento (Excepto u). | 1,70 | 1,30 | 3,00 |

| Códigos CNAE-2025 y título de la actividad económica | | Tipos de cotización | | |
|---|---|---|---|---|
| | | IT | IMS | Total |
| u | Espectáculos taurinos. | 2,85 | 3,35 | 6,20 |
| 94 | Actividades asociativas. | 0,65 | 1,00 | 1,65 |
| 95 | Reparación y mantenimiento de ordenadores, artículos personales y enseres domésticos y vehículos de motor y motocicletas (Excepto 9524, 9531, 9532 y 9540). | 1,50 | 1,10 | 2,60 |
| 9524 | Reparación y mantenimiento de muebles y artículos de menaje. | 2,00 | 1,85 | 3,85 |
| 9531 | Reparación y mantenimiento de vehículos de motor. | 2,45 | 2,00 | 4,45 |
| 9532 | Reparación y mantenimiento de motocicletas. | 1,70 | 1,20 | 2,90 |
| 9540 | Actividades de intermediación para reparación y mantenimiento de ordenadores, artículos personales y enseres domésticos y vehículos de motor y motocicletas. | 1,00 | 1,05 | 2,05 |
| 96 | Servicios personales (Excepto 9621, 9622, 9630 y 9699). | 0,85 | 0,70 | 1,55 |
| 9621 | Peluquerías y barberías. | 0,80 | 0,70 | 1,50 |
| 9622 | Actividades de cuidados de belleza y otras actividades de tratamiento de belleza. | 0,80 | 0,70 | 1,50 |
| 9630 | Pompas fúnebres y actividades relacionadas. | 1,80 | 1,50 | 3,30 |
| 9699 | Otros servicios personales n.c.o.p. | 1,50 | 1,10 | 2,60 |
| 97 | Actividades de los hogares como empleadores de personal doméstico. | 0,80 | 0,70 | 1,50 |
| 99 | Actividades de organizaciones y organismos extraterritoriales. | 1,20 | 1,15 | 2,35 |

*Cuadro II*

| Tipos aplicables a ocupaciones y situaciones en todas las actividades | | Tipos de cotización | | |
|---|---|---|---|---|
| | | IT | IMS | Total |
| a | Personal en trabajos exclusivos de oficina. | 0,80 | 0,70 | 1,50 |
| b | Representantes de Comercio. | 1,00 | 1,00 | 2,00 |
| d | Personal de oficios en instalaciones y reparaciones en edificios, obras y trabajos de construcción en general. | 3,35 | 3,35 | 6,70 |
| f | Conductores de vehículo automóvil de transporte de mercancías que tenga una capacidad de carga útil superior a 3,5 Tm. | 3,35 | 3,35 | 6,70 |
| g | Personal de limpieza en general. Limpieza de edificios y de todo tipo de establecimientos. Limpieza de calles. | 2,10 | 1,50 | 3,60 |
| h | Vigilantes, guardas, guardas jurados y personal de seguridad. | 1,40 | 2,20 | |

2. En orden a la aplicación de lo establecido en el apartado anterior se tendrán en cuenta las siguientes reglas:

Primera. En los períodos de baja por incapacidad temporal y otras situaciones con suspensión de la relación laboral con obligación de cotización, continuará siendo de aplicación el tipo de cotización correspondiente a la respectiva actividad económica u ocupación.

Segunda. Para la determinación del tipo de cotización aplicable en función a lo establecido en la tarifa contenida en esta disposición se tomará como referencia lo previsto en su cuadro I para identificar el tipo asignado en el mismo en razón de la actividad económica principal desarrollada por la empresa o por la persona trabajadora por cuenta propia incluida en el Régimen Especial de la Seguridad Social de los Trabajadores del Mar o en el Sistema Especial para Trabajadores por Cuenta Propia Agrarios, establecido en el Régimen Especial de la Seguridad Social de los Trabajadores por Cuenta Propia o Autónomos, conforme a la Clasificación Nacional de Actividades Económicas 2025, aprobada por el Real Decreto 10/2025, de 14 de enero, por el que se aprueba la Clasificación Nacional de Actividades Económicas 2025 (CNAE-2025), y a los códigos que en la misma se contienen en relación con cada actividad.

Cuando en una empresa concurran, junto con la actividad principal, otra u otras que deban ser consideradas auxiliares respecto de aquella, el tipo de cotización será el establecido para dicha actividad principal. Cuando la actividad principal de la empresa concurra con otra que implique la producción de bienes o servicios que no se integren en el proceso productivo de la primera, disponiendo de medios de producción diferentes, el tipo de cotización aplicable con respecto a las personas trabajadoras ocupadas en este será el previsto para la actividad económica en que la misma quede encuadrada.

Cuando las personas trabajadoras por cuenta propia realicen varias actividades que den lugar a una única inclusión en el Régimen Especial de la Seguridad Social de los Trabajadores por Cuenta Propia o Autónomos, el tipo de cotización aplicable será el más elevado de los establecidos para las actividades que lleve a cabo la persona trabajadora.

Tercera. No obstante lo indicado en la regla anterior, cuando la ocupación desempeñada por la persona trabajadora por cuenta ajena se corresponda con alguna de las enumeradas en el cuadro II, el tipo de cotización aplicable será el previsto en dicho cuadro para la ocupación de que se trate, en tanto que el tipo correspondiente a tal ocupación difiera del que corresponda en razón de la actividad de la empresa.

A los efectos de la determinación del tipo de cotización aplicable a las ocupaciones referidas en la letra «a» del cuadro II, se considerará «personal en trabajos exclusivos de oficina» a las personas trabajadoras por cuenta ajena que, sin estar sometidos a los riesgos de la actividad económica de la empresa, desarrollen su ocupación exclusivamente en la realización de trabajos propios de oficina aun cuando los mismos se correspondan con la actividad de la empresa, y siempre que tales trabajos se desarrollen únicamente en los lugares destinados a oficinas de la empresa.

3. La determinación del tipo de cotización aplicable será efectuada, en los términos que reglamentariamente se establezcan, por la Tesorería General de la Seguridad Social en función de la actividad económica declarada por la empresa o por la persona trabajadora por cuenta propia o, en su caso, por las ocupaciones o situaciones de las personas trabajadoras, con independencia de que, para la formalización de la protección frente a las contingencias profesionales, se hubiera optado en favor de una entidad gestora de la Seguridad Social o de una entidad colaboradora de la misma.

4. El Gobierno procederá al correspondiente ajuste anual de los tipos de cotización incluidos en la tarifa recogida en esta disposición, así como a la adaptación de las actividades económicas a las nuevas clasificaciones CNAE que se aprueben y a la supresión progresiva de las ocupaciones que se enumeran en la clasificación contenida en la referida tarifa.

Disposición adicional sexagésima primera añadida por el Real Decreto-Ley 3/2026, de 3 de febrero, para la revalorización de las pensiones públicas y otras medidas urgentes en materia de Seguridad Social (BOE núm. 31, 4 de febrero de 2026).

**Disposición transitoria primera. *Derechos transitorios derivados de la legislación anterior a 1967*.** 1. Las prestaciones del Régimen General causadas con anterioridad a 1 de enero de 1967 continuarán rigiéndose por la legislación anterior. Igual norma se aplicará respecto a las prestaciones de los regímenes especiales que se causen con anterioridad a la fecha en que se inicien los efectos de cada uno de ellos, lo cual tendrá lugar en la forma que se preveía en el apartado 3 de la disposición final primera de la Ley de la Seguridad Social de 21 de abril de 1966.

Se entenderá por prestación causada aquella a la que tenga derecho el beneficiario por haberse producido las contingencias o situaciones objeto de protección y hallarse en posesión de todos los requisitos que condicionan su derecho, aunque aún no lo hubiera ejercitado.

2. También continuarán rigiéndose por la legislación anterior las revisiones y conversiones de las pensiones ya causadas que procedan en virtud de lo previsto en aquella legislación.

3. Subsistirán las mejoras voluntarias de prestaciones de la Seguridad Social establecidas por las empresas de acuerdo con la legislación anterior, sin perjuicio de las variaciones que sean necesarias para adaptarlas a las normas de la presente ley.

4. Quienes, de acuerdo con lo establecido en el artículo 21 del Reglamento General del Mutualismo Laboral, de 10 de septiembre de 1954, tuvieran la condición de mutualistas, la conservarán y seguirán rigiéndose a todos los efectos, por el citado reglamento general, sin alteración de los derechos y obligaciones dimanantes de su respectivo contrato.

**Disposición transitoria segunda.** *Prestaciones del extinguido Seguro Obligatorio de Vejez e Invalidez.* 1. Quienes en 1 de enero de 1967, cualquiera que fuese su edad en dicha fecha, tuviesen cubierto el período de cotización exigido por el extinguido Seguro de Vejez e Invalidez o que, en su defecto, hubiesen figurado afiliados al extinguido Régimen de Retiro Obrero Obligatorio, conservarán el derecho a causar las prestaciones del primero de dichos seguros, con arreglo a las condiciones exigidas por la legislación del mismo, y siempre que los interesados no tengan derecho a ninguna pensión a cargo de los regímenes que integran el sistema de la Seguridad Social, con excepción de las pensiones de viudedad de las que puedan ser beneficiarios; entre tales pensiones se entenderán incluidas las correspondientes a las entidades sustitutorias que han de integrarse en dicho sistema, de acuerdo con lo previsto en la disposición transitoria vigésima primera.

– *La pensión de vejez del Seguro Obligatorio de Vejez e Invalidez se devengará desde el día siguiente a la fecha del cumplimiento de los sesenta y cinco años de edad si el beneficiario presenta su solicitud dentro de los treinta días contados desde esa fecha, y si lo solicita más tarde, el día primero del mes siguiente a la presentación de la solicitud, tal y como regula la Orden de 2 de febrero de 1940 (SSTS de 16 de marzo [Tol 232005] y 15 de diciembre de 1992 [Tol 232591] y 25 de octubre de 1993 [Tol 234154]).*

– *Para acceder a la pensión de vejez por invalidez del Seguro Obligatorio de Vejez e Invalidez es innecesario que la invalidez fuera causa determinante del cese en el trabajo (SSTS de 4 de diciembre de 1992 [Tol 232146], 8 de febrero de 1995 [Tol 237071], 11 de mayo de 1999 [Tol 209247] y 24 de febrero de 2004 [Tol 376989]).*

– *La pensión de vejez del Seguro Obligatorio de Vejes e Invalidez es incompatible con las pensiones de la Mutualidad Nacional de Previsión de la Administración Local* (STS de 28 de mayo de 1993 [*Tol 234651*]).

– *Las pensiones del Seguro Obligatorio de Vejez e Invalidez son incompatibles con cualquier otra pensión de la Seguridad Social (Régimen Especial de Trabajadores del Mar)* (STS de 30 de diciembre de 1992 [*Tol 232728*]).

– *Para el cómputo de los 1.800 días cotizados necesarios para causar derecho a prestaciones del Seguro Obligatorio de Vejez e Invalidez deben tenerse en consideración las cuotas correspondientes a las pagas extraordinarias, con la cuantía que corresponda a las previstas de acuerdo con la norma sectorial vigente en el momento de su devengo* (SSTS de 14 de junio de 1993 [*Tol 234687*], 29 de mayo [*Tol 47489*] y 21 de julio de 2000 [*Tol 8116* y 220232], 22 de junio de 2015 [*Tol 5390978*], 20 de septiembre de 2016 [Rec. 3390/2014] y 8 de noviembre de 2017 [*Tol 6436565*]).

– *Para obtener la pensión de vejez del Seguro Obligatorio de Vejez e Invalidez basta la mera afiliación al Retiro Obrero o una cotización de 1.800 días al Seguro Obligatorio de Vejez e Invalidez antes del 1 de enero de 1967* (SSTS de 11 de octubre de 1993 [Rec. 2891/1992], 21 de julio de 1994 [Rec. 3763/1993], 7 de mayo de 1998 [Rec. 2928/1997], 16 de mayo de 2006 [Rec. 3995/2004] y 17 de febrero de 2016 [Rec. 2296/2014])

– *Las cotizaciones realizadas a la Institución telefónica de previsión, al Montepío del servicio doméstico y a la Caja provincial de pensiones de trabajadores portuarios, deben computarse a efectos de reconocimiento de derecho a pensión de vejez del Seguro Obligatorio de Vejez e Invalidez* (SSTS de 7 de mayo de 1997 [*Tol 237530*] y 22 de marzo [*Tol 201984*], 27 de junio [*Tol 213465*] y 9 de diciembre de 2002 [*Tol 230275*]).

– *La pensión de vejez del Seguro Obligatorio de Vejez e Invalidez es incompatible con la pensión de jubilación del Régimen General de la Seguridad Social como consecuencia del carácter residual del citado seguro social, así como de la naturaleza subsidiaria de sus prestaciones, puesto es necesario para su reconocimiento que el beneficiario no tenga derecho a pensión en cualquiera de los regímenes que integran el sistema de Seguridad Social* (SSTS de 24 de enero de 2002 [*Tol 239210*], 24 de octubre de 2003 [*Tol 348536*], 5 de octubre de 2005 [*Tol 739399*], 20 de julio de 2012 [*Tol 2651214*], 14 de abril de 2014 [*Tol 4357693*] y 30 de marzo de 2015 [*Tol 4985874*]).

– *Los efectos de la pensión de vejez del Seguro Obligatorio de Vejez e Invalidez se producen a partir del día primero del mes siguiente al de su solicitud, con independencia del tiempo transcurrido desde que el solicitante cumplió los 65 años, en aplicación de la normativa específica contenida en el artículo 10 de la Orden de 2 de febrero de 1940* (STS de 28 de mayo de 2003 [*Tol 336626*]).

– *Es incompatible la pensión de jubilación del Seguro Obligatorio de Vejez e Invalidez con la pensión de viudedad del Régimen General* (STS de 24 de octubre de 2003 [*Tol 348536*]).

– *En el cómputo de los 1.800 días de cotización necesarios para acceder a la pensión de jubilación del Seguro Obligatorio de Vejez e Invalidez deben tenerse en cuenta las cotizaciones efectuadas a la Institución Telefónica de Previsión* (STS de 23 de febrero de 2004 [*Tol 421617*]).

– *En el supuesto de incumplimiento por el empresario de su obligación de cotizar existe responsabilidad empresarial proporcional al tiempo de incumplimiento relativa al pago de una pensión de vejez del Seguro Obligatorio de Vejez e Invalidez (SOVI), repartiéndose, pues, la responsabilidad sobre aquella prestación entre el Instituto Nacional de la Seguridad Social y el empresario incumplidor* (SSTS de 1 de marzo de 2004 [*Tol 377019*], 18 de septiembre de 2007 [*Tol 1174911*] y 28 de febrero de 2008 [*Tol 1330867*]).

– *Las cotizaciones efectuadas al Montepío Marítimo Nacional son válidas a efectos de obtención de las prestaciones del Seguro Obligatorio de Vejez e Invalidez al tratarse de un sistema de protección sustitutorio de aquel seguro anterior a 1967* (SSTS de 5 de julio de 2004 [*Tol 484425*] y 10 de mayo de 2006 [*Tol 945603*]).

– *El coeficiente multiplicador aplicable al cálculo de períodos de carencia de las pensiones establecido para los trabajadores a tiempo parcial no es aplicable en el cómputo del período de 1.800 días cotizados necesarios para causar derecho a pensión del Seguro Obligatorio de Vejez e Invalidez, porque aquél se estableció para aplicar a los trabajadores a tiempo parcial incluidos en el Régimen General, Régimen Especial de la Minería del Carbón y Régimen Especial de Trabajadores del Mar, y, la protección del Seguro Obligatorio de Vejez e Invalidez tiene carácter residual para los no incluidos en cualquiera de los regímenes de la Seguridad Social* (SSTS de 27 de enero [*Tol 565125*], 24 de febrero [*Tol 603003*] y 31 de mayo de 2005 [*Tol 675542*]).

– *Las cuotas ingresadas en la Mutualidad Nacional de Previsión de la Administración Local con anterioridad al 1 de enero de 1967 pueden computarse para causar derecho a la prestación de jubilación del Seguro Obligatorio de Vejez e Invalidez, puesto que merecen el mismo tratamiento que las cuotas que fueron ingresadas en su día en otros sistemas protectores, es decir, que las cotizaciones efectuadas a éstos sistemas de protección sustitutorios del Seguro Obligatorio de Vejez e Invalidez anteriores a 1967 producen un efecto equivalente a la cotización Seguro Obligatorio de Vejez e Invalidez* (STS de 5 de octubre de 2005 [*Tol 739399*]).

– *Tiene derecho a percibir prestación del Seguro Obligatorio de Vejez e Invalidez un trabajador al que le fue reconocido el derecho a prestación por incapacidad permanente del Régimen Especial de Trabajadores Autónomos cuando ésta está condicionada a que el interesado abone unos períodos de cotización y que, por tanto, no le ha sido abonada; y pese a que en la normativa de Seguridad Social se establecen disposiciones que imposibilitan la percepción simultánea de las dos prestaciones por considerarlas incompatibles entre sí cuando han sido reconocidas en un mismo acto, debe interpretarse que tanto la prohibición como la acumulación es de prestaciones realmente percibidas y no de prestaciones meramente reconocidas pero sin el derecho a la efectiva percepción de las mismas* (STS de 7 de febrero de 2007 [*Tol 1038526*]).

– *Debe aplicarse principio prorrata temporis una vez computada la totalidad de las cotizaciones efectuadas en los diferentes Estados de la Unión Europea en los que el trabajador hubiera desarrollado su vida laboral o profesional a los efectos del cálculo de la cuantía de una pensión del Seguro Obligatorio de Vejez e Invalidez* (SSTS de 12 de marzo [*Tol 1059215*] y 19 y 28 de septiembre de 2007 [*Tol 1161271 y 1174935*] y 29 de enero [*Tol 1293882*], 2 de octubre [*Tol 1407921*] y 16 de diciembre de 2008 [*Tol 1432341*]).

– *Para el cómputo de los 1.800 días de cotización necesarios para causar derecho a una pensión de vejez del extinguido Seguro Obligatorio de Vejez e Invalidez no pueden ser tomadas en consideración cotizaciones efectuadas por el beneficiario en fechas posteriores al 1 de enero de 1967, puesto que cuando el Seguro Obligatorio de Vejez e Invalidez fue implantado no existían diferentes regímenes de seguridad social, por lo que estaba regulado de manera aislada de cualquier otro mecanismo de aseguramiento frente a la vejez, con el que pudiera concurrir, y, en consecuencia, no existía el mecanismo de cómputo recíproco de cotizaciones y cada sistema de aseguramiento funcionaba conforme a sus reglas dando lugar a pensiones diferentes y aisladas si se cumplían los requisitos que cada una establecía* (STS de 3 de noviembre de 2008 [*Tol 1407872*]).

– *A efectos de la acreditación del periodo de carencia necesario para causar derecho a pensión del Seguro Obligatorio de Vejez e Invalidez las cuotas abonadas mediante cupones bimensuales por los trabajadores agrícolas eventuales por cuenta ajena durante el período entre el 1 de abril de 1952 a 31 de julio de 1958 deben computarse un mes por cada uno* (STS de 22 de junio de 2009 [*Tol 1584740*]).

– *La cotización asimilada de ciento doce días por parto establecida por la Ley General de la Seguridad Social es aplicable a las pensiones del Seguro Obligatorio de Vejez e Invalidez, porque las mismas tienen un carácter que puede calificarse de contributivo (precisaban de prestación de servicios, inscripción, afiliación y cotización), diferenciadas de las que hoy no requieren ningún tipo de aportación al sistema, y es éste el de la contributividad el requisito que se impone, cumplido el cual no se excepciona ninguna de tales pensiones* (SSTS de 21 de diciembre de 2009 [*Tol 1781225*] y 19 de enero [*Tol 1790438*], 18 de febrero [*Tol 1808377*], y 2 y 26 de marzo de 2010 [*Tol 1808383 y 1840224*]).

– *Sólo es de aplicación al Seguro Obligatorio de Vejez e Invalidez respecto de los nacimientos habidos antes del 1 de enero de 1967, fecha de la extinción del Seguro Obligatorio de Vejez e Invalidez como seguro social* (SSTS de 12 y 14 de diciembre de 2011 [*Tol 2400477 y 2441317*] y 23 de enero [*Tol 2459578*] y 16 de mayo de 2012 [*Tol 2567016*]).

– *No puede reconocerse pensión Seguro Obligatorio de Vejez e Invalidez a quien ya es beneficiario de jubilación por el Régimen General de la Seguridad Social, declarada al amparo de los reglamentos comunitarios* (STS de 14 de abril de 2014 [*Tol 4357693*]).

– *No se computan para completar el período de carencia exigido para las pensiones del Seguro Obligatorio de Vejez e) las bonificaciones por edad contenidas en la disposición transitoria 2.ª de la Orden de 18 de enero de 1967* (SSTS de 7 de diciembre de 2012 [*Tol 3014112*] y 27 de febrero [*Tol 4177275*], 14 de abril [*Tol 4331253 y 4357693*] y 16 de diciembre de 2014 [*Tol 4738009*]).

2. La cuantía de las pensiones del extinguido Seguro Obligatorio de Vejez e Invalidez, concurrentes o no con otras pensiones públicas, será la que se establezca en la correspondiente Ley de Presupuestos Generales del Estado.

3. Cuando concurran la pensión de viudedad y la del Seguro Obligatorio de Vejez e Invalidez, su suma no podrá ser superior al doble del importe de la pensión mínima de viudedad para beneficiarios con sesenta y cinco o más años que esté establecido en cada momento. Caso de superarse dicho límite, se procederá a la minoración de la cuantía de la pensión del Seguro Obligatorio de Vejez e Invalidez, en el importe necesario para no exceder del límite indicado.

*Debe seguirse aplicando porque la disposición transitoria séptima de la LGSS de 1994, en la redacción de la Ley 9/2005, de 6 de junio, para compatibilizar las pensiones del Seguro Obligatorio de Vejez e Invalidez con las pensiones de viudedad del sistema de la Seguridad Social, no establece la compatibilidad de estas pensiones, sino únicamente la posibilidad de causar pensiones del Seguro Obligatorio de Vejez e Invalidez siendo pensionista de viudedad del sistema de Seguridad Social* (STS de 18 de julio de 2011 [*Tol 2256539*]).

4. Lo establecido en la disposición adicional quincuagésima tercera, apartado 4, se aplicará a la revalorización de las pensiones del Seguro Obligatorio de Vejez e Invalidez en los supuestos en que proceda dicha revalorización.

> Apartado 4 añadido por el Real Decreto-Ley 8/2023, de 27 de diciembre, por el que se adoptan medidas para afrontar las consecuencias económicas y sociales derivadas de los conflictos en Ucrania y Oriente Próximo, así como para paliar los efectos de la sequía (BOE núm. 310, 28 de diciembre de 2023).

**Disposición transitoria tercera.** *Cotizaciones efectuadas en anteriores regímenes*. 1. Las cotizaciones efectuadas en los anteriores regímenes de Seguros Sociales Unificados, Desempleo y Mutualismo Laboral se computarán para el disfrute de las prestaciones del Régimen General de la Seguridad Social.

2. Los datos sobre cotización que obren en la Administración de la Seguridad Social podrán ser impugnados ante la misma y, en su caso, ante los órganos jurisdiccionales del orden social. Los documentos oficiales de cotización que hayan sido diligenciados, en su día, por las oficinas recaudadoras constituirán el único medio de prueba admisible a tales efectos.

3. Las disposiciones de aplicación y desarrollo de esta ley fijarán las normas específicas para computar las cotizaciones efectuadas en los anteriores regímenes de Seguro de Vejez e Invalidez y de Mutualismo Laboral, a fin de determinar el número de años de cotización del que depende la cuantía de la pensión de jubilación establecida en la presente ley.

Dichas normas determinarán un sistema de cómputo que deberá ajustarse a los principios siguientes:

a) Tomar como base las cotizaciones realmente realizadas durante los siete años inmediatamente anteriores al 1 de enero de 1967.

b) Inducir, con criterio general y partiendo del número de días cotizados en el indicado periodo, el de años de cotización, anteriores a la fecha mencionada en el apartado a), imputables a cada trabajador.

c) Ponderar las fechas en que se implantaron los regímenes de pensiones de vejez y jubilación ya derogados y las edades de los trabajadores en 1 de enero de 1967.

d) Permitir que los trabajadores, que en la fecha mencionada en el apartado a) tengan edades más avanzadas, puedan acceder, en su caso, al cumplir los sesenta y cinco años de edad, a niveles de pensiones que no podrían alcanzar dados los años de existencia de los regímenes derogados.

– *Las cotizaciones efectuadas al Seguro Obligatorio de Vejez e Invalidez y al Mutualismo Laboral no sirven para acreditar la carencia específica* (SSTS de 20 de junio [*Tol 233397, 233512, 266774 y 267374*] y 21 de noviembre de 1994 [*Tol 233258*] y 17 de julio de 1995 [*Tol 236618 y 266588*]).

– *El beneficio previsto en la disposición transitoria 2.ª3, de la Ley General de la Seguridad Social de 1994 sólo es aplicable a los trabajadores que se jubilen en el Régimen General y que con anterioridad al 1 de enero de 1960 hubieran cotizado o debieran haberlo hecho al Mutualismo Laboral o al Seguro Obligatorio de Vejez e Invalidez* (SSTS de 4 de julio de 1994 [*Tol 233094 y 267047*], 23 y 28 de noviembre de 1995 [*Tol 236804 y 266784, y 235860 y 266784*] y 1 de junio de 1998 [*Tol 45789*]).

– *Para aplicar el cómputo de cotizaciones establecido en la disposición transitoria 2.ª3, de la Ley General de la Seguridad Social de 1994 no es necesario que el trabajador hubiera prestado servicios antes de 1960, siendo suficiente que hubiese sido mutualista o afiliado al Seguro Obligatorio de Vejez e Invalidez desde 1960 a 1967* (STS de 10 de febrero de 1997 [*Tol 238188*]).

– *Las cotizaciones establecidas en la disposición transitoria 2.ª3, de la Ley General de la Seguridad Social de 1994 no se computan en el cálculo de la pensión en aplicación de normas comunitarias cuando la pensión del país extranjero se calcule sin acudir a totalización de cotizaciones* (STS de 7 de diciembre de 1999 [*Tol 209204*]).

– *El beneficio previsto en la disposición transitoria 2.ª3, de la Ley General de la Seguridad Social de 1994 no se aplica a los trabajadores que fueron funcionarios del Estado o de Corporaciones locales* (STS de 10 de abril de 2000 [*Tol 46339*]).

– *Las cotizaciones establecidas en la disposición transitoria 2.ª3, de la Ley General de la Seguridad Social de 1994 no pueden ser tenidas en cuenta a efectos de reunir el período mínimo de cotización, sino solo para elevar el porcentaje de la pensión* (STS de 26 de junio de 2000 [*Tol 912*]).

– *La aplicación de las cotizaciones reguladas en la disposición transitoria 2.ª3, de la Ley General de la Seguridad Social de 1994 excluye las efectivamente realizadas, no admitiéndose la superposición de unas y otras* (STS de 7 de mayo de 2002 [*Tol 246517*]).

**Disposición transitoria cuarta.** *Aplicación de legislaciones anteriores para causar derecho a pensión de jubilación.* 1. El derecho a las pensiones de jubilación se regulará en el Régimen General de acuerdo con las siguientes normas:

1.ª) Las disposiciones de aplicación y desarrollo de la presente ley regularán las posibilidades de opción, así como los derechos que, en su caso, puedan reconocerse en el Régimen General a aquellos trabajadores que, con anterioridad a 1 de enero de 1967, estuvieran comprendidos en el campo de aplicación del Seguro de Vejez e Invalidez, pero no en el Mutualismo Laboral, o viceversa.

2.ª) Quienes tuvieran la condición de mutualista el 1 de enero de 1967 podrán causar el derecho a la pensión de jubilación a partir de los sesenta años. En tal caso, la cuantía de la pensión se reducirá en un 8 por ciento por cada año o fracción de año que, en el momento del hecho causante, le falte al trabajador para cumplir la edad de 65 años.

– *En los supuestos de jubilación derivada del cese en el trabajo como consecuencia de extinción del contrato de trabajo por causa no imputable a la voluntad del trabajador no es necesario que éste, además de los años de cotización necesarios para causar derecho a la pensión, acredite haber estado inscrito como demandante de empleo en la oficina de empleo correspondiente durante un determinado tiempo, para poder acceder a la jubilación anticipada establecida para los trabajadores que tuvieran la condición de mutualistas en 1 de enero de 1967, puesto que de aquéllas normas se deriva que basta con que el beneficiario cumpla los siguientes requisitos: haber estado afiliado al Mutualismo Laboral antes del 1 de enero de 1967, haber cesado en el trabajo por causas independientes de la voluntad del trabajador y reunir los períodos de cotización correspondientes para causar derecho a la pensión por jubilación* (SSTS de 3 de junio [*Tol 675624*] y 13 y 25 de octubre de 2005 [*Tol 781732 y 781713*] y 20 de enero [*Tol 839677*], 24 de mayo [*Tol 953063*], 25 de julio [*Tol 1006682*], 18 de septiembre [*Tol 1006697*], 13 de noviembre [*Tol 1066755, 1066756 y 1066758*] y 1 de diciembre de 2006 [*Tol 1025027*]).

– *Los trabajadores que estuvieron encuadrados en la Mutualidad de Empleados de Notarías antes del 1 de enero de 1967 tienen derecho a acceder a la jubilación anticipada a partir de los sesenta años prevista para los trabajadores afiliados al Mutualismo Laboral en aquella fecha, siempre que cumplan los demás requisitos que la Ley exige a este fin; y ello porque se encuentra en situación similar a estos últimos como consecuencia de las normas que ordenaron la integración de la Mutualidad de Empleados de Notarías en el Régimen General de la Seguridad Social: todos los períodos en que los trabajadores prestaron servicios como empleados de Notarías y estuvieron afiliados a la Mutualidad de Empleados de Notarías se han de considerar como cotizados al Régimen General de la Seguridad Social; estos trabajadores se encontraban en dichas situaciones tanto antes como después del 1 de enero de 1967, y sólo a partir de esta fecha se instauró el Régimen General de la Seguridad Social; los períodos anteriores a la integración en el Régimen General de la Seguridad Social, en que este régimen no existía, se tienen que considerar como cotizados tanto al sistema de Seguros Sociales Unificados como al Mutualismo Laboral, lo que implica, que, a los efectos de la prestación por jubilación y en relación al 1 de enero de 1967 y períodos anteriores debe considerarse que dichos trabajadores ostentaban la condición de mutualistas del Mutualismo Laboral* (STS de 27 de diciembre de 2005 [*Tol 850396*]).

– *Una persona que estuvo afiliado al Montepío Nacional del Servicio Doméstico con anterioridad a 1967 no puede acceder a la modalidad de jubilación anticipada prevista en la disposición transitoria de la Ley General de la Seguridad Social porque los afiliados a aquel montepío no estuvieron incluidos en el antiguo Servicio del Mutualismo Laboral y aun que existían previsiones legales sobre asimilación y estas se produjeron en otras materias nunca llegó a producirse esa asimilación en relación con la edad de jubilación* (STS de 29 de marzo de 2007 [*Tol 1073515*]).

– *En el supuesto de la jubilación anticipada de una trabajadora que ha estado encuadrada en la Mutualidad de la confección deben aplicarse los coeficientes reductores previstos legalmente y no siendo posible la aplicación de los beneficios recogidos en los Estatutos de la Mutualidad de la Caja de Jubilaciones y Subsidios Textil, al tratarse de un supuesto de trabajador que ha estado afiliado al Mutualismo Laboral* (SSTS de 26 de diciembre de 2007 [*Tol 1235074 y 1292543*] y 11 de octubre de 2011 [*Tol 2270205*]).

En los supuestos de trabajadores que, cumpliendo los requisitos señalados en el apartado anterior, y acreditando treinta o más años de cotización, soliciten la jubilación anticipada derivada del cese en el trabajo como consecuencia de la extinción del contrato de trabajo, en virtud de causa no imputable a la libre voluntad del trabajador, el porcentaje de reducción de la cuantía de la pensión a que se refiere el párrafo anterior será, en función de los años de cotización acreditados, el siguiente:

1.º Entre treinta y treinta y cuatro años acreditados de cotización: 7,5 por ciento.

2.º Entre treinta y cinco y treinta y siete años acreditados de cotización: 7 por ciento.

3.º Entre treinta y ocho y treinta y nueve años acreditados de cotización: 6,5 por ciento.

4.º Con cuarenta o más años acreditados de cotización: 6 por ciento.

A tales efectos, se entenderá por libre voluntad del trabajador la inequívoca manifestación de voluntad de quien, pudiendo continuar su relación laboral y no existiendo razón objetiva que la impida, decida poner fin a la misma. Se considerará, en todo caso, que el cese en la relación laboral se produjo de forma involuntaria cuando la extinción se haya producido por alguna de las causas previstas en el artículo 267.1.a).

Asimismo, para el cómputo de los años de cotización se tomarán años completos, sin que se equipare a un año la fracción del mismo.

– *Debe considerarse voluntario el cese en el trabajo consecuencia de la suscripción de un contrato de prejubilación entre el trabajador y la empresa en el marco de un convenio colectivo* (SSTS de 25 de noviembre [*Tol 241080 y 267849*] y 9 y 10 de diciembre de 2002 [*Tol 200978 y 240986*], 23 y 30 de enero [*Tol 275515 y 275518*] y 4, 6 y 12 de febrero de 2003 [*Tol 265710 y 275508, 265718 y 275511, y 265739*], 12 de julio de 2004 [*Tol 515688*], 17, 18 y 30 de enero [*Tol 827779, 846487 y 856778*], 1, 6 y 15 de febrero [*Tol 843574, 839688 y 862891*], 16 de marzo [*Tol 883681*], 7 de abril [*Tol 929185*], 23 y 30 de mayo [*Tol 956249 y 961993*], 22 de junio [*Tol 986976*], 4 de julio [*Tol 990794*] y 23 de octubre de 2006 [*Tol 1013560*], 29 de mayo [*Tol 1107141*], 6 de junio [*Tol 1124377*], 20 y 24 de julio [*Tol 1143926 y 1151338*], 20 y 25 de septiembre [*Tol 1220280 y 1161279*], 2 y 31 de octubre [*Tol 1174916 y 1174917, y 1214249*], 2, 6, 15, 20, 27 y 28 de noviembre de 2007 [*Tol 1214257, 1222966, 1222943, 1222897, 1235088 y 1235109*] y 15 de enero [*Tol 1256447*] y 21 de febrero de 2008 [*Tol 1333250*]).

– *Debe considerarse como involuntario el cese en el trabajo consecuencia de un expediente de regulación de empleo autorizado por la Administración* (SSTS de 24 y 25 de octubre [*Tol 1013548 y 1018540*] y 28 de noviembre de 2006 [*Tol 1018562*], 17 de enero [*Tol 1038114*], 17 de abril [*Tol 1081938*], 23 de mayo [*Tol 1113252*] y 21 de junio de 2007 [*Tol 1113304*], 7 de febrero de 2008 [*Tol 1369871*] y 5 de julio de 2010 [*Tol 1946163*]).

Se faculta al Gobierno para el desarrollo reglamentario de los supuestos previstos en los párrafos anteriores de la presente regla 2ª, quien podrá en razón del carácter voluntario o forzoso del acceso a la jubilación adecuar las condiciones señaladas para los mismos.

Los coeficientes reductores de la edad de jubilación a los que se refieren los artículos 206 y 206 bis no serán tenidos en cuenta, en ningún caso, a efectos de acreditar la edad exigida para acceder a la jubilación regulada en la presente regla 2.ª Tampoco será de aplicación a la jubilación regulada en la presente regla el coeficiente del 0,50 previsto en el artículo 210.4 de esta ley.

Párrafo último redactado por la Ley 21/2021, de 28 de diciembre, de garantía del poder adquisitivo de las pensiones y de otras medidas de refuerzo de la sostenibilidad financiera y social del sistema público de pensiones (BOE núm. 312, de 29 de diciembre de 2021).

– *La anticipación de la edad de jubilación es aplicable a quienes cotizaron a la Caja de Seguros Sociales de Guinea* (STS de 23 de septiembre de 1991 [*Tol 231925*]).

– *Para instar la jubilación anticipada prevista en la disposición transitoria 9.ª de la Orden de 18 de enero de 1967 es necesario que el interesado se encuentre en situación de alta o asimilada* (STS de 27 de junio de 1994 [*Tol 234321 y 267568*]).

– *La anticipación de la edad de jubilación no alcanza a quienes estuvieron encuadrados en la Mutualidad nacional de trabajadores autónomos* (STS de 12 de junio de 1992 [*Tol 232543*]).

– *El incumplimiento empresarial o los defectos de encuadramiento no impiden el derecho a la jubilación anticipada consecuencia de afiliación al Mutualismo laboral* (STS de 20 de diciembre de 1998 [*Tol 47065*]).

– *La anticipación de la edad de jubilación no alcanza a quienes estuvieron encuadrados en la Mutualidad nacional agraria o en la Mutualidad nacional de empleados de hogar* (SSTS de 23 de noviembre de 1993 [*Tol 233493*] y 17 de febrero [*Tol 267055*], 4 de marzo [*Tol 233412 y 266649*], 14 de junio [*Tol 233374*] y 4 y 28 de octubre de 1994 [*Tol 233074 y 234104*]).

– *En el supuesto de un trabajadora que solicita la pensión de jubilación anticipada habiendo estado encuadrada en la Mutualidad de la confección deben aplicarse los coeficientes reductores previstos legalmente y no es posible la aplicación de los beneficios recogidos en los Estatutos de la Mutualidad de la Caja de jubilaciones y subsidios textil, al tratarse de un supuesto de trabajador que ha estado afiliado al Mutualismo Laboral, tal y como establece la disposición transitoria 3.ª de la Ley General de la Seguridad Social de 1994* (SSTS de 11 de febrero [*Tol 267742*] y 20 de diciembre de 2002 [*Tol 254059 y 266632*]).

2. Los trabajadores que, reuniendo todos los requisitos para obtener el reconocimiento del derecho a pensión de jubilación en la fecha de entrada en vigor de la Ley 26/1985, de 31 de julio, de medidas urgentes para la racionalización de la estructura y de la acción protectora de la Seguridad Social, no lo hubieran ejercitado, podrán acogerse a la legislación anterior para obtener

la pensión en las condiciones y cuantía a que hubieren tenido derecho el día anterior al de entrada en vigor de dicha ley.

3. Asimismo, podrán acogerse a la legislación anterior aquellos trabajadores que tuvieran reconocidas, antes de la entrada en vigor de la Ley 26/1985, de 31 de julio, ayudas equivalentes a jubilación anticipada, determinadas en función de su futura pensión de jubilación del sistema de la Seguridad Social, bien al amparo de planes de reconversión de empresas, aprobados conforme a las Leyes 27/1984, de 26 de julio sobre reconversión y reindustrialización, y 21/1982, de 9 de junio, sobre medidas para la reconversión industrial, bien al amparo de la correspondiente autorización del entonces Ministerio de Trabajo y Seguridad Social, dentro de las previsiones de los programas que venía desarrollando la extinguida Unidad Administradora del Fondo Nacional de Protección al Trabajo, o de los programas de apoyo al empleo aprobados por Orden de dicho Ministerio, de 12 de marzo de 1985.

El derecho establecido en el párrafo anterior también alcanzará a aquellos trabajadores comprendidos en planes de reconversión ya aprobados a la entrada en vigor de la Ley 26/1985, de 31 de julio, de acuerdo con las normas citadas en dicho párrafo, aunque aún no tengan solicitada individualmente la ayuda equivalente a jubilación anticipada.

> – *El diferente régimen de jubilación previsto en las diferentes normas y planes de reconversión no vulnera el principio de igualdad* (SSTC 236/1988, de 12 de diciembre [*Tol 80083*], 58/1992, de 23 de abril [*Tol 80670*], 152/1994, de 23 de mayo [*Tol 82558*], y STS de 25 de mayo de 1993 [*Tol 234359*]).

> – *Los trabajadores que a la entrada en vigor de la Ley 26/1985, de 31 de julio, no estaban incluidos en un expediente de regulación de empleo amparado en un Plan de Reconversión Naval, no tienen derecho a que su base reguladora se calcule siguiendo las reglas establecidas en el sistema anterior a la citada Ley* (SSTS de 26 de noviembre de 2003 [*Tol 348752*], 17 y 18 de mayo [*Tol 448732 y 443733*], 24 de junio [*Tol 484385*] y 1, 15 y 19 de julio de 2004 [*Tol 484421 y 503460, 515747 y 495711*]).

4. Los trabajadores que, reuniendo todos los requisitos para obtener el reconocimiento del derecho a la pensión de jubilación en la fecha de entrada en vigor de la Ley 24/1997, de 15 de julio, de Consolidación y Racionalización del Sistema de Seguridad Social, no lo hubieran ejercitado, podrán optar por acogerse a la legislación anterior para obtener la pensión en las condiciones y cuantía a que hubiesen tenido derecho el día anterior al de entrada en vigor de dicha ley.

5. Se seguirá aplicando la regulación de la pensión de jubilación, en sus diferentes modalidades, requisitos de acceso, condiciones y reglas de determinación de prestaciones, vigentes antes de la entrada en vigor de la Ley 27/2011, de 1 de agosto, de actualización adecuación y modernización del sistema de la Seguridad Social, a las pensiones de jubilación que se causen, en los siguientes supuestos:

a) Las personas cuya relación laboral se haya extinguido antes de 1 de abril de 2013, siempre que con posterioridad a tal fecha no vuelvan a quedar incluidas en alguno de los regímenes del sistema de la Seguridad Social.

b) Las personas con relación laboral suspendida o extinguida como consecuencia de decisiones adoptadas en expedientes de regulación de empleo, o por medio de convenios colectivos de cualquier ámbito, acuerdos colectivos de empresa, así como por decisiones adoptadas en procedimientos concursales, aprobados, suscritos o declarados con anterioridad a 1 de abril de 2013.

Será condición indispensable que los indicados acuerdos colectivos de empresa se encuentren debidamente registrados en el Instituto Nacional de la Seguridad Social o en el Instituto Social de la Marina, en su caso, en el plazo que reglamentariamente se determine.

c) No obstante, para el reconocimiento del derecho a pensión de las personas a las que se refieren los apartados anteriores, la entidad gestora aplicará la legislación que esté vigente en la fecha del hecho causante de la misma, cuando resulte más favorable a estas personas.

Apartado 5 redactado por la Ley 21/2021, de 28 de diciembre, de garantía del poder adquisitivo de las pensiones y de otras medidas de refuerzo de la sostenibilidad financiera y social del sistema público de pensiones (BOE núm. 312, de 29 de diciembre de 2021).

6. Se seguirá aplicando la regulación para la modalidad de jubilación parcial con simultánea celebración de contrato de relevo, vigente con anterioridad a la entrada en vigor de la Ley 27/2011, de 1 de agosto, de actualización, adecuación y modernización del sistema de la Seguridad Social, a pensiones causadas antes del 1 de enero de 2030, siempre que se acrediten los siguientes requisitos:

a) Que el trabajador que solicite el acceso a la jubilación parcial realice directamente funciones que requieran esfuerzo físico o alto grado de atención en tareas de fabricación, elaboración o transformación, así como en las de montaje, puesta en funcionamiento, mantenimiento y reparación especializados de maquinaria y equipo industrial en empresas clasificadas como industria manufacturera.

b) Que el trabajador que solicite el acceso a la jubilación parcial acredite un período de antigüedad en la empresa de, al menos, seis años inmediatamente anteriores a la fecha de la jubilación parcial. A tal efecto, se computará la antigüedad acreditada en la empresa anterior si ha mediado una sucesión de empresa en los términos previstos en el artículo 44 del texto refundido de la Ley del Estatuto de los Trabajadores, aprobado por el Real Decreto Legislativo 2/2015, de 23 de octubre, o en empresas pertenecientes al mismo grupo.

c) Que en el momento del hecho causante de la jubilación parcial el porcentaje de trabajadores en la empresa cuyo contrato de trabajo lo sea por tiempo indefinido, supere el 75 por ciento del total de los trabajadores de su plantilla.

d) Que la reducción de la jornada de trabajo del jubilado parcial se halle comprendida entre un mínimo de un 25 por ciento y un máximo del 67 por ciento, o del 80 por ciento para los supuestos en que el trabajador relevista sea contratado a jornada completa mediante un contrato de duración indefinida. Dichos porcentajes se entenderán referidos a la jornada de un trabajador a tiempo completo comparable.

e) Que exista una correspondencia entre las bases de cotización del trabajador relevista y del jubilado parcial, de modo que la del trabajador relevista no podrá ser inferior al 65 por ciento del promedio de las bases de cotización correspondientes a los seis últimos meses del período de base reguladora de la pensión de jubilación parcial.

f) Que se acredite un período de cotización de treinta y tres años en la fecha del hecho causante de la jubilación parcial, sin que a estos efectos se tenga en cuenta la parte proporcional correspondiente por pagas extraordinarias. A estos exclusivos efectos, solo se computará el período de prestación del servicio militar obligatorio o de la prestación social sustitutoria, o del servicio social femenino obligatorio, con el límite máximo de un año.

En el supuesto de personas con discapacidad en grado igual o superior al 33 por ciento, el período de cotización exigido será de veinticinco años.

g) Sin perjuicio de la reducción de jornada a que se refiere la letra d), durante el período de disfrute de la jubilación parcial, empresa y trabajador cotizarán por el 80 por ciento de la base de cotización que, en su caso, hubiese correspondido al jubilado parcial de seguir trabajando este a jornada completa. Esta cotización se aplicará de forma gradual de acuerdo con la siguiente escala:

– 1.º Durante el año 2025, la base de cotización será equivalente al 40 por ciento de la base de cotización que hubiera correspondido a jornada completa.

– 2.º Durante el año 2026, la base de cotización será equivalente al 50 por ciento de la base de cotización que hubiera correspondido a jornada completa.

– 3.º Durante el año 2027, la base de cotización será equivalente al 60 por ciento de la base de cotización que hubiera correspondido a jornada completa.

– 4.º Durante el año 2028, la base de cotización será equivalente al 70 por ciento de la base de cotización que hubiera correspondido a jornada completa.

– 5.º Durante el año 2029, la base de cotización será equivalente al 80 por ciento de la base de cotización que hubiera correspondido a jornada completa.

A efectos de la aplicación de lo establecido en este apartado, la compatibilidad efectiva entre trabajo y pensión permitirá la acumulación del tiempo de trabajo en periodos de días en la semana, semanas en el mes, meses en el año u otros periodos de tiempo, de conformidad con lo dispuesto en pacto individual o, en su caso, en la negociación colectiva, en todas sus expresiones, incluido el acuerdo de centro de trabajo, sin que en ningún ámbito se pueda limitar o impedir su uso.

> Apartado 6 redactado por el Real Decreto-Ley 11/2024, de 23 de diciembre, para la mejora de la compatibilidad de la pensión de jubilación con el trabajo (BOE núm. 309, 24 de diciembre de 2024).

7. A los solos efectos del cálculo de la base reguladora de la pensión de jubilación, cuando el hecho causante se produzca con posterioridad al 31 de diciembre de 2025 y antes de 31 de diciembre de 2040, la entidad gestora aplicará en su integridad lo previsto en el artículo 209.1 en su redacción vigente el día 1 de enero de 2023 cuando dicho cálculo resulte más favorable que el vigente en la fecha en que se cause la pensión.

Para los hechos causantes que se produzcan durante el año 2041, la entidad gestora aplicará, en su integridad, lo previsto en el artículo 209.1, en su redacción vigente el día 1 de enero de 2023, con una la base reguladora que comprenderá las bases de cotización de los últimos 306 meses entre 357, cuando dicho cálculo resulte más favorable que el vigente en la fecha en que se cause la pensión.

En 2042, la entidad gestora aplicará, en su integridad, lo previsto en el artículo 209.1 en su redacción vigente el día 1 de enero de 2023, con una base reguladora que comprenderá las bases de cotización de los últimos 312 meses entre 364, cuando dicho cálculo resulte más favorable que el vigente en la fecha en que se cause la pensión.

En 2043, la entidad gestora aplicará, en su integridad, lo previsto en el artículo 209.1 en su redacción vigente el día 1 de enero de 2023, con una base reguladora que comprenderá las bases de cotización de los últimos 318 meses entre 371, cuando dicho cálculo resulte más favorable que el vigente en la fecha en que se cause la pensión.

A partir de 2044, se aplicará lo previsto en el artículo 209.1 en la redacción vigente desde el 1 de enero de 2026.

> Apartado 7 añadido por el Real Decreto-Ley 2/2023, de 16 de marzo, de medidas urgentes para la ampliación de derechos de los pensionistas, la reducción de la brecha de género y el establecimiento de un nuevo marco de sostenibilidad del sistema público de pensiones (BOE núm. 65, 17 de marzo de 2023).

**Disposición transitoria quinta.** *Jubilación anticipada en determinados casos especiales.* 1. Esta disposición será de aplicación a hechos causantes producidos a partir de 1 de abril de 1998, en los supuestos en que, habiéndose cotizado a varios regímenes del sistema de la Seguridad Social, el interesado no reúna todos los requisitos exigidos para acceder a la pensión de jubilación en ninguno de ellos, considerando únicamente las cotizaciones acreditadas en cada uno de los regímenes.

En los supuestos indicados, resolverá sobre el derecho a la pensión de jubilación el régimen en el que se acredite el mayor número de cotizaciones, computando como cotizadas al mismo la totalidad de las que acredite el interesado.

No obstante lo establecido en los párrafos anteriores, cuando el trabajador no haya cumplido la edad mínima para causar el derecho a la pensión de jubilación en el régimen por el que deba resolverse el derecho, por ser aquel en que se acredite el mayor número de cotizaciones, podrá reconocerse la pensión por dicho régimen, siempre que se acredite el requisito de edad en alguno de los demás regímenes que se hayan tenido en cuenta para la totalización de los períodos de cotización, en los términos que se establecen en los apartados siguientes.

2. Para la aplicación de lo establecido en el tercer párrafo del apartado anterior será necesaria la concurrencia de los siguientes requisitos:

a) Que el interesado tuviese la condición de mutualista el 1 de enero de 1967 o en cualquier fecha con anterioridad o que se le certifique por algún país extranjero períodos cotizados o asimilados, en razón de actividades realizadas en el mismo, con anterioridad a las fechas indicadas, que, de haberse efectuado en España, hubieran dado lugar a la inclusión de aquel en alguna de las mutualidades laborales, y que, en virtud de las normas de derecho internacional, deban ser tomadas en consideración.

b) Que, al menos, la cuarta parte de las cotizaciones totalizadas a lo largo de la vida laboral del trabajador se hayan efectuado en los regímenes que reconozcan el derecho a la jubilación anticipada o a los precedentes de dichos regímenes, o a regímenes de Seguridad Social extranjeros, en los términos y condiciones señalados en la letra anterior, salvo que el total de cotizaciones a lo largo de la vida laboral del trabajador sea de treinta o más años, en cuyo caso, será suficiente con que se acredite un mínimo de cotizaciones de cinco años en los regímenes antes señalados.

3. El reconocimiento del derecho a la pensión de jubilación con menos de sesenta y cinco años, cuando se cumplan las exigencias establecidas en los apartados precedentes, se llevará a cabo por el régimen en que el interesado acredite mayor número de cotizaciones, aplicando sus normas reguladoras.

La pensión de jubilación será objeto de reducción, mediante la aplicación del porcentaje del 8 por ciento por cada año o fracción de año que, en el momento del hecho causante, le falte al interesado para el cumplimiento de los sesenta y cinco años.

Lo establecido en el párrafo precedente, se entiende sin perjuicio de lo previsto en el párrafo segundo, norma 2.ª, de la disposición transitoria cuarta de esta ley, así como en la disposición transitoria primera de la Ley 47/2015, de 21 de octubre, reguladora de la protección social de las personas trabajadoras del sector marítimo-pesquero.

4. Las referencias al 1 de enero de 1967 se entenderán realizadas a la fecha que se determine en sus respectivas normas reguladoras, respecto a los regímenes o colectivos que contemplen otra distinta, en orden a la posibilidad de anticipación de la edad de jubilación.

5. Esta disposición no será de aplicación en el Régimen de Clases Pasivas del Estado. El cómputo recíproco de cotizaciones entre dicho régimen y los demás regímenes del sistema de la Seguridad Social se regirá por lo estableci-

do en el Real Decreto 691/1991, de 12 de abril, sobre cómputo recíproco de cuotas entre regímenes de Seguridad Social.

**Disposición transitoria sexta.** *Situación asimilada a la de alta en los procesos de reconversión.* 1. Durante el periodo de percepción de la ayuda equivalente a la jubilación anticipada prevista en la Ley 27/1984, de 26 de julio, sobre Reconversión y Reindustrialización, el beneficiario será considerado en situación asimilada a la de alta en el correspondiente régimen de la Seguridad Social, y continuará cotizándose por él según el tipo establecido para las contingencias generales del régimen de que se trate. A tal efecto, se tomará como base de cotización la remuneración media que haya servido para la determinación de la cuantía de la ayuda equivalente a la jubilación anticipada, con el coeficiente de actualización anual que establezca el Ministerio de Empleo y Seguridad Social, de modo que, al cumplir la edad general de jubilación, el beneficiario pueda acceder a la pensión con plenos derechos.

2. Las aportaciones que lleven a cabo las empresas o los fondos de promoción de empleo, tanto para la financiación de las ayudas equivalentes a la jubilación anticipada como a efectos de lo previsto en el apartado anterior, podrán equipararse, a efectos de recaudación, a las cuotas de la Seguridad Social.

**Disposición transitoria séptima.** *Aplicación paulatina de la edad de jubilación y de los años de cotización.* Las edades de jubilación y el período de cotización a que se refiere el artículo 205.1.a), así como las referencias a la edad que se contienen en los artículos 152.1, 207.1.a) y 2, 208.1.a) y 2, 214.1.a) y 311.1 se aplicarán de forma gradual, en los términos que resultan del siguiente cuadro:

| Año | Períodos cotizados | Edad exigida |
|---|---|---|
| 2013 | 35 años y 3 meses o más. | 65 años. |
| | Menos de 35 años y 3 meses. | 65 años y 1 mes. |
| 2014 | 35 años y 6 meses o más. | 65 años. |
| | Menos de 35 años y 6 meses. | 65 años y 2 meses. |
| 2015 | 35 años y 9 meses o más. | 65 años. |
| | Menos de 35 años y 9 meses. | 65 años y 3 meses. |
| 2016 | 36 o más años. | 65 años. |
| | Menos de 36 años. | 65 años y 4 meses. |

| Año | Períodos cotizados | Edad exigida |
|---|---|---|
| 2017 | 36 años y 3 meses o más. | 65 años. |
| | Menos de 36 años y 3 meses. | 65 años y 5 meses. |
| 2018 | 36 años y 6 meses o más. | 65 años. |
| | Menos de 36 años y 6 meses. | 65 años y 6 meses. |
| 2019 | 36 años y 9 meses o más. | 65 años. |
| | Menos de 36 años y 9 meses. | 65 años y 8 meses. |
| 2020 | 37 o más años. | 65 años. |
| | Menos de 37 años. | 65 años y 10 meses. |
| 2021 | 37 años y 3 meses o más. | 65 años. |
| | Menos de 37 años y 3 meses. | 66 años. |
| 2022 | 37 años y 6 meses o más. | 65 años. |
| | Menos de 37 años y 6 meses. | 66 años y 2 meses. |
| 2023 | 37 años y 9 meses o más. | 65 años. |
| | Menos de 37 años y 9 meses. | 66 años y 4 meses. |
| 2024 | 38 o más años. | 65 años. |
| | Menos de 38 años. | 66 años y 6 meses. |
| 2025 | 38 años y 3 meses o más. | 65 años. |
| | Menos de 38 años y 3 meses. | 66 años y 8 meses. |
| 2026 | 38 años y 3 meses o más. | 65 años. |
| | Menos de 38 años y 3 meses. | 66 años y 10 meses. |
| A partir del año 2027 | 38 años y 6 meses o más. | 65 años. |
| | Menos de 38 años y 6 meses. | 67 años. |

La edad de sesenta y siete años a que se refieren los artículos 196.5 y 200.4 se aplicará gradualmente teniendo en cuenta la más elevada de las establecidas para cada año en el cuadro anterior.

**Disposición transitoria octava.** *Normas transitorias sobre la base reguladora de la pensión de jubilación.* 1. Lo previsto en el artículo 209.1 se aplicará de forma gradual del siguiente modo:

A partir de 1 de enero de 2013, la base reguladora de la pensión de jubilación será el resultado de dividir por 224 las bases de cotización durante los 192 meses inmediatamente anteriores al mes previo al del hecho causante.

A partir de 1 de enero de 2014, la base reguladora de la pensión de jubilación será el resultado de dividir por 238 las bases de cotización durante los 204 meses inmediatamente anteriores al mes previo al del hecho causante.

A partir de 1 de enero de 2015, la base reguladora de la pensión de jubilación será el resultado de dividir por 252 las bases de cotización durante los 216 meses inmediatamente anteriores al mes previo al del hecho causante.

A partir de 1 de enero de 2016, la base reguladora de la pensión de jubilación será el resultado de dividir por 266 las bases de cotización durante los 228 meses inmediatamente anteriores al mes previo al del hecho causante.

A partir de 1 de enero de 2017, la base reguladora de la pensión de jubilación será el resultado de dividir por 280 las bases de cotización durante los 240 meses inmediatamente anteriores al mes previo al del hecho causante.

A partir de 1 de enero de 2018, la base reguladora de la pensión de jubilación será el resultado de dividir por 294 las bases de cotización durante los 252 meses inmediatamente anteriores al mes previo al del hecho causante.

A partir de 1 de enero de 2019, la base reguladora de la pensión de jubilación será el resultado de dividir por 308 las bases de cotización durante los 264 meses inmediatamente anteriores al mes previo al del hecho causante.

A partir de 1 de enero de 2020, la base reguladora de la pensión de jubilación será el resultado de dividir por 322 las bases de cotización durante los 276 meses inmediatamente anteriores al mes previo al del hecho causante.

A partir de 1 de enero de 2021, la base reguladora de la pensión de jubilación será el resultado de dividir por 336 las bases de cotización durante los 288 meses inmediatamente anteriores al mes previo al del hecho causante.

A partir de 1 de enero de 2022, la base reguladora de la pensión de jubilación se calculará aplicando, en su integridad, lo establecido en el artículo 209.1.

2. Desde el 1 de enero de 2013 hasta el 31 de diciembre de 2016, para quienes hayan cesado en el trabajo por causa no imputable a su libre voluntad, por las causas y los supuestos contemplados en el artículo 267.1.a) y, a partir del cumplimiento de los cincuenta y cinco años de edad y al menos durante veinticuatro meses, hayan experimentado una reducción de las bases de cotización respecto de la acreditada con anterioridad a la extinción de la relación laboral, la base reguladora será el resultado de dividir por 280 las bases de cotización durante los 240 meses inmediatamente anteriores al mes previo al

del hecho causante, siempre que resulte más favorable que la que le hubiese correspondido de acuerdo con lo establecido en el apartado anterior.

3. Desde el 1 de enero de 2017 hasta el 31 de diciembre de 2021, para quienes hayan cesado en el trabajo por causa no imputable a su libre voluntad, por las causas y los supuestos contemplados en el artículo 267.1.a) y, a partir del cumplimiento de los cincuenta y cinco años de edad y al menos durante veinticuatro meses, hayan experimentado una reducción de las bases de cotización respecto de la acreditada con anterioridad a la extinción de la relación laboral, la base reguladora será la establecida en el artículo 209.1, siempre que resulte más favorable que la que le hubiese correspondido de acuerdo con lo establecido en el apartado 1.

4. La determinación de la base reguladora de la pensión, en los términos regulados en los apartados 2 y 3, resulta de aplicación a los trabajadores por cuenta propia o autónomos con respecto a los cuales haya transcurrido un año desde la fecha en que se haya agotado la prestación por cese de actividad, regulada en el título V, siempre que dicho cese se produzca a partir del cumplimiento de los cincuenta y cinco años de edad.

5. Lo previsto en el apartado 1 será de aplicación a todos los regímenes de la Seguridad Social.

**Disposición transitoria novena.** *Aplicación de los porcentajes a atribuir a los años cotizados para calcular la pensión de jubilación.* Los porcentajes a que se refiere el artículo 210.1.b) serán sustituidos por los siguientes:

| | |
|---|---|
| Durante los años 2013 a 2019. | Por cada mes adicional de cotización entre los meses 1 y 163, el 0,21 por ciento y por cada uno de los 83 meses siguientes, el 0,19 por ciento. |
| Durante los años 2020 a 2022. | Por cada mes adicional de cotización entre los meses 1 y 106, el 0,21 por ciento y por cada uno de los 146 meses siguientes, el 0,19 por ciento. |
| Durante los años 2023 a 2026. | Por cada mes adicional de cotización entre los meses 1 y 49, el 0,21 por ciento y por cada uno de los 209 meses siguientes, el 0,19 por ciento. |
| A partir del año 2027. | Por cada mes adicional de cotización entre los meses 1 y 248, el 0,19 por ciento y por cada uno de los 16 meses siguientes, el 0,18 por ciento. |

Los indicados porcentajes serán también de aplicación en el supuesto previsto en el artículo 248.3 segundo párrafo.

**Disposición transitoria décima.** *Normas transitorias sobre jubilación parcial...*

Disposición transitoria décima suprimida por el Real Decreto-Ley 11/2024, de 23 de diciembre, para la mejora de la compatibilidad de la pensión de jubilación con el trabajo (BOE núm. 309, 24 de diciembre de 2024).

**Disposición transitoria undécima.** *Aplicación de coeficientes reductores de la edad de jubilación.* De conformidad con la disposición transitoria segunda de la Ley 40/2007, de 4 de diciembre, de medidas en materia de Seguridad Social, lo previsto en el párrafo primero del artículo 206.6 de esta ley no se aplicará a los trabajadores incluidos en los diferentes regímenes especiales que, en la fecha de entrada en vigor de la citada ley tuviesen reconocidos coeficientes reductores de la edad de jubilación, siendo de aplicación las reglas establecidas en la normativa anterior.

Disposición transitoria undécima redactada por la Ley 21/2021, de 28 de diciembre, de garantía del poder adquisitivo de las pensiones y de otras medidas de refuerzo de la sostenibilidad financiera y social del sistema público de pensiones (BOE núm. 312, de 29 de diciembre de 2021).

**Disposición transitoria duodécima.** *Cómputo a efectos de jubilación de períodos con exoneración de cuotas de trabajadores con sesenta y cinco o más años.* Con respecto a los trabajadores que hayan dado lugar a las exenciones de la obligación de cotizar previstas en los artículos 152 y 311 con anterioridad a 1 de enero de 2013 y que accedan al derecho a la pensión de jubilación con posterioridad a dicha fecha, el período durante el que se hayan extendido dichas exenciones será considerado como cotizado a efectos del cálculo de la pensión correspondiente.

**Disposición transitoria decimotercera.** *Norma transitoria sobre pensión de viudedad en supuestos de separación judicial o divorcio anteriores al 1 de enero de 2008.* 1. El reconocimiento del derecho a la pensión de viudedad no quedará condicionado a que la persona divorciada o separada judicialmente sea acreedora de la pensión compensatoria a que se refiere el párrafo segundo del artículo 220.1, cuando entre la fecha del divorcio o de la separación judicial y la fecha del fallecimiento del causante de la pensión de viudedad haya transcurrido un periodo de tiempo no superior a diez años, siempre que el vínculo matrimonial haya tenido una duración mínima de diez años y además concurra en el beneficiario alguna de las condiciones siguientes:

a) La existencia de hijos comunes del matrimonio.

b) Que tenga una edad superior a los cincuenta años en la fecha del fallecimiento del causante de la pensión.

La cuantía de la pensión de viudedad resultante se calculará de acuerdo con la normativa vigente con anterioridad a la fecha de entrada en vigor de la Ley 40/2007, de 4 de diciembre, de medidas en materia de Seguridad Social.

En los supuestos a que se refiere el primer párrafo de esta disposición transitoria, la persona divorciada o separada judicialmente que hubiera sido deudora de la pensión compensatoria no tendrá derecho a pensión de viudedad.

En cualquier caso, la separación o divorcio debe haberse producido con anterioridad a la fecha de la entrada en vigor de la Ley 40/2007, de 4 de diciembre.

Lo dispuesto en esta disposición transitoria será también de aplicación a los hechos causantes producidos entre el 1 de enero de 2008 y el 31 de diciembre de 2009, e igualmente les será de aplicación lo dispuesto en el artículo 220 de esta ley.

2. También tendrán derecho a la pensión de viudedad las personas que se encuentren en la situación señalada en el primer párrafo del apartado anterior, aunque no reúnan los requisitos señalados en el mismo, siempre que se trate de personas con sesenta y cinco o más años, no tengan derecho a otra pensión pública y la duración del matrimonio con el causante de la pensión no haya sido inferior a quince años.

La pensión se reconocerá en los términos previstos en el apartado anterior.

– *Una vez admitida la necesidad de que en los supuestos de divorcio el beneficiario de la pensión de viudedad hubiera sido acreedora de la pensión compensatoria establecida en la legislación civil y que ésta hubiera quedado extinguida por la muerte del causante, puede realizarse el reconocimiento excepcional del derecho a la pensión de viudedad sin que hubiera existido la citada pensión compensatoria, siempre que se acrediten los requisitos exigidos en la citada disposición transitoria decimoctava de la Ley General de la Seguridad Social de 1994 (SSTS de 21 de diciembre de 2010 [Tol 2030741], 26 de enero de 2011 [Tol 2045362], 13 de julio [Tol 2271145], 15 de septiembre [Tol 2267199], 22 de noviembre de 2011 [Tol 2368456], 8 de febrero [Tol 2481054], 11 de junio [Tol 2583903] y 18 y 19 de julio de 2012 [Tol 2645124 y 2645779], 21 de julio de 2014 [Tol 4525462], 29 de abril de 2015 [Tol 5186141] y 14 de mayo de 2016 [Rec. 208/2015]).*

– *El cómputo de los diez años desde el divorcio o la separación judicial cuyo transcurso priva de los beneficios de la disposición transitoria decimoctava de la Ley General de la Seguridad Social de 1994 se produce desde el día en que se oficializa la ruptura matrimonial sin pensión compensatoria, sea divorcio o separación judicial (SSTS de 2 de noviembre de 2013 [Tol 4112167], 28 de abril [Tol 4417663] y 19 de noviembre de 2014 [Tol 4617667], 5 de febrero [Tol 4763673] y 13 de mayo de 2015 [Tol 5200657] y 16 de febrero [Rec.*

2300/2014], 5 y 16 de octubre [Rec. 1613/2015 y 1615/2015] y 22 de diciembre de 2016 [Rec. 1466/2015] y 5 [*Tol 7205127*]).

– *Las pensiones de viudedad derivadas de fallecimiento producido durante la vacatio legis de la Ley 27/2011 no quedan sujetas a sus previsiones intertemporales respecto de personas carentes del derecho a percibir pensión compensatoria; y las reglas contempladas en la disposición transitoria decimoctava de la Ley General de la Seguridad Social de 1994 solo se aplican a casos en que el matrimonio duró más de diez años y desde su crisis (separación o divorcio) hasta la muerte no han transcurrido más de diez años, siendo innecesario cumplir con los requisitos de hijos comunes o edad al morir el causante* (SSTS de 10 de febrero de 2017 [Rec. 1082/2015]) y 24 de enero de 2023 [*Tol 9398677*]).

– *La disposición transitoria decimoctava de la Ley General de la Seguridad Social de 1994 no se aplica a las separaciones y divorcios producidos con posterioridad al 1 de enero de 2008* (SSTS de 16 de noviembre de 2017 [*Tol 6449439* y *6449464*]).

– *La disposición transitoria decimoctava, apartado segundo, de la Ley General de la Seguridad Social de 1994, introducida por la Ley 27/2011 no es aplicable a los hechos causantes producidos con anterioridad al 1 de enero de 2013; y aunque la previsión legal existiera en el momento de producirse el hecho causante, lo cierto es que no entró en vigor hasta el 1 de enero de 2013, según se señala de forma expresa en la norma* (STS de 14 de diciembre de 2022 [Rec. 2235/2019]).

– *La disposición transitoria decimotercera, apartado segundo, de la Ley General de la Seguridad Social debe interpretarse en el sentido de que la exigencia de que los beneficiarios "no tengan derecho a otra pensión pública", excluye que el beneficiario perciba simultáneamente ambas pensiones, debiendo optar por una de ellas* (STS de 25 de abril de 2024 [Rec. 3094/2022]).

**Disposición transitoria decimocuarta.** *Aplicación de beneficios por cuidado de hijos o menores.* 1. Los beneficios previstos en el artículo 236 serán de aplicación a partir de 1 de enero de 2013, siendo para ese año el período máximo computable como cotizado de ciento doce días por cada hijo o menor adoptado o acogido. Dicho período se irá incrementando anualmente hasta alcanzar un máximo de doscientos setenta días por hijo en el año 2019, sin que en ningún caso el período computable pueda ser superior a la interrupción real de la cotización.

No obstante, a partir de 1 de enero de 2013 y a los exclusivos efectos de determinar la edad de acceso a la jubilación prevista en el artículo 205.1.a), el período computable será de un máximo de doscientos setenta días cotizados por cada hijo o menor acogido a cargo.

2. En función de las posibilidades económicas del sistema de la Seguridad Social, podrán adoptarse las disposiciones necesarias para que el cómputo, como cotización efectiva, del periodo de cuidado por hijo o menor, en los términos contenidos en el párrafo primero del apartado anterior, se anticipe antes del 2018, en los supuestos de familias numerosas.

**Disposición transitoria decimoquinta.** *Valor del parámetro α de la expresión matemática para la determinación del índice de revalorización de las pensiones contributivas.* En el período de 2014 a 2019, ambos inclusive, a efectos de determinar el índice de revalorización de las pensiones previsto en el artículo 58, el valor del parámetro α de la expresión matemática recogida en su apartado 2 será 0,25.

**Disposición transitoria decimosexta. Bases y tipos de cotización y acción protectora en el Sistema Especial para Empleados de Hogar.** 1. Sin perjuicio de lo establecido en la sección segunda del capítulo II del título II de esta ley, la cotización a la Seguridad Social en el Sistema Especial para Empleados de Hogar establecido en el Régimen General de la Seguridad Social se efectuará conforme a las siguientes reglas:

a) Cálculo de las bases de cotización:

1.º Las bases de cotización por contingencias comunes y profesionales se determinarán con arreglo a la escala, en función de la retribución percibida por los empleados de hogar, prevista anualmente en la Ley de Presupuestos Generales del Estado.

2.º Hasta el año 2022, las retribuciones mensuales y las bases de cotización de la escala se actualizarán en idéntica proporción al incremento que experimente el salario mínimo interprofesional.

3.º En el año 2023, las retribuciones mensuales y las bases de cotización serán las contenidas en la siguiente escala:

| Tramo | Retribución mensual Euros/mes | | | | Base de cotización Euros/mes |
|-------|--------|----------|-------|-----------|------------------|
| 1.º | Hasta | 269,00 | – | – | 250,00 |
| 2.º | Desde | 269,01 | Hasta | 418,00 | 357,00 |
| 3.º | Desde | 418,01 | Hasta | 568,00 | 493,00 |
| 4.º | Desde | 568,01 | Hasta | 718,00 | 643,00 |
| 5.º | Desde | 718,01 | Hasta | 869,00 | 794,00 |
| 6.º | Desde | 869,01 | Hasta | 1.017,00 | 943,00 |
| 7.º | Desde | 1.017,01 | Hasta | 1.166,669 | 1.166,70 |
| 8.º | Desde | 1.166,67 | – | – | Retribución mensual |

Los intervalos de retribuciones, así como las bases de cotización se actualizarán en la misma proporción que lo haga el salario mínimo interprofesional para el año 2023.

4.º A partir del año 2024, las bases de cotización por contingencias comunes y profesionales se determinarán conforme a lo establecido en el artículo 147 de esta ley, sin que la cotización pueda ser inferior a la base mínima que se establezca legalmente.

> El párrafo cuarto ha sido suspendido por el Letra c) añadida por el Real Decreto-Ley 8/2023, de 27 de diciembre, por el que se adoptan medidas para afrontar las consecuencias económicas y sociales derivadas de los conflictos en Ucrania y Oriente Próximo, así como para paliar los efectos de la sequía (BOE núm. 310, 28 de diciembre de 2023).

b) Tipos de cotización aplicables:

1.º Para la cotización por contingencias comunes, sobre la base de cotización que corresponda según lo indicado en el apartado a) se aplicará, a partir del 1 de enero de 2019, el tipo de cotización y su distribución entre empleador y empleado que se establezca con carácter general, en la respectiva Ley de Presupuestos Generales del Estado, para el Régimen General de la Seguridad Social.

2.º Para la cotización por contingencias profesionales, sobre la base de cotización que corresponda según lo indicado en el apartado a) se aplicará el tipo de cotización previsto en la tarifa de primas establecidas legalmente, siendo la cuota resultante a cargo exclusivo del empleador.

3.º Para la cotización por desempleo y al Fondo de Garantía Salarial se aplicarán los tipos de cotización y su distribución que se establezcan en la correspondiente Ley de Presupuestos Generales del Estado.

2. Desde el año 2012 hasta el año 2023, a efectos de determinar el coeficiente de parcialidad a que se refiere la regla a) del artículo 247, aplicable a este Sistema Especial para Empleados de Hogar, las horas efectivamente trabajadas en el mismo se determinarán en función de las bases de cotización a que se refieren los números 1.º, 2.º y 3.º del apartado 1.a) de esta disposición, divididas por el importe fijado para la base mínima horaria del Régimen General de la Seguridad Social por la Ley de Presupuestos Generales del Estado para cada uno de dichos ejercicios.

3. Lo previsto en el artículo 251.a) será de aplicación a partir de 1 de enero de 2012.

4. Desde el año 2012 hasta el año 2023, para el cálculo de la base reguladora de las pensiones de incapacidad permanente derivada de contingencias comunes y de jubilación causadas en dicho período por los empleados de hogar respecto de los periodos cotizados en este sistema especial solo se tendrán

en cuenta los periodos realmente cotizados, no resultando de aplicación lo previsto en los artículos 197.4 y 209.1.b).

Disposición transitoria decimosexta redactada por el Real Decreto-Ley 16/2022, de 6 de septiembre, para mejora de las condiciones de trabajo y de Seguridad Social de las personas trabajadoras al servicio del hogar (BOE núm. 216, 8 de septiembre de 2022).

**Disposición transitoria decimoséptima.** *Trabajadores por cuenta ajena procedentes del Régimen Especial Agrario de la Seguridad Social.* 1. Los trabajadores provenientes del Régimen Especial Agrario de la Seguridad Social que a partir del 1 de enero de 2012 quedaron integrados en el Régimen General de la Seguridad Social e incorporados en el Sistema Especial para Trabajadores por Cuenta Ajena Agrarios, en virtud de la Ley 28/2011, de 22 de septiembre, por la que se procedió a dicha integración, se regirán por las normas aplicables en este sistema especial, con las siguientes particularidades:

a) A efectos de permanecer incluidos en el Sistema Especial para Trabajadores por Cuenta Ajena Agrarios durante los períodos de inactividad en las labores agrarias, con el consiguiente alta en el Régimen General, los trabajadores a que se refiere esta disposición no estarán obligados a cumplir el requisito establecido en el artículo 253.2.

b) La exclusión de tales trabajadores del sistema especial durante los períodos de inactividad, con la consiguiente baja en el Régimen General, cuando no haya sido expresamente solicitada por ellos, únicamente procederá en el caso de que el trabajador no ingrese la cuota correspondiente a dichos períodos, en los términos señalados en el artículo 253.4.b).2.º

c) La reincorporación al sistema especial de estos trabajadores determinará su permanencia en el mismo en las condiciones establecidas en el apartado 1.a) de esta disposición.

2. Las cotizaciones satisfechas al extinguido Régimen Especial Agrario de la Seguridad Social por los trabajadores a que se refiere esta disposición se entenderán efectuadas en el Régimen General de la Seguridad Social, teniendo plena validez tanto para perfeccionar el derecho como para determinar la cuantía de las prestaciones previstas en la acción protectora de dicho Régimen General a las que puedan acceder aquellos trabajadores, de acuerdo con lo previsto en esta ley.

**Disposición transitoria decimoctava.** *Aplicación paulatina de las bases y tipos de cotización y de reducciones en el Sistema Especial para Traba-*

***jadores por Cuenta Ajena Agrarios***. 1. Sin perjuicio de lo establecido en la sección segunda del capítulo II del título II de esta ley y, en particular, en el artículo 255 la cotización durante los períodos de actividad en el Sistema Especial para Trabajadores por Cuenta Ajena Agrarios se someterá a las siguientes condiciones:

A) A partir del año 2012, las bases de cotización por todas las contingencias y conceptos de recaudación conjunta se determinarán conforme a lo establecido en el artículo 147 según lo previsto en el artículo 255.

En el citado ejercicio, la base máxima de cotización aplicable será de 1.800 euros mensuales o 78,26 euros por jornada realizada. Las futuras Leyes de Presupuestos Generales del Estado, en un plazo de cuatro años a contar desde 2012, aumentarán la base máxima de cotización para equipararla a la existente en el Régimen General, estableciendo un incremento porcentual de las reducciones previstas en la letra C) de este apartado, de forma que los incrementos de cotización no superen, en términos anuales, los máximos previstos para las bases de cotización, situados en 1.800 euros.

B) Respecto a los trabajadores incluidos en los grupos de cotización 2 a 11, el tipo de cotización aplicable a cargo del empresario será del 15,95 por ciento en el año 2012, incrementándose anualmente en 0,45 puntos porcentuales durante el periodo 2013-2021, en 0,24 puntos porcentuales durante el periodo 2022-2026 y en 0,48 puntos porcentuales durante el periodo 2027-2031, alcanzándose en 2031 el tipo del 23,60 por ciento, con arreglo a la siguiente escala:

      2012 - 15,95 %
      2013 - 16,40 %
      2014 - 16,85 %
      2015 - 17,30 %
      2016 - 17,75 %
      2017 - 18,20 %
      2018 - 18,65 %
      2019 - 19,10 %
      2020 - 19,55 %
      2021 - 20,00 %
      2022 - 20,24 %
      2023 - 20,48 %
      2024 - 20,72 %

2025 - 20,96 %
2026 - 21,20 %
2027 - 21,68 %
2028 - 22,16 %
2029 - 22,64 %
2030 - 23,12 %
2031 - 23,60 %

C) A partir del año 2012, se aplicarán las siguientes reducciones en la aportación empresarial a la cotización por contingencias comunes:

a) Respecto a los trabajadores incluidos en el grupo 1 de cotización se aplicará, durante el período 2012-2031, una reducción de 8,10 puntos porcentuales de la base de cotización, resultando un tipo efectivo de cotización por contingencias comunes del 15,50 por ciento para dicho período.

b) Respecto a los trabajadores incluidos en los grupos de cotización 2 a 11, la reducción se ajustará a las siguientes reglas:

1.ª Para bases de cotización iguales o inferiores a 986,70 € mensuales o a 42,90 € por jornada realizada, las reducciones a aplicar, en puntos porcentuales de la base de cotización, serán las establecidas en la siguiente tabla:

2012 - 6,15%
2013 - 6,33%
2014 - 6,50%
2015 - 6,68%
2016 - 6,83%
2017 - 6,97%
2018 - 7,11%
2019 - 7,20%
2020 - 7,29%
2021 - 7,36%
2022 - 7,40%
2023 - 7,40%
2024 - 7,40%
2025 - 7,40%
2026 - 7,40%
2027 - 7,60%
2028 - 7,75%
2029 - 7,90%

2030 - 8,00%

2031 - 8,10%

2.ª Para bases de cotización superiores a las cuantías indicadas en la regla anterior y hasta 1.800 euros mensuales o 78,26 euros por jornada realizada, les será de aplicación, durante el período 2012-2021, el porcentaje resultante de aplicar las siguientes fórmulas:

Para bases mensuales de cotización la fórmula a aplicar será:

$$\%reducción\ mes\ (año\ X) = \%reducción\ año\ X\ de\ la\ tabla \times \left(1 + \frac{Base\ mes\ (año\ X) - 966,70}{Base\ mes\ (año\ X)} \times 2,52 \times \frac{6,15\%}{\%reducción\ año\ X\ de\ la\ tabla}\right)$$

X = año natural entre 2012 y 2021 para el que se calcula la reducción.

Para bases de cotización por jornadas reales la fórmula a aplicar será:

$$\%reducción\ jornada\ (año\ X) = \%reducción\ año\ X\ de\ la\ tabla \times \left(1 + \frac{Base\ jornada\ (año\ X) - 42,90}{Base\ jornada\ (año\ X)} \times 2,52 \times \frac{6,15\%}{\%reducción\ año\ X\ de\ la\ tabla}\right)$$

X = año natural entre 2012 y 2021 para el que se calcula la reducción.

Para el período 2022-2030, las reducciones a aplicar en puntos porcentuales de la base de cotización serán las resultantes de la siguiente fórmula:

$$\%reducción\ año\ 2021\ base\ mes\ o\ jornada\ (año\ X) + \left(\frac{8,1\% - \%reducción\ año\ 2021\ base\ mes\ o\ jornada\ (año\ X)}{10} \times (año\ X - 2021)\right)$$

con encabezado: %reducción mes o jornada (año X) =

X = año natural entre 2022 y 2030 para el que se calcula la reducción.

Las reducciones para el año 2031 serán del 8,10 por ciento en todos los casos.

En los supuestos de cotización por bases mensuales, cuando los trabajadores inicien o finalicen su actividad sin coincidir con el principio o fin de un mes natural, las reducciones a que se refiere esta letra C) serán proporcionales a los días trabajados en el mes.

2. Durante las situaciones de incapacidad temporal, riesgo durante el embarazo y riesgo durante la lactancia natural, así como de maternidad y paternidad causadas durante los períodos de actividad, la aportación empresarial a la cotización será objeto de las siguientes reducciones:

a) En la cotización por contingencias comunes, una reducción en el año 2012 de 13,20 puntos porcentuales de la base de cotización que se incrementará anualmente en 0,45 puntos porcentuales durante el periodo 2013-2021, en 0,24 puntos porcentuales durante el periodo 2022-2026 y en 0,48 puntos

porcentuales durante el periodo 2027-2031, alcanzándose en 2031 una reducción de 20,85 puntos porcentuales, con arreglo a la siguiente escala:

2012 - 13,20
2013 - 13,65
2014 - 14,10
2015 - 14,55
2016 - 15,00
2017 - 15,45
2018 - 15,90
2019 - 16,35
2020 - 16,80
2021 - 17,25
2022 - 17,49
2023 - 17,73
2024 - 17,97
2025 - 18,21
2026 - 18,45
2027 - 18,93
2028 - 19,41
2029 - 19,89
2030 - 20,37
2031 - 20,85

b) En la cotización por desempleo, una reducción en la cuota equivalente
a 2,75 puntos porcentuales de la base de cotización.

3. Las reducciones en la cotización establecidas en esta disposición podrán
actualizarse cada tres años mediante las futuras Leyes de Presupuestos Generales del Estado, en función de la evolución del Índice de Precios de Consumo
experimentado en tales períodos de tiempo.

**Disposición transitoria decimonovena.** *Régimen de encuadramiento de
determinados socios de trabajo*. Sin perjuicio de lo dispuesto en el artículo
14.2 de esta ley, las cooperativas que, al amparo de la disposición transitoria
séptima de la Ley 3/1987, de 2 de abril, General de Cooperativas, optaron por
mantener la asimilación de sus socios de trabajo a trabajadores autónomos, a
efectos de Seguridad Social, conservarán ese derecho de opción en los términos establecidos en el artículo 14.1.

No obstante, si dichas cooperativas modificaran el régimen de encuadramiento de sus socios de trabajo, para su incorporación como trabajadores por cuenta ajena, en el régimen que corresponda, no podrán volver a ejercitar el derecho de opción.

**Disposición transitoria vigésima.** *Validez a efectos de prestaciones de cuotas anteriores al alta en el Régimen Especial de la Seguridad Social de los Trabajadores por Cuenta propia o Autónomos.* Lo previsto en el artículo 319 únicamente será de plena aplicación respecto de las altas que se hayan formalizado a partir de 1 de enero de 1994.

Respecto de las altas anteriores a 1 de enero de 1994 el citado artículo únicamente será de aplicación a las prestaciones causadas desde el 1 de enero de 2022.

Disposición transitoria vigésima redactada por la Ley 22/2021, de 28 de diciembre, de presupuestos generales del Estado para el año 2022 (BOE núm. 312, 29 de diciembre de 2021).

– *Lo previsto en la disposición adicional 9.ª de la Ley General de la Seguridad Social de 1994 no significa en ningún caso la convalidación de las cotizaciones ingresadas con posterioridad a producirse el hecho causante de la prestación y que correspondan a períodos posteriores al alta en el Régimen Especial de Trabajadores Autónomos* (SSTS de 7 de febrero [Rec. 1304/1991] y 18 de diciembre de 1992 [Rec. 1238/1992], 24 de enero de 1994 [*Tol* 267283] y 9 de noviembre de 1995 [*Tol 235703*]).

– *Las cuotas prescritas (ingresadas después del hecho causante) no son computables a efectos carenciales, en la medida en que la carencia comporta haber cumplido con la efectiva obligación de cotizar, no puede pretenderse que aquellas cotizaciones no pagadas antes de la producción del hecho causante, sirvan para acreditar la carencia misma, y ello porque, aunque se permite el ingreso de las cotizaciones pendientes de pago, previa invitación de la entidad gestora, tal invitación procede una vez cubierto el período de cotización y para cumplir el requisito de estar al corriente en el pago de las cuotas sin que tal beneficio alcance a las cotizaciones prescritas* (SSTS de 3 de febrero de 1993 [*Tol 233783*]. 29 de junio de 2016 [*Tol 5776191*] y 7 de marzo de 2019 [*Tol 7153450*]).

– *Las cotizaciones que hubieran precedido a las afiliaciones practicadas antes del 1 de octubre de 1970 a aquellas entidades podrán ser computadas como si se tratase de cotizaciones correspondientes a períodos posteriores a aquella afiliación porque en la normativa aplicable a las mismas no se distinguió entre unas y otras cotizaciones* (SSTS de 24 de enero de 1994 (*Tol 267283*), 23 de marzo de 1995 [*Tol 236868*] y 25 de junio de 1996 [*Tol 235679*]).

– *La disposición adicional 9.ª de la Ley General de la Seguridad Social de 1994 establece la validez, a efectos de prestaciones, de las cuotas anteriores al alta en el Régimen Especial de Trabajadores Autónomos, una vez hayan sido ingresadas con los recargos que legalmente procedan, siempre que se trate de hechos posteriores a la entrada en vigor de la legislación que reconoce tal validez, sin que sean posibles efectos retroactivos* (SSTS de 30 de abril [*Tol 235636*], 19 de junio [*Tol 235661*], 10 y 11 de octubre de 1996 [*Tol 235909 y 236200*], 28 de febrero [*Tol 237487*], 11, 12, 17, 18 y 20 de marzo [*Tol 237541, 238008, 237501,*

659 TR DE LA LEY GENERAL DE LA SEGURIDAD SOCIAL **D.T. 22.ª**

238065 y 237563], 22 de abril [*Tol 238225*], 5 y 20 de mayo [*Tol 237363 y 237616*], 7 de julio [*Tol 237787*] y 16 de diciembre de 1997 [*Tol 237721*], 26 de enero [*Tol 47368*] y 22 de julio de 1998 [*Tol 23065*], 3 de noviembre de 1999 [*Tol 45924*] y 27 de marzo [*Tol 32211*] y 21 de noviembre de 2001 [*Tol 178963*], 15 de enero de 2008 [*Tol 1320659*], 20 de enero de 2015 [*Tol 4738060*] y 18 de julio de 2023 [*Tol 9661382*]).

**Disposición transitoria vigésima primera.** *Integración de entidades sustitutorias.* El Gobierno, a propuesta del Ministerio de Empleo y Seguridad Social, determinará la forma y condiciones en que se integrarán en el Régimen General de la Seguridad Social, o en alguno de sus regímenes especiales, aquellos colectivos asegurados en entidades sustitutorias aún no integrados que, de acuerdo con lo dispuesto en esta ley, se encuentren comprendidos en el campo de aplicación del sistema de la Seguridad Social. Las normas que se establezcan contendrán las disposiciones de carácter económico que compensen, en cada caso, la integración dispuesta.

**Disposición transitoria vigésima segunda.** *Deudas con la Seguridad Social de los clubes de fútbol.* 1. En el marco del Convenio de Saneamiento del Fútbol Profesional a que se refiere la disposición adicional decimoquinta de la Ley 10/1990, de 15 de octubre, del Deporte, la Liga de Fútbol Profesional asumirá el pago de las deudas con la Seguridad Social a 31 de diciembre de 1989, de las que quedarán liberados los clubes de fútbol que hayan suscrito los correspondientes convenios particulares con la Liga Profesional.

Las deudas expresadas en el párrafo anterior se entienden referidas a las de aquellos clubes que, en las temporadas 1989/1990 y 1990/1991, participaban en competiciones oficiales de la Primera y Segunda División A de fútbol.

2. Igualmente, y al objeto de hacer frente a los compromisos contraídos en el Plan de Saneamiento de 1985, la Liga de Fútbol Profesional asumirá el pago de las deudas con la Seguridad Social referidas a aquellos otros Clubes incluidos en el citado Plan y no contemplados en el segundo párrafo del apartado anterior, que fueron devengadas con anterioridad a dicho Plan y que se encontraban pendientes de pago a 31 de diciembre de 1989.

3. En caso de impago total o parcial por la Liga Profesional de las deudas a que se alude en los números anteriores, las garantías a que se refiere el apartado 3 de la disposición transitoria tercera de la Ley 10/1990, de 15 de octubre, del Deporte, serán ejecutadas, en vía de apremio, por los órganos de recaudación de la Seguridad Social, imputándose el importe obtenido en proporción a las deudas impagadas.

4. En el marco del Convenio de Saneamiento, y una vez asumidas por la Liga Nacional de Fútbol Profesional las deudas de los clubes de fútbol que, por todos los conceptos, estos contrajeron con la Seguridad Social, se podrá acordar su aplazamiento de pago durante un período máximo de doce años, con sujeción a lo previsto en los artículos 31 y siguientes del vigente Reglamento General de Recaudación de la Seguridad Social, aprobado por el Real Decreto 1415/2004, de 11 de junio.

Los pagos se efectuarán mediante amortizaciones semestrales, devengando las cantidades aplazadas los correspondientes intereses de demora que se ingresarán en el último plazo de cada deuda aplazada.

**Disposición transitoria vigésima tercera.** *Conciertos para la recaudación.* La facultad de concertar los servicios de recaudación, concedida por el artículo 21 a la Tesorería General de la Seguridad Social, subsistirá hasta tanto se organice un sistema de recaudación unificado para el Estado y la Seguridad Social.

**Disposición transitoria vigésima cuarta.** *Incompatibilidad de las prestaciones no contributivas.* 1. La condición de beneficiario de las pensiones no contributivas de la Seguridad Social será incompatible con la percepción de las pensiones asistenciales, reguladas en la Ley 45/1960, de 21 de julio, por la que se crean determinados Fondos Nacionales para la aplicación social del Impuesto y del Ahorro, y suprimidas por la Ley 28/1992, de 24 de noviembre, de Medidas Presupuestarias Urgentes, así como de los subsidios de garantía de ingresos mínimos y por ayuda de tercera persona, a que se refieren el artículo 8.3 y la disposición transitoria única del texto refundido de la Ley General de derechos de las personas con discapacidad y de su inclusión social, aprobado por Real Decreto Legislativo 1/2013, de 29 de noviembre.

2. La percepción de las asignaciones económicas por hijo con discapacidad a cargo, establecidas en el artículo 353.2. b) y c), será incompatible con la condición, por parte del hijo con discapacidad, de beneficiario de las pensiones asistenciales, reguladas en la Ley 45/1960, de 21 de julio de 1960, y suprimidas por la Ley 28/1992, de 24 de noviembre, o de los subsidios de garantía de ingresos mínimos y por ayuda de tercera persona, a que se refieren el artículo 8.3 y la disposición transitoria única del texto refundido de la Ley General de derechos de las personas con discapacidad y de su inclusión social.

**Disposición transitoria vigésima quinta.** *Pervivencia de subsidios económicos de personas con discapacidad.* 1. Las personas beneficiarias de los subsidios de garantía de ingresos mínimos y por ayuda de tercera persona continuarán con el derecho a la percepción de los mismos de acuerdo con lo establecido en el artículo 8.3 y la disposición transitoria única del texto refundido de la Ley General de derechos de las personas con discapacidad y de su inclusión social, aprobado por el Real Decreto Legislativo 1/2013, de 29 de noviembre, en los términos y condiciones que se prevén en la legislación específica que los regula, salvo que los interesados pasen a percibir una pensión no contributiva, en cuyo caso se estará a lo dispuesto en la disposición transitoria vigésima cuarta de la presente ley.

2. Sin perjuicio de lo dispuesto en el apartado anterior, las normas previstas en la legislación específica respecto a los importes a percibir por los beneficiarios del subsidio de garantía de ingresos mínimos, atendidos en centros públicos o privados, quedarán suprimidas, con independencia de la participación de los beneficiarios de este subsidio en el coste de la estancia, conforme a las normas vigentes de carácter general aplicables a la financiación de tales centros.

3. En los supuestos de contratación por cuenta ajena o establecimiento por cuenta propia de los beneficiarios del subsidio de garantía de ingresos mínimos, será de aplicación a los mismos, en cuanto a recuperación automática del derecho al subsidio, lo dispuesto al efecto para los beneficiarios de la pensión de invalidez no contributiva en el artículo 363 de la presente ley. Asimismo, no se tendrán en cuenta para el cómputo anual de sus rentas, a los efectos previstos en su legislación específica aplicable, las que hubieran percibido en virtud de su actividad laboral por cuenta ajena o propia en el ejercicio económico en que se produzca la extinción del contrato o el cese de la actividad laboral.

**Disposición transitoria vigésima sexta.** *Calificación de la incapacidad permanente.* Uno. Lo dispuesto en el artículo 194 de esta ley únicamente será de aplicación a partir de la fecha en que entren en vigor las disposiciones reglamentarias a que se refiere el apartado 3 del mencionado artículo 194. Hasta que no se desarrolle reglamentariamente dicho artículo será de aplicación la siguiente redacción:

**"Artículo 194. *Grados de incapacidad permanente*.** 1. La incapacidad permanente, cualquiera que sea su causa determinante, se clasificará con arreglo a los siguientes grados:

a) Incapacidad permanente parcial para la profesión habitual.

b) Incapacidad permanente total para la profesión habitual.

c) Incapacidad permanente absoluta para todo trabajo.

d) Gran incapacidad.

2. Se entenderá por profesión habitual, en caso de accidente, sea o no de trabajo, la desempeñada normalmente por el trabajador al tiempo de sufrirlo. En caso de enfermedad común o profesional, aquella a la que el trabajador dedicaba su actividad fundamental durante el período de tiempo, anterior a la iniciación de la incapacidad, que reglamentariamente se determine.

– *La profesión habitual determinante de una situación de incapacidad permanente no es esencialmente coincidente con la labor específica que se realice en un determinado supuesto de trabajo sino aquélla que el trabajador está cualificado para realizar y a la que la empresa le haya destinado o pueda destinarle, lo que significa que no sólo hay que tener en cuenta a la hora de calificar una incapacidad permanente cuáles eran las funciones o trabajos concretos que el trabajador afectado pudiera estar desarrollando antes o las que pueda estar realizando después del accidente sino todas las que integran objetivamente su profesión, las cuales vienen delimitadas en ocasiones por las de su propia categoría profesional (SSTS de 27 de junio de 1994 [Tol 267556] y 21 de noviembre de 1996 [Tol 236997]) o en otras las de su grupo profesional, según los casos y el alcance que en cada caso tenga el ius variando empresarial de conformidad con la normativa laboral aplicable (SSTS de 27 de abril de 2005 [Rec. 998/2004], 23 de febrero de 2006 [Rec. 5135/2004], 10 de junio de 2008 [Rec. 256/2007], 25 de marzo de 2009 [Rec. 3402/2007], 10 de octubre de 2011 [Rec. 4611/2010] y 2 de noviembre de 2012 [Rec. 4074/2011]), e incluso todas las funciones que integran objetivamente la "profesión" (SSTS de 3 de mayo [Rec. 1809/2011] y 7 de junio de 2012 [Rec. 1939/2011]).*

– *A efectos de la calificación de una incapacidad permanente total para la profesión habitual consecuencia de accidente de trabajo debe tenerse en cuenta la profesión desempeñada al sufrir las lesiones origen de la incapacidad permanente (SSTS de 9 de febrero [Rec. 1545/1999] y 23 de noviembre de 2000 [Rec. 3533/1999]), con independencia de que entre la fecha del accidente de trabajo y del dictamen del Equipo de Valoración de Incapacidades hubiera transcurrido un período de tiempo más o menos dilatado (SSTS de 31 de mayo 1996 [Rec. 2759/1995], 23 de noviembre de 2000 [Rec. 3533/1999] y 8 de junio de 2005 [Rec. 1678/2004]).*

– *Profesión habitual, a efectos de la calificación de incapacidad permanente, es la desarrollada a lo largo de la vida activa, aunque en un último estadio, breve por sí mismo y más si se contrapone al muy prolongado anterior, se haya accedido a otro trabajo más liviano (STS de 9 de diciembre de 2002 [Rec. 1197/2002]).*

– *La profesión habitual que hay que tener en cuenta para la valoración de la incapacidad no puede ser la segunda actividad sino la actividad normal que se realizaba con anterioridad al reconocimiento inicial de la incapacidad (SSTS de 25 de marzo de 2009 [Rec. 3402/2007], 26 de abril de 2017 [Rec. 3050/2015], 11 de marzo de 2020 [Rec. 3777/2017], 20 de sep-*

# TR DE LA LEY GENERAL DE LA SEGURIDAD SOCIAL

tiembre de 2022 [Rec. 3861/2019], 7 de marzo de 2023 [*Tol 9482356*] y 18 de noviembre de 2025 [Rec. 1783/2024]).

*– La profesión habitual no se define en función del concreto puesto de trabajo que se desempeñaba, ni en atención a la delimitación formal del grupo profesional, sino en atención el ámbito de funciones a las que se refiere el tipo de trabajo que se realiza o puede realizarse dentro de la movilidad funcional* (SSTS de 3 de mayo [Rec. 1809/2011] y 7 de junio de 2012 [Rec. 1939/2011]).

*– En la delimitación de la profesión habitual, no cabe confundir la misma con el concreto puesto de trabajo* (STS de 26 de octubre de 2016 Rec. 1267/2015]).

*– Un futbolista profesional que ya ha cumplido los treinta años puede ser declarado en situación de incapacidad permanente total para la profesión habitual consecuencia de accidente de trabajo, puesto que no existe norma alguna que impida a un futbolista el ejercicio de su profesión a aquella edad y que, por otro lado, es razonable que a dicha edad pueda ejercerse la profesión de futbolista* (STS de 20 de diciembre de 2016 [Rec. 535/2015]).

*– La profesión habitual no se define en función del concreto puesto de trabajo que desempeña el trabajador, ni en atención a la delimitación del grupo profesional, sino en atención al ámbito de funciones a las que se refiere el tipo de trabajo que se realiza o puede realizarse; y el pase a segunda actividad no supone automáticamente un determinado grado de incapacidad permanente, pues ha de tomarse en consideración todo el contenido de la profesión y no solo las tareas que integran la segunda actividad a las que se ha destinado el trabajador* (STS de 23 de septiembre de 2020 [Rec. 2800/2018]).

3. Se entenderá por incapacidad permanente parcial para la profesión habitual la que, sin alcanzar el grado de total, ocasione al trabajador una disminución no inferior al 33 por ciento en su rendimiento normal para dicha profesión, sin impedirle la realización de las tareas fundamentales de la misma.

4. Se entenderá por incapacidad permanente total para la profesión habitual la que inhabilite al trabajador para la realización de todas o de las fundamentales tareas de dicha profesión, siempre que pueda dedicarse a otra distinta.

5. Se entenderá por incapacidad permanente absoluta para todo trabajo la que inhabilite por completo al trabajador para toda profesión u oficio.

6. Se entenderá por gran incapacidad la situación del trabajador afecto de incapacidad permanente y que, por consecuencia de pérdidas anatómicas o funcionales, necesite la asistencia de otra persona para los actos más esenciales de la vida, tales como vestirse, desplazarse, comer o análogos."

Dos. Hasta que no se desarrolle reglamentariamente dicho artículo, todas las referencias que en este texto refundido y en las demás disposiciones se realizasen a la "incapacidad permanente parcial" deberán entenderse hechas a la "incapacidad permanente parcial para la profesión habitual"; las que se realizasen a la "incapacidad permanente total" deberán entenderse hechas a la "incapacidad permanente total para la profesión habitual"; y las hechas a la "incapacidad permanente absoluta", a la "incapacidad permanente absoluta para todo trabajo".

**Disposición transitoria vigésima séptima.** *Complementos por mínimos para pensiones contributivas.* 1. La limitación prevista en el artículo 59.2 con respecto a la cuantía de los complementos necesarios para alcanzar la cuantía mínima de pensiones, no será de aplicación en relación con las pensiones que hubieran sido causadas con anterioridad a 1 de enero de 2013.

2. Asimismo, el requisito de residencia en territorio español a que hace referencia el artículo 59.1 para tener derecho al complemento para alcanzar la cuantía mínima de las pensiones, se exigirá para aquellas pensiones cuyo hecho causante se produzca a partir del día 1 de enero de 2013.

**Disposición transitoria vigésima octava.** *Acreditación de determinadas situaciones legales de desempleo.* La situación legal de desempleo en los supuestos recogidos en los párrafos 2.º, 3.º y 4.º del apartado 1.a) del artículo 267, hasta que no se desarrolle reglamentariamente dicho artículo, se acreditará por el trabajador en la forma siguiente:

1.º En el caso de extinción del contrato por muerte, jubilación o incapacidad del empresario individual, mediante comunicación escrita del empresario, sus herederos o representante legal notificando al trabajador la extinción de la relación laboral por alguna de dichas causas o bien acta de conciliación administrativa o judicial, o resolución judicial definitiva, en los términos fijados en el párrafo siguiente.

2.º En el caso de despido, mediante la notificación por escrito a que se refiere el artículo 55.1 del texto refundido de la Ley del Estatuto de los Trabajadores. En defecto de dicha notificación la acreditación se realizará mediante certificado de empresa o informe de la Inspección de Trabajo y Seguridad Social en los que consten el cese involuntario en la prestación de trabajo y su fecha de efectos, o el acta de conciliación administrativa en la que conste que el trabajador impugna el despido y el empresario no comparece.

Asimismo podrá acreditarse mediante acta de conciliación administrativa o judicial o resolución judicial definitiva declarando la procedencia o improcedencia del despido. En el supuesto de improcedencia, deberá también acreditarse que el empresario, o el trabajador cuando sea representante legal de los trabajadores, no ha optado por la readmisión.

3.º En el caso de despido basado en causas objetivas, mediante comunicación escrita al trabajador en los términos previstos en el artículo 53 del texto refundido de la Ley del Estatuto de los Trabajadores, o bien acta de conciliación administrativa o judicial o resolución judicial definitiva en los términos fijados en el párrafo anterior.

**Disposición transitoria vigésima novena.** *Cobertura de la prestación económica por incapacidad temporal de los trabajadores incorporados al Régimen Especial de la Seguridad Social de los Trabajadores por Cuenta Propia o Autónomos con anterioridad al 1 de enero de 1998.* La obligación de formalizar con una mutua colaboradora con la Seguridad Social la protección por la prestación económica por incapacidad temporal establecida en el artículo 83.1.b) no será exigible a los trabajadores incorporados al Régimen Especial de Trabajadores por Cuenta Propia o Autónomos con anterioridad al 1 de enero de 1998 y que tuvieran cubierta la misma con la entidad gestora.

**Disposición transitoria trigésima.** *Acceso al subsidio extraordinario de desempleo en determinados supuestos.* Podrán ser beneficiarios del subsidio extraordinario regulado en la disposición adicional vigésima séptima las personas que hayan agotado el subsidio por desempleo previsto en el artículo 274 en el período que media entre el 1 de marzo de 2018 y la fecha de entrada en vigor de la Ley de Presupuestos Generales del Estado para el año 2018, siempre que lo soliciten dentro del plazo de los dos meses siguientes a esta última fecha, y cumplan con los requisitos exigidos para el colectivo del apartado 1.a), en cuyo caso el derecho al subsidio extraordinario nacerá el día siguiente al de la solicitud.

En caso de que la presentación de la solicitud se realice transcurrido el plazo de dos meses se reducirá la duración del derecho en tantos días como medien entre la finalización de dicho plazo y aquella en que efectivamente se hubiera formulado la solicitud.

Disposición transitoria trigésima añadida por la Ley 6/2018, de 3 de julio, de presupuestos generales del Estado para el año 2018 (BOE núm. 162, 4 de julio de 2018).

**Disposición transitoria trigésima primera.** *Convenios especiales en el Sistema de la Seguridad Social de los cuidadores no profesionales de las* *personas en situación de dependencia existentes a la fecha de entrada en vigor del Real Decreto-Ley 6/2019, de 1 de marzo, de medidas urgentes para garantía de la igualdad de trato y de oportunidades entre mujeres y hombres en el empleo y la ocupación.* 1. Los convenios especiales en el sistema de la Seguridad Social de los cuidadores no profesionales de las personas en situación de dependencia, previstos en el Real Decreto 615/2007, de 11 de mayo, por el que se regula la Seguridad Social de los cuidadores de las personas en situación de dependencia, que se mantengan a la fecha de entrada en vigor del Real Decreto-Ley 6/2019, de 1 de marzo, se entenderán subsistentes y se regirán íntegramente por lo dispuesto en el real decreto-ley citado, quedando la cuota a abonar a cargo de la Administración General del Estado, a partir del 1 de abril de 2019.

Apartado 1 redactado por el Real Decreto-Ley 8/2019, de 8 de marzo, de medidas urgentes de protección social y de lucha contra la precariedad laboral en la jornada de trabajo (BOE núm. 61, 12 de marzo de 2019).

2. Los cuidadores no profesionales que acrediten que las personas en situación de dependencia por ellos atendidas eran beneficiarias de la prestación económica regulada en el artículo 18 de la Ley 39/2006, de 14 de diciembre, de promoción de la autonomía personal y atención a las personas en situación de dependencia, con anterioridad al 1 de abril de 2019, fecha de entrada en vigor del artículo 2 del Real Decreto-Ley 6/2019, de 1 de marzo, de medidas urgentes para garantía de la igualdad de trato y de oportunidades entre mujeres y hombres en el empleo y la ocupación, podrán solicitar la suscripción de este convenio especial con efectos desde esa fecha, siempre que formulen su solicitud dentro de los 90 días naturales siguientes a la misma. Transcurrido dicho plazo, los efectos tendrán lugar desde la fecha en que se haya solicitado su suscripción

Disposición transitoria trigésima primera añadida por el Real Decreto-Ley 6/2019, de 1 de marzo, de medidas urgentes para garantía de la igualdad de trato y de oportunidades entre mujeres y hombres en el empleo y la ocupación (BOE núm. 57, 7 de marzo de 2019).

**Disposición transitoria trigésima segunda.** *Periodo transitorio para el abono del periodo no obligatorio de la prestación por nacimiento y cuidado de menor.* En el supuesto de que los beneficiarios de la prestación por nacimiento y cuidado de menor regulada en el capítulo VI del título II del texto refundido de la Ley General de la Seguridad Social, aprobado por Real Decreto

Legislativo 8/2015, de 30 de octubre, una vez transcurridas las primeras seis semanas inmediatamente posteriores al parto, disfruten de las diez semanas de manera interrumpida, el abono de la prestación de estos periodos no se producirá hasta el agotamiento total del disfrute de los mismos, en tanto no se realicen, por parte de la Entidad Gestora, los desarrollos informáticos necesarios en los aplicativos de gestión, trámite y pago de la citada prestación.

Disposición transitoria trigésima segunda añadida por el Real Decreto-Ley 6/2019, de 1 de marzo, de medidas urgentes para garantía de la igualdad de trato y de oportunidades entre mujeres y hombres en el empleo y la ocupación (BOE núm. 57, 7 de marzo de 2019).

**Disposición transitoria trigésima tercera.** *Mantenimiento transitorio del complemento por maternidad en las pensiones contributivas del sistema de la Seguridad Social.* Quienes en la fecha de entrada en vigor de la modificación prevista en el artículo 60, estuvieran percibiendo el complemento por maternidad por aportación demográfica, mantendrán su percibo.

La percepción de dicho complemento de maternidad será incompatible con el complemento de pensiones contributivas para la reducción de la brecha de género que pudiera corresponder por el reconocimiento de una nueva pensión pública, pudiendo las personas interesadas optar entre uno u otro.

En el supuesto de que el otro progenitor, de alguno de los hijos o hijas, que dio derecho al complemento de maternidad por aportación demográfica, solicite el complemento de pensiones contributivas para la reducción de la brecha de género y le corresponda percibirlo, por aplicación de lo establecido en el artículo 60 de esta ley o de la disposición adicional decimoctava del texto refundido de la Ley de Clases Pasivas del Estado, aprobado por el Real Decreto legislativo 670/1987, de 30 de abril, la cuantía mensual que le sea reconocida se deducirá del complemento por maternidad que se viniera percibiendo, con efectos económicos desde el primer día del mes siguiente al de la resolución, siempre que la misma se dicte dentro de los seis meses siguientes a la solicitud o, en su caso, al reconocimiento de la pensión que la cause; pasado dicho plazo, los efectos se producirán desde el primer día del séptimo mes siguiente a esta.

Disposición transitoria trigésima tercera añadida por el Real Decreto-Ley 3/2021, de 2 de febrero, por el que se adoptan medidas para la reducción de la brecha de género y otras materias en los ámbitos de la Seguridad Social y económico (BOE núm. 29, 3 de febrero de 2021).

– *El legislador, al margen de aquellas singularidades que solo afectan al complemento por aportación demográfica que no confluya con el nuevo régimen, y que se mantienen intactos, ha querido solventar, por medio de esta figura normativa —disposición transitoria— la incidencia de los derechos ya reconocidos bajo el régimen anterior con el nuevo, acudiendo a una regla de minoración cuantitativa del derecho prestacional anterior cuando concurre con el redefinido, lo que no se cuestiona en su constitucionalidad, ya que tan solo está afectando a la cuantía que no al derecho que sigue vigente y que puede, incluso, verse restaurado en caso de que se extinga la pensión del otro beneficiario; lo que significa que, como prestación pública con cargo a la seguridad social, sus derechos no quedan alterados aunque puedan ser modificados en un contenido concreto por vía legislativa que encuentra justificación ante la nueva ordenación o redefinición de la prestación que, no solo no se configura como vitalicia, ya que, aunque tardará, desaparecerá cuando la brecha de género lo haga, y, por otro lado, en lo que a la cuantía se refiere, no viene determinada ya por el porcentaje de la pensión a la que se anuda —como sucede con el de aportación demográfica—, sino a una cuantía fijada en la correspondiente Ley de Presupuestos Generales del Estado* (SSTS de 6 de junio [Rec. 2808/2022] y 21 de diciembre de 2023 [Rec. 5741/2022], 29 de enero [Rec. 894/2023, 4389/2022, 5127/2022, 5387/2022, 5742/2022 y 5808/2022], 23 de febrero [Rec. 808/2023 y 1644/2023], 25, 26 y 29 de abril [Rec. 4878/2022, 5352/2022, 505/2023, 1034/2023 y 1127/2023, 1349/2023 y 1353/2023, y 1989/2023] 2103/2023], 30 y 31 de mayo [Rec. 5743/2022 y 46/2023, y 1272/2023 y 1352/2023] y 4 de junio de 2024 [Rec. 2709/2023, 2939/2023 y 3079/2023] y 12 [Rec. 3021/2023, 3496/2023 y 4429/2023] y 25 de septiembre de 2024 [Rec. 403/2022], y 27 de mayo [Rec. 4426/23 y 1576/24], 24 de junio [Rec. 4489/2022 y 196/2023] y 3 de diciembre de 2025 [Rec. 2612/2024]).

– *Cuando un progenitor percibe el complemento de pensión por aportación demográfica y el otro pasa a percibir el complemento por brecha de género procede la minoración en la cuantía que se reconoce al segundo* (STS de 27 de mayo de 2025 [Rec. 5155/2023]).

**Disposición transitoria trigésima cuarta.** *Aplicación gradual de coeficientes reductores de la edad de jubilación según lo previsto en el artículo 210.3 cuando la pensión supere el límite establecido para el importe de las pensiones.* 1. Lo dispuesto en el apartado 2 de esta disposición transitoria en relación con el segundo párrafo del artículo 210.3 de esta ley sólo resultará de aplicación en la medida en que la evolución de la pensión máxima del sistema absorba completamente el efecto del aumento de coeficientes respecto a los vigentes en 2021 para aquellos trabajadores con base reguladora superior a la pensión máxima, de manera que la pensión reconocida no resulte en ningún caso inferior a la que habría correspondido con la aplicación de las normas vigentes en 2021.

2. La previsión del segundo párrafo del apartado 3 del artículo 210 de esta ley entrará en vigor a partir del 1 de enero de 2024 y se hará de forma gradual en un plazo de diez años, de acuerdo con los coeficientes reductores que resultan de los siguientes cuadros, en función del periodo de cotización acreditado y los meses de anticipación; hasta esa fecha permanecerá vigente

el párrafo segundo del artículo 210.3 en la redacción establecida por el Real Decreto-legislativo 8/2015, de 30 de octubre, por el que se aprueba el texto refundido de la Ley General de la Seguridad Social. Los cuadros de referencia son los que figuran a continuación:

*Período cotizado inferior a treinta y ocho años y seis meses*

| Meses Anticipo | 2024 | 2025 | 2026 | 2027 | 2028 | 2029 | 2030 | 2031 | 2032 | 2033 |
|---|---|---|---|---|---|---|---|---|---|---|
| 24 | 5,70 | 7,40 | 9,10 | 10,80 | 12,50 | 14,20 | 15,90 | 17,60 | 19,30 | 21,00 |
| 23 | 5,36 | 6,72 | 8,08 | 9,44 | 10,80 | 12,16 | 13,52 | 14,88 | 16,24 | 17,60 |
| 22 | 5,07 | 6,13 | 7,20 | 8,27 | 9,34 | 10,40 | 11,47 | 12,54 | 13,60 | 14,67 |
| 21 | 4,41 | 5,31 | 6,22 | 7,13 | 8,04 | 8,94 | 9,85 | 10,76 | 11,66 | 12,57 |
| 20 | 4,25 | 5,00 | 5,75 | 6,50 | 7,25 | 8,00 | 8,75 | 9,50 | 10,25 | 11,00 |
| 19 | 4,13 | 4,76 | 5,38 | 6,01 | 6,64 | 7,27 | 7,90 | 8,52 | 9,15 | 9,78 |
| 18 | 3,58 | 4,16 | 4,74 | 5,32 | 5,90 | 6,48 | 7,06 | 7,64 | 8,22 | 8,80 |
| 17 | 3,50 | 4,00 | 4,50 | 5,00 | 5,50 | 6,00 | 6,50 | 7,00 | 7,50 | 8,00 |
| 16 | 3,43 | 3,87 | 4,30 | 4,73 | 5,17 | 5,60 | 6,03 | 6,46 | 6,90 | 7,33 |
| 15 | 2,93 | 3,35 | 3,78 | 4,21 | 4,64 | 5,06 | 5,49 | 5,92 | 6,34 | 6,77 |
| 14 | 2,88 | 3,26 | 3,64 | 4,02 | 4,40 | 4,77 | 5,15 | 5,53 | 5,91 | 6,29 |
| 13 | 2,84 | 3,17 | 3,51 | 3,85 | 4,19 | 4,52 | 4,86 | 5,20 | 5,53 | 5,87 |
| 12 | 2,35 | 2,70 | 3,05 | 3,40 | 3,75 | 4,10 | 4,45 | 4,80 | 5,15 | 5,50 |
| 11 | 2,32 | 2,64 | 2,95 | 3,27 | 3,59 | 3,91 | 4,23 | 4,54 | 4,86 | 5,18 |
| 10 | 2,29 | 2,58 | 2,87 | 3,16 | 3,45 | 3,73 | 4,02 | 4,31 | 4,60 | 4,89 |
| 9 | 1,81 | 2,13 | 2,44 | 2,75 | 3,07 | 3,38 | 3,69 | 4,00 | 4,32 | 4,63 |
| 8 | 1,79 | 2,08 | 2,37 | 2,66 | 2,95 | 3,24 | 3,53 | 3,82 | 4,11 | 4,40 |
| 7 | 1,77 | 2,04 | 2,31 | 2,58 | 2,85 | 3,11 | 3,38 | 3,65 | 3,92 | 4,19 |
| 6 | 1,30 | 1,60 | 1,90 | 2,20 | 2,50 | 2,80 | 3,10 | 3,40 | 3,70 | 4,00 |
| 5 | 1,28 | 1,57 | 1,85 | 2,13 | 2,42 | 2,70 | 2,98 | 3,26 | 3,55 | 3,83 |
| 4 | 1,27 | 1,53 | 1,80 | 2,07 | 2,34 | 2,60 | 2,87 | 3,14 | 3,40 | 3,67 |
| 3 | 0,80 | 1,10 | 1,41 | 1,71 | 2,01 | 2,31 | 2,61 | 2,92 | 3,22 | 3,52 |
| 2 | 0,79 | 1,08 | 1,36 | 1,65 | 1,94 | 2,23 | 2,52 | 2,80 | 3,09 | 3,38 |
| 1 | 0,78 | 1,05 | 1,33 | 1,60 | 1,88 | 2,16 | 2,43 | 2,71 | 2,98 | 3,26 |

*Período cotizado igual o superior a treinta y ocho años y seis
meses e inferior a cuarenta y un años y seis meses*

| Meses Anticipo | 2024 | 2025 | 2026 | 2027 | 2028 | 2029 | 2030 | 2031 | 2032 | 2033 |
|---|---|---|---|---|---|---|---|---|---|---|
| 24 | 5,50 | 7,00 | 8,50 | 10,00 | 11,50 | 13,00 | 14,50 | 16,00 | 17,50 | 19,00 |
| 23 | 5,25 | 6,50 | 7,75 | 9,00 | 10,25 | 11,50 | 12,75 | 14,00 | 15,25 | 16,50 |
| 22 | 5,00 | 6,00 | 7,00 | 8,00 | 9,00 | 10,00 | 11,00 | 12,00 | 13,00 | 14,00 |
| 21 | 4,35 | 5,20 | 6,05 | 6,90 | 7,75 | 8,60 | 9,45 | 10,30 | 11,15 | 12,00 |
| 20 | 4,20 | 4,90 | 5,60 | 6,30 | 7,00 | 7,70 | 8,40 | 9,10 | 9,80 | 10,50 |
| 19 | 4,08 | 4,67 | 5,25 | 5,83 | 6,42 | 7,00 | 7,58 | 8,16 | 8,75 | 9,33 |
| 18 | 3,54 | 4,08 | 4,62 | 5,16 | 5,70 | 6,24 | 6,78 | 7,32 | 7,86 | 8,40 |
| 17 | 3,46 | 3,93 | 4,39 | 4,86 | 5,32 | 5,78 | 6,25 | 6,71 | 7,18 | 7,64 |
| 16 | 3,40 | 3,80 | 4,20 | 4,60 | 5,00 | 5,40 | 5,80 | 6,20 | 6,60 | 7,00 |
| 15 | 2,90 | 3,29 | 3,69 | 4,08 | 4,48 | 4,88 | 5,27 | 5,67 | 6,06 | 6,46 |
| 14 | 2,85 | 3,20 | 3,55 | 3,90 | 4,25 | 4,60 | 4,95 | 5,30 | 5,65 | 6,00 |
| 13 | 2,81 | 3,12 | 3,43 | 3,74 | 4,05 | 4,36 | 4,67 | 4,98 | 5,29 | 5,60 |
| 12 | 2,33 | 2,65 | 2,98 | 3,30 | 3,63 | 3,95 | 4,28 | 4,60 | 4,93 | 5,25 |
| 11 | 2,29 | 2,59 | 2,88 | 3,18 | 3,47 | 3,76 | 4,06 | 4,35 | 4,65 | 4,94 |
| 10 | 2,27 | 2,53 | 2,80 | 3,07 | 3,34 | 3,60 | 3,87 | 4,14 | 4,40 | 4,67 |
| 9 | 1,79 | 2,08 | 2,38 | 2,67 | 2,96 | 3,25 | 3,54 | 3,84 | 4,13 | 4,42 |
| 8 | 1,77 | 2,04 | 2,31 | 2,58 | 2,85 | 3,12 | 3,39 | 3,66 | 3,93 | 4,20 |
| 7 | 1,75 | 2,00 | 2,25 | 2,50 | 2,75 | 3,00 | 3,25 | 3,50 | 3,75 | 4,00 |
| 6 | 1,28 | 1,56 | 1,85 | 2,13 | 2,41 | 2,69 | 2,97 | 3,26 | 3,54 | 3,82 |
| 5 | 1,27 | 1,53 | 1,80 | 2,06 | 2,33 | 2,59 | 2,86 | 3,12 | 3,39 | 3,65 |
| 4 | 1,25 | 1,50 | 1,75 | 2,00 | 2,25 | 2,50 | 2,75 | 3,00 | 3,25 | 3,50 |
| 3 | 0,79 | 1,07 | 1,36 | 1,64 | 1,93 | 2,22 | 2,50 | 2,79 | 3,07 | 3,36 |
| 2 | 0,77 | 1,05 | 1,32 | 1,59 | 1,87 | 2,14 | 2,41 | 2,68 | 2,96 | 3,23 |
| 1 | 0,76 | 1,02 | 1,28 | 1,54 | 1,81 | 2,07 | 2,33 | 2,59 | 2,85 | 3,11 |

*Período cotizado igual o superior a cuarenta y un años y seis
meses e inferior a cuarenta y cuatro años y seis meses*

| Meses Anticipo | 2024 | 2025 | 2026 | 2027 | 2028 | 2029 | 2030 | 2031 | 2032 | 2033 |
|---|---|---|---|---|---|---|---|---|---|---|
| 24 | 5,30 | 6,60 | 7,90 | 9,20 | 10,50 | 11,80 | 13,10 | 14,40 | 15,70 | 17,00 |
| 23 | 5,10 | 6,20 | 7,30 | 8,40 | 9,50 | 10,60 | 11,70 | 12,80 | 13,90 | 15,00 |

| Meses Anticipo | 2024 | 2025 | 2026 | 2027 | 2028 | 2029 | 2030 | 2031 | 2032 | 2033 |
|---|---|---|---|---|---|---|---|---|---|---|
| 22 | 4,93 | 5,87 | 6,80 | 7,73 | 8,67 | 9,60 | 10,53 | 11,46 | 12,40 | 13,33 |
| 21 | 4,29 | 5,09 | 5,88 | 6,67 | 7,47 | 8,26 | 9,05 | 9,84 | 10,64 | 11,43 |
| 20 | 4,15 | 4,80 | 5,45 | 6,10 | 6,75 | 7,40 | 8,05 | 8,70 | 9,35 | 10,00 |
| 19 | 4,04 | 4,58 | 5,12 | 5,66 | 6,20 | 6,73 | 7,27 | 7,81 | 8,35 | 8,89 |
| 18 | 3,50 | 4,00 | 4,50 | 5,00 | 5,50 | 6,00 | 6,50 | 7,00 | 7,50 | 8,00 |
| 17 | 3,43 | 3,85 | 4,28 | 4,71 | 5,14 | 5,56 | 5,99 | 6,42 | 6,84 | 7,27 |
| 16 | 3,37 | 3,73 | 4,10 | 4,47 | 4,84 | 5,20 | 5,57 | 5,94 | 6,30 | 6,67 |
| 15 | 2,87 | 3,23 | 3,60 | 3,96 | 4,33 | 4,69 | 5,06 | 5,42 | 5,79 | 6,15 |
| 14 | 2,82 | 3,14 | 3,46 | 3,78 | 4,11 | 4,43 | 4,75 | 5,07 | 5,39 | 5,71 |
| 13 | 2,78 | 3,07 | 3,35 | 3,63 | 3,92 | 4,20 | 4,48 | 4,76 | 5,05 | 5,33 |
| 12 | 2,30 | 2,60 | 2,90 | 3,20 | 3,50 | 3,80 | 4,10 | 4,40 | 4,70 | 5,00 |
| 11 | 2,27 | 2,54 | 2,81 | 3,08 | 3,36 | 3,63 | 3,90 | 4,17 | 4,44 | 4,71 |
| 10 | 2,24 | 2,49 | 2,73 | 2,98 | 3,22 | 3,46 | 3,71 | 3,95 | 4,20 | 4,44 |
| 9 | 1,77 | 2,04 | 2,31 | 2,58 | 2,86 | 3,13 | 3,40 | 3,67 | 3,94 | 4,21 |
| 8 | 1,75 | 2,00 | 2,25 | 2,50 | 2,75 | 3,00 | 3,25 | 3,50 | 3,75 | 4,00 |
| 7 | 1,73 | 1,96 | 2,19 | 2,42 | 2,66 | 2,89 | 3,12 | 3,35 | 3,58 | 3,81 |
| 6 | 1,26 | 1,53 | 1,79 | 2,06 | 2,32 | 2,58 | 2,85 | 3,11 | 3,38 | 3,64 |
| 5 | 1,25 | 1,50 | 1,74 | 1,99 | 2,24 | 2,49 | 2,74 | 2,98 | 3,23 | 3,48 |
| 4 | 1,23 | 1,47 | 1,70 | 1,93 | 2,17 | 2,40 | 2,63 | 2,86 | 3,10 | 3,33 |
| 3 | 0,77 | 1,04 | 1,31 | 1,58 | 1,85 | 2,12 | 2,39 | 2,66 | 2,93 | 3,20 |
| 2 | 0,76 | 1,02 | 1,27 | 1,53 | 1,79 | 2,05 | 2,31 | 2,56 | 2,82 | 3,08 |
| 1 | 0,75 | 0,99 | 1,24 | 1,48 | 1,73 | 1,98 | 2,22 | 2,47 | 2,71 | 2,96 |

*Período cotizado igual o superior a cuarenta y cuatro años y seis meses*

| Meses Anticipo | 2024 | 2025 | 2026 | 2027 | 2028 | 2029 | 2030 | 2031 | 2032 | 2033 |
|---|---|---|---|---|---|---|---|---|---|---|
| 24 | 4,90 | 5,80 | 6,70 | 7,60 | 8,50 | 9,40 | 10,30 | 11,20 | 12,10 | 13,00 |
| 23 | 4,80 | 5,60 | 6,40 | 7,20 | 8,00 | 8,80 | 9,60 | 10,40 | 11,20 | 12,00 |
| 22 | 4,70 | 5,40 | 6,10 | 6,80 | 7,50 | 8,20 | 8,90 | 9,60 | 10,30 | 11,00 |
| 21 | 4,15 | 4,80 | 5,45 | 6,10 | 6,75 | 7,40 | 8,05 | 8,70 | 9,35 | 10,00 |
| 20 | 4,07 | 4,64 | 5,21 | 5,78 | 6,35 | 6,92 | 7,49 | 8,06 | 8,63 | 9,20 |
| 19 | 3,99 | 4,48 | 4,97 | 5,46 | 5,95 | 6,44 | 6,93 | 7,42 | 7,91 | 8,40 |
| 18 | 3,46 | 3,92 | 4,38 | 4,84 | 5,30 | 5,76 | 6,22 | 6,68 | 7,14 | 7,60 |
| 17 | 3,39 | 3,78 | 4,17 | 4,56 | 4,96 | 5,35 | 5,74 | 6,13 | 6,52 | 6,91 |
| 16 | 3,33 | 3,67 | 4,00 | 4,33 | 4,67 | 5,00 | 5,33 | 5,66 | 6,00 | 6,33 |

| Meses Anticipo | 2024 | 2025 | 2026 | 2027 | 2028 | 2029 | 2030 | 2031 | 2032 | 2033 |
|---|---|---|---|---|---|---|---|---|---|---|
| 15 | 2,84 | 3,17 | 3,51 | 3,84 | 4,18 | 4,51 | 4,85 | 5,18 | 5,52 | 5,85 |
| 14 | 2,79 | 3,09 | 3,38 | 3,67 | 3,97 | 4,26 | 4,55 | 4,84 | 5,14 | 5,43 |
| 13 | 2,76 | 3,01 | 3,27 | 3,53 | 3,79 | 4,04 | 4,30 | 4,56 | 4,81 | 5,07 |
| 12 | 2,28 | 2,55 | 2,83 | 3,10 | 3,38 | 3,65 | 3,93 | 4,20 | 4,48 | 4,75 |
| 11 | 2,25 | 2,49 | 2,74 | 2,99 | 3,24 | 3,48 | 3,73 | 3,98 | 4,22 | 4,47 |
| 10 | 2,22 | 2,44 | 2,67 | 2,89 | 3,11 | 3,33 | 3,55 | 3,78 | 4,00 | 4,22 |
| 9 | 1,75 | 2,00 | 2,25 | 2,50 | 2,75 | 3,00 | 3,25 | 3,50 | 3,75 | 4,00 |
| 8 | 1,73 | 1,96 | 2,19 | 2,42 | 2,65 | 2,88 | 3,11 | 3,34 | 3,57 | 3,80 |
| 7 | 1,71 | 1,92 | 2,14 | 2,35 | 2,56 | 2,77 | 2,98 | 3,20 | 3,41 | 3,62 |
| 6 | 1,25 | 1,49 | 1,74 | 1,98 | 2,23 | 2,47 | 2,72 | 2,96 | 3,21 | 3,45 |
| 5 | 1,23 | 1,46 | 1,69 | 1,92 | 2,15 | 2,38 | 2,61 | 2,84 | 3,07 | 3,30 |
| 4 | 1,22 | 1,43 | 1,65 | 1,87 | 2,09 | 2,30 | 2,52 | 2,74 | 2,95 | 3,17 |
| 3 | 0,75 | 1,01 | 1,26 | 1,52 | 1,77 | 2,02 | 2,28 | 2,53 | 2,79 | 3,04 |
| 2 | 0,74 | 0,98 | 1,23 | 1,47 | 1,71 | 1,95 | 2,19 | 2,44 | 2,68 | 2,92 |
| 1 | 0,73 | 0,96 | 1,19 | 1,42 | 1,66 | 1,89 | 2,12 | 2,35 | 2,58 | 2,81 |

3. Sin perjuicio de lo establecido en el apartado anterior, seguirán siendo de aplicación las reglas de acceso a la modalidad de jubilación anticipada por voluntad del interesado previas a la entrada en vigor de esta disposición transitoria a las personas a las que se refiere el segundo párrafo del apartado 3 del artículo 210, siempre que la extinción del contrato de trabajo que da derecho al acceso a esta modalidad de jubilación anticipada cumpla alguna de las siguientes condiciones:

a) Que la extinción se haya producido antes de 1 de enero de 2022, siempre que con posterioridad a tal fecha la persona no vuelva a quedar incluida, por un periodo superior a 12 meses, en alguno de los regímenes del sistema de la Seguridad Social.

b) Que la extinción se produzca después de esa fecha como consecuencia de decisiones adoptadas en expedientes de regulación de empleo, o en virtud de convenios colectivos de cualquier ámbito, acuerdos colectivos de empresa o decisiones adoptadas en procedimientos concursales, que fueran aprobados con anterioridad al 1 de enero de 2022.

No obstante, para el reconocimiento del derecho a pensión de las personas a las que se refieren las letras a) y b) anteriores, la entidad gestora aplicará la legislación que esté vigente en la fecha del hecho causante de la misma, cuando resulte más favorable a estas personas.

Disposición transitoria trigésima cuarta añadida por la Ley 21/2021, de 28 de diciembre, de garantía del poder adquisitivo de las pensiones y de otras medidas de refuerzo de la sostenibilidad financiera y social del sistema público de pensiones (BOE núm. 312, de 29 de diciembre de 2021).

**Disposición transitoria trigésima quinta.** *Distribución del excedente y constitución de las reservas de estabilización correspondientes al ejercicio 2022.* Lo dispuesto en los artículos 95.2, 96.1 y 118.3 será de aplicación a la liquidación de las cuentas anuales correspondientes al ejercicio 2022 que realicen las mutuas colaboradoras con la Seguridad Social.

Disposición transitoria trigésima quinta añadida por la Ley 31/2022, de 23 de diciembre, de presupuestos generales del Estado para el año 2023 (BOE núm. 308, de 24 de diciembre de 2022).

**Disposición transitoria trigésima quinta [sic].** *Compatibilidad de la pensión contributiva de jubilación con el trabajo de los facultativos de atención primaria médicos de familia y pediatras, adscritos al sistema nacional de salud con nombramiento estatutario o funcionario.* 1. Desde el 28 de diciembre de 2022 y hasta el 31 de diciembre de 2026, los facultativos de atención primaria médicos de familia y pediatras, adscritos al Sistema Nacional de Salud con nombramiento estatutario o funcionario podrán continuar desempeñando sus funciones durante la prórroga en el servicio activo y, simultáneamente, acceder a la jubilación percibiendo el setenta y cinco por ciento del importe resultante en el reconocimiento inicial de la pensión, una vez aplicado, si procede, el límite máximo de pensión pública.

Asimismo, podrán acceder a esta compatibilidad los facultativos de atención primaria indicados en el párrafo anterior que hubieran accedido a la pensión contributiva de jubilación y se reincorporen al servicio activo, siempre que el hecho causante de dicha pensión haya tenido lugar a partir del 1 de enero de 2022 o se hubieren acogido en su día a la compatibilidad de la pensión de jubilación con el nombramiento como personal estatutario o funcionario de las y los profesionales sanitarios, realizado al amparo del Real Decreto-ley 8/2021, de 4 de mayo, por el que se adoptan medidas urgentes en el orden sanitario, social y jurisdiccional, a aplicar tras la finalización de la vigencia del estado de alarma declarado por el Real Decreto 926/2020, de 25 de octubre, por el que se declara el estado de alarma para contener la propagación de infecciones causadas por el SARS-CoV-2.

Los facultativos que a fecha 31 de diciembre de 2026 se encuentren compatibilizando la pensión de jubilación con el trabajo al amparo de lo previsto en esta disposición transitoria, podrán mantener dicha compatibilidad hasta que cesen en el servicio activo.

Apartado 1 redactado por el Real Decreto-ley 3/2026, de 3 de febrero, para la revalorización de las pensiones públicas y otras medidas urgentes en materia de Seguridad Social (BOE núm. 31, 4 de febrero de 2026).

2. La compatibilidad prevista en la presente disposición transitoria exigirá el cumplimiento de los siguientes requisitos:

a) El acceso a la pensión deberá haber tenido lugar una vez cumplida la edad que en cada caso resulte de aplicación, según lo establecido en el artículo 205.1.a) del texto refundido de la Ley General de la Seguridad Social, aprobado por Real Decreto Legislativo 8/2015, sin que, a tales efectos, sean admisibles jubilaciones acogidas a bonificaciones o anticipaciones de la edad de jubilación que pudieran ser de aplicación al interesado.

Lo previsto en el párrafo anterior no será de aplicación a los facultativos médicos que se hubieren acogido en su día a la compatibilidad de la pensión de jubilación con el nombramiento como personal estatutario o funcionario de las y los profesionales sanitarios, realizado al amparo del Real Decreto-Ley 8/2021, de 4 de mayo.

b) La compatibilidad se aplicará en caso de jornada a tiempo completo, así como en caso de jornada parcial siempre que la reducción de jornada sea, en todo caso, del cincuenta por ciento respecto de la jornada de un trabajador a tiempo completo comparable.

c) El beneficiario tendrá derecho a los complementos para pensiones inferiores a la mínima durante el tiempo en el que compatibilice la pensión con sus funciones, siempre que reúna los requisitos establecidos para ello.

d) La percepción del complemento por demora de la pensión de jubilación es compatible con el acceso a la compatibilidad prevista en la presente disposición transitoria, sin que su importe sea minorado.

e) No podrá acogerse a esta modalidad de compatibilidad el beneficiario de una pensión contributiva de jubilación de la Seguridad Social que, además de desarrollar las funciones como facultativos médicos de atención primaria, realice cualquier otro trabajo por cuenta ajena o por cuenta propia que dé lugar a su inclusión en el campo de aplicación del Régimen General o de alguno de los regímenes especiales de la Seguridad Social.

3. El beneficiario tendrá la consideración de pensionista a todos los efectos.

4. Durante la realización del trabajo compatible con la pensión de jubilación, se aplicarán las obligaciones de afiliación, alta, baja y variación de datos prevista en el artículo 16 del texto refundido de la Ley General de la Seguridad Social y la obligación de cotizar en los términos de los artículos 18 y 19 del mismo texto legal, no siendo de aplicación lo dispuesto en su artículo 153.

5. Sin perjuicio de lo previsto en el apartado 6, durante la realización del trabajo compatible estarán protegidos frente a todas las contingencias comunes y profesionales, siempre que reúnan los requisitos necesarios para causarlas, siendo de aplicación el régimen de limitación de las pensiones, incompatibilidades y el ejercicio del derecho de opción, previstos en el texto refundido de la Ley General de la Seguridad Social.

No se requerirá periodo mínimo de cotización para acceder al subsidio por incapacidad temporal derivada de enfermedad común.

6. Si durante el periodo de compatibilización se iniciara un proceso de incapacidad temporal, en todo caso el abono de la pensión de jubilación se suspenderá el día primero del mes siguiente al de la baja médica y se reanudará el día primero del mes siguiente al del alta médica.

Lo establecido en el apartado anterior se aplicará igualmente en los supuestos de recaída.

En todo caso, el derecho al subsidio por incapacidad temporal se extinguirá por la finalización del trabajo compatible, además de por las causas generales previstas en la normativa vigente.

7. Una vez finalizado el trabajo compatible, las cotizaciones realizadas durante esta situación podrán dar lugar a la modificación del porcentaje aplicable a la base reguladora de la pensión de jubilación, la cual permanecerá inalterable.

Asimismo, las cotizaciones indicadas surtirán efectos para disminuir o, en su caso, suprimir, el coeficiente reductor que se hubiese aplicado, en el momento de causar derecho a la pensión, a aquellos facultativos médicos a los que se hace referencia en el párrafo segundo del apartado 2.a), que hubieren accedido a la jubilación anticipada.

Estas cotizaciones no surtirán efecto en relación con el complemento previsto en el artículo 210.2 del texto refundido de la Ley General de la Seguridad Social y en la disposición adicional decimoséptima del texto refundido de Ley de Clases Pasivas del Estado.

Disposición transitoria trigésima sexta añadida por el Real Decreto-Ley 20/2022, de 27 de diciembre, de medidas de respuesta a las consecuencias económicas y sociales de la Guerra de Ucrania y de apoyo a la reconstrucción de la isla de La Palma y a otras situaciones de vulnerabilidad (BOE núm. 311, de 28 de diciembre de 2022, correc. BOE núm. 13, 21 de enero de 2023).

**Disposición transitoria trigésima séptima.** *Inspección médica del Instituto Nacional de la Seguridad Social*. Las referencias efectuadas en esta ley a la inspección médica del Instituto Nacional de la Seguridad Social se entenderán realizadas al órgano que realice las mismas funciones en la comunidad autónoma donde el Instituto Nacional de la Seguridad Social aun no disponga de inspección médica, hasta tanto no se constituya y entre en funcionamiento la misma.

Disposición transitoria trigésima séptima añadida por el Real Decreto-Ley 2/2023, de 16 de marzo, de medidas urgentes para la ampliación de derechos de los pensionistas, la reducción de la brecha de género y el establecimiento de un nuevo marco de sostenibilidad del sistema público de pensiones (BOE núm. 65, 17 de marzo de 2023).

**Disposición transitoria trigésima octava.** *Norma transitoria para la aplicación del tope máximo de la base de cotización*. 1. Desde el año 2024 hasta el año 2050, las sucesivas leyes de Presupuestos Generales del Estado aprobadas para ese período fijarán el tope máximo de las bases de cotización de los distintos regímenes de Seguridad de Social conforme a lo establecido en el artículo 19.3, si bien al porcentaje al que se refiere dicho artículo se le sumará una cuantía fija anual de 1,2 puntos porcentuales.

2. Cada cinco años, el Gobierno evaluará, en el marco del diálogo social, el impacto de esta subida de la base máxima y remitirá un informe a la Comisión no Permanente de Seguimiento y Evaluación de los Acuerdos del Pacto de Toledo.

Disposición transitoria trigésima octava añadida por el Real Decreto-Ley 2/2023, de 16 de marzo, de medidas urgentes para la ampliación de derechos de los pensionistas, la reducción de la brecha de género y el establecimiento de un nuevo marco de sostenibilidad del sistema público de pensiones (BOE núm. 65, 17 de marzo de 2023).

**Disposición transitoria trigésima novena.** *Norma transitoria para la determinación del límite máximo para la pensión inicial desde 1 de enero de 2025.* 1. A fin de determinar la cuantía máxima inicial prevista en el artículo 57 a las pensiones que se causen desde el año 2025, las sucesivas leyes de presupuestos generales del Estado, comenzando con la correspondiente al año 2025 y finalizando con la del año 2050, aplicarán a la cuantía máxima establecida en el año anterior el porcentaje previsto en el artículo 58.2 más un incremento adicional de 0,115 puntos porcentuales acumulativos cada año hasta 2050.

2. Las pensiones iniciales causadas desde 2025, cuyo importe se haya determinado conforme a lo dispuesto en al apartado 1, se revalorizarán en años sucesivos de acuerdo con lo establecido en el artículo 58.2.

3. Las pensiones causadas antes de 2025 cuya cuantía a 31 de diciembre de 2024 estuviese limitada por aplicación del límite máximo establecido en la Ley de Presupuestos Generales del Estado para ese año, se actualizarán en lo sucesivo aplicando al importe que tuvieran establecido en 2024 lo dispuesto en el artículo 58.2, efectuándose las sucesivas revalorizaciones anuales sobre el importe revalorizado el año anterior.

4. Desde 2051, el incremento anual adicional aplicable para determinar la cuantía máxima inicial de las pensiones causadas desde ese año hasta 2065 será el recogido en la siguiente tabla:

| | |
|---|---|
| 2051 | 3,2 |
| 2052 | 3,6 |
| 2053 | 4,1 |
| 2054 | 4,8 |
| 2055 | 5,5 |
| 2056 | 6,4 |
| 2057 | 7,4 |
| 2058 | 8,5 |
| 2059 | 9,8 |
| 2060 | 11,2 |
| 2061 | 12,7 |
| 2062 | 14,3 |
| 2063 | 16,1 |
| 2064 | 18,0 |
| 2065 | 20,0 |

En 2065, se valorará en el marco del diálogo social la conveniencia de mantener el proceso de convergencia hasta alcanzar un incremento total de 30 puntos porcentuales.

<small>Disposición transitoria trigésima novena añadida por el Real Decreto-Ley 2/2023, de 16 de marzo, de medidas urgentes para la ampliación de derechos de los pensionistas, la reducción de la brecha de género y el establecimiento de un nuevo marco de sostenibilidad del sistema público de pensiones (BOE núm. 65, 17 de marzo de 2023).</small>

**Disposición transitoria cuadragésima.** *Normas transitorias sobre la base reguladora de la pensión de jubilación.* La determinación de la base reguladora prevista en el artículo 209.1 se aplicará a todos los regímenes de la Seguridad Social de forma gradual del siguiente modo:

Desde 1 de enero de 2026, la base reguladora de la pensión de jubilación será el resultado de dividir entre 352,33 la suma de las 302 bases de cotización de mayor importe comprendidas dentro del período de los 304 meses inmediatamente anteriores al mes previo al del hecho causante.

Desde 1 de enero de 2027, la base reguladora de la pensión de jubilación será el resultado de dividir entre 354,67 la suma de las 304 bases de cotización de mayor importe comprendidas dentro del período de los 308 meses inmediatamente anteriores al mes previo al del hecho causante.

Desde 1 de enero de 2028, la base reguladora de la pensión de jubilación será el resultado de dividir entre 357,00 la suma de las 306 bases de cotización de mayor importe comprendidas dentro del período de los 312 meses inmediatamente anteriores al mes previo al del hecho causante.

Desde 1 de enero de 2029, la base reguladora de la pensión de jubilación será el resultado de dividir entre 359,33 la suma de las 308 bases de cotización de mayor importe comprendidas dentro de los 316 meses inmediatamente anteriores al mes previo al del hecho causante.

Desde 1 de enero de 2030, la base reguladora de la pensión de jubilación será el resultado de dividir entre 361,67 la suma de las 310 bases de cotización de mayor importe comprendidas dentro del período de los 320 meses inmediatamente anteriores al mes previo al del hecho causante.

Desde 1 de enero de 2031, la base reguladora de la pensión de jubilación será el resultado de dividir entre 364 la suma de las 312 bases de cotización de mayor importe comprendidas dentro del período de los 324 meses inmediatamente anteriores al mes previo al del hecho causante.

Desde 1 de enero de 2032, la base reguladora de la pensión de jubilación será el resultado de dividir entre 366,33 la suma de las 314 bases de cotización de mayor importe comprendidas dentro del período de los 328 meses inmediatamente anteriores al mes previo al del hecho causante.

Desde 1 de enero de 2033, la base reguladora de la pensión de jubilación será el resultado de dividir entre 368,67 la suma de las 316 bases de cotización de mayor importe comprendidas dentro del período de los 332 meses inmediatamente anteriores al mes previo al del hecho causante.

Desde 1 de enero de 2034, la base reguladora de la pensión de jubilación será el resultado de dividir entre 371,00 la suma de las 318 bases de cotización de mayor importe comprendidas dentro del período de los 336 meses inmediatamente anteriores al mes previo al del hecho causante.

Desde 1 de enero de 2035, la base reguladora de la pensión de jubilación será el resultado de dividir entre 373,33 la suma de las 320 bases de cotización de mayor importe comprendidas dentro del período de los 340 meses inmediatamente anteriores al mes previo al del hecho causante.

Desde 1 de enero de 2036, la base reguladora de la pensión de jubilación será el resultado de dividir entre 375,67 la suma de las 322 bases de cotización de mayor importe comprendidas dentro del período de los 344 meses inmediatamente anteriores al mes previo al del hecho causante.

Desde de 1 de enero de 2037, la base reguladora de la pensión de jubilación se calculará aplicando, en su integridad, lo establecido en el artículo 209.1.

Disposición transitoria cuadragésima añadida por el Real Decreto-Ley 2/2023, de 16 de marzo, de medidas urgentes para la ampliación de derechos de los pensionistas, la reducción de la brecha de género y el establecimiento de un nuevo marco de sostenibilidad del sistema público de pensiones (BOE núm. 65, 17 de marzo de 2023).

**Disposición transitoria cuadragésima primera.** *Integración de períodos sin obligación de cotizar para el cálculo de las pensiones de jubilación en tanto la brecha de género de las pensiones de jubilación sea superior al 5 por ciento.* En tanto la brecha de género sea superior al 5 por ciento en los términos de la disposición adicional trigésima séptima, para el cálculo de la pensión de jubilación de las mujeres trabajadoras por cuenta ajena a las que sea de aplicación la integración de períodos sin obligación de cotizar según lo dispuesto en el artículo 209.1, los meses en los que no haya existido obligación de cotizar, desde la cuadragésima novena mensualidad hasta la sexagésima, se integrarán con el 100 por ciento de la base mínima de cotización del Régimen General que corresponda al mes respectivo. Este porcentaje será del 80 por ciento de la misma base desde la mensualidad sexagésima primera a la octagésima cuarta.

Para el cálculo de la pensión de jubilación de los hombres a los que sea de aplicación el artículo 209.1.b), se aplicará lo dispuesto en el párrafo anterior respecto a las mismas mensualidades y con igual importe, siempre que en relación con alguno de los hijos acrediten los requisitos establecidos en las reglas 1.ª o 2.ª del artículo 60.1.b), si bien no se exigirá que la pensión del hombre sea superior a la del otro progenitor ni que este deba tener derecho al complemento para la reducción de la brecha de género.

La integración a que se refiere esta disposición transitoria se aplicará sin perjuicio de lo previsto en el citado artículo 209.1.b).

Disposición transitoria cuadragésima primera añadida por el Real Decreto-Ley 2/2023, de 16 de marzo, de medidas urgentes para la ampliación de derechos de los pensionistas, la reducción de la brecha de género y el establecimiento de un nuevo marco de sostenibilidad del sistema público de pensiones (BOE núm. 65, 17 de marzo de 2023).

**Disposición transitoria cuadragésima segunda.** *Aplicación de la cotización adicional de solidaridad.* La cuota adicional de solidaridad a la que se refiere el artículo 19 bis será el resultado de aplicar a cada tramo de retribución que supere la base máxima de cotización los siguientes porcentajes expresados en tanto por ciento, durante cada año desde el año 2025 hasta el año 2045:

| Año | Retribuciones desde base máxima hasta 10% adicional de la base máxima | Retribuciones desde el 10% adicional de la base máxima hasta 50% adicional de la base máxima | Retribuciones superiores al 50% adicional de la base máxima |
|---|---|---|---|
| | Tipo cotización% | Tipo cotización% | Tipo cotización% |
| 2025 | 0,92 | 1 | 1,17 |
| 2026 | 1,15 | 1,25 | 1,46 |
| 2027 | 1,38 | 1,5 | 1,75 |
| 2028 | 1,60 | 1,75 | 2,04 |
| 2029 | 1,83 | 2 | 2,33 |

| Año | Retribuciones desde base máxima hasta 10% adicional de la base máxima | Retribuciones desde el 10% adicional de la base máxima hasta 50% adicional de la base máxima | Retribuciones superiores al 50% adicional de la base máxima |
|---|---|---|---|
| | Tipo cotización% | Tipo cotización% | Tipo cotización% |
| 2030 | 2,06 | 2,25 | 2,63 |
| 2031 | 2,29 | 2,5 | 2,92 |
| 2032 | 2,52 | 2,75 | 3,21 |
| 2033 | 2,75 | 3 | 3,50 |
| 2034 | 2,98 | 3,25 | 3,79 |
| 2035 | 3,21 | 3,5 | 4,08 |
| 2036 | 3,44 | 3,75 | 4,38 |
| 2037 | 3,67 | 4 | 4,67 |
| 2038 | 3,90 | 4,25 | 4,96 |
| 2039 | 4,13 | 4,5 | 5,25 |
| 2040 | 4,35 | 4,75 | 5,54 |
| 2041 | 4,58 | 5 | 5,83 |
| 2042 | 4,81 | 5,25 | 6,13 |
| 2043 | 5,04 | 5,5 | 6,42 |
| 2044 | 5,27 | 5,75 | 6,71 |
| 2045 | 5,50 | 6,00 | 7,00 |

La distribución de los tipos de cotización por solidaridad entre empresario y trabajador mantendrá la misma proporción que la distribución del tipo general de cotización a la seguridad social por contingencias comunes.

Disposición transitoria cuadragésima segunda añadida por el Real Decreto-Ley 2/2023, de 16 de marzo, de medidas urgentes para la ampliación de derechos de los pensionistas, la reducción de la brecha de género y el establecimiento de un nuevo marco de sostenibilidad del sistema público de pensiones (BOE núm. 65, 17 de marzo de 2023).

**Disposición transitoria cuadragésima tercera.** *Aplicación del Mecanismo de Equidad Intergeneracional.* La cotización finalista del Mecanismo de Equidad Intergeneracional prevista en el artículo 127 bis tendrá efectos desde el 1 de enero de 2023 hasta el 31 de diciembre de 2050, con arreglo a la siguiente escala:

En el año 2023, será de 0,60 puntos porcentuales, de los que el 0,50 corresponderá a la empresa y el 0,10 al trabajador.

En el año 2024, será de 0,70 puntos porcentuales, de los que el 0,58 corresponderá a la empresa y el 0,12 al trabajador.

En el año 2025, será de 0,80 puntos porcentuales, de los que el 0,67 corresponderá a la empresa y el 0,13 al trabajador.

En el año 2026, será de 0,90 puntos porcentuales, de los que el 0,75 corresponderá a la empresa y el 0,15 al trabajador.

En el año 2027, será de 1 punto porcentual, del que el 0,83 corresponderá a la empresa y el 0,17 al trabajador.

En el año 2028, será de 1,10 puntos porcentuales, de los que el 0,92 corresponderá a la empresa y el 0,18 al trabajador.

En el año 2029, será de 1,2 puntos porcentuales, de los que el 1,00 corresponderá a la empresa y el 0,2 al trabajador.

Desde el año 2030 hasta 2050 se mantendrá el mismo porcentaje del 1,2, con igual distribución entre empresario y trabajador.

> Disposición transitoria cuadragésima tercera añadida por el Real Decreto-Ley 2/2023, de 16 de marzo, de medidas urgentes para la ampliación de derechos de los pensionistas, la reducción de la brecha de género y el establecimiento de un nuevo marco de sostenibilidad del sistema público de pensiones (BOE núm. 65, 17 de marzo de 2023).

**Disposición transitoria cuadragésima cuarta.** *Aplicación del artículo 60 a hechos causantes anteriores.* Lo dispuesto en el artículo 60 1.b).3.ª, en cuanto determina que para el cálculo de períodos cotizados y de bases de cotización no se tengan en cuenta los beneficios en la cotización establecidos en el artículo 237, será de aplicación para el reconocimiento del complemento de pensiones contributivas para la reducción de la brecha de género causadas desde el 4 de febrero de 2021.

> Disposición transitoria cuadragésima cuarta añadida por el Real Decreto-Ley 2/2023, de 16 de marzo, de medidas urgentes para la ampliación de derechos de los pensionistas, la reducción de la brecha de género y el establecimiento de un nuevo marco de sostenibilidad del sistema público de pensiones (BOE núm. 65, 17 de marzo de 2023).

**Disposición transitoria cuadragésima cuarta** [sic]. *Régimen transitorio de compatibilidad de las prestaciones por desempleo.* El régimen de compatibilidad como complemento de apoyo al empleo de los subsidios para emigrantes retornados y para víctimas de violencia de género o sexual, regulados en las disposiciones adicionales quincuagésima séptima y quincuagésima octava, con el trabajo por cuenta ajena será de aplicación a partir de 1 de junio de 2025.

En el periodo desde el 1 de noviembre de 2024 hasta el 31 de mayo de 2025 ambos subsidios serán incompatibles con el trabajo por cuenta ajena, excepto cuando este se realice a tiempo parcial y se haya reconocido la compatibilidad por cumplir su beneficiario todos los requisitos exigidos para ello, en cuyo caso se deducirá de su importe la parte proporcional al tiempo trabajado. Esta deducción se efectuará además de cuando se acceda al subsidio manteniendo un contrato a tiempo parcial, cuando se esté percibiendo el subsidio y se obtenga un trabajo a tiempo parcial. En este último caso, si la compatibilidad se solicita dentro de los quince días hábiles siguientes a la fecha de inicio de la relación laboral, se aplicará desde dicha fecha, y si se solicita una vez transcurrido dicho plazo, se aplicará desde la fecha de la solicitud.

> Disposición transitoria cuadragésima cuarta [sic.] añadida por el Real Decreto-Ley 2/2024, de 21 de mayo, por el que se adoptan medidas urgentes para la simplificación y mejora del nivel asistencial de la protección por desempleo, y para completar la transposición de la Directiva (UE) 2019/1158 del Parlamento Europeo y del Consejo, de 20 de junio de 2019, relativa a la conciliación de la vida familiar y la vida profesional de los progenitores y los cuidadores, y por la que se deroga la Directiva 2010/10/18/UE del Consejo (BOE núm. 124, 22 de mayo de 2024).

**Disposición transitoria cuadragésima quinta.** *Obligación de comunicación del código de la Clasificación Nacional de Actividades Económicas 2025 (CNAE-2025).* En el caso de que los sujetos responsables de la obligación del ingreso de las cuotas de la Seguridad Social no hubieran comunicado a la Tesorería General de la Seguridad Social el nuevo código de la Clasificación Nacional de Actividades Económicas 2025, de conformidad con lo dispuesto en la disposición adicional única del Real Decreto 10/2025, de 14 de enero, por el que se aprueba la Clasificación Nacional de Actividades Económicas 2025 (CNAE-2025), en las liquidaciones de cuotas de la Seguridad Social que se practiquen a partir del 1 de enero de 2026 se aplicará, para la cobertura de las contingencias profesionales, el tipo de cotización superior de aquellos que sean aplicables a la totalidad de los códigos de la CNAE-2025 respecto de los que el código de la CNAE-2009 tenga una correspondencia, según las tablas publicadas por el Instituto Nacional de Estadística.

Las comunicaciones que se efectúen a partir del 1 de enero de 2026, por los sujetos a que se refiere el párrafo anterior, respecto del código de la CNAE-2025 en el que se clasifica la actividad económica, surtirán efectos, respecto de los tipos de cotización aplicables para la cobertura de contingencias profesionales, a partir del período de liquidación inmediatamente posterior al mes en el que se comunique el código de la CNAE-2025, sin que en ningún caso pueda darse efecto retroactivo a dichas comunicaciones.

Disposición transitoria cuadragésima quinta añadida por el Real Decreto-Ley 3/2026, de 3 de febrero, para la revalorización de las pensiones públicas y otras medidas urgentes en materia de Seguridad Social (BOE núm. 31, 4 de febrero de 2026).

**Disposición final primera.** *Título competencial*. La regulación contenida en esta ley será de aplicación general al amparo de lo previsto en el artículo 149.1.17ª de la Constitución, salvo los aspectos relativos al modo de ejercicio de las competencias y a la organización de los servicios en las comunidades autónomas que, de acuerdo con lo establecido en sus estatutos de autonomía, hayan asumido competencias en la materia regulada.

**Disposición final segunda.** *Competencias de otros departamentos ministeriales*. Las competencias que en esta ley se atribuyen al Ministerio de Empleo y Seguridad Social se entenderán sin perjuicio de las que, en relación con las distintas materias en ella reguladas, puedan corresponder a otros departamentos ministeriales.

**Disposición final tercera.** *Acomodación de las normas sobre pensión de jubilación por disminución de la edad*. El Gobierno, a propuesta del Ministerio de Empleo y Seguridad Social, acomodará la legislación vigente sobre pensión de jubilación en el sistema de Seguridad Social a efectos de la aplicación de lo previsto en el artículo 215 de la presente ley y en aquellos otros supuestos en los que la edad establecida con carácter general para tener derecho a dicha pensión haya de ser rebajada en desarrollo de medidas de fomento de empleo, siempre que las mismas conduzcan a la sustitución de unos trabajadores jubilados por otros en situación de desempleados.

**Disposición final cuarta.** *Trabajadores que permanezcan en activo*. El Gobierno podrá otorgar desgravaciones, o deducciones de cotizaciones sociales, en aquellos supuestos en que el trabajador opte por permanecer en activo, una vez alcanzada la edad prevista en el artículo 205.1, con suspensión proporcional al percibo de la pensión. La regulación de los mismos se hará previa consulta a las organizaciones sindicales y asociaciones empresariales más representativas.

**Disposición final quinta.** *Disposiciones relativas a trabajadores por cuenta ajena agrarios*. 1. Reglamentariamente se regulará la posible inclusión de determinados trabajos agrarios actualmente encuadrados en el Régimen General de la Seguridad Social, en el Sistema Especial para Trabajadores por Cuenta Ajena Agrarios, observando los requisitos establecidos en la presente ley y con garantía de los derechos de Seguridad Social reconocidos a los trabajadores de estos colectivos, previa consulta a la Comisión de seguimiento prevista en la disposición adicional decimoquinta.

2. La cotización de los trabajadores agrarios con contrato de trabajo a tiempo parcial se llevará a cabo de forma proporcional a la parte de jornada realizada efectivamente, en los términos y condiciones que se determinen reglamentariamente, y sin perjuicio de la aplicación de las bases mínimas de cotización que la ley establezca en cada momento.

3. A efectos de la posible actualización del tipo de cotización por formación profesional a que se refiere el artículo 255.2.e), numero 3.º, se tendrán en cuenta, en su caso, las propuestas que formule la correspondiente mesa de diálogo social.

**Disposición final sexta...**

Disposición final sexta derogada por el Real Decreto-Ley 13/2022, de 26 de julio, por el que se establece un nuevo sistema de cotización para los trabajadores por cuenta propia o autónomos y se mejora la protección por cese de actividad (BOE núm. 179, 27 de julio de 2022).

**Disposición final sexta bis.** *Ampliación del régimen de compatibilidad entre la pensión de jubilación y el trabajo por cuenta ajena.* Con posterioridad, y dentro del ámbito del diálogo social, y de los acuerdos en el seno del Pacto de Toledo, se procederá a aplicar al resto de la actividad por cuenta propia y al trabajo por cuenta ajena el mismo régimen de compatibilidad establecido entre la pensión de jubilación contributiva y la realización de trabajos regulado en el párrafo segundo del apartado 2 del artículo 214 de la presente Ley.

Disposición final sexta bis añadida por la Ley 6/2017, de 24 de octubre, de reformas urgentes del trabajo autónomo (BOE núm. 257, 25 de octubre de 2017).

**Disposición final séptima.** *Competencias sobre la incapacidad temporal.* La Secretaría de Estado de la Seguridad Social, a propuesta del Instituto Nacional de la Seguridad Social, y mediante resolución publicada en el "Boletín Oficial del Estado", determinará la fecha a partir de la cual se asumirán las funciones atribuidas en el artículo 170.1.

**Disposición final octava.** *Desarrollo reglamentario.* Se faculta al Ministerio de Empleo y Seguridad Social para dictar las normas de aplicación y desarrollo de la presente ley y proponer al Gobierno para su aprobación los reglamentos generales de la misma.

El Gobierno aprobará, asimismo, cuantas otras disposiciones resulten necesarias para la aplicación y desarrollo de lo previsto en esta ley. En particular, se habilita al Gobierno a regular dentro de la acción protectora por desempleo y con el régimen financiero y de gestión establecido en el capítulo VI del título III de esta ley el establecimiento de una ayuda específica denominada Renta Activa de Inserción, dirigida a los desempleados con especiales necesidades económicas y dificultad para encontrar empleo que adquieran el compromiso de realizar actuaciones favorecedoras de su inserción laboral.

– *Un viaje de siete días por motivos no especificados provoca la interrupción de la residencia en territorio español e impide el acceso a la renta activa de inserción, pues el tiempo como demandante de empleo empieza a contarse, ex novo, desde que se regresa a España* (STS de 25 de septiembre de 2024 [Rec. 2146/2022]).